¡A toda vela!

Annotated Teacher's Edition

Carmen Herrera
Paul Lamontagne

Contributing Writer
Elizabeth Millán

EMC
Publishing

ST. PAUL • LOS ANGELES • INDIANAPOLIS

Editorial Director: Alejandro Vargas
Product Manager: Charisse Litteken
Production Editor: Bob Dreas
Associate Editor: Hannah da Veiga
Proofreader: David Thorstad

Cover Designer: Leslie Anderson
Text Designer: Leslie Anderson
Composition: Charles Sawyer
Cover Image: GettyImages; Sail and Sky, Johner collection

Care has been taken to verify the accuracy of information presented in this book. However, the authors, editors, and publisher cannot accept responsibility for Web, e-mail, newsgroup, or chat room subject matter or content, or for consequences from application of the information in this book, and make no warranty, expressed or implied, with respect to its content.

Trademarks: Some of the product names and company names included in this book have been used for identification purposes only and may be trademarks or registered trade names of their respective manufacturers and sellers. The authors, editors, and publisher disclaim any affiliation, association, or connection with, or sponsorship or endorsement by, such owners.

AP is a registered trademark of the College Board, which was not involved in the production of, and does not endorse, this product.

We have made every effort to trace the ownership of all copyrighted material and to secure permission from copyright holders. In the event of any question arising as to the use of any material, we will be pleased to make the necessary corrections in future printings. Thanks are due to the aforementioned authors, publishers, and agents for permission to use the materials indicated.

ISBN 978-0-82193-715-0

© 2008 by **EMC Publishing, LLC**
875 Montreal Way
St. Paul, MN 55102
E-mail: educate@emcp.com
Web site: www.emcp.com

Printed in the United States of America

16 15 14 13 12 11 10 09   3 4 5 6 7 8 9 10

Contents

Scope and Sequence

Capítulo 1 ¡Buen viaje!

Comunicación	Temas	Cultura	Gramática y tapitas gramaticales
Lección A • hablar de viajar • modos de transporte • justificar un viaje cultural • describir un hotel • hablar del mercado turístico • hablar del impacto de la tecnología **Lección B** • hablar de la inmigración • explorar las tribulaciones y el impacto del turismo • discutir el bilingüismo y el biculturalismo	• los viajes • el turismo • la inmigración	**Lección A** • el archipiélago San Blas (Panamá) • Toledo (España) • Machu Picchu (Perú) • Hoteles originales • la vuelta al mundo • cómo viajan los latinos de los Estados Unidos • un viaje por Internet **Lección B** • la inmigración • tradiciones y costumbres • Cochabamba (Bolivia) • los indígenas y sus lenguas	**Lección A** • el presente, pretérito e imperfecto del indicativo • *lo que* y *el que* • adverbios • *al* + infinitivo • algunos usos del subjuntivo • *aquel* y *aquello* • el orden de los adjetivos • reconocer ciertos tiempos verbales • *solo* y *sólo* • género y número de *policía* • adverbios **Lección B** • el pretérito y el imperfecto del indicativo • el género de los sustantivos • el sufijo *-ísimo* • palabras negativas • verbos reflexivos • apócopes: *algún/alguno; cualquier/cualquiera* • algunos usos del subjuntivo • verbos como *gustar* • usos de *e, al, la mayoría de* y *todos los*

Capítulo 2 ¡Gente joven!

Comunicación	Temas	Cultura	Gramática y tapitas gramaticales
Lección A • estar a la moda • los valores de los jóvenes • cómo se definen los jóvenes • las aspiraciones de los jóvenes **Lección B** • conocer los problemas de otros jóvenes • describir el mundo de los niños y niñas de la calle • hablar de la importancia de seguir los estudios	• cómo se definen y qué valoran • cómo viven • cómo hablan	**Lección A** • la influencia de la moda • los jóvenes en su tiempo libre • metas y aspiraciones de los jóvenes • el lenguaje de la gente joven • la mayoría de edad **Lección B** • los jóvenes indígenas • albergues para jóvenes • la emancipación de los jóvenes • los niños soldados • los hispanoamericanos en Estados Unidos • los niños y niñas de la calle • los peligros de la tecnología	**Lección A** • *ser, estar* y *haber* • verbos reflexivos y construcciones reflexivas • *por* y *para* • *acabar* + gerundio • *pero, sino, sino que* **Lección B** • el futuro • los tiempos perfectos • los participios pasados • la voz pasiva • algunos usos del subjuntivo • *tomar* y *hacer* • *respeto* y *respecto* • *volverse, ponerse, hacerse, quedarse*

Capítulo 3 ¡Que aproveche!

Comunicación	Temas	Cultura	Gramática y tapitas gramaticales
Lección A • hablar de diferentes platos tradicionales • describir una receta • opinar sobre la comida • hablar de la influencia culinaria de otras culturas **Lección B** • hablar de las comidas y las dietas • discutir el tema del hambre mundial • hablar del impacto de la propaganda sobre lo que comemos	• comidas típicas • alimentos • restaurantes	**Lección A** • la comida típica de diferentes países hispánicos • el origen de ciertos alimentos • comida tradicional y comida moderna • el mate • auge de la comida latina **Lección B** • la alimentación vegetariana • la carne • el hambre • comer en Madrid • de compras por la comida • los menús escolares • la comida rápida • la comida como Patrimonio de la Humanidad	**Lección A** • el presente del subjuntivo • el subjuntivo en cláusulas nominales • los mandatos y la voz pasiva • formación de adjetivos • *el hecho de que* • formas del progresivo • identificar ciertos tiempos verbales • el artículo masculino con sustantivos femeninos • el orden de los pronombres • *que aproveche* y otras expresiones con *que* **Lección B** • el imperfecto, el presente perfecto y el pluscuamperfecto del subjuntivo • el condicional perfecto del indicativo • las preposiciones que siguen a algunos verbos • *ni...ni* • los demostrativos • algunos usos del subjuntivo • el significado de *crear* y *creer* • el prefijo *des-*

Capítulo 4 Personalidad y personalidades

Comunicación	Temas	Cultura	Gramática y tapitas gramaticales
Lección A • opinar sobre personas y personalidades • hablar sobre manías y fobias • hablar sobre el amor, la envidia y las mentiras • describir cómo nos comunicamos • opinar sobre el poder de la mente **Lección B** • hablar de los famosos • opinar sobre los héroes • discutir el impacto de los hispanos en Estados Unidos	• cómo es el ser humano • héroes, villanos y otros famosos • hispanos influyentes	**Lección A** • conceptos del amor • fobias, manías y miedos • atracción por lo malo o prohibido • la comunicación no verbal • elementos de la personalidad • los mentirosos **Lección B** • la influencia de los hispanos en Estados Unidos • George López • Penélope Cruz • Salma Hayek • Cristina Saralegui • meteduras de pata que han hecho historia	**Lección A** • el subjuntivo en cláusulas adjetivales y con expresiones impersonales • el subjuntivo en cláusulas adverbiales • *aun* y *aún* • expresiones con *lo* • los nexos • el orden de los adjetivos **Lección B** • preposiciones • pronombres • comparaciones • expresiones idiomáticas con *dar, poner* y *ponerse* • cognados y falsos cognados

Capítulo 5 El rincón literario

Comunicación	Temas	Cultura	Gramática y tapitas gramaticales
Lección A • hablar de los géneros literarios • conocer a algunos autores hispanos • conocer algunos movimientos de la literatura española • hablar del impacto de la tecnología en los libros del futuro **Lección B** • hablar de poesía • identificar editoriales • comprender la importancia de escribir bien • hablar de la lengua española • comprender cómo aprendemos	• la literatura • el idioma español • el arte de escribir	**Lección A** • el Premio Nobel • Federico García Lorca • Naguib Mahfouz • Carlos Fuentes • Pablo Neruda • *Don Quijote de la Mancha* **Lección B** • las técnicas poéticas • los nuevos diccionarios • los editoriales • la grafología • la tradición de escribir cartas • la riqueza de la lengua española • cómo aprendemos • el éxito académico	**Lección A** • repaso de los tiempos verbales • otros usos de *se* con verbos • los infinitivos • las preposiciones • el orden de los adjetivos • *solo* y *sólo* • las mayúsculas • el pronombre de objeto indirecto • los usos de *la, el, le* y *lo* • el comparativo y el superlativo • *antiguo* y *viejo* **Lección B** • estrategias de escritura: palabras y vocabulario • *y / e* • verbos con *se* • sinónimos • *hay* • frases en aposición • la falta de artículos • pronombres de objeto directo • verbos con cambio de raíz en el presente • verbos seguidos de preposición • usos de *alguno, cuyo, ya* y *eso*

Capítulo 6 Puro deporte

Comunicación	Temas	Cultura	Gramática y tapitas gramaticales
Lección A • hablar de los deportes • comprender cómo se organizan los Juegos Olímpicos • discutir la pasión por el fútbol • entender los juegos de pelota antiguos **Lección B** • hablar de la violencia en los deportes • hablar de los sobornos y el dopaje • expresar opiniones sobre las corridas de toros • describir el impacto de la competencia en los deportes	• los deportes • los atletas • los Juegos Olímpicos	**Lección A** • los atletas • los Juegos Olímpicos • la popularidad del fútbol • deportes en la Edad Media • juegos de pelota **Lección B** • la mujer y el deporte • la historia del baloncesto • las asociaciones deportivas • los deportes en Cuba • el fútbol en Argentina • los toros	**Lección A** • el género de los sustantivos • el infinitivo, indicativo y subjuntivo • expresiones impersonales con *se* • el progresivo • *llegar a ser, ponerse, hacerse, volverse* • *al* + infinitivo • verbos con preposiciones • adverbios • *pero* y *sino* **Lección B** • los verbos con preposiciones • la voz pasiva • el presente progresivo • expresiones con *lo* • *solamente, solo* y *sólo* • verbos usados como sustantivos • participios pasados usados como adjetivos • *para* o *por* • los tiempos verbales • *aun* y *aún* • adverbios • las nacionalidades • *se lo* • el orden de las palabras

Capítulo 7 ¡Conéctese a su mundo!

Comunicación	Temas	Cultura	Gramática y tapitas gramaticales
Lección A • hablar del impacto de la tecnología • hablar de la importancia de los idiomas • describir los problemas ecológicos **Lección B** • entender algunos temas ecológicos • hablar del proceso de aprender idiomas	• inventos y tecnología • idiomas • ecología	**Lección A** • Western Union • los teléfonos celulares • estudio del español • estudio del chino • los bosques • La Amazonia **Lección B** • los teléfonos celulares • los temas ecológicos • la insistencia de hablar inglés • el idioma e Internet • las lenguas indígenas • las interacciones entre padres e hijos	**Lección A** • repaso de los tiempos verbales • el comparativo y el superlativo • *por* y *para* • el género de los sustantivos • los pronombres personales y los adjetivos posesivos • el subjuntivo • pronombres relativos • la terminación *-quiera* • reconocer ciertos tiempos verbales • formas apócopes • *ambos* **Lección B** • el subjuntivo • el progresivo • el participio presente y pasado • repaso de los tiempos verbales • el infinitivo • verbos seguidos de preposiciones • *lo* y *lo que* • *por, por qué, para* y *para que* • transformar adjetivos en adverbios • los usos y omisión del artículo definido • los adjetivos y pronombres demostrativos

Capítulo 8 Festival de Arte

Comunicación	Temas	Cultura	Gramática y tapitas gramaticales
Lección A • hablar de las bellas artes • comprender el arte de varios artistas hispanos • entender el impacto de la población hispana en la televisión norteamericana **Lección B** • hablar de arte • discutir las clasificaciones de películas • hablar de varios géneros de música • comprender aspectos del imperio azteca	• el arte • el baile • la música • el cine, la radio y la televisión	**Lección A** • El Museo Guggenheim Bilbao • Fernando Botero • la televisión hispana en Estados Unidos • Pablo Picasso • Frida Kahlo **Lección B** • Pierre-Auguste Renoir • La Ruta Quetzal • la ópera • Ciudadparaciegos • la música punk • Salvador Dalí • La Oreja de Van Gogh • el imperio azteca	**Lección A** • el condicional • *ser* y *estar* • los participios • los tiempos del pasado del indicativo • el futuro • el imperfecto y el presente perfecto del subjuntivo • el género de los sustantivos • las preposiciones • los artículos • los números ordinales • la posición de los adjetivos • los sustantivos compuestos **Lección B** • repaso de los tiempos verbales • el infinitivo • las conjunciones • los pronombres relativos • la posición de los adjetivos • las preposiciones • el uso de *lo* • los números ordinales • el género de los sustantivos • *sino* y *pero* • la omisión del artículo • formas apócopes

¡A toda vela! Components

A variety of products makes teaching and learning meaningful and fun.

The Student Text

¡A toda vela! methodically inspires students to zero in on the opportune and relevant ideas within each theme-based chapter, supplies ample familiarity of these topics, and provides liberal practice so that students gain confidence in reading, listening, speaking, and writing. The text breaks new ground in motivating students and increases their proficiency in Spanish by efficiently combining vocabulary, grammar, and authentic sources in a series of eight carefully designed chapters that are divided into two lessons. The first lesson of each chapter deals primarily with generic content about the chapter topics, with abundant and engaging points for reflection and discussion that are of high interest to students. The second lesson presses the generic and high interest information of the chapter topics onto more pensive and contemplative discussions, stirs some debate, and is sure to incite some spirited exchanges among students.

Each lesson reinforces the chapter theme with substantial vocabulary and grammar exercises in context, readings and recordings from a generous cross section of Spanish-language media, and a multitude of tasks that incorporate the focal changes in the Advanced Spanish Language Exam. *¡A toda vela!* helps students to develop the competence to synthesize information from these texts, to assess the content, register, tone, and background of each source, and to draw conclusions from them. Students will learn to decode and interpret the main ideas and details of authentic sources and to make inferences from them when comparing and contrasting two or more of these sources before completing tasks such as writing an essay or making an oral presentation.

Students will also have the opportunity to complete a range of writing and speaking activities that they might do alone, with a partner, in a small group, or with the entire class. These activities include guided conversations, blogs and forums, vocabulary exercises in context, intuitive grammar exercises in context, quotes, proverbs, or sayings and fun facts, oral or written presentations, informal and formal writing, and projects. The use of authentic materials motivates students to expand their knowledge of the Spanish-speaking world. Clear and concise intuitive grammar exercises oblige students to use their prior knowledge in order to personalize a solid understanding of Spanish grammar with increasing accuracy. Students strengthen practical and meaningful speaking skills in Spanish through diverse communicative activities. The many text-related photographs provide appealing, authentic visual support for the themes of every chapter.

The key features of each lesson include:

- a list of the communication, grammar, and culture objectives for each lesson
- ten introductory questions that elicit the students' prior knowledge about the theme and encourage discussion
- creation of short dialogues with prompts
- extensive presentation, practice, and word association lists, and a review of vocabulary in context with exercises that accompany each authentic source article
- succinct inductive grammar exercises through numerous tasks that accompany various authentic source articles in each lesson
- pair, small-group, and full-class tasks that invite students to share learning, observations, and insights throughout each lesson
- several quotes, proverbs, or sayings (*Cita, Refrán, Dicho*) and interesting facts (*Dato curioso*) interwoven through-

out the lesson and which encourage additional conversation, thoughts, and observations about the topics in each lesson
- extensive reading practice of authentic texts with follow-up comprehension questions, numerous listening comprehension recordings with representative voices and registers from many Spanish-speaking countries, and pertinent exercises, projects, and prompts that creatively integrate the vocabulary and grammar from the lesson
- some helpful hints, rubrics, charts, and pointers for organizing, developing, and presenting essays, e-mails, letters, debates, and presentations included in each lesson
- a comprehensive vocabulary list of the key words from the lesson

Activity icons

Pair Activity

Reading Activity

Vocabulary or Grammar Activity

Writing Activity

Integrated Skills Activity

Listening Activity

Speaking Activity

Small Group Activity

Workbook

 Assessment

The **Teacher Resources** section lists when to use *¡A toda vela!* support materials.

The **Additional Activities** section expands on textbook content with ideas for extra speaking, reading, and writing activities and dozens of games and communicative activities that can be incorporated into your daily lessons. Refer to pages TE24–TE29 for detailed descriptions.

Answers save you valuable time

Instructional Notes provide teaching suggestions that enhance your presentation of each lesson's theme.

Notas culturales provide background information that adds insight to the photos, readings, *Citas*, and *Datos curiosos*.

Teacher Resources

The comprehensive workbook provides ample opportunity for students to review troublesome grammatical topics and expand already solid skills. Authentic texts including news articles, short stories, and poems give students reading and writing practice. Paragraph completion exercises and informal and formal writing activities help prepare students for college-level exams. The workbook also provides a new take on traditional review exercises. Audio recordings support workbook content.

The audio program includes the listening and informal speaking portion of the textbook exercises.

The *¡A toda vela!* Web site provides digital instructional resources. Packed with grammar and vocabulary activities, practice AP tests, cultural resources, additional informal speaking practice and games, the *¡A toda vela!* Web site helps students approach Spanish language learning at full sail.

ExamView® Assessment Suite

The **ExamView** program allows you to use the suggested assessment or create your own. Assessment audio is included on CD or in downloadable format.

Textbook and Teacher's Edition Tour

The contents and special features of *¡A toda vela!* make teaching and learning effective and fun.

Chapter topics are listed

Each chapter offers an attractive and representative photo of one of the chapter topics

Overview gives a thumbnail sketch of each chapter

Capítulo **1**

¡Buen viaje!

Temas
- Los viajes
- El turismo
- La inmigración

1

Overview of chapter 1

The photographs on the chapter openers depict one of the themes or places to be explored; here, the subject is Machu Picchu, an Inca stronghold in the Andes, some 80 km northwest of Cusco, Peru. Engage students in a discussion of this site as both a cultural and tourist destination, possibly talking about its cultural importance, the pros and cons of traveling to such isolated places, and any special preparation travelers might need to make. Perhaps you or one of the students has visited this site (or knows someone who has) and could share his or her experience with the rest of the class.

Instructional Notes

You might want to ask the following questions related to the topics of this chapter: *¿Qué es lo primero que les viene a la mente cuando se habla de viajar? ¿Qué relación o diferencia hay entre ser turista y ser viajero? ¿Prefieren ser Uds. turistas o viajeros? ¿Por qué? ¿Qué tipo de turismo ofrece su comunidad o estado/región? ¿Qué problemas enfrentan los inmigrantes en los Estados Unidos?*

Suggestions to enhance teaching with the photo or topics of each chapter

Nota cultural

Un arqueólogo de Yale, Hiram Bingham, encontró Machu Picchu en 1911. Los incas crearon esta pequeña, pero increíble ciudad. En las terrazas que había alrededor, cultivaban la comida necesaria para toda la población. La ciudad no se puede ver desde abajo (está a una altitud de 2.400 metros), y es por lo que fue olvidada por tanto tiempo. Las piedras que la forman fueron hechas y unidas con tal precisión (se dice que ni siquiera se pueda meter la cuchilla de una navaja entre ellas), que ha creado todo tipo de leyendas. Los dos edificios más destacados son la Casa de la Ñusta —probablemente una zona de baños— y el intihuatana, u observatorio astronóminco, ya que los incas estudiaban los movimientos del Sol.

Cultural information related to photo on opener here, and to theme-related topics on other pages

1

Instructional Notes

In this lesson, students will read about San Blas, Toledo, and Machu Picchu. You could prepare a slide show (with actual slides or photos of the places mentioned), so that students can see and learn more about them. You might want to share this information at the start of this lesson or at the start of each relevant article. You might also encourage students to do some research on their own.

The top photo shows la Plaza de España (Seville); the bottom photo, la Plaza de la Constitución and la Catedral Metropolitana (Mexico City).

Each lesson lists objectives for communication, grammar, "Tapitas" gramaticales (secondary grammar points), and culture

Connection to EMC Web site for additional activities

Lección

A

Objetivos

Comunicación
- Hablar de viajar, de los viajes y modos de transporte
- Justificar un viaje cultural
- Describir un hotel
- Hablar del mercado turístico
- Hablar del impacto de la tecnología sobre el turismo

Gramática
- El presente, pretérito e imperfecto del indicativo

"Tapitas" gramaticales
- *lo que* y *el que*
- adverbios
- *al* + infinitivo
- algunos usos del subjuntivo
- *aquel* y *aquello*
- el orden de los adjetivos
- reconocer ciertos tiempos verbales
- *solo* y *sólo*
- género y número de *policía*
- adverbios

Cultura
- El archipiélago San Blas (Panamá)
- Toledo (España)
- Machu Picchu (Perú)
- Hoteles originales
- La vuelta al mundo
- Cómo viajan los latinos de los EE.UU.
- Un viaje por Internet

Visite la página Web de *¡A toda vela!* en www.emcp.com

2   Capítulo 1 • ¡Buen viaje!

Photos set the mood for the communication and culture objectives and invite questions for lively discussions

---

Nota cultural

La Plaza de España fue diseñada para ser el Pabellón de España durante la Exposición Iberoamericana en Sevilla en 1929. Están representadas en ella todas... país con preciosos azulejos... barrio sevillano. La Plaza... (también se le conoce como... sido el centro de reuniones... religiosos durante siglos, p... lugar en el que se fundó Te... antigua ciudad de los aztec...

2

Section of warm-up activities related to the chapter topics

Each lesson starts with ten open-ended questions to encourage student opinion

---

Para empezar

1 Conteste las preguntas

Piense en las respuestas a las siguientes preguntas. Ud. puede tomar notas si lo considera necesario. Cuando termine, compare sus respuestas —pero sin mirar sus notas— con las de un/a compañero/a.

1. ¿Por qué le atrae (o no) viajar?
2. Haga una lista de diferentes medios de transporte.
3. ¿Qué medio de transporte prefiere Ud. para viajar? ¿Por qué?
4. Nombre cinco cosas que no le permiten a uno llevar en un avión.
5. ¿Ha viajado Ud. alguna vez al extranjero? ¿Adónde? ¿Adónde le gustaría ir? ¿Por qué?
6. En sus viajes, ¿cuáles han sido los lugares que más le han llamado la atención?
7. ¿Estaría Ud. interesado/a en explorar un lugar lejano? ¿Cuál o cuáles? ¿Por qué?
8. ¿Qué lugares del mundo hispanohablantes le gustaría visitar?
9. Nombre algunos edificios, monumentos o zonas famosas para visitar en países.
10. ¿Qué piensa de los viajes de aventura? ¿Despiertan estos viajes su interés? ¿Por qué?

Toda la familia disfruta de un día en el campo.

Cita

No hay ninguna razón para alarmarse, y esperamos que disfruten del vuelo. Por cierto, ¿hay alguien a bordo que sepa pilotar un avión?
–De la película *Aterriza cómo puedas*; título original: *Airplane*

 ¿Le da miedo a Ud. ir en algún tipo de medio de transporte? ¿Por qué? Comparta su respuesta con un/a compañero/a.

Dato curioso

¿Sabía que existe el síndrome del acento extranjero? Existen casos en los que un individuo termina hablando inconscientemente con acento distinto al de su lengua natal o incluso en un idioma irreconocible, producto de lo que ha oído.

2 Mini-diálogos

Ud. va a crear un mini-diálogo con un/a compañero/a. Lea la descripción de la conversación antes de empezar. Puede tomar notas para organizar sus ideas, pero no las mire mientras conversa.

Escena: Dos amigos/as están en una cafetería y hablan sobre viajes que han hecho.

A:	Entable una conversación sobre viajar. Pregúntele a su compañero/a sobre un viaje que hizo.
B:	Hable sobre un viaje reciente.
A:	Hágale dos preguntas sobre su viaje.
B:	Conteste las preguntas y hágale preguntas sobre su viaje.
A:	Conteste las preguntas con algún dato interesante o sorprendente.
B:	Reaccione con sorpresa.
A:	Haga una comentario sobre su reacción. Despídase cordialmente.
B:	Despídase cordialmente.

Lección 1A   3

Nota cultural

Este cambio de adquirir un acento extranjero que se describe en el Dato curioso ocurre en poco tiempo, por lo que estas personas suelen tener problemas emocionales ya que no pueden hacer nada para evitarlo.

Answers

1 Answers will vary.

2 Dialogues will vary.

Instructional Notes

1 Here and in subsequent chapters, you might want to have students work in small groups or have the entire class participate in a discussion. Writing notes will help students to think about what they are going to say, and will also encourage them to use appropriate vocabulary. Remind them, however, not to read from their notes when answering these questions. You may also choose to have students improvise their answers, or ask each student to speak for about a minute (you will be the timekeeper), answering one of the questions.

Ask students to describe the photo on the page by asking: *¿Cuántas personas hay en la foto? ¿Adónde creen que se dirigen? ¿Les gustaría participar en actividades parecidas con su familia? ¿Por qué?*

2 You might want to have some pairs of students present their dialogues in class. This activity might also be done at the end of the lesson as a review of the material covered. You could ask students to work in groups of four; two should present the dialogue and the other two should take notes, and then summarize or critique the dialogue presented to them. Later the pairs of students could switch roles.

Remind students that they need to answer with some substantive replies and should avoid a simple yes or no answer. A sample dialogue follows.

A: Viajar es algo que me encanta. Suelo viajar mucho con mis amigos. ¿Tú te has ido de viaje este verano?
B: Sí, he ido a Italia por una semana con mi familia. Me encantó.
A: ¿Es la primera vez que vas? ¿Qué ciudades has visto?
B: Sí, es la primera vez que voy. Estuvimos en Roma y Florencia. ¿Y tú? ¿Dónde estuviste?
A: Mis amigos y yo fuimos a Santa Mónica por una semana.
B: ¡A Santa Mónica! ¡Yo también estuve allí dos semanas! ¡No me lo puedo creer!
A: ¡Qué coincidencia! Bueno, me tengo que ir, tengo prisa.
B: Yo también. Ya hablamos otro día y miramos fotos de los viajes.

Icons indicate pair work

Throughout all lessons, quotes, proverbs, or sayings offer insights into the chapter topics and invite discussion

Interesting facts related to the topic are also scattered throughout each lesson

Practice in creating a dialogue with a partner on chapter topics with prompts

Sample dialogue

Suggestions to enhance teaching with the photo or topics of each chapter

3

Complete answer key

Vocabulary enrichment and contextualized grammar section

Readings with vocabulary words highlighted in blue, grammar in red

Icon indicates that students are expected to read the following article

Activities to increase vocabulary and categorize according to part of speech

Icon indicates that students should go back to search for answers

Grammar-based activities based on, or related to, the reading. Students will review grammar on their own and should answer all such questions in Spanish

Students work in pairs to exchange opinions about the reading

Additional reading; vocabulary words always highlighted in blue and grammar in red

Each article is always accompanied by a corresponding vocabulary activity so students can learn this vocabulary in the context of the article; the words in all such activities will always be in the same order in which they appear in the reading. Some of these activities match targeted words with definitions in Spanish

Reference to workbook for additional activities

Students review and practice grammar and are asked to intuitively formulate the grammar rule as it is found in the article

Icon indicates that students need to write a response

Students write responses in a variety of formats

Students must complete a passage with the correct form of the word given

Suggestions for additional activities

Teacher Resources

Activity 1

Answers

4 Some answers might vary; for example, students might not consider words such as aperitivos or deseando to be related to travel. Sustantivos: destino, auxiliares de vuelo, aperitivos, cinturón, pasillo, pasajeros, equipaje de mano, viajes programados, horario, rutas, mochila, caminatas; Adjetivos: incómodos, amables; Verbos: despega, aterriza, deseando, abrochen, estresa, hacen cola, empujan, lanzarme a, procura, me apetece; Expresiones: me dan pánico

5 1. Además del uso común, se usa en lugar del futuro para acciones planeadas (mañana nos vamos al campo), con hacer para expresar el tiempo que uno lleva en hacer algo: hace + (tiempo) + que + presente (hace tres días que estudio para el examen), presente + (desde) hace + tiempo (vivo en Valencia desde hace dos años), y presente + desde + adjetivo (estudio español desde pequeño). 2. Ejemplos: me dan pánico, considero, despega, aterriza, estoy, son, distraen, pueden, etc. (uso común); Este verano nos vamos (en lugar del futuro). 3. I have been; 4. Ejemplos: dar, doy; estar, estoy; ser, soy; distraer, distraigo; hacer, hago; ir, voy; decir, digo; tener, tengo; 5. Ejemplos: ser, estar, ir, construir, destruir, haber, oír, oler; 6. En los foros: poder (o > ue), recordar (o > ue), negarse (e > ie), querer (e > ie); otros verbos: jugar (u > ue), pedir (e > i); Los ejemplos variarán. 7. Ejemplos: deshacer, sostener, entretener, obtener, mantener, componer, contraer, atraer, distraerse, prevenir; 8. La g se convierte en j para conservar el mismo sonido del infinitivo. Ejemplos: influir > influyo; dirigir > dirijo; conseguir > consigo; conducir > conduzco; permanecer > permanezco; 9. actúo, actúas, actúa, actuamos, actuáis, actúan; envío, envías, envía, enviamos, enviáis, envían; Se coloca el acento en la u al actuar y en la i en enviar en todas las personas del singular y en la tercera persona del plural. Otros verbos incluyen: confiar, desafiar, desviar, esquiar, resfriarse, vaciar, variar, continuar, graduarse, puntuar.

Instructional Notes

5 For question 5, ask students to write the complete conjugations for some of these verbs. You might want to point out the difference between an irregular verb and a spelling-changing one.

Additional Activities

3 As a homework assignment, students could also write original sentences with these words, find synonyms or similar expressions for them in Spanish, or even create a crossword puzzle using the new vocabulary.

Vocabulario y gramática en contexto

3 Un foro

Túrnese con un/a compañero/a para leer los comentarios que dos personas han escrito en un foro sobre viajar. Fíjese en las palabras que aparecen en azul (relacionadas con el vocabulario) y en rojo (relacionadas con la gramática), ya que en las siguientes actividades se le harán preguntas sobre ellas.

Los aviones me dan pánico, además los con hasta que estoy siempre estresad los auxiliares de vuelo son bastante amables y recuerdan que te abroches el cinturón y que haces cola en el pasillo y los pasajeros se en impacientemente el equipaje de mano del a mis amigos que me niego que vayamos m

Para mí, la mejor forma de viajar es en tren porque no te relaja el estar siempre preocu me gusta escoger mi mochila y lanzarme a lugares turísticos y procuro ir con tiempo a tiempo en un sitio pueda hacerlo. Llevo hac que es importante que tenga la flexibilidad

4 Amplíe su vocabulario

Clasifique las palabras que aparecen en azul en las lecturas anteriores según sean sustantivos, adjetivos, verbos o expresiones, y relacionadas con viajar.

5 El presente del indicativo

Conteste estas preguntas y haga las siguientes actividades relacionadas con las lecturas de la Actividad 3.

1. ¿Cuándo se usa el presente del indicativo en español?
2. Busque dos usos diferentes del presente del indicativo en los comentarios del foro.
3. ¿Cómo se traduce llevo en este contexto?
4. Haga una lista de cinco verbos que aparecen en los foros y cuya forma en la primera persona del singular es irregular. Escriba el infinitivo del verbo y la primera persona del singular.
5. Haga una lista de siete verbos que requieran que sean irregulares en más de una persona. No es necesario que aparezcan en el texto.
6. Haga una lista de cuatro verbos de cambio vocálico en el presente que se usan en los foros. Escriba el infinitivo e indique el cambio

vocálico. Aparte de estos verbos, ¿cuáles son los otros cambios vocálicos que siguen los verbos? Dé varios ejemplos de otros verbos.
7. Haga una lista de al menos un verbo compuesto de cada uno de los siguientes: hacer, tener, poner, traer y venir. Por ejemplo, hacer, rehacer.
8. El verbo escoger tiene un cambio ortográfico en la primera persona singular del presente. ¿Cuál es el cambio y por qué se hace? Muestre los cambios que ocurren en los verbos con la terminación en -uir, -gir, -guir y -cir/-cer, dando un ejemplo de cada caso.
9. Conjugue actuar y enviar. ¿Dónde se coloca el acento? Escriba otros verbos que sigan la regla.

Capítulo 1 • ¡Buen viaje! 4

---

6 "Tapitas" gramaticales

Conteste estas preguntas basadas en las lecturas de la Actividad 3.

1. ¿Qué significa lo que en inglés? Explique la diferencia entre lo que y el que.
2. ¿Qué significa impacientemente en inglés? ¿Qué otros ejemplos hay de adverbios e
3. ¿Cómo traduciría al estar en la segunda lectura? ¿Hay otro significado de al más el infinitivo? ¿Cuál es?
4. Diga de qué tiempo verbal se trata tenga en la expresión es importante que tenga y qué se usa en esta situación.
5. Diga de qué tiempo verbal se trata quiera en la expresión cuando quiera y por qué en esta situación.

7 ¿Qué opina?

Reaccione a lo que cada persona ha escrito en el foro y comparta su opinión con un compañero/a. Incluya palabras de las lecturas que aparecen en azul.

8 Un viaje

Lea con atención el siguiente artículo, prestando atención a las palabras en azul y rojo, ya que se le harán preguntas sobre ellas.

De viaje en moto

Era todavía de noche cuando mi hermano y yo nos marchamos de casa. Dejamos atrás a nuestros padres con una sonrisa forzada, diciéndonos adiós "con la mano por un buen rato. Nunca me gustaron las despedidas. Alejandro y yo teníamos el mismo dolor en el estómago, una mezcla de nuestras emociones en aquel momento. Por fin "habíamos logrado hacer el viaje con el que siempre habíamos soñado. Íbamos a recorrer Sudamérica en la viaje en moto de nuestro abuelo. El viento nos golpeaba la cara, y apenas éramos lo "que el otro decía. Aun así manteníamos largas y apasionadas conversaciones. La niebla de la mañana apenas nos dejaba ver la carretera, lo que hacía todo mucho más interesante, más "desafiante. Fue el comienzo de una gran aventura, nuestra gran aventura que nos cambiaría la vida. Un viaje lleno de retos, sorpresas, percances y descubrimientos. En cada cuesta "recibíamos en silencio para que la pobre moto pudiera continuar su camino. Ahí estaba, todo un mundo a nuestro alcance.

9 Amplíe su vocabulario

Mire las palabras de la primera columna, que aparecen en la lectura anterior, y busque su definición en la segunda columna.

1. despedida — a. atravesar un lugar o un espaci
2. lograr — b. momento en el que se dice adi a una persona
3. recorrer — c. problema que surge, que no e previsto
4. apenas — d. conjunto de nubes que no per ver con claridad
5. niebla — e. conseguir algo con esfuerzo
6. desafiante — f. algo que es posible de obtener
7. reto — g. casi no
8. percance — h. objetivo, meta
9. alcance — i. que requiere estímulo y esfuer para ser logrado

Lección 1A 5

Notas culturales

Diarios de motocicleta es una película que narra parte de la vida del revolucionario argentino Ernesto "Che" Guevara y su viaje en moto con su amigo Alberto Granado. Durante este viaje los dos jóvenes entran en contacto con la pobreza y la miseria. Se ofrecen como voluntarios en una colonia de leprosos en el norte de Perú. Esta experiencia, entre otras, cambia el modo de ver al mundo de Guevara, poco a poco convirtiéndolo en el "Che" revolucionario unos años después. Durante el viaje los dos amigos recorren más de 12.000 kilómetros, desde la Argentina pasa...

En algunos países hispanohablantes es común el uso de las motos. Los jóvenes no consiguen el permiso de conducir hasta que cumplen dieciocho años, y aun entonces no todos se sacan el carné o el permiso de manejar porque es más costoso y difícil que en los Estados Unidos. En las escuelas no hay clases de conducir, pero sí hay algunos jóvenes con motos y otros muchos que usan el transporte público.

Pregúnteles a los estudiantes: ¿Qué impacto tendría en la vida de los jóvenes en los Estados Unidos si no pudieran conseguir el carné hasta los 18 años?

Teacher Resources

Activity 2

Answers

11 1. Pretérito: nos marchamos, dejamos, gustaron, fue; Imperfecto: era, teníamos, hablábamos, íbamos, golpeaba, oíamos, decía, manteníamos, dejaba, hacía, rezábamos, estaba; 2. Conjugations will vary: Ser, ir y ver son irregulares; ser: era, eras, era, éramos, erais, eran; ir: iba, ibas, iba, íbamos, ibais, iban; ver: veía, veías, veía, veíamos, veíais, veían. En ser e ir se coloca el acento en la primera persona del plural; en ver hay un acento en la í en todas las formas. 3. Se usa el imperfecto para: indicar lo que pasaba mientras otra acción ocurría; indicar hechos que continuaban en el pasado por un período de tiempo no especificado; indicar el transcurso de tiempo o la hora (Hacía meses que no lo veía. Eran las dos de la tarde.); sustituir al condicional (Prometí que pagaba/pagaría.); hablar de los pensamientos y sentimientos.

12 1. aquel + sustantivo: Aquello nunca precede a un sustantivo. 2. Gran delante del sustantivo cambia el significado a "great". Vieja delante de moto es de uso poético aunque en otros ejemplos también cambia el significado. No es posible decir moto grande grande porque grande tiene que seguir al sustantivo. 3. Pluscuamperfecto del indicativo; es compuesto; Presente perfecto: hemos soñado; futuro perfecto: habremos soñado; presente perfecto del subjuntivo: hayamos soñado; 4. El subjuntivo; Rezo/Rezamos para que la pobre moto pueda continuar.

13 E-mails will vary.

14 1. Fue; 2. llegué; 3. se acercó; 4. deshizo; 5. dejó; 6. dejó; 7. estaba; 8. había; 9. se alejó; 10. estaba; 11. tenía; 12. Estaba; 13. tenía; 14. Estaba; 15. dolían; 16. fue; 17. quería; 18. tuve

Instructional Notes

12 To expand question 2, you might want to mention adjectives that change their meaning depending on whether they precede or follow the nouns they are modifying. Examples include:

	Después del sustantivo	Antes del sustantivo
medio	average	half
pobre	poor (not rich)	wretched/miserable
puro	pure/clean	sheer
rico	rich	delicious
varios	assorted/various	several

13 Have students brainstorm expressions that could be useful to begin and end an e-mail. Encourage them to write a list of these expressions and keep adding to it during the school year.

---

10 El tiempo

Con un/a compañero/a, haga una lista de las palabras o expresiones que conozcan relacionadas con el tiempo atmosférico. Piensen en otras palabras o expresiones relacionadas que les gustaría saber y búsquenlas en el diccionario.

11 El imperfecto del indicativo

Conteste estas preguntas relacionadas con el artículo "De viaje en moto".

1. Haga una lista de todos los verbos en pretérito y en imperfecto, que aparecen en el texto.
2. Conjugue tres verbos diferentes terminaciones en imperfecto. Diga cuáles son los verbos irregulares en este tiempo verbal. ¿Dónde se coloca el acento?
3. Explique el uso del imperfecto del indicativo.

12 "Tapitas" gramaticales

Conteste estas preguntas basadas en "De viaje en moto".

1. ¿Por qué decimos aquel momento y no aquello? ¿Por qué cree Ud. que pone el adjetivo
2. ¿Por qué dice el autor gran aventura y vieja moto? ¿Por qué ...
3. ¿Qué tiempo verbal es habíamos soñado? ¿Es simple o compuesto? ¿Cómo se expresaría el presente perfecto y futuro perfecto del indicativo, y el presente ... subjuntivo?
4. ¿Qué tiempo verbal sigue a la expresión para que ...

13 Escriba

En un correo electrónico explíquele a un/a amigo/a que Ud. está planeando hacer un viaje en moto. Hable de las ventajas o desventajas de este medio de transporte, hable de los retos del viaje y sugiera un recorrido para ir juntos/as.

14 ¿Pretérito o imperfecto?

Échele una ojeada al artículo que sigue, prestando atención a las palabras en azul y rojo, ya que se le harán preguntas sobre ellas. Luego lea el artículo y complételo con el pretérito o el imperfecto de los verbos entre paréntesis según el contexto.

No creo que quiera ser más aventurero después de mi experiencia en mi último viaje. 1. ___ (Ser) un desastre. En cuanto 2. ___ (llegar) a la aduana, 3. ___ (ocurrir) un pelión y 4. ___ (deshacer) todo mi equipaje. Después de un par de horas por fin me 5. ___ (dejar) ir. Más tarde un extrañísimo taxista me 6. ___ (dejar) abandonado en una calle que 7. ___ (estar) bastante oscura, y en un lugar muy solitario. Apenas 8. ___ (haber) gente por allí. En cuanto 9. ___ (alejarse) me di cuenta de que se había llevado mi cartera. A este punto 10. ___ (tener) completamente mojado por la lluvia y hambriento, y he de reconocer que 11. ___ (tener) fuerzas ni para hacer una llamada a mis padres para pedirles ayuda. 14. ___ (Estar) agotado física y mentalmente, y me 15. ___ (doler) los huesos. Ese 16. ___ (ser) sólo el comienzo de un agotador viaje. 17. ___ (querer) aventura... bien, ¡pues la 18. ___ (tener)!

Additional Activities

Vocabulario
You might want to have students do this activity after they have completed activity 10. Tell them:

Hagan cuatro columnas para las cuatro estaciones del año y escriban palabras o expresiones que describen el tiempo típico de cada una. Por ejemplo, La primavera: llovizna, llover a cántaros, chispear, el granizo, la tormenta, los rayos, los truenos.

Comunicación
To practice speaking skills, have students work with a partner and talk about which seasons they like most and which they like least. You could also ask: ¿Quién puede dar un ejemplo de un país que tenga una estación diferente a la nuestra en este momento? (Argentina) ¿A qué se debe? (Está en el hemisferio sur.)

Capítulo 1 • ¡Buen viaje! 6

Teacher Resources

📖 Activity 4

Answers

19 1. se acercan; 2. el riesgo; 3. el comienzo; 4. sorprendidos; 5. divertida; 6. atrevido; 7. cercano; 8. susto; 9. asiento; 10. llueva

Instructional Notes

18 You might have students complete this activity in pairs until they feel more confident doing it alone. You could also go over some of the rules regarding the formation of nouns and adjectives from verbs.

After students complete the activity, ask them to do *El desafío del minuto* or *Familia de palabras*. See p. TE27.

19 Students could work in pairs until they feel more confident completing the activity by themselves. Ask them to pay special attention to the words surrounding the blanks, because they offer clues as to the part of speech. Encourage them to underline key words that will help them figure out the correct answer. Remind them to consider the gender and number for nouns, and for verbs the person, tense, and mood. You might want to do a couple of sentences with the entire class.

Additional Activities

Composición
After students have completed activity 19, ask them to write a paragraph using as many words as they can and from the three different parts of speech shown in the table (*verbo, sustantivo, adjetivo*). Ask a few students how many new words they used and stress the importance of using these words in context in order to retain the meaning.

---

18 Verbos
acercarse (a) *to get close (to)*
adaptarse (a) *to adapt oneself (to)*
alejarse (de) *to go away (from)*
alquilar *to rent*
arriesgarse (a) *to risk*
asustarse (de) *to be frightened (by)*
aterrizar *to land*
atreverse (a) *to dare (to)*
comenzar (a) *to start/begin (to)*
divertirse *to have a good time*
emocionarse *to be moved, excited*
llover *to rain*
lograr *to obtain, achieve*
sentarse *to sit down*
sorprenderse (de) *to be surprised (by)*

Sustantivos
la cercanía *closeness, proximity*
la adaptación *adaptation*
la lejanía *distance*
el alquiler *rent*
el riesgo *risk*
el susto *fright*
el aterrizaje *landing*
el atrevimiento *daring*
el comienzo *beginning*
la diversión *fun*
la emoción *excitement*
la lluvia *rain*
el logro *achievement*
el asiento *seat*
la sorpresa *surprise*

Adjetivos
cercano *close*
adaptable *adaptable, versatile*
lejano *far away*
...
(estar) sentado *to be seated*
sorprendente *surprising*

Idioma

18 Familia de palabras

Complete la tabla con el verbo, sustantivo o adjetivo apropiado, y la traducción correspondiente.

Verbos		Sustantivos		Adjetivos	
acercarse (a)	___	la cercanía	closeness, proximity	___	close
	to adapt oneself (to)	la adaptación		adaptable	adaptable, versatile
alejarse (de)	___	la lejanía		lejano	___
	to rent	___	rent	___	rented
arriesgarse (a)	to risk	___	risk	arriesgado	risky
asustarse (de)	___	el susto		___	easily frightened
	to land	el aterrizaje		X	___
atreverse (a)	___	el atrevimiento	daring	___	brave, daring
comenzar (a)	___	___	beginning	X	___
divertirse	___	___	fun	divertido	___
emocionarse	to be moved, excited	___	excitement	emocionado	moved, excited
llover	___	___		___	rainy
	to obtain, achieve	el logro	achievement	X	___
	to sit down	el asiento	seat	(estar) sentado	___
sorprenderse (de)	to be surprised (by)	la sorpresa	surprise	___	surprising

19 ¿Verbo, sustantivo o adjetivo? 🔍

Complete las oraciones usando la forma correcta de las palabras que aparecen en la tabla, ya sea verbo, sustantivo o adjetivo. En el caso del sustantivo puede que necesite artículo. Siga el modelo.

MODELO Carmen siempre nos cuenta historias muy ___ (*divertirse*).
divertidas

1. Cuando ___ (*acercarse*) las vacaciones de verano algunas mujeres buscan la fórmula mágica para obtener una nueva figura.
2. Según las autoridades, durante esta semana, si viaja por carretera existirá siempre ___ (*arriesgarse*) de encontrar un atasco.
3. Desde ___ (*comenzar*) acordaron separarse si alguno de los dos deseaba cambiar de ruta.
4. Los turistas por lo general están ___ (*sorprenderse*) por la cordialidad y hospitalidad de la gente de la isla.
5. Si la nueva programación infantil del hotel no resultara ___ (*divertirse*), podrían producirse bajas de hasta un 30 por ciento.
6. Lo importante es ser ___ (*atreverse*). Con miedo jamás descubrirás nuevas experiencias.
7. Se paralizarán las reformas del aeropuerto por encontrarse muy ___ (*acercarse*) a un complejo turístico.
8. Cuando perdimos el equipaje el miércoles pasado, nos llevamos un buen ___ (*asustarse*).
9. ¡Reserve hoy su ___ (*sentarse*) en la guagua para visitar la zona histórica de Santo Domingo!
10. Aviso: En caso de que hoy ___ (*llover*), quedarán suspendidas las actividades al aire libre.

Cita

Cuando se viaja en avión solamente existen dos clases de emociones: el aburrimiento y el terror.
—Orson Welles (1915–1985), actor y director de cine estadounidense

🧍🧍 ¿Está de acuerdo con lo que dice? ¿Por qué? Hable sobre sus experiencias o las de alguien conocido.

¡Dato curioso!
El origen de las banderas de los países fue militar. Según cuentan, se empezaron a usar para no confundirse y no atacar al ejército equivocado. La bandera de Bolivia tiene tres rayas. La roja representa la lucha popular, la amarilla la riqueza del suelo y la verde la agricultura.

Juego
After students complete activity 19, ask them to play *Voluntario, derecha e izquierda* to practice the words in the *Familia de palabras*. See p. TE27.

Mini proyecto
Assign a different Hispanic country to small groups of students and ask them to research that nation's flag. They should be prepared to explain the meaning of the colors and other elements in the flag to their classmates.

You could also ask students to work in groups and design a flag. They should explain the meaning of the colors, design, and symbols they have chosen.

Nota cultural
En la bandera de Costa Rica el azul representa los ideales, los retos, el cielo y las oportunidades al alcance. El blanco significa pensamiento, sabiduría y paz. El rojo significa la gente de Costa Rica y su amor, el calor de su pueblo y la lucha por su liberación.

Investigue
palabras clave:
kuna, San Blas, mola

Teacher Resources

Activity 5

Answers

25 1. que; 2. el; 3. por; 4. como; 5. del; 6. de; 7. en; 8. de; 9. cuyos; 10. al; 11. hasta; 12. no; 13. la; 14. casi; 15. por; 16. donde; 17. sea; 18. sólo; 19. Para; 20. donde; 21. al; 22. en; 23. La; 24. uniendo; 25. sin; 26. que; 27. para; 28. le; 29. se; 30. la; 31. de; 32. está; 33. en; 34. su; 35. de

Instructional Notes

25 Before students start reading, ask them what they know about Machu Picchu and the Inca civilization and what information they hope this article will give them.

Students might need some help with defining the following: *farallón*, cliff; *erigida*, erected. Ask them to identify some cognates in the reading; examples include: *magnificencia, armoniosa, construcción*.

Additional Activities

Trabajo de investigación
For homework, ask students to find at least fifteen interesting facts about Machu Picchu. The next day have students work in small groups to compare their findings and then make an oral presentation of their group's fifteen most unique facts.

Composición
After students read "Machu Picchu" ask them to write a narration about an average day in the life of one of its inhabitants. Tel [...] *en primera persona* [...] *Incluyan datos hist* [...] *mantengan una lis* [...] *en la composición.*

---

25 Machu Picchu

Échele una ojeada al artículo que sigue para ver de qué se trata, prestando atención a las palabras en azul, ya que se le harán preguntas sobre ellas. Luego lea el artículo y decida cuál de las dos palabras entre paréntesis es la correcta para completar cada oración y escríbala.

Machu Picchu
Viaje y turismo

Machu Picchu, desde __1.__ (*a / que*) fuera descubierta __2.__ (*el / en*) 24 de julio de 1911 __3.__ (*por / con*) el norteamericano Hiram Bingham, ha sido considerada, por su asombrosa magnificencia y armoniosa construcción, __4.__ (*como / es*) uno de los monumentos arquitectónicos y arqueológicos más importantes __5.__ (*en el / del*) planeta.

Localizada a 2,400 m.s.n.m.*, en la provincia __6.__ (*de / en*) Urubamba, departamento del Cusco, "Machu Picchu (Cumbre Mayor, en castellano) sorprende por la forma __7.__ (*como / en*) que las construcciones __8.__ (*en / de*) piedra se despliegan sobre una loma estrecha y desnivelada, __9.__ (*cuyos / cuales*) bordes —un farallón de 400 "metros de profundidad— forman el cañón por el que se llega __10.__ (*hacia / al*) río Urubamba.

Machu Picchu es una ciudadela rodeada de misterio porque __11.__ (*hasta / para*) ahora los arqueólogos __12.__ (*sí / no*) han podido descifrar "la historia y __13.__ (*el / la*) función de esta pétrea ciudad de __14.__ (*más / casi*) un kilómetro de extensión, erigida __15.__ (*por / para*) los incas en una mágica zona geográfica, __16.__ (*donde / dónde*) confluyen lo andino y lo amazónico.

"Quizás el misterio de Machu Picchu nunca __17.__ (*es / sea*) desvelado del todo; hasta ahora, __18.__ (*solo / sólo*) existen hipótesis y conjeturas. __19.__ (*Por / Para*) algunos, fue un puesto de avanzada de las proyecciones expansionistas incaicas; "otros creen que fue un monasterio. __20.__ (*donde* [...]

__25.__ (*o / sin*) cemento ni pegamento— han hecho "surgir mitos sobre su edificación.

Cuentan __26.__ (*de / que*) un ave llama[...] Kak'aqllu, conocía la fórmula __27.__ (*p*[...] ablandar las piedras, pero que por un m[...] quizás de la inteligencia de antiguos dioses incaicos, __28.__ (*la / le*) arrancó la lengua. También __29.__ dice que existía una planta mágica que disolvía la roca y podía compactar __30.__ (*la / la*).

Pero más allá __31.__ (*en / de*) los mitos, el verdadero encanto de Machu Picchu, declarado "Patrimonio Cultural de la Humanidad, __32.__ (*es* [...]

Students must complete a passage from an authentic text by choosing one of two possible answers. Essential vocabulary always highlighted in blue

Identifies audio material and where to find it

---

26 ¿Qué significa?

Mire las palabras de la primera columna, que son de la lectura anterior, y busque su traducción en la segunda columna.

1. asombroso	a. to soften
2. desplegarse	b. depth
3. loma	c. to emerge
4. estrecho	d. uneven
5. desnivelado	e. speculation
6. profundidad	f. revealed
7. rodeado	g. small square
8. pétreo	h. astonishing
9. desvelado	i. glue
10. conjetura	j. narrow
11. muro	k. surrounded
12. pegamento	l. of stone
13. surgir	m. wall
14. edificación	n. to pull out
15. ablandar	o. to spread out
16. arrancar	p. hill
17. plazuela	q. building

Activities to strengthen vocabulary by matching targeted words with definitions in English

Icon indicates that students will use several sources to complete this activity

27 Lea, escuche y escriba/presente

Vuelva a leer el texto completo sobre Machu Picchu, y luego escuche la grabación "Recorriendo el Camino Inca". Tome notas de las dos fuentes y escriba un ensayo o haga una presentación en clase sobre "Razones por las que se aconseja hacer un viaje cultural". No se olvide de citar las fuentes debidamente.

Students will need to reread one or more articles and then listen to the audio in order to generate either a written or an oral response

Problematic or key words from the audio are defined. Complete transcript of audio material is included in front matter of the ATE

12

Teacher Resources

Activity 27 (CD 1, track 2)

Answers

26 1. h; 2. o; 3. p; 4. j; 5. d; 6. b; 7. k; 8. l; 9. f; 10. e; 11. m; 12. i; 13. c; 14. q; 15. a; 16. n; 17. g

Instructional Notes

27 Encourage students to absorb comprehension of the reading before they listen to the audio. Explain that they will hear the names of several places along *el Camino Inca*; for example, Huayllabamba, Pacaymayo, Wuarmihuañusca, Wiñayhuayna, Phuyupatamarca. These names are in Quechua, the language of the Incas and spoken by approximately 10 million people throughout South America. Quechua is the most commonly spoken of the American Indian languages and it shares official language status with Spanish in Peru and Bolivia. You might want to write these names on the chalkboard so students recognize them in the audio.

You also might want to review the following words from the audio with students: *encajar*, to fit into; *accidentado*, rugged; *porteador*, porter; *carpero*, tent carrier; *campamento*, camp; *reconfortante*, comforting; *ascender*, to climb; *cordillera*, mountain range; *descenso*, descent; *empedrado*, paved; *sumamente*, extremely; *ciudadela*, fortress.

13

Answers

28 1. en; 2. el; 3. son; 4. la; 5. a; 6. la; 7. más; 8. una; 9. de; 10. la / una; 11. el; 12. que; 13. la; 14. a; 15. para; 16. es; 17. Por; 18. una; 19. Las; 20. hasta; 21. un; 22. donde; 23. las; 24. la; 25. en; 26. fue; 27. que; 28. Después; 29. más; 30. ser; 31. son; 32. fuera; 33. tiene; 34. donde; 35. al; 36. a; 37. una; 38. la; 39. de; 40. fueron; 41. que; 42. Cada; 43. de; 44. hay; 45. hace; 46. que; 47. la / una; 48. de; 49. los; 50. para; 51. que; 52. También

Instructional Notes

28 Because this is the first reading that does not provide prompts for the students, you might want to provide answers to the first three questions and discuss with the students why these responses are the most logical. This type of activity is an integral part of many upper level exams. Students should reread the passages if necessary in order to discover which word is the most logical to complete each sentence. You might remind them that the words can be from any part of speech.

Additional Activities

To practice sentence completion without prompts, have students do *¿Qué falta?* See p. TE28.

---

28 Hoteles originales

Échele una ojeada al artículo que sigue para ver de qué se trata, prestando atención a las palabras en azul, ya que se le harán preguntas sobre ellas. Luego lea el artículo y decida cuáles son las palabras que mejor completan las oraciones y escríbalas. Las palabras que faltan pueden tener cualquier función gramatical (por ejemplo, pueden ser verbos, sustantivos, artículos, preposiciones), pero deben tener sentido en la oración. No se olvide de escribir y acentuar las palabras correctamente.

Dirección: www.elmundo.es

Archivo Edición Ver Favoritos Herramientas Ayuda

Especial: Hoteles
Dulces (y originales) sueños

Entrar __1.__ prisión, dormir bajo __2.__ agua, refugiarse en un faro o alojarse en un iglú __3.__ algunas de las originales alternativas para pasar __4.__ noche de __5.__ los tradicionales hoteles de las grandes urbes. De Europa a Oceanía, damos __6.__ vuelta al mundo y rescatamos los alojamientos __7.__ innovadores, divertidos y originales del atlas. Desde __8.__ cárcel en Australia hasta un submarino en Florida, sin olvidar un palacio __9.__ sal en Bolivia, el hotel sólo para niños de Londres, una fábrica de té en Sri Lanka o __10.__ antigua estación de tren de Cádiz.

Un clásico del hielo
La vida se puede ver de muchos colores y en Jukkasjarvi __11.__ blanco. En la Escandinavia __12.__ de hielos y nieves perpetuas, hay __12.__ ser un poco esquimal para sobrevivir. En este entorno, __13.__ idea de un hotel de hielo parece hasta lógica, pero si es además convencen __14.__ artistas de todo el mundo __15.__ que cada temporada construyan las habitaciones, la rentabilidad está asegurada. Así, cada iglú __16.__ distinto, aunque en todos el equipamiento es básico: una cama de hielo cubierta de pieles de reno y sacos de dormir contra la hipotermia. __17.__ la mañana el cliente se despierta con una bebida caliente hecha de frutos silvestres, __18.__ especie de anticongelante para poder desayunar a continuación. __19.__ actividades son incontables, desde pesca en hielo __20.__ baño nocturno en un jacuzzi.

Suecia. Jukkasjarvi.Tel: 00 46 980 66 8[...]
Habitaciones: 30 / Precio: 1.9[...] [...]icehotel.com

The Tea Factory
"Reciclaje" industrial
Estamos en la antigua Ceilán, ante __21.__ paisaje increíble __22.__ la niebla roza __23.__ montañas de Nuwara Eliya. Entre __24.__ densidad de los arbustos del té, un edificio blanco se perfila en el horizonte —The Tea Factory, una antigua procesadora de té convertida __25.__ hotel. La plantación __26.__ el sueño del señor Flowerdew, un inglés victoriano __27.__ eligió Ceilán como hogar. __28.__ de muchos años y diferentes dueños, la fábrica se cerró en 1973. Veinte años __29.__ tarde y después de un gran trabajo de rehabilitación, pasó a __30.__ un hotel. Las vistas __31.__ espectaculares y las actividades dentro y __32.__ del hotel incontables. Como toque sentimental, el edificio __33.__ una pequeña fábrica __34.__ los clientes, tras recolectar las hojas de té, asisten __35.__ proceso de secado y empaquetado.

Sri Lanka. Kandapola, Nuwara Eliya. Reservas en Aitken Spence Hotels (315 Vauxhall St. Colombo). 2 Tel: 0094 11 230 84 08. Internet: www.[...]aitkenspence[...]-hotels.com/teafactory. Habitaciones: 57 / Precio: 115 dólares.

Cuevas Pedro Antonio de Alarcón
Tiempo de bandoleros
Así de primeras, lo de las cuevas suena __36.__ troglodita o a bandolero, pero __37.__ vez que se visitan __38.__ realidad es bien distinta. Las cuevas son las originales, y datan __39.__ la época en que los moros __40.__ expulsados de Granada, aquéllos __41.__ se resistían a abandonar el aire andaluz construyeron unas cuevas como refugio. __42.__ cueva es un pequeño apartamento con cocina, salón, dormitorio y cuarto __43.__ baño. En algunas __44.__ chimenea y en todas, calefacción. En verano no __45.__ falta aire acondicionado ya __46.__ la propia construcción mantiene __47.__ temperatura constante __48.__ 19 grados. Además hay cuevas para todos __49.__ gustos, con jacuzzi __50.__ parejas románticas, con dos habitaciones __51.__ viajan con niños... El edificio central alberga un restaurante y una sala de conferencias. __52.__ tiene piscina.

[...]San Torcuato. Guadix. Te[...]

Students must complete a passage that offers no prompts; this is an integral part of many upper-level exams

13

Pre-reading questions encourage conversation between partners (or with whole class)

Students read completed passages from authentic texts

Teacher Resources

📖 Activities 6–15

Instructional Notes

31 Students could work in small groups to answer the questions for this activity. A whole-class discussion could follow. You could also ask them: *¿Les gustaría dar la vuelta al mundo? ¿Por qué? ¿Qué países les gustaría visitar? ¿Con quién les gustaría hacer el viaje? ¿Por qué?*

32 Because this is the first reading students will see with letters interspersed within the text, explain that in a later activity (37), these letters will be answer choices for figuring out where additional text might go.

Additional Activities

Repaso Expreso
See p. TE28.

Juego
Ask students
See p. TE24.

Letters interspersed within article indicate possible answer choices for later activity

---

¡A leer!

31 Antes de leer 👥

¿Ha viajado Ud. —o le gustaría viajar— a muchos sitios? ¿Por qué? ¿Le gustan los viajes en los que ve muchas cosas en poco tiempo? ¿Por qué? ¿Sabe quién era Julio Verne?

32 Un viaje 📖

Lea con atención el pasaje que sigue, fijándose en el contenido y las palabras en azul, ya que se le harán preguntas sobre ellas.

El viaje
Un pulso a Julio Verne
JAVIER PÉRES DE ALBÉNIZ

Cuando recojo la maleta en el aeropuerto de Barajas mis articulaciones chirrían como goznes oxidados. Tengo en los riñones el recuerdo de 30 despegues y aterrizajes, y en los músculos el castigo de 75 horas de vuelo. No lo veo, ni lo siento, pero sé que mi trasero tiene la forma del asiento de un Boeing 767 de Lan Chile. Once nuevos sellos de otros tantos países ilustran mi pasaporte, y en la cabeza me bulle un torbellino de sensaciones. Acabo de dar la vuelta al mundo y ¡me río de los que sienten el jet lag! Cuando das la vuelta al mundo en 15 días ni te paras a pensar en estos pequeños inconvenientes (A): comes, duermes y vives sumergido en ese jet lag, una sensación algodonosa que te mantiene las 24 horas del día en una nube. Cuando das la vuelta al mundo en 15 días viajas contra el tiempo, desprecias la lógica, desafías la

disfrutar de un viaje realizado a esta velocidad? ¿Es posible ver o aprender algo, desplazándose a este frenético ritmo? La respuesta es sí. Sí, siempre que los viajes (C) se coordinen con precisión milimétrica, que estén muy claros los lugares a visitar y que el viajero no se arrugue ante la falta de sueño o de comodidades (D). «¡Lejos! ¡Lejos! ¡Aquí el lodo está formado por nuestros llantos!», escribió un Baudelaire que pensaba que cada viaje es un cambio de vida, y que los verdaderos viajeros son

---

Answers

35 *Ejemplos:*
1. ¿Cuántas veces despegó y aterrizó el autor del artículo? **2.** ¿Cuántos sellos tiene ya el autor en el pasaporte? **3.** ¿Cuántos días duró su viaje alrededor del mundo? **4.** ¿Quién imaginó una vuelta al mundo en cuarenta días? **5.** ¿Quién es un tipo adinerado, flemático y lento? / ¿Quién fue el protagonista de una obra de Julio Verne? **6.** ¿Qué hace falta para disfrutar de una vuelta al mundo? **7.** ¿Cuántas horas de vuelo duró este viaje? **8.** ¿Quién lo esperaba a la vuelta? / ¿Quién le dice "mala cara"? **9.** ¿Cómo le contesta a su hija?

36 Answers will vary, but students should mention that doing these activities just for the sake of doing them shows no appreciation or understanding of them (*hacer estas actividades por el mero hecho de hacerlas no demuestra que uno las aprecia ni las comprende, o sea que uno no disfruta de lo que está haciendo*).

37 1. Posición A, línea 13

---

35 ¿Cuál es la pregunta? ✏️

Según lo que acaba de leer, escriba una pregunta lógica para estas respuestas.

1. Treinta veces
2. Once
3. Quince días
4. Julio Verne
5. Phileas Fogg
6. Muchísima organización
7. Setenta y cinco
8. Su hija
9. Con humor

Students need to provide possible questions, based on the reading, for answers given

36 ¿Qué piensa Ud.? ◄

¿Qué cree que significa la expresión "viajar por vi por comer", "hablar por hablar" y "leer por leer"?

Some activities call for open-ended answers

37 ¿Dónde va? ✏️ ◄

La siguiente frase se puede añadir a "Un pulso a J ¿Dónde encajaría mejor la frase?

1. Posición A, línea 13
2. Posición B, línea 19
3. Posición C, línea 32
4. Posición D, línea 35

Students try to contextualize a new sentence or phrase in authentic theme-based articles and figure out where this additional passage might fit in the reading

---

33 ¿Qué significa? ✏️

Mire las palabras de la primera columna, que aparecen en la lectura anterior, y busque su traducción en la segunda columna.

1. recoger	a. take off
2. maleta	b. hinge
3. gozne	c. to pick up
4. riñón	d. to enjoy
5. despegue	e. speed
6. aterrizaje	f. to lower
7. nube	g. mud
8. desafiar	h. to wrinkle
9. adinerado	i. simple
10. rebajar	j. landing
11. cifra	k. to look bad
12. disfrutar	l. dear
13. velocidad	m. kidney
14. arrugar	n. suitcase
15. lodo	o. cloud
16. sencillo	p. to challenge
17. tener mala cara	q. rich
18. cariño	r. number

34 ¿Ha comprendido? ◄

1. ¿Qué le ocurre al protagonista de la historia en el aeropuerto de Barajas?
   a. Pierde su maleta.
   b. Describe sus últimas horas de viaje.
   c. Recuerda su viaje en avión.
   d. Describe la sensación de cansancio que tiene.

2. ¿Qué acaba de hacer el autor del texto?
   a. Se ha recuperado del *jet lag.*
   b. Se ríe recordando su travesía.
   c. Ha dado la vuelta al mundo.
   d. Ha pasado una quincena en casa con su hija.

3. ¿Qué piensa nuestro escritor acerca de un viaje tan rápido?
   a. No es posible disfrutar a ese ritmo.
   b. Aprendes mucho, pero sobre todo de la precisión de los aviones.
   c. La falta de sueño te impide sentirte bien en este viaje.
   d. Es una buena experiencia, con la que se aprende y disfruta si se descansa y si todo está bien organizado.

4. ¿Qué cambiaría el protagonista de este viaje?
   a. Visitaría menos países.
   b. Nada, de esta forma le parece perfecto.
   c. Lo pensará cuando ponga en orden sus ideas.
   d. Quince días están bien, pero preferiría hacerlo en 40.

5. ¿Qué ocurre con su hija a la llegada al aeropuerto?
   a. Su hija está muy agotada y de muy mal humor.
   b. Le dice cuántos años ha estado viajando.
   c. Tiene una corta conversación con una pequeña broma.
   d. ... sobre cine.

Comprehension questions in a variety of formats follow each reading

---

Answers

33 1. c; 2. n; 3. b; 4. m; 5. a; 6. j; 7. o; 8. p; 9. q; 10. f; 11. r; 12. d; 13. e; 14. h; 15. g; 16. i; 17. k; 18. l

34 1. d; 2. c; 3. d; 4. d; 5. c

Instructional Notes

33 Ask students to use ten or more of the new words from "Un pulso a Julio Verne" in a short paragraph. Then have students work in small groups, reading their work to others and comparing the words selected. They should explain the meaning of some of the new words or give synonyms for them.

Additional Activities

Juego
Ask students to play *¿Verdadero o falso?* See p. TE25.

---

curioso

Cuando Colón llegó a Costa Rica vio que muchos nativos llevaban bonitas joyas alrededor del cuello. Por eso los españoles pensaron que habían llegado a una costa muy rica.

...or la gente en su ciudad o país? ¿Y por su ...gún recuerdo cuando viaja? ¿Qué recuerdos le

Students will hear questions only on audio and need to select correct answer from multiple-choice format

Section of audio-based activities

Teacher Resources

 Activity 52 (CD 1, track 5)

Activity 16

Answers
52 1.c; 2. b; 3. d; 4. c

Instructional Notes
52 You might want to review the following words with students before they listen to the audio: *provechoso*, beneficial/useful; *equivocado*, wrong; *pesadilla*, nightmare; *supuestamente*, supposedly; *tapado*, covered; *de golpe*, suddenly; *crisparse los nervios mutuamente*, to get on each other's nerves; *placentera*, pleasant; *por culpa de*, because of.

Remind students that they will hear the questions for activity 52 only on the audio; they will not be in their textbooks. These questions appear below:

1. ¿Qué parece ocurrir entre las familias durante la época de vacaciones?
2. ¿Qué se recomienda antes de viajar de vacaciones?
3. ¿Por qué surge el deterioro de la pareja durante las vacaciones?
4. ¿Cuál es la diferencia entre las expectativas masculinas y femeninas?

Audioscript for questions is provided in ATE wrap and in front matter

24

¡A escuchar!

52 Vacaciones: ¿una verdadera pesadilla?
Lea las posibles respuestas primero y después escuche la grabación "Vacaciones, ¿una verdadera pesadilla?" Escoja la mejor respuesta para cada pregunta que escuchará en la grabación.

1. (Pregunta que escuchará en la grabación.)
   a. Salen a visitar a familiares.
   b. Toman su descanso con armonía.
   c. Desaparece el bienestar y todo se complica.
   d. En ocasiones el tiempo o el hotel puede ocasionar imprevistos.

2. (Pregunta que escuchará en la grabación.)
   a. Planearlo todo previamente para evitar imprevistos.
   b. No crear falsas ilusiones para evitar sentirse frustrado con el mundo real.
   c. Evitar viajar con niños porque se ponen insoportables.
   d. Asegurarse de que el tráfico, el hospedaje y el tiempo serán favorables.

3. (Pregunta que escuchará en la grabación.)
   a. Porque cada uno tiene una idea diferente de las vacaciones y distintos gustos por las actividades que quieren realizar
   b. Porque no existe comunicación entre ambos y en ocasiones no hablan más de 20 minutos al día
   c. Porque la pareja no está preparada para afrontar una convivencia así de intensa
   d. Las respuestas a y c

4. (Pregunta que escuchará en la grabación.)
   a. El hombre valora más el descanso mientras que la mujer prefiere el lujo.
   b. La mujer prefiere más tiempo para realizar algún deporte pero el hombre se inclina por la relajación y el descanso.
   c. La mujer desea tomar el tiempo como descanso y el hombre prefiere realizar otras actividades.
   d. El lujo y la comodidad es más importante para el hombre; para la mujer, basta con el descanso.

Students listen to audio and write answers to questions posed in PE

24   Capítulo

---

53 Hoteles originales
Escuche las grabaciones sobre "Hoteles originales" y luego conteste las preguntas.

Primer hotel
1. ¿Qué se les da a los clientes cuando llegan al hotel?
2. ¿Quién les lleva la comida a las habitaciones?
3. ¿Cómo se entretienen en el hotel?

Segundo hotel
1. ¿Dónde se encuentra este hotel?
2. ¿Qué es especial de este hotel?
3. ¿Quiénes son los dos escritores que se mencionan?
4. Mencione tres temas diferentes de los libros que hay en las habitaciones que uno puede reservar.

Tercer hotel
1. ¿Qué tipo de hotel es?
2. ¿Dónde está ubicado?
3. ¿Qué se hace con el ingrediente que se menciona?
4. ¿A qué se parece el paisaje que rodea al hotel?
5. ¿Cuál es la mejor época del año para ir? ¿Por qué?

Cuarto hotel
1. ¿Dónde se encuentra este hotel?
2. ¿Cuál es el requisito para poder ser un cliente de este hotel?
3. ¿Cómo entretienen a los jóvenes?
4. ¿Cómo se visten para las cenas de gala?
5. ¿Qué hacen con los huéspedes antes de irse a dormir?

54 Participe en una conversación
Ud. va a participar en una conversación. Primero lea la descripción de la conversación y piense en algunas palabras o expresiones que le serían útiles. Organice sus ideas, haciendo predicciones sobre lo que se le pueda preguntar o comentar. Una descripción de lo que va a escuchar aparece abajo en color. Participe en la conversación grabando las respuestas o escribiéndolas en su cuaderno.

Escena: Ya están planeando Macarena y Ud. una escapada para el fin de semana.

Macarena:	(*Suena el teléfono.*) Macarena llama por teléfono.
Ud.:	• Conteste.
Macarena:	Le explica por qué ha llamado.
Ud.:	• Dele una excusa.
Macarena:	Sigue la conversación. Le hace una pregunta.
Ud.:	• Conteste su pregunta, sorprendido/a por su sugerencia.
Macarena:	Sigue la conversación. Le hace otras preguntas.
Ud.:	• Háblele sobre sus preferencias para estos tipos de viajes. Explique las razones.
Macarena:	Sigue la conversación y le hace más preguntas.
Ud.:	• Haga un comentario y despídase.

Students participate in a directed theme-based conversation with an audio portion as the partner in the conversation

Lección 1A   **25**

Teacher Resources

Activity 53 (CD 1, track 6)
Activity 54 (CD 1, track 7)

Activity 17

Answers
53 **Primer hotel** 1. Una tarjeta para la habitación y un traje de buzo; 2. Un buzo con un contenedor que se puede meter en el agua; 3. Pueden ver la televisión o una película en el DVD, pero lo mejor es sentarse junto a la ventana para ver pasar los peces.

Segundo hotel 1. En la famosa avenida Madison de Nueva York; 2. Ofrece más de 6.000 libros a sus clientes. 3. Lord Byron y Neruda; 4. *Any three of the following*: Poesía, botánica, astronomía y cuentos de hadas.

Tercer hotel 1. Es como si fuera un palacio de sal. 2. En Uyuni (*Tell students that Uyuni is in Bolivia.*); 3. Todo: las camas, las sillas, las mesas, las paredes y el techo; 4. El polar (por ser blanco y azul); 5. La mejor época es de julio a noviembre. Es cuando el salar está seco.

Cuarto hotel 1. En Londres; 2. Ser menor de doce. 3. Con juegos, bailes y cenas de gala; 4. Las niñas de princesas y los niños, de superhéroes; 5. Les leen un cuento.

Instructional Notes
53 You might want to review the following words with students before they listen to the audio: *traje de buzo*, diver's suit; *comodidad*, comfort; *contenedor sumergible*, submersible container; *presumir*, to boast; *repartido*, distributed; *aderezar*, to season; *pizca*, pinch; *temática*, subject matter; *cuentos de hadas*, fairy tales; *sobrar*, to be left over; *materia prima*, raw material; *disponer de*, to have; *lodo*, mud; *entorno*, environment; *salar*, salt flat; *acudir*, to attend; *despistado*, absentminded; *módico*, modest.

54 Remind students that the speaker they will hear on the audio will provide cues for them to answer or elaborate on. You may choose to have students record their portions of the conversation, or have them write their responses in their notebooks.

Encourage students to use the vocabulary reviewed in the lesson for their conversation with Macarena. You may want students to brainstorm the meanings of some of the common expressions from these conversations. Ask them to start a list and add to it during the school year. Some expressions from this conversation are: *anda*, come on; *dar una vuelta*, take a (short) walk; *apenas*, hardly; *animarse*, to feel like; *apetecerse*, to feel like.

25

Audioscript for all *Participe en una conversación* sections is provided on corresponding ATE page

Audioscript Activity 54
Macarena: Hola, ¿qué tal? ¿Qué haces?
[STUDENT RESPONSE]
Macarena: Anda, vente a dar una vuelta con nosotros.
[STUDENT RESPONSE]
Macarena: Ah, vale. Entonces quedamos otro día. Oye, de todas formas te llamaba porque quería saber si has visto el anuncio en el tablón de anuncios. Hay una oferta muy buena para pasar una semana de deportes de aventura en las montañas. ¿Qué te parece?
[STUDENT RESPONSE]
Macarena: Ja, ja. Ya me conoces. Apenas hemos vuelto de nuestras vacaciones y ya estoy pensando en las siguientes. ¿Te importa hacer viajes largos? ¿Qué tipo de medio de transporte prefieres?
[STUDENT RESPONSE]

Macarena: Bueno, la verdad es que ahora estoy pensando en otra posibilidad. Ya que nunca salgo del país. ¿Te animas a hacer un viaje a China? He oído que hay una buena oferta. ¿Te apetece? ¿Qué piensas?
[STUDENT RESPONSE]

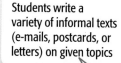

Students write a variety of informal texts (e-mails, postcards, or letters) on given topics

Section of writing activities

Reference to *Pautas* in PE to guide student writing

Students write essays on given topics

Students work with a partner and correct one another's work

Suggestions and tips for writing are given

Instructional Notes

55–58 Make sure students go over the expectations outlined in the *Pautas* (Guidelines) on p. 480 of the *Apéndice* before they prepare any of the writing activities in this section.

59 Tell students that even if they might feel uncomfortable about correcting someone else's paper, it is part of the learning process. They should be prepared to explain why they have made the corrections. If there is disagreement over any such corrections, they need to discuss their reasoning and perhaps consult a reference grammar, or you could be the arbitrator.

Additional Activities

Escriba y páselo
...27.

...una carta
...27.

¡A escribir!

55 Texto informal: un blog

Escriba en un blog. Describa su último viaje (puede ser real o ficticio). Incluya lo siguiente:
- Su destino.
- El medio de transporte y cómo le fue.
- Una anécdota.
- Termine con una pregunta.

> **Consejo**
> Antes de empezar, lea las pautas para escribir textos informales en la pág. 480 del Apéndice. Mientras escribe el texto tenga presente los objetivos. Cuando termine, verifique que ha cumplido con todo lo que se describe en la lista y reflexione sobre su trabajo.

56 Texto informal: un consejo

En un foro alguien pide consejo sobre un lugar para pasar unas vacaciones en Latinoamérica. Busque información en Internet y dele consejos a esta persona.
- Dele razones para visitar este país.
- Dele consejos útiles para el viaje.
- Recomiéndele ciudades, festivales y actividades culturales.

57 Ensayo: viajar

Escriba un ensayo contestando la pregunta, "¿Es importante viajar?"

> **Consejo**
> Antes de empezar, lea las pautas para escribir ensayos en la pág. 480 del Apéndice. Mientras escribe el ensayo tenga presente los objetivos, y no se olvide de ponerle un título original. Cuando termine, verifique que ha cumplido con todo lo que se describe en la lista y reflexione sobre su trabajo.

58 Ensayo: el transporte público

Escriba un ensayo en el que compare las ventajas y desventajas del transporte público.

59 En parejas

Intercambie sus ensayos con los de un/a compañero/a. Exprésele su opinión sobre el contenido y el uso del idioma.

26   Capítulo 1 • ¡Buen viaje!

¡A hablar!

60 Charlemos en el café

Ud. va a debatir los siguientes temas con un/a compañero/a. Uno estará a favor de lo que se ha dicho y otro en contra. El debate durará varios minutos. El/La estudiante que esté de acuerdo comenzará el debate y hablará por unos diez segundos. Cuando el/la profesor/a lo indique, el/la otro/a estudiante tomará la palabra y expresará su opinión por otros diez segundos, y así sucesivamente.

1. El que no viaja sabe menos.
2. Los políticos deberían viajar a otros países.
3. Es necesario que el presidente de un país hable otros idiomas.
4. El coche es el mejor medio de transporte.
5. Es bueno viajar a algún sitio solo/a y hacerlo a menudo.

61 ¿Qué opinan?

Converse con un/a compañero/a sobre estas situaciones o preguntas.

1. Si se quedara Ud. sin dinero en un país extranjero, ¿qué haría?
2. ¿Cuáles cree que son los dos países hispanohablantes más visitados? ¿A qué se debe?

62 Presentemos en público

Conteste una de las siguientes preguntas o haga una presentación sobre uno de los temas durante varios minutos en clase. Organice sus ideas antes de hacer la presentación, busque las palabras necesarias y, después de practicar, presente en clase sin mirar las notas.

1. ¿Cree que viajar hace que uno aprecie más a su país? ¿Por qué?
2. Si pudiera ser embajador/a de Estados Unidos en algún país hispanohablante, ¿adónde le gustaría ir? ¿Por qué?
3. Va a ser un gran experto sobre un país hispanohablante. Presente el país a sus compañeros. Hable de su historia, sistema político, lugares para visitar, fauna, etc., y prepárese para las preguntas que le harán.
4. Explique cómo los viajes o ideas de los exploradores, inventores, escritores, viajeros o historiadores han tenido un impacto en la vida de los demás.

> **Consejo**
> Antes de empezar, lea las pautas para presentaciones formales en la pág. 481 del Apéndice. Mientras formule su presentación tenga presente los objetivos. Cuando termine la presentación, verifique que ha cumplido con todo lo que se describe en la lista y reflexione sobre el trabajo que hizo.

Lección 1A   27

Durante la presentación
1. Haga un esfuerzo por sonar natural y mostrar que domina el tema sobre el que está presentando.
2. Durante la presentación recuerde mirar a su audiencia a los ojos (no mire a sus pies, a su PowerPoint o exclusivamente a una persona).
3. Concéntrese en su acento, sobre todo la pronunciación de las letras *t, s, p, d y r, y* en su entonación.
4. No termine las frases con entonación ascendente.
5. Demuestre que ha trabajado en su presentación y que la ha practicado, pero no suene como un robot que ha memorizado toda la información.

6. No olvide a su público. Si se gana al público, es posible que se le perdonen algunos de los errores.

Share the rubric for oral presentations with students so they understand how you will be grading them (see below).

Rubric for Oral Presentations
Grade each question from 1–5 (5 being the highest, 1 the lowest).
1. ¿Trató todos los objetivos?
2. ¿Hizo la presentación de forma organizada y coherente?
3. ¿Usó el idioma adecuadamente?
4. ¿Tuvo una buena entonación?
5. ¿Fue una presentación creativa?
6. ¿Consiguió captar la atención del público?

Teacher Resources

Activity 18

Instructional Notes

60 Because all students will speak, allow them time to prepare this activity. Be sure to tell students which issue and which side of the issue they will be debating, so that they can do some research and practice before their debate.

After students have debated these issues with a partner, you might want them to continue the debate in small groups, or even have a discussion with the whole class on one or two of these topics.

You might want to show a word bank on an overhead transparency or on the chalkboard to make sure that students use the new vocabulary.

61 Encourage students to review the vocabulary, including the expressions, at the end of the lesson in order to enhance their discussions. They need to pay attention to the grammar, pronunciation, and intonation, and use appropriate vocabulary to contradict or agree with their partner's comments. After students discuss these questions with a partner, you could hold a whole-class discussion.

62 Have students brainstorm what it takes to be an effective presenter. Then refer them to the *Pautas para presentaciones formales* on p. 481 to compare their ideas with the ones listed. Also write or state the following guidelines (*Antes y durante una presentación*) so they know what is expected of them. Students should copy this information and refer to it before making presentations in later chapters.

Antes de la presentación
1. Debe estar preparado/a; busque la información necesaria.
2. Practique en casa en voz alta.
3. Tome nota del tiempo que dura su presentación.
4. Asegúrese de que usa la gramática adecuada; debe de escribir su presentación, al igual que lo haría con una en su propio idioma.
5. Busque las palabras que necesite usar en un diccionario (no pregunte estas palabras a su profesor/a en medio de la presentación y no use inglés).
6. Asegúrese de que tiene una introducción y conclusión (no se apresure en terminar).
7. Para hacer la presentación más interesante, siempre es bueno incluir una pequeña historia o anécdota.

Suggestions and tips for formal presentations are given

Students work on theme-based projects that synthesize the vocabulary and grammar acquired throughout the lesson

Icon indicates that students will work in groups

Rubric is a guide for grading student projects

Instructional Notes

Give students the following questions before they start the project. These questions will help them understand what is expected of them, and can also guide them in organizing their time and goals more effectively. After they complete their project, they should self-assess their work as a team using the grading system 1–5 (5 being the highest, and 1 the lowest) and write a grade next to each question. After they turn in their work or make their presentation to the class, you will review their project and write your comments and evaluation next to theirs.

Rubric for Projects
1. ¿Tratamos todos los objetivos del proyecto?
2. ¿Se buscó la información debidamente?
3. ¿Fue presentado de forma ordenada y coherente?
4. ¿Cómo presentó cada uno su parte?
5. ¿Cómo fue presentado visualmente?
6. ¿Conseguimos conectar con la audiencia?
7. ¿Hubo algo creativo y original?
8. ¿Cómo fue el uso de la gramática y la ortografía en la parte escrita del proyecto?
9. ¿Cómo fue el uso del vocabulario?
10. ¿Usamos estructuras adecuadas?
11. ¿Cómo fue nuestra entonación?
12. ¿Cómo fue nuestra pronunciación?
13. ¿Cómo presentamos la idea a la audiencia?
14. ¿Cómo conectamos con la audiencia?

Proyectos

63 ¡Manos a la obra!

Trabaje en un grupo de cuatro o cinco estudiantes para llevar a cabo uno de los siguientes proyectos y presentarlo en clase.

- Les han encargado que trabajen en la sección de viajes del periódico local y les han pedido que escriban sobre un país. Les han dado dos hojas del periódico para hacerlo. Decidan el país y los diferentes temas; por ejemplo, la historia, el ocio, los lugares de interés, y los formatos: la publicidad, las cartas al director, las tiras cómicas. Luego elaboren los artículos.

- Presenten un país del mundo hispano a la clase. Hablen de su historia, situación geográfica, sistema de gobierno, gastronomía, tradiciones y turismo.

- Hagan un anuncio para promover el uso del transporte público en su ciudad. Decidan si va a ser un anuncio gráfico, de radio o de televisión.

- Inventen un producto que haga que los viajes sean más placenteros. Preséntenselo a sus posibles compradores/compañeros. Puede ser un producto realmente interesante o absurdo. En cualquier caso, deben pensar en una buena estrategia para convencer al público.

28   Capítulo 1 • ¡Buen viaje!

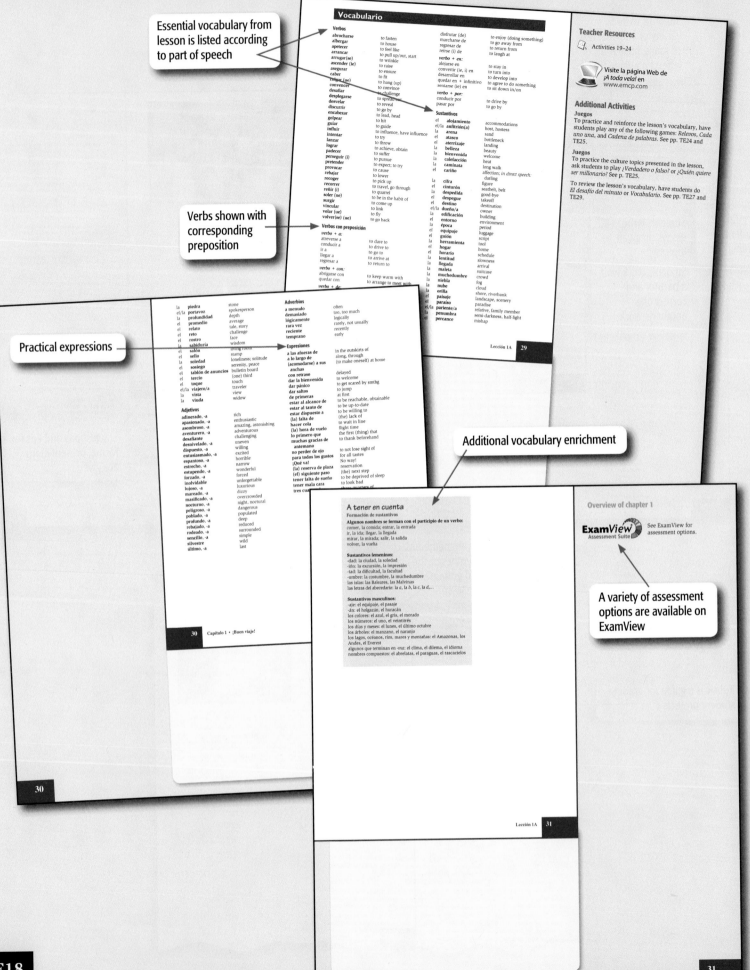

Essential vocabulary from lesson is listed according to part of speech

Verbs shown with corresponding preposition

Practical expressions

Additional vocabulary enrichment

A variety of assessment options are available on ExamView

Vocabulario

Verbos

abrocharse	to fasten
albergar	to house
apetecer	to feel like
arrancar	to pull up/out, start
arrugar(se)	to wrinkle
ascender (ie)	to raise
asegurar	to ensure
caber	to fit
colgar (ue)	to hang (up)
convencer	to convince
desafiar	to challenge
desplegarse	to spread out
desvelar	to reveal
discurrir	to go by
encabezar	to lead, head
golpear	to hit
guiar	to guide
influir	to influence, have influence
intentar	to try
lanzar	to throw
lograr	to achieve, obtain
padecer	to suffer
perseguir (i)	to pursue
pretender	to expect; to try
provocar	to cause
rebajar	to lower
recoger	to pick up
recorrer	to travel, go through
reñir (i)	to quarrel
soler (ue)	to be in the habit of
surgir	to come up
vincular	to link
volar (ue)	to fly
volver(se) (ue)	to go back

Verbos con preposición

verbo + a:

atreverse a	to dare to
conducir a	to drive to
ir a	to go to
llegar a	to arrive at
regresar a	to return to

verbo + con:

abrigarse con	to keep warm with
quedar con	to arrange to meet with

verbo + de:

disfrutar (de)	to enjoy (doing something)
marcharse de	to go away from
regresar de	to return from
reírse (i) de	to laugh at

verbo + en:

convertir (ie, i) en	to turn into
desarrollar en	to develop into
quedar en + infinitivo	to agree to do something
sentarse (ie) en	to sit down in/on

verbo + por:

conducir por	to drive by
pasar por	to go by

Sustantivos

el	alojamiento	accommodations
el/la	anfitrión(a)	host, hostess
la	arena	sand
el	atasco	bottleneck
el	aterrizaje	landing
la	belleza	beauty
la	bienvenida	welcome
la	calefacción	heat
la	caminata	long walk
el	cariño	affection; *in direct speech:* darling
la	cifra	figure
el	cinturón	seatbelt, belt
la	despedida	good-bye
el	despegue	takeoff
el	destino	destination
el/la	dueño/a	owner
la	edificación	building
el	entorno	environment
la	época	period
el	equipaje	luggage
el	guión	script
la	herramienta	tool
el	hogar	home
el	horario	schedule
la	lentitud	slowness
la	llegada	arrival
la	maleta	suitcase
la	muchedumbre	crowd
la	niebla	fog
la	nube	cloud
la	orilla	shore, riverbank
el	paisaje	landscape, scenery
el	paraíso	paradise
el/la	pariente/a	relative, family member
la	penumbra	semi-darkness, half-light
el	percance	mishap

la	piedra	stone
el/la	portavoz	spokesperson
la	profundidad	depth
el	promedio	average
el	relato	tale, story
el	reto	challenge
el	rostro	face
la	sabiduría	wisdom
el	salón	living room
el	sello	stamp
la	soledad	loneliness; solitude
el	sosiego	serenity, peace
el	tablón de anuncios	bulletin board
el	tercio	(one) third
el	toque	touch
el/la	viajero/a	traveler
la	vista	view
la	viuda	widow

Adjetivos

adinerado, -a	rich
apasionado, -a	enthusiastic
asombroso, -a	amazing, astonishing
aventurero, -a	adventurous
desafiante	challenging
desnivelado, -a	uneven
dispuesto, -a	willing
entusiasmado, -a	excited
espantoso, -a	horrible
estrecho, -a	narrow
estupendo, -a	wonderful
forzado, -a	forced
inolvidable	unforgettable
lujoso, -a	luxurious
mareado, -a	dizzy
masificado, -a	overcrowded
nocturno, -a	night, nocturnal
peligroso, -a	dangerous
poblado, -a	populated
profundo, -a	deep
rebajado, -a	reduced
rodeado, -a	surrounded
sencillo, -a	simple
silvestre	wild
último, -a	last

Adverbios

a menudo	often
demasiado	too, too much
lógicamente	logically
rara vez	rarely, not usually
reciente	recently
temprano	early

Expresiones

a las afueras de	in the outskirts of
a lo largo de	along, through
(acomodarse) a sus anchas	(to make oneself) at home
con retraso	delayed
dar la bienvenida	to welcome
dar pánico	to get scared by smthg
dar saltos	to jump
de primeras	at first
estar al alcance de	to be reachable, obtainable
estar al tanto de	to be up-to-date
estar dispuesto a	to be willing to
(la) falta de	(the) lack of
hacer cola	to wait in line
(la) hora de vuelo	flight time
lo primero que	the first (thing) that
muchas gracias de antemano	to thank beforehand
no perder de ojo	to not lose sight of
para todos los gustos	for all tastes
¡Qué va!	No way!
(la) reserva de plaza	reservation
(el) siguiente paso	(the) next step
tener falta de sueño	to be deprived of sleep
tener mala cara	to look bad
tres cuartos	three quarters of

Lección 1A 29

Capítulo 1 • ¡Buen viaje! 30

A tener en cuenta

Formación de sustantivos

Algunos nombres se forman con el participio de un verbo:

comer, la comida; entrar, la entrada
ir, la ida; llegar, la llegada
mirar, la mirada; salir, la salida
volver, la vuelta

Sustantivos femeninos:

-dad: la ciudad, la soledad
-ión: la excursión, la impresión
-tad: la dificultad, la facultad
-umbre: la costumbre, la muchedumbre
las islas: las Baleares, las Malvinas
las letras del abecedario: la *a*, la *b*, la *c*, la *d*,...

Sustantivos masculinos:

-aje: el equipaje, el pasaje
-án: el holgazán, el huracán
los colores: el azul, el gris, el morado
los números: el uno, el veintitrés
los días y meses: el lunes, el último octubre
los árboles: el manzano, el naranjo
los lagos, océanos, ríos, mares y montañas: el Amazonas, los Andes, el Everest
algunos que terminan en *-ma*: el clima, el dilema, el idioma
nombres compuestos: el abrelatas, el paraguas, el rascacielos

Lección 1A 31

Teacher Resources

Activities 19–24

Visite la página Web de *¡A toda vela!* en www.emcp.com

Additional Activities

Juegos

To practice and reinforce the lesson's vocabulary, have students play any of the following games: *Relevos, Cada uno una,* and *Cadena de palabras.* See pp. TE24 and TE25.

Juegos

To practice the culture topics presented in the lesson, ask students to play *¿Verdadero o falso?* or *¿Quién quiere ser millonario?* See p. TE25.

To review the lesson's vocabulary, have students do *El desafío del minuto* or *Vocabulario.* See pp. TE27 and TE29.

Overview of chapter 1

ExamView Assessment Suite — See ExamView for assessment options.

Practical Appendices

Guidelines for written or oral presentations

Apéndice

Pautas

Antes de empezar
Complete este cuestionario antes de hacer la actividad.

1. ¿Cuál es mi objetivo? ¿Qué pretendo producir?
   a. Un texto escrito informal
   b. Un texto escrito formal (ensayo)
   c. Un diálogo
   d. Una presentación oral informal
   e. Una presentación oral formal

2. ¿Qué necesito tener en cuenta?
   a. _____
   b. _____
   c. _____
   d. _____

3. ¿Cómo organizaré mis ideas: cómo comenzaré, desarrollaré y terminaré? Escriba los temas sobre los que va a escribir o hablar.
   a. _____
   b. _____
   c. _____
   d. _____
   e. _____

4. ¿Qué expresiones conozco que pueden servir en este contexto?
   a. _____
   b. _____
   c. _____
   d. _____

5. ¿Qué palabras o expresiones de la lección que he estudiado puedo usar?
   a. _____
   b. _____
   c. _____
   d. _____
   e. _____
   f. _____

6. ¿Hay elementos culturales presentes o alguno al que pueda referirme? ¿Cuáles son?
   a. _____
   b. _____
   c. _____
   d. _____

Pautas para textos informales
Reflexione sobre su trabajo y marque la casilla correspondiente.

1. ¿Usé el registro correcto?
2. ¿Cuántas tareas debía completar? ¿Las completé todas?
3. ¿Fue buena mi organización? ¿Organicé mis ideas de forma lógica: con una introducción, oraciones completas que expresan ideas bien conectadas en párrafos coherentes y una conclusión o despedida?
4. ¿Terminé de forma adecuada?
5. ¿Si era un texto entre varias personas, ¿mostré buenas destrezas interpersonales?
6. ¿Integré apropiadamente estructuras simples y de uso común?
7. ¿Usé correctamente algunas estructuras más complejas?
8. ¿Usé expresiones idiomáticas frecuentemente y de manera apropiada?
9. ¿Varié los tiempos verbales? ¿Cuántos usé, más o menos?
10. ¿Usé el vocabulario y la sintaxis apropiadamente?
11. ¿Revisé la ortografía, incluyendo la acentuación y la puntuación?

Pautas para ensayos
Reflexione sobre su trabajo y marque la casilla correspondiente.

1. ¿Usé el registro correcto?
2. ¿Escribí un buen párrafo introductorio?
3. ¿Desarrollé mis ideas de una forma coherente?
4. ¿Usé los nexos — las palabras que unen ideas — correctamente?
5. ¿Cité todas las fuentes correctamente?
6. ¿Interpreté todas las fuentes adecuadamente: analicé la información, hice predicciones, evalué datos u opiniones y saqué conclusiones?
7. ¿Integré apropiadamente estructuras simples y de uso común?
8. ¿Usé correctamente algunas estructuras más complejas?
9. ¿Varié los tiempos verbales?
10. ¿Usé el vocabulario y la sintaxis apropiadamente?
11. ¿Reconocí elementos culturales?
12. ¿Terminé con una buena conclusión?
13. ¿Revisé la ortografía, incluyendo la acentuación y la puntuación?

Guidelines for evaluating informal and formal written and oral presentations

Vocabulario español-inglés

A

a cada rato every five minutes, very often (4A)
a falta de for want of (7B)
a grito pelado wild cheers (8B)
a la perfección perfectly (4A)
a la última up-to-date (3B)
a largo plazo in the long run, long term (7A)
a las afueras de in the outskirts of (1A)
a lo largo de along, through (1A)
a mediados de in the middle of (7A)
a menudo often (1A)
a partir de beginning from (3B)
a pesar de in spite of (7A)
el abalorio bead; (pl.) adornments (1B)
el abandono abandonment (2B)
el abanico de posibilidades range of possibilities (4A)
abarcar to embrace; to include (8A)
abarrotar to jam-pack, stock f (8B)
el abastecimiento supply (7B)
el abecedario alphabet (5B)
abordar to approach (2B)
abrigarse con to keep warm (1A)
abrir el apetito to whet someone's appetite (3A)
abrocharse to fasten (1A)
absurdo, -a absurd (4B)
aburrir to bore (1B)
abusar de to abuse (2B)
acabar con to finish off, end (1B); to eliminate (7A)
acabar de + infinitivo to have just finished doing something (1A)
el acaparamiento monopolization, cornering (of the market) (7A)
acaparar to corner the market (8A)
el acatamiento compliance (5A)
acaudalado, -a wealthy (6A)
el aceite de oliva olive oil (3A)
el acento accent (5B)
la acentuación accentuation (5B)
acercarse a to approach, get close to (6B)
el acero steel (8A)
el acierto wise decision/move (2B)

aclamado, -a acclaimed (4B)
acogedor(a) cozy, welcoming (3A)
acoger to welcome (2B), (7A)
la acogida welcome, reception (1B)
acomodarse a sus anchas to make oneself at home (1A)
acontecer t
el acontecimie
acordar (ue
acordarse (
(3A)
acostumbra
acostumbr
acrecentar
la actitud st
actual pre
la actualidad
nowad
events
actualiza
(3A)
actual t

el agua de la llave tap water (7B)
el agua dulce fresh water (7A)
el agua embotellada bottled water (7B)
aguantar to tolerate, stand, bear (4A)
ahogarse en un vaso de agua

Comprehensive Spanish-English and English-Spanish vocabulary lists

English-Spanish Vocabulary

A

abandonment el abandono (2B)
ability la capacidad (4A)
to abolish derogar (5A)
about the matter al respecto (7B)
abrupt brusco, -a (4A)
to absorb amortiguar (2B)
absurd absurdo, -a (4B); disparatado, -a (5A); ridículo, -a (4B)
the absurdity of the situation lo absurdo de la situación (4A)

accommodations el alojamiento (1A)
to accomplish realizar (2B), (6A)
according to según (1B)
to achieve conseguir (i, i) (1B); lograr (1A); realizar (2B), (6A)
achievement el logro (4B)
acknowledgment of receipt acuse de recibo (5B)
to act actuar (4B); hacer un papel (8A)
acting la interpretación (4B)
action la gestión (4B)
actual verdadero, -a (4B)
actually realmente (4A)
to add (to) agregar (a) (2B), (6A); añadir (a) (3A)
adept adepto, -a (2A)
admiration la admiración (4A)
to admire admirar (4A)
adornments los abalorios (1B)
adulthood la edad adulta (2A)
advantage la ventaja (7A)
adventures las andanzas (3A)
adventurous aventurero, -a (1A)
advertising campaign la campaña publicitaria (4B)
advertising strategy la estrategia publicitaria/de propaganda (3B)
to advise asesorar (5B)
aesthetic estético, -a (5B)
aesthetics la estética (8B)
affection el cariño (1A)

affectionate cariñoso, -a (4A)
affectionately cariñosamente (4A)
affluent opulento, -a (1B)
after tras (5A)
again de nuevo (8B)
to agree asentir (ie, i) (1B)
to agree to do something quedar en + infinitivo (1A)
to agree to see someone quedar en ver a alguien (2B)
agreement el convenio (7A)
agricultural worker el/la campesino/a (1B)
air quality la calidad del aire (7B)
alarming alarmante (2B)
alien extraterrestre (4B)
allergic alérgico, -a (4A)
to allow dar pie a (6B)
allowed minutes los minutos permitidos (7A)
along a lo largo de (1A)
alphabet el abecedario (5B)
also asimismo (4B), (6B)
to alternate alternar (5B)
amazing asombroso, -a (1A)
to amuse oneself with entretenerse con (2A)
analyst el/la analista (8A)
ancestor el/la antepasado/a (4B)
Andalusian andaluz(a) (1A)
anger la ira (4A); el coraje (2B)
angered provocado, -a (4A)
to annotate anotar (5A)
to annoy fastidiar (1B), (7B)
annual anual (1B)
antiquity la antigüedad (3B)
antonym el antónimo (5B)
apart from además de (3A)
apparently por lo visto (2A)
appearance la facha (colloquial) (2A); la pinta (2A)
appetite el apetito (3A)
to applaud aplaudir (8B)
application la solicitud (1B)
to appreciate agradecer (4B)
to appreciate (in value) apreciar (4B)
apprentice el/la aprendiz(a) (8B)
apprenticeship el aprendizaje (5B), (7A)
to approach abordar (2B); acercarse (a) (6B)
appropriate adecuado, -a (3A)
archery el tiro al arco (6B)

architect el/la arquitecto/a (8A)
architectural arquitectónico, -a (7A)
architecture la arquitectura (8A)
are you kidding/serious? ¡venga ya! (4B)
armed conflict el conflicto armado (2A)
army el ejército (2B)
around (prep.) alrededor (2A)
to arrange to meet with quedar con (1A)
arrival la llegada (1A)
to arrive at llegar a (1A)
art for art's sake el arte por el arte (8B)
to articulate articular (5B)
artistic artístico, -a (8A)
arts las artes (8A)
as soon as possible cuanto antes (1B)
to ask for solicitar (2B), (7B)
assembly el montaje (8A)
to assist ayudar (4A)
to assume asumir (2A)
to assure asegurar (2A), (4A)
astonishing asombroso, -a (1A)
at first de primeras (1A)
at least al menos (4A)
athlete el/la atleta (6A)
atmosphere el ámbito (6B)
to attain lograr (1A)
to attempt intentar (1A)
to attend asistir a (8A)
attitude la actitud (2B)
to attract atraer (4A)
to attract attention llamar la atención (6B)
auction la subasta (8A)
audacity la audacia (4B)
autobiography la autobiografía (4B)
autograph el autógrafo (4B)
available disponible (6B)
average el promedio (1A), (5A)
to avoid eludir (4A)
award el galardón (4B), (6B); el premio (2B)
to award conceder (8B); premiar (4B)
awarded galardonado, -a (7A); laureado, -a (8B)
axiom el postulado (6A)

Verbos irregulares

1. adquirir		
Presente	adquiero, adquieres, adquiere, adquirimos, adquirís, adquieren	
Pres. del subj.	adquiera, adquieras, adquiera, adquiramos, adquiráis, adquieran	
Imperativo	adquiere (no adquieras), adquiera, adquiramos, adquirid (no adquiráis), adquieran	
2. andar		
Pretérito	anduve, anduviste, anduvo, anduvimos, anduvisteis, anduvieron	
Imperf. del subj.	anduviera, anduvieras, anduviera, anduviéramos, anduvierais, anduvieran anduviese, anduvieses, anduviese, anduviésemos, anduvieseis, anduviesen	
3. caber		
Presente	quepo, cabes, cabe, cabemos, cabéis, caben	
Pretérito	cupe, cupiste, cupo, cupimos, cupisteis, cupieron	
Futuro	cabré, cabrás, cabrá, cabremos, cabréis, cabrán	
Condicional	cabría, cabrías, cabría, cabríamos, cabríais, cabrían	
Pres. del subj.	quepa, quepas, quepa, quepamos, quepáis, quepan	
Imperf. del subj.	cupiera, cupieras, cupiera, cupiéramos, cupierais, cupieran cupiese, cupieses, cupiese, cupiésemos, cupieseis, cupiesen	
Imperativo	cabe (no quepas), quepa, quepamos, cabed (no quepáis), quepan	
4. caer		
Presente	caigo, caes, cae, caemos, caéis, caen	
Pretérito	caí, caíste, cayó, caímos, caísteis, cayeron	
Pres. del subj.	caiga, caigas, caiga, caigamos, caigáis, caigan	
Imperf. del subj.	cayera, cayeras, cayera, cayéramos, cayerais, cayeran cayese, cayeses, cayese, cayésemos, cayeseis, cayesen	
Part. presente	cayendo	
Part. pasado	caído	
Imperativo	cae (no caigas), caiga, caigamos, caed (no caigáis), caigan	
Semejantes a caer: decaer, recaer.		
5. dar		
Presente	doy, das, da, damos, dais, dan	
Pretérito	di, diste, dio, dimos, disteis, dieron	
Pres. del subj.	dé, des, dé, demos, deis, den	
Imperf. del subj.	diera, dieras, diera, diéramos, dierais, dieran diese, dieses, diese, diésemos, dieseis, diesen	
Imperativo	da (no des), dé, demos, dad (no deis), den	

Six pages of irregular verb forms in addition to seven pages of regular, stem-changing, and spelling-changing verbs

Sample Lesson Plan

¡A toda vela! allows you to **focus** on your instructional goals with a **flexible** and **fun** program.

S E Q U E N C E &
S C O P E
A T A G L A N C E
I N T H E C L A S S R O O M
T R A N S C R I P T S
A P T E S T S

Notes

- The authors recommend that you spend approximately 10 days presenting each of the 16 lessons (8 divided chapters) of *¡A toda vela!* The remaining days of the school year can provide extended time for testing, projects, and presentations. Because each lesson is packed with culture and exercises that practice and integrate reading, writing, listening, and speaking, no matter what you choose to include in your lessons, your students will become confident and proficient communicators.

- This general lesson plan, based on a 45-minute class, can be used for both Lesson A and B. It is meant to be a general reference, so you can adapt it to your students' specific needs. Because *¡A toda vela!* offers so much material, you might not use every activity in each lesson. Choose what you want to present to your students, depending on what is appropriate according to the level, ability, and prior knowledge of your students. The sample lesson is just a guideline of what you could do. This lesson plan is based on Lesson A of Chapter 1.

- Consult the ATE margins for other ideas, including the suggested games and activities, to enhance your presentation of the lesson, or use any of the suggestions from the Games and Activities section, pp. TE24–TE29.

- The *Citas*, *Refranes*, *Dichos*, and *Datos curiosos* are versatile. They can be discussed at various times: at the start or end of each class, while other students are finishing an assignment, or as a warm-up exercise while you are checking homework. Students can discuss these features with a partner, in small groups, or with the entire class, or express their thoughts in writing. Students can turn in written work or exchange papers with another student for review and editing.

Day 1 — Introduction to lesson topics

- As a homework assignment from the previous day, ask students to review the photos on the chapter and lesson openers and make a list of words and expressions that come to mind.
- The photos on the chapter and lesson openers set the tone for the communication and culture objectives. Use these visuals to introduce pertinent information and enable discussions that will allow students to draw conclusions, seek out similarities and differences, and share prior knowledge. Also ask the students to review the questions from Activity 1, making notes of their answers and the answers of classmates, looking up new words to include in their responses.

Talk about the photos and answer questions (5 minutes)
- Refer to questions that appear in the ATE to begin a discussion that frames the chapter and lesson content. Students should be prepared to tell a story based on each photo. They should respond to the questions such as: Who appears in the photo? Where was the photo taken? What is each person in the photo doing? Why is this person's action significant? What might happen next? Encourage students to use their imagination and go beyond what they see.
- Direct students to talk about what they see and think based on the photos. Inspired by the photographs, students can discuss and share related traditions, cultural facts, news events, and personal experiences.

Discuss questions (10 minutes)
- Students should work in pairs and share their responses orally to the ten questions from Activity 1 without looking at their notes. It is a good idea to use a timer so that students can keep track of the time.
- Ask students to work in small groups or have the entire class participate in a discussion. Students may prepare a notecard to help them use appropriate vocabulary and to remember what they are going to say.
- You may ask students to improvise their answers or speak for one minute answering just one of the questions.

Share with the class (5 minutes)
Ask students to share with the large group what they discussed in smaller groups. Write appropriate vocabulary on the board and suggest that students include these words in their notebooks.

Prepare *mini-diálogo* (7 minutes)
Students should read and prepare one side of the mini-dialogue and then practice it with a partner who has prepared the other half.

Present *mini-diálogo* (12 minutes)
Pairs of students present their dialogues. Elicit student comments and suggestions after each presentation. Add your own comments as needed.

Cita*, *Dato curioso* and *Nota cultural (4 minutes)
Present and discuss these elements. Share the *Nota cultural* with students.

Homework and Wrap-up (2 minutes)
- For homework, assign exercises related to vocabulary and grammar in the workbook. If time allows, students may begin their assignment.
- Go over what has been discussed in class. Use suggestions from the Games and Activities section.

Day 2 — Lesson-related vocabulary and intuitive grammar

Warm-up (3 minutes)
Review any new vocabulary from the previous day using flash cards, Power-Point, a game or activity.

Correct homework (10 minutes)
Check exercises and review new vocabulary with students by defining terms in Spanish, or English, using synonyms or through pantomime. The Games and Activities section provides additional ideas.

Vocabulary and grammar in context (20 minutes)
- In pairs, ask students to complete Reading Activity 3 and then complete the related vocabulary exercise, Activity 4.
- Ask students to record the words in blue and red, as well as any others they need to review from the readings, and to add new vocabulary words as they work in each section of the lesson, adding English translations as needed. Encourage students to use these words when doing the activities later in the lesson.
- Direct students to complete Activities 5–7 that relate to the first reading.
- In Activity 5, students will create their own summary of the present tense, and of other grammar points in subsequent activities. In grammar exercises like this one that appear in each lesson, students should seek more information about any aspects that they found difficult. Students should answer all questions in Spanish even if they find the task challenging. Offer guidance and support as students recall what they already know and prepare a base for future lessons. If needed, review the list of grammar terms in Spanish on p. TE29.

Correct activity (10 minutes)
Review Activities 4–7. Add or explain grammatical points or concepts as needed.

Homework and Wrap-up (2 minutes)
- For homework, assign exercises related to vocabulary and grammar objectives from the workbook.
- To deepen reading comprehension, ask students to write original sentences with the new words from the lesson, find synonyms or similar expressions for them in Spanish, or even create a crossword puzzle using the new vocabulary presented in the reading selections.
- Play the game suggested in the ATE.

Lesson-related vocabulary and intuitive grammar

Day 3

Warm-up (2–3 minutes)
Review previously-taught grammar and vocabulary topics.

Correct homework (5 minutes)
Review grammar and vocabulary material.

Activity completion (20 minutes)
- Ask students to read Activity 8. Complete any or all of Activities 9–13. Review some of these exercises in class, correcting and offering explanations as needed.
- Assign Activities 14–17.

Assessment (15 minutes)
Administer a lesson quiz.

Homework and Wrap-up (3–4 minutes)
- Introduce students to the *Idioma* section by assigning Activities 18 and 19 for homework.
- Invite students to play one of the suggested games.

Language

Day 4

Warm-up (3 minutes)
Review applicable grammar and vocabulary material.

Correct homework (8–10 minutes)
Correct Activities 18 and 19.

Activity completion (30 minutes)
- Assign and check Activities 20 and 21. Assign Activities 22–24.
- Ask students to figure out the meaning of the highlighted words in the reading by using context clues and cognates. If this strategy does not work, they should look up new words in a dictionary, and write their meanings or translations in their notebooks.
- Remind students that skimming is another effective reading strategy.

Homework and Wrap-up (2–4 minutes)
Ask students to complete applicable activities in the workbook for homework.
Suggest that students play "Una noche en Toledo."

Day 5

Warm-up (3 minutes)
Review previously-taught grammar and vocabulary topics.

Correct homework (10 minutes)
Correct homework and review vocabulary and grammar topics.

Activity completion (30 minutes)
Ask students to complete any or all of Activities 25–29. Review some of these exercises in class, correcting and offering explanations as needed.

Homework and Wrap-up (2 minutes)
- Assign Activity 30 and suggested workbook activities as homework.
- Ask students to play one of the two games suggested in the ATE.

Reading

Day 6

Warm-up (3 minutes)
Review previously-taught grammar and vocabulary topics.

Correct homework (10 minutes)
Correct homework.

Activity completion (30 minutes)
Assign any or all of Activities 31–37. Review some of these exercises in class, correcting and offering explanations as needed.

Homework and Wrap-up (2 minutes)
Assign activities in the workbook.

Day 7

Warm-up (5 minutes)
Ask students to discuss Activity 38 with partners, in small groups, or as a whole class.

Activity completion (35 minutes)
Ask students to complete any or all of Activities 39–51. Review some of these exercises in class, correcting and offering explanations as needed.

Homework and Wrap-up (5 minutes)
- Assign related activities in the workbook.
- Ask students to present one of the additional activities cited in the ATE. To review, ask students to play a game or complete an activity from the Game and Activities section pp. TE24–TE29.

Listening and Writing

Day 8

Warm-up (2–3 minutes)
Review new vocabulary that appears in Activity 51 with students before listening to it.

Activity completion (40 minutes)
- Ask students to complete Listening Activities 52–54.
- Ask students to write their responses to *Participe en una conversación*.
- Direct students to complete Informal Writing Activities 55 and 56.

Homework and Wrap-up (2–3 minutes)
- Assign related activities in the workbook.
- Ask students to prepare their assigned debate questions for Activity 60 as well as their answers or presentations for Activity 62.
- Assign Formal Writing Activities 57 and/or 58 as homework.

Writing and Speaking

Day 9

Activity completion (43 minutes)
- Ask students to exchange their essays with a partner.
- Direct students to present speaking activities 60-62.

Homework and Wrap-up (2 minutes)
Assign applicable activities from the workbook.

Projects and Assessment

Day 10

Projects (10–15 minutes)
Direct students to present their projects.

Assessment (30 minutes)
Administer lesson test.

Homework (2 minutes)
Assign workbook activities.

In the Classroom

The National Standards and Philosophy behind *¡A toda vela!*

Correlations with standards and extensive research create the framework for *¡A toda vela!*

National Standards for Learning Spanish

The *Goals 2000: Educate America Act* of 1994 provided funding for improving education. One result of this funding was the establishment of content standards in foreign-language education as determined by a K–12 Student Standards Task Force. In 1996, the task force defined a national framework of content standards in foreign-language education. The new framework, revised and expanded in 1999, *Standards for Foreign Language Learning in the 21st Century including Chinese, Classical Languages, French, German, Italian, Japanese, Portuguese, Russian, and Spanish*, includes information about standards application in specific languages. Following are the main points of the National Standards as applied to Spanish. More information can be found at *www.actfl.org.*

Communication   Goal 1
Communicate in Spanish
Standard 1.1 Students engage in conversations, provide and obtain information, express feelings and emotions, and exchange opinions.

Standard 1.2 Students understand and interpret spoken and written Spanish on a variety of topics.

Standard 1.3 Students present information, concepts, and ideas in Spanish to an audience of listeners or readers on a variety of topics.

Cultures   Goal 2
Gain Knowledge and Understanding of the Cultures of the World
Standard 2.1 Students demonstrate an understanding of the relationship between the practices and perspectives of Hispanic cultures.

Standard 2.2 Students demonstrate an understanding of the relationship between the products and perspectives of Hispanic cultures.

Connections   Goal 3
Connect with Other Disciplines and Acquire Information
Standard 3.1 Students reinforce and further their knowledge of other disciplines through Spanish.

Standard 3.2 Students acquire information and recognize the distinctive viewpoints that are only available through the Spanish language and its cultures.

Comparisons   Goal 4
Develop Insight into the Nature of Language and Culture
Standard 4.1 Students demonstrate understanding of the nature of language through comparisons between Spanish and English.

Standard 4.2 Students demonstrate understanding of the concept of culture through comparisons between Hispanic cultures and their own.

Communities   Goal 5
Participate in Communities at Home and around the World
Standard 5.1 Students use Spanish both within and beyond the school setting.

Standard 5.2 Students show evidence of becoming lifelong learners by using Spanish for personal enjoyment and enrichment.

Performance Assessment

The numerous communicative performance assessments in each lesson provide abundant opportunities to practice and to gradually achieve significant success with integrated skills and tasks and additional assessment in the same or familiar formats. The supplementary activities in the workbook and the accompanying audio CD, on the Web page, and on the quizzes and tests offer ample practice to succeed with confidence.

Cross-curricular Learning

There is a powerful connection between the authentic source articles in Spanish and many other academic disciplines and life skills. Students can understand and enjoy the real-life application of the synthesized information from the articles and relate it to art, geography, history, current events, literature, music, film, dance, social studies, sociology, psychology, ecology, and contemporary culture.

The Multiple Intelligences

Howard Gardner's theory of multiple intelligences suggests that people have different abilities in many different areas of thought and learning, and that these varying abilities affect their interests and how quickly they assimilate new information and skills.

¡A toda vela! has utilized Gardner's research to provide teachers with a plethora of learning activities. By using the wide variety of materials that complement *¡A toda vela!*, teachers can create innovative lessons that address diverse learning styles so that each student can maximize his or her individual potential.

The general characteristics associated with each of these eight identified intelligences are described below.

- **Bodily-Kinesthetic:** These students learn best by doing what they enjoy. They learn through movement and touch, and express their thoughts with body movement. They are good with hands-on activities, such as woodworking, dancing, athletics, and crafts.

- **Interpersonal:** These students are natural leaders who communicate well, empathize with others, and often know what someone is thinking or feeling without having to hear the person speak.

- **Intrapersonal:** People with intrapersonal intelligence may appear to be shy but are self-motivated and aware of their own thoughts and feelings about a given subject.

- **Linguistic:** This type of student demonstrates a strong appreciation for, and fascination with, words and language. These students enjoy writing, reading, word searches, crossword puzzles, and storytelling.

- **Logical-Mathematical:** This type of student likes establishing patterns and categorizing words and symbols. Students with logical-mathematical intelligence enjoy mathematics, experiments, and games that involve strategy or rational thought.

- **Musical:** These students can be observed singing or tapping out a tune on a desk or other object. Students who demonstrate musical intelligence are discriminating listeners who catch what is said the first time.

- **Naturalist:** Students with naturalist intelligence might have a special ability to observe, understand, and apply learning to the natural environment.

- **Spatial (Visual):** These students think in pictures and can conceptualize well. They often like complicated puzzles, drawing, and constructing.

Games and Activities
Reinforce, review, and practice grammar, vocabulary, and culture.

> The following games and activities can be used at several points throughout the chapters. Although suggestions for using them are given on specific pages of this Annotated Teacher's Edition, you may use them at any time to reinforce and review grammar, vocabulary, or culture topics, or to give students more practice with reading, writing, listening, and speaking skills.

Juegos

Aplausos o chasquidos
Before class prep: Prepare a short paragraph in Spanish that uses two different tenses or moods that you would like students to practice (for example, the preterite and imperfect, or the indicative and subjunctive moods).

Tell students that you are going to read a paragraph, but without saying certain verb tenses or moods. You will only tell them the infinitive, and they will need to figure out the correct tense or mood, by either applauding for one or snapping their fingers for the other. You might say something like this: *Voy a leerles un texto, pero sin decir el tiempo (el modo) de algunos verbos. Uds. van a escucharme y, cuando haga una pausa, les voy a decir el verbo en el infinitivo. Uds. deben aplaudir si creen que el verbo va en pretérito (indicativo) o hacer un chasquido con los dedos si creen que debe ir en imperfecto (subjuntivo).*

If you want a less noisy version of this game, have students either raise their hands or put one hand on their foreheads to indicate the tenses or moods. You can also ask them to show different-colored cards, depending on the tense or mood.

Cada uno una

Five minutes before the class ends, ask each student to stand up and say one word or expression from the lesson. The next student should translate that word into English and say another word in Spanish. Words and expressions cannot be repeated. If a student repeats a word, students will need to start from the beginning again.

Variation: Play as above, but students who repeat a word, or give the wrong translation, are out of the game. Continue playing until all students have had a chance to say a word and the winner/s is/are the last one/s standing.

Cadena de palabras
Ask a student to cite a word from the lesson. Then the next student cites another word (also from the lesson or related to it) that starts with the last letter of the previous word. If the student cannot say one, he or she is out. The game continues until all students have had a chance to say a word, or until there is only one player left.

Dibuje, defina o gesticule
Before class prep: Prepare slips of paper with the relevant vocabulary, conjugated verbs, or short sentences that you want students to practice and place them in a bag. If you choose to play this game with two teams, you will need to prepare duplicate slips of paper with these expressions and place them in two separate bags.

To review vocabulary and grammar, have students pick one of the words, verbs, or short sentences from a bag. Then give students a piece of paper and ask them to either draw or describe in Spanish what they have chosen, or to describe these words or sentences with gestures. The rest of the class must guess the word.

Variation: You may also want to divide the class into two teams. Both teams play simultaneously; taking turns, each team member picks a word or short sentence from his or her team's word bag and draws or describes it for the team. The team that correctly guesses the most words in a given time is the winner.

Hablar hasta por los codos
Divide the class into two teams. Tell students that each team member will need to speak for a minute on any give topic. You might want to do a coin toss to see which team goes first. If a player stops talking, or starts repeating information, he or she is out of the game and the other team takes a turn. However, if the player talks for a minute, his or her team continues playing. The winning team is determined by the higher number of players left after you call time.

¡Háganlo!
Ask the class to do the things you tell them to do. You can practice just commands, or commands that use adjectives, or lesson-related vocabulary. For example:
Just commands: *suban los brazos, tóquense el codo, levántense*

Commands with adjectives: *toquen algo blanco, agarren algo suave, pongan un dedo sobre algo de madera*

Commands with lesson-related vocabulary (food): *pongan el mantel, frían unos huevos, hagan unas galletas*

Variation: You can also write similar commands to one student at a time, have the student pantomime them, and then ask the others to guess what these commands are.

Historias en cadena

Start a story by telling students the first couple of sentences to set the tone, and ask them to continue by writing the story using the grammar that you would like to review. Remind students to also use transitional words, vocabulary from the lesson, and any other appropriate grammar or cultural information.

Variation: You might start reading from the beginning of a real article or short story that students will be reading later in class. The students can continue the story by making predictions of what they think will happen. Later, as they read the article or story, they can compare it to their versions and see if any of their predictions were true.

El juego de la alarma

This is a fun and quick way to review vocabulary or grammar. Have the whole class stand up and form a circle to play. Place a timer with a very loud ring in a bag and ask students to take turns passing the bag and holding it as they say any word from a list you would like to review, a conjugated verb from the lesson, or a comment about an article they have read in class. Should the alarm go off while a student is left "holding the bag," that student is out.

Lo tengo en la punta de la lengua

One student defines a word, and another must guess what it is. Then that student defines a new word, and another student must guess it. The game continues until all students have had a chance to define or guess a word.

¿Quién quiere ser millonario?

Ask students to write questions similar to the ones asked on the popular game show, using the new vocabulary. Then put their questions in bags, according to their monetary value. Draw a pyramid that shows increasing amounts of pesos, euros, or any other currency from a Spanish-speaking country (from 100 to a million) and see how long it takes someone to win the top prize. Students won't have any "lifelines" in this version. If they miss a question, they're out. You might also assign the questions for homework, making sure that students assess a monetary value to each one.

Relevos

Divide the class into two teams. Give a marker to one student on each team. Write or say the names of the sections or readings that you want to review, and ask students to take turns writing as many words related to these sections as they can within a given period of time. After a student writes a word, he or she passes the marker on to the next team member. You might also use this to review verb tenses or any other grammar issue.

Trivia

Ask students to come up with questions (and answers) related to any of the culture, grammar, or vocabulary covered in the lesson. Students can write them on slips of paper and turn them in, or e-mail them to you. You might want to review their answers. At the end of each lesson, students compete against each other by answering questions you pose to them.

¿Verdadero o falso?

Ask students to work in small groups and research some interesting facts about a country or culture topic. Then ask them to write four sentences that describe the subject matter, making sure that one of the sentences is false. When they read their sentences aloud, the other students have to identify the false statement and, wherever possible, correct it or explain why they think it is wrong.

Voluntario, derecha e izquierda

This game helps students practice the words in *Familia de palabras*. Tell students that you will say a verb from the word family table in English. A volunteer will translate the verb into Spanish. Then the student to the volunteer's right will say the corresponding Spanish noun and the student to the volunteer's left, the Spanish adjective. Repeat until students have practiced all the words in the table.

Actividades

¡A escribir juntos!

Establish a situation, and explain that the students are all going to contribute to a message that you or a volunteer will start. You could write something on the board to show what type of message it will be; for example, an e-mail, a postcard, or a diary entry. Each student will come to the board to complete the message, and everyone will help to make sure that it is correct. Don't discuss the content until the very end, and then encourage a whole-class discussion.

A escribir por quince minutos

Tell students that they cannot talk with each other for 15 minutes, but written messages about the topic selected are allowed. Ask them to have several pieces of paper available so they can pass their messages along to their classmates. Make sure that everyone is involved. You could have students write messages about a literature selection, the weather, a film, the events of the day, some news, plans for the weekend, or anything that is related to the lesson. Encourage students to use the grammar points and new vocabulary from the lesson.

Amnesia

Before class prep: Determine who the "victim" is going to be and bring in some items from home to help establish the person's identity, including objects that give clues to the person's interests, job or student status, age, and personality. Place the items in a bag or backpack.

Tell students that someone has suffered a bump on the head and now has amnesia. To help this person figure out his or her identify, students need to be detectives and analyze the contents of the victim's backpack. Start pulling out items from the bag (or backpack). As students try to unravel the puzzle, encourage them to use the vocabulary and/or grammar presented in the lesson.

Canción

Find a song that uses commands, subjunctive forms, or any other structure or vocabulary that you would like to review. A good example is "La tortura" by Shakira. You can leave out some words and ask students to supply them, or give them a word bank with possible choices.

¿Cómo están relacionados?

Before class prep: To do the following activity, bring in some photos or pictures from magazines that show various people, animals, places, or things.

Show two apparently unrelated photographs to students and ask them how they are connected. For example, you might want to show a picture of yourself and one of an elected official, and perhaps a baby and a kitten. Assure them that there are no right or wrong answers. You can make this a whole-class or small-group activity. It is a good way to have them think about similarities and differences and to recycle vocabulary.

Corrija una carta

Write a letter from the point of view of one of the characters in a book you are reading, or from a well-known piece of children's literature (like the wolf in *Little Red Riding Hood* who apologizes to the grandmother for all the trouble caused). Be sure to include some of the most common errors that students have made in a recent test or essay, and ask them to find these mistakes. Be sure to specify the number and kind of errors to look for (for example, 5 accents, 7 tenses, 2 connectors, 3 in punctuation, 4 prepositions, 5 misspellings). You could prepare a checklist so students can check off what they find.

Variation: You might also ask students to write letters—inserting errors—in order to go over them in class. Another option is to use an article and modify some of the words to create errors so that students can identify and correct the mistakes.

¿Cuál es la pregunta?

Write an interesting fact on the board, or read it to the class. It could be a statistic, the title of a book, a culture fact, or any other information based on the lesson. Ask students to think of an appropriate question for this answer. For example: *Se le conocía con el nombre de El Libertador.* Students might come up with the question: *¿Con qué nombre se le conocía a Simón Bolívar?*

¿Cuáles son las diferencias?

Before class prep: To do the following activity, bring two similar texts to class. One will be the "original," the other, one to which you have made several obvious changes.

Ask students to work with a partner and give each one a different version of the article you have prepared. Tell them that the articles they have are similar, but that there are differences between them and that their task is to discover what these differences are. (You might want to specify the number of differences.) Without reading each other's texts, students should discuss the content and ask each other questions in order to discover these differences. The activity provides a good way to review vocabulary, and perfects students' observations of details while reading and listening. The articles you prepare could also reflect some of the culture topics of the lesson.

De periodistas

Before class prep: Find two different articles and make sufficient copies of them to distribute among students, so half the class receives one article, and the other half, the other.

Tell students that the point of this activity is to practice good note taking. Ask students to work with a partner and give each one a different article to read and take notes. Establish a time frame to do this, and when you call time, ask students to get together with their partner to exchange articles and review the notes in order to determine who is the better note taker. While reviewing their classmates' notes, they should make corrections or add comments regarding the quality of the work. Encourage students to use the grammar structures that you are working on.

La definición interminable

Ask students to define a word, for example, *pobreza*. A student might answer: *"Lo contrario de riqueza"*; if so, you could then ask: *"¿Y qué es riqueza?"* To which another student might reply: *"Cuando se tiene mucho de algo."* To this you could ask: *"¿Qué es tener?"*, and continue this way for while. You could also ask other questions that answer *quién, cuándo, dónde, cómo,* or *por qué*.

El desafío del minuto

For homework, ask students to review the vocabulary from this lesson. The next day, give them a minute to write as many of these words as they can. They may work alone or with a partner. You might want students to write sentences using certain words you have selected.

El desafío del minuto con el subjuntivo

For homework, ask students to review the expressions that are followed by the subjunctive. The next day, give them a minute to write as many of these expressions as they can. They may work alone or with a partner.

Encuesta

Ask students to work in small groups and write down ten questions for a survey on a topic related to the lesson. They will need to decide what type of questions to ask. The groups can work on the same topic, or on different ones. If time allows, you could have the groups survey their classmates (or another Spanish class) and share their feedback.

Familia de palabras

Before class prep: Write the words from the *Familia de palabras* chart on different-colored cards, but use the same color to indicate that certain words are from the same family.

Divide the cards among the students and ask them to put the words grouped by a certain color ("family") together. To reinforce the parts of speech, students could draw, for example, a square around all the verbs, a circle around the nouns, and a triangle around the adjectives. Redistribute these cards and have students group them so that the parts of speech are all together. Call on a student to say or write one of these words on the board and identify its part of speech, and have the other "family members" identify themselves and explain what part of speech they are; for example: _____ *es un adjetivo; soy el sustantivo_____; soy el verbo _____.* Then have the "family" come up with an original sentence that uses all the words they have presented in *la familia*.

El foro

Ask students to use programs such as Blackboard, or any other program that has a similar feature, to send messages to each other. They could use this during class time or, if possible, have them connect at the same time from home in order to discuss a given topic. Ask them to write to every person in the class, and to stay online for half an hour.

Gráfico sobre un tema

Ask students to work in small groups and assign them a topic related to the lesson. Tell them to divide the topic into several categories and to write these categories on poster board or different sheets of paper, describing them with as many words as they can, and encouraging them to use new vocabulary from the lesson. When they are done, display their work. Students should review what other groups have written, correcting any errors, or adding additional words they may know.

Hablen sobre esta foto

Bring a photo or a picture from a magazine to class and show it to the students. Ask them to tell a story related to what they see in the picture, practicing the grammar and vocabulary from the lesson.

Variation: You could ask students to record their stories and even incorporate some special sound effects (they can find them easily in any search engine, and for free). These stories can become Audio Short Stories, and you can put them up on your Web site or in a blog, so other students can listen to them.

Imágenes que cuentan

Before class prep: Bring in different pictures from magazines that show people doing a variety of activities and in different places, as well as pictures of animals, things, and places.

Show or project several of the pictures on a screen. Ask students to think about how they are related and then write a story based on them. You can use the pictures to review the vocabulary, grammar, or culture related to the lesson. Students might also do this activity with a partner. Ask volunteers to read their stories aloud.

Inserte una frase

Before class prep: Prepare a short paragraph from a literature selection, the news, or a culture topic related to the lesson, leaving out a relevant sentence. Show students the paragraph on an overhead projector, and also tell or show them the omitted sentence. They need to figure out where this sentence belongs.

Intuyendo por una foto

Show students a photo from an article that you want them to read or listen to. Ask them to work with a partner to talk about the image and to make predictions about what they think the article will be about.

Lea, escriba y páselo

Students will work in small groups and write in a format you choose (for example, a postcard, e-mail, or diary entry). When you call time, they should pass what they have written to the person on their right, who will add to what is written. They repeat this until they receive the paper they started. They need to read what has been written and, as a group, decide on any appropriate corrections.

Mensajeándonos por 20 minutos

Tell the students that during the next 20 minutes, the only way of communicating with each other is by writing messages. You can ask them to write about any topic they wish, or assign a particular one. They could also do this with e-mails if you have the time and the resources.

La noticia del día

Encourage students to read a news article (there are many Spanish-language publications online), print it and bring it to class, and then ask them to present it in their own words to their partner. A question-and-answer period between partners could follow. The next day, the partner will do the same with another article.

Variation: You could ask the student who is listening to take notes and then make a written or oral summary of the article from these notes.

Las noticias de hoy

Find a current and interesting news article, bring it to class, and share it with students. Make up a question based on the article with four answer choices. Present only the possible answers to students and ask them to guess what the question could be.

Variation: You can also present a culture topic or a literature selection. As students feel more confident with this activity, you might ask them to select a topic, prepare the answers, and present this to class.

Expand: You can ask students to read or listen to the article afterwards, since some newspapers like Madrid's *El Mundo* (*www.elmundo.es*) offer audio for selected news items. Students can also click on related articles for more information or another point of view. After they have read more about the topic, you might ask them to write a short article summarizing the information or make a brief presentation to the class.

¡Pongámonos de acuerdo!

Choose a list of words from the reading or lesson to be defined in Spanish. Have the entire class discuss options before deciding on suitable definitions, or ask students to work in small groups. After each group has come up with definitions, ask the class to discuss all the possibilities and decide on the most suitable definitions.

Variation: Ask the class to come up with the words that they would like to learn in a given article or short story. They should come up with the definitions as a class.

¡Post-it!

Ask students to write their three favorite words and their three least favorite ones on one post-it note. Place their notes around the classroom and invite students to walk around to see what their classmates' vocabulary likes and dislikes are. Encourage students to share their preferences, by asking each other questions such as: *¿Cuál te gusta más, y a cuál le tienes manía?*

Los premios

Ask students to look for information about any of the awards given in the arts, sciences, medicine, or humanitarian or peacekeeping efforts and the recipients of these prizes. Ask them to write a paragraph describing the award and including some brief biographical information of some winners, as well as an interesting anecdote. You might want to ask some students to read their papers or make a brief presentation to the class.

¿Qué falta?

Before class prep: Select or create a few sentences or a short paragraph, omitting some essential words.

Present what you have prepared to students and ask them to supply the missing text.

Variation: You could use news articles, quotations, proverbs, sayings, selections from literature, or even famous lines from movies.

¡Que no es así!

Read a text aloud and include some mistakes or nonsense facts. You could use a well-known children's story, a current events article, or something that the students have just read. Ask students to volunteer the correct information. For example, if you choose *La Cenicienta*, you could say: *Había una vez una niña que vivía con sus cinco hermanas*. The students should say: "*¡No, que no es así! Vivía con sus dos hermanastras.*"

Variation: If you prepare the texts and make copies, you could do this as a reading activity.

Repaso Expreso

At the end of class or at the beginning of the next one, write a list of expressions, verbs with prepositions, and other vocabulary from previous activities, but without defining them in English. Ask students to write the words and their translation in their notebooks and to share them with a small group or the whole class. You might want to use this activity to review for quizzes or tests.

Responda a esta situación

You need to be an actor for the students and describe someone's fictitious dilemma, but pretend that it is real. Then stop and ask students to offer advice or suggestions to the person. You may choose to have them do this orally or in a written format. If you ask students to do this as a written activity, you might specify the format they should use (for example, a letter, an e-mail, or a dialogue between the student and the person).

Tengo memoria de mosquito

Every once in a while, pick up a common object from the class or bring in something of your own, and ask students to define it. The objects can range from the most commonplace ones (a pencil, a cell phone, a rubber band) to the most unexpected (an old edition of a well-known book) and amusing ones (an old gym shoe). Ask questions such as: *¿Para qué usamos esto?*

¿Vale más una imagen que mil palabras?

Bring some Spanish-language ads to class, but cover up what they are advertising. Ask students to guess what the product or service is and then to come up

TE28

with a product or service of their own. They will need to create an advertising slogan and write their own product/service description. You might want to display their ads, and invite the class to critique their classmates' work.

Variation: You could ask students to look for ads online (they can easily be found in places like YouTube) and share them with the class.

Vocabulario
Write a list of words and expressions on the board or show them on an overhead projector. Tell students to make a three-column table in their notebooks with the following headings: 1. *Sé lo que significa*; 2. *Creo que lo sé*; 3. *No sé lo que significa,* and to categorize the words you have listed accordingly. Ask them to compare their lists with a partner and to work on the words they do not know well.

Grammar-related Vocabulary

Vocabulario relacionado con la gramática

Because students will need to explain grammar rules in Spanish, the following words and phrases will be useful to them in order to do this. Share this vocabulary with the class; it is also available on the Web site.

Sustantivos
El género (masculino o femenino)
El número (singular o plural)
El artículo (definido o indefinido)
Los diminutivos / aumentativos
La mayoría de los sustantivos terminados en "..." son masculinos / femeninos
Es una excepción
En la mayoría de los casos
La terminación "..." generalmente indica el género femenino / masculino del sustantivo
El sustantivo se forma / se hace cambiando "..." por "..."
Se forma / hace añadiendo "..."
Se le añade una *a*
Tiene una sola forma tanto para masculino como femenino
No cambia / no varía
Si termina en vocal / consonante
Si la vocal está acentuada
Si termina en vocal átona o no acentuada
Es contable / no contable / colectivo
Si concuerda / no concuerda
Es informal / formal / coloquial / literario / poco usado / de uso muy / poco frecuente

Pronombres
Los demostrativos
Los personales
Los posesivos
Los relativos
El pronombre complemento directo / indirecto

Adjetivos
Los adjetivos concuerdan con el sustantivo en género y número
Se forma / hace cambiando "..." por "..."
Se forma / hace añadiendo "..."
No cambia
Es irregular / una excepción
La "..." se transforma / se cambia a / se convierte en "..."
El adjetivo se pone antes del / delante del sustantivo
Se pone para dar énfasis / destacar

Se usa en el lenguaje literario / retórico / poético / informal / coloquial
La apócope
Se le quita la última vocal cuando va delante de un sustantivo
Los adjetivos que terminan en "..."
Los comparativos
Los superlativos
Las formas sustantivadas y adverbiales
Los demostrativos

Verbos
Vebos terminados en *-ar, -er, -ir*
El infinitivo
El participio / el gerundio
El modo indicativo / subjuntivo
La voz activa / pasiva
El presente / pretérito / imperfecto / futuro / condicional / presente perfecto / pluscuamperfecto / futuro perfecto / condicional perfecto (compuesto)
Expresa una acción (no) terminada
Este tiempo se usa para expresar una acción que...
Expresa una acción que tiene lugar en el presente / pasado / futuro
No precisa el principio ni el final de la acción
Expresa acciones realizadas en el pasado y que perduran en el presente
Expresa acciones pasadas y terminadas con relación a otras acciones pasadas
Describe una acción habitual
Indica probabilidad, prohibición, duda, incertidumbre, especulación, suposición, deseo, negación
Es una expresión impersonal
Expresa lo irreal / hipotético, algo que no está verificado, que refleja duda, incertidumbre, emociones, consejos
Se refiere a personas o cosas ambiguas
Los mandatos / El imperativo
Primera persona del singular / plural
Segunda persona del singular / plural (formal o informal)
Tercera persona del singular / plural
Para conjugar / La conjugación de este verbo...

En algunas personas, como la primera persona del singular, la "..." cambia a "..."

Se construye / hace cambiando la terminación "..." por "..."

Todos sus compuestos siguen la misma regla

(No) concuerda con "..."

El cambio consiste en que...

Haber es un verbo auxiliar

Este tiempo verbal se forma...

Hay que fijarse en el acento, pues éste nos ayudará a diferenciar...

Si nos fijamos en "..." podemos ver / observar / comprobar que...

¿Dónde se pone / coloca el acento?

¿Dónde va el acento?

En la *a, e*...

¿Cómo se escribe? / ¿Cómo se deletrea?

No está claro por el contexto

Por el contexto deducimos que...

¿En qué letra termina? / ¿Cuál es la terminación?

Hay un cambio ortográfico

¿Cuál es la regla?

¿En qué termina?

¿Cómo se conjuga?

¿Cómo se forma?

¿Por qué se hace?

¿Qué se le añade?

¿Qué se le quita?

¿Qué se cambia? / ¿Por qué se cambia... ?

Los verbos con cambio en la raíz

Es un verbo de cambio en la raíz (el radical)

Se le añade "..." a la raíz del verbo

Es una excepción

Pertenece al grupo de...

Es irregular sólo en la forma *yo, él,*...

Se le quita "..." y se le añade la terminación "..."

Dependiendo de si lleva *se* / acento, su significado cambia

La mayor parte de los verbos

Para expresar un estado emocional o transitorio

¿Hay alguna excepción?

¿Por qué letra empieza?

Partículas

El adverbio

La preposición

La locución preposicional

La conjunción

La interjección

Oraciones

La oración simple / compuesta

La cláusula principal / subordinada

La cláusula adjetival/ adverbial / nominal

Acentos / Acentuación

La pronunciación

¿Cómo se pronuncia?

Es una palabra aguda, llana o esdrújula

Según dónde vaya el acento, el significado cambia

Según la palabra lleve tilde o no, va a tener un significado u otro

Es un monosílabo, o palabra formada sólo por una sílaba

La tilde

Si la palabra termina en consonante (excepto -*n* o -*s*)

Si la palabra termina en vocal, -*n* o -*s*

Siempre lleva tilde

Cuando hay dos vocales seguidas

Cuando hay un diptongo

Cuando hay un triptongo

Signos ortográficos

.	el punto
,	la coma
;	el punto y coma
:	los dos puntos
( )	el paréntesis
[ ]	los corchetes
¿ ?	la interrogación
¡ !	la admiración / exclamación
" "	las comillas
...	los puntos suspensivos
ü	la diéresis
—	la raya, el guión largo (o corto)

Transcript for Student Book Listening Activities

The listening comprehension activities in the *¡A toda vela!* student book are indicated by the icon ⊙.
All such activities are recorded and are available in the Audio Program. What follows is the transcript of these recorded activities for teachers who wish to read them aloud instead of using the recorded audio, or for the convenience of having printed verification of the recorded material. Please note that we have *not* included the audioscripts for the *Participe en una conversación* sections; these may be found in the wrap under the corresponding activity.

Capítulo 1, Lección A

Actividad 24 (CD 1, pista 1, 3:32)
Al encuentro de la aventura
Viajan. Se rebelan contra las normas. Buscan otras respuestas y en sus cabezas se acumulan las preguntas, los retos. Disfrutan con el riesgo y el peligro. Son aventureros, los motores de la humanidad. Una estirpe de soñadores de ayer y de hoy, víctimas del demonio de la curiosidad que les ha llevado a penetrar en lugares y espacios hasta ahora desconocidos. ¿De dónde surge esta necesidad de aventura en el hombre? ¿A dónde le conduce?

No se puede describir con palabras. Este impulso, esta necesidad no es algo racional, ni se puede controlar. Está impresa en la naturaleza humana como un sello, herencia de su Creador, y nace en los sueños de algunos hombres que no se conforman con lo que ven, y quieren buscar respuestas más allá de las fronteras de lo "razonable". "La aventura —comenta Sebastián Álvaro— primero es intelectual. Y aquí hablamos de la imaginación, del poder de la mente, antes que aventura de la acción. Para que Colón y los navegantes portugueses pudieran atreverse a navegar por un océano desconocido que representaba todos los miedos de la época, antes tuvo que haber un Galileo, un Alejandro, un Aristóteles... gente que pensó y alimentó la aventura intelectual que luego, el aventurero de acción, ejecuta. Pero al mismo tiempo, estos descubrimientos han hecho que otra persona vuelva a pensar e imaginar otros mundos que luego otros los harán posibles. Ahora en alpinismo, por ejemplo, se están haciendo cosas que alguien imaginó a mediados de los setenta o principios de los ochenta". Es adentrarse en otro mundo donde no existen fronteras, sólo un sueño lleno de aventuras "imposibles" que esperan ser vividas, donde sólo es necesaria una cosa: creer en ellas y desear vivirlas. El aventurero Ramón Larramendi, que acaba de completar con éxito la primera travesía de Groenlandia (Este-Oeste) a bordo de su invento —el catamarán polar—, coincide en que "toda aventura primero nace en tu cabeza. Es absolutamente fundamental soñar, imaginar, e incluso la fantasía. El viaje lo inicias en ese sueño, luego queda la tarea de plasmarlo en la realidad".

www.revistafusion.com

Vocabulario útil: disfrutar, *to enjoy*; sello, *stamp*; herencia, *heritage*; alpinismo, *mountain climbing*; adentrarse, *to go into*; travesía, *crossing*; plasmar, *to capture*

Actividad 27 (CD 1, pista 2, 5:26)
Recorriendo el Camino Inca
En el Valle del Urubamba, Machu Picchu encaja dentro del marco espectacular proporcionado por la exuberante vegetación de la selva cercana y con el paisaje accidentado. El Camino Inca es sólo una pequeña parte del sistema de carreteras incas que integraba a las cuatro regiones del Imperio del Tawantinsuyo. Esta caminata de aproximadamente 43 kilómetros dura cuatro días terminando en la Ciudadela de Machu Picchu.

Lo que hace tan especial a esta excursión es la combinación de restos incas, vistas increíbles, vegetación exótica y la extraordinaria variedad ecológica.

Día 1: Cusco—kilómetro 82—Huayllabamba
A las seis y media de la mañana nuestro guía pasará por el hotel para luego transportarnos en bus hasta el kilómetro 82, donde estaremos llegando aproximadamente a las once de la mañana; en este lugar tendremos el gusto de conocer al equipo de personas que nos acompañará durante nuestro trekking: los porteadores, carperos, cocineros, etc. Comenzaremos la caminata. Este primer día es bastante fácil; en los primeros kilómetros, tendremos una hermosa vista del nevado la Verónica y caminaremos al lado del río Vilcanota hasta llegar al grupo arqueológico de Patallacta, donde podremos almorzar para recuperar fuerzas y continuar hasta llegar a Huayllabamba, donde realizaremos nuestro primer campamento.

Día 2: Huayllabamba—Pacaymayo
Después de un reconfortante desayuno, comenzará nuestro segundo día de trekking, tal vez el más difícil ya que tendremos que ascender hasta el abra de Wuarmihuañusca a 4.200 metros sobre el nivel del mar. En este lugar podremos gozar de una vista panorámica de las cordilleras de esta región. Después del almuerzo comienza el descenso hacia el valle del Pacaymayo, donde realizaremos nuestro segundo campamento.

Día 3: Pacaymayo—Wiñayhuayna
En la mañana, temprano, a sólo 30 minutos de camino encontraremos al grupo arqueológico de Runquracay. A partir de este lugar podremos encontrar el Camino Inca, que está empedrado en su totalidad —en ciertos lugares llega a tener hasta 2 metros de ancho y se puede observar la calidad de arquitectura inca; visitaremos Sayacmarca, hermoso complejo arquitectónico. También pasaremos por un túnel para luego llegar al grupo arqueológico de Phuyupatamarca. Comenzaremos a descender por un camino sumamente interesante, con una vegetación tupida de la ceja de selva, muy rica en flora y fauna. Luego de dos horas llegaremos a Wiñayhuayna donde pasaremos nuestro tercer campamento.

Día 4: Wiñayhuayna—Machu Picchu—Cusco
Después del desayuno, empezaremos el trekking para luego llegar a Intipunku ("puerta del sol"), conocido como la puerta de entrada a Machu Picchu, desde donde se tiene una impresionante vista panorámica de la ciudadela. A la llegada a Machu Picchu, tour guiado de la ciudadela, visitando los principales restos y monumentos, tales como la Plaza Principal, la Torre Circular, el Sagrado Reloj Solar, los cuartos reales, el templo de las Tres Ventanas y los cementerios. Tiempo libre para pasear por la ciudadela para luego encontrarse con el resto del grupo y ser trasladados en bus a Aguas Calientes para almorzar. En la tarde, regreso a Cusco en tren. A la llegada a Cusco, traslado al hotel seleccionado.

www.enjoyperu.com

Vocabulario útil: encajar, *to fit into*; accidentado, *rugged*; porteador, *porter*; carpero, *tent carrier*; campamento, *camp*; reconfortante, *comforting*; ascender, *to climb*; cordillera, *mountain range*;

descenso, *descent*; empedrado, *paved*; sumamente, *extremely*; ciudadela, *fortress*

Actividad 44 (CD 1, pista 3, 3:15)
Un domingo sin automóviles, compromiso ciudadano

Ourense se suma a la celebración del Día Europeo sin coches el 22 de septiembre

La jornada pretende mostrar las consecuencias del uso irracional del transporte

La ciudad de Ourense en pleno se suma este año a la celebración del Día Europeo *A cidade sen o meu coche*, con un programa cargado de actividades participativas y de sensibilización, organizadas por el Concello y con la colaboración de la Federación de Asociaciones de Veciños Limiar, el Clube Ciclista Ourensán, las empresas Ourense de Transportes y Ciclos Moure, el Centro Iris de Medio Ambiente con la gestión de la empresa Altega.

Jornada europea
La jornada, que se celebra simultáneamente en todos los países de la Unión Europea el 22 de septiembre, se presenta bajo el lema de *A cidade sen o meu coche. Un compromiso cidadán*. Con esta iniciativa se pretende dar un nuevo y valioso paso en la concienciación y sensibilización sobre los graves impactos medioambientales del uso irracional del transporte. Asimismo, también se refuerza la necesidad de promover una nueva movilidad urbana, que evite las consecuencias negativas del uso abusivo del automóvil en la ciudad, fomentando el uso del transporte público y de otros alternativos.

Objetivos
La iniciativa de dejar el automóvil aparcado durante todo el domingo pretende, sobre todo, estimular un comportamiento ciudadano compatible con el desarrollo urbano sostenible, en particular con la protección de la calidad del aire, la prevención del efecto invernadero y el consumo racional de los recursos energéticos.

Del mismo modo, la jornada sin coches es una buena oportunidad para que los ciudadanos ourensanos utilicen los medios de transporte alternativos al automóvil, de forma que puedan «redescubrir» la ciudad, con sus gentes y su vasto patrimonio cultural, en un ambiente saludable y relajado.

Así pues, el concello de Ourense y los organizadores de la jornada invitan a todos los ourensanos a que participen activamente en todas y cada una de las actividades que están programadas para el domingo. Pero sobre todo, que sea a partir de hoy mismo cuando la sociedad, no sólo ourensana, sino europea, se conciencie de la necesidad de cuidar el medio ambiente que, al fin y al cabo, es patrimonio de todos.

El concello y los organizadores aconsejan a los ourensanos a que rescaten de los desvanes las bicicletas y todos aquellos medios de transporte alternativos y no contaminantes.

lavozdegalicia.com

Vocabulario útil: sumarse, *to add*; cargado, *filled*; gestión, *negotiation*; lema, *motto/slogan*; reforzarse, *to strengthen*; fomentar, *to promote*; comportamiento, *behavior*; efecto invernadero, *greenhouse effect*; patrimonio, *heritage*; desván, *loft, attic*

Actividad 51 (CD 1, pista 4, 2:51)
Viajes por la cara

No es necesario contar con mucho dinero para realizar el viaje soñado. Hay páginas que lo facilitan.

No renuncies a un viaje (en Semana Santa) por falta de dinero. Internet te da la posibilidad de viajar prácticamente gratis, gracias a que un grupo de jóvenes, viajeros empedernidos y adictos a la red, han tenido una original idea para viajar sin rascarse el bolsillo. Pensaron que si ellos eran capaces de viajar haciendo autostop por todo el mundo, ¿por qué no crear una Web para contactar con gente de cualquier lugar y realizar el viaje en buena compañía compartiendo gastos? El único requisito que se necesita para poder inscribirte en hitchikers.org, es tener ganas de hacer un viaje con cierta dosis de aventura y la suerte de coincidir con otro compañero de viaje que se amolde a tus fechas e itinerarios y tenga plazas libres.

No sólo te puedes ahorrar los gastos del transporte, además también puedes encontrar alojamientos gratis en Internet. La red Couchsurfing permite la comunicación entre viajeros y las personas que están dispuestas a alojar a los trotamundos gratis en sus casas. Esta red abarca 189 países de todo el mundo y cuenta con más de 60.000 usuarios. Con este proyecto no sólo se pretende conseguir hospedaje de gorra sino poder hacer planes en grupo con otros usuarios de la Web.

Ramón Stoppelenburg fue uno de los primeros cibernautas al que se le ocurrió dar la vuelta al mundo totalmente gratis por ese medio. Este holandés decidió un día que quería viajar pero tenía un pequeño inconveniente: el dinero. De ahí que se le ocurriera crear su página, letmestayforaday.com, en la que anunciaba que cualquiera que quisiera podía colaborar en su proyecto invitándole a su casa, ayudándole así a culminar con éxito su travesía. En su *site* se puede consultar su diario de viaje, donde cuenta su experiencia y muestra fotos junto a sus anfitriones. Y es que cada vez son más los turistas que se aventuran a explorar formas menos convencionales de viajar.

Revista *Tiempo*

Vocabulario útil: empedernido, *compulsive*; rascarse el bolsillo, *to pay up*; compartir gastos, *to share expenses*; requisito, *requirement*; amoldarse, *to adapt*; plaza libre, *vacancy*; estar dispuesto a, *to be ready to*; trotamundos, *globetrotter*; abarcar, *to include/take in*; hospedaje de gorra, *free accommodations*; culminar, *to end*; anfitrión, *host*

Actividad 52 (CD 1, pista 5, 7:25)
Vacaciones: ¿una verdadera pesadilla?

Lo único que se necesita para disfrutar en toda su capacidad estos días es paciencia, serenidad, saber que no todo saldrá como quiere y, por supuesto, desear pasear con los seres que ama.

Si junto con su familia tiene planeado alejarse del ajetreado ritmo de trabajo y se va a ir a descansar a algún punto retirado del país o del extranjero, recuerde que es necesario poner de su parte no sólo dinero, sino también una actitud positiva. Así verdaderamente estos días de descanso resultarán provechosos.

Muchas familias acostumbran en esta época salir de paseo con su familia, a la playa o a visitar a unos parientes que viven en otra ciudad, por ejemplo. Se supone que estos días son de paz y felicidad, pero no siempre es así. A veces, la imaginación vuela demasiado alta y no se consideran imprevistos desagradables. Se prevé todo perfecto: el tiempo, la playa, el hotel y también el amor. Pero a veces el tema se complica en esta "época de felicidad".

En muchas parejas parece que durante las vacaciones el amor también viajó, pero en el vuelo equivocado; la pareja tan querida se vuelve criticona; los niños, si los hay, se ponen insoportables y así no es posible pasarla bien. Entonces, el sueño del descanso tiene el peligro de convertirse en pesadilla; si de verdad ama a su familia y esposa o esposo, es importantísimo que evite en todo lo posible las peleas.

Las vacaciones se imaginan como la época más linda del año, donde se disfrutarán nuevas y divertidas experiencias, además de descansar y gozar plenamente cada día. Por eso, durante estos viajes, se tienen expectativas muy elevadas y, si no se cumplen, la desilusión y frustración son tan grandes que evitan disfrutar las cosas agradables. Lo mejor es no abrigar ilusiones de perfección, o si se tienen, controlarlas, para no crear expectativas de más que causan frustración.

Muchos de los problemas en vacaciones se deben al mal clima, a un hospedaje no tan bueno y a la falta de dinero, pero un gran porcentaje (25%) es por causa de las peleas familiares. Todos los problemas empiezan porque hombres y mujeres tienen una idea muy diferente sobre lo que supuestamente son las mejores semanas de todo el año. En ese momento, al empezar a planear las vacaciones, no se ponen de acuerdo acerca de adónde ir y qué hacer durante esos días.

Otra causa de discusiones en los viajes de descanso es el tener mucho tiempo disponible; demasiado para pensar y estar junto a la pareja, lo que implica conversar, y de no pocos temas. Si no se está acostumbrado o preparado para esto, entonces se convierte en un gran problema, ya que según algunas estadísticas una pareja estable no conversa más de 20 minutos al día. Ahora, si se tiene que platicar todo el tiempo, enseguida surgen frases como "esto te lo quiero decir desde hace mucho tiempo...". Y entonces se da una gran sorpresa, se descubre que la relación no es tan buena como parecía. De repente sale todo lo tapado por el trabajo, el estrés y las obligaciones. De golpe los esposos se gritan y se crispan los nervios mutuamente. Para evitar esto, es necesario comprender que en las vacaciones se va a disfrutar de la familia y su compañía; no se viaja solo y sin nadie a quien ver. Además es importante que las vacaciones sean un tiempo de reconciliación y acercamiento. Si no tuvo tiempo antes, ahora es cuando decir y demostrar cuánto quiere y ama a su familia.

Pasarla bien en vacaciones no es tan difícil como parece si todos los miembros de la familia le echan ganas; si discuten y planean con anticipación, entonces sus vacaciones serán inolvidables y verdaderamente placenteras. Para darse una idea de los diferentes gustos que tienen los hombres y las mujeres chequee los siguientes datos:

Una encuesta realizada en varias de las más conocidas playas europeas afirmó que más del 60% de las mujeres quiere, simplemente, descansar y disfrutar.

Esta es una aspiración que comparten solamente un 38% de los hombres.

De esta misma forma, a las mujeres les parece indispensable el lujo durante las vacaciones (66%), pero a los hombres no tanto (34%).

En cuanto a los gustos masculinos, casi el 60% de ellos quiere practicar deportes, pero por parte de las mujeres sólo lo desea un 43% de ellas.

Si no se pone de acuerdo con su pareja acerca de lo que desean hacer en vacaciones, entonces, al llegar al sitio paradisíaco, empezará la tormenta y no por culpa del mal tiempo.

Revista semanal *Domingo*, de Diario *HOY*, del Ecuador

Preguntas

1. ¿Qué parece ocurrir entre las familias durante la época de vacaciones?
2. ¿Qué se recomienda antes de viajar de vacaciones?
3. ¿Por qué surge el deterioro de la pareja durante las vacaciones?
4. ¿Cuál es la diferencia entre las expectativas masculinas y femeninas?

Vocabulario útil: provechoso, *beneficial/useful*; equivocado, *wrong*; pesadilla, *nightmare*; supuestamente, *supposedly*; tapado, *covered*; de golpe, *suddenly*; crisparse los nervios mutuamente, *to get on each other's nerves*; placentera, *pleasant*; por culpa de, *because of*

Actividad 53 (CD 1, pista 6, 5:27)
Hoteles originales

1. Jules' Undersea Lodge
Dormir bajo el agua

En este hotel subacuático de Florida, junto con la tarjeta de registro le harán entrega del traje de buzo. Y es que para llegar hay que hacerlo a nado. En el interior del minisubmarino hay dos dormitorios al estilo *Buscando a Nemo* que comunican con una sala central con todo tipo de comodidades, incluida televisión y DVD, aunque es más entretenido sentarse frente a las ventanas y ver pasar los peces. El servicio de habitaciones lo presta un buzo con un contenedor sumergible. Para su seguridad, el hotel está monitorizado desde la superficie 24 horas.

2. Library Hotel
"Silencio, se lee"

Situado en la famosa avenida neoyorkina de Madison y a pie de la National Library, este curioso hotel presume de ofrecer a sus clientes una colección de 6.000 libros repartidos por todo el establecimiento. El sistema de clasificación es el mismo que usan las grandes bibliotecas del mundo, el Dewey. Hay libros en las habitaciones, en recepción, en el restaurante y, cómo no, en el Poetry Garden, donde los habitantes de la Gran Manzana pueden saborear un cóctel acompañados de versos de Lord Byron, o aderezar el clásico Manhattan con una pizca de Neruda. Las habitaciones son muy confortables y al hacer la reserva se puede solicitar la temática preferida, desde Botánica y Astronomía hasta cuentos de hadas.

3. Hotel Palacio de Sal
En el fin del mundo

Si hay algo que sobra en Uyuni, es sal. Pues con esta materia prima se puede hacer uno un hotel, como el Palacio de Sal. Todo está hecho de sal: la cama, las sillas, las mesas, las paredes, el techo... Cuenta con 30 habitaciones con baño privado y dos suites presidenciales. Además, dispone de un spa completamente renovado con piscina de salmuera, sauna seca, de vapor, jacuzzi, salas de masajes, sala de baños en lodo, camas de sal y relax de salmuera entre otras comodidades. Pero si bonito es el lugar, más bonito es el entorno. En el Salar se disfruta de un paisaje similar al de las regiones polares, en las que se funden el azul y el blanco. Por cierto, la temperatura es dura. La mejor época para viajar es de julio a noviembre, cuando el salar se encuentra seco.

4. Pippa Pop-ins
Sólo para niños

Londres tiene hoteles de todas las categorías y estilos, pero en el Pippa Pop-ins hay una condición para alojarse: tener menos de 12 años. Y es que Pippa Pop-ins es un hotel exclusivamente para niños. De día, es una guardería como otra cualquiera con sus clases y su patio de recreo. Por la noche, los padres tienen la opción de dejar a sus hijos a dormir en habitaciones compartidas llenas de juguetes y decoradas con más parafernalia que las suites del Ritz. Para hacer la estancia más agradable a sus pequeños huéspedes, el Pippa Pop-ins les organiza actividades dignas de la mejor fiesta infantil: juegos, bailes y hasta cena de gala a las que ellas acuden disfrazadas de princesas y ellos, los niños, de superhéroes. Como no podía ser de otra manera, antes de dormir, les leen un cuento. El desayuno, con cereales, está incluido en el precio, y para los padres despistados o aquellos a quienes les guste improvisar, pueden proporcionar a los pequeños un pijama extra por un módico precio.

www.elmundo.es

Vocabulario útil: traje de buzo, *diver's suit*; comodidad, *comfort*; contenedor sumergible, *submersible container*; presumir, *to boast*; repartido, *distributed*; aderezar, *to season*; pizca, *pinch*; temática, *subject matter*; cuentos de hadas, *fairy tales*; sobrar, *to be left over*; materia prima, *raw material*; disponer de, *to have*; lodo, *mud*; entorno, *environment*; salar, *salt flat*; acudir, *to attend*; despistado, *absentminded*; módico, *modest*

Actividad 54 (CD 1, pista 7, 3:02)
Participe en una conversación, p. 25

Capítulo 1, Lección B

Actividad 22 (CD 1, pista 8, 1:58)
Inmigrantes y mercado laboral

Muchos autores sostienen que la inmigración beneficia a los empleados, consumidores y hasta la posición económica internacional de los países que reciben esta clase de población. Incluso, sostienen que no afecta negativamente las oportunidades de trabajo de la población nativa ni los excluye de trabajos complementarios.

Por supuesto, la inmigración afecta segmentos de la población del país receptor de distintas maneras. Los consumidores, inversores y compañías que emplean inmigrantes se benefician de la inmigración. Para los trabajadores en general, es más una mezcla de beneficios con posibles pérdidas de oportunidades.

Alrededor del 10 al 15% de los inmigrantes en los países ricos son ilegales, un poco más en Estados Unidos, un poco menos en Australia y Canadá.

Los inmigrantes no autorizados típicamente entran por vías ilegales, aunque una gran mayoría de ellos (alrededor del 40% en Estados Unidos) entran legalmente y no se van al expirar sus visas. Otra categoría involucra a aquellos que entran con una visa pero violan sus términos, usualmente trabajando.

En Estados Unidos muchos inmigrantes sin autorización actualmente están llevando a cabo un proceso legal de solicitud de inmigración pero están esperando visas disponibles.

La mayoría de los inmigrantes ilegales se concentran en trabajos que han sido abandonados por la fuerza local y legal de trabajo. En Japón, por ejemplo, muchos de esos trabajos se caracterizan por "las tres K": "kiken, kitsui y kitanai", que en japonés significan: peligroso, difícil y sucio.

www.mequieroir.com

Vocabulario útil: sostener, *to maintain;* inversor, *investor;* mezcla, *mixture;* involucrar, *to involve;* violar, *to violate*

Actividad 25 (CD 1, pista 9, 3:19)
El bilingüismo le da seguridad

El grupo estadounidense de tercer grado interpretó varios bailes y canciones en japonés en el Pentágono, como parte del programa titulado "Una Vida Aprendiendo un Idioma". Los niños de tercer grado se inscribieron en un programa de inmersión bilingüe en Great Falls, Virginia.

La conexión entre idioma y el Pentágono no era accidental. David S. C. Chu, subsecretario de Defensa para la Preparación y el Personal, el orador principal del evento, insistió en la importancia de los idiomas y las culturas para Estados Unidos.

Chu señaló que los idiomas extranjeros son esenciales para las áreas económica, política y social, pero también para la seguridad nacional.

En varios años recientes la importancia de los idiomas en los asuntos internacionales se ha hecho evidente a cualquiera que ponga un poquito de atención.

La guerra contra el terrorismo es tanto sobre la fuerza como sobre la información, la cual sólo puede acceder a través de la habilidad del idioma.

El trabajo de interpretación también es tan vital en Iraq que un comandante del Ejército dijo que sus hombres no podrían hacer dos tercios de su trabajo si no fuera por los intérpretes.

Desafortunadamente, nosotros no tenemos suficiente personal con habilidades de lenguajes. Poco después del 9/11 fue revelado que un gran número de datos no había sido analizado debido al limitado recurso lingüístico.

Un informe militar señaló que el Ejército de Estados Unidos no tiene suficientes lingüistas para hacer su trabajo en Afganistán e Iraq.

La Agencia Central de Inteligencia (CIA) sólo tiene 100 oficiales clandestinos que hablan árabe. Eso no es suficiente. Además, esa cifra disfraza el número de personas que pueden tratar con las diferentes variedades de árabe ya que el idioma no es uniforme en el mundo árabe. Aunque ese idioma es estándar por escrito, el lenguaje oral puede variar considerablemente lo cual puede evitar que un argelino entienda a un iraquí.

Debido a que algunos idiomas clave son críticos en la lucha contra el terrorismo, el gobierno de Estados Unidos comenzó a impulsar la enseñanza de los idiomas en las escuelas. El árabe, por ejemplo, ha sido designado como un lenguaje estratégico y algunos fondos están siendo proporcionados a las escuelas de todo el país para introducir y ampliar sus ofrecimientos.

www.laopinion.com

Vocabulario útil: orador, *speaker*; cifra, *number*; disfrazar, *to disguise*; argelino, *Algerian*; clave, *key*

Actividad 27 (CD 1, pista 10, 1:55)
El luto en diferentes países
¿Sabías el origen del luto?

Cuando se produce una defunción es costumbre mostrar el dolor y la pena mediante el luto.

La extensión y duración del mismo varía de un lugar a otro y depende de otros factores como el grado de parentesco, la costumbre local o la época.

El origen del luto lo encontramos en el ancestral miedo a los muertos. Como gran misterio de la vida que es, la muerte siempre ha inquietado a la Humanidad. El no saber con certeza qué es lo que hay más allá, ha llevado a la formulación de creencias y religiones que siempre han mostrado un respeto a los muertos, conocedores del gran enigma.

Pero no tan sólo respeto, sino miedo. Miedo a lo que pueda hacer el alma de un muerto, su espíritu, una vez abandonada el cuerpo mortal expelida por el último suspiro. Miedo a que dicho espíritu sea reacio a abandonar el mundo e intente poseer otro cuerpo.

Para impedir que ocurra algo semejante nada mejor que ocultarse a ellos vistiendo ropas negras como la noche. Mudando de tal forma el atuendo que desoriente al muerto y haga irreconocible al vivo.

Como curiosidad, comentar que algunas tribus primitivas (de África y Oceanía) blanqueaban sus oscuras pieles con cenizas o tinturas blancas con el mismo fin. En Nueva Guinea se expresa el luto cubriéndose de barro. Y el color negro es el color del luto en España desde la Alta Edad Media, aunque hasta el siglo XI el color del luto fue el blanco.

www.1de3.com

Vocabulario útil: defunción, *death*; parentesco, *relationship*; inquietar, *to disturb*; con certeza, *for certain*; alma, *soul*; suspiro, *breath*; impedir, *to avoid*; semejante, *similar*; atuendo, *attire*; blanquear, *to whiten*; barro, *mud*

Actividad 32 (CD 1, pista 11, 3:57)
Entre dos mundos

Como muchos hijos de padres inmigrantes, Christine Yvette Nieva aprendió dos idiomas, dos culturas, dos himnos y hasta dos formas de jugar al fútbol, pero en la cancha, su verdadera pasión es sólo una: jugar por México.

"Era muy inquieta cuando tenía seis años y entonces mi papá me inscribió en un club de fútbol de un amigo suyo para ver si así me tranquilizaba un poco. El fútbol me encantó desde aquel día", comentó para *La Voz* la joven que en la actualidad es integrante de la selección femenil mexicana. Nacida en la ciudad de Dallas, Texas, Christine aprendió a querer a México a través de los relatos de sus padres, quienes emigraron del Distrito Federal en busca de mayores oportunidades de vida.

"Participé en muchos torneos y campeonatos en Texas, hasta que hace dos años un buscador de talentos de la Federación Mexicana de Fútbol me dijo que si quería hacer una prueba con el Tri, algo que nos emocionó a toda la familia", recordó la joven que se ha abierto puertas en la vida literalmente a "patadas". En aquella prueba, el técnico mexicano Leonardo Cuéllar notó las habilidades de la joven en la media cancha y desde entonces la ha convocado para numerosos encuentros internacionales.

"Cuando era niña admiré a muchas de las figuras de la selección estadounidense, pero desde que empecé a utilizar mi doble nacionalidad y defender la camiseta verde, las vi como rivales", aseguró la joven, que estudia la carrera de entrenadora en la Universidad Estatal de Arizona, en Tempe. Christine participó recientemente en las eliminatorias para el Mundial y junto a sus compañeras, consiguió su pase al Mundial Juvenil de Rusia 2006, tras vencer 4–1 a su similar de Jamaica, en una serie de encuentros realizados en varias ciudades del estado de Veracruz en México.

"Con la selección he jugado en Portugal y Canadá, en torneos oficiales y amistosos. Pronto nos concentraremos para el mundial de agosto. Me gusta estar en la selección, porque se mantiene un ambiente muy padre cuando estamos juntas", recordó la deportista, quien comenta que incluso llevan la ayuda de una psicóloga en los viajes. En enero pasado México enfrentó a los Estados Unidos, partido en el que la texana sintió la firme necesidad de vencer a sus también compatriotas, mientras que, desde las gradas, su madre no dejó de llorar desde que iniciaron los himnos nacionales.

"Ahora también soy parte del equipo de fútbol ASU, por lo que estoy permanentemente preparada y lista para cuando reciba la llamada de México. Me gustaría enfrentar a Brasil o Alemania, en las finales", dijo la futbolista, que ve en el entrenador mexicano a uno de los mejores del mundo.

"Me gustaría que las mujeres entendieran que se pueden conseguir lo que se propongan en la vida y con el apoyo de la familia es fácil cumplir cualquier sueño y que sí, se puede," finalizó Nieva, con esa seguridad que le brinda su doble corazón.

www.lavozdegalicia.es

Vocabulario útil: cancha, *field*; inquieto, *restless*; inscribir, *to inscribe*; en la actualidad, *at present*; relato, *tale*; torneo, *tournament*; a patadas, *by kicking*; convocar, *to call on*; asegurar, *to assure*; encuentro, *meet/match*; enfrentar a, *to play against*; apoyo, *support*; brindar, *to offer*

Actividad 38 (CD 1, pista 12, 3:14)
España aumenta un 6% la llegada de turistas extranjeros en el primer semestre, con 25,5 millones

España acogió a un total de 25,5 millones de turistas extranjeros durante el primer semestre del año, lo que supone un crecimiento del 6% con respecto al mismo período del año anterior, informó hoy el Ministerio de Industria, Turismo y Comercio en la encuesta de Movimientos Turísticos en Fronteras.

En cuanto al mes de junio, España recibió 5,6 millones de turistas internacionales, un 5,5% más que en el mismo mes de 2005. El primer mercado emisor a España en el primer semestre fue Reino Unido. El número de turistas alemanes que llegó a España durante los seis primeros meses se situó en los 4,6 millones, un 4,3% más. Por lo que respecta el mercado francés, el tercer emisor más importante para España, su comportamiento siguió la tendencia de los anteriores. Del resto de mercados emisores, que representan porcentajes muy inferiores sobre el total, destaca el crecimiento en los seis primeros meses de las llegadas de italianos, así como de turistas de Países Bajos y de países nórdicos.

Cataluña, principal destino
Cataluña se mantiene como primer destino nacional en este primer semestre, con un total de 6,5 millones de turistas, lo que supone un crecimiento del 10,8%. Su principal mercado emisor fue Francia, cuyo incremento se situó en el 13,1%. El archipiélago canario se sitúa como segundo destino de los turistas internacionales hasta junio. Sus principales mercados siguieron siendo Reino Unido y Alemania. Baleares fue el tercer destino más importante en España en el primer semestre al recibir un total de 4 millones de turistas. Por lo que respecta el mes de junio, Baleares, Cataluña fueron los principales destinos elegidos por los turistas internacionales, junto con Andalucía.

Cada vez menos paquetes turísticos
La mayor parte de los turistas extranjeros visitaron España sin haber contratado paquete turístico, confirmando así la tendencia de los últimos años. El avión fue utilizado por 19,4 millones de turistas, registrando un crecimiento del 6% hasta junio. La carretera se situó como segunda vía de acceso.

En cuanto a tipo de alojamiento, el más utilizado por los turistas extranjeros fue el hotelero. El alojamiento extrahotelero creció un 9,8%, hasta los 9 millones de visitantes.

www.europapress.es

Vocabulario útil: acoger, *to welcome*; comportamiento, *behavior*

Actividad 44 (CD 1, pista 13, 3:12)
Conocer el mundo

Se inició como periodista, y fue el primer viajero español en pisar el Polo Sur. Le siguió un trabajo como corresponsal de Radio y Televisión Española en Italia y en Suecia, pero su meta era grabar una serie documental sobre las etnias del planeta. Así nació "Otros Pueblos", de la que se han emitido hasta el día de hoy 74 capítulos, y que ha sido recientemente adquirida por National Geographic.

P: ¿Conservan los pueblos de la tierra una raíz común?

R: Hay una identidad básica en la humanidad que se refleja en algunos puntos que se comparten: el amor o el respeto por la vida, el sentido familiar...

P: ¿Compartes la idea de que el futuro pasa por la fusión de pueblos y culturas?

R: Eso sí, porque yo —ni nadie que trabaje en estos temas y sea decente en ese aspecto— no soy partidario de recluir a las poblaciones en zoos para deleite de antropólogos y de reporteros que ven cosas muy primitivas en ellos. Y mucho menos en esta época. Esa gente muchas veces necesita medicinas, educación, y por lo tanto hay transformaciones y cambios. Por otro lado veo que una de las mejores recetas para prevenir los males del racismo es el mestizaje, la fusión de la gente. Y eso lo veo absolutamente positivo.

P: ¿Estamos realmente tan alejados unos pueblos de otros o simplemente son cuestiones culturales las que nos separan?

R: Las mayores barreras son culturales. Tú puedes cruzar los Pirineos en unas horas, pero al llegar a Francia hay una lengua que separa un pueblo de otro y que ha sido acuñada a lo largo de milenios. En sí misma, la lengua es una diferencia, y a partir de ella hay otras más. Las religiones, por ejemplo, realmente separan más que unen.

P: ¿Por qué crees que tu serie "Otros Pueblos" interesó tanto a National Geographic para llegar a comprarla?

R: Eso ha sido un gran honor. Es difícil para mí decirlo, pero a lo mejor han visto ciertos criterios de objetividad, un trabajo continuado a lo largo del tiempo y haber encontrado temas bonitos e interesantes. Por lo tanto es un privilegio para mí que lo difundan en los Estados Unidos.

P: ¿Entiendes la vida sin viajar?

R: Eso ya no. Porque "Viajar es vivir" como decía Andersen, ese escritor de cuentos que también publicó libros de viajes. La frase evoca que alguien puede dedicar su vida a viajar a menudo.

P: Una curiosidad: ¿cuánto tiempo aguantas en casa sin hacer al menos un pequeño viaje?

R: Poco: dos o tres meses. A los tres meses si no encuentro trabajo por algún motivo, me monto yo un viaje. Vamos, que intento por todos los medios ir a Barajas.

www.resvistafusion.com

Vocabulario útil: pisar, *to step*; corresponsal, *correspondent*; grabar, *to record*; deleite, *delight*; alejado, *far from*; difundir, *to spread/disseminate*; a menudo, *often*; aguantar, *to tolerate/stand*; por todos los medios, *in every possible way*

Actividad 45 (CD 1, pista 14, 4:32)
Benditos sean los animales
El tradicional rito atrajo a todas las especies, incluso a los candidatos a la alcaldía, con sus mascotas.

Perros, gatos, pericos, conejos, caballos, vacas, víboras, iguanas, ratones, puercos, gallinas, chivos, palomas y otras clases de animales desfilaron ayer por la Placita Olvera para recibir la bendición por parte del cardenal Roger Mahony.

Se trató de la celebración religiosa anual que precede al Viernes Santo establecida desde el siglo IV por San Antonio Abad, reconocido como el santo patrono de los animales.

En esos tiempos, la gente llevaba a sus animales al sacerdote para que fueran bendecidos y pedir a Dios por la fertilidad y salud de sus criaturas. La ceremonia pretende hacer un reconocimiento al reino animal por sus tremendos servicios y aportaciones al ser humano.

En la Placita Olvera esta tradición data de 1930, primero se llevaba a cabo el 17 de enero, día de San Antonio Abad, pero debido a las condiciones climáticas que imperan en esa temporada, la fecha se cambió al Sábado de Gloria.

"Edward", una vaca propiedad de Wendy y Jim Morrow, y "La Carbonera", otra vaca propiedad del Club de Charros El Vergel, fueron los animales que encabezaron la procesión.

La vaca es por tradición la que encabeza esta ceremonia porque se considera el animal que más ofrece al ser humano.

"Es una forma de agradecer a los animales todo lo que nos dan, que es compañía y en muchos casos la comida", comentó Wendy Morrow.

Para Cristian Mateos, la ceremonia de bendición de animales es ya una tradición que les fue heredada por sus abuelos y aunque no sabe ciertamente lo que significa, él acudió con su mascota "Kyra", una cachorrita cocker spaniel.

Los charros de El Vergel, de El Monte, llevaron nueve de sus caballos para que fueran bendecidos. Don Juan Guerrero, presidente de la organización, dijo que la bendición es una forma de proteger tanto a caballos como jinetes en el peligroso oficio de la charrería.

Entre los animales que más había eran los escandalosos perros chihuahua, como "La Güera", que se le ponían al brinco a "Spanky", un gran danés que la veía con indiferencia y que de haber querido la hubiera aplastado con una de sus enormes patas.

"Yo lo traje porque ya es parte de la familia y pues también tiene que ser bendito", dijo Yadira Monterrosa, dueña de Spanky.

Por su parte, Gloria Hidalgo, quien llevaba a "La Güera", a otros dos perros chihuahua más "Minnie" y "Junior", una periquita de nombre "Rosita" y un hámster conocido como "Ham", comentó que la bendición de los animales es una ceremonia que realizaba San Antonio Abad y por ello desde hace cuatro años su familia acude a la Placita Olvera a bendecir a todas sus mascotas.

Entre los asistentes estuvieron los candidatos a la alcaldía, James Hahn y Antonio Villaraigosa, acompañados de sus respectivos perros. Hahn llevaba a "Roxy", un perro negro sacado de un refugio de animales de Harbor, mientras que Villaraigosa llevaba a "Butterscotch", un labrador dorado.

Durante la bendición, el cardenal Roger Mahony mencionó: "Los animales creados por Dios habitan el cielo, la tierra y el mar, y comparten la vida del hombre con todas sus vicisitudes; Dios que derrama sus beneficios sobre todo ser viviente, más de una vez se sirvió de la ayuda de los animales o también de su figura para insinuar en cierto modo los dones de la salvación".

www.laopinion.com

Vocabulario útil: rito, *ceremony*; atraer, *to attract*; a la alcaldía, *for mayor*; perico, *parakeet*; víbora, *snake*; chivo, *billy goat*; desfilar, *to march (in a parade)*; sacerdote, *priest*; aportación, *contribution*; imperar, *to rule*; encabezar, *to head/lead*; heredar, *to inherit*; acudir, *to attend*; jinete, *rider*; al brinco, *piggyback*; gran danés, *Great Dane*; aplastar, *to squash*; pata, *paw*; vicisitud, *vicissitude/hardship*; derramar, *to scatter*; don, *gift*

Actividad 46 (CD 1, pista 15, 5:29)
Lenguas perdidas
Según el último informe de la UNESCO, entre 3.000 y 6.000 lenguas vivas del mundo están en peligro de extinción. No pueden competir con el empuje de otras mucho más sólidas y que cuentan con el respaldo de medios globales. Una lengua no es para sus hablantes únicamente un medio para comunicarse, sino el símbolo de toda una cultura que posiblemente sea olvidada si se pierde el lenguaje que lo abandera.

Sólo hay veinte lenguas que sean habladas por millones de personas. De las cerca de 6.000 que existen en la actualidad, únicamente la mitad cuentan con más de 10.000 hablantes, muy pocos, si tenemos en cuenta que una lengua tiene posibilidades de sobrevivir sólo si cuenta con más de 100.000 hablantes. Se espera, además que en unos años el número descienda radicalmente. Mucho se perderá con cada una de ellas.

La mayoría no tiene posibilidades de competir. El inglés arrasa. Domina, con mayoría aplastante, todos los foros. Es la lengua que predomina en Internet, la que todo el mundo que quiera moverse en el mundo global debe conocer si no quiere perderse. Sólo el 10% de la población mundial lo habla; sin embargo, es el idioma utilizado en el 80% de las páginas Web. La explicación es que domina el mercado. La mayoría de las transacciones comerciales que se producen en el mundo se llevan a cabo en inglés, una lengua sencilla, sin las complicaciones gramaticales de otras, como el español sin ir más lejos. Es el esperanto que se buscaba, e Internet es su medio. "El inglés es un idioma muy fácil que merece ser aprendido por todo el mundo, pero no merece tener un dominio exclusivo sobre todos los demás", comenta el periodista Miguel Jiménez, del Centro de Colaboraciones Solidarias.

Las lenguas que tienen más posibilidades de desaparecer son originarias de países o de pueblos que no tienen acceso a Internet, como por ejemplo los pueblos indígenas. La tecnología crea diferencias a veces imposibles de salvar.

"Hay muchos idiomas que han nacido muertos porque han nacido en comunidades muy pequeñas, de quinientas personas como mucho. Además, ni siquiera los propios estados las defienden".

¿Qué ocurre cuando desaparecen todas las personas que hablan una determinada lengua? "Cuando se pierde una lengua se pierde una cultura, se pierde una filosofía de ver el mundo, se pierde una historia, que suele ser la historia de un pueblo dominado por otro".

www.revistafusion.com

Vocabulario útil: empuje, *push;* respaldo, *support;* abanderar, *to champion;* arrasar, *(fig.), takes it all;* aplastante, *overwhelming;* llevarse a cabo, *to carry out;* sencillo, *simple;* como mucho, *at most*

Preguntas
1. ¿Cuántas lenguas están en peligro de extinción?
2. ¿Qué constituye una lengua para un pueblo?
3. ¿Cuántas lenguas existen en el mundo?
4. ¿Cuántas personas deben hablar una lengua para que sobreviva?
5. ¿Por qué se está imponiendo el inglés a otras lenguas?
6. ¿Qué le pasa a las lenguas que tienen menos acceso a Internet?

Actividad 47 (CD 1, pista 16, 2:46)
Participe en una conversación, p. 53

Capítulo 2, Lección A

Actividad 24 (CD 2, pista 1, 5:22)
Nuestros problemas
Seducidos por la moda
¿Por qué los adolescentes se sienten tan atraídos por la moda? ¿Por qué buscan maneras extravagantes de vestir y de actuar?

Esto no es asunto privado de la época actual, ya que una característica distintiva de los adolescentes de todas las épocas ha sido la necesidad de encontrarse a sí mismos, de descubrir su identidad. Para lograrlo, se dejan seducir por las modas, ya que a través de ellas, tratan de marcar una clara diferencia entre su mundo y el de los niños, del cual sienten haberse desprendido.

Según el reconocido terapeuta Erik Erikson, quien define la propia identidad como dar sentido a la propia vida y responde a la pregunta: ¿quién soy yo en realidad?, la búsqueda de la propia identidad constituye una de las principales tareas de todo adolescente.

Para desarrollarla, el adolescente trata de experimentar, y para ello prueba diferentes caminos, explora formas de ser, actuar

y expresarse, hasta que encuentre aquellas con las que se siente cómodo y con las cuales se identifica. Esto constituye un proceso normal y necesario.

Para los adolescentes de hoy, ese proceso de búsqueda y de experimentación con las cosas que están de moda, se ha complicado, puesto que en ninguna época anterior, había tenido a su alcance tantas opciones.

Hay muchísimas posibilidades en cuanto a estilo de vida, maneras de vestir, alternativas para trabajar o para estudiar, formas para expresarse o maneras de protestar y la moda interviene en todas ellas, porque no sólo rige la manera de vestir, sino la forma de actuar, las expresiones, el vocabulario, las actividades recreativas y hasta cursos y carreras que en su momento están de moda. Ante todo eso, la situación se torna difícil, pues entre más opciones, más confusión.

Generadora de conflictos
Ese proceso de experimentación y de búsqueda en el que tarde o temprano todos los jóvenes se ven enfrascados, puede resultar angustioso y estresante para los padres, ya que los adolescentes suelen manifestarse rebeldes, temperamentales y malhumorados durante ese proceso de reafirmación de la propia identidad.

Lo que más desconcierta a los padres durante esos períodos, es el hecho de que las manifestaciones de la personalidad, los estilos en el vestir y las amistades cambian frecuentemente, y los períodos de tensión que dichos cambios generan son tan impredecibles que pueden durar unas cuantas horas, o prolongarse por meses.

Los peligros de la moda
Cuando la moda se centra en una cabellera más o menos larga o en un vestuario que raya en lo ridículo, no hay mucho de qué preocuparse, pues tarde o temprano las aguas del río llegarán a su nivel y el día de mañana los muchachos dejarán a un lado los vestuarios estrafalarios.

Sin embargo, cuando los jóvenes, para sentirse a la moda, desarrollan conductas antisociales o actúan en contra de los valores, el respeto y la dignidad, están entrando en terreno peligroso. En ocasiones puede verse como una moda el quebrantar todas las normas de la escuela. También se puede adoptar la moda de un trato irrespetuoso o de utilizar un lenguaje agresivo, vulgar y ofensivo.

Es importante orientar y apoyar a los jóvenes para que tomen decisiones correctas pues, con esos comportamientos tan de moda entre muchachos y muchachas, se corre el riesgo de sentar bases equivocadas, que indudablemente van a repercutir negativamente en sus relaciones familiares futuras.

www.masalto.com

Vocabulario útil: asunto, *issue;* desprendido, *detached;* terapeuta, *therapist;* constituir, *to make up;* regir, *to rule;* tornarse, *to become;* enfrascado, *involved;* angustioso, *anguished;* desconcertar, *to disturb;* cabellera, *head of hair;* vestuario, *clothes;* rayar en lo ridículo, *to border on the ridiculous;* estrafalario, *odd/eccentric;* quebrantar, *to break;* repercutir, *to have an effect*

Actividad 27 (CD 2, pista 2, 3:09)
Historias de crackers y hackers
Un factor inesperado que lleva la cultura del hacker al dominio popular fue la película "Juegos de guerra" (*War Games*) en la que un joven hacker entra a la computadora del departamento de defensa. Por primera vez no se trató de la caricatura del geek, sino que el hacker se mostró como una especie de héroe romántico, donde al final se queda con la muchacha. Para ser de Hollywood la película era bastante exacta en algunos aspectos técnicos, así que,

como en una especie de profecía autocumplida, muchos jóvenes se dedicaron a tratar de entrar a sitios gubernamentales para sentirse hackers, y en muchas revistas de computación se anunciaba la venta de equipo "igual que el de la película". Pero tener el equipo y saberlo usar es otra cosa, así que muchos jóvenes causaron mucho daño en las redes de cómputo. Lo que no benefició mucho la imagen del hacker.

Con esto, el gobierno de Estados Unidos comenzó a desarrollar una paranoia contra todo lo que sonara a hacker; un tal Kevin Mitnick penetró a varios sistemas de cómputo, con lo que fue el primer hacker (o cracker) que tuvo el honor de tener su cartel del FBI con el famoso letrerito de "se busca". Eventualmente fue arrestado y sentenciado. Se le acusó de daños multimillonarios (que no se pudieron documentar) y a varios años de prisión. También, se le aplicó un castigo sin precedentes: se le prohibió acercarse de por vida a cualquier equipo de cómputo, hablar sobre computación y no tocar ningún sistema de televisión por cable. La sentencia que se le dio a Mitnick fue exagerada (que yo sepa a ningún ladrón de autos se le ha prohibido acercarse a un automóvil...) y por todas partes hackers que incluso no estaban de acuerdo con las acciones de Kevin empezaron a protestar. Nació la costumbre de "hackear" o mejor dicho, en el argot del medio, "deface" páginas de Internet de las compañías, para burlarse de su seguridad y ponerles un letrerito de "Liberen a Kevin". Costumbre que sigue a la fecha, pues algunos aprendices de hackers aún no saben que Kevin ya está libre...

www.paralax.com

Vocabulario útil: inesperado, *unexpected*; cómputo, *computation*; cartel, *poster*; letrerito, *sign*; castigo, *punishment*; burlarse de, *to ridicule/make fun of*; liberar, *to free/liberate*

Actividad 44 (CD 2, pista 3, 2:32)
¿Qué es el lenguaje de los jóvenes?
A menudo en la televisión o en la radio analizan "cómo hablan los jóvenes". Aquí conocerás los modismos más utilizados por los jóvenes en la actualidad.

A menudo en la televisión o en la radio analizan "cómo hablan los jóvenes". Y se equivocan... Enumeran palabras y actitudes que hace rato dejaron de ser "juveniles"... Los modismos cambian cada minuto, porque el lenguaje está vivo y nos ofrece muchos recursos. Además, es aburrido hablar siempre igual.

La palabra "joven" es bastante vieja. Viene del latín *iuvenis* y ha sido aplicada a millones de personas alguna vez. Jóvenes que luego fueron adultos y más tarde viejos... Entonces, si hablamos de "lenguaje juvenil" también deberíamos hablar de "lenguaje de los niños", "de los adultos", "de los viejos" (adultos mayores suena mejor).

Pero es un hecho que "los jóvenes" entregan muchas palabras nuevas a una lengua. Quizá porque también son quienes en mayor medida experimentan la necesidad de expresar ideas o sensaciones de manera distinta. Y como los adultos siempre tratan de copiarles, para acercarse, para sentirse ellos también un poco más jóvenes o para hacer programas de televisión... Se hace urgente crear palabras nuevas.

Los escritores suelen poner por escrito los modismos o las expresiones coloquiales. Pensemos en Julio Cortázar para los argentinos y entre los chilenos, Nicanor Parra, Oscar Hahn o Rodrigo Lira. ¿Por qué? Les habrá parecido eficaz, habrán visto que el modismo tenía alguna gracia. O se les ocurrió no más...

Aunque suene obvio, con el lenguaje el único problema es cuando no puedes comunicarte... Es decir, hablas de un modo tan específico o extraño que nadie te entiende. O sea, quedarse hablando solo: pelar el cable, rallar la papa. Que de repente se te apague la tele. ¿Se

entiende? ¿Qué es el lenguaje de los jóvenes? El lenguaje que todos quisieran hablar. Porque todos quisieran ser jóvenes. Juventud, divino tesoro. Qué frase más vieja.

www.educarchile.cl

Vocabulario útil: modismo, *idiom*; sonar mejor, *to sound better*; es un hecho, *it's a fact*; tener alguna gracia, *to be funny*; de un modo, *one way*; o sea, *that is to say*; divino tesoro, *divine treasure*

Actividad 50 (CD 2, pista 4, 1:25)
A los niños no les gustan los programas para niños
Esta contradicción se percibe, por ejemplo, en la efímera conciencia de la infancia que tienen los propios niños. Los creadores de la mítica serie de televisión infantil *Barrio Sésamo* se han visto sorprendidos por el descenso progresivo de la edad de sus espectadores. Lo que en un principio fue ideado como un producto para niños de 5 a 7 años, hoy lo ven los críos de 2. Los fabricantes de juguetes, los compositores de música infantil y los autores de productos de entretenimiento perciben la misma tendencia. Parece que el tránsito de los gustos infantiles a los adultos ya no es progresivo: ocurre de golpe y los pequeños pasan de cantar las canciones de Los Payasos a pedir a sus padres el último disco de David Bustamante, de *Operación Triunfo*. Del mismo modo, los juguetes tradicionales que antes servían hasta los 9 ó 10 años, hoy son sustituidos por videojuegos u ordenador antes de los 7 años de edad.

Revista *Muy Interesante*

Vocabulario útil: efímera, *ephemeral*; descenso, *drop*; crío, *child*; fabricante, *manufacturer*

Actividad 51 (CD 2, pista 5, 5:24)
Con el punto de mira en Wall Street
Brooklyn, Nueva York. Daniel Rivas es un joven muy motivado a sus veinte años. Daniel organiza a sus compañeros y los aconseja sobre las oportunidades de trabajo y carreras que pueden seguir una vez terminados sus estudios universitarios. Este inmigrante dominicano con sus ojos puestos en Wall Street, nunca ha dejado nada a medias.

"Mis padres siempre me inculcaron que la educación era lo único que me podían garantizar que nunca me faltaría; por esta razón he tenido que trabajar duro y recordar en todo momento mis raíces y, por supuesto, devolver los favores a aquéllos que me han ayudado a conseguir mis metas," dice Daniel, quien se está preparando para su último año en el programa honorífico de Long Island University en el campus de Brooklyn. Daniel recientemente visitó su escuela secundaria donde estuvo dando una charla a los jóvenes e incluso participó como tutor de matemáticas.

El tercero de cinco hermanos, Rivas se mudó con su familia al sur del Bronx después de haber emigrado de la República Dominicana cuando tenía tres años. Con su carrera universitaria en filosofía e informática, Rivas se aventuró en una nueva etapa este verano cuando trabajó para el Credit Suisse en la ciudad de Nueva York, resultado de haber recibido una beca de la oficina de educación y oportunidades universitarias (SEO). Daniel es el primer estudiante de Long Island University que ha sido otorgado con el prestigioso premio que está designado a proveer experiencia profesional y oportunidades de desarrollo para minorías estudiantiles.

"Wall Street es un negocio, el cual se aprende trabajando en él," dice Rivas, de cuerpo atlético y una altura de 6 pies y 2 pulgadas. Él tiene planeado conseguir un puesto fijo en el mundo de la banca de inversión, una vez que se gradúe de la universidad en mayo. Después, Daniel quiere estudiar administración de empresas y le gustaría poder establecer unas becas y otro tipo de ayudas para jóvenes necesitados.

"Una de las mejores cualidades de la comunidad latina es la ética profesional," dice Rivas. "La discriminación y la barrera económica tienden a hacer que muchos jóvenes latinos decidan no continuar sus estudios universitarios y profesionales ya que tienden a pensar que no tienen suficiente potencial. Los jóvenes latinos necesitan ver cómo otros latinos han logrado sus metas para mostrarles que es posible alcanzar el éxito. Necesitan motivación".

Este otoño, Rivas intentará conseguir otra beca en Wall Street trabajando para Forest Capital Markets mientras sigue trabajando en el campus de Brooklyn, reclutando estudiantes para el SEO. Seguirá siendo un ejemplo para otros jóvenes y trabajará con la organización estudiantil latina, Latinos Unidos, compartiendo su talento como bailarín de salsa. "He aprendido que uno puede conseguir sus metas poniendo toda tu mente en ello," dice Daniel. Y añade: "si trabajas duro, mi experiencia es una prueba de ello".

www.brooklyn.liu.edu

Vocabulario útil: punto de mira, *target/objective;* a medias, *half done;* inculcar, *to instill;* raíz, *root;* mudarse, *to move;* etapa, *stage;* beca, *grant;* otorgar *to grant;* premio, *award;* minoría, *minority;* puesto fijo, *steady job;* banca de inversión, *investment bank;* tender a, *to tend to;* reclutar, *to recruit;* prueba, *proof*

Preguntas
1. ¿Por qué es Daniel Rivas un muchacho tan motivado?
2. ¿Daniel es de familia numerosa?
3. ¿Qué ha conseguido Daniel?
4. ¿Qué metas tiene este joven latino?

Actividad 52 (CD 2, pista 6, 3:46)
¿A qué edad nos convertimos en adultos? Ya soy mayor
Los jóvenes, según el estudio de la Fundación Santa María, priorizan y valoran como objetivo en sus vidas sobre todo lo cotidiano, lo cercano; esto es, la familia (80%) y los amigos (63%), dando por supuesta la salud (82%). En último lugar está lo que tiene que ver más con lo ideológico: la política (7%). En medio estarían el trabajo (60%), ganar dinero (55%) o llevar una vida digna (52%). "La evolución de la importancia de los valores en los jóvenes españoles en los últimos años, muestra que una buena relación familiar, unos buenos amigos (no sólo compañeros), sin olvidar la salud, conforman la triada básica, el sustrato desde donde edifican su universo simbólico", recoge dicho informe.

Un estudio realizado un año antes por el INJUVE ("Sondeo de opinión y situación de la gente joven") aporta otro dato curioso: la inmensa mayoría de jóvenes (97%) está satisfecha con sus relaciones familiares. ¿Las razones? Permisividad a la hora de llegar a casa. Ocho de cada diez no tienen hora de llegada, y las chicas se quejan de no disfrutar de la misma libertad que los chicos a la hora de regresar a casa: un 23% de féminas tenía problemas con este tema, frente a un 16% de varones. Ante la afirmación "los jóvenes no se van a vivir fuera de la casa de sus padres, porque temen perder el nivel de vida", algo más de la mitad (53%) de los consultados se muestran "de acuerdo", mientras que el 44% está en "desacuerdo".

Vayamos un poco más allá. ¿Cuál es el modelo de familia que defienden? Sin duda en estos últimos años han variado las pautas y ellos asumen otros modelos de familia que no tienen nada que envidiar —a su juicio— al esquema tradicional del matrimonio con o sin hijos. Fruto de las separaciones, los divorcios u otro tipo de relación, se han creado diferentes modelos sociales que no tienen que ver con aquel matrimonio para toda la vida. Parejas con hijos de distintos matrimonios, familias monoparentales, uniones homosexuales con o sin hijos y las uniones de hecho, todo ello

ha entrado a formar parte de este nuevo universo y ellos parecen ser tolerantes y abiertos. Pero, por otro lado, también hay muchos que defienden fórmulas tradicionales. Al menos eso se desprende del estudio "Jóvenes y política. El compromiso con lo colectivo" realizado por la Fundación de Ayuda a la Drogadicción (FAD), el INJUVE y la Obra Social de Caja Madrid. Según esta investigación, para la mayoría (57%) casarse y tener hijos es un proyecto vital de futuro. Por cierto, eso de vivir en soledad no les atrae en absoluto (1%).

www.revistafusion.com

Vocabulario útil: lo cotidiano, *daily things;* llevar una vida digna, *to have a decent life;* sustrato, *foundation;* edificar, *to build;* sondeo, *poll;* fémina, *female;* varón *male;* nivel de vida, *standard of living;* desacuerdo, *disagreement;* pauta, *guideline/model;* envidiar, *to envy;* a su juicio, *in their opinion;* no tener que ver con, *to not have anything to do with;* por cierto, *to be sure;* soledad, *solitude;* en absoluto, *at all*

Actividad 53 (CD 2, pista 7, 3:12)
Participe en una conversación, p. 83

Capítulo 2, Lección B

Actividad 23 (CD 2, pista 8, 3:36)
Adolescentes en peligro
Dos jóvenes latinas, víctimas de pandilleros, encabezan una cumbre para contrarrestar el problema de la violencia entre pandillas en el Este de Los Ángeles

Jeannette Porcho y Virginia Romero tienen muchas cosas en común: las dos son jóvenes y latinas, las dos están discapacitadas por culpa de pandilleros y las dos quieren cambiar la historia de jóvenes de secundaria que estén considerando involucrarse con pandillas.

"Que nos vean cómo terminamos a causa de las pandillas; porque lo que hagan o dejen de hacer esos jóvenes puede impactar sus vidas y la vida de los demás para siempre", dijo Virginia Romero, una joven de 26 años que perdió la vista durante una balacera entre pandilleros.

Romero como Porcho son parte de Adolescentes en Riesgo, un programa que busca alejar a jóvenes de primaria y de secundaria del ambiente de las pandillas.

"Yo me involucré con pandillas porque siempre veía a los pandilleros que salían, que eran unidos, que se divertían y que conducían buenos carros. Yo quise ser como ellos", comentó Romero, durante un foro anual entre residentes del Este de Los Ángeles que busca educar a padres de familia sobre cómo alejar a sus hijos de las pandillas.

Ramona Jiménez, una mujer que vive cerca de la escuela secundaria Hollenbeck, donde se organizó el foro, aseguró que ella está a favor de ese tipo de eventos, porque "hay mucha violencia en esa zona", pero desconocía que la comunidad estuviera organizando ese tipo de foros.

"Si van a hacer eventos de concienciación deberían invitar a toda la gente, porque como le digo, yo no sabía nada de eso", dijo Jiménez.

De acuerdo al Departamento de Policía de Los Ángeles (LAPD), durante los primeros dos meses del año, se registraron 18 homicidios en esa zona, la mayoría de ellos relacionados con las pandillas.

"Es triste ver cómo se matan nuestros jóvenes, por eso queremos hacer algo, hacer una diferencia. Y es cierto, hace falta más difusión, pero hacemos lo que podemos", dijo Jimmy Valenzuela, organizador del foro.

Mientras tanto, jóvenes como Jeannette Porcho, no pierden las esperanzas y aseguran que, aunque no en la magnitud que ellos quisieran, sí hacen una diferencia en la vida de muchos jóvenes.

"Porque a veces no necesariamente tienes que ser pandillero, sino estar en un ambiente de ésos, como yo, que no era pandillera, pero mis hermanos sí. Un día llegaron dos muchachos, de 14 y 13 años, buscando a uno de mis hermanos, lo encontraron y le dispararon; varios de los disparos me dieron en la espalda", dijo Porcho.

Desde entonces, Porcho está atada a una silla de ruedas... "y por el resto de mi vida", dijo.

Los responsables nunca fueron arrestados. Ahora Porcho se dedica a aconsejar a los jóvenes para que se alejen de las pandillas, para que no se involucren en este tipo de actividades porque pueden terminar mal.

www.laopinion.com

Vocabulario útil: pandillero, *gang member*; cumbre, *top*; contrarrestar, *to counteract*; discapacitado, *handicapped*; involucrarse con, *to get involved with*; balacera, *shooting/shootout*; alejar, *to move away*; ambiente, *surroundings*; asegurar, *to assure*; esperanza, *hope*; disparar, *to shoot*; atado, *tied/confined*; silla de ruedas, *wheelchair*

Actividad 26 (CD 2, pista 9, 3:25)
La emancipación de los jóvenes en España

La juventud, como el resto de la población española, ha mejorado sensiblemente de situación durante el último cuarto de siglo. La elevación general del nivel de vida, la progresiva igualación intersexual, el logro de las libertades políticas, la integración internacional y la expansión cultural a través de medios han configurado un espacio vital más habitable. Los jóvenes disfrutan actualmente de un nivel formativo impensable hace dos décadas, la tolerancia en el seno de la familia hace irreconocibles las formas autoritarias de antaño y la conjunción del saber adquirido y la libertad alcanzada permiten disfrutar de un grado de realización personal muy superior al que experimentaron sus antecesores.

Sin embargo, algunas cuestiones básicas han sufrido un deterioro que afecta de manera crucial la construcción de sus biografías, como son el paro y la rotación laboral, que condenan a los recién llegados a una inestabilidad contractual fomentada por una legislación mal adaptada.

El desempleo y la inestabilidad en el puesto de trabajo configuran un escenario en el que las nuevas trayectorias de integración social se llenan de incertidumbres. Este camino incierto tiene un resultado gravoso para los jóvenes: cada día es más difícil irse de la casa paterna. La vivienda propia se ha convertido en un bien inaccesible para una mayoría de jóvenes. Estos prolongan incesantemente sus estudios para huir de la noria de la rotación a través del paro y los empleos temporales.

La estrategia de seguir estudiando es un factor positivo para la mejora de la capacidad productiva de quienes lo hacen y, en consecuencia, de la sociedad en su conjunto. Asimismo, se convierte en un activo de primer orden para fomentar y consolidar la participación laboral de la mujer. Su carácter de refugio no resuelve indefinidamente los problemas de emancipación de los jóvenes en España. Las dificultades en la formación de nuevas familias es uno de los factores clave en la disminución de la natalidad.

Por todo esto, se hace necesario estudiar el retraso en la emancipación que soportan las últimas generaciones, analizar sus causas y su extensión. El Instituto Nacional de la Juventud (INJUVE), que ha tratado la cuestión de la emancipación en varias investigaciones anteriores, ha querido concentrar su atención en

este tema estratégico en el que se reflejan algunos de los problemas más acuciantes de la juventud española. Con ese interés se publica este libro cuyos autores son profesores de reconocido prestigio en el análisis social de la juventud y de la familia en España, que cuentan con una larga y fructífera trayectoria de investigación. Este texto, que contiene propuestas teóricas y logros empíricos, es el fruto de la reelaboración de una investigación realizada por los autores para el INJUVE.

www.ilo.org

Vocabulario útil: logro, *achievement*; medios, *media*; impensable, *unthinkable*; en el seno de la familia, *in the heart of the family*; irreconocible, *unrecognizable*; de antaño, *of days gone by/of the past*; antecesor, *predecessor*; paro, *unemployment*; trayectoria, *path*; incertidumbre, *uncertainty*; gravoso, *costly*; refugio, *shelter*; retraso, *delay*; acuciante, *urgent*; fructífera, *productive*; propuesta, *proposal*

Actividad 43 (CD 2, pista 10, 2:16)
¿Oportunidades?

Prisión, prostitución, esclavitud, violencia y muerte son los destinos más habituales que aguardan a los niños de la calle. En Europa (por ejemplo en Bulgaria), las bandas de skinheads cometen ataques racistas contra los niños de las calles rumanas. En muchos casos los niños han nacido en sociedades castigadas por la brutalidad de la guerra: Angola, Liberia, Guatemala, El Salvador, y por lo tanto han crecido rodeados de una violencia que tratan de imitar. Son antiguos soldados que han asumido la violencia como una conducta normal y pasan a formar parte de los batallones policiales que se encargan de limpiar las calles de los sin techo.

La asesina más eficaz de estos niños es la indiferencia. Cerca de un millón de menores (sobre todo niñas) ingresan cada año en el mercado de la prostitución infantil, para sobrevivir o colaborar con la economía familiar. El turismo sexual se ha convertido en una industria que mueve billones de dólares. En Mauritania y Sudán, los niños pueden comprarse como esclavos por poco más de 15 dólares.

Todavía hoy miles de ellos continúan muriendo cada año. Y sin embargo, aún hay ejemplos para la esperanza: En Luanda, Angola, se fundó una escuela para niños y niñas de la calle en 1991. En Centroamérica, Casa Alianza está trabajando para internacionalizar el perfil de los niños de la calle a la vez que favorece su rehabilitación. Todos los estados deberían establecer planes de acción al respecto, como la publicidad y el cumplimiento de los artículos recogidos en la Convención sobre Derechos del Niño o creando ministerios específicos de atención para niños y adolescentes.

EFE/www.enbuenasmanos.com

Vocabulario útil: esclavitud, *slavery*; aguardar, *to await*; rumanas, *Rumanian*; los sin techo, *homeless*; fundarse, *to be founded*; perfil, *profile*; cumplimiento, *execution*

Actividad 49 (CD 2, pista 11, 2:18)
Adictos a los medicamentos

Según la Organización Mundial de la Salud, la fármaco dependencia es un estado caracterizado por la dependencia de un ser vivo a un fármaco, la cual puede llevar a cambios en la conducta y la salud. Un tanto por ciento bastante alto de personas adictas a los fármacos también lo son a otros tipos de drogas, como puede ser el alcohol o tabaco.

Está empezando a ser común entre algunos jóvenes consumir determinados medicamentos que producen los mismos efectos que algunas drogas ilegales. Con estos medicamentos pueden sentir una sensación de euforia o energía que ellos creen que necesitan para huir de un mundo que no les ofrece lo que buscan, mientras otros los usan para mejorar sus resultados en exámenes. Pero todo también tiene su lado negativo: estos medicamentos, los cuales tratan normalmente trastornos mentales o físicos, tomados sin control, pueden presentar efectos secundarios muy peligrosos para la salud, e incluso pueden poner en peligro sus vidas. Éstos son mucho más baratos que algunas drogas, no son ilegales y los pueden encontrar incluso en sus propias casas. Muchos jóvenes que abusan de medicamentos los toman porque creen que son menos peligrosos que las drogas ilícitas. Se ha comprobado que no es así, estos medicamentos son iguales o más peligrosos.

Los gobiernos de Estados Unidos y Latinoamérica se han concienciado sobre este tema y han creado anuncios publicitarios, panfletos y revistas avisando a padres, los cuales no suelen estar informados del consumo desorbitado de determinados medicamentos por parte de su familia, y de los graves peligros que suponen el consumo de determinados medicamentos en exceso, con o sin prescripción médica.

Mari Sierra Ramos Castro

Vocabulario útil: fármaco dependencia, *drug dependency*; un tanto por ciento bastante alto, *a rather high percentage*; comprobar, *to prove*; concienciar, *to raise the conscience of*; avisar, *to warn*; desorbitado, *astronomical*; suponer, *to suppose*; prescripción médica, *prescription*

Actividad 50 (CD 2, pista 12, 5:50)
Deserciones escolares
¿Por qué son tan altos los niveles de deserción escolar entre los estudiantes latinos en Estados Unidos? La periodista Pilar Marrero, del diario *La Opinión*, se lo preguntó a un grupo de jóvenes en Los Ángeles, que decidieron abandonar sus estudios.

Soy José Santa Cruz. Tengo 19 años.
"En México vivía en un pueblo muy pequeño y casi no estudié porque sólo había una escuela y a veces el maestro faltaba. Luego, cuando llegué aquí, sí estudié un tiempo pero no me iba bien y comencé a trabajar a tiempo parcial en un restaurante de comida rápida y comencé a ganar dinero y entonces quería seguir ganando más dinero.

Entonces me pinteaba (faltaba a la escuela) para trabajar más horas. Se me cerró la mente, no quise saber más nada de los estudios. También me metí en un curso de locución y quise ser policía, pero la consejera de la escuela me dijo que para eso hacen falta papeles migratorios y yo no tengo. Me desilusioné mucho.

Yo lo que quiero es trabajar en la radio. Pagué 1.200 dólares por un curso de locución. Me prometieron que sería famoso y hasta ahora no veo resultados. Pero lo que yo quiero es trabajar en la radio y decirle a los demás que no hagan lo que yo hice. Hoy cuando vine a la escuela para la entrevista vi el lugar y me sentí como un tonto por no haber terminado, porque ya estaba en último año. Me dieron ganas de llorar".

Soy Rosa Ochoa. Tengo 19 años.
"Dejé la escuela en el octavo grado porque tuve un problema familiar y tuve que ir a México durante un largo tiempo. Allá no quisieron hacerme válidos los estudios de aquí y, de todas maneras, no me gusta estudiar. Cuando regresé a Estados Unidos ya tenía 18 años y no me aceptaron en la escuela regular, sino que tenía que ir a una de adultos. Luego comencé a trabajar y me hice independiente, por lo que ya no quise seguir estudiando.

Ahora trabajo y vivo independiente. Me fui de mi casa y no quiero regresar".

Soy Claudia Hernández. Tengo 19 años.
"Dejé la escuela porque me llevaba mal con una maestra y me pinteaba mucho. Luego me dio vergüenza regresar por lo que fueran a decir. En realidad, yo comencé a venir aquí muy pequeña porque aquí estaban mi padre y mis hermanos y yo iba y venía a México con mi mamá.

Pasábamos una temporada aquí y otra allá, así que nunca podía completar la escuela en ningún lugar. Mi papá era obrero de la construcción pero ahora ya está mayor y se regresó a México con mi mamá, y yo me quedé aquí con mis hermanos.

Ahora no hago nada, pero sueño a veces y me pasan por la cabeza muchas cosas. Como ser enfermera. Pero no hablo bien inglés ni lo escribo, así que nunca realmente pude estudiar bien aquí. Tampoco sabía a quién acudir para saber qué podía hacer y sobre todo, me daba vergüenza regresar a mi vieja escuela porque, ¿qué iban a decir?

Mi hermana y mis padres me dicen que estudie pero yo no sé. Pero la verdad, sí quisiera estudiar".

http://news.bbc.co.uk

Vocabulario útil: deserciones escolares, *school desertions/dropouts*; faltar, *to not be (present)*; mente, *mind*; darle ganas de, *to feel like*; temporada, *period of time*; sobre todo, *above all*

Preguntas
1. ¿Por qué no estudió José Santa Cruz cuando era pequeño?
2. ¿Cuál es la ilusión de José Santa Cruz?
3. ¿Por qué no ha vuelto Rosa Ochoa a la escuela?
4. ¿Por qué dejó la escuela Claudia Hernández?
5. ¿Qué le pasa a Claudia Hernández?
6. ¿Qué significa la expresión "me pasan por la cabeza muchas cosas"?

Actividad 51 (CD 2, pista 13, 3:13)
Voto Latino
Voto Latino (VL) es una organización nacional conducida por jóvenes, fundada con el propósito de crear una voz unificada para la juventud latina y jóvenes adultos sobre asuntos que impactan sus vidas diariamente.

Asimismo, VL es también una organización sin fines de lucro dedicada a la política pública y a advocar, cuya misión principal es darle poder a los jóvenes latinos de los Estados Unidos para que participen en el proceso democrático a través de una comunicación bien informada y objetiva que permitirá a los constituyentes promover y apoyar de manera efectiva el mejoramiento social, político y económico entre las diferentes comunidades latinas en los Estados Unidos.

VL también trabajará con organizaciones locales y nacionales esperando conseguir apoyo financiero para actividades de alcance local e iniciativas de registro de votos.

Nuestra visión
Voto Latino, una iniciativa para la toma de conciencia sobre asuntos, reafirmará la existencia de los latinoamericanos en América, a pesar de que muchos latinoamericanos tienen nuestras raíces en otros lugares.

VL es una campaña que le da el poder a los jóvenes latinos y jóvenes adultos de mirar este país como propio, y les provee un incentivo para hacer que los cambios sucedan desde sí mismos; le habla directamente a la próxima generación de votantes latinos bilingües (la más grande que el país haya visto) y los motiva con el espíritu de acción que caracteriza al resto de sus vidas.

Nuestra misión

Voto Latino tocará asuntos cruciales para los latinos aquí en los Estados Unidos, buscando el apoyo de artistas musicales y celebridades para la difusión y toma de conciencia.

La idea tras Voto Latino será el uso responsable de esfuerzos, actitud y música para motivar a jóvenes latinos a interesarse en su bienestar político.

Actualmente hay 7 millones de votantes latinos registrados en los Estados Unidos, pero hay más de 8 millones no registrados que están calificados para hacerlo. La misión de VL es activar esta base para comprometerla en el proceso político y, al hacerlo, ofrecer un vehículo para posibilitar un cambio positivo en sus comunidades.

Los asuntos

Voto Latino está dedicado a mejorar la vida de los jóvenes latinos y jóvenes profesionales focalizándose en curas para las injusticias sociales, económicas y políticas. Nuestros asuntos incluyen, pero no están limitados a:

Empleos, Carrera Profesional y Atribución de Poder Económico

Acceso Educativo

Registración de Voto y Educación Cívica

Representación en los Medios de Comunicación

Entretenimiento y Noticias

Atribución de Poder Político

Estructura Familiar y Valores

www.votolatino.org

Vocabulario útil: apoyo, *support*; campaña, *campaign*; comprometer, *to commit to*

Actividad 53 (CD 2, pista 14, 3:03)
Participe en una conversación, p.111

Capítulo 3, Lección A

Actividad 24 (CD 3, pista 1, 5:55)
La comida de México
La gastronomía mexicana se caracteriza por su intenso aroma y el contraste de sabores.

La comida mexicana tradicional se transmite de generación en generación, por lo que las recetas más típicas y sabrosas, lejos de olvidarse, se han ido enriqueciendo con el paso del tiempo, hasta el punto de que la cultura culinaria ha dado lugar a una nueva cocina mexicana, caracterizada por sofisticados platos presentados con un mimo exquisito pero que no se han alejado de la sapiencia popular. En México las cocinas más reconocidas son las de los estados de Puebla, Oaxaca y Yucatán, y en menor grado, pero también característica, la de Veracruz. En general son cocinas criollas, diferentes de las caribeñas, un litoral donde también tiene un sabor característico.

Desayunos tempranos

En general, el desayuno tiene lugar hacia las siete de la mañana y se mantiene como una de las comidas más fuertes y completas del día. Sobre el mantel se puede degustar platos tan variados como los típicos chilaquiles (tortillas rellenas de tomate, chile, ajo y cebolla que pueden acompañarse de pescado o carne), las tortitas de maíz o los huevos a la mexicana con chile y cebolla. Y, para terminar, nada mejor que un refrescante zumo de naranja y una taza de café al más típico estilo mexicano, es decir, intenso y con un toque a canela. Para aquellos que no son amigos del desayuno fuerte puede esperar a degustar estos platos en el almuerzo, o inclinarse por probar los tamales (pasta hecha con harina de maíz, envuelta en hojas de mazorca o de plátano, cocida al vapor y rellenos para todos los gustos (de cerdo, de gallina, vegetal), el atole (una bebida a base de maíz, leche o agua y fruta o chocolate. Es ligeramente espeso, y aunque es típico, no es de consumo cotidiano en las ciudades) o cualquier guiso junto con unas tortitas.

Una comida típicamente mexicana

La comida se suele servir entre la una y las cuatro de la tarde y tiende a ser más abundante que en otros países. En general consta de un primer plato bastante suave y ligero que suele componerse de caldos típicos como el tlalpeño (un caldo a base de pollo y garbanzos) o el sudado (una sopa de camarones y moluscos), o de una ensalada, cuya variedad de ingredientes la convierten en un plato muy refrescante y realmente original. Los segundos platos, en cambio, resultan bastante más contundentes y entre ellos se encuentra uno de los más típicos de México, el pollo con mole blanco, que contiene ingredientes tan variados como almendras, chocolate, chile, ajo, pimienta, plátano... Del mole, existen muchas variedades. De los más conocidos es el mole poblano, originario de la ciudad de Puebla. Es de chiles secos, almendras, chocolate, especias. Su sabor es dulzón, y efectivamente el típico es con pollo. Del estado de Oaxaca es típico el mole negro, el más conocido, aunque también están el rojo, el amarillo y el verde. En este estado se utiliza mucho la hierba llamada Hoja Santa o Acuyo, de sabor ligeramente anisado.

Otro de los platos que no se puede perder un visitante son los famosos "burritos", tortitas de harina rellenas de casi cualquier tipo de alimento guisado. Pero si se prefiere tomar un buen plato de pescado o marisco, la cocina mexicana también nos ofrece gran variedad de posibilidades. Entre ellos destacan el huachinango servido con diferentes salsas o la langosta y los camarones al mojo de ajo. Y de postre, nada mejor que un buen dulce, como el jamoncillo de leche, los flanes típicos, o cualquier tarta o helado.

Meriendas y cenas dulces

La merienda es el momento del día en el que se degustan alimentos tan variados como el chocolate a la española o los antojitos, en los que se engloban platos como las enchiladas, las quesadillas o los tacos. La cena tiene lugar generalmente hacia las ocho o nueve de la noche y normalmente está constituida por un plato único que consiste en tortitas, memelas, queso o chorizos, que en algunos casos se acompaña de una taza de chocolate y un trocito de pan dulce.

www.consumer.es

Vocabulario útil: enriquecer, *to enrich*; litoral, *coastal region*; mantel, *tablecloth*; canela, *cinnamon*; mazorca, *corncob*; al vapor, *steamed*; rellenos, *stuffed/filled*; tender a, *to tend to*; constar de, *to be made up of*; caldo, *broth*; moluscos, *mollusks*; contundente, *weighty*; ligeramente, *lightly*; anisado, *flavored with anise/anise seed*; destacar, *to emphasize*

Actividad 30 (CD 3, pista 2, 3:43)
El sabor de Argentina
La cocina argentina es muy variada y diversa gracias a la interacción entre sus recetas más tradicionales y las costumbres gastronómicas de otros países.

Las pizzas y la pasta (sobre todo la rellena) importadas por los italianos, se han convertido en una de las mayores especialidades de la gastronomía argentina. De hecho, en el centro de la cocina de muchas casas es frecuente encontrar una enorme mesa en la que se amasa la base de las pizzas e incluso la pasta.

La carne, imprescindible

El alimento más importante de la dieta de los argentinos es, sin duda, la carne. Entre sus platos destacan el asado argentino, elaborado con distintas partes de la vaca que se asan a la brasa, o el bife de chorizo, parte de carne sin hueso de la cara externa del lomo del animal con forma entre triangular y cilíndrica, de ahí que se le denomine chorizo.

Es probable que quien visite Argentina no vuelva a probar una carne asada tan sabrosa como la que se puede degustar en ese país, ya que sus habitantes manejan como nadie el corte de la carne y la administración del fuego, puntos clave para obtener un excelente asado. Gracias al estupendo sabor de estos platos, es común que la carne se sirva sola ya que no necesita de más acompañamiento; sin embargo, si se desea, se puede optar por una salsa como guarnición, entre las que destaca el "chimichurri", una sabrosa salsa elaborada con diferentes especias y vegetales como ajo, pimiento rojo, perejil, orégano, ají, tomillo, cebolla y laurel, que se mezclan con agua, vinagre, azúcar, sal y aceite.

La cocina criolla

Muchos de los platos que forman parte de la cocina criolla tradicional permiten degustar los sabores aborígenes más típicos y representativos de la cultura gastronómica argentina.

Algunos de los bocados más sabrosos son las empanadas de humita, típicos bollos de maíz con salsa, o el curanto, un plato que posee una curiosa técnica de elaboración, ya que se prepara un agujero en la tierra en el que se encienden las brasas sobre las que se colocan la carne y las verduras que vayan a formar parte del plato. A continuación, los alimentos se cubren con hojas de nalca (una variedad patagónica del ruibarbo) y se tapan con tierra para que se vaya cocinando todo lentamente. Como es de suponer, el sabor del plato puede resultar tan espectacular como el modo en que se cocina.

El mate

Argentina es el país del mate por excelencia. En ninguna otra parte del mundo se consume tanta cantidad de esta infusión como la que se toma en este país. Resulta curioso observar la originalidad de los recipientes en los que se toma el mate, ya que éstos, que también reciben el nombre de mate, pueden estar elaborados con muy diferentes materiales, como el cuero, la madera, la porcelana o incluso la calabaza.

Además del mate tradicional elaborado con hojas desecadas, ligeramente tostadas y desmenuzadas de la hierba de mate, existen diferentes variantes como el mate con pomelo, o el mate helado con limón, realmente refrescantes.

www.consumer.es

Vocabulario útil: sobre todo, *above all*; amasar, *to knead*; lomo, *loin*; denominar, *to name*; clave, *key*; estupendo, *marvelous*; guarnición, *garnish*; bocado, *bite to eat*; agujero, *hole*; brasa, *hot coal*; cuero, *leather*; calabaza, *pumpkin*; desecar, *to dry up*; desmenuzar, *to crumble*; pomelo, *grapefruit*

Actividad 36 (CD 3, pista 3, 3:24)
El chocolate. Un dulce rodeado de mitos

Los perjuicios de los que se acusa a uno de los alimentos más deseados no tienen base.

El chocolate se ha convertido en uno de los placeres gastronómicos más extendidos en el mundo.

Cualquiera puede degustar el amplio surtido de chocolates que se produce. El 70% del cacao, su ingrediente principal, se obtiene de África ecuatorial, donde países como Costa de Marfil —el mayor productor del mundo— y Ghana dependen en gran medida de sus exportaciones a los principales países fabricantes de chocolate y derivados del cacao: EE.UU., Alemania, Reino Unido, Francia y Brasil. Las variedades más importantes del cacao son: Theobroma criollo, Theobroma forastero y el cruce que se obtiene entre ambas. El Criollo supone un 10% de la producción mundial; se cultiva en Venezuela y Ecuador, y posee un aroma y sabor excelentes. El 90% restante es tipo Forastero y variedades del mismo, con una calidad inferior pero que permite una mayor producción. En cuanto a su consumo, datos indican que en España se toman en torno a 3,5 kilogramos per cápita al año, cantidad muy inferior a la de otros países europeos y en la que el mayor porcentaje corresponde al chocolate en tableta.

Calidad del chocolate

La calidad de un chocolate viene determinada por el origen y porcentaje de componentes del cacao, el resto de ingredientes y por su proceso de elaboración. Los chocolates que se elaboran con cacao de Ecuador, Venezuela, Ghana y Costa Rica son de buen sabor y gusto fino, los de Indonesia poseen un sabor suave, los de Brasil aportan un sabor y aroma muy variables, mientras que los de la República Dominicana son los menos sabrosos.

En general, los chocolates de mayor calidad son los que contienen un alto porcentaje de componentes de cacao (cacao y manteca de cacao) y los que se someten a un proceso denominado "concheado". Éste consiste en remover el chocolate líquido en una máquina entre doce horas y siete días. Lo ideal es prolongarlo una semana, ya que de este modo el chocolate se enriquece en sabor, desaparece todo resto de amargor y su textura queda más aterciopelada. Respecto a otros ingredientes, cabe destacar que con el extracto puro de vainilla se fabrican chocolates de primera calidad, mientras que para el resto se recurre a la vainillina, un sustituto más económico.

www.revista.consumer.es

Vocabulario útil: surtido, *selection*; aportar, *to contribute*; someter, *to submit*; amargor, *bitterness*; aterciopelada, *velvety*

Actividad 43 (CD 3, pista 4, 1:18)
Comida latina, primer lugar en Estados Unidos

La comida latina ha alcanzado el primer lugar de crecimiento en los Estados Unidos, superando a todas las opciones culinarias étnicas, reveló la Asociación Nacional de Restaurantes.

En entrevista con Efe, la directora de Mercadotecnia Internacional de la agrupación, Denyse Selesnick, informó que los platillos latinoamericanos, especialmente los mexicanos, se imponen rápidamente en el paladar de los comensales estadounidenses.

Refirió que en una industria que este año espera ventas por 511 mil millones de dólares, el consumo de la comida hispana en los restaurantes de la nación creció casi un 8 por ciento el año pasado, seguida muy de cerca por los platillos asiáticos.

Selesnick explicó que dicho incremento no sólo obedece a que los hispanos se erigen ya como el primer grupo étnico de Estados Unidos, sino al hecho de que los alimentos latinos satisfacen los exigentes paladares de millones de comensales aventureros.

www.laraza.com

Vocabulario útil: paladar, *palate*; erigir, *to set up*

Actividad 44 (CD 3, pista 5, 3:56)
Descubrir el sabor de Colombia

Influencias africanas, árabes y españolas se mezclan para dar lugar a platos de gran diversidad de sabores, colores y texturas.

Las mesas de las casas y restaurantes colombianos son una gran combinación de colores y aromas, gracias a la presencia de diferentes platos que se mezclan con frutas exóticas, o a la carne asada que inunda los comedores con su aroma.

Platos típicos de cada región

A lo largo y ancho de todo el país, el visitante puede degustar platos tan tradicionales como el arroz con pollo, las arepas (pedazos de pan que se suelen rellenar con queso) o la "bandeja paisa", un gran plato en el que se sirven alimentos propios de la región en la que se encuentre, como huevo, carne, frijoles, plátano, arroz y chorizo, entre muchos otros.

La sopa "ajiaco", preparada con pollo y patatas, es una de las especialidades de Bogotá, y se recomienda no abandonar el país sin haberla probado. En el Tolima, una región andina del país, la "lechona" es el plato protagonista; elaborado con carne de cerdo rellena de arroz, es una fuente importante de energía. Pero sin duda, es en los Santanderes, región situada en la zona norte del país, donde se encuentra uno de los platos más llamativos de la gastronomía colombiana. Su nombre "hormiga culona" no esconde ningún secreto ya que el alimento que constituye este plato son las hormigas fritas —con la parte trasera de gran tamaño, por cierto—, todo un reto para los turistas más aventureros.

La fruta, el tesoro colombiano

Gracias a su suave clima tropical, Colombia posee una enorme variedad de frutas que pueden formar parte de cualquier plato y que, cómo no, suponen uno de los postres más exquisitos del país. Papayas, mangos, ciruelas, mandarinas, sandías, piñas y otras menos conocidas como el zapote, con forma de manzana y carne oscura, la guanábana, de forma alargada, color verde y cubierta de espinas, o el corozo, un fruto de color negro y del tamaño de una avellana, son sólo algunos ejemplos de la riqueza frutícola del país.

Además de toda esta gran variedad de frutas, Colombia posee postres tradicionales de calidad como las obleas o la cuajada con melao, a la que se le añade caramelo de panela, azúcar integral de caña.

Y si lo que se desea es degustar la fruta de la forma más dulce posible —para muchos paladares resultará empalagosa—, la propuesta es el dulce de piña o coco, que consiste en rallar la fruta y mezclarla con azúcar. Al coco, como tiene menos agua, se le añade un poco de leche para poder mezclarlo mejor con el azúcar. Estos típicos postres se pueden disfrutar en cualquiera de los puestos situados en el llamado "portal de los dulces" —un lugar curioso que se encuentra en Cartagena, la preciosa ciudad amurallada, y en él se concentran un buen número de vendedores de pan, frutas, dulces... que permiten al visitante conocer el agradable ambiente popular.

www.consumer.es

Vocabulario útil: inundar, *to flood*; bandeja, *platter*; rellena de, *stuffed with*; llamativo, *flashy/striking*; parte trasera, *backside*; sandía, *watermelon*; zapote, *a kind of plum*; espina, *thorn*; avellana, *hazelnut*; caña, *sugarcane*; empalagosa, *sickly sweet*; rallar, *to grate*; amurallada, *walled*

Actividad 45 (CD 3, pista 6, 5:13)
Sazón con tradición

En el restaurante ¡Y arriba y arriba! el menú está pensado para mover nuestras raíces culturales.

No importa cuántos años hace que dejó su tierra natal, para el latino que vive en Estados Unidos reencontrarse con platillos típicos de sus tierras es siempre motivo de alegría. Eso es precisamente lo que le ofrece el restaurante ¡Y arriba y arriba!, ubicado en el nuevo complejo de Disneyland.

Alex García, chef ejecutivo del recién estrenado negocio, y quien ha participado en la apertura de numerosos restaurantes en Nueva York y Miami, explicó que la idea es darle a la clientela un poquito de cada país latinoamericano, incluyendo además a España y Portugal.

"Tenemos antojitos de 22 países, además de una selecta variedad de postres, cafés y bebidas", dice García.

Enmarcado en el baile, la música y la diversión que caracteriza a los latinos, el restaurante tiene en su menú desde churrasco argentino, hasta tequeños, de Venezuela, pasando por pastel de pollo y choclo de Bolivia, envueltos de plátano maduro con relleno de frijoles molidos, de Guatemala, y carimañolas, unas frituras de yuca rellenas con carne de res, de Panamá.

Para seleccionar el menú, García dijo que escogió lo que más se extraña de cada tierra. Para ello, se valió de sus múltiples visitas por Latinoamérica y la experiencia de haber trabajado con reconocidos chefs, entre ellos Douglas Rodríguez.

"Hace algunos años trabajé en un crucero que juntó a 60 de los mejores chefs de Latinoamérica y ahí aprendí más de lo que pude aprender en mis años de escuela", dijo García. "Conocí ingredientes que nunca antes había visto o que conocía con otros nombres, aprendí a utilizar nuevos condimentos y a preparar platillos nuevos".

García también es el conductor de varios programas de cocina para la cadena de televisión Food Network, como "The Melting Pot" y "Taste of Mexico".

Una de las grandes atracciones que tiene el restaurante es el menú de ceviches, preparados con diferentes productos de mar y marinados con jugos de limón y de lima, para luego servirlos adornados con tomate, cebolla colorada y cilantro. Entre ellos hay ceviche de langosta, atún, camarón, vieiras, mejillones, ostiones, corvina, almejas y el mixto, con camarones, escalopes, calamares y pescado.

También deben probar el café. Según García, cada mes tendrán aproximadamente tres cafés exportados de diferentes países; por ejemplo, Antigua, de Guatemala, Terrazú, de Costa Rica, y Supremo, de Colombia. Hay, además, café de olla y yerba mate.

Los platillos se sirven en pequeñas porciones o tapas, por lo que si va en grupo puede pedir diferentes opciones y hacer varias combinaciones. Tienen, además, platillos acompañados con arroz blanco, papas fritas, frijoles negros, tostones, yuca frita, pan de bono, arroz con coco, palmitos, arepas y totopos con guacasalsa, una salsa especial de la casa.

El ambiente del restaurante es de fiesta, mucho baile y buena música en vivo. Los precios son moderados y la atención muy buena.

www.laopinion.com

Vocabulario útil: antojitos, *typical snacks*; enmarcado, *framed*; churrasco, *barbecued steak*; tequeños, *small cheese pancakes*; choclo, *corncob*; envuelto, *wrapped*; fritura de yuca, *fried cassava/manioc*; extrañarse, *to be missed*; crucero, *cruise*; langosta, *lobster*; vieiras, *scallops*; mejillones, *mussels*; ostiones, *large oysters*; corvina, *a kind of fish*; almejas, *clams*; tostones, *fried plantains*; palmitos, *hearts of palm*; arepas, *corn pancakes*; totopos, *taco chips*

Preguntas

1. ¿A partir de cuándo le apetece al latino que deja su tierra tomar comida típica de su país?
2. ¿De dónde proviene el menú del restaurante?
3. ¿Qué seleccionó el chef García para su menú?
4. ¿Qué es lo más interesante que ofrece el chef en su restaurante?

Actividad 46 (CD 3, pista 7, 3:43)
Participe en una conversación, p. 139

Capítulo 3, Lección B

Actividad 24 (CD 3, pista 8, 3:16)
¿Por qué comer carne es malo para el planeta?

Comer carne produce un costo en el medio ambiente que las generaciones futuras se verán forzadas a pagar.

La tierra: De toda la tierra destinada a la agricultura en Estados Unidos, el 87 por ciento es utilizada para alimentar a animales criados para comida. Eso es el 45 por ciento de toda la tierra en Estados Unidos.

El agua: Más de la mitad del agua que se consume en Estados Unidos está destinada a los animales de la industria alimenticia. Se necesitan 2.500 galones de agua para producir una sola libra de carne, pero sólo 25 galones para producir una libra de trigo. Una dieta vegetariana requiere 300 galones de agua por día, mientras que una dieta carnívora requiere más de 4.000 galones de agua por día.

La polución: Los animales destinados a ser convertidos en comida producen 130 veces más excremento que el de toda la población humana: o sea, ¡87.000 libras por segundo! Gran parte de los desperdicios de las granjas industriales y mataderos van a parar a los ríos.

La energía: Producir tan sólo una hamburguesa requiere suficiente petróleo para manejar un automóvil pequeño por 20 millas y suficiente agua para 17 duchas.

La deforestación: ¡Cada vegetariano salva un acre de árboles por año! Las selvas tropicales también están siendo destruidas para proveer de pastizales al ganado. Cincuenta y cinco pies cuadrados de selva húmeda podrían ser arrasados para producir una libra de hamburguesa.

Los recursos: En Estados Unidos, los animales criados para ser comida son alimentados con más del 80 por ciento del maíz producido y más del 95 por ciento de la avena. Solamente el ganado mundial consume una cantidad de alimentos equivalentes a las necesidades calóricas de 8.700 millones de personas: más que toda la población humana del mundo.

Personas por la Ética en el Trato de los Animales (PETA)
www.petaenespañol.com

Vocabulario útil: desperdicios, *waste products*; matadero, *slaughterhouse*; pastizaje, *pastureland*; arrasado, *razed (to the ground)*; avena, *oats*

Actividad 42 (CD 3, pista 9, 1:45)
McDonald's informará al consumidor del valor nutritivo de la comida

La multinacional de la hamburguesa por antonomasia, McDonald's, informará a partir del año próximo a los consumidores, del contenido nutritivo de los alimentos que les ofrece, informó la empresa en un comunicado recogido hoy en la prensa. Los envoltorios de las hamburguesas, papas fritas y demás productos lucirán cinco "iconos" para indicar sus niveles de calorías, proteínas, grasas,

carbohidratos y sodio, en términos absolutos y como porcentaje del consumo diario recomendable. McDonald's se convierte así en la primera cadena de "comida rápida" en informar al cliente sobre los valores nutritivos de sus alimentos, asegura la empresa en el comunicado presentado ayer en su sede en Chicago... Para finales de 2006, los nuevos envoltorios informativos estarán en 20.000 de los 30.000 restaurantes de la cadena en todo el mundo. "Los clientes acuden a nosotros en números récord y tomamos muy en serio su confianza en nuestra marca. Por eso queremos que tengan información fácil de entender sobre los valores nutritivos. Estamos poniendo la información que necesitan los consumidores en sus manos", comentó el director gerente de McDonald's, Jim Skinner.

www.laraza.com

Vocabulario útil: por antonomasia, *par excellence*; envoltorio, *wrapper/packaging*; acudir, *to come/respond*

Actividad 43 (CD 3, pista 10, 5:44)
Todas las dietas funcionan; el que falla es el ser humano

"No hay milagros. Esfuerzo en la dieta y ejercicio es la única receta para adelgazar"

"El cuerpo tiene defensas para tolerar una hambruna, pero no para la obesidad"

Arturo Rolla, argentino "de Corrientes", reside desde hace 33 años en Boston (Estados Unidos), donde ejerce como endocrinólogo del hospital Beth Israel. Profesor de la Universidad de Harvard, la pasada semana acudió a Bilbao para impartir la conferencia Obesidad: ¿culpable o inocente? en la Universidad de Deusto.

P: Trabaja como endocrinólogo en un país donde el sobrepeso supone un problema de salud fundamental.

R: Ésa es una de las mentiras que nos hacemos en todo el mundo, que la obesidad es un problema solamente de Estados Unidos. Es un problema de todo el planeta.

P: ¿No se da sólo en los países más avanzados?

R: No, los países más avanzados están más avanzados también en obesidad, pero en diez años Europa va a estar a la misma altura que Estados Unidos. Y la paradoja es que aún en los países pobres está habiendo un gran aumento de la obesidad, y no están preparados desde el punto de vista financiero y sanitario para poder tratar los estragos que hace la obesidad sobre la salud.

P: De comilonas está la historia llena.

R: El número de obesos y el tamaño de los obesos nunca fue tan grande como ahora.

P: ¿Obesidad y anorexia son dos manifestaciones de una misma enfermedad?

R: Para ser sincero, no lo sabemos. Si bien hemos avanzado muchísimo en lo que es el control del apetito, todavía no sabemos cuáles son las alteraciones que te pueden llevar a la obesidad o a su opuesto, la anorexia nerviosa. Cómo una persona joven puede llegar a tener un control tan estricto y rígido del apetito hasta el punto de producirse una malnutrición severa e incluso la muerte. Y cómo, por el otro lado, estamos viviendo en una sociedad que facilita la sobrealimentación. Lo que sí sabemos es que desde el punto de vista genético estamos mejor preparados para tolerar una hambruna que la abundancia.

P: ¿Y eso?

R: Desde el punto de vista fisiológico tenemos una serie de cambios metabólicos muy importantes para tolerar la falta de calorías. De entrada, inmediatamente te aumenta el apetito, disminuyen todos los pensamientos que no sean los dirigidos a la comida y te baja el metabolismo basal un 30%. Por contra, cuando tienes abundancia de calorías, nada te defiende. Puedes seguir comiendo a pesar de no tener hambre.

P: ¿Cómo se ha llegado a este estado de una excesiva obesidad?

R: Estamos en una situación en que la comida se ha hecho muy fácil, barata y más sabrosa. Al tiempo, nuestra actividad física ha disminuido mucho. Comemos más de lo que tenemos que comer y apenas hacemos ejercicio.

P: No todos los obesos son iguales.

R: Hay muchas formas de obesidad y hay que tratar a cada una individualmente. En cuanto al sexo también hay diferencias. Cuanto menor es el nivel sociocultural hay más obesidad entre las mujeres; en cambio, entre los hombres hay más obesos cuanto mayor es el nivel sociocultural.

P: ¿Cómo debe ser una dieta para bajar de peso?

R: Hay un gran debate científico sobre este tema, si debe ser baja en carbohidratos, alta en proteínas o incluso alta en grasas.

P: Muchas dietas funcionan, aun sin base científica.

R: Todas las dietas funcionan. Lo que no funcionan somos los humanos. Las dietas no fallan, los humanos fallamos. Si haces una dieta, cualquiera, que reduce el número de calorías y la haces bien, bajas de peso.

P: Pero habrá alguna mejor.

R: Yo recomiendo la dieta PEPE. Son las iniciales de Persistencia y Ejercicio, primero, y luego, Persistencia y Ejercicio. Es el secreto.

P: Dieta y ejercicio. No existen milagros.

R: No. Esfuerzo en la dieta y ejercicio es la única receta.

P: En el crecimiento de la obesidad ha influido la comida basura.

R: La publicidad de la comida basura asocia el tomar estos alimentos con éxito y felicidad en la vida, y subliminalmente se queda el mensaje de que la felicidad y el amor están en las calorías y eso no es cierto.

P: El chocolate o un buen helado alivian cuando uno está deprimido.

R: La comida no es amor, no es felicidad. Las calorías no resuelven el problema que uno tiene y que le hace estar deprimido. Intentar solucionar la depresión comiendo, es lo que se llama el apetito emociogénico. No comemos porque tengamos hambre, sino por una necesidad emocional, pensando que eso nos va a hacer felices. Y a ese engaño contribuye la publicidad de alimentos y bebidas calóricas que nos muestra gente feliz y delgada.

www.elpais.es

Vocabulario útil: fallar, *to fail*; impartir, *to give*; paradoja, *paradox*; estragos, *havoc*; comilona, *glutton/huge meal*; engaño, *deceit*

Actividad 44 (CD 3, pista 11, 8:32)
Dietas

Voy a hacer una confesión. Estoy a dieta. Sí, ya sé que no es nada original, pero para mí es algo nuevo en mi vida. Hace un par de semanas me dio por pesarme y descubrí que estaba ligeramente excedido de peso, poca cosa en realidad, unos 4 ó 5 kilos de más, según esas tablas de tanto mides tanto pesas, pero noté su presencia al ponerme unos pantalones de pre verano y comprobar que entraba en ellos justito.

El caso es que tomé la decisión, la reforcé con buenas dosis de voluntad, me informé correctamente, y aquí estoy, ignorando el chocolate, el pan, los pasteles, las galletas con mantequilla y mermelada del desayuno y, sobre todo, las patatas fritas.

Las patatas fritas, elixir de vida, néctar divino que acompaña a los huevos fritos, o al pescado, o a lo que sea, porque hacen tan bien su papel de acompañante que se las puede llevar a cualquier parte. Pues no señor, ni tocarlas.

Y lo mismo sucede con el pan. Aquel pan fresquito, oloroso, crujiente, que parece que hace siglos que no pruebo y que fue sustituido en un arrebato demencial por unas rebanadas de una cosa dura, insípida, inolora que, además, se parte en trozos y no te permite mojar nada con él, aunque pensándolo bien tampoco tienes nada que mojar, porque las salsas han desaparecido de mi vida. No más salsas.

Pero lo peor de las dietas es cuando te introduces en ellas: al principio, con aplomo, seguridad y decisión y, se supone, las ideas muy claras. Entonces empiezas a descubrir que el alcance del evento va mucho más allá de lo previsible, que muchas más cosas de las que te imaginaste se pusieron del lado de lo prohibido, de lo intocable. Y empiezas a sospechar que te engañaron o que no te dijeron toda la verdad.

Entonces sufres un bajón anímico y una voz maligna te empieza a susurrar muy bajito... "¿Dónde te has metido?" "Te han engañado", "yo que tú no lo haría", "seguro que enfermas", etc., etc. Una verdadera batalla entre tu estómago y tu mente, entre tu gula y tu razón.

Y esta batalla tiene su punto álgido, culminante, cuando un día te encuentras de repente solo en la cocina y tu vista tropieza, por casualidad, claro, con un trozo de empanada que alguien, también por casualidad, dejó en un plato.

Entonces lo más oscuro de ti se pone en funcionamiento, escuchas con atención si alguien se acerca, compruebas que no hay espías, la tensión en tu interior crece, y cuando tu mano, por propia cuenta, se extiende hacia lo prohibido, entonces algo te sacude, te zarandea con violencia y te grita... "¿Qué vas a hacer?" "¿Qué fue de tu voluntad?" y reconoces en ello a tu propia conciencia que no se duerme nunca, que parece no necesitar nunca ni un tenue descanso.

A renglón seguido abandonas la cocina deprimido, incómodo, no sin antes echar un último vistazo al trozo de empanada y decir por lo bajo... "seguro que no estaba tan buena". Qué le vamos a hacer.

Pero la experiencia actúa como revulsivo y a partir de ahí renuevas tu voluntad, tu propósito y, de paso, conoces más a tu enemigo.

Luego están los demás, los que te rodean, esos que suponías que te apreciaban pero que ahora se ensañan con comentarios culinarios, masticando a tu lado con más estridencia y, cómo no, preparando para ellos platos más olorosos y apetecibles que nunca, auténticos manjares que hacen más difícil tu aventura aunque, eso sí, más valiosa. Individuos que no se preocupaban de ti cuando engordabas y que ahora parece como si hubieran asumido el papel de guardianes, actitud que encierra en realidad grandes dosis de mala leche y que va acompañada de preguntas tales como "¿Cómo va tu dieta?" "¿Tampoco puedes comer de esto?" "Pues yo no veo que estés adelgazando". O sea, que sería perfectamente comprensible que alguien pasara automáticamente de ser un simple sujeto que desea recuperar línea a convertirse en un asesino en serie, por venganza, claro. También por envidia.

El caso es que la dieta está cambiando en mí aspectos importantes en mi valoración de los demás. Antes, los que hacían dietas, salvo casos extremos o de enfermedad, me parecían frívolos. Ahora me parecen héroes, auténticos héroes dignos de medallas y honores, mitos en el escalafón de la cadena alimenticia.

En fin, a la semana siguiente me pesé y había bajado dos kilos. Genial, me sentí genial, claro está se lo conté inmediatamente a esos, a los "amigos", a los que no me veían progresos.

Así, afronté la segunda semana con más seguridad y también con ciertas "irregularidades", ya me entiende: podía hacerlo, dominaba la situación, ¿qué puede suponer una galleta rellena de chocolate en la inmensidad de una dieta? Al final de la segunda semana la báscula me abofeteó en pleno rostro, no sólo no había seguido el proceso descendente sino que había engordado cien gramos. "¿Estará estropeada?" No, no lo estaba. Era un aviso, una lección de humildad, una señal.

Empiezo la tercera semana consciente ya de que esto no es sólo una dieta, es todo un proceso iniciático donde se conjugan todas las fuerzas de la creación y donde está en juego algo más que tus michelines, o sea, tu dignidad, tu honor, el ser o no ser.

Que la Fuerza me acompañe...

www.revistafusion.com

Vocabulario útil: medir, *to measure (height)*; elixir, *elixir/cure-all*; crujiente, *crusty*; arrebato, *rage*; con aplomo, *with composure*; bajón, *slump/drop*; susurrar, *to whisper*; gula, *gluttony*; zarandear, *to shake*; a renglón seguido, *immediately afterwards*; manjar, *delicacy*; escalafón, *ladder*; abofetear, *to slap in the face*; estropeada, *broken*; michelines, *spare tires/love handles*

Preguntas

1. ¿Hace cuánto tiempo está el narrador de dieta?
2. ¿Cuánto peso quiere el narrador perder?
3. ¿Qué evento provoca esta decisión de ponerse a dieta?
4. ¿Qué alimentos le va a costar no tocar al narrador?
5. ¿Dónde hay una batalla al principio de una dieta?
6. Según el narrador, ¿por qué hacen los demás comentarios sobre la dieta?
7. ¿Cómo ha cambiado la actitud del narrador de los que se ponen a dieta?

Actividad 45 (CD 3, pista 12, 3:24)
Participe en una conversación, p.167

Actividad 54 (CD 3, pista 13, 1:50)
La comida mexicana, patrimonio cultural

Charles de Gaulle se quejaba de lo difícil que era gobernar una nación con más de 500 tipos de quesos. Lo mismo puede decirse de México y sus chiles. El único rasgo común de esta diversidad es el siguiente: cuando le preguntas a un mexicano si algo pica, te dice que no. No conozco al mesero capaz de advertirle al comensal que la boca se le va a incendiar. Se considera traición a la patria reconocer la misión esencial de un chile de árbol o chipotle, que consiste en sacar intensas gotas de sudor en la coronilla del afectado. "Yo soy como el chile verde, picante pero sabroso", dice una de las más extravagantes letras de la canción ranchera. En la dramática nación de Jorge Negrete, lo picante es sabroso. "Aunque algunas variantes de lo picoso perforan el duodeno, cuando hablamos del chile nos limitamos a enunciar que tiene mucha vitamina C y que se parece a nuestros políticos en que cada vez se le descubren más propiedades", bromea el escritor mexicano Juan Villoro. Lo que no es broma es que el libre comercio está afectando a los productores locales de este alimento. Según datos oficiales, cada mexicano consume al año 8,5 kilos de este producto, pero el 35% es importado de China, India y otros sitios.

www.lostiempos.com

Vocabulario útil: incendiar, *to set fire to*; sudor, *sweat*; coronilla, *crown (of the head)*

Actividad 55 Actividad opcional (CD 3, pista 14, 3:44)
La cocina puertorriqueña en todo su esplendor

Puerto Rico: la gran cocina del Caribe, un extenso, hermoso e informativo volumen, es un seductor recorrido por la historia culinaria de la isla, que arrancando de los ingredientes primigenios de la tierra y la alimentación de los primeros habitantes nos trae hasta nuestros días en una especie de constatación de por qué la isla ha pasado a ser la capital gastronómica del Caribe. En el vistoso y ameno recorrido encontramos los platos que han complacido los paladares borinqueños, desde sus arepas de la isla de Vieques hasta los ostiones de Salinas, pasando por elegantes y deliciosos platos de la más moderna expresión de la cocina del trópico como anota uno de los prologuistas. Pero eso se salió parte del cometido. Porque los autores—del reconocido crítico gastronómico José Luis Díaz de Villegas, el fotógrafo Jochi Melero y el diseñador José Díaz de Villegas Freyère—se propusieron también ponernos al día en cuanto a lo mejor que tienen para ofrecer algunos de los chefs más notables de la isla. Allí están sus perfiles, sus historias y sus recetas más exitosas, bellamente ilustradas y minuciosamente explicadas para quienes quieran intentar seguir los pasos por sus propias manos... ¡Pero también están las historias! Porque Díaz de Villegas, además de periodista y crítico gastronómico, tiene una vocación evidente por las narraciones cautivantes y las historias bien contadas, y nos va relatando las pautas y minucias entretenidas sobre los primeros establecimientos de comida de Puerto Rico, así como las aventuras, encuentros y anécdotas de los chefs. También, a manera de prueba, ofrecemos en uno de los recuadros, "Un galleguito que comía distintos", un breve aparte del libro, de hecho una singular historia, que nos explica por qué el chef José Rey adquirió su gusto por las comidas picantes y las fusiones con la gastronomía oriental. Además de dos capítulos introductorios, "Un florecer gastronómico" y "Frutos de mi tierra", el libro incluye cuatro interludios, que recalcan las raíces culturales de la isla, su herencia caribeña, española y africana, y las influencias recibidas de Francia, otros países de Europa y de Estados Unidos. Al final nos queda una clara visión del pasado y las vertientes que ha recorrido la cocina puertorriqueña, pero también una noción del excitante momento que está atravesando la gastronomía de ese país: "Hoy en día, muchos chefs, extremadamente creativos y talentosos, extraen su inspiración de la liberalidad de Puerto Rico y están reinventando su cocina", afirma en uno de los prólogos Eric Ripert, chef propietario del restaurante Le Bernardin en Nueva York. "Ellos escogen los mejores ingredientes en el ámbito local e importan lo que les falta para crear una inteligente fusión entre su propia herencia y la influencia oriental y occidental". El libro, sin duda, resultará un verdadero gusto para los amantes de la buena mesa, de la actividad culinaria, de la historia de la gastronomía, así como los amantes de las historias amenas y bien contadas.

www.eldiariony.com

Vocabulario útil: arrancar, *to take off/start*; primigenio, *original*; constatación, *verification*; ameno, *pleasant*; paladar, *palate*; borinqueño, *Puerto Rican*; recuadro, *section*; galleguito, *Galician (used to refer to someone from Spain)*; florecer, *flourishing*; recalcar, *to emphasize*

Capítulo 4, Lección A

Actividad 22 (CD 4, pista 1, 2:31)
Todos tenemos alguna manía

Luis: Oye, José, anoche me tuve que levantar de la cama cuatro veces.

José: ¿Y eso, Luis?

Luis: A mirar las puertas porque no sabía si las había cerrado bien. No estaba seguro.

José: A mí me pasa algo parecido, pero lo mío es con el despertador. Tengo que mirarlo tres o cuatro veces porque nunca estoy seguro de que lo haya puesto a su hora.

Laura: ¿Saben que lo que tienen es una manía y que puede llegar a convertirse en obsesión?

José: Anda, anda, Laura. No seas exagerada...

Laura: Sí, claro, ahora mismo los veo lavándose las manos cada vez que toquen algo, sea lo que sea. Hay un montón de gente a la que le pasa eso. Y llega a convertirse en verdaderos problemas para ellos y para la gente que les rodea. Les afecta en el trabajo y en sus relaciones familiares y sociales. Pero a nosotros no nos va a pasar eso, ¿A qué no, José?

Luis: Pero a nosotros no nos va a pasar eso, ¿A qué no, José?

José: Ahora que lo pienso... Luis, ¿tú no me dijiste que te lavas los dientes cada vez que sales a la calle?

Luis: ¡No! Si ahora me van a decir que estoy loco...

Laura: No te enfades, Luis. No estás loco, es sólo que tienes una serie de obsesiones que por tu bien deberías superarlas.

Luis: ¿Y cómo lo hago?

José: Quizás deberías sólo lavarte los dientes tres veces y evitar las demás, así acostumbras a tu cuerpo, y tu mente, a este cambio y dentro de unas semanas ni te acuerdas de estas manías tuyas. Y luego, también mira la puerta una vez y procura recordar que lo has hecho y no levantarte más...

Luis: Bueno, José, pues aplícate tú también el cuento...

José: ¿Yo?

Mari Sierra Ramos Castro

Vocabulario útil: montón, *crowd*; rodear, *to surround*; procurar, *to try to*

Actividad 25 (CD 4, pista 2, 3:23)
Atracción por lo imposible

¿Por qué los humanos soñamos con cosas imposibles? La mayoría de los inventos y hazañas vienen de esta necesidad, de hacer o crear algo que sea extraño e inexplicable a la vista de los demás. ¿Por qué Lindberg decidió cruzar el Atlántico con *El espíritu de San Luis*? Porque era temeroso, imposible para muchos y difícil. ¿Por qué a Colón se le ocurrió hacer lo mismo en sentido contrario, y en barco, más de cuatrocientos años antes? Exactamente por lo mismo.

Somos seres racionales, pero algunas veces tenemos menos sentido común que algunos animales. Apostamos como locos a la lotería, sabiendo a ciencia cierta que no vamos a conseguir nada, ya que probablemente le tocará el premio a alguien que no conocemos y que nunca nos encontraremos, porque a ciencia cierta, en cuanto se entere de la noticia, dejará su trabajo y se irá a Hawai o a otra isla del Pacífico. Y entonces, ¿por qué motivo lo hacemos? Por esperanza; esa gran palabra.

La esperanza de conseguir lo imposible, esa utopía. Lo curioso de todo esto es que avanzamos, evolucionamos y revolucionamos gracias a esa palabra; y aunque, en principio, todo sea un sueño, no dejamos de soñar, lo consigamos o no.

Desde comienzos de la humanidad hemos deseado cosas inalcanzables y tarde o temprano lo hemos conseguido: volar, llegar al espacio, curar... Pero nos quedan miles y miles: Muchas vacunas, el elixir de la eterna juventud (y esto aunque haya miles de cremas que lo aseguran, os puedo asegurar que no funcionan), tener una animada conversación con un extraterrestre (otros aseguran esto, pero yo no les haría tampoco mucho caso...).

Todos estamos motivados para conseguir cosas que antes no se han podido realizar, y a la pregunta de por qué lo hacemos, la respuesta es realmente simple: por placer. No hay nada mejor que todo el mundo te aprecie y te quiera por haber hecho algo que a nadie se le había ocurrido antes. ¿No os dan ganas de abrazar a la persona que inventó el Chupa-Chups o la piruleta cada vez que os los metéis en la boca? Algo tan simple como un caramelo pegado a un palo y a nadie se le había ocurrido antes. Curiosamente fue un español, aunque, como es de esperar, muchos le copiaron la idea; pero él fue el inventor moral.

Así que ya lo sabemos todos: necesitamos evolucionar y revolucionar de la mejor manera, inventando. Así que manos a la obra, ya sabéis que las mejores cosas siempre vienen sin que las esperes.

Mari Sierra Ramos Castro

Vocabulario útil: hazañas, *heroic deeds/feats/exploits*; temeroso, *fearful*; apostar, *to bet*; a ciencia cierta, *for certain/for a fact*; palo, *stick*

Actividad 36 (CD 4, pista 3, 3:09)
Necesito más emoción

Miles de nuevas palabras han entrado en nuestro vocabulario en estos últimos años: *puenting*, rafting, *parapente*, *ala delta*... describen deportes relacionados con el riesgo y con la emoción, tan emocionantes que en muchos de ellos nos jugamos la vida. ¿Por qué necesitamos ese "subidón" de adrenalina para sentirnos realizados de alguna manera?

Quizás sea por escapar de la monotonía de nuestras vidas. Nos levantamos de lunes a viernes a la misma hora, comemos en el mismo sitio y con la misma gente y probablemente tengamos las mismas conversaciones; por eso, cuando llega el fin de semana necesitamos algo distinto y un paseíto por el campo es demasiado "light". Así que lo mejor de todo es quedar con un grupo de amigos y escalar una montaña, o bien, bajar los rápidos de un río, y todo eso sin anestesia, ni tan sólo local.

Ya no nos conformamos con ver una película de miedo o de risa para "desconectar"; no nos basta con gastar miles de pañuelos mientras Rick se despide de su querida Ilsa en la famosísima película *Casablanca* con estas palabras: Siempre nos quedará París... ¡Queremos volar por bicicleta, y como lo hace el entrañable ET: con la luna de fondo! No estaría mal tampoco que tuviéramos un hermano caritativo que nos invitara a entrar en el juego en el que participa Michael Douglas en esa estupenda película; sería divertido, si sales vivo y no te da un infarto antes de que termine todo. Lo increíble del asunto es que algo parecido podemos experimentarlo ya: Puedes contratar una empresa para que te secuestre. ¿Nos estamos volviendo locos o qué? Si quieres que te amordacen y luego te inviten a comer sólo tienes que pagar 35 ó 40 euros en el sur de España.

Las emociones nos aturden y descolocan, nos hacen sentir vulnerables hasta que las superamos. Ponemos en riesgo nuestra existencia y nuestro futuro simplemente por un minuto (o menos) de placer. Otras emociones son menos arriesgadas: la de la lotería, la montaña rusa o el meterse en pleno diciembre en el mar de agua helada (eso sí que es una emoción fuerte comparada con otras), y nos causa esa misma sensación de miedo y desesperación, sobre todo esta última.

Pero, para buscar emociones fuertes y agradables, no es necesario que te secuestren, ni es preciso que salgas de casa. Si no quieres el baño frío, recurre a lo clásico: busca una buena película, un bol de palomitas y un brazo del que agarrarte.

Mari Sierra Ramos Castro

Vocabulario útil: puenting, *bungee jumping*; parapente, *paragliding*; ala delta, *hang gliding*; subidón, *rush/high*; sentirnos realizados, *to feel fulfilled*; entrañable, *close (friend)*; de fondo, *in the background*; caritativo, *charitable*; infarto, *heart attack*; secuestrar, *to kidnap*; amordacer, *to gag*; aturdir, *to stun*; descolocar, *to dislocate*; montaña rusa, *roller coaster*; en pleno diciembre, *at the height of December*; palomitas, *popcorn*; agarrar, *to hold on to*

Actividad 49 (CD 4, pista 4, 2:09)
Pero, ¡deja de mentir!

Carlos: ¡Hola, Alfredo! ¿Sabes que ayer vi a Michael Jordan por la calle?

Alfredo: Venga ya, Carlos, no digas mentiras.

Carlos: En serio... y me fui con él a tomar un café. Estuvimos charlando de miles de cosas.

Alfredo: Sí, claro, Carlos, y luego se fueron Uds. a echar unas canastas... y encima le ganaste. ¿A qué he acertado?

Carlos: Pero, ¿por qué no me crees?

Alfredo: Porque siempre estás diciendo mentiras. Cuando no te ha tocado la lotería, has visto a alguien famoso o a un extraterrestre...

Carlos: Oye, que lo del extraterrestre es cierto. Me dijo que se había perdido, que estaba buscando su nave espacial para regresar a su planeta. Me quería llevar, pero le dije que tenía que ir al dentista.

Alfredo: ¡Ay, Carlos! Yo sigo pensando que tienes un problema, y bastante grande. Siempre dices mentiras. ¡Eres un mentiroso compulsivo! Y lo peor de todo es que mientes tan mal que siempre te pillamos las mentiras. Deberías ir a ver a un médico, seguro que te puede ayudar a superarlo.

Carlos: ¡Que yo no tengo ningún problema!

Alfredo: Pero no te pongas así, es sólo un consejo. Creo que sería bueno para ti ir a ver a un especialista, que te ayude; porque, seguro que si no los tienes ya, vas a tener un montón de problemas con el trabajo y con los amigos.

Carlos: Mira, has conseguido enfadarme, me voy a ver a mi prima Salma.

Alfredo: Tu prima... ¿quién?

Carlos: Mi prima Salma, es actriz.

Alfredo: (suspira) No tienes remedio...

Carlos: Como te estás poniendo así te voy a contar la verdad. Es que he quedado esta noche con tu hermana. Llevamos saliendo tres meses. Sí, y como a mí se me da tan mal mentir, pues me he inventado las excusas que he podido. Bueno, lo de los extraterrestres era bastante creíble, ¿no?

Alfredo: (gritando enfadado) ¡Mi hermana!

Mari Sierra Ramos Castro

Vocabulario útil: echar unas canastas, *to shoot some hoops;* nave espacial, *spaceship;* pillarle las mentiras, *to catch someone in a lie*

Actividad 50 (CD 4, pista 5, 4:10)
El hombre que dijo que llamaría

Lola: Bueno, Tamara, ¿qué onda? Cuéntame: ¿qué tal la noche pasada con el chico con el que saliste a cenar?

Tamara: La pasamos padrísimo, Lola. Cenamos y conversamos muchísimo, y no paramos de reírnos hasta la puerta de mi apartamento.

Lola: ¡Oh! ¿Te acompañó a casa caminando? ¡Eso suena bien! Parece que el joven está interesado.

Tamara: Sí... yo también creo que hubo algo especial entre nosotros. ¡Dijo que me llamaría hoy!

Lola: ¿En serio? ¡¡Wuuauu!! ¿Y te ha llamado?

Tamara: No.

Lola: Mmmm... Pues, ¿no dices que todo salió de maravilla y dijo que te llamaría?

Tamara: Sí, bueno, por eso es que quiero llamarlo yo...

Lola: ¡No! ¡No lo hagas! ¡Nunca llames a un hombre que prometió llamarte y no lo hizo! ¡Es injusto! Él tiene que cumplir su palabra. No fuiste tú la que dijo que lo llamaría.

Tamara: Es que puede tener su teléfono averiado, o que haya tenido un accidente grave... ¿Y si ha perdido mi teléfono porque le han robado la cartera? ¡Oh Dios mío! ¡Y si le han secuestrado! ¡Tengo que llamarlo! Es una cuestión de seguridad, ¡¡puede estar ocurriendo algo horrible a nuestro alrededor, y nosotras aquí cruzadas de brazos sin hacer nada por ayudar a un pobre joven que está a punto de morir!! ¡Ay...!

Lola: ¿Estás perdiendo la cabeza? Olvídate de llamarlo, no necesitas a ese chico. No es fácil admitirlo, pero no le gustaste y es mejor saberlo ya, ¿no crees?

Tamara: Bueno, Lola. ¡Pero anoche yo llevaba un peinado horrible! No estaba guapa. Ese fue el problema. ¡Tengo que llamarlo, salir con él de nuevo para que vea lo bien que estoy con el cabello suelto! ¡Es mi última oportunidad!

Lola: ¿Sabes qué te digo? Haz lo que quieras: llámalo si quieres, invítalo a salir, si eso va a hacer que te sientas mejor... Pero, si después de haberlo llamado, sigues pensando en qué más deberías hacer, Tamara, entonces olvídate de mí que estás siendo muy pesada. Y lo más divertido de todo esto es que los chicos no son como nosotras. Ni siquiera él debe estar pensando en el tema de llamarte o no, y tú haces de esto el centro de tu vida. Desde luego, eres caso aparte.

Isabel Segundo Marcos

Vocabulario útil: ¿qué onda?, *what's happening?;* de maravilla, *fantastic;* cumplir su palabra, *to keep one's word;* averiado, *broken down;* ser caso aparte, *to be something else/a piece of work*

Preguntas
1. ¿Sobre qué hablan las dos amigas?
2. ¿Por qué parece que el chico está interesado en Tamara?
3. ¿Llamó el joven a Tamara?
4. ¿Quiere Tamara llamar al joven?

Actividad 51 (CD 4, pista 6, 2:42)
El Amor y el Tiempo

Había una vez una isla muy linda y de naturaleza indescriptible, en la que vivían todos los sentimientos y valores del hombre: El Buen Humor, la Tristeza, la Sabiduría... como también, todos los demás, incluso el Amor.

Un día se anunció a los sentimientos que la isla estaba por hundirse.

Entonces todos prepararon sus barcos y partieron. Únicamente el Amor quedó esperando solo, pacientemente, hasta el último momento.

Cuando la isla estuvo a punto de hundirse, el Amor decidió pedir ayuda.

La Riqueza pasó cerca del Amor en una barca lujosísima y el Amor le dijo:

—Riqueza, ¿me puedes llevar contigo?

—No puedo porque tengo mucho oro y plata dentro de mi barca y no hay lugar para ti. Lo siento, Amor...

Entonces el Amor decidió pedirle al Orgullo que estaba pasando en una magnífica barca. —Orgullo, te ruego... ¿puedes llevarme contigo?

—No puedo llevarte, Amor... —respondió el Orgullo. —Aquí todo es perfecto, podrías arruinar mi barca y... ¿cómo quedaría mi reputación?

Entonces el Amor dijo a la Tristeza que se estaba acercando:

—Tristeza, te lo pido, déjame ir contigo.

—No, Amor, —respondió la Tristeza. —Estoy tan triste que necesito estar sola.

Luego el Buen Humor pasó frente al Amor, pero estaba tan contento que no sintió que lo estaban llamando.

De repente una voz dijo:

—Ven, Amor, te llevo conmigo.

El Amor miró a ver quien le hablaba y vio a un viejo. El Amor se sintió tan contento y lleno de gozo que se olvidó de preguntar el nombre del viejo.

Cuando llegó a tierra firme, el viejo se fue. El Amor se dio cuenta de cuánto le debía y le preguntó al Saber:

—Saber, ¿puedes decirme quién era éste que me ayudó?

—Ha sido el Tiempo —respondió el Saber, con voz serena.

—¿El Tiempo? —se preguntó el Amor. —¿Por qué será que el Tiempo me ha ayudado?

Porque sólo el Tiempo es capaz de comprender cuán importante es el Amor en la vida.

www.enbuenas manos.com

Vocabulario útil: indescriptible, *indescribable*; sabiduría, *wisdom*; hundirse, *to sink*; partir, *to leave*; estar a punto, *to be ready*; lujosísima, *very luxurious*; rogar, *to beg/plead*; arruinar, *to ruin*; lleno de gozo, *full of joy*; saber, *knowledge*

Actividad 52 (CD 4, pista 7, 3:46)
Participe en una conversación, p. 200

Capítulo 4, Lección B

Actividad 27 (CD 4, pista 8, 2:13)
Cristina Saralegui

Es una de las periodistas más admiradas y respetadas de Estados Unidos. Es considerada una mujer moderna y tenaz que ha conseguido el éxito gracias a su trabajo y a la visión de lo que podría interesar a los espectadores. Es cubana de nacimiento, pero con once años tuvo que dejar el país para comenzar una nueva vida en otro. Su abuelo, el copropietario de algunas revistas, fue el que la introdujo al periodismo.

Estudió esta licenciatura en Miami mientras trabajaba en revistas para mujeres. En 1989 empezó su popularidad para el gran público; es cuando le propusieron estrenar un programa, *El Show de Cristina*. Millones de personas, no sólo en Norteamérica, sino también en Latinoamérica y Europa, siguen uno de los programas más premiados de la historia de la televisión mundial.

Desde hace tiempo también es directora ejecutiva de *Cristina la Revista*, una publicación editada en Miami que se comercializa una vez al mes. También tiene la oportunidad de hacer un programa de radio que se escucha en Estados Unidos por la única cadena que transmite en español durante todo el día.

Cristina es una persona preocupada por los problemas que afectan a la sociedad actual. Es fundadora, junto a su marido, de una asociación para ayudar a personas enfermas de SIDA, que trata de investigar esa enfermedad y buscarle remedio. En 1998 escribió su autobiografía *Confesiones de una rubia*, publicada en inglés y español. Asimismo posee su propia línea de gafas de estilo italiano; es una de las personalidades más influyentes de la cultura latina en Estados Unidos, incluso ha aparecido en una serie junto a George López, como invitada estelar.

Mari Sierra Ramos Castro

Vocabulario útil: licenciatura, *degree*; estrenar, *to premiere*; premiado, *awarded*; asimismo, *also*; estelar, *stellar/special (guest) appearance*

Actividad 42 (CD 4, pista 9, 2:21)
Sentido del ridículo

FEMALE: Ayer me avisaron para la entrevista de trabajo, y no he podido dormir en toda la noche, estoy tan nerviosa que no pienso en otra cosa. Si te soy sincera, he pensado incluso en quedarme en casa y no ir a la cita.

MALE: Qué tontería, así nunca conseguirás un trabajo, siempre andas teniéndole miedo a todo.

FEMALE: Pero, es que... ¿Y si preguntan algo de lo que yo no tengo ni idea?

MALE: Mira, lo mejor es no pensar las cosas tanto. Nadie nace sabiendo, siempre se comenten errores, las personas nunca dejamos de aprender.

FEMALE: Tú es que lo ves muy fácil porque tú tienes una forma de ser muy positiva, pero no todos somos igual que tú.

MALE: ¡No es mi forma de ser! Es simplemente que pienso que si algo sale mal, pues saldré adelante en seguida. ¡Hay que reírse un poco de uno mismo!

FEMALE: Es que no quiero quedarme callada en la mitad de la entrevista.

MALE: Todo el mundo se pone un poco nervioso hablando en público, es normal, pero piensa que es sólo al principio, en seguida perderás el miedo.

FEMALE: ¿Por qué no me acompañas mañana tú a la entrevista? Contigo sería mucho más fácil, me servirías de apoyo...

MALE: Es algo que debes hacer tú sola, es un gran paso para ti misma y merece la pena intentarlo. ¡Sólo pruébalo! Eres una persona con mucho talento, pero nadie te va a regalar nada en la vida. Mi abuelito me decía que a veces no nos atrevemos a hacer las cosas porque son difíciles, pero son difíciles porque no nos atrevemos a hacerlas. "Ten el valor de equivocarte", decía Hegel; o cuando Charles Dickens dijo: "El hombre nunca sabe de lo que es capaz hasta que lo intenta". Así es como tantas personas que admiras han encontrado el éxito.

FEMALE: Pues, ya que estás con las citas, te recuerdo el refrán: Es más fácil decirlo que hacerlo.

Isabel Segundo Marcos

Vocabulario útil: avisar, *to let know*; apoyo, *support*; es más fácil decirlo que hacerlo, *easier said than done*

Actividad 49 (CD 4, pista 10, 1:47)
El Capitán Planeta

Yo cuando sea mayor quiero ser compañero de trabajo del Capitán Planeta, porque así, cuando cumpla diez años y sea grande, salvaré a todo el mundo de todos los peligros. Yo ahora tengo cinco años pero ya mismo el Capitán Planeta me va a dejar que le ayude. Mi madre me ha dicho que si me porto bien y me como todas las verduras que ella me da, en otros cinco años ya puedo empezar a salvar a la gente.

El Capitán Planeta tiene ya, por lo menos, doce años, es de los más grandes de su colegio, y después de estudiar se mete en la televisión para ayudar a todas las personas que lo necesitan. Es muy limpio y muy ordenado, y cuida de la naturaleza y de los parques.

Hay un niño en mi colegio que quiere ser guerrero y matar a todos con una espada láser, yo a veces juego con él, pero sin que mi madre lo sepa, porque a ella no le gusta que yo quiera ser luchador. Ella dice que eso es muy malo y que no es bueno para la gente que haya guerras y luchas. Yo creo que ella tiene miedo de que llegue un guerrero y me haga daño. Yo voy a ser un superhéroe; nadie nunca me hará daño, y volaré por el mundo en mi súper motocicleta móvil.

Isabel Segundo Marcos

Actividad 50 (CD 4, pista 11, 3:12)
Manías y extravagancias de famosos

Ana: ¡Uf! Al fin terminé de remodelar y pintar mi apartamento. ¡Está precioso, he elegido el color blanco para toda la casa, en todas las salas!

Belinda: ¿En serio? Ana, ¡me recuerdas a Jennifer López! En los hoteles pide que todo el decorado de las habitaciones sea completamente blanco. ¿No te parece ser un poco caprichosa?

Ana: Bueno, Belinda, tampoco me parece una exageración. Pienso que es parte de su trabajo: sentirse como en casa mientras está de gira. Lo que sí me parece gracioso es que los Rolling Stones se llevan sus propios muebles, ¡para mí eso sí es demasiado!

Belinda: ¿Qué me dices? ¿Sus propios muebles? ¿Cómo lo sabes?

Ana: Lo leí hace unas semanas en un periódico local... Contaban excentricidades de Woody Allen y Leonardo Di Caprio. ¿Sabías que Cameron Díaz abre las puertas con los codos?

Belinda: ¡Qué locura! ¿Para qué?

Ana: ¡Para no colocar sus manos donde hay bacterias de las manos de los demás!

Belinda: Oh, Ana, ¡eso es pedir demasiado!

Ana: Yo creo que eso es por el dinero, todos se convierten en maniáticos y caprichosos...

Belinda: Si te digo la verdad, ¡mi marido puede ser tan maniático como ellos, pero nosotros no tenemos ni un peso!

Ana: Fíjate, ¡mi marido dice que la maniática soy yo! Belinda, nadie está libre de culpa.

Isabel Segundo Marcos

Preguntas
1. ¿Qué es lo que acaba de hacer Ana?
2. Según Belinda, ¿quién es una persona caprichosa?
3. ¿Qué manía tienen los Rolling Stones?
4. ¿Quién tiene una extraña manía al abrir las puertas?

Actividad 53 (CD 4, pista 12, 2:42)
Mamá, quiero ser famosa

Mi más temprano recuerdo de la niñez se remonta a los tiempos a los que mi tía Anita, la más joven de los hermanos de mi madre, me preguntaba: "Y tú, pequeña, ¿qué quieres ser de mayor?" Yo no lo dudaba un segundo, yo quería ser... ¡astronauta! Obviamente, cambié mi nave espacial por un computador. Me convertí en la secretaría adjunta del vicepresidente de una compañía holandesa. Pero aún conservo ese recuerdo, tenía una ilusión por ser alguien grande. Con el casco de la motocicleta de mi padre y gritando: "¡Houston, Houston, tenemos un problema!" Saltaba del suelo a la mesa y de la mesa al sofá, intentando vencer la fuerza de la gravedad.

Ahora, soy yo la que pregunta a mi hija de diez años: "Cariño, ¿qué quieres ser cuando seas una chica grande?" Y ella, casi sin prestarme atención, me responde: "Famosa". Y le digo: "Oh, ¿sí? ¿Famosa? ¿Por qué motivo?" Y, entonces, mirándome como si mi pregunta hubiera sido una estupidez, vuelve a responderme: "¡Famosa, mamá! Quiero salir en la televisión... pero ¡no preguntes tanto!" "Pero, hija mía", le digo yo, "¿te gustaría cantar, bailar, pintar... ser médica, profesora?" "¡Yo no quiero estudiar, mamá!" dice la pequeña, dando un grito... "no quiero estudiar, ¡sólo quiero ser famosa!"

Oh, Dios mío... mi hija, ¡de tan sólo diez años! Totalmente desmotivada, esperando estar ociosa el resto de su vida... ¡ay! No quiero sonar protectora, ¡pero es que detesto la televisión!

Ya empezó mi pesadilla, ¡mi hija... mi hija desfilando por las televisiones, vendiendo exclusivas, maquillada como un payaso! ¡No! ¡Se acabó, se acabó! Hoy he decidido, que se acabó la televisión, y los cantantes de moda, y la computadora. Mañana le compro un maletín, y a jugar a los médicos, como todo el mundo.

Isabel Segundo Marcos

Vocabulario útil: remontarse, *to go back*; adjunta, *associate*; estupidez, *stupidity*; desmotivada, *unmotivated*; ociosa, *idle*; desfilar, *to parade*; payaso, *clown*; maletín, *suitcase*

Actividad 54 (CD 4, pista 13, 3:16)
Participe en una conversación, p. 230

Capítulo 5, Lección A

Actividad 25 (CD 5, pista 1, 3:24)
Escritora mexicana elogia a Cervantes y a Bolaño

La mexicana Carmen Boullosa afirmó ayer que las novelas geniales deben contener "áreas oscuras" y "nunca ser del todo transparentes" para poder encantar a los lectores, algo que logró *El Quijote* y también *2666*, del chileno Roberto Bolaño. "Pienso que una novela genial debe de ser imperfecta. Debe de tener cuerpos móviles adentro, partes inarmónicas, altos y bajos, puntos en fuga. Y eso no es perfecto", dijo Boullosa en entrevista con Efe. La autora está de visita en México y acaba de presentar su último libro, *La novela perfecta* (Alfaguara, 2006), una historia con tintes fantásticos sobre un escritor aliado con un científico para crear una obra ante la que un lector pudiera percibir "la imaginación intacta de un artista". Para Boullosa, es un mito alcanzar la perfección narrativa: "La novela debe aspirar a la mayor imperfección posible. Y esto se ve en las grandes novelas de la historia, desde *El Quijote* hasta *2666*, que son absolutamente imperfectas", sostuvo. De *El Quijote*, la obra más universal de Miguel de Cervantes Saavedra, señala que es un buen ejemplo de novela imperfecta porque "hay millones de libros adentro, disparados, disparatados, cambios de tono", y además "está sustentada en una locura". Sobre *2666* (2004, Premio Salambó), del fallecido Bolaño (1953–2003), indica que es "una historia incompleta" formada por "cuatro libros separados" en la cual queda al descubierto "una sociedad totalmente corrompida" en relación con los asesinatos de mujeres cometidos en Ciudad Juárez, en el norte de México. Otra obra magnífica para la autora mexicana es *Cien años de soledad*, del Nobel de Literatura colombiano Gabriel García Márquez. Frente a la narrativa, que funciona así, las reglas de la poesía y de otros géneros literarios son distintas, y ahí sí caben estructuras perfectas o lo más fieles a la perfección, señala la escritora.

EFE/www.lostiempos.com

Vocabulario útil: genial, *brilliant*; en fuga, *in flight*; tinte, *hue*; disparado, *shot out*; disparatado, *absurd*

Actividad 28 (CD 5, pista 2, 3:50)
Neruda en el cine

En los 100 años del natalicio del poeta chileno, el International Latino Cultural Center of Chicago presenta una serie de películas que recuerdan la vida y obra de Pablo Neruda, ganador del premio Nobel de Literatura en 1971.

La ceremonia central del centenario del nacimiento del escritor ocurrió el pasado 12 de julio, en Chile, con un tren con 300 invitados, encabezados por el presidente chileno Ricardo Lagos, que partió a primera hora desde la Estación Central de Santiago rumbo a la ciudad donde el 12 de julio de 1904 nació Neftalí Reyes Basoalto, su verdadero nombre. Luego, bajo un diluvio que caía sobre la estación de trenes donde trabajó su padre José del Carmen Reyes Morales, en la pequeña ciudad chilena de Parral, fue homenajeado el poeta que dio un aporte invalorable a las letras hispanoamericanas y su legado sobre la convivencia ética en las naciones de América Latina. Aquí en nuestra ciudad, se realizaron diversos actos para recordarlo. Se leyeron algunos de los poemas más queridos del Nobel de Literatura 1971. Luego hubo otros actos culturales, hasta llegar a esta serie de películas sobre la vida del escritor que comenzó a escribir durante su adolescencia bajo el seudónimo de Pablo Neruda para evadir la crítica de su familia.

Los filmes, como su vida, están plagados de poesía, amor y política, y en su obra encontramos tanto injusticia social como interludios románticos que capturaban la esencia del ser humano.

Las películas
Neruda, el hombre y su obra (Luis R. Vera, 2004)

Este documental muestra los aspectos más importantes de la vida y trabajo del icono literario. Dividida en diez temas, esta biografía relata las experiencias fundamentales de Neruda como hombre, artista, ciudadano y activista social.

Viola Chilensis (Luis R. Vera, 2003)

El primer y único filme sobre la vida y obra de otro de los iconos de Chile, Violeta Parra. Ella y Neruda, cuyos trabajos están fuertemente arraigados en la cultura popular y mítica de los chilenos, hicieron contribuciones invalorables al mundo de las artes y la cultura.

¡Pablo Neruda! ¡Presente! (Mark Eisner, 2004)

Narrado por la escritora Isabel Allende, este documental va más allá de la poesía, mostrando que Neruda era más que un poeta ganador del premio Nobel. Fue diplomático, embajador en Francia, senador comunista, candidato a la presidencia y un fugitivo político. Entre sus amistades estaban Pablo Picasso, Arthur Miller y cualquier hombre común de la calle. Fue un verdadero poeta del pueblo.

Il Postino (Michael Radford, 1994)

Pablo Neruda vive en el exilio en una pequeña isla de Italia. El servicio postal local contrata a un pobre pescador, Mario, para entregarle a Neruda su correspondencia. Dado que los dos comparten ideales sobre el romance, pronto se hacen amigos. Neruda se ofrece a ayudar al tímido Mario a conquistar el corazón de Beatriz, la hermosa mesera de la taberna local, mostrándole la belleza y el poder de la poesía.

www.laraza.com

Vocabulario útil: natalicio, *birth*; centenario, *hundredth anniversary*; rumbo a, *bound for*; diluvio, *deluge*; aporte, *contribution*; plagado de, *full of*; arraigado, *rooted*

Actividad 45 (CD 5, pista 3, 3:40)
El Quijote enseña que por dignidad se puede dar la vida
El cervantista mexicano de origen español, Eulalio Ferrer, afirma que una de las enseñanzas que le dejó el Quijote es que "por la libertad y la dignidad se puede jugar la vida" cualquier persona. Exiliado en México desde 1940, el autor considera que las aventuras del Quijote y Sancho fueron lo que le mantuvieron vivo en el campo de concentración donde permaneció en Francia. "Para mí era una novela social porque está muy clara: está defendiendo la libertad. Por la libertad y la dignidad se puede jugar la vida", dijo Ferrer tras el homenaje recibido en la noche del lunes. Privado de la libertad hasta su huida, les leía a sus compañeros de barracón la novela de Cervantes y de alguna manera trataba de salvar a los desgraciados de la locura que el autor clásico le dio al personaje. Aquella actividad colectiva fue a la vez "un ejercicio de interioridad personal" y "una especie de humus que se deposita en la memoria y el corazón, que vibra en cualquier momento".

"El Quijote es una aventura que hay que vivirla. Yo no podré nunca reflejar, por mucho que quiera, ese golpe de efecto sentimental de leer a Don Quijote, de hurgarlo. Es una lectura múltiple, siempre hay otra lectura de observarlo", añadió. Según Ferrer, los actos para recordar la publicación de la novela cervantina que tocan a su fin, señalan "una nueva etapa de la popularización del Quijote y de la renovación de España". Este amante de los libros cree que a lo largo de 2005 se ha producido un relanzamiento de la figura del Quijote "que tiene que ver con la presencia de España en el mundo".

"España ya no es un país aldeano; es un país moderno, con una nueva generación extraordinaria. Esta revalorización histórica de Cervantes y de su obra, va a tener una importancia muy grande en el destino cultural, universal, de la cultura española", afirma Ferrer. En este sentido anunció que está terminando una novela titulada *Platícame en español*, y que tratará de "cómo el español se ha ido infiltrando en el mundo", particularmente en Estados Unidos. La obra bibliográfica de Ferrer abarca 39 libros que tratan de asuntos muy variados, desde la comunicación y la publicidad, hasta los estudios cervantinos.

www.laraza.com
Alberto Cabezas

Vocabulario útil: huida, *flight*; barracón, *prison cell*; desgraciado, *unfortunate one*; humus, *organic matter*; hurgar, *to stir up*; relanzamiento, *relaunching*; aldeano, *rustic/having to do with villages*

Actividad 46 (CD 5, pista 4, 3:50)
Venden rara edición de obras de Shakespeare
Una rara edición de un libro con las principales obras del escritor británico William Shakespeare (1564-1616) se vendió ayer en una puja en la casa de subastas londinense Sotheby's por más de 4 millones de euros. Se trata de un ejemplar conocido como *First Folio* (*Primer Folio*), un volumen recopilatorio publicado después de la muerte del escritor, que fue la base de todas las ediciones posteriores de su obra, ya que en vida sólo publicó dieciséis trabajos. Descrito por Sotheby's "como el libro más importante de la literatura inglesa", el volumen vendido fue impreso en 1623, siete años después de la muerte del maestro de la literatura. Ha sido un marchante de Londres, que no ha querido revelar ni su identidad ni el futuro destino del libro, quien se ha adjudicado la obra por 4.060.644 euros, que al parecer fue vendida originalmente por tan sólo 20 chelines. La subasta del *First Folio* ha levantado una gran expectación en Sotheby's, donde parte del numeroso público congregado ha tenido que seguir la puja desde una pantalla fuera de la sala donde se ha desarrollado la subasta, por falta de espacio. Sin embargo, la venta de este ejemplar, una de las pocas copias que se han conservado hasta la actualidad, no ha alcanzado los 3,5 millones de libras (unos 5,25 millones de euros) que la casa de subastas esperaba obtener por ella.

www.lostiempos.com

Vocabulario útil: puja en la casa de subastas londinense, *bid at the London auction house*; pantalla, *screen*

Preguntas
1. ¿Cuál es un sinónimo de *inglés* cuando se refiere a la nacionalidad?
2. ¿Dónde se vendió esa rara edición?
3. ¿Quién la compró?

4. ¿Por qué tenían que continuar la subasta en otro lugar?
5. ¿Qué esperaba recibir Sotheby's por esta edición?

Actividad 47 (CD 5, pista 5, 5:03)
Isabel Allende presenta su nuevo libro en Madrid

La escritora chilena Isabel Allende presenta una nueva novela que escribió a partir de las hazañas del legendario héroe justiciero "El Zorro" y defiende la figura de los "héroes anónimos", que "luchan por mejorar el mundo".

"Necesitamos muchísimos 'Zorros' contra la política de hoy, ya que la labor de este legendario protector de los pobres ayudaría a crear conciencia, a mantener viva la antorcha del idealismo", aseguró la escritora en una entrevista telefónica. La escritora dice que, "desgraciadamente", no conoce a nadie que encarne sus valores, pero cree que "hay héroes anónimos, que defienden la justicia y que luchan por mejorar este mundo". La escritora publica una novela de aventuras en la que imagina las primeras hazañas de "El Zorro", que vivió en el sur de California a principios del siglo XIX, cuando esa región pertenecía aún a la Corona española. "La idea del libro surgió de los dueños del 'copyright' del personaje de El Zorro, que vinieron a mi casa y me dijeron que habían hecho de todo con él menos una obra literaria", explicó desde su residencia en California (EE.UU.) la autora, que confesó haber crecido con las series de televisión del legendario justiciero. El niño que luego se convertiría en el enigmático Zorro crece rodeado de la magia indígena, por un lado, y de las costumbres hispanas, por otro. "Yo al Zorro le pongo la cara de Antonio Banderas, pero para el de mi novela, Antonio ya está un poquito mayor", señaló Allende. "Es un tipo —precisó— con una espada y un látigo que defiende a los pobres y a los indios, y que además no es trágico, sino de corazón liviano y si puede no mata, sino que humilla al otro" plantándole una "Z" en su vestimenta. El protagonista de esta nueva novela de Isabel Allende reúne también algunas cualidades de otros mitos: el amor por la justicia, del Che Guevara; la cualidad de quitar a los ricos para dar a los pobres, de Robin Hood; y el corazón liviano y un sentido no trágico de la vida, de Peter Pan, explicó la escritora. Además del mestizaje, determinante en la trayectoria vital del protagonista, la autora traslada a Diego de la Vega (El Zorro) a Barcelona, donde entra en contacto con una España convulsionada, en plena expansión de la Revolución Francesa.

www.lostiempos.com

Vocabulario útil: encarnar, *to embody*; espada, *sword*; látigo, *whip*

Preguntas
1. ¿Por qué es Zorro un héroe justiciero?
2. Según la autora, ¿dónde se necesita este tipo de héroe hoy en día?
3. ¿Conoce la escritora a alguien que encarne los valores de Zorro hoy en día?
4. ¿Dónde tiene lugar la historia del libro?
5. ¿Cómo humilla Zorro a sus adversarios?
6. En el libro de Isabel Allende, ¿qué mito *no* usa la autora?

Actividad 48 (CD 5, pista 6, 3:13)
Participe en una conversación, p. 261

Capítulo 5, Lección B

Actividad 25 (CD 5, pista 7, 4:23)
Escritores y niños

Stephen King, creador de muchas historias de terror en novelas y películas, cuenta cómo empezó a escribir en la escuela

"Escribir es un trabajo solitario. Tener alguien que cree en ti hace una gran diferencia. Ellos no tienen que escribirte discursos. Simplemente que crean en ti es suficiente".

Así dice el escritor Stephen King en su libro *On writing*.

Cuando él era pequeño, como tú, le gustaba leer muchas historias. Y una vez copió una y se la presentó a su mamá.

—¿Es tuya? —le preguntó su mami. Y cuando se dio cuenta que no era así, le recomendó:

—Pero, mi hijo, ¡tú tienes más talento para hacer las tuyas!

Fue así como Stephen King hizo un cuentito y se lo dio a su mamá, a quien le gustó tanto que le dijo: "de esta historia fácilmente se puede hacer un libro".

—Mi madre sabía que yo quería ser escritor, pero me animó a que consiguiera mis credenciales de profesor —dice King— para que tuviera algo que me respaldara en caso de que me fuera mal.

King le hizo caso y, además, trabajaba de profesor y en una lavandería de ropa de hospital. Para entonces, ya se había casado con Tabitha y tenía dos hijos.

El pequeño Steve casi no conoció a su padre. Su mamá cuidó de él y de su hermano Dave, quien también fue a la universidad.

De chico le pasaron todo tipo de accidentes. Un día, jugando con un bloque de cemento se encontró con un avispero y al soltar el bloque se aplastó los dedos además de que las avispas lo picotearon. Otro día, iban caminando por la carretera y le dieron ganas de hacer del cuerpo. Su hermano le dijo que hiciera ahí entre la hierba y que se limpiara con las hojas. Lo hizo, pero se limpió con hiedra venenosa (bembericua) y estuvo varios días con el cuerpo hinchado.

Las visitas con el médico fueron terribles. Con infecciones en el oído a veces tenían que encajarle una aguja para sacarle el pus. En la casa donde vivían había ratas; además, conoció a una abuelita a quien a veces no le funcionaba bien la cabeza y mandaba a que le pusieran de comer a un caballo inexistente.

Steve leía y leía novelas de terror, incluso un día escribió su propia versión de "El pozo y el péndulo". Las 40 copias de este cuento las empezó a vender en la escuela con un letrero que decía: "A V.I.B. Book".

Aunque las copias se vendían bien, todo terminó cuando la directora, Miss Hisler, le preguntó por qué escribía esa basura si podía escribir mejores cosas.

Eso no lo supo Steve hasta muchos años después.

Fue un día en que le hablaron por teléfono para decirle que su novela *Carrie* se vendió por 400 mil dólares.

Pero eso nunca fue superior a la alegría que sintió cuando su madre lo felicitó por su escritura.

Nelli Ruth Pillsbury King, incluso cuando murió, tenía una novela de su hijito a un lado, la misma que le acababan de leer en voz alta.

Escribir puede ser algo que dé mucho dinero. Otras veces, como el caso de los periodistas, te da, como el oficio de plomero, sólo lo necesario para más o menos sobrevivir.

Pero siempre es bonito escribir historias reales o inventadas.

www.laopinion.com

Vocabulario útil: animar, *to encourage*; respaldar, *to support*; avispero, *wasps' nest*; picotear, *to sting*; hiedra venenosa, *poison ivy*; hinchado, *swollen*; encajar, *to insert*; aguja, *needle*; pozo, *pit*

Actividad 28 (CD 5, pista 8, 5:20)
Nueva enciclopedia en la Red y en español

Los estudiantes bilingües ya cuentan con una nueva fuente de consulta que ofrece 180.000 referencias actualizadas cada quince días.

La Enciclopedia Universal Micronet (EUM), una de las más populares en español en formato DVD y online, lanza su última versión. La obra de referencia en español, que se puede adquirir también por internet en http://tienda.enciclonet.com, reúne más de

180 mil artículos, lo que equivaldría en texto a 90 volúmenes de una enciclopedia en papel. De esta manera se convierte en una opción muy interesante para quien desea utilizar materiales en español en su educación. Entre las áreas temáticas se incluyen más de 30.500 artículos científicos, 26 mil términos geográficos, 40 mil artículos de humanidades, 30 mil de arte, 53 mil biografías, ocho mil enlaces a páginas de internet e hipertexto en 50 millones de palabras, además de un diccionario de la lengua española con más de 80 mil entradas, 300 mil acepciones, ejemplos de uso y más de 40 mil equivalencias al inglés. Hasta el momento, las obras de referencia en la Red se limitaban a Encarta, de Microsoft (es.encarta.msn.com), con versión gratuita y de pago, la gratuita Wikipedia.org o el proyecto de enciclopedia libre es.encarta.msn.com.

El contenido de Enciclopedia Universal Micronet está adaptado al mercado hispanoamericano, sobre todo en los artículos referentes a la historia, la geografía, al arte y la economía de los países de habla hispana. Un consejo de asesoría compuesto por diez expertos de las principales universidades hispanoamericanas coordina la labor de un nutrido grupo de colaboradores que revisa y amplía los contenidos de la enciclopedia referentes a América. "Es una de las obras enciclopédicas más completas y actualizadas del mercado hispanoamericano", aseguran desde la empresa editora.

Pero toda esta información también se puede consultar por internet desde la dirección www.enciclonet.com, donde se actualiza quincenalmente, y cuyo acceso es parcialmente gratuito, aunque requiere de la compra de una suscripción para el acceso a todos los contenidos publicados electrónicamente. Enciclonet.com ha sido la única obra en español merecedora de diversos premios en reconocimiento a su calidad, como el iBest 2002, el Golden Web Awards of Web Master and Designers, o el Punto de Excelencia, entre otros, que destacan este sitio como un medio interactivo único para la consulta de cualquier clase de información.

Hasta el momento, más de 123 mil usuarios se han registrado al servicio de los cuales alrededor de 50 mil son españoles. México, con 32 mil usuarios, es el segundo país con más registrados. "En el ranking de países con más usuarios de enciclonet.com, Estados Unidos ocupa el puesto noveno. Tenemos a Colombia con casi 10 mil usuarios, Argentina con más de siete mil o Chile con más de seis mil, y también en Estados Unidos tenemos un buen número de registrados con más de dos mil, aunque hay registrados de más de doscientas nacionalidades diferentes, desde Martinica hasta Arabia Saudita", asegura Esther Cordero, responsable de prensa de Enciclopedia Universal Micronet. Sin embargo, sólo una pequeña parte de usuarios se convierte en clientes; en concreto, algo más de 2.500 registrados han pagado los aproximadamente 30 dólares que cuesta la suscripción anual, aunque en este dato se incluyen las suscripciones colectivas que dan acceso a muchos miles de personas de todo el mundo.

"La enciclopedia en formato digital es un producto relativamente joven. Sin duda el formato multimedia de las enciclopedias está imponiéndose sobre el formato tradicional, dadas las amplias ventajas que este nuevo soporte ofrece con respecto al formato tradicional. El comprador de enciclopedias tradicional sigue prefiriendo las enciclopedias en papel, pero los usuarios de las enciclopedias en soporte digital crecen día a día de manera espectacular gracias, por ejemplo, a la comodidad de manejo de éstas o a la posibilidad de realizar búsquedas en todo el texto, algo imposible de realizar en una enciclopedia de papel", asegura Cordero.

www.laopinion.com

Vocabulario útil: enlace, *link*; entrada, *entry*; nutrido, *large*, merecedor de, *deserving of*; manejo, *management*

Actividad 45 (CD 5, pista 9, 5:46)

Cómo criar niños lectores

Los expertos están de acuerdo en que uno de los grandes regalos que puede hacerle un padre a un hijo es leer con él o ella, aunque aún esté en edad de querer comerse las tapas de los libros.

Leer estimula la adquisición del lenguaje, el aprendizaje, la imaginación y, junto con la escritura, es la base de toda educación formal. También es una actividad donde ponemos plena atención a nuestros niños, acercándonos a ellos y creando el espacio para conversar sobre nuestras vidas diarias y sus retos. Entonces, ¿cómo seleccionamos un libro que despierte el amor por la lectura en nuestro niño o niña?

"Lo más importante al seleccionar un libro es tomar en cuenta los intereses especiales de sus hijos y sus habilidades. Nunca, nunca, nunca, darles un libro como obligación o tarea, o porque va a aprender a portarse bien. Es lo que hace que muchos hispanohablantes no lean; los libros se han usado como medicinas. De ahí que exista gente que odia la lectura", indica Isabel Schon, autora de más de 20 libros sobre educación y literatura juvenil, y directora del Centro Barahona para el Estudio de Libros Infantiles y Juveniles en Español de la Universidad Estatal de California-San Marcos.

Schon recalca: "No existe un libro ideal para todos los niños del mundo". Cada niño tiene sus propios gustos y aunque mamá o papá quieran a fuerzas leer el libro que a ellos les gustó de pequeños, es el niño quien tiene que escoger. "Si le gustan los trenes, ¿qué tal si buscamos un libro sobre trenes?", añade.

Otra recomendación que hace esta experta a los padres es que los libros tengan calidad literaria, artística y, si son traducidos, que la traducción esté bien hecha. Ya que, desafortunadamente, en el mercado editorial estadounidense existen muchas ediciones en español de baja calidad y numerosas traducciones con faltas de ortografía y de sintaxis.

"Hay que esmerarse más que si van a comprar [un libro] en inglés. Seleccionen con mucho cuidado para no aburrir a los hijos. Tengan en cuenta que tenga estilo natural y fresco, y sintaxis apropiada", indica Schon.

A la hora de preparar lectores de por vida, hay otro componente imprescindible, más importante que leerles: las experiencias a las que está expuesto el niño. Según el Instituto de Políticas Tomás Rivera, numerosas investigaciones han demostrado que si el entorno de un niño le ofrece una variedad de experiencias enriquecedoras, su nivel de lectura será mucho más alto que si careciera de ellas.

Schon está de acuerdo: "Hablar mucho, llevarlo al zoológico, llevarlo a actividades a compartir. La lectura es abstracción de las actividades de la vida y si ya tienen una experiencia concreta con los trenes, la playa, los animales, entonces pueden entender lo que hay en los libros; si no, no pueden comprender lo que leen".

¿Por qué la lectura parece gustarles más a los niños de edad temprana? Por la sencilla razón de que todavía no asocian la lectura con tareas y obligaciones, sino con un momento de placer.

"Cuanto más pequeño, mejor actitud con la lectura, porque es un gusto, porque Mami se lo sienta en las piernas y le lee con cariño. Ésa es la mejor recomendación, leer siempre con gusto, con cariño, sin prisas".

Con el tiempo, los niños nos van dejando saber que ya quieren leer solos, les gusta estrenar su independencia, pero los padres pueden continuar fomentando la lectura.

"Es una buena manera de que, cuando sean adolescentes, tengan 13 años, podamos usar libros para hablar del SIDA, de los problemas difíciles que tienen que afrontar", agrega Schon.

¿Qué puedes hacer en casa para ayudar a tu hijo a desarrollarse en el mundo de la lectura? Además de leer todos los días con ellos, los expertos del Departamento de Educación de la nación te proponen lo siguiente:

Si tu hijo apenas está comenzando a leer...

—Practica los sonidos del lenguaje. Lee libros con rimas. Enseña a tu hijo rimas, poemas cortos y canciones.

—Ayuda a tu niño a separar los sonidos de las palabras.

—Practica el alfabeto señalando las letras.

Si tu hijo está dando sus primeros pasos en la lectura...

—Lee periódicos, revistas, etiquetas, cajas de cereales u otros productos, etc., y señala la relación entre la letra y el sonido que tu niño está aprendiendo.

—Escucha a tu niño leer palabras y libros de la escuela. Debes ser paciente y escúchalo mientras practica; no lo molestes con muchas correcciones.

Si tu hijo ya lee...

—Relean los libros que ya conoce. Los niños necesitan práctica para leer con facilidad.

—Conforme tu niño lee en voz alta, señala las palabras que se saltó y ayúdale a leer correctamente.

—Ayúdale a comprender lo que lee. Platica con tu hijo acerca de lo que está leyendo. Pregúntale sobre nuevas palabras, los personajes, los lugares y lo sucedido en la historia.

—No fuerces al niño. Si se cansa es mejor leer un libro en un momento y otro más tarde que leer durante media hora seguida.

www.laopinion.com

Vocabulario útil: tapa, *cover*; recalcar, *to stress*; esmerarse, *to take great pains*; entorno, *environment*; SIDA, *AIDS*; platicar, *to chat*

Actividad 46 (CD 5, pista 10, 12:25)
La felicidad de escribir

Isabel Allende, la autora de *La casa de los espíritus*, vuelve a la literatura con un libro sobre El Zorro, el héroe de leyenda. La escritora chilena confiesa su pasión por la literatura y habla en su oficina de Sausalito y más tarde en su casa de San Rafael, frente a la bahía de San Francisco, horas antes del nacimiento de dos mellizas, hijas de Ernesto, el hombre que estuvo casado con su hija Paula, quien murió hace 13 años. Ernesto se volvió a casar con una chica americana, que nació el mismo día que Paula.

P: ¿Estos nacimientos le consuelan o le vuelven a abrir la herida? ¿Qué efecto le hacen en el recuerdo de su hija?

R: Me dan una gran felicidad, porque pienso que Ernesto merece ser feliz y que Paula lo protege desde el cielo, o desde donde sea.

P: Para usted la familia es fundamental.

R: ¿Sabes que me dicen "el Padrino"? Porque dicen que soy igual a Marlon Brando, en la película, que yo quiero tener a toda mi familia en varias casas cercadas con guardaespaldas para que no salgan. Esto que tenemos no es como yo quisiera, pero la verdad es que mi familia y yo vivimos en tres casas que quedan a una o dos cuadras de distancia, a minutos caminando. Nos vemos todo el tiempo. Anoche cociné para 20 personas, hoy me tocan 17.

P: Qué contraste en una sociedad como la estadounidense, en la que la familia no es precisamente una estructura fuerte.

R: Sí, es un poco raro, pero a todo el mundo le acomoda, porque

nos ayudamos mutuamente.

P: ¿Cómo ve su fortuna en la vida?

R: Yo creo que tengo una vida muy feliz. Una vida en la que me han pasado muchas cosas, pero una vida muy rica. Comparado con otras personas, he tenido mucho. He tenido éxito, he tenido fracasos, dolor y alegría. He tenido mucho amor siempre... En todas las vidas hay pérdidas, hay desgracias, hay separaciones, hay abandonos. A todos nos toca una cuota. Para mí, esa cuota ha sido compensada con cosas extraordinarias: como este tiempo que estoy viviendo ahora, que no va a durar mucho, en el que estamos todos juntos, que los nietos están creciendo en un ambiente familiar... Eso no va a durar siempre. Los niños van a ser adolescentes, se van a ir a la universidad y no les vamos a ver más que para Acción de Gracias. Por eso hay que gozarlo ahora. Y después, ya veremos.

P: ¿Qué cosas haría diferente si pudiera volver a empezar?

R: Habría tratado de ir a la universidad y estudiar una carrera, habría tratado de casarme un poco más tarde... Habría tenido más cuidado de no pasar como un tanque por encima de las vidas ajenas, produciendo dolor a otra gente. Y habría tratado de empezar a escribir más temprano.

P: El Zorro es una novela de encargo, ¿no?

R: A mí no se me hubiera ocurrido nunca escribirla. El Zorro tiene dueño: la familia Gertz compró en 1920 los derechos del personaje al autor, el novelista Johnson McCulley, quien hizo como setenta historietas, que luego fueron seriales de televisión en los cincuenta. John Gertz vino a mi casa en agosto de 2003 y me dijo que habían hecho de todo con El Zorro menos una obra literaria, y que si yo quería hacerla.

P: ¿Y cuál fue su respuesta?

R: A mí me pareció completamente descabellada la idea. Además, me sentí ofendida y pensé: ¿qué se imagina esta gente, que yo escribo por encargo? ¿Y El Zorro? Imagínate, era como escribir sobre Batman. Pero me dejaron una caja con vídeos, con películas, con libros..., era verano, y yo de todas formas tenía que esperar hasta el 8 de enero para empezar a escribir un libro del que ya tenía preparado todo el material. Vi las películas, y luego empecé a leer sobre el momento histórico en el que supuestamente nació El Zorro, una época fascinante: la expansión de las ideas de la Revolución Francesa, las guerras napoleónicas, las guerras de independencia en América... de todo. En California no pasaba nada; había indios, vacas y unos pocos misioneros, así que dije: bueno, si este muchacho nace aquí, tiene que salir de aquí. Y al estudiar la época, ya me fascinó el tema.

P: ¿Y después?

R: Después empecé a estudiar a El Zorro, y descubrí que sentía una gran simpatía por el personaje, porque es un héroe liviano de sangre, alegre de corazón.

P: ¿Qué le pidieron al encargarle el libro?

R: Yo tenía toda la libertad del mundo, con las limitaciones de no salirme de las características básicas: El Zorro se viste de negro, tiene máscara, usa látigo y espada, y defiende la justicia. Tenía un sirviente que se llama Bernardo, que a mí no me gustó en la televisión, y lo cambié por completo; tenía un caballo, que se llamaba Tornado, y tenía a su padre, Don Alejandro de la Vega. Pero con la época podía hacer lo que yo quería, porque se trataba de los primeros veinte años de El Zorro, cuando todavía no es El Zorro.

P: En el libro se dice que "los años dan flexibilidad a la gente", ¿es más flexible ahora que hace 20 ó 30 años?

R: Claro que soy más flexible, pero ahora cuestiono mucho más. Antes yo no cuestionaba el socialismo, por ejemplo. Cuando yo tenía 25 años pensaba que el futuro del mundo era socialista;

después, uno tiene que cuestionárselo, porque dices: bueno, esto no resultó de la manera en la que yo creía que iba a resultar. Me he cuestionado muchas cosas del feminismo; he sido siempre feminista, pero me cuestiono las formas en que se hacen las cosas y los objetivos: ¿queremos una supermujer que se echa todo a la espalda o queremos una mujer y un hombre que participan igual en la gerencia del mundo? Yo no pensaba así cuando tenía 20. Entonces, el hombre era el enemigo; hoy día, es el aliado natural.

P: "Si uno vive lo suficiente, alcanza a revisar sus convicciones y enmendar algunas". Habla Diego de la Vega, pero parece Isabel Allende...

R: Claro. Te alcanza, si vives lo suficiente, para ver la relación entre las cosas, cómo todo es causa y efecto. Todo lo que uno hace trae consecuencias; si no de inmediato, a la larga. Todo. Y todo se paga, lo bueno y lo malo: yo he vivido 62 años, yo ya sé que eso es así. Y ando por el mundo con cuidado porque sé que si meto la pata, pago. La gente que no cambia me da miedo. Y más aun la gente a la que no le importan las consecuencias, porque creen que no las van a vivir. Y la gente que tiene poder y cree que no debe rendir cuentas a nadie. No hay nada peor que el poder con impunidad. La gente hace horrores cuando tiene poder y tiene impunidad. Cuando me preguntan qué es lo que más temo, siempre digo: el poder con impunidad. Porque las cosas que somos capaces de hacer son brutales. Brutales.

P: Usted vivió el golpe de Estado que depuso a su tío, Salvador Allende, el 11 de septiembre de 1973 en Chile, y vivió aquí, en Estados Unidos, los atentados del 11 de septiembre de 2001. ¿Tienen cosas en común esos días?

R: Mucho. Aparte de que ambos días fueron un martes 11 de septiembre, casi a la misma hora de la mañana, en las dos ocasiones se trató de un atentado terrorista contra una democracia. En los dos sitios murieron muchos inocentes. Cuando vi en la televisión el 11 de septiembre en Nueva York, con los edificios que caían, el humo, el pánico, las explosiones, las caras de la gente..., todo eso lo viví en Chile el 11 de septiembre, cuando bombardearon La Moneda y cuando se tomaron el país. No eran imágenes tan diferentes. Tanto los chilenos como los americanos cambiaron después de ese día, se dieron cuenta de que aquello —un golpe, un atentado— también les podía pasar a ellos. Los americanos se sintieron vulnerables por primera vez. Y en Chile había esta especie de soberbia de que un golpe ocurría en las repúblicas bananeras, jamás pasaría en Chile. Y pasó.

P: ¿Qué descubrió el 11 de septiembre?

R: Me sentí conectada con los americanos por primera vez. Yo llevaba mucho tiempo aquí, pero siempre tenía la sensación de que era completamente extranjera, de que me era muy difícil relacionarme con un pueblo que tenía una especie de inocencia perenne con respecto al mundo, con una sensación como de que tienen derecho a la felicidad, y a la comodidad, y a la seguridad. Esa sensación no la hubo por un tiempo después del atentado. Luego volvió lentamente, pero en aquel período sentí por primera vez que pertenecía a Estados Unidos.

P: Usted es la escritora latinoamericana más leída del mundo. Pero aquí abre la puerta de su oficina, conduce su coche, hace la comida para su familia...

R: Yo tengo una vida bien privada. Todo lo que tiene que ver con las novelas pasa en un círculo externo en el que estoy cuando salgo, cuando viajo para la promoción. Pero mi vida es simple. Y la familia me mantiene humilde: si se me van los humos a la cabeza, tengo varios nietos que me tiran para abajo. El otro día, uno me preguntaba: ¿en tu tiempo había electricidad? Éste es mi tiempo, para empezar, le dije, y sí, había electricidad.

Escribo porque es lo único que sé hacer, porque me gusta contar historias, y porque puedo ganarme la vida así. Si no pudiera, tendría que hacer otra cosa, porque siempre voy a tener que mantener una familia. Preparo mis libros como quien hace empanadas, de a poco y con cariño, y me encierro todo el día en mi cabaña. Paso desde las ocho de la mañana hasta las siete de la tarde. Mi marido, Willie, cocina todas las noches cuando estoy escribiendo; si no, compartimos. Yo no tengo nada más que hacer que escribir. Es fascinante poder hacerlo; no era así al principio, cuando escribía de noche, porque de día tenía un trabajo con sueldo fijo.

P: Y ahora, ¿es casi la felicidad?

R: Total. Es la felicidad total poder hacerlo. Yo misma me envidio, porque no tengo que hacer nada más que eso. Qué envidia me daría una persona que tiene una casita al fondo del patio y puede encerrarse ahí, y tiene un montón de gente a su alrededor que la ayuda. ¡Cómo no va a ser fantástico!

www.elpais.es

Vocabulario útil: mellizas, *twins*; padrino, *godfather*; guardaespaldas, *bodyguard*; de encargo, *commissioned*; descabellado, *crazy/mindless*; liviano, *fickle*; aliado, *ally*; enmendar, *to correct*; meter la pata, *to put one's foot in one's mouth*; rendir cuentas, *to be accountable*; con impunidad, *without punishment*; soberbia, *pride*; perenne, *everlasting*; sueldo, *salary*

Actividad 47 (CD 5, pista 11, 8:03)
No somos más ricos por tener más letras
El detonante de este articulito fue el contenido de la "lista de letras" del alfabeto español en un libro de enseñanza universitaria. En este libro se trataba "rr" como letra, y a sabiendas de que no lo era, nos pusimos a calcular cuántas letras teníamos, y su potencial necesidad. Lo primero, fue ir a consultar el escaparate oficial de la lengua, la Academia (RAE), y nos encontramos con un texto desfasado (es el de 1803). Primero se indica que las letras del español son 29: a, b, c, ch, d, e, f, g, h, i, j, k, l, ll, m, n, ñ, o, p, q, r, s, t, u, v, w, x, y, z. Inmediatamente, se descalifica esta lista pues, según parece, se incluyó por contentar a algunas academias americanas que nunca aceptaron bien la desaparición de "ch" y "ll" como letras. Cómo se debe interpretar esta concesión no sé, pero hay buenas razones para concluir que letras y sonidos son distintos perros ataviados con distintos collares. Sin duda, éste es un buen fondo al que anclarse: una letra no es un sonido, ni pretende serlo.

Las letras son herramientas para facilitar la lectura. Se crearon para la identificación de las palabras, no de los sonidos. La activación de imágenes neurofónicas (poder oír en la mente los sonidos que se leen) fue un hallazgo fortuito de los griegos, un efecto secundario derivado de la incorporación de las vocales a la escritura. Nuestra capacidad cognitiva evolucionó facilitando la reorientación de la dirección de la escritura: se empezó a escribir de izquierda a derecha, rompiendo con la tradición heredada de los vecinos semitas. La herencia recibida, por tanto, aunque reconoce la importante correlación entre letras y sonidos (distintivos), no se centra sólo en la preocupación por ser preciso en su representación sino en facilitar la identificación gráfica de la lengua. Por supuesto, queremos preservar un equilibrio letra-sonido, pero una representación demasiado fidedigna, en forma de transcripción fonética o fonológica, es poco práctica para el lector.

Volvamos al alfabeto, ¿cuántas letras hay entonces en el alfabeto español? Para contestar a esta pregunta se impone hacer una distinción obligada: no tienen por qué coincidir las letras que necesitamos, con las que usamos. El español es bastante inconsistente en esto. Por ejemplo, la "k" y la "w" son añadidos innecesarios. La "w" sólo existe en palabras extranjeras, inglesas preferentemente, que podrían ser sustituidas con sólo proponérselo. Nótese que podemos escribir sin esfuerzo "Huasinton" por "Washington". No haciéndolo, perdemos la posibilidad de representar fielmente la parte fónica; aunque la lectura, por suerte, no se ve afectada al entrar en juego para su reconocimiento nuestra memoria visual. De la "k" poco hay que decir. Las palabras en que aparece son tan marginales que avergüenza tener esta letra para lo que la usamos. Después de pensar brevemente en ello, la única lógica para retenerla es mantener una semejanza entre las abreviaturas (importantes) "km" o "kg", y pocas más, con su desarrollo; tanto quilómetro como quilogramo no se parecerían a sus abreviaturas. A pesar de ello, nadie negará que es antieconómico mantenerla. Lo más sorprendente de todo es que la "k" sería el candidato número uno para sustituir en un futuro, quizás no lejano, combinaciones del tipo "ca" y "que". Con el tiempo, Dios dirá.

Debemos concluir provisionalmente que la "k" y la "w" no son letras del español, aunque las usemos tipográficamente. Con ello tendríamos 25 letras en nuestro "alfabeto". Aquí no se agota el tema. ¿Cómo distinguimos recursos auxiliares de letras? Por ejemplo, la "A" mayúscula y la "a" minúscula, ¿son letras diferentes o es la misma letra en dos trazos diferentes? La pregunta sería ¿cuáles son los requisitos para ser letra? Si lo que queremos es sólo representar sonidos, la respuesta debería ser inmediata: son una letra única; aunque si éste es el único argumento, no es mucho, ya que "ca", "que", y "ki" también representan el mismo sonido y nadie diría que son la misma letra.

www.laopinion.com

Vocabulario útil: escaparate, *showcase*; desfasado, *outdated*; herramienta, *tool*; hallazgo fortuito, *fortunate discovery*; heredado, *inherited*; provisionalmente, *temporarily*; trazo, *stroke*

Preguntas

1. ¿Cuántas letras había en el alfabeto español antiguo de 1803?
2. ¿Es una letra un sonido?
3. ¿Qué se les atribuye a los griegos?
4. ¿Quiénes escribieron de derecha a izquierda?
5. ¿Qué letra sólo existe en palabras extranjeras, en particular palabras inglesas?
6. ¿Qué letra sería el primer candidato en abandonar el alfabeto español?
7. Entonces, ¿cuántas letras existen en el alfabeto español que son verdaderamente "españolas"?

Actividad 48 (CD 5, pista 12, 3:46)
Participe en una conversación, p. 295

Capítulo 6, Lección A

Actividad 26 (CD 6, pista 1, 1:51)
Beijing ya se alista para las Olimpiadas
Beijing inició la cuenta atrás de 1.000 días para la celebración de los Juegos Olímpicos de 2008 con la celebración, ayer, de diversas actividades y el comienzo de la venta de productos conmemorativos y mascotas. El Comité Organizador de los Juegos Olímpicos de Beijing organizó una carrera de larga distancia para diplomáticos, hombres de negocios y periodistas extranjeros en el Palacio de Verano. La conmemoración de los 1.000 días se celebró ayer con la presentación de las cinco mascotas olímpicas: el pez Beibei, el oso panda Jingjing, la antorcha Huanhuan, el antílope tibetano Yingying y la golondrina Nini. Por primera vez, sellos postales conmemorativos y otros 300 productos con licencia de estas mascotas se pusieron ayer a la venta en 188 tiendas autorizadas en todo el país, como camisetas, gorras, lapiceros y bolsas con el logotipo olímpico, informó el diario China Daily. Los precios oscilan entre ocho yuanes (un dólar) por un lapicero fluorescente hasta miles de yuanes por objetos fabricados en metal.

www.eluniverso.com

Vocabulario útil: mascota, *mascot*; antorcha, *torch*; golondrina, *swallow (bird)*; lapicero, *pencil holder*; oscilar, *to vary*

Actividad 32 (CD 6, pista 2, 2:57)
La historia y la geografía: dos perspectivas para entender mejor el fútbol
En Costa Rica, por mucho tiempo el fútbol fue visto como un canal de ascenso económico alternativo a la educación. De este modo, era visto como normal que los buenos futbolistas, en general y salvo ejemplarizantes excepciones, no concluyeran la enseñanza media. De ahí que no fuera extraño la política de ciertos clubes grandes de no incentivar el desarrollo intelectual de sus deportistas. Para estas asociaciones simplemente el estudio y el fútbol no rimaban. En la actualidad, se vislumbran algunos cambios y ya hay más futbolistas que estudian y que han logrado títulos profesionales. La mayoría de los equipos empiezan a cambiar, aunque aún se sigue privilegiando lo deportivo sobre lo intelectual, diversos dirigentes y entrenadores formados en las Universidades estatales insisten en que el joven futbolista se forme integralmente y pueda estudiar y obtener una profesión.

Para muchos expertos, es claro que el "alma" de un país o de una región se traduce en el modo de jugar al fútbol. Así, algunos seleccionados serían más violentos, otros más espontáneos y otros más creativos. En Costa Rica, donde el fútbol es el deporte rey, un triunfo significa la euforia y una derrota tristeza y desgraciadamente en ambos contextos puede generar muchas situaciones violentas.

El deporte ocupa en todo el mundo un lugar de privilegio, los Estados invierten en deportes y se crean instituciones especializadas para organizar las competencias deportivas. El gusto por ciertos deportes es más fuerte en unos países que en otros, pero el fútbol ha llegado a convertirse en el deporte que mueve más espectadores, dinero e intereses. Un ejemplo de relación complementaria entre fútbol y estados-nación, ocurrió en la Copa del Mundo de 1998, realizada en Francia, cuando se enfrentaron las selecciones de Irán y de los Estados Unidos. Los jugadores iraníes entregaron a sus adversarios un ramo de flores. Esto no impidió que el juego terminase con la victoria de uno de los dos equipos (en este caso Irán) y que en Teherán fuesen quemadas banderas norteamericanas, como de costumbre.

Unidos de ahí en adelante; el fútbol también puede ser visto como un lenguaje. En algunos casos, es un código que todos los hombres tienen que ser capaces de utilizar. El fútbol pasa a ser una forma de hablar sobre el país o sobre identidad nacional.

www.efdeportes.com

Vocabulario útil: ejemplarizante, *exemplary*; rimar, *to rhyme*; vislumbrar, *to make out/discern*; estatal, *state*; invertir, *to invest*; ramo, *bouquet*

Actividad 47 (CD 6, pista 3, 6:17)
Pueblo defiende guerreros de la Serpiente Emplumada
Tula, México. Los pobladores han puesto el grito en el cielo para impedir un plan de mover las columnas de 4.6 metros (15 pies) con los gigantes esculpidos que datan de los remotos tiempos en que floreció la cultura precolombina de los Toltecas. Algunos arqueólogos temen que la dañina contaminación emitida por una planta petroquímica cercana podría eventualmente provocar un desastre en los gigantes esculpidos, que orgullosamente dominan un sitio arqueológico y la ciudad de Tula, 80 km al norte de la Ciudad de México. Después de pasar varias horas en el sitio arqueológico,

que incluye un campo del ritual juego de pelota prehispánica, pirámides y muros delicadamente tallados, Simon De la Rue, un visitante británico, declaró que las columnas, conocidas como los Atlantes de Tula, son "imponentes". Los expertos no están seguros de cuánto daño ha causado la polución, y esperan emprender un estudio al final de este año. Pero no importa lo que indiquen los estudios. Los residentes están decididos a que sus orgullosos guerreros permanezcan en su pueblo original. Casi toda la gente en el pueblo insiste en que poner los originales en un museo y reemplazarlos con copias simplemente, no sería lo mismo.

"Los turistas no viajarían desde lejos para ver imitaciones", dijo un ciudadano ante las obras maestras del arte prehispánico. No obstante, dos de las cuatro estatuas son imitaciones, un hecho fácilmente detectable por los visitantes. Uno de los originales ya está en el Museo Nacional de Antropología de la Ciudad de México. Se piensa que la ciudad antigua de Tula fue la capital tolteca que floreció del siglo X al siglo XIII de nuestra era. Su legado ha jugado un papel crucial en la historia del México antiguo.

Los anales aztecas posteriores mencionan a un sacerdote gobernante quien se dedicó al culto de Quetzalcóatl, el dios benevolente de la serpiente emplumada que ha sido encontrado en varios restos de las culturas prehispánicas de Mesoamérica. Siglos más tarde, el gobernante rey de los aztecas, Moctezuma, abrió las puertas de su opulento imperio al conquistador español Hernán Cortés, pensando que el blanco y barbado invasor montado sobre una bestia era Topiltzin, quien regresaba como una reencarnación del propio dios Quetzalcóatl. Cinco siglos después de la conquista, el legado de Quetzalcóatl ha unificado al pueblo de su capital ancestral. Uno de los propósitos es construir un domo transparente alrededor de las estatuas, pero lo más simple sería colocar un techo directamente sobre las columnas, restaurándolas en su lugar original. Una cosa es clara: cualquier sugerencia de mover las columnas encenderá, en los descendientes de los Toltecas, el espíritu de guerra con la misma terca determinación proyectada por los orgullosos guerreros de Quetzalcóatl.

www.laraza.com

Vocabulario útil: guerreros de la Serpiente Emplumada, *Plumed Serpent warriors*; esculpido, *sculpted*; dañino, *harmful/destructive*; petroquímico, *petrochemical*; tallado, *carved*; imponente, *imposing*; emprender, *to undertake*; legado, *legacy*; barbado, *bearded*; domo, *dome*

Preguntas

1. ¿Contra qué plan expresa el pueblo su desacuerdo?
2. ¿Por qué están de acuerdo con el plan algunos arqueólogos?
3. ¿Qué causa el daño?
4. ¿Qué desean los pobladores de Tula?
5. ¿Quién era Quetzalcóatl?
6. Cuando los aztecas vieron a Hernán Cortés por primera vez, ¿por quién lo tomaron?
7. ¿Cuál es uno de los propósitos para solucionar la crisis?

Actividad 49 (CD 6, pista 4, 3:48)
Los cambios en la pelota tienen mucho que ver con la televisión
La antropóloga Olatz González Abrisketa dedicó siete años a investigar el juego de la pelota vasca para elaborar su tesis doctoral, en la que ha basado el ensayo "Pelota vasca: un ritual, una estética".

P: ¿Por qué la pelota es un juego tan masculino?
R: La pelota ha sido ante todo un acontecimiento público, central para el establecimiento de relaciones entre los hombres. Las mujeres han estado, y siguen estando todavía en muchos aspectos, confinadas a la esfera privada. Su visibilidad social ha sido prácticamente nula.

P: ¿Cómo explica que las mujeres se hayan ido abriendo hueco en casi todos los deportes y en pelota haya disminuido el número de federadas?
R: Uno de los valores centrales de la pelota es la fuerza. Se puede decir que es la virtud más idealizada. Es una cualidad tan importante como la fuerza, si no más, para jugar bien. Sin embargo, es en la fuerza, el sufrimiento y la dureza donde se ha colocado la identidad de la pelota.

P: Sitúa el inicio de la pelota vasca en el siglo XVI. A lo largo de este tiempo se habrán dado muchos cambios, pero ¿cuáles han sido los más importantes en los últimos años?
R: Tienen que ver sobre todo con su adecuación a la televisión, a sus tiempos y exigencias. La pelota tiene muchos tiempos muertos que la televisión necesita llenar de imágenes espectaculares. Por ejemplo, el público tradicional que espera tranquilamente sentado el inicio del tanto, charlando o apostando, no es atractivo para la televisión. Necesita mostrar el fervor del acontecimiento, sea o no un partido apasionante. Es curioso cómo este fenómeno, sin haber estado dirigido, se da en la pelota.

P: ¿Cómo anda de salud la pelota?
R: Hay mucha gente que juega a pelota y que ni tiene licencia federativa, ni va al frontón como espectador. Es decir, no entra en estadísticas. En Euskadi la pelota no puede medirse como otros deportes, aunque se intente. Creo que cuanto menos se regule su práctica, mejor para ella, y cuanto más se le obligue a equipararse con otros deportes, peor.

P: Señala en su ensayo que la pelota ha constituido un referente simbólico central en la construcción de la identidad vasca.
R: La pelota forma parte de ese núcleo ideológico que ha hecho que los vascos se sitúen de una determinada manera frente al mundo, y que ha tenido que ver sobre todo con la idea de nobleza y con el respeto al principio de autoridad. Esto no quiere decir que todos los vascos vean el mundo de una manera. Cada uno lo ve y lo construye según sus posibilidades y circunstancias.

P: Dice también que la pelota vasca forma parte del imaginario nacionalista.
R: Es parte del imaginario nacionalista en el sentido de que se ha pensado como componente de la diferencialidad de lo vasco. En principio, la pelota, como el resto de juegos agónicos, representa aquello que la sociedad quiere evitar: un conflicto entre dos partes.

www.elpais.es

Vocabulario útil: vasco, *Basque*; acontecimiento, *happening*; esfera, *sphere*; frontón, *court where* la pelota *is played*; Euskadi, *Basque region in Spain*; agónico, *agonizing/dying out*

Actividad 50 (CD 6, pista 5, 3:10)
Participe en una conversación, p. 324

Capítulo 6, Lección B

Actividad 24 (CD 6, pista 6, 1:28)
El básquet también se juega sobre ruedas
Hace 25 años, los deportistas con discapacidad física empezaron con la práctica deportiva. "Todo ha sido gracias a nuestro esfuerzo y corazón", reveló Miguel Trujillo, presidente de la Federación Deportiva Paralímpica Ecuatoriana.

"Si hubiésemos esperado la ayuda de la empresa privada o del gobierno, esto no se habría realizado", resaltó Trujillo, en torno a la Liga Nacional de Básquet que se inicia hoy con la participación de 10 equipos y más de 150 deportistas.

La Federación Paralímpica se agrupó el primero de marzo de 2004 y desde entonces sólo ha recibido propuestas por parte de las autoridades, pero hasta la fecha poco se ha hecho realidad... Con la realización del torneo canastero... se espera llegar a las autoridades y a las empresas en busca de apoyo... Ésta será la oportunidad para mostrar sus capacidades. Además, los deportistas formaron una empresa para fabricar sillas de ruedas y de competencia... "En básquet chocamos mucho, pero por la forma de la silla, evitamos las caídas"... La Liga se jugará en nueve meses bajo la modalidad todos contra todos a doble rueda. El campeón sale del cuadrangular final E.

www.hoy.com.ec

Vocabulario útil: propuesta, *proposal*; canastero, *related to a basket*; modalidad, *way*

Actividad 27 (CD 6, pista 7, 1:30)
Arantxa Sánchez Vicario: a las tenistas les falta carisma
La tenista española Arantxa Sánchez Vicario, en cuyo palmarés figuran 29 torneos individuales, entre ellos los tres conseguidos en Roland Garros, analizó el actual circuito femenino en el cual, a diferencia de cuando ella estaba en activo, acusa la ausencia de "jugadoras con carisma". "Ahora juegan todas con un mismo estilo, más plano y con un patrón de juego muy parecido. La nueva generación va cambiando y van surgiendo nuevas tenistas, sobre todo del Este y de Rusia", explicó la tenista catalana a Europa Press. Sánchez Vicario explicó que el tenis ha pasado de ser "un deporte publicitario" y subrayó que "antes las tenistas estaban más centradas en ganar torneos, mientras que ahora no sólo es importante ganar partidos, sino cómo te vistes, si vas a tener contratos publicitarios, o si las casas comerciales te quieren o no o si eres más guapa". No obstante, la ex número uno del mundo indicó que para alcanzar la cima mundial "tienes que ganar torneos" y después "te ayuda el tema publicitario".

www.elpais.es

Vocabulario útil: palmarés, *list of achievements*; plano, *flat/even*; cima, *top*

Actividad 33 (CD 6, pista 8, 2:32)
El doping como resultado de las presiones en los deportistas, y su relación con las adicciones
Como sabemos, las presiones juegan un papel preponderante en el deportista de alto rendimiento, quien en muchas ocasiones, busca superarse a partir de la obtención del éxito, sobre todo del inmediato. El uso del doping aparece como una errónea alternativa de solución mágica que involucra no sólo al deportista sino también a su entorno. En la actualidad prácticamente han desaparecido los casos en que los deportistas acudían al doping solitariamente. De acuerdo con el Comité Olímpico Internacional (COI), el doping es la administración o uso por parte de un atleta de cualquier sustancia ajena al organismo, o cualquier sustancia fisiológica tomada en cantidad anormal o por una vía anormal, con la sola intención de aumentar de un modo artificial y deshonesto su actuación en la competición; antes, durante o después de la competencia misma. Para implementar este concepto, el COI ha publicado una lista de sustancias prohibidas y ha desarrollado un programa de detección de drogas en las olimpiadas y competencias relacionadas, para detener el uso de estas sustancias. No obstante, con todos los esfuerzos realizados, pareciera que ésta es una lucha ardua que no termina, ya que vemos como los casos en que el resultado del doping es positivo, se suceden uno tras otro. El uso de drogas en ciertas sociedades del mundo ha existido durante siglos. Desde mediados del siglo XX, las drogas se han usado más y más. No sólo para combatir enfermedades, sino también para ayudar a personas bajo stress. Las drogas se usan para corregir problemas de sueño, estados de ansiedad, para aumentar o disminuir el apetito, etc. Muchas personas creen que cualquier problema o condición puede ser resuelta por las drogas. Se sigue buscando, con una ilusión tan antigua como el mundo, aquel producto milagroso capaz de transformar al individuo común y corriente en un superhombre.

www.efdeportes.com

Vocabulario útil: preponderante, *predominant*; rendimiento, *performance*; involucrar, *to involve*; acudir, *to turn to*; ajeno a, *alien to/that doesn't belong*; arduo, *difficult*; milagroso, *miraculous*

Actividad 45 (CD 6, pista 9, 4:15)
Las contradicciones del fútbol brasileño
Otro ejemplo de la popularidad del fútbol es la fidelidad de los hinchas hacia sus equipos. En Brasil, esa fidelidad viene desde el día del nacimiento, cuando el niño recibe un nombre, una religión y un equipo de fútbol del cual va a ser simpatizante por el resto de su vida. A lo largo de la infancia, hay un continuo proceso de inculcación de valores y hábitos positivos sobre el equipo de la familia, y negativos en relación a equipos adversarios. De esta manera se aprende en nuestro país a hinchar por un determinado equipo de fútbol, a diferencia de los equipos de voleibol o básquetbol que, representando a empresas, cambian de nombre cada temporada. El fútbol se constituiría, por un lado, en una imagen de la sociedad brasileña y, por otro, en un ejemplo que le permitiría expresarse. El hombre brasileño se conduce en la vida como en un partido de fútbol, con chances de ganar o perder — y algunas veces empatar. El fútbol es una manera que tienen los brasileños de expresar sus características emocionales profundas, tales como pasión, odio, felicidad, tristeza, placer, dolor, fidelidad, resignación, coraje, debilidad y muchas otras. Constituye una forma de expresión de la identidad nacional. Brasil es el único país que participó en todas las Copas del Mundo y el único tetra-campeón. Su fútbol es respetado y temido por otras selecciones. Somos el principal exportador de jugadores del mundo, jugadores que han ganado reconocimiento en varios países. Tenemos los más grandes estadios del mundo. El salario promedio de los jugadores brasileños es bajo. La gran mayoría de los equipos brasileños están endeudados, retrasando permanentemente el pago a los jugadores. Muchos políticos utilizan el fútbol para conseguir votos. Un deporte con esta popularidad, que ocupa un enorme espacio en los medios de comunicación de masas, crea continuamente nuevos héroes, que serán endiosados por las personas, envidiados, imitados por los niños y servirán como modelo de conducta. Pelé fue y todavía es un ídolo producido por el fútbol y, hoy, hay Ronaldinho. El papel del árbitro de fútbol también presenta características interesantes. En el fútbol el árbitro es el dueño y señor del juego. Ese poder absoluto del árbitro de fútbol contrasta con la dificultad que él tiene para marcar todo correctamente y, frecuentemente, comete errores. Errores que perturban a los jugadores y a la hinchada. Hablamos de las contradicciones del fútbol brasileño, apenas aparentes si intentamos comprender la lógica cultural de este importante fenómeno nacional. Brasil es el país de los contrastes y las ambigüedades. Es un país que mezcló todas las razas; un país cuyo pueblo consigue conciliar creativamente la superstición con la religiosidad y la ciencia y un país que encontró en el fútbol su mejor interpretación, haciendo de él una de sus más genuinas expresiones.

www.efdeportes.com

Vocabulario útil: inculcación, *indoctrination*; tetra-campeón, *four-time champion*; endeudado, *in debt*; endiosado, *deified*

Actividad 46 (CD 6, pista 10, 4:50)

Un doble enfoque de la utilización de los fármacos: ¿dopaje o salud?

El hombre hace cosas para mejorar su cuerpo. La industria farmacéutica desarrolla fármacos con el objetivo de transformar los buenos hombres en los mejores; los normales en muy buenos y los discapacitados en personas capaces. Además de la industria farmacéutica, los investigadores utilizan de todo para obtener recetas para la aptitud física y deportiva. Hay muchas desinformaciones entre las personas que utilizan medios para mejorar su desempeño, las cuales tienen fácil acceso a los fármacos (naturales y artificiales). Hoy, muchas drogas son consumidas por la población, muchos fármacos son utilizados para obtener alguna mejora física. Sólo algunas personas que utilizan estos productos lo hacen con una supervisión médica y sus propósitos son bien específicos. Otro problema que surgió son los expertos, que ganan dinero con las ventas de estos productos en el mercado, que dicen de todo para persuadir a las personas que su producto es natural, no causa daño a la salud. Por ejemplo, la creatina es muy utilizada entre los deportistas. "Se sabe que aproximadamente el 50% de los deportistas participantes en Juegos Olímpicos y el 90% de los culturistas y levantadores de pesas la ingieren habitualmente". Es especialmente común en deportes de resistencia: en el ciclismo profesional y en el esquí de fondo. El dopaje sanguíneo tiene el objetivo de ayudar el transporte de oxígeno hasta el músculo. No son sólo los deportistas que utilizan este recurso para obtener ventajas. El dopaje sanguíneo no es un problema restringido a deportistas profesionales, puesto que actualmente implica también a aficionados y a deportistas jóvenes. Es claro que en todos estos casos las personas están utilizando productos con el objetivo de obtener ventajas sobre los demás. El Comité Olímpico Internacional (COI) define como doping el "uso de cualquier sustancia con la intención de aumentar el desempeño del atleta en una competición".

www.efdeportes.com

Vocabulario útil: fármacos, *medicine*; desempeño, *performance*; creatina, *creatine/performance-enhancing drug*; culturista, *body builder*; ingerir, *to consume*; esquí de fondo, *cross-country skiing*; dopaje sanguíneo, *injection of performance-enhancing drugs in the blood*; restringido, *restricted*

Preguntas

1. Según el artículo, ¿por qué hace el hombre el ejercicio físico?
2. ¿Dónde hay mucha desinformación en esta área?
3. ¿Cuál es el mejor método de usar esos fármacos?
4. ¿Qué es la creatina?
5. ¿Quién usa el dopaje sanguíneo para obtener ventajas a los demás?
6. ¿Cuál es la definición del dopaje según el Comité Olímpico Internacional?

Actividad 47 (CD 6, pista 11, 2:18)

UNESCO se dispone a adoptar primer texto vinculante contra dopaje

La Conferencia General de la UNESCO votará mañana un Convenio de lucha contra el dopaje en el deporte, que se convertirá en un instrumento internacional para luchar contra el dopaje. Tras recibir el visto bueno del máximo órgano rector de la Organización de las Naciones Unidas para la Educación, la Ciencia y la Cultura (UNESCO), el Convenio tendrá que ser ratificado por 30 países para que entre en vigor. No parece que vaya a tener problemas, ya que el texto cuenta con un gran respaldo internacional y, en particular, con el apoyo de los 25 países miembros de la Unión Europea. El texto parte del convencimiento de que la UNESCO debe desempeñar un papel esencial en la lucha contra el uso de estímulos prohibidos en el deporte. A través de 42 artículos y varios anexos, la Convención plantea una lucha contra el dopaje en el deporte por medio de diversas vías y establece la imposibilidad para los deportistas de contar con sustancias o métodos prohibidos, salvo con fines médicos legítimos. En el terreno preventivo, el Convenio propone que los Estados financien programas de control de dopaje y un mayor peso de las sanciones, incluidas las financieras. Recomienda la realización de programas de educación y formación para persuadir de la inconveniencia de recurrir a sustancias prohibidas en la competición y sugiere fomentar la investigación para luchar contra ese fenómeno. El proyecto del Convenio prevé la creación de un fondo económico con aportaciones de los países firmantes que servirán para intentar alcanzar el objetivo de erradicar el dopaje. El Convenio prevee la posibilidad de incorporar otras nuevas a medida que avance la investigación y se descubran nuevas técnicas o productos dopantes.

www.laraza.com

Vocabulario útil: vinculante, *binding*; el visto bueno, *approval*; entrar en vigor, *to come into effect*; respaldo, *endorsement*; partir de, *to start from the premise*; desempeñar un papel, *to play a part*; recurrir a, *to resort to*; prever, *to foresee*; erradicar, *to eliminate*

Actividad 49 (CD 6, pista 12, 2:59)

Participe en una conversación, p. 353

Capítulo 7, Lección A

Actividad 25 (CD 7, pista 1, 2:32)

Hacker noruego descubre manera de piratear protección de Apple

El hacker noruego Jon Lech Johansen, conocido como DVD-Jon, ha descubierto una nueva manera de burlar el código de seguridad anti-copia de los ficheros de la tienda de música interactiva Apple iTunes. El informático de 22 años de edad y nacido al sur de Oslo, ha realizado un programa titulado PyMusique que burla el código de seguridad anti-copia de los ficheros de la tienda de música Apple iTunes. Apple iTunes incluye la tecnología que impide la copia y distribución de material protegido en todas las canciones de su tienda virtual, aunque ésta sólo funciona después de haber comprado y descargado los ficheros en el ordenador. PyMusique se sirve de este hecho para liberar el fichero de la protección, permitiendo al usuario copiarlo y distribuirlo por el espacio internauta. Johansen descubrió con 15 de años de edad la manera de evitar el código de seguridad de los DVD para poder visualizar películas en el entorno Linux. El 22 de diciembre del 2003 fue absuelto por el tribunal de apelación de Oslo, tras varios años de litigios iniciados por las poderosas asociaciones norteamericanas Motion Picture Association of America y DVD Copy Control Association. El tribunal falló que Jon no había cometido ningún acto ilegal por descifrar el código de seguridad de los DVD y distribuirlo en Internet ya que, según los jueces, esas acciones estaban justificadas bajo la doctrina legal del uso privado de la propiedad intelectual. Johansen trabaja actualmente en colaboración con la facultad francesa École Centrale de París, en el desarrollo de tecnología digital para aplicaciones multimedia.

www.laraza.com

Vocabulario útil: burlar el código, *to trick the code*; fichero, *file*; informático, *computer technician*; descargar, *to download*; internauta, *related to the Internet*; entorno, *program/environment*; absuelto, *acquitted*; fallar, *to pronounce sentence on*; descifrar, *to decipher/decode*

Actividad 28 (CD 7, pista 2, 3:40)
Gobierno promueve aprendizaje de idiomas

El Gobierno Federal invertirá millones de dólares en la enseñanza de idiomas "cruciales" para la seguridad del país en las escuelas públicas e implementará intensas medidas para promover el intercambio de estudiantes extranjeros. Durante la Cumbre de Presidentes de Universidades en EE.UU., celebrada en Washington D.C., el presidente George W. Bush y la secretaria de Educación, Margaret Spellings, admitieron que en el sistema de instrucción pública del país urge adaptarse a los "cambios mundiales". Muy en particular, indicaron, porque "muchos de nuestros estudiantes carecen de las destrezas y conocimiento para triunfar en una economía global". Spellings dijo que hay "una crasa escasez de estadounidenses que puedan hablar idiomas que son trascendentales para nuestra seguridad nacional", refiriéndose, principalmente al árabe, chino y ruso. En respuesta, el presidente Bush, que se dirigió a una concurrencia de unos 120 presidentes universitarios reunidos en el Departamento de Estado, informó de que incluirá en su petición presupuestaria de 2007 una partida de 114 millones de dólares para la instrucción de idiomas "críticos" para la seguridad nacional. Esos fondos, según indicó, saldrán mayormente del Pentágono y se invertirán en programas de idiomas a los alumnos desde el pre-escolar hasta la universidad. La petición del presidente incluye 14 millones de dólares para crear un nuevo Cuerpo Nacional de Servicios Lingüísticos para maestros e intérpretes adscritos a las Fuerzas Armadas de EE.UU. Bush, al poner su plan de instrucción de idiomas en contexto con su campaña contra el terrorismo, indicó que el dominio de una lengua extranjera es "vital para la seguridad nacional y la diplomacia exterior". Bajo el plan presidencial, los becarios del programa de seguridad nacional de educación tendrán la opción, una vez se gradúen, de obviar el compromiso de trabajar con el Gobierno Federal y, en su lugar, integrar el nuevo Cuerpo Lingüístico de Civiles o el Cuerpo de Idiomas para Maestros. La meta de esa propuesta es que en una década EE.UU. tenga, al menos, mil nuevos maestros de árabe, chino, farsi, hindi, ruso, así como de otros "idiomas cruciales". Actualmente, sólo hay 15 escuelas públicas que enseñan árabe y 2.000 maestros de chino en las escuelas estadounidenses, según cifras del Departamento de Estado, que co-auspició la Cumbre de Presidentes de Universidades en EE.UU., Puerto Rico y otros territorios. La subsecretaria del Departamento de Estado, Karen Hughes, anunció una serie de medidas encaminadas a atraer más alumnos extranjeros a EE.UU. y, a su vez, enviar más alumnos estadounidenses a estudiar a otros países. La medida, entre otras, incluye viajes en conjunto del gobierno y las autoridades universitarias para reclutar estudiantes, y otorgar nuevas becas Fullbright para alumnos foráneos que soliciten ingreso en universidades de EE.UU. También promueve recursos para estudiantes de bajos recursos, y que asistan a colegios de la comunidad para que puedan calificar para programas educativos en otros países.

www.eldiariony.com

Vocabulario útil: medida, *measure;* cumbre, *summit;* urgir, *to be urgent;* carecer, *to lack;* una crasa escasez, *a gross shortage;* concurrencia, *turnout;* dominio, *command;* becario, *scholarship winner;* encaminado a, *directed toward;* reclutar, *to recruit;* otorgar, *to grant;* foráneo, *foreign*

Actividad 45 (CD 7, pista 3, 3:52)
La Tierra no "crece" más

Los seres humanos somos por naturaleza poco proclives a preocuparnos demasiado por el futuro, más allá de lo que esperamos vivir nosotros mismos o nuestros hijos. Diría que la mayoría prefiere no pensar en el futuro de largo plazo, sino en el presente y el futuro inmediato. Es por eso que los cálculos que hacen los científicos acerca del calentamiento global de la Tierra, o de la escasez de alimentos que habrá en algunas décadas más, no son temas prioritarios de conversación. Por eso esta semana en vez de abordar el informe que hizo el Banco de Reserva Federal sobre la baja en el ritmo económico en Estados Unidos, decidí comentar un dato que me encontré en la internet y que me impactó con fuerza: la humanidad hoy podría consumir —si todos comieran bien— los recursos de una superficie equivalente a 13.500 millones de hectáreas, cuando el planeta sólo cuenta con 11.300 millones de hectáreas de tierra cultivable y productiva. O sea, desgraciadamente el hambre de millones de personas en África y Asia es lo que ha evitado una crisis alimentaria a nivel global. Revisando las estadísticas demográficas de la Organización de las Naciones Unidas (ONU) hallé que en la época de Pericles, el llamado Siglo de Oro en la Grecia antigua, unos 400 años antes de Cristo, el mundo tenía unos 200 millones de habitantes. Cuando llegó el segundo milenio, 1.400 años después, la cifra era de 254 millones, y cuando Cristóbal Colón pisó tierra en la actual República Dominicana había 425 millones de habitantes. O sea, en dos mil años la población mundial apenas se duplicó. Sin embargo, en 1950 éramos 2.400 millones, hoy somos 6.600 millones y en 2050 habrá 9.220 millones de terrícolas. De manera que en sólo cien años la población casi se habrá cuadruplicado. Con la misma superficie terrestre —lamentablemente la Tierra no "crece"—, cada año se agregan 75 millones de bocas más que hay que alimentar, a un ritmo de 205 mil diarias. Lo más significativo es que del total mundial, sólo un 18% de los habitantes vive en naciones desarrolladas y el 82% restante, es decir, 5.410 millones, en países en desarrollo, con una mayoría en las 50 naciones más pobres de África y Asia. Para 2050 el 13% vivirá en el Primer Mundo, y los otros 8.024 millones en el Tercer Mundo, debido a que sólo ocho países africanos y asiáticos serán responsables de la mitad del crecimiento poblacional mundial. Es mucho lo que debemos hacer hoy en materia de productividad, educación y desarrollo económico y social para tratar de aliviar al menos ese sombrío panorama futuro del que nos alertan hoy los científicos.

www.laopinion.com

Vocabulario útil: proclive, *inclined to;* de largo plazo, *in the long run;* hallar, *to find;* sombrío, *dark/somber*

Actividad 46 (CD 7, pista 4, 6:03)
Se busca la palabra más bella del castellano

Tiritar, cereza, piropo, libélula, estrella, amor. Cualquiera de los cientos de miles de palabras en castellano reconocidas por la Real Academia Española podría ser elegida como la palabra más bella del idioma. Desde el 31 de marzo y hasta el 21 de abril, la Escuela de Escritores pide a los internautas de habla hispana que voten por la que consideran la palabra más hermosa. La Escuela de Escritores, un centro de talleres literarios con sede en Madrid, decidió festejar el 23 de abril, Día del Libro, homenajeando a las palabras. "Esperamos una respuesta masiva de todos los que amamos nuestro idioma: el español merece una gran fiesta y su palabra más bonita merece ser coronada entre todos", declaró Javier Sagarna, jefe de Estudios de la Escuela, tras el lanzamiento de la convocatoria que llevó el nombre "Tienes la palabra". Aunque la invitación es para elegir una palabra a base de la belleza de su construcción y sonoridad, muchas de las palabras enviadas han sido elegidas por su significado o por lo que representan. Palabras tan universales como *amor, esperanza, madre, oasis* o *abuelita* figuran entre las que ya han recibido algunos votos, aunque también aparecen las inesperadas *pitaya, zampatortas, ñiquiñaque, vivalavirgen* y *clavicordio.* Desde el día en que fue lanzada la convocatoria, miles de personas de distintos países han participado en la elección, incluidos políticos, académicos, escritores y artistas. José Luis Rodríguez Zapatero, presidente del gobierno español, eligió la palabra *generosidad* porque "es la palabra que más humanos nos hace. El ser humano es dar para recibir". Arturo Pérez Reverte, académico y escritor, eligió la palabra *ultramarino* porque "tiene latín, tiene mar, historia, aroma y memoria...". La académica y escritora Ana María Matute eligió *resplandor*, porque "es una palabra que en sí misma, sin estar inscrita entre otras, tiene mucha poesía". Darío Jaramillo, poeta y narrador colombiano, eligió *caravana*, "cuatro sílabas sonoras, cada una en *a*, *aes* en fila como una fila de camellos o de camiones". Lila Downs, cantante mexicana, eligió *camino*, "porque es donde siempre he andado y me hace pensar en tomarlo sin tener que imaginar dónde me lleve". Jorge Eduardo Benavides, escritor peruano, optó por *desasosiego*, que para él es "como un viejo tren que inicia su marcha". Para participar en esta iniciativa sólo se tiene que llenar un formulario que aparece en línea en la página de la escuela (www.escueladeescritores.com). Los requisitos son que la palabra elegida no sea un nombre propio y que esté recogida en los diccionarios de lengua castellana. Una vez que se ha enviado el término favorito, con una pequeña explicación de las razones de su elección, el participante tiene la posibilidad de votar por un máximo de cinco palabras diferentes enviadas por otros participantes. Los resultados se darán a conocer el próximo 23 de abril.

www.laopinion.com

Vocabulario útil: tiritar, *to shiver*; libélula, *dragonfly*; taller, *workshop*; sede, *headquarters*; convocatoria, *announcement*; sonoridad, *sound*; pitaya, *type of cactus*; zampatortas, *hog/glutton*; ñiquiñaque, *worthless thing/person*; vivalavirgen, *carefree person*; clavicordio, *clavichord (type of piano)*; resplandor, *brilliance*; desasosiego, *uneasiness*; requisito, *requirement*

Preguntas
1. ¿Quién patrocina el concurso?
2. ¿Quién va a elegir la palabra?
3. ¿Cómo se caracterizan las palabras que ya se han enviado?
4. ¿Por qué escogió Ana María Matute la palabra *resplandor*?
5. ¿Qué característica es aceptable para la palabra más bella del castellano?

Actividad 47 (CD 7, pista 5, 6:14)
Celularmanía
Los hay de todos colores y son cada vez más pequeños. La mayoría incorpora la internet inalámbrica, y cada vez son más las cosas que se pueden hacer con ellos: son prácticos y convenientes, envían y reciben e-mails, se puede consultar el precio de las acciones, resultados deportivos y el horóscopo, indican el clima, organizan juegos de "monitos" a distancia, reconocen la voz en varios idiomas, sirven como módems, tienen altavoces y capacidad de almacenar música, e incluso empieza a haberlos a todo color. Éstas y muchas otras funciones son la oferta que compañías de telecomunicaciones y fabricantes de teléfonos celulares inalámbricos hacen a diario al consumidor, prometiendo cada vez más cosas; por ejemplo, minutos de uso, pese a que la mayoría de las personas todavía sólo los usa como simples teléfonos portátiles debido a que son difíciles de operar. "Hoy por hoy, los usuarios aún no son especialistas en todas las funciones que tienen los inalámbricos", dice Tod Hallenbeck, director asociado de Soluciones Tecnológicas de Verizon Wireless.

"Idiomas como el español, francés y portugués son de gran demanda", dice Scott Gaines, gerente de productos de la firma multinacional. Según el Yankee Group, una compañía de asesoría e investigación de internet en Boston, en Estados Unidos hay 110 millones de personas que utilizan teléfonos celulares. Según

reportes de Sprint PCS, la firma cuenta en la actualidad con un millón de usuarios utilizando la internet inalámbrica regularmente. Un número similar de usuarios se encuentra conectados a la red mediante AT&T Wireless y Verizon Wireless. Las páginas de muchas publicaciones, lo mismo que los anuncios radiofónicos y televisivos, destacan la cantidad de minutos disponibles para hablar, siempre y cuando se contrate el servicio con la firma anunciante. "Obviamente, quisiéramos que los usuarios estuviesen con nosotros para siempre. Es así como les podemos proporcionar cosas gratuitas", dijo Hallenbeck. El ejecutivo se refirió a los descuentos en los aparatos telefónicos, los 500 minutos adicionales por el uso durante los fines de semana, además de algunos otros especiales y promociones que introducen mes a mes. Otras compañías como Cingular dicen ofrecer uso ilimitado entre usuarios siempre y cuando ambos sean clientes de la compañía, algo que dicen está atrayendo una gran cantidad de nuevos suscriptores.

"Sprint PCS se vanagloria de ser la única compañía en ofrecer un período de 14 días para que los usuarios se decidan por un plan. Hay personas que hablan en ciertas áreas, o a ciertas horas o en ciertos días. Nuestra política es la de dejar la opción abierta al cliente para que sea él quien tome la decisión", dice un ejecutivo de la compañía.

Puede que los planes sean tan diferentes como los modelos en oferta, pero lo cierto es que la telefonía inalámbrica se encuentra en una fase de despegue sin aparente marcha atrás. "El gobierno tendrá que subastar nuevas frecuencias para que podamos implementar tecnologías de tercera generación inalámbrica (3G) mucho más rápida y avanzada. Hasta que ese día llegue, seguiremos ofreciendo lo más parecido posible con las funciones que estos aparatos pueden realizar", finaliza diciendo Hallenbeck.

www.laopinion.com

Vocabulario útil: inalámbrico, *wireless*; acciones, *stock*; almacenar, *to store*; destacar, *to emphasize*; vanagloriarse, *to boast*; despegue, *takeoff*; subastar, *to auction off*

Preguntas
1. ¿Qué son prácticos, convenientes y cada vez más pequeños?
2. ¿Qué función no es parte de las compañías de telecomunicaciones y fabricantes de teléfonos celulares inalámbricos?
3. ¿Cuántas personas usan teléfonos celulares en los Estados Unidos?
4. ¿Qué compañía ofrece un período de 14 días para que los usuarios se decidan por un plan?
5. ¿Quién tendrá que subastar nuevas frecuencias para que Verizon pueda implementar tecnologías más avanzadas?

Actividad 48 (CD 7, pista 6, 2:19)
Participe en una conversación, p. 385

Capítulo 7, Lección B

Actividad 25 (CD 7, pista 7, 2:26)
Más de 1,5 millones de palabras del quechua en Windows y Office
Más de 1,5 millones de palabras de la lengua quechua ingresaron en junio pasado a la base de datos de los sistemas operativos Windows y Office, dijeron hoy directivos de Microsoft que celebran un congreso en Cartagena, Colombia. El gerente de la firma para la región andina, Luis Alberto González, declaró a los periodistas que desde el pasado 28 de junio se pueden realizar operaciones en computadoras en lengua quechua, incluso en Internet. Precisó que la innovación es parte del Programa Mundial de Idiomas Nativos de Microsoft y quedó al alcance de unos 10 millones de quechua

hablantes que hay en Suramérica, 30.000 de ellos en el sur de Colombia. A la asamblea andina de la multinacional fue invitado el indígena peruano Nelson Copa, quien declaró que el ingreso del quechua a los sistemas operativos y a la red "es como un sueño". "Yo nunca había salido de Cusco, pero ahora conozco gente de todo el mundo", expresó. En la cita también participa la jefa de Educación de Microsoft en Perú, Marushka Chocobar, quien señaló que esta herramienta facilitará las campañas contra el analfabetismo en las comunidades indígenas. González indicó que otra lengua aborigen que en el futuro podría entrar a los sistemas operativos es el wayúu, que hablan los indígenas que habitan en la Guajira, zona desértica compartida por Colombia y Venezuela, que se calculan en 3 millones de personas. Microsoft presentará mañana una versión del programa en Bolivia, en donde unas 2,6 millones de personas hablan quechua, que contará con la participación del presidente de ese país, Evo Morales.

www.laraza.com

Vocabulario útil: ingresar, *to enter*; congreso, *conference*; analfabetismo, *illiteracy*

Actividad 28 (CD 7, pista 8, 3:54)
Falta de motivación causa deserción escolar
Uno de los mayores problemas que afrontan los hispanos en EE.UU. sigue abierto, ya que la mitad de los estudiantes de esta comunidad deja la educación secundaria antes de terminarla, y la mayoría de ellos lo hacen por falta de motivación. Un ambicioso informe presentado sobre las causas del abandono de las aulas en centros públicos ha revelado que el fracaso académico no es el principal responsable de que los estudiantes no acaben la secundaria, sino la falta de motivación. Quienes dejan las clases lo hacen por un amplio abanico de circunstancias, aunque la opinión más repetida por los 477 jóvenes entrevistados en el estudio fue que "las clases son aburridas e irrelevantes para sus vidas". Para Sandra Licón, de la Fundación Bill y Melinda Gates, que encargó el informe, las razones del alto grado de deserción entre hispanos son que "viven en comunidades que reciben poca atención académica y carecen de buenos programas de refuerzo de idiomas". "Los profesores en escuelas con un alto porcentaje de hispanos no esperan mucho de ellos, pero el estudio ha demostrado que necesitan lo contrario", dijo Licón.

En total, un millón de estudiantes abandona cada año los institutos en EE.UU., lo que representa uno de cada tres alumnos. La mayoría de quienes lo hicieron dijeron en la encuesta, llamada "La Epidemia Silenciosa: Perspectivas del Abandono Escolar", que habrían conseguido terminar sus estudios si las clases les hubiesen supuesto un reto y si alguien les hubiese ayudado a darse cuenta de su error. Tres de cada cuatro encuestados dijo que si pudiese volver atrás en el tiempo no tomaría la misma decisión. Tan sólo un 35% de los jóvenes entrevistados, de entre 16 y 25 años, atribuyeron su fuga de las aulas al fracaso académico. De hecho, el 65% tenían notas de aprobado o más altas cuando comenzaron a dejar de frecuentar los institutos. "Los jóvenes que vimos no eran marginales ni menos capaces que otros, sino que simplemente se aburrían o no encontraban una motivación", dijo Geoffrey Garin, presidente del Peter D. Hart Research Associates, que condujo la encuesta. "Se trata de un proceso lento de desenganche de la escuela y lo importante es descubrir cuándo se está iniciando para poder evitarlo", aseguró Garin. Entre las recomendaciones que hacen los autores del estudio para evitar el problema están que las administraciones estatales y federales propongan más opciones para los alumnos, que los padres se impliquen más en la educación de sus hijos y que se creen sistemas preventivos para detectar futuras deserciones. Una persona que ha abandonado la escuela gana un promedio de 9.200

dólares menos al año que un graduado, y alrededor de un millón de dólares menos, en el conjunto de su vida, que un licenciado en la universidad.

www.eldiariony.com

Vocabulario útil: aula, *classroom*; abanico, *range*; entrevistado, *interviewed*; fuga, *flight*; desenganche, *disinvolvement*; conjunto, *totality/whole*

Actividad 45 (CD 7, pista 9, 4:06)
El verdadero valor del agua
Un vicepresidente del Banco Mundial señaló en 1995 que las guerras del siglo XX fueron por petróleo, asegurando que los conflictos del siglo siguiente iban a ser sobre el agua. Bienvenidos a esta nueva era donde el líquido, tan vital para la vida, es cada vez más escaso, convirtiéndose en una de las inversiones comerciales más rentables. El manejo adecuado de este preciado elemento es debatido desde los países pobres del Tercer Mundo hasta los condados de California, como Los Ángeles, que dependen del abastecimiento externo. El martes 22 de marzo, Día Mundial del Agua, comenzó la campaña de las Naciones Unidas, "El agua, fuente de vida" para reducir en los próximos diez años la mitad de la gente que hoy no tiene acceso sustancial al líquido. Se estima que cerca de 1.200 millones de personas no tienen acceso a agua potable y que otros 2.400 millones no gozan de servicios sanitarios adecuados. Por lo menos tres millones de niños mueren anualmente debido a enfermedades causadas por agua sucia. A lo largo del mundo, desde el África, al Asia Central y al Medio Oriente el tema del agua surge como un problema permanente entre naciones capaces de desembocar en las armas. La indiscutible importancia del agua la convirtió, según la revista *Forbes*, "en la mejor inversión del siglo" atrayendo a multinacionales al proceso de privatización de servicios. Esto transforma al líquido en un objeto más del mercado, con la peculiaridad que nadie y nada puede sobrevivir sin él. Por fortuna, todavía hay sitios como Chile que otorga subsidio de agua para los más pobres y Uruguay, que el año pasado rechazó en un plebiscito la privatización reafirmando que el líquido era un derecho humano de manejo público y no un bien de lucro. Mientras tanto, en California, las firmas agrícolas se benefician con los nuevos contratos federales para el Proyecto del Valle Central que desalientan el ahorro. El abastecimiento de Los Ángeles, por su parte, depende de las capas de nieve montañosas, que se reducen por el calentamiento global, y el Río Colorado que se halla bajo una larga sequía. Las fuertes nevadas son una gran ayuda para este año, pero es imprescindible la construcción de más depósitos de agua a lo largo del estado para enfrentar las exigencias de los centros urbanos. El agua no puede ser un producto inalcanzable, es necesario un esfuerzo internacional serio para cubrir las necesidades mundiales. Esta demanda también puede ser controlada a partir de la responsabilidad personal de ahorrar y reconocer el verdadero valor del agua.

www.laopinion.com

Vocabulario útil: escaso, *scarce*; inversión, *investment*; rentable, *profitable*; condado, *county*; abastecimiento, *supply*; agua potable, *drinking water*; desembocar, *to culminate*; plebiscito, *plebiscite*; de lucro, *for profit*; desalentar, *to discourage*; ahorro, *saving*; capas de nieve montañosas, *mountainous snow caps*; sequía, *drought*; nevada, *snowfall*; inalcanzable, *unreachable*

Actividad 46 (CD 7, pista 10, 3:48)
No existe relación entre celulares y tumores cerebrales
Un estudio de médicos daneses ha confirmado que no existe relación entre el uso de teléfonos móviles o celulares y la aparición de tumores cerebrales, reveló hoy la revista *Neurology*. Los facultativos interrogaron a 427 personas con tumores cerebrales y 822 sin ese

problema respecto al uso del teléfono móvil. Señalaron que no se registró ningún aumento de los tumores cerebrales vinculado a la frecuencia del uso de ese medio de comunicación. Estos resultados se ajustan a los de otros estudios, incluyendo uno recientemente publicado por un grupo científico sueco, manifestó Christopher Johansen, autor del estudio y director de la Sociedad de Oncología de Dinamarca. "Son muy pocos los estudios que han señalado un aumento del riesgo de desarrollar tumores cerebrales debido al uso del teléfono celular. Sin embargo, se ha criticado el diseño de esos estudios", añadió. A un pequeño grupo de participantes —27 con tumores y 47 totalmente sanos— los científicos no sólo les preguntaron sobre el uso del teléfono, sino que revisaron sus cuentas telefónicas. No hubo diferencias entre ambos grupos, señaló el científico y añadió que tampoco, en el caso de personas con tumores, éstos se presentaron con mayor frecuencia en el lado en que el paciente utilizaba el aparato. El estudio contó con el respaldo de la Comisión Europea, de la Unión Internacional contra el Cáncer, el Instituto Internacional de Epidemiología y la Sociedad Danesa contra el Cáncer.

www.laraza.com

Vocabulario útil: danés, *Danish*; facultativo, *doctor*; vinculado, *connected*; sueco, *Swedish*; riesgo, *risk*

Preguntas

1. ¿De qué país eran los médicos que hicieron este estudio?
2. ¿Cuántas personas en total entrevistaron para este estudio?
3. ¿Qué resultado señalaron los doctores?
4. ¿Qué otro estudio cita el artículo?
5. ¿Encontraron los médicos algunos tumores causados por el uso del celular?

Actividad 47 (CD 7, pista 11, 2:57)
Pros y contras de restringir el uso del celular

Para evitar accidentes relacionados con los celulares y adoptar medidas legislativas adecuadas, la Oficina Nacional para la Seguridad en las Carreteras (NHTSA) recomienda considerar los siguientes puntos: En primer lugar, los estados deben hacer más énfasis en hacer cumplir las leyes que prohíben conducir de manera imprudente o distraída, al margen de la causa que provoque tal comportamiento. Cuando la policía observe que alguien maneja de forma distraída debido al teléfono celular, debe reportarlo. Las propuestas presentadas hasta ahora en algunos estados prohíben el uso de celulares que requieran que el conductor utilice las manos para sostener el aparato. Estas iniciativas parecen estar basadas en la presunción de que los teléfonos que dejan las manos libres son aceptables mientras se maneja. Si bien estos aparatos reducen el esfuerzo del conductor para marcar, sostener y colgar el aparato, no mitigan la distracción potencial que representa el hecho de conversar. De manera inadvertida, la legislación propuesta podría promover un mayor uso de los celulares entre los conductores que actualmente limitan o evitan su uso mientras manejan, ante la suposición de que los celulares que dejan libres las manos son más seguros. Sería necesario examinar la relación entre el costo y el beneficio de las leyes sobre el uso del celular mientras se conduce. Los costos potenciales del uso sin restricciones del celular pueden incluir aquellos asociados con los accidentes provocados por la distracción causada por estos aparatos. Por otra parte, los beneficios del uso sin restricciones del celular incluyen un empleo más eficiente del tiempo destinado a transporte, la capacidad de recibir ayuda de emergencia y la posibilidad de mantener mayor comunicación con la familia, los negocios y la comunidad. Los costos de las restricciones legislativas pueden resultar en una necesidad de invertir en equipo celular más caro y complejo, acceso limitado mientras se maneja y gastos asociados con el cumplimiento de la ley. Los beneficios potenciales de la legislación incluirían ahorros en lesiones personales, daño a la propiedad y costos causados por las demoras en el tráfico a causa de accidentes.

www.laraza.com

Vocabulario útil: restringir, *to restrict*; medida, *measure*; comportamiento, *behavior*; propuesta, *proposal*; sostener el aparato, *to hold the apparatus/machine*; marcar, *to dial*; colgar, *to hang up*; mitigar, *to alleviate*; invertir, *to invest*; lesión, *injury*; demora, *delay*

Actividad 48 (CD 7, pista 12, 3:14)
Participe en una conversación, p. 414

Capítulo 8, Lección A

Actividad 26 (CD 8, pista 1, 3:23)
Radio hispana: un negocio que nadie se quiere perder

Los grandes medios quieren un pedazo de la torta de la audiencia radial hispana y se preparan para acaparar un negocio a corto y largo plazo al convertirse la radio en español en una fuente de oportunidades crecientes.

"Los 40 millones de hispanos, la capacidad de consumo de los hispanos que alcanza los 750.000 millones de dólares anuales, el altísimo intercambio comercial entre EE.UU. y Latinoamérica y el flujo de una nueva generación de inmigrantes que mantiene vigente la práctica del español, hacen muy atractiva la inversión en el mercado hispano, y en especial de la radio", explicó a EFE William Restrepo, director de noticias de Caracol Radio. De acuerdo con un informe de la revista *Hispanic Business*, desde 2003 la inversión en la radio hispana creció del 3 por ciento al 17 por ciento interanual, y hay nuevos mercados (además de los tradicionales como Nueva York, Los Ángeles o Miami) donde comienza a hacerse un hecho la inversión y difusión de emisoras en español, como son Seattle, Washington o Charlotte. La mayoría de las 923 emisoras hispanas AM y FM que existen en Estados Unidos son muy pequeñas y de carácter local, a las que producir contenidos les sale muy costoso.

CNN lleva varios años vendiendo sus servicios informativos a otras emisoras. Es un mercado que ya fue descubierto, pero que aún tiene enormes y crecientes posibilidades. Desde 1998, el número de emisoras de radio hispanas ha aumentado un 300 por ciento. "Es un tiempo fascinante para el negocio de la radio hispana", comentó Jorge Plasencia, Vicepresidente de Comunicaciones Corporativas de Univisión Radio. Univisión adquirió en 2003 la Corporación Hispanic Broadcasting, la más amplia cadena de radio hispana, por 3.200 millones de dólares, y con esta compra persigue posicionarse como los líderes del ramo en los 20 mercados más importantes del país. Las emisoras que generaron más utilidades en los años 2003 y 2004 se encuentran en Los Ángeles, Nueva York, Miami, Houston, Dallas y Chicago. La radio tiene que entretener, educar e informar. Es un medio de compañía permanente, y los escuchas, ya educados en una radio muy desarrollada en sus países, serán más fieles si, además de entretenerlos, se les informa sobre sus posibilidades educativas y sanitarias; si se les previene de peligros legales. Es cuestión de encender la radio y escuchar lo que sucede.

www.laraza.com

Vocabulario útil: radial, *related to the radio*; a corto y largo plazo, *in the short and long run*; flujo, *flow*; cadena, *chain*; ramo, *branch*

Actividad 32 (CD 8, pista 2, 2:42)
Moma restaura *Las señoritas de Aviñón*

El Museo de Arte Moderno (Moma) ha emprendido un laborioso proyecto de restauración de *Las señoritas de Aviñón*, obra maestra del arte moderno del artista español Pablo Picasso, perteneciente a su colección permanente desde 1939. Un examen cuidadoso realizado por los conservadores del museo determinó que esta pintura al óleo, ejecutada en 1907, se encuentra en "condición estable", explica el museo en una página en la internet dedicada exclusivamente al proceso de restauración. El análisis también reveló que la acumulación de polvo en la superficie, la decoloración de la cera y el barniz utilizados en restauraciones anteriores y aplicaciones posteriores de pintura de forma desigual han afectado la apariencia de la obra. La restauración, limpieza y retoque de la pintura, así como la documentación de este proceso, se han realizado a lo largo de los últimos seis meses, y el Moma espera finalizar el proyecto en las próximas semanas. Desde su creación hace 97 años, esta simbólica obra —acaso la más importante de la colección permanente del Moma— ha sido sometida a siete tratamientos de restauración. Este último implica la remoción de capas de pintura y retoques decolorados de las restauraciones de 1950 y 1963, y la eliminación de residuos adhesivos en la superficie del lienzo, lo que dejará a la obra en "un estado más cercano a su condición original". *Las señoritas de Aviñón* es conocida como una obra clave del modernismo y ha sido descrita como "el corazón del laboratorio de Picasso" por el escritor y poeta francés André Breton. El Moma posee una excepcional colección de obras de Picasso (1881–1973), incluidas 55 pinturas representativas de su prolífica carrera artística.

www.eldiariony.com

Vocabulario útil: emprender, *to undertake*; polvo, *dust*; cera, *wax*; barniz, *varnish*; retoque, *touch-up*; remoción, *removal*; capa, *layer*; lienzo, *canvas*

Actividad 45 (CD 8, pista 3, 2:30)

Inaugurada mayor exposición en España de obras de Frida Kahlo

La mayor exposición en España con obras de la artista mexicana Frida Kahlo se inauguró el viernes en la ciudad gallega de Santiago de Compostela. La muestra procede del museo Dolores Olmedo de México y se trata de una colección que fue exhibida hasta principios de octubre en el museo Tate Modern de Londres, donde atrajo en cuatro meses a unos 375.000 visitantes.

La exposición incluye varios lienzos de Frida Kahlo que muestran el sufrimiento y el dolor que sufrió en su vida, tras contraer la poliomielitis que la dejó coja y sufrir un accidente de circulación a los 16 años en el que resultó gravemente herida en la columna vertebral, la cadera y la matriz. Tras ser intervenida quirúrgicamente, pasó meses postrada en una cama, donde comenzó a dibujar, y luego a pintar al conocer al artista mexicano Diego Rivera, con el que contrajo matrimonio y mantuvo una conflictiva relación sentimental.

Fallecida hace medio siglo, Frida Kahlo está considerada una leyenda y uno de los símbolos de la lucha por la liberación de la mujer en su país.

En su intervención en la inauguración de la muestra, el presidente del Gobierno regional de Galicia, Emilio Pérez Touriño, consideró esta exposición el "acontecimiento artístico más relevante de este año" en esta región. Touriño destacó que muestra la creación de una "mujer de leyenda" que exhíbe "su cuerpo herido y su alma atormentada". Él indicó que México fue una "segunda patria" para miles de republicanos, tanto gallegos como del resto de España, que se exiliaron durante el régimen franquista y que "dejaron allí lo mejor de su arte y de su ciencia", contribuyendo así a reforzar las relaciones con Latinoamérica.

Al acto de inauguración asistieron también el embajador mexicano en Madrid, Gabriel Jiménez Remus, quien invitó a los gallegos y españoles a disfrutar de las "mágicas expresiones" de Frida Kahlo como una de las muestras representativas de su país.

www.eldiariony.com

Vocabulario útil: gallego, *Galician (region of Spain)*; poliomielitis, *polio*; cojo, *lame*; cadera, *hip*; matriz, *uterus/womb*; postrado, *laid up*; fallecer, *to die*; destacar, *to emphasize*; franquista, *related to General Francisco Franco, dictator of Spain, 1939–1975*; reforzar, *to reinforce*

Actividad 46 (CD 8, pista 4, 3:46)

Cristina Saralegui premiada como humanitaria

Cristina Saralegui, la presentadora más reconocida en la televisión hispanohablante, recibirá el Premio de Humanitaria Internacional y Visión Mundial por su labor internacional humanitaria y su visión mundial, de parte de la organización Mujeres en el Cine y la Televisión Internacional. El premio será otorgado durante la Celebración Latina, una noche dedicada a la promoción del cine y la televisión latinoamericana y al homenaje de la mujer hispana que ejemplifica tal visión global de la experiencia latina en los Estados Unidos. La fiesta Celebración Latina ofrecerá muestras de la cocina, la música y los bailes típicos de Latinoamérica. En ella participarán cineastas de renombre, diplomáticos, invitados estelares y miembros de las industrias del cine y la televisión. La jefa de WIFTI, Fiona Milburn de Auckland, Nueva Zelanda, se encargará de presentar la ceremonia. La homenajeada, Cristina Saralegui, presentadora y productora ejecutiva de *El Show de Cristina*, el programa de entrevistas número uno de la televisión en español en los Estados Unidos, cuenta con una audiencia mundial de 100 millones. Además, Cristina es activista social y luchadora en contra del SIDA.

www.laraza.com

Vocabulario útil: presentadora, *talk-show hostess*; cineasta, *filmmaker*; estelar, *star*

Preguntas

1. ¿Por qué recibió Cristina Saralegui este premio?
2. ¿Qué es Celebración Latina?
3. ¿Qué forma parte de la Celebración Latina?
4. ¿Quiénes estarán presentes durante la Celebración Latina?
5. ¿De qué nacionalidad es la presentadora del premio?
6. ¿Quién es activista social y luchadora en contra del SIDA?

Actividad 47 (CD 8, pista 5, 3:40)

"Don Francisco" recibe homenaje de congresistas

El popular y veterano presentador chileno Mario Kreutzberger, mejor conocido como "Don Francisco", recibió hoy un homenaje de varios congresistas por sus veinte años de presencia en la televisión hispana de Estados Unidos. En un acto celebrado en las escalinatas del Congreso estadounidense, "Don Francisco", de 65 años, recibió de manos de la representante de origen cubano Ileana Ros-Lehtinen, republicana por el estado de Florida, una bandera de Estados Unidos. Kreutzberger dedicó este homenaje a "sus compañeros de trabajo" que "llevan conmigo 20 años en Univisión, y al público que ha estado conmigo todos estos años". Desde 1986 la cadena de televisión hispana Univisión emite para Estados Unidos y Latinoamérica el espacio *Sábado Gigante*, que presenta "Don Francisco" y que tiene una audiencia de 100 millones de personas. Según Ros-Lehtinen, el presentador chileno fue homenajeado por su compromiso con la comunidad hispana y "por sus esfuerzos en cerrar la brecha entre la cultura latinoamericana y estadounidense, así como por su determinación de enseñar los valores y oportunidades ilimitadas que esta nación ofrece".

"Este reconocimiento congresional es muy merecido porque 'Don Francisco' ha sido una influencia increíble para los hispanos en toda América, y su personalidad, carisma, su deseo de ayudar a otros menos afortunados y su increíble talento le han asegurado un lugar prominente en los anales de la historia de la televisión", sostuvo Ros-Lehtinen. Por su parte, Kreutzberger afirmó que el reconocimiento recibido es un "auténtico honor".

"Vine a este país con un sueño y un propósito y hoy con orgullo puedo decir que he llegado más lejos de lo jamás soñé. Agradezco los esfuerzos de los congresistas por considerarme merecedor de este gran privilegio y quisiera agradecer especialmente a nuestra comunidad hispana y a Univisión por permitirme disfrutar estos 20 años de éxito con *Sábado Gigante*", dijo el homenajeado. En declaraciones a los periodistas, tras el homenaje, "Don Francisco" señaló que tras 44 años en la profesión —los primeros 20 en la Corporación de Televisión de la Universidad Católica de Chile— todavía no piensa en retirarse. "Nadie se retira. Sólo lo hacen el físico, la salud, la capacidad intelectual o la cuota de pantalla. Si logramos entretener, informar y orientar, hay que seguir en la batalla diaria de la televisión", mantuvo Kreutzberger.

Tras confesar sus 65 años, sus 44 años de casado y explicar que tiene tres hijos y nueve nietos, dijo que es un privilegio el poder haber estado tantos años al frente de un espacio que incluso ha sido reconocido por el *Libro Guinness de los Récords* como el "programa de variedades que más tiempo ha estado en antena". En este sentido, reconoció que el logro también es obra de sus compañeros detrás de las cámaras, "que llevan tanto tiempo como yo", y del "público fiel". "Yo creo que con buen criterio podemos llegar a una reforma positiva para todos", dijo el periodista chileno, quien agregó que no hay que olvidar que EE.UU. es, fundamentalmente, un país de inmigrantes.

www.laraza.com

Actividad 48 (CD 8, pista 6, 2:42)
Participe en una conversación, p. 444

Capítulo 8, Lección B

Actividad 26 (CD 8, pista 7, 2:15)
Los Tres Tenores
Con motivo de la inauguración oficial del "Fórum Universal de las Culturas 2007" (UNESCO), la ciudad de Monterrey, Nuevo León, tendrá el honor de recibir en un magno concierto a Los Tres Tenores: José Carreras, Plácido Domingo y Luciano Pavarotti. El evento fue anunciado oficialmente y confirmado el día de ayer en Conferencia de Prensa en la Casa de Gobierno del señor Gobernador del Estado de Nuevo León, José Natividad González Parás. El concierto tendrá lugar el sábado 4 de junio en el Parque Fundidora como escenario, donde más de 50.000 personas podrán ser testigos de esta celebración mundial. Los Tres Tenores, quienes desde su primer recital en Roma en 1990 han recorrido los cinco continentes, escogieron México para realizar su último concierto juntos. Para esta ocasión, Los Tres Tenores tendrán por primera vez un artista invitado: el mexicano Alejandro Fernández.

"El talento de Alejandro como símbolo distintivo de México tenía que ser testigo de este recital, único en el mundo", citó el señor Vicente Gómez, representante de la empresa. La idea fue planteada a los tenores quienes en todo momento mostraron su apoyo al intérprete mexicano. Por su parte, Alejandro expresó: "Me siento honrado al saber que me eligieron para ser parte de tan magno evento. Estoy muy orgulloso por ser un representante de nuestra cultura mexicana y compartir un escenario con figuras que son

iconos mundiales. Soy un gran admirador de los tenores y les estoy muy agradecido por esta gran oportunidad", agregó.

www.laraza.com

Vocabulario útil: magno, *great*; testigo, *witness*; agregar, *to add*

Actividad 32 (CD 8, pista 8, 2:05)
Guadalajara se inaugura como capital de la cultura
Célebre por la música del mariachi y sede de la feria del libro más importante de Hispanoamérica, la ciudad de Guadalajara, al oeste de México, abre este año como la Capital Americana de la Cultura. La ciudad vivirá una efervescencia cultural que se verá apoyada con inversiones de capitales privados, además de una inyección de 10 millones de dólares que hará el ayuntamiento en infraestructura, según anunció el alcalde de Guadalajara, Emilio González. Aunque el título de Capital Americana de la Cultura —en relevo de Santiago de Chile— arrancó con el primer día del año, Guadalajara tendrá su primer evento formal en febrero. Para ese mes se contemplan varias actividades a lo largo de once días. A lo largo del año se tienen programados 25 eventos culturales de alto impacto pero la cantidad podría incrementarse en un 50 por ciento, ya que aún se busca concretar encuentros que den mayor realce al nombramiento. Entre los eventos ya programados destacan el Quinto Festival Internacional de Blues, el Encuentro Internacional de Promotores y Gestores Culturales, la Cátedra UNESCO de la Cultura y la Bienal de Fotografía para Mujeres. A estos actos se suman los que año tras año se realizan en la ciudad como el Festival Internacional de Cine, el Festival Cultural de Mayo, que tiene como invitada a Austria, la Muestra Internacional de Danza Contemporánea y el Encuentro Internacional del Mariachi y la Charrería. También se realizará la Cátedra "Julio Cortázar", que organiza la Universidad de Guadalajara, así como la Feria Internacional del Libro (FIL), que ha logrado distinguir a la ciudad a nivel mundial y que tendrá este año a Perú como país invitado.

www.eldiariony.com

Vocabulario útil: inversión, *investment*; ayuntamiento, *city hall*; alcalde, *mayor*; realce, *enhancement*; cátedra, *chaired professorship*; charrería, *horsemanship and rodeo riding*

Actividad 45 (CD 8, pista 9, 2:44)
Divina y humana
Una exposición binacional sobre el papel que cumplía la mujer en el antiguo Perú y en México entre los años 1500 antes de nuestra era, hasta la conquista española en 1532, se podrá apreciar en Lima desde este viernes. La imponente muestra "Divina y humana: la mujer en Perú y México antiguos" consta de 351 piezas de arte —184 peruanas y 167 mexicanas—, muchas de las cuales se exhíben públicamente por primera vez, según los organizadores. Entre los objetos figuran trabajos de las culturas Virú, Moche, Chancay, Chincha, Paracas, Nazca e Inca del lado prehispánico peruano, a las que se suman piezas mayas y aztecas. La primera dama de México, Martha Sahagún de Fox, y su par peruana Elaine Karp de Toledo, inauguraron la noche del jueves la exposición en la antigua estación de tren de Lima, Desemparados, en el centro de la capital. Entre las piezas de origen peruano destaca una máscara de ajuar funerario de una sacerdotisa hecha con láminas de cobre. Llama también la atención una figura antropomorfa de origen Nazca que representa a una mujer desnuda y embarazada. Entre las piezas mexicanas hay una figura femenina con una serie de heridas, cortaduras e incisiones en la piel y dibujos de cicatrices. Una urna con la representación de la diosa zapoteca "trece serpientes", vasijas en forma femenina y mujeres embarazadas, son un rasgo en común

con las piezas prehispánicas peruanas. La muestra se divide en siete ejes: ejercicio del poder político, social y religioso; origen sagrado de los alimentos; textiles e indumentarias; ornamento corporal y trascendencia; culto y magia; vida cotidiana como cosmogonía; y diosas... La exposición permanecerá abierta hasta el mes de marzo para luego ser trasladada a Ciudad de México, donde será exhibida en el Museo de Antropología e Historia.

www.eldiariony.com

Vocabulario útil: imponente, *imposing*; destacar, *to stand out*; ajuar, *trousseau/wardrobe*; lámina, *sheet*; antropomorfo, *anthropomorphic/human form*; cortadura, *cut*; cicatriz, *scar*; vasija, *vessel*; eje, *axis/part*; cosmogonía, *cosmology/origin of the universe*

Actividad 46 (CD 8, pista 10, 4:53)
Vida de niños de la calle al cine
Cuando visitó la República Dominicana por primera vez, la periodista Mercedes Jiménez Ramírez se sintió impresionada por dos cosas. Primero, la belleza del país, el folklore y la gente. Pero relata que también le cautivó la personalidad de un joven niño limpiabotas llamado Alfredito. El muchachito, a quien Jiménez Ramírez conoció en Boca Chica, tenía entonces unos doce años de edad, pero lucía aún menor a causa de la malnutrición. Relata Jiménez Ramírez que el joven limpiabotas caminaba kilómetros para llegar a Boca Chica a limpiar zapatos, con el fin de sostener a su familia: su mamá y ocho hermanos. Cuando Jiménez Ramírez regresó a la República Dominicana, fue con la intención de realizar un documental sobre Alfredito. Pero como ocurre a menudo con este tipo de proyecto, la idea se amplió y Jiménez Ramírez terminó realizando un documental más extenso sobre la vida de los niños de la calle que, aunque parezca increíble, están en peor situación todavía que Alfredito. Se trata de los niños llamados "palomos", que no tienen familia y viven en las calles, adictos a sustancias como el cemento que se usa para pegar zapatos. Los niños son llamados "palomos", porque, como esas aves, "viven en la calle, comen las sobras, andan en grupos, duermen en las cuevas", dice la periodista. Y además, "vuelan" bajo los efectos de la adicción al pegamento. En el documental, titulado "Palomos: Hijos de la Calle", Jiménez Ramírez muestra los rostros de estos niñitos y deja que en sus propias palabras relaten sus historias. Esas entrevistas son intercaladas en el documental con los datos que Jiménez Ramírez obtuvo en sus investigaciones, como el hecho de que la República Dominicana ocupa un muy alto lugar en la lista de países con problemas de trata de blancas y tráfico de niños. Además, la periodista investigó la historia sórdida de la goma de zapatero que intoxica a estas criaturas de la calle. Con esta sustancia ocurre lo que ocurre con muchos otros materiales tóxicos, indica Jiménez. Su venta no es aceptable en los Estados Unidos, pero se manufactura en este país como producto de exportación. El documental, que ha sido mostrado en diversos festivales, obtuvo el premio de Mejor Documental en el pasado Festival de Cine de La Habana en Nueva York.

www.laraza.com

Vocabulario útil: palomo, *pigeon*; pegar, *to glue*; cueva, *cave*; trata de blancas, *white-slave trade*; goma, *glue*

Preguntas
1. ¿Qué cosas le impresionaron a la periodista durante su visita a la República Dominicana?
2. ¿Qué es Boca Chica?
3. ¿Cómo es la familia del joven?
4. ¿Qué comen los niños de la calle?
5. ¿De qué tipo de pegamento se habla en el documental?
6. ¿Qué premio recibió la película?

Actividad 47 (CD 8, pista 11, 3:03)
La piratería musical generó 4.600 millones de dólares en 2004
El 34 por ciento de los discos vendidos en todo el mundo en 2004 fueron copias no legales, en un negocio que movió 4.600 millones de dólares, según el Informe Mundial de Piratería Discográfica presentado hoy en Madrid. Este estudio, que habitualmente se presenta en Londres, se ha dado a conocer en Madrid por el presidente de la Federación Internacional de Productores Discográficos (IFPI), John Kennedy, debido, afirmó, al "enorme problema de la piratería en España".

Según este informe de la IFPI, los diez países donde la piratería hace estragos son Paraguay (99 %), China (85%), Indonesia (80%), Ucrania (68%), Rusia (66%), México (60%), Pakistán (59%), India (56%), Brasil (52%) y España, que con un 24% es el único país de la Unión Europea que figura en esta lista. Paraguay, considera el estudio, es el principal punto de tránsito de discos que aviva los mercados piratas de Latinoamérica, especialmente de Brasil y Argentina, aunque ha habido algún progreso en su control gracias a la puesta en marcha de una unidad policial especializada en piratería. En México, que ha dejado de ser uno de los mercados discográficos más importantes del mundo por el efecto de la piratería, en opinión de la IFPI, una iniciativa en Guadalajara para convertir las tiendas piratas en puntos de venta legales ha tenido un efecto positivo. Al tiempo, el Gobierno mexicano ha promovido cambios legislativos para criminalizar esta actividad ilegal y también las medidas policiales han mejorado en 2004. Las ventas piratas en Brasil, asegura el informe, superaron a las legales el año pasado, a pesar de la recuperación parcial del mercado... La Federación Internacional de Productores Discográficos considera que el mercado pirata "destruye empleo, perjudica la inversión y financia el crimen organizado"... El informe también llama la atención sobre el creciente fenómeno de la piratería en Internet que, junto con la piratería física, va a centrar las prioridades de actuación de la industria durante los próximos años.

www.laraza.com

Vocabulario útil: hacer estragos, *to wreak havoc*; avivar, *to intensify*; puesta en marcha, *setting in motion*; promover, *to promote*; superar, *to exceed*; actuación, *performance*

Actividad 48 (CD 8, pista 12, 3:09)
Participe en una conversación, p. 473

SCOPE & SEQUENCE AT A GLANCE IN THE CLASSROOM TRANSCRIPTS AP TESTS

¡A toda vela! and the AP Test

¡A toda vela! meets the Advanced Placement Spanish Language Course Requirements —————

Advanced Placement Spanish Language Course Requirements

The College Board has provided several curricular requirements that an Advanced Placement Spanish Language course must fulfill. The following set of comments are a delineation of the College Board curricular requirements and how
¡A toda vela! matches each requirement.

The teacher uses Spanish almost exclusively in class and encourages students to do likewise.	*¡A toda vela!* uses Spanish throughout: for vocabulary and grammar exercises as well as for all the tasks and activities throughout each lesson.
The course provides students with a learning experience equivalent to a third-year college course in Spanish language. Instructional materials, activities, assignments, and assessments are appropriate to this level.	*¡A toda vela!* provides ample opportunity and practice in theme-based lessons and chapters equivalent to a third-year college course in the Spanish language. Components of the program include a text, this annotated teacher's edition, a workbook, audio CDs, a testing program, and a Web site. *¡A toda vela!* features extensive interactive activities (questions that elicit prior knowledge, mini-dialogues, quotes and fun facts, vocabulary and grammar exercises) and numerous written and oral tasks and projects all appropriate to this level.
Instructional materials include a variety of authentic audio and/or video recordings that develop students' listening abilities.	The audio recordings that accompany *¡A toda vela!* offer a variety of representative voices, accents, and cultures from around the Spanish-speaking world. These recordings methodically develop students' listening abilities through a variety of activities.
Instructional materials include authentic written texts, such as newspaper and magazine articles, literary texts, and other nontechnical writings that develop students' reading abilities.	The texts in each lesson of *¡A toda vela!* originate from a cross section of the Spanish-speaking media, including newspapers, magazines, and Web sites. Other articles have been created to develop the theme as well as students' reading abilities, and deepen students' reading comprehension abilities.
The course provides students with regular opportunities, in class or in a language laboratory, to develop their speaking skills in a variety of settings, types of discourse, topics, and registers.	The many recordings made with voices from throughout the Spanish-speaking world offer excellent models for students to follow. In each lesson, students will participate in a theme-based conversation with the audio portion as a partner. In addition, students have many opportunities to speak both informally and formally alone, with a partner, group, or whole class.
The course provides instruction and frequent opportunities to write a variety of compositions in Spanish.	The writing assignments and projects (many with accompanying rubrics) provide frequent opportunities to write a variety of both informal and formal compositions in Spanish. Students are frequently challenged to self-assess or assess a partner's work.
The course provides frequent opportunities for students to integrate the four language skills through the use of authentic materials.	Each lesson of *¡A toda vela!* supplies many opportunities for students to integrate the four language skills through the use of authentic materials. Questions directed to the students systematically challenge them to synthesize, interpret, and infer.

EMC **Español Avanzado**

¡A toda vela!

Carmen Herrera
Paul Lamontagne

EMC
Publishing

ST. PAUL • LOS ANGELES • INDIANAPOLIS

Editorial Director: Alejandro Vargas
Developmental Editor: Elizabeth Millán
Production Editor: Bob Dreas
Associate Editor: Hannah da Veiga
Copy Editor: Diego García
Proofreaders: Diego García, David Thorstad

Cover Designer: Leslie Anderson
Text Designer: Leslie Anderson
Reviewers: Ana García, Anne Gaston
Illustrator: Rolin Graphics, Inc.
Cover Image: GettyImages; Sail and Sky, Johner collection

Care has been taken to verify the accuracy of information presented in this book. However, the authors, editors, and publisher cannot accept responsibility for Web, e-mail, newsgroup, or chat room subject matter or content, or for consequences from application of the information in this book, and make no warranty, expressed or implied, with respect to its content.

Trademarks: Some of the product names and company names included in this book have been used for identification purposes only and may be trademarks or registered trade names of their respective manufacturers and sellers. The authors, editors, and publisher disclaim any affiliation, association, or connection with, or sponsorship or endorsement by, such owners.

AP is a registered trademark of the College Board, which was not involved in the production of, and does not endorse, this product.

Art and Photo Credits: Credits are included in the back matter of this text.

We have made every effort to trace the ownership of all copyrighted material and to secure permission from copyright holders. In the event of any question arising as to the use of any material, we will be pleased to make the necessary corrections in future printings. Thanks are due to the aforementioned authors, publishers, and agents for permission to use the materials indicated.

ISBN 978-0-82193-714-3

© 2008 by **EMC Publishing**, a division of EMC Corporation
875 Montreal Way
St. Paul, MN 55102
E-mail: educate@emcp.com
Web site: www.emcp.com

Printed in the United States of America

16 15 14 13 12 11 10 09 08   2 3 4 5 6 7 8 9 10

To the Student

Welcome to *EMC Español Avanzado ¡A toda vela!*, a comprehensive advanced Spanish language text that uses integrated skills and tasks to help you develop competence and confidence in reading, writing, listening, and speaking in Spanish. Perfect for any advanced Spanish course, *¡A toda vela!* also provides the breadth and depth of material to make it a valuable resource for you to prepare for the current Advanced Placement Spanish Language exam or any other upper level high school or college Spanish exam in your future.

¡A toda vela! uses authentic written and recorded materials, which include subjects as diverse and interesting as travel, art, geography, history, current events, literature, music, sports, movies, dance, social studies, sociology, and contemporary culture. These topics will give you unique insight into the Spanish-speaking world, as well as other cultures, and inspire thought-provoking in-class discussions.

As you polish your Spanish-language skills through a variety of activities—often in pairs or groups—you'll take part in guided conversations, blogs, and forums; complete challenging vocabulary and grammar exercises in context; analyze quotes or sayings; observe fun facts; and take part in preparing presentations, essays, and projects. The unique grammar exercises compel you to use your prior knowledge in order to personalize a solid and meaningful response to Spanish grammar.

Are you ready to meet the challenges and opportunities that *¡A toda vela!* holds for you?

Acknowledgments

We wish to express our sincere appreciation to the following colleagues for the many valuable suggestions they offered and their indispensable support to finalize this important project: Kent Ahern, Daniel Bender, Bant Breen, Raúl Camacho, Candelaria Díaz, Sol Gaitán, Glorianne Hamm, Michele Landry, Juan Lizcano, Don Nicole, Raquel Quintero, Isabel Segundo, Mari Sierra Ramos, and colleagues at New Trier High School (Winnetka, Illinois) and The Dalton School (New York City).

We also extend our sincere appreciation to the staff at EMC: Alex Vargas, Editorial Director; Charisse Litteken, Product Manager; Leslie Anderson, Senior Graphic Designer; Bob Dreas, Production Editor; Hannah da Veiga, Associate Editor; and Jenny Kelzenberg, Editorial Assistant. And a special thanks goes to our editor, Elizabeth Millán.

Last, but not least, *gracias* to Alejandro and Nicholas Breen-Herrera for their great patience and unconditional love.

Temas
- Los deportes
- Los atletas
- Los Juegos Olímpicos

Lección B — 330

Comunicación
- Hablar de la violencia en los deportes
- Hablar de los sobornos y el dopaje
- Expresar opiniones sobre las corridas de toros
- Describir el impacto de la competencia en los deportes

Temas
- El arte
- El baile
- La música
- El cine, la radio y la televisión

Capítulo 1

¡Buen viaje!

Temas

- Los viajes
- El turismo
- La inmigración

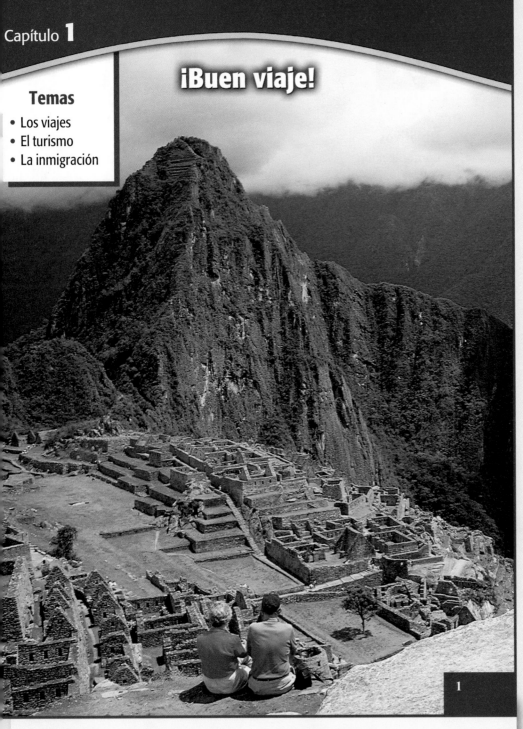

1

Overview of chapter 1

The photographs on the chapter openers depict one of the themes or places to be explored; here, the subject is Machu Picchu, an Inca stronghold in the Andes, some 80 km northwest of Cusco, Peru. Engage students in a discussion of this site as both a cultural and tourist destination, possibly talking about its cultural importance, the pros and cons of traveling to such isolated places, and any special preparation travelers might need to make. Perhaps you or one of the students has visited this site (or knows someone who has) and could share his or her experience with the rest of the class.

Instructional Notes

You might want to ask the following questions related to the topics of this chapter: *¿Qué es lo primero que les viene a la mente cuando se habla de viajar? ¿Qué relación o diferencia hay entre ser turista y ser viajero? ¿Prefieren ser Uds. turistas o viajeros? ¿Por qué? ¿Qué tipo de turismo ofrece su comunidad o estado/región? ¿Qué problemas enfrentan los inmigrantes en los Estados Unidos?*

Nota cultural

Un arqueólogo de Yale, Hiram Bingham, encontró Machu Picchu en 1911. Los incas crearon esta pequeña, pero increíble ciudad. En las terrazas que había alrededor, cultivaban la comida necesaria para toda la población. La ciudad no se puede ver desde abajo (está a una altitud de 2.400 metros), y es por lo que fue olvidada por tanto tiempo. Las piedras que la forman fueron hechas y unidas con tal precisión (se dice que ni siquiera se pueda meter la cuchilla de una navaja entre ellas), que ha creado todo tipo de leyendas. Los dos edificios más destacados son la Casa de la Ñusta —probablemente una zona de baños— y el intihuatana, u observatorio astronóminco, ya que los incas estudiaban los movimientos del Sol.

In this lesson, students will read about San Blas, Toledo, and Machu Picchu. You could prepare a slide show (with actual slides or photos of the places mentioned), so that students can see and learn more about them. You might want to share this information at the start of this lesson or at the start of each relevant article. You might also encourage students to do some research on their own.

The top photo shows la Plaza de España (Seville); the bottom photo, la Plaza de la Constitución and la Catedral Metropolitana (Mexico City).

Lección A

Objetivos

Comunicación
- Hablar de viajar, de los viajes y modos de transporte
- Justificar un viaje cultural
- Describir un hotel
- Hablar del mercado turístico
- Hablar del impacto de la tecnología sobre el turismo

Gramática
- El presente, pretérito e imperfecto del indicativo

"Tapitas" gramaticales
- *lo que* y *el que*
- adverbios
- *al* + infinitivo
- algunos usos del subjuntivo
- *aquel* y *aquello*
- el orden de los adjetivos
- reconocer ciertos tiempos verbales
- *solo* y *sólo*
- género y número de *policía*
- adverbios

Cultura
- El archipiélago San Blas (Panamá)
- Toledo (España)
- Machu Picchu (Perú)
- Hoteles originales
- La vuelta al mundo
- Cómo viajan los latinos de los EE.UU.
- Un viaje por Internet

Visite la página Web de
¡A toda vela! en
www.emcp.com

Nota cultural

La Plaza de España fue diseñada para ser el Pabellón de España durante la Exposición Iberoamericana en Sevilla en 1929. Están representadas en ella todas las regiones del país con preciosos azulejos de Triana, un barrio sevillano. La Plaza de la Constitución (también se le conoce como el Zócalo) ha sido el centro de reuniones, protestas y actos religiosos durante siglos, puesto que es el lugar en el que se fundó Tenochtitlán, la antigua ciudad de los aztecas.

Para empezar

1 Conteste las preguntas

Piense en las respuestas a las siguientes preguntas. Ud. puede tomar notas si lo considera necesario. Cuando termine, compare sus respuestas —pero sin mirar sus notas— con las de un/a compañero/a.

1. ¿Por qué le atrae (o no) viajar?
2. Haga una lista de diferentes medios de transporte.
3. ¿Qué medio de transporte prefiere Ud. para viajar? ¿Por qué?
4. Nombre cinco cosas que no le permiten a uno llevar en un avión.
5. ¿Ha viajado Ud. alguna vez al extranjero? ¿Adónde? ¿Adónde le gustaría ir? ¿Por qué?
6. En sus viajes, ¿cuáles han sido los lugares que más le han llamado la atención?
7. ¿Estaría Ud. interesado/a en explorar un lugar lejano? ¿Cuál o cuáles? ¿Por qué?
8. ¿Qué lugares del mundo hispanohablantes le gustaría visitar?
9. Nombre algunos edificios, monumentos o zonas famosas para visitar en países.
10. ¿Qué piensa de los viajes de aventura? ¿Despiertan estos viajes su interés? ¿Por qué?

Toda la familia disfruta de un día en el campo.

Cita

No hay ninguna razón para alarmarse, y esperamos que disfruten del vuelo. Por cierto, ¿hay alguien a bordo que sepa pilotar un avión?

—De la película *Aterriza cómo puedas;* título original: *Airplane*

 ¿Le da miedo a Ud. ir en algún tipo de medio de transporte? ¿Por qué? Comparta su respuesta con un/a compañero/a.

¡Dato curioso!

¿Sabía que existe el síndrome del acento extranjero? Existen casos en los que un individuo termina hablando inconscientemente con acento distinto al de su lengua natal o incluso en un idioma irreconocible, producto de lo que ha oído.

2 Mini-diálogos

Ud. va a crear un mini-diálogo con un/a compañero/a. Lea la descripción de la conversación antes de empezar. Puede tomar notas para organizar sus ideas, pero no las mire mientras conversa.

Escena: Dos amigos/as están en una cafetería y hablan sobre viajes que han hecho.

A: Entable una conversación sobre viajar. Pregúntele a su compañero/a sobre un viaje que hizo.

B: Hable sobre un viaje reciente.

A: Hágale dos preguntas sobre su viaje.

B: Conteste las preguntas y hágale preguntas sobre su viaje.

A: Conteste las preguntas con algún dato interesante o sorprendente.

B: Reaccione con sorpresa.

A: Haga una comentario sobre su reacción. Despídase cordialmente.

B: Despídase cordialmente.

Lección 1A   3

Nota cultural

Este cambio de adquirir un acento extranjero que se describe en el Dato curioso ocurre en poco tiempo, por lo que estas personas suelen tener problemas emocionales ya que no pueden hacer nada para evitarlo.

Answers

1 Answers will vary.

2 Dialogues will vary.

Instructional Notes

1 Here and in subsequent chapters, you might want to have students work in small groups or have the entire class participate in a discussion. Writing notes will help students to think about what they are going to say, and will also encourage them to use appropriate vocabulary. Remind them, however, not to read from their notes when answering these questions. You may also choose to have students improvise their answers, or ask each student to speak for about a minute (you will be the timekeeper), answering one of the questions.

Ask students to describe the photo on the page by asking: *¿Cuántas personas hay en la foto? ¿Adónde creen que se dirigen? ¿Les gustaría participar en actividades parecidas con su familia? ¿Por qué?*

2 You might want to have some pairs of students present their dialogues in class. This activity might also be done at the end of the lesson as a review of the material covered. You could ask students to work in groups of four; two should present the dialogue and the other two should take notes, and then summarize or critique the dialogue presented to them. Later the pairs of students could switch roles.

Remind students that they need to answer with some substantive replies and should avoid a simple yes or no answer. A sample dialogue follows.

A: Viajar es algo que me encanta. Suelo viajar mucho con mis amigos. ¿Tú te has ido de viaje este verano?

B: Sí, he ido a Italia por una semana con mi familia. Me encantó.

A: ¿Es la primera vez que vas? ¿Qué ciudades has visto?

B: Sí, es la primera vez que voy. Estuvimos en Roma y Florencia. ¿Y tú? ¿Dónde estuviste?

A: Mis amigos y yo fuimos a Santa Mónica por una semana.

B: ¡A Santa Mónica! ¡Yo también estuve allí dos semanas! ¡No me lo puedo creer!

A: ¡Qué coincidencia! Bueno, me tengo que ir, tengo prisa.

B: Yo también. Ya hablamos otro día y miramos fotos de los viajes.

Activity 1

Answers

4 *Some answers might vary; for example, students might not consider words such as* aperitivos *or* deseando *to be related to travel.* **Sustantivos:** destino, auxiliares de vuelo, aperitivos, cinturón, pasillo, pasajeros, equipaje de mano, viajes programados, horario, rutas, mochila, caminatas; **Adjetivos:** incómodos, amables; **Verbos:** despega, aterriza, deseando, distraen, te abroches, estresa, haces cola, empujan, lanzarme a, procuro, me apetece; **Expresiones:** me dan pánico

5 1. Además del uso común, se usa en lugar del futuro para acciones planeadas (*mañana nos vamos al campo*), con *hacer* para expresar el tiempo que uno lleva en hacer algo: *hace* + (tiempo) + *que* + presente (*hace tres días que estudio para el examen*), presente + (*desde*) *hace* + tiempo (*vivo en Valencia desde hace dos años*), y presente + *desde* + adjetivo (*estudio español desde pequeño*). 2. Ejemplos: me dan pánico, considero, despega, aterriza, estoy, son, distraen, pueden, etc. (uso común); Este verano nos vamos (en lugar del futuro). 3. *I have been*; 4. Ejemplos: dar, doy; estar, estoy; ser, soy; distraer, distraigo; hacer, hago; ir, voy; decir, digo; tener, tengo; 5. Ejemplos: ser, estar, ir, construir, destruir, haber, oír, oler; 6. En los foros: poder (o > ue), recordar (o > ue), negarse (e > ie), querer (e > ie); otros verbos: jugar (u > ue), pedir (e > i); Los ejemplos variarán. 7. Ejemplos: deshacer, sostener, entretener, obtener, mantener, componer, contraer, atraer, distraerse, prevenir; 8. La *g* se convierte en *j* para conservar el mismo sonido del infinitivo. Ejemplos: influir > influyo; dirigir > dirijo; conseguir > consigo; conducir > conduzco; permanecer > permanezco; 9. actúo, actúas, actúa, actuamos, actuáis, actúan; envío, envías, envía, enviamos, enviáis, envían; Se coloca el acento en la *u* en *actuar* y en la *i* en *enviar* en todas las personas del singular y en la tercera persona del plural. Otros verbos incluyen: confiar, desafiar, desviar, esquiar, resfriarse, vaciar, variar; continuar, graduarse, puntuar.

Instructional Notes

5 For question 5, ask students to write the complete conjugations for some of these verbs. You might want to point out the difference between an irregular verb and a spelling-changing one.

Additional Activities

3 As a homework assignment, students could also write original sentences with these words, find synonyms or similar expressions for them in Spanish, or even create a crossword puzzle using the new vocabulary.

Vocabulario y gramática en contexto

3 Un foro

Túrnese con un/a compañero/a para leer los comentarios que dos personas han escrito en un foro sobre viajar. Fíjese en las palabras que aparecen en azul (relacionadas con el vocabulario) y en rojo (relacionadas con la gramática), ya que en las siguientes actividades se le harán preguntas sobre ellas.

> Los aviones me dan pánico, además los considero muy incómodos. Desde que despega el avión hasta que aterriza estoy siempre estresada, deseando llegar a mi destino. Menos mal que los auxiliares de vuelo son bastante amables y te distraen como pueden con aperitivos, y cuando te recuerdan que te abroches el cinturón o que subas la mesita. Lo que más me estresa es cuando
> 5 haces cola en el pasillo y los pasajeros se empujan los unos a los otros mientras que sacan impacientemente el equipaje de mano del avión. Este verano nos vamos de viaje y ya les he dicho a mis amigos que me niego a que vayamos en avión a ningún lugar.
> —Yolanda
>
> Para mí, la mejor forma de viajar es en tren. No puedes ir en uno de esos viajes programados porque no te relajas al estar siempre preocupado de un horario y las rutas. A mí, lo que de verdad
> 10 me gusta es coger mi mochila y lanzarme a la aventura con un mapa en la mano. Intento evitar los lugares turísticos y procuro ir con tiempo suficiente, de manera que si me apetece quedarme más tiempo en un sitio pueda hacerlo. Llevo bastante tiempo recorriendo diferentes lugares, y considero que es importante que tenga la flexibilidad de hacer las caminatas que quiera y cuando quiera.
> —Nacho

4 Amplíe su vocabulario

Clasifique las palabras que aparecen en azul en las lecturas anteriores según sean sustantivos, adjetivos, verbos o expresiones, y relacionadas con viajar.

5 El presente del indicativo

Conteste estas preguntas o haga las siguientes actividades relacionadas con las lecturas de la Actividad 3.

1. ¿Cuándo se usa el presente del indicativo en español?
2. Busque dos usos diferentes del presente del indicativo en los comentarios del foro.
3. ¿Cómo se traduce *llevo* en este contexto?
4. Haga una lista de cinco verbos que aparecen en los foros y cuya forma en la primera persona del singular es irregular. Escriba el infinitivo del verbo y la primera persona singular.
5. Haga una lista de siete verbos que recuerde que sean irregulares en más de una persona. No es necesario que aparezcan en el texto.
6. Haga una lista de cuatro verbos de cambio vocálico en el presente que se usan en los foros. Escriba el infinitivo e indique el cambio

vocálico. Aparte de estos verbos, ¿cuáles son los otros cambios vocálicos que siguen los verbos? Dé varios ejemplos de otros verbos.
7. Haga una lista de al menos un verbo compuesto de cada uno de los siguientes: *hacer, tener, poner, traer* y *venir*. Por ejemplo: *hacer, rehacer.*
8. El verbo *escoger* tiene un cambio ortográfico en la primera persona singular del presente. ¿Cuál es el cambio y por qué se hace? Muestre los cambios que sufren los verbos con la terminación en *-uir, -gir, -guir* y *-cir/-cer,* dando un ejemplo de cada caso.
9. Conjugue *actuar* y *enviar.* ¿Dónde se coloca el acento? Escriba otros verbos que sigan la regla.

6 "Tapitas" gramaticales

Conteste estas preguntas basadas en las lecturas de la Actividad 3.

1. ¿Qué significa *lo que* en inglés? Explique la diferencia entre *lo que* y *el que*.
2. ¿Qué significa *impacientemente* en inglés? ¿Qué otros ejemplos hay de adverbios en las lecturas? Escriba una lista de otros cinco adverbios que conozca.
3. ¿Cómo traduciría *al estar* en la segunda lectura? ¿Hay otro significado de *al* más el infinitivo? ¿Cuál es?
4. Diga de qué tiempo verbal se trata *tenga* en la expresión *es importante que tenga* y por qué se usa en esta situación.
5. Diga de qué tiempo verbal se trata *quiera* en la expresión *cuando quiera* y por qué se usa en esta situación.

7 ¿Qué opina?

Reaccione a lo que cada persona ha escrito en el foro y comparta su opinión con un/a compañero/a. Incluya palabras de las lecturas que aparecen en azul.

8 Un viaje

Lea con atención el siguiente artículo, prestando atención a las palabras en azul y rojo, ya que se le harán preguntas sobre ellas.

De viaje en moto

Era todavía de noche cuando mi hermano y yo nos marchamos de casa. Dejamos atrás a nuestros padres con una sonrisa forzada, diciéndonos adiós
⁵con la mano por un buen rato. Nunca les gustaron las despedidas. Alejandro y yo teníamos el mismo dolor en el estómago, una mezcla de nuestras emociones en aquel momento. Por fin
¹⁰habíamos logrado hacer el viaje con el que siempre habíamos soñado. Íbamos a recorrer Sudamérica en la vieja moto de nuestro abuelo. El viento nos golpeaba la cara, y apenas oíamos lo
¹⁵que el otro decía. Aun así manteníamos largas y apasionadas conversaciones. La niebla de la mañana apenas nos dejaba ver la carretera, lo que hacía todo mucho más interesante, más
²⁰desafiante. Fue el comienzo de una gran aventura, nuestra gran aventura que nos cambiaría la vida. Un viaje lleno de retos, sorpresas, percances y descubrimientos. En cada cuesta
²⁵rezábamos en silencio para que la pobre moto pudiera continuar su camino. Ahí estaba, todo un mundo a nuestro alcance.

9 Amplíe su vocabulario

Mire las palabras de la primera columna, que aparecen en la lectura anterior, y busque su definición en la segunda columna.

1. despedida
2. lograr
3. recorrer
4. apenas
5. niebla
6. desafiante
7. reto
8. percance
9. alcance

a. atravesar un lugar o un espacio
b. momento en el que se dice adiós a una persona
c. problema que surge, que no está previsto
d. conjunto de nubes que no permite ver con claridad
e. conseguir algo con esfuerzo
f. algo que es posible de obtener
g. casi no
h. objetivo, meta
i. que requiere estímulo y esfuerzo para ser logrado

Notas culturales

Diarios de motocicleta es una película que narra parte de la vida del revolucionario argentino Ernesto "Che" Guevara y su viaje en moto con su amigo Alberto Granado. Durante este viaje los dos jóvenes entran en contacto con la pobreza y la miseria. Se ofrecen como voluntarios en una colonia de leprosos en el norte de Perú. Esta experiencia, entre otras, cambia el modo de ver al mundo de Guevara, poco a poco convirtiéndolo en el "Che" revolucionario unos años después. Durante el viaje los dos amigos recorren más de 12.000 kilómetros, desde la Argentina pasando por Chile, Perú y Colombia hasta llegar a Venezuela en junio de 1952.

En algunos países hispanohablantes es común el uso de las motos. Los jóvenes no consiguen el permiso de conducir hasta que cumplen dieciocho años, y aun entonces no todos se sacan el carné o el permiso de manejar porque es más costoso y difícil que en los Estados Unidos. En las escuelas no hay clases de conducir, pero sí hay algunos jóvenes con motos y otros muchos que usan el transporte público.

Pregúnteles a los estudiantes: *¿Qué impacto tendría en la vida de los jóvenes en los Estados Unidos si no pudieran conseguir el permiso de conducir hasta los 18 años?*

Activity 2

Answers

11 1. *Pretérito*: nos marchamos, dejamos, gustaron, fue; *Imperfecto*: era, teníamos, habíamos, íbamos, golpeaba, oíamos, decía, manteníamos, dejaba, hacía, rezábamos, estaba; 2. *Conjugations will vary. Ser, ir* y *ver* son irregulares; ser: era, eras, era, éramos, erais, eran; ir: iba, ibas, iba, íbamos, ibais, iban; ver: veía, veías, veía, veíamos, veíais, veían. En *ser* e *ir* se coloca el acento en la primera persona del plural; en *ver* hay un acento en la *i* en todas las formas. 3. Se usa el imperfecto para: indicar lo que pasaba mientras otra acción ocurrió; indicar hechos que continuaron en el pasado por un período de tiempo no especificado; indicar el transcurso de tiempo o la hora (Hacía meses que no lo veía. Eran las dos de la tarde.); sustituir al condicional (Prometí que pagaba/pagaría.); hablar de los pensamientos y sentimientos.

12 1. *aquel + sustantivo; Aquello* nunco precede a un sustantivo. 2. *Gran* delante del sustantivo cambia el significado a "great". *Vieja* delante de *moto* es de uso poético aunque en otros ejemplos también cambia el significado. No es posible decir *grande aventura* porque *grande* tiene que seguir al sustantivo. 3. Pluscuamperfecto del indicativo; es compuesto; Presente perfecto: hemos soñado; futuro perfecto: habremos soñado; presente perfecto del subjuntivo: hayamos soñado; 4. El subjuntivo; Rezo/Rezamos para que la pobre moto pueda continuar.

13 E-mails will vary.

14 1. Fue; 2. llegué; 3. se acercó; 4. deshizo; 5. dejó; 6. dejó; 7. estaba; 8. había; 9. se alejó; 10. estaba; 11. tenía; 12. Estaba; 13. tenía; 14. Estaba; 15. dolían; 16. fue; 17. quería; 18. tuve

Instructional Notes

12 To expand question 2, you might want to mention adjectives that change their meaning depending on whether they precede or follow the nouns they are modifying. Examples include:

	Después del sustantivo	Antes del sustantivo
medio	average	half
pobre	poor (not rich)	wretched/miserable
puro	pure/clean	sheer
rico	rich	delicious
varios	assorted/various	several

13 Have students brainstorm expressions that could be useful to begin and end an e-mail. Encourage them to write a list of these expressions and keep adding to it during the school year.

---

10 El tiempo 👥

Con un/a compañero/a haga una lista de las palabras o expresiones que conozcan relacionadas con el tiempo atmosférico. Piensen en otras palabras o expresiones relacionadas que les gustaría saber y búsquenlas en el diccionario.

11 El imperfecto del indicativo 🔍

Conteste estas preguntas relacionadas con el artículo "De viaje en moto".

1. Haga una lista de todos los verbos en pretérito, y al menos cinco en imperfecto, que aparecen en el texto.
2. Conjugue tres verbos de diferentes terminaciones en imperfecto. Diga cuáles son los verbos irregulares en este tiempo y conjúguelos. ¿Dónde se coloca el acento?
3. Explique el uso del imperfecto del indicativo.

12 "Tapitas" gramaticales 🔍

Conteste estas preguntas basadas en "De viaje en moto".

1. ¿Por qué decimos *aquel momento* y no *aquello*?
2. ¿Por qué dice el autor *gran aventura* y *vieja moto*? ¿Por qué cree Ud. que pone el adjetivo delante del sustantivo? ¿Es posible decir *grande aventura*? ¿Por qué?
3. ¿Qué tiempo verbal es *habíamos soñado*? ¿Es simple o compuesto? ¿Cómo se expresarían el presente perfecto y futuro perfecto del indicativo y el presente perfecto del subjuntivo?
4. ¿Qué tiempo verbal sigue a la expresión *para que*? Escriba la misma oración en presente.

13 Escriba ✒️

En un correo electrónico explíquele a un/a amigo/a que Ud. está planeando hacer un viaje en moto. Hable de las ventajas o desventajas de este medio de transporte, hable de los retos del viaje y sugiera un recorrido para ir juntos/as.

14 ¿Pretérito o imperfecto? 📖

Échele una ojeada al artículo que sigue, prestando atención a las palabras en azul y rojo, ya que se le harán preguntas sobre ellas. Luego lea el artículo y complételo con el pretérito o el imperfecto de los verbos entre paréntesis según el contexto.

No creo que quiera ser más aventurero después de mi experiencia en mi último viaje. __1.__ (*Ser*) un desastre. En cuanto __2.__ (*llegar*) a la aduana, __3.__ (*acercarse*) un policía y __4.__ (*deshacer*) todo mi equipaje. Después de un par de horas por fin me __5.__ (*dejar*) ir. Más tarde un extrañísimo taxista me __6.__ (*dejar*) abandonado en una calle que __7.__ (*estar*) bastante oscura, y en un lugar muy solitario. Apenas __8.__ (*haber*) gente por allí. En cuanto __9.__ (*alejarse*) me di cuenta de que se había llevado mi cartera. A este punto __10.__ (*estar*) completamente mojado por la lluvia y hambriento, y he de reconocer que __11.__ (*tener*) hasta un poco de miedo. __12.__ (*Estar*) muy débil y no __13.__ (*tener*) fuerzas ni para hacer una llamada a mis padres para pedirles ayuda. __14.__ (*Estar*) agotado física y moralmente y me __15.__ (*doler*) los huesos. Ese __16.__ (*ser*) sólo el comienzo de un agotador viaje. Yo __17.__ (*querer*) aventura..., bien, ¡pues la __18.__ (*tener*)!

Additional Activities

Vocabulario

You might want to have students do this activity after they have completed activity 10. Tell them:

Hagan cuatro columnas para las cuatro estaciones del año y escriban palabras o expresiones que describen el tiempo típico de cada una. Por ejemplo: La primavera: llovizna, llover a cántaros, chispear, el granizo, la tormenta, los rayos, los truenos.

Comunicación

To practice speaking skills, have students work with a partner and talk about which seasons they like most and which they like least. You could also ask: *¿Quién puede dar un ejemplo de un país que tenga una estación diferente a la nuestra en este momento? (Argentina) ¿A qué se debe? (Está en el hemisferio sur.)*

15 Amplíe su vocabulario

Según el contexto del artículo anterior, ¿cuál es la mejor traducción?

1. acercarse
   a. to get suspicious
   c. to be seen
   b. to be interviewed
   d. to get close

2. deshacer
   a. to do again
   c. to do with care
   b. to undo
   d. to scan

3. equipaje
   a. equipment
   c. documents
   b. boxes
   d. luggage

4. oscuro
   a. dark
   c. uncertain
   b. long
   d. dangerous

5. solitario
   a. lonely
   c. narrow
   b. solid
   d. exciting

6. alejarse
   a. to turn over
   c. to analyze
   b. to look at
   d. to move away

7. cartera
   a. backpack
   c. wallet
   b. mail carrier
   d. money

8. mojado
   a. dirty
   c. wet
   b. overlooked
   d. excited

9. débil
   a. poor
   c. depressed
   b. unwise
   d. weak

10. agotador
    a. exhausting
    c. challenging
    b. horrible
    d. exciting

16 El pretérito y el imperfecto

Conteste estas preguntas relacionadas con el texto de la Actividad 14.

1. ¿Qué verbos aparecen en pretérito? ¿Y en imperfecto?
2. ¿Cuándo se usa el pretérito, y cuándo el imperfecto? Incluya ejemplos.
3. ¿Cuál es la diferencia entre estas oraciones?

Conocimos a un vagabundo.   Conocíamos a un vagabundo.
Ángela no quiso salir.   Ángela no quería salir.
José Manuel tuvo unas ideas estupendas. José Manuel tenía unas ideas estupendas.
El carro costó una millonada.   El carro costaba una millonada.

¿Puede pensar en algún otro ejemplo similar? ¿Cuál?

17 "Tapitas" gramaticales

Conteste estas preguntas basadas en el texto de la Actividad 14.

1. ¿Cuál es la diferencia entre *solo* y *sólo*?
2. Hable sobre el género y número de la palabra *policía*.
3. ¿Qué hacemos cuando tenemos dos adverbios seguidos en una oración?

Cita

He descubierto que no hay forma más segura de saber si amas u odias a alguien que hacer un viaje con él.
—Mark Twain (1835–1910), escritor y periodista estadounidense

 ¿Está Ud. de acuerdo con lo que dice? ¿Por qué? Hable con un/a compañero/a sobre esto. Compartan sus experiencias.

Dato curioso

¿Sabía que México significa "en el ombligo de la luna"? La palabra viene del idioma náhuatl *Metztli* (luna) y *xictli* (ombligo). Los aztecas lo pronunciaban *Meshico*. Los españoles lo escribían *México* ya que no existía la pronunciación de la *j*. Cuando cambió la grafía de la *x* a la *j* se le empezó a llamar *Méjico* pero se siguió escribiendo *México*.

Nota cultural

Además de la *j*, otra letra que con el tiempo cambió en el idioma fue la *f* a *h*; por ejemplo, *facer* cambió a *hacer*. Algunas palabras, como *satisfacer*, no hicieron ese cambio, pero no obstante siguen la regla de los compuestos de *hacer*. El presente indicativo es *satisfago* y el presente del subjuntivo, *satisfaga*.

Teacher Resources

Activity 4

Answers

19 1. se acercan; 2. el riesgo; 3. el comienzo; 4. sorprendidos; 5. divertida; 6. atrevido; 7. cercano; 8. susto; 9. asiento; 10. llueva

Instructional Notes

18 You might have students complete this activity in pairs until they feel more confident doing it alone. You could also go over some of the rules regarding the formation of nouns and adjectives from verbs.

After students complete the activity, ask them to do *El desafío del minuto* or *Familia de palabras*. See p. TE27.

19 Students could work in pairs until they feel more confident completing the activity by themselves. Ask them to pay special attention to the words surrounding the blanks, because they offer clues as to the part of speech. Encourage them to underline key words that will help them figure out the correct answer. Remind them to consider the gender and number for nouns, and for verbs the person, tense, and mood. You might want to do a couple of sentences with the entire class.

Additional Activities

Composición

After students have completed activity 19, ask them to write a paragraph using as many words as they can and from the three different parts of speech shown in the table (*verbo, sustantivo, adjetivo*). Ask a few students how many new words they used and stress the importance of using these words in context in order to retain the meaning.

---

18 Verbos
acercarse (a) *to get close (to)*
adaptarse (a) *to adapt oneself (to)*
alejarse (de) *to go away (from)*
alquilar *to rent*
arriesgarse (a) *to risk*
asustarse (de) *to be frightened (by)*
aterrizar *to land*
atreverse (a) *to dare (to)*
comenzar (a) *to start/begin (to)*
divertirse *to have a good time*
emocionarse *to be moved, excited*
llover *to rain*
lograr *to obtain, achieve*
sentarse *to sit down*
sorprenderse (de) *to be surprised (by)*

Sustantivos
la cercanía *closeness, proximity*
la adaptación *adaptation*
la lejanía *distance*
el alquiler *rent*
el riesgo *risk*
el susto *fright*
el aterrizaje *landing*
el atrevimiento *daring*
el comienzo *beginning*
la diversión *fun*
la emoción *excitement*
la lluvia *rain*
el logro *achievement*
el asiento *seat*
la sorpresa *surprise*

Adjetivos
cercano *close*
adaptable *adaptable, versatile*
lejano *far away*
alquilado *rented*
arriesgado *risky*
asustadizo *easily frightened*
X
atrevido *brave, daring*
X
divertido *funny*
emocionado *moved, excited*
lluvioso *rainy*
X
(estar) sentado *to be seated*
sorprendente *surprising*

Idioma

18 Familia de palabras

Complete la tabla con el verbo, sustantivo o adjetivo apropiado, y la traducción correspondiente.

Verbos		Sustantivos		Adjetivos	
acercarse (a)	_____	la cercanía	*closeness, proximity*	_____	*close*
	to adapt oneself (to)	la adaptación		adaptable	*adaptable, versatile*
alejarse (de)		la lejanía		lejano	
	to rent	_____	*rent*		*rented*
arriesgarse (a)	*to risk*	_____	*risk*	arriesgado	*risky*
asustarse (de)	_____				*easily frightened*
	to land	el susto		X	
		el aterrizaje			*brave, daring*
atreverse (a)	_____	el atrevimiento	*daring*	X	
comenzar (a)			*beginning*		
divertirse			*fun*	divertido	
emocionarse	*to be moved, excited*	_____	*excitement*	emocionado	*moved, excited*
llover					*rainy*
	to obtain, achieve	el logro	*achievement*	X	
	to sit down		*seat*	(estar) sentado	_____
sorprenderse (de)	*to be surprised (by)*	la sorpresa	*surprise*		*surprising*

19 ¿Verbo, sustantivo o adjetivo?

Complete las oraciones usando la forma correcta de las palabras que aparecen en la tabla, ya sea verbo, sustantivo o adjetivo. En el caso del sustantivo puede que necesite artículo. Siga el modelo.

MODELO Carmen siempre nos cuenta historias muy ___ (*divertirse*).
divertidas

1. Cuando ___ (*acercarse*) las vacaciones de verano algunas mujeres buscan la fórmula mágica para obtener una nueva figura.
2. Según las autoridades, durante esta semana, si viaja por carretera existirá siempre ___ (*arriesgarse*) de encontrar un atasco.
3. Desde ___ (*comenzar*) acordaron separarse si alguno de los dos deseaba cambiar de ruta.
4. Los turistas por lo general están ___ (*sorprenderse*) por la cordialidad y hospitalidad de la gente de la isla.
5. Si la nueva programación infantil del hotel no resultara ___ (*divertirse*), podrían producirse bajas de hasta un 30 por ciento.
6. Lo importante es ser ___ (*atreverse*). Con miedo jamás descubrirás nuevas experiencias.
7. Se paralizarán las reformas del aeropuerto por encontrarse muy ___ (*acercarse*) a un complejo turístico.
8. Cuando perdimos el equipaje el miércoles pasado, nos llevamos un buen ___ (*asustarse*).
9. ¡Reserve hoy su ___ (*sentarse*) en la guagua para visitar la zona histórica de Santo Domingo!
10. Aviso: En caso de que hoy ___ (*llover*), quedarán suspendidas las actividades al aire libre.

Cita

Cuando se viaja en avión solamente existen dos clases de emociones: el aburrimiento y el terror.
—Orson Welles (1915–1985), actor y director de cine estadounidense

¿Está de acuerdo con lo que dice? ¿Por qué? Hable sobre sus experiencias o las de alguien conocido.

Dato curioso
El origen de las banderas de los países fue militar. Según cuentan, se empezaron a usar para no confundirse y no atacar al ejército equivocado. La bandera de Bolivia tiene tres rayas. La roja representa la lucha popular, la amarilla la riqueza del suelo y la verde la agricultura.

Juego

After students complete activity 19, ask them to play *Voluntario, derecha e izquierda* to practice the words in the *Familia de palabras*. See p. TE27.

Mini proyecto

Assign a different Hispanic country to small groups of students and ask them to research that nation's flag. They should be prepared to explain the meaning of the colors and other elements in the flag to their classmates.

You could also ask students to work in groups and design a flag. They should explain the meaning of the colors, design, and symbols they have chosen.

Nota cultural

En la bandera de Costa Rica el azul representa los ideales, los retos, el cielo y las oportunidades al alcance. El blanco significa pensamiento, sabiduría y paz. El rojo significa la gente de Costa Rica y su amor, el calor de su pueblo y la lucha por su liberación.

20 Panamá

Échele una ojeada al artículo que sigue para ver de qué se trata, prestando atención a las palabras en azul, ya que se le harán preguntas sobre su significado después. Luego lea el artículo y decida cuál de las dos palabras entre paréntesis es la correcta para completar cada oración y escríbala.

Un destino para los Robinson del siglo XXI
FRANCISCO LÓPEZ-SEIVANE

El archipiélago de San Blas lo componen una ringlera de islitas que __1.__ (se ubicaron / se ubican) a lo largo de la ⁵costa caribeña de Panamá. Los indios kuna, dueños y señores de __2.__ (los / las) islas y de la larga franja de tierra firme que __3.__ (se ¹⁰extiende / se extienda) frente a ellas a lo largo de 226 kilómetros, sólo __4.__ (ocupa / ocupan) unas pocas y no permiten que nadie __5.__ (construye / construya) hoteles en sus paraísos. ¹⁵Prefieren que los visitantes __6.__ (llegan / lleguen) con cuentagotas, dispuestos a __7.__ (alojan / alojarse) en los precarios chamizos de que disponen. La fórmula funciona para __8.__ (aquel / aquellos) viajeros que, huyendo de las playas masificadas, buscan refugio en ²⁰lugares auténticos, donde la falta de comodidades se ve ventajosamente compensada por el sosiego, __9.__ (el / la) belleza incontaminada, el contacto directo con __10.__ (un / una) naturaleza de tarjeta postal y el atractivo de __11.__ (descubren / descubrir) ²⁵la cultura indígena.

Lo primero que se __12.__ (percibe / perciben) nada más descender de la pequeña avioneta que nos __13.__ (trae / traer) dando saltos desde Panamá es que el tiempo discurre con gran parsimonia y la gente __14.__ ³⁰(se mueve / se mueven) con extraña lentitud, como si __15.__ (el / la) realidad formara parte de una película a cámara lenta. __16.__ (Los / Las) sonrisas duran una eternidad en los rostros y nadie parece tener prisa en dar __17.__ (el / la) siguiente paso. Sobre el barrizal de ³⁵la selva, alguien ha __18.__ (haga / hecho) un camino de sacos de arena que __19.__ (hay / haya) que transitar hasta la playa. Me acompaña en silencio __20.__ (un / una) muchedumbre colorida y curiosa de indios kuna que __21.__ (ha / han) acudido a recibir el avión de la ⁴⁰mañana. Soy el único pasajero, así que me acomodo a mis anchas en el pequeño cayuco a motor que __22.__ (espera / espere) en la orilla y __23.__ (un / unos) minutos más tarde desembarcamos en Uaguitupu ("la casa del delfín"), __24.__ (una / unas) de las 400 islas ⁴⁵del archipiélago.

www.elmundo.es

21 ¿Qué significa?

Mire las palabras de la primera columna, que aparecen en la lectura anterior, y busque su traducción en la segunda columna.

1. a lo largo de	a. to jump
2. dueño	b. face
3. permitir	c. crowd
4. paraíso	d. sand
5. dispuesto a	e. to disembark
6. masificado	f. shore
7. falta de	g. owner
8. sosiego	h. beauty
9. belleza	i. feel at home
10. lo primero que	j. to go by
11. dar saltos	k. along
12. discurrir	l. crowded
13. lentitud	m. jungle
14. rostro	n. tranquility
15. siguiente paso	o. willing to
16. selva	p. slowness
17. arena	q. lack of
18. muchedumbre	r. paradise
19. a mis anchas	s. to allow
20. orilla	t. the first (thing) that
21. desembarcar	u. next step

Nota cultural

La zona donde los indios kuna viven también es conocida como "El archipiélago de las Mulatas". Según la ley de Panamá los kuna tienen poder sobre su territorio, y por lo tanto hacen lo que sea necesario para conservar sus tradiciones, mitos y creencias religiosas. También controlan cómo explotar el turismo en su zona.

Investigue palabras clave: kuna, San Blas, mola

Answers

20 1. se ubican; 2. las; 3. se extiende; 4. ocupan; 5. construya; 6. lleguen; 7. alojarse; 8. aquellos; 9. la; 10. una; 11. descubrir; 12. percibe; 13. trae; 14. se mueve; 15. la; 16. Las; 17. el; 18. hecho; 19. hay; 20. una; 21. han; 22. espera; 23. unos; 24. una

21 1. k; 2. g; 3. s; 4. r; 5. o; 6. l; 7. q; 8. n; 9. h; 10. t; 11. a; 12. j; 13. p; 14. b; 15. u; 16. m; 17. d; 18. c; 19. i; 20. f; 21. e

Instructional Notes

20 Students can extract the meaning of some new words in the article by using cognates, such as: *archipiélago, precarios, refugio, auténticos, compensada, incontaminada, parsimonia*. They might also use root words they know to figure out the meaning of new words; for example: *cómodo, comodidades, me acomodo*.

Help students define the less common words in the reading: *franja*, strip (of land); *cuentagotas*, dropper; *chamizos*, huts; *barrizal*, bog, quagmire; *cayuco*, boat.

Answers

22 1. un; 2. sirve; 3. una; 4. desarrollará; 5. los;
6. buscan; 7. lleno; 8. El; 9. aquellas; 10. escuchado;
11 Los; 12. la; 13. la; 14. invitándole; 15. hace;
16. el; 17. hiciera; 18. la; 19. caer; 20. las; 21. extraña;
22. padece; 23. remontarse; 24. ser; 25. perseguido;
26. los

Additional Activities

Una noche en Toledo

Ask students to imagine that they spent a few days in a strange place like this one in Toledo. One by one, each student makes up one or two sentences describing the experience and using the preterite and the imperfect, or any other combination of tenses or moods that they have practiced in the reading. Students will do this orally, and can't repeat the experiences of their classmates.

Variations: You may prefer to have students write about their experiences; when you call time, students exchange papers with a partner who reads it, adds to it, and then returns it. This can go on for several more rounds, or even with several more students, until you call final time. You might want students to underline the new vocabulary. Call on some students to read their compositions aloud.

You could also use this activity as a vocabulary review and have two or four teams play this as a game for points. Each time a student uses a word from the reading in his or her description that also appears in the vocabulary activity, the other team must clap in response to get a point; to the contrary, the student's team gets the point.

---

22 Una invitación misteriosa

Échele una ojeada al artículo que sigue para ver de qué se trata, prestando atención a las palabras en azul, ya que se le harán preguntas sobre ellas. Luego lea el artículo y decida qué forma de las palabras entre paréntesis es la correcta y escríbala. No se olvide de escribir y acentuar las palabras correctamente.

| Dirección | www.lavozdegalicia.com | Q- |

Archivo Edición Ver Favoritos Herramientas Ayuda

Para los amantes del misterio, del miedo y del suspense

Ocio, diversión y mucha imaginación

Una alternativa especial para un fin de semana diferente

Patricia Iglesias/Redacción digital

Se trata de __1.__ (*un*) fin de semana en una casa rural a las afueras de San Martín de Montalbán (Toledo), conocida como *La Quinta de la Casa de Melque*. Esta casa rural, con capacidad para veinticinco personas, __2.__ (*servir*) de telón de fondo para __3.__ (*un*) noche muy especial. Los visitantes o viajeros —junto a un grupo de actores— serán los protagonistas de una misteriosa historia llena de miedo y suspense que se __4.__ (*desarrollar*) en el interior de la casa rural de la Quinta de Melque y en sus recintos exteriores, como el Cementerio de la familia Montalbán, la Noria, el Pozo...

Un viaje alternativo para __5.__ (*el*) amantes de los viajes curiosos y originales y para los que sencillamente __6.__ (*buscar*) pasar un fin de semana inolvidable y __7.__ (*lleno*) de emociones.

__8.__ (*El*) guión se nutre de __9.__ (*aquel*) leyendas urbanas que todos hemos __10.__ (*escuchar*) alguna

vez y cuenta, además, con referencias cinéfilas a clásicos del género como __11.__ (*El*) otros o *La residencia*.

Antes de __12.__ (*el*) llegada a __13.__ (*el*) mansión —previa reserva de plaza— el visitante recibe por correo, e-mail o fax una carta de Doña Julia Almazán, viuda de Sotogrande, __14.__ le (*invitar*) a su casa tras un largo retiro de la vida pública. La misiva también __15.__ (*hacer*) algunas recomendaciones para asistir a su casa: "incluir en __16.__ (*el*) equipaje indumentaria apropiada para el banquete y una prenda de abrigo por si __17.__ (*hacer*) frío en las inmediaciones de la casa. Por razones personales, __18.__ (*el*) anfitriona no permitirá el uso de teléfonos móviles, entre otras cuestiones".

Al __19.__ (*caer*) el sol, el séquito de sirvientes de la Sra. Almazán recibe a los invitados y los conduce a __20.__ (*el*) habitaciones, último refugio de luz en una casa condenada a la penumbra por la __21.__ (*extraño*) enfermedad que __22.__ (*padecer*) su dueña...

Gracias a sus actores, guionistas y especialistas es posible __23.__ (*remontarse*) a otra época formando parte de aventuras en las que se puede __24.__ (*ser*) ayudado por un mago, aconsejado por un anciano arqueólogo, __25.__ (*perseguir*) por ladrones del desierto, cautivado por una bailarina del vientre, aventuras con __26.__ (*el*) piratas...

www.lavozdegalicia.com

Notas culturales

Toledo se considera como una de las ciudades con más monumentos. Tuvo una gran importancia durante la Edad Media y fue la capital de España hasta el siglo XVI. Convivían en esa época, al igual que pasó con Córdoba, cristianos, judíos y musulmanes.

En el texto hacen ilusión a la película *Los otros* (*The Others* en inglés). Fue grabada en Galicia y dirigida por Alejandro Amenábar, el mismo director español que hizo la versión española de *Vanilla Sky* y *Mar Adentro*.

Investigue palabra clave:
Toledo

23 ¿Qué palabra es?

Mire las palabras de la primera columna, que aparecen en la lectura anterior, y busque su sinónimo, antónimo o definición en la segunda columna.

1. a las afueras de	a. ropa
2. telón	b. salida
3. protagonista	c. lo que se recuerda
4. desarrollar	d. casada
5. amante	e. invitada
6. inolvidable	f. cortina
7. guión	g. primero
8. llegada	h. sufrir
9. reserva de plaza	i. enemigo
10. viuda	j. en el centro
11. indumentaria	k. personaje principal
12. anfitriona	l. progresar
13. último	m. pedir una habitación
14. penumbra	n. andar tras de
15. padecer	o. sol
16. perseguir	p. lo que leen los actores

24 Lea, escuche y escriba/presente

Vuelva a leer los textos completos de las Actividades 20 y 22. Luego escuche la grabación "Al encuentro de la aventura" y tome las notas necesarias. Escriba un ensayo o haga una presentación en clase contestando esta pregunta: "¿Qué hace que las personas sientan la necesidad de irse de aventura?" No se olvide de citar las fuentes debidamente.

Cita

Viajar es una buena forma de aprender y de superar miedos.
—Luis Rojas Marcos (1943–), psiquiatra español

¿Está de acuerdo con lo que dice? ¿Por qué? Dé ejemplos que ilustren esta cita y compártalos con un/a compañero/a.

¡Dato curioso! Los indios mazatecas en México viven en el estado de Oaxaca. En su idioma se llaman *ha shuta enima*, que quiere decir "los que trabajamos el monte, humildes, gente de costumbre". Su idioma es tonal, y por eso a los que no son de la región les parece una lengua silbada o cantada.

Nota cultural

Aunque casi todos los mazatecas son católicos, continúan con algunas de sus antiguas creencias, como cultos a varios dioses y fe en el poder de los brujos para curar el mal de ojo.

Teacher Resources

Activity 24 (CD 1, track 1)

Answers

23 1. j; 2. f ; 3. k; 4. l; 5. i; 6. c; 7. p; 8. b; 9. m; 10. d; 11. a; 12. e; 13. g; 14. o; 15. h; 16. n

Instructional Notes

24 Encourage students to absorb comprehension of the two readings before they listen to the audio. Ask them to take notes and pay attention to key words and ideas, writing down key concepts, words, or interesting ideas from both the readings and the audio so that they can refer to them while composing their essays or preparing their presentations. You might also suggest that students retell the audio using the words they noted. They could do this individually or in small groups and either orally or in writing, as homework or on the board as a classroom activity.

Before they listen to the audio, you might want to review the following words: *disfrutar*, to enjoy; *sello*, stamp; *herencia*, heritage; *alpinismo*, mountain climbing; *adentrarse*, to go into; *travesía*, crossing; *plasmar*, to capture.

Activity 5

Answers

25 1. que; 2. el; 3. por; 4. como; 5. del; 6. de; 7. en; 8. de; 9. cuyos; 10. al; 11. hasta; 12. no; 13. la; 14. casi; 15. por; 16. donde; 17. sea; 18. sólo; 19. Para; 20. donde; 21. al; 22. en; 23. La; 24. uniendo; 25. sin; 26. que; 27. para; 28. le; 29. se; 30. la; 31. de; 32. está; 33. en; 34. su; 35. de

Instructional Notes

25 Before students start reading, ask them what they know about Machu Picchu and the Inca civilization and what information they hope this article will give them.

Students might need some help with defining the following: *farallón*, cliff; *erigida*, erected. Ask them to identify some cognates in the reading; examples include: *magnificencia, armoniosa, construcción*.

Additional Activities

Trabajo de investigación

For homework, ask students to find at least fifteen interesting facts about Machu Picchu. The next day have students work in small groups to compare their findings and then make an oral presentation of their group's fifteen most unique facts.

Composición

After students read "Machu Picchu" ask them to write a narration about an average day in the life of one of its inhabitants. Tell them: *Escriban la composición en primera persona y usen el pretérito y el imperfecto. Incluyan datos históricos y culturales. Subrayen y mantengan una lista de las palabras nuevas que usan en la composición.*

---

25 Machu Picchu

Échele una ojeada al artículo que sigue para ver de qué se trata, prestando atención a las palabras en azul, ya que se le harán preguntas sobre ellas. Luego lea el artículo y decida cuál de las dos palabras entre paréntesis es la correcta para completar cada oración y escríbala.

Machu Picchu
Viaje y turismo

Machu Picchu, desde __1.__ (*a* / *que*) fuera descubierta __2.__ (*el* / *en*) 24 de julio de 1911 __3.__ (*por* / *con*) el norteamericano Hiram Bingham, ha sido considerada, por su asombrosa magnificencia y armoniosa construcción, __4.__ (*como* / *es*) uno de los monumentos arquitectónicos y arqueológicos más importantes __5.__ (*en el* / *del*) planeta.

Localizada a 2,400 m.s.n.m.*, en la provincia __6.__ (*de* / *en*) Urubamba, departamento del Cusco, Machu Picchu (Cumbre Mayor, en castellano) sorprende por la forma __7.__ (*como* / *en*) que las construcciones __8.__ (*en* / *de*) piedra se despliegan sobre una loma estrecha y desnivelada, __9.__ (*cuyos* / *cuales*) bordes —un farallón de 400 metros de profundidad— forman el cañón por el que se llega __10.__ (*hacia* / *al*) río Urubamba.

Machu Picchu es una ciudadela rodeada de misterio porque __11.__ (*hasta* / *para*) ahora los arqueólogos __12.__ (*sí* / *no*) han podido descifrar la historia y __13.__ (*el* / *la*) función de esta pétrea ciudad de __14.__ (*más* / *casi*) un kilómetro de extensión, erigida __15.__ (*por* / *para*) los incas en una mágica zona geográfica, __16.__ (*donde* / *dónde*) confluyen lo andino y lo amazónico.

Quizás el misterio de Machu Picchu nunca __17.__ (*es* / *sea*) desvelado del todo; hasta ahora, __18.__ (*solo* / *sólo*) existen hipótesis y conjeturas. __19.__ (*Por* / *Para*) algunos, fue un puesto de avanzada de las proyecciones expansionistas incaicas; otros creen que fue un monasterio, __20.__ (*donde* / *dónde*) se formaban las niñas (acllas) que servirían __21.__ (*a* / *al*) Inca y al Willac Uno (Sumo sacerdote). Se presume porque de los 135 cuerpos encontrados __22.__ (*por* / *en*) las investigaciones, 109 fueron de mujeres.

__23.__ (*El* / *La*) sorprendente perfección y belleza de los muros de Machu Picchu —construidos __24.__ (*unidos* / *uniendo*) piedra sobre piedra, __25.__ (*o* / *sin*) cemento ni pegamento— han hecho surgir mitos sobre su edificación.

Cuentan __26.__ (*de* / *que*) un ave llamada Kak`aqllu, conocía la fórmula __27.__ (*por* / *para*) ablandar las piedras, pero que por un mandato, quizás de los antiguos dioses incaicos, se __28.__ (*la* / *le*) arrancó la lengua. También __29.__ (*se* / *él*) dice que existía una planta mágica que disolvía la roca y podía compactar __30.__ (*le* / *la*).

Pero más allá __31.__ (*en* / *de*) los mitos, el verdadero encanto de Machu Picchu, declarado Patrimonio Cultural de la Humanidad, __32.__ (*es* / *está*) en sus plazuelas, en sus acueductos y torreones de vigilancia, __33.__ (*en* / *por*) sus observatorios y en __34.__ (*su* / *sus*) Reloj Solar, evidencias __35.__ (*de* / *por*) la sabiduría y la técnica de los constructores andinos.

*m.s.n.m.= metros sobre el nivel del mar

www.enjoyperu.com

Nota cultural

Desde julio del año 2007, Machu Picchu figura entre las siete nuevas maravillas del mundo. Más de 100 millones de personas votaron por Internet o por teléfono para elegir las nuevas maravillas. Además de la ciudadela de los incas figuran: Chichén Itzá (México), el Cristo del Corcovado (Rio de Janeiro), la Gran Muralla china, la ciudad de Petra (Jordania), el Coliseo de Roma y el Taj Mahal (India).

Investigue palabras clave: las siete nuevas maravillas del mundo

26 ¿Qué significa?

Mire las palabras de la primera columna, que son de la lectura anterior, y busque su traducción en la segunda columna.

1	asombroso	a.	to soften
2.	desplegarse	b.	depth
3.	loma	c.	to emerge
4.	estrecho	d.	uneven
5.	desnivelado	e.	speculation
6.	profundidad	f.	revealed
7.	rodeado	g.	small square
8.	pétreo	h.	astonishing
9.	desvelado	i.	glue
10.	conjetura	j.	narrow
11.	muro	k.	surrounded
12.	pegamento	l.	of stone
13.	surgir	m.	wall
14.	edificación	n.	to pull out
15.	ablandar	o.	to spread out
16.	arrancar	p.	hill
17.	plazuela	q.	building

27 Lea, escuche y escriba/presente

Vuelva a leer el texto completo sobre Machu Picchu, y luego escuche la grabación "Recorriendo el Camino Inca". Tome notas de las dos fuentes y escriba un ensayo o haga una presentación en clase sobre "Razones por las que se aconseja hacer un viaje cultural". No se olvide de citar las fuentes debidamente.

Teacher Resources

Activity 27 (CD 1, track 2)

Answers

26 1. h; 2. o; 3. p; 4. j; 5. d; 6. b; 7. k; 8. l; 9. f; 10. e; 11. m; 12. i; 13. c; 14. q; 15. a; 16. n; 17. g

Instructional Notes

27 Encourage students to absorb comprehension of the reading before they listen to the audio. Explain that they will hear the names of several places along *el Camino Inca*; for example, Huayllabamba, Pacaymayo, Wuarmihuañusca, Wiñayhuayna, Phuyupatamarca. These names are in Quechua, the language of the Incas and spoken by approximately 10 million people throughout South America. Quechua is the most commonly spoken of the American Indian languages and it shares official language status with Spanish in Peru and Bolivia. You might want to write these names on the chalkboard so students recognize them in the audio.

You also might want to review the following words from the audio with students: *encajar*, to fit into; *accidentado*, rugged; *porteador*, porter; *carpero*, tent carrier; *campamento*, camp; *reconfortante*, comforting; *ascender*, to climb; *cordillera*, mountain range; *descenso*, descent; *empedrado*, paved; *sumamente*, extremely; *ciudadela*, fortress.

Answers

28 1. en; 2. el; 3. son; 4. la; 5. a; 6. la; 7. más; 8. una;
9. de; 10. la / una; 11. el; 12. que; 13. la; 14. a; 15. para;
16. es; 17. Por; 18. una; 19. Las; 20. hasta; 21. un;
22. donde; 23. las; 24. la; 25. en; 26. fue; 27. que;
28. Después; 29. más; 30. ser; 31. son; 32. fuera;
33. tiene; 34. donde; 35. al; 36. a; 37. una; 38. la; 39. de;
40. fueron; 41. que; 42. Cada; 43. de; 44. hay; 45. hace;
46. que; 47. la / una; 48. de; 49. los; 50. para; 51. que;
52. También

Instructional Notes

28 Because this is the first reading that does not
provide prompts for the students, you might want to
provide answers to the first three questions and discuss
with the students why these responses are the most
logical. This type of activity is an integral part of many
upper level exams. Students should reread the passages
if necessary in order to discover which word is the most
logical to complete each sentence. You might remind
them that the words can be from any part of speech.

Additional Activities

To practice sentence completion without prompts, have
students do *¿Qué falta?* See p. TE28.

---

28 Hoteles originales

Échele una ojeada al artículo que sigue para ver de qué se trata, prestando atención a las
palabras en azul, ya que se le harán preguntas sobre ellas. Luego lea el artículo y decida
cuáles son las palabras que mejor completan las oraciones y escríbalas. Las palabras
que faltan pueden tener cualquier función gramatical (por ejemplo, pueden ser verbos,
sustantivos, artículos, preposiciones), pero deben tener sentido en la oración. No se olvide
de escribir y acentuar las palabras correctamente.

Dirección www.elmundo.es

Archivo   Edición   Ver   Favoritos   Herramientas   Ayuda

Especial: Hoteles
Dulces (y originales) sueños

Entrar __1.__
prisión, dormir
bajo __2.__ agua,
refugiarse en un
faro o alojarse
en un iglú __3.__
algunas de
las originales
alternativas para
pasar __4.__ noche
frente __5.__ los
tradicionales hoteles de las grandes urbes. De
Europa a Oceanía, damos __6.__ vuelta al mundo
y rescatamos los alojamientos __7.__ innovadores,
divertidos y originales del atlas. Desde __8.__ cárcel
en Australia hasta un submarino en Florida, sin
olvidar un palacio __9.__ sal en Bolivia, el hotel sólo
para niños de Londres, una fábrica de té en Sri
Lanka o __10.__ antigua estación de tren de Cádiz.

Un clásico del hielo
La vida se puede ver de muchos colores y en
Jukkasjarvi predomina __11.__ blanco. En la Escandinavia profunda de hielos y nieves perpetuas, hay
__12.__ ser un poco esquimal para sobrevivir. En
este entorno, __13.__ idea de un hotel de hielo
parece hasta lógica, pero si además convencen
__14.__ artistas de todo el mundo __15.__ que
cada temporada construyan las habitaciones, la
rentabilidad está asegurada. Así, cada iglú
__16.__ distinto, aunque en todos el equipamiento
es básico: una cama de hielo cubierta de pieles de
reno y sacos de dormir contra la hipotermia.
__17.__ la mañana el cliente se despierta con una
bebida caliente hecha de frutos silvestres, __18.__
especie de anticongelante para poder desayunar
a continuación. __19.__ actividades son incontables,
desde pesca en hielo __20.__ baño nocturno en un
jacuzzi.

Suecia. Jukkasjarvi.Tel: 00 46 980 66 800 Internet: www.icehotel.com
Habitaciones: 30 / Precio: 1.900 coronas

The Tea Factory
"Reciclaje" industrial
Estamos en la antigua Ceilán, ante __21.__ paisaje
increíble __22.__ la niebla roza __23.__ montañas
de Nuwara Eliya. Entre __24.__ densidad de los
arbustos del té, un edificio blanco se perfila en
el horizonte —*The Tea Factory*, una antigua
procesadora de té convertida __25.__ hotel. La
plantación __26.__ el sueño del señor Flowerdew, un
inglés victoriano __27.__ eligió Ceilán como hogar.
__28.__ de muchos años y diferentes dueños, la
fábrica se cerró en 1973. Veinte años __29.__ tarde y
después de un gran trabajo de rehabilitación, pasó
a __30.__ un hotel. Las vistas __31.__ espectaculares
y las actividades dentro y __32.__ del hotel
incontables. Como toque sentimental, el edificio
__33.__ una pequeña fábrica __34.__ los clientes, tras
recolectar las hojas de té, asisten __35.__ proceso
de secado y empaquetado.

Sri Lanka. Kandapola, Nuwara Eliya. Reservas en Aitken Spence
Hotels (315 Vauxhall St. Colombo, 2.Tel: 0094 11 230 84 08. Internet:
www.aitkenspence-hotels.com/teafactory). Habitaciones: 57 / Precio:
115 dólares.

Cuevas Pedro Antonio de Alarcón
Tiempo de bandoleros
Así de primeras, lo de las cuevas suena __36.__
troglodita o a bandolero, pero __37.__ vez que se
visitan __38.__ realidad es bien distinta. Las cuevas
son las originales, y datan __39.__ la época en que
los moros __40.__ expulsados de Granada; aquéllos
__41.__ se resistían a abandonar el aire andaluz
construyeron unas cuevas como refugio.
__42.__ cueva es un pequeño apartamento con
cocina, salón, dormitorio y cuarto __43.__ baño. En
algunas __44.__ chimenea y en todas, calefacción.
En verano no __45.__ falta aire acondicionado ya
__46.__ la propia construcción mantiene __47.__
temperatura constante __48.__ 19 grados. Además
hay cuevas para todos __49.__ gustos, con jacuzzi
__50.__ parejas románticas, con dos habitaciones
para los __51.__ viajan con niños... El edificio central
alberga un restaurante y una sala de conferencias.
__52.__ tiene piscina.

Granada. Barriada San Torcuato. Guadix. Tel: 958 664 986. Internet:
www.andalucia.com/cavehotel/cuevas.htm.

www.elmundo.es

29 ¿Qué significa?

Mire las palabras de la primera columna, que aparecen en la lectura anterior, y busque su traducción en la segunda columna.

1. faro		a.	scenery
2. alojamiento		b.	sleeping bag
3. fábrica		c.	to lightly touch
4. predominar		d.	bandit
5. profundo		e.	home
6. temporada		f.	view
7. asegurado		g.	converted
8. reno		h.	lodging
9. saco de dormir		i.	factory
10. silvestre		j.	deep
11. nocturno		k.	to date
12. paisaje		l.	reindeer
13. rozar		m.	lighthouse
14. convertido		n.	for all tastes
15. hogar		o.	touch
16. vista		p.	chimney
17. toque		q.	to dominate
18. bandolero		r.	nocturnal
19. de primeras		s.	heat
20. datar		t.	at first
21. salón		u.	assured
22. chimenea		v.	to house
23. calefacción		w.	season
24. para todos los gustos		x.	wild
25. albergar		y.	living room

30 Su hotel ✍

Ud. es una persona muy creativa y aventurera y acaba de abrir un hotel muy original. Haga una descripción del hotel similar a las que aparecen en la lectura anterior. Se la va a mandar a la sección de anuncios de un periódico, para así captar a posibles clientes. Escriba el artículo usando el tiempo presente e intente usar algunas de las "tapitas" gramaticales y el vocabulario que ha repasado en esta lección.

Cita

Si quieres viajar hacia las estrellas, no busques compañía.
—Heinrich Heine (1797–1856), escritor alemán

🧍🧍 ¿Por qué piensa que pudo haber hecho este comentario? Comparta su opinión con un/a compañero/a.

¿Dónde está la Península "No entiendo"? La península de Yucatán (México) tiene ese nombre curioso. Se cuenta que al llegar los conquistadores españoles a ese lugar, preguntaron cómo se llamaba. Los indígenas les contestaron: "Yucatán, Yucatán". Y así se le llamó Yucatán a la península. *Yucatán* en el idioma indígena significaba "No entiendo".

Nota cultural

La península de Yucatán es famosa por el turismo —aquí están Cancún, Cozumel, Playa del Carmen, Isla Mujeres y las ruinas mayas— y por ser el lugar donde cayó un enorme meteorito que, según algunos, acabó con los dinosaurios.

29 1. m; 2. h; 3. i; 4. q; 5. j; 6. w; 7. u; 8. l; 9. b; 10. x; 11. r; 12. a; 13. c; 14. g; 15. e; 16. f; 17. o; 18. d; 19. t; 20. k; 21. y; 22. p; 23. s; 24. n; 25. v

30 Descriptions will vary.

Instructional Notes

30 Encourage students' creativity and have them share their ideas in small groups when they finish. You might ask students to accompany their descriptions with a drawing.

Additional Activities

Hablen sobre esta foto
See p. TE27.

Juego
Ask students to play *Lo tengo en la punta de la lengua* and/or *¡Háganlo!*. See pp. TE24 and TE25.

Instructional Notes

31 Students could work in small groups to answer the questions for this activity. A whole-class discussion could follow. You could also ask them: *¿Les gustaría dar la vuelta al mundo? ¿Por qué? ¿Qué países les gustaría visitar? ¿Con quién les gustaría hacer el viaje? ¿Por qué?*

32 Because this is the first reading students will see with letters interspersed within the text, explain that in a later activity (37), these letters will be answer choices for figuring out where additional text might go.

Additional Activities

Repaso Expreso
See p. TE28.

Juego
Ask students to play *Hablar hasta por los codos*. See p. TE24.

¡A leer!

31 Antes de leer 🚶🚶

¿Ha viajado Ud. —o le gustaría viajar— a muchos sitios? ¿Por qué? ¿Le gustan los viajes en los que ve muchas cosas en poco tiempo? ¿Por qué? ¿Sabe quién era Julio Verne?

32 Un viaje 📖

Lea con atención el pasaje que sigue, fijándose en el contenido y las palabras en azul, ya que se le harán preguntas sobre ellas.

El viaje
Un pulso a Julio Verne

JAVIER PÉRES DE ALBÉNIZ

Cuando recojo la maleta en el aeropuerto de Barajas mis articulaciones chirrían como goznes oxidados. Tengo en los riñones el recuerdo de 30 despegues y aterrizajes, y en los músculos el
5 castigo de 75 horas de vuelo. No lo veo, ni lo siento, pero sé que mi trasero tiene la forma del asiento de un Boeing 767 de Lan Chile. Once nuevos sellos de otros tantos países ilustran mi pasaporte, y en la cabeza me bulle un torbellino de sensaciones. Aca-
10 bo de dar la vuelta al mundo y ¡me río de los que sienten el jet lag! Cuando das la vuelta al mundo en 15 días ni te paras a pensar en estos pequeños inconvenientes (A): comes, duermes y vives su-mergido en ese jet lag, una sensación algodonosa
15 que te mantiene las 24 horas del día en una nube. Cuando das la vuelta al mundo en 15 días viajas contra el tiempo, desprecias la lógica, desafías la razón y pones tu cuerpo contra las cuerdas. Tus experiencias anteriores (B) no sirven de nada: dar
20 la vuelta al mundo es comenzar a viajar. Es iniciar una nueva forma de vida.
Julio Verne imaginó una vuelta al mundo en un tiempo récord: 40 días. Phileas Fogg era un tipo adinerado y flemático, pero muy lento. Cien años
25 después de la muerte del escritor francés hemos rebajado esa cifra soñada hasta dejarla en 15 días. Quince días, once países de los cinco continentes, 75 horas de vuelo, 50.598 kilómetros... ¿Se puede

disfrutar de un viaje realizado a esta velocidad? ¿Es
30 posible ver o aprender algo, desplazándose a este frenético ritmo? La respuesta es sí. Sí, siempre que los vuelos (C) se coordinen con precisión milimé-trica, que estén muy claros los lugares a visitar y que el viajero no se arrugue ante la falta de sueño
35 o de comodidades (D). «¡Lejos! ¡Lejos! ¡Aquí el lodo está formado por nuestros llantos!», escribió un Baudelaire que pensaba que cada viaje es un cambio de vida, y que los verdaderos viajeros son aquéllos que parten por partir.
40 (...) Nunca es sencillo regresar de un buen viaje. No es fácil poner en orden tantas imágenes, sensa-ciones, cambios de olor, de horario... Julio Verne tenía razón, se puede dar la vuelta al mundo en 15 días, pero hubiese preferido hacerlo en 40.
45 —Pareces cansado, tienes mala cara —me dice mi hija.
—No son los años, cariño, son los kilómetros —le contesto imitando a Indiana Jones.

www.elmundo.es

Nota cultural

Barajas es el aeropuerto de Madrid. Lan es una línea aérea de Chile. Phileas Fogg fue el protagonista que dio la vuelta al mundo en el famoso libro de Julio Verne, *La vuelta al mundo en 80 días*, publicado en 1873.

33 ¿Qué significa? 🔍

Mire las palabras de la primera columna, que aparecen en la lectura anterior, y busque su traducción en la segunda columna.

1.	recoger	a.	take off
2.	maleta	b.	hinge
3.	gozne	c.	to pick up
4.	riñón	d.	to enjoy
5.	despegue	e.	speed
6.	aterrizaje	f.	to lower
7.	nube	g.	mud
8.	desafiar	h.	to wrinkle
9.	adinerado	i.	simple
10.	rebajar	j.	landing
11.	cifra	k.	to look bad
12.	disfrutar	l.	dear
13.	velocidad	m.	kidney
14.	arrugar	n.	suitcase
15.	lodo	o.	cloud
16.	sencillo	p.	to challenge
17.	tener mala cara	q.	rich
18.	cariño	r.	number

34 ¿Ha comprendido?

1. ¿Qué le ocurre al protagonista de la historia en el aeropuerto de Barajas?
   a. Pierde su maleta.
   b. Describe sus últimas horas de viaje.
   c. Recuerda su viaje en avión.
   d. Describe la sensación de cansancio que tiene.

2. ¿Qué acaba de hacer el autor del texto?
   a. Se ha recuperado del *jet lag*.
   b. Se ríe recordando su travesía.
   c. Ha dado la vuelta al mundo.
   d. Ha pasado una quincena en casa con su hija.

3. ¿Qué piensa nuestro escritor acerca de un viaje tan rápido?
   a. No es posible disfrutar a ese ritmo.
   b. Aprendes mucho, pero sobre todo de la precisión de los aviones.
   c. La falta de sueño te impide sentirte bien en este viaje.
   d. Es una buena experiencia, con la que se aprende y disfruta si se descansa y si todo está bien organizado.

4. ¿Qué cambiaría el protagonista de este viaje?
   a. Visitaría menos países.
   b. Nada, de esta forma le parece perfecto.
   c. Lo pensará cuando ponga en orden sus ideas.
   d. Quince días están bien, pero preferiría hacerlo en 40.

5. ¿Qué ocurre con su hija a la llegada al aeropuerto?
   a. Su hija está muy agotada y de muy mal humor.
   b. Le dice cuántos años ha estado viajando.
   c. Tiene una corta conversación con una pequeña broma.
   d. Hablan sobre cine.

Answers

33 1. c; 2. n; 3. b; 4. m; 5. a; 6. j; 7. o; 8. p; 9. q; 10. f; 11. r; 12. d; 13. e; 14. h; 15. g; 16. i; 17. k; 18. l

34 1. d; 2. c; 3. d; 4. d; 5. c

Instructional Notes

33 Ask students to use ten or more of the new words from "Un pulso a Julio Verne" in a short paragraph. Then have students work in small groups, reading their work to others and comparing the words selected. They should explain the meaning of some of the new words or give synonyms for them.

Additional Activities

Juego
Ask students to play *¿Verdadero o falso?* See p. TE25.

Answers

35 *Ejemplos:*
1. ¿Cuántas veces despegó y aterrizó el autor del artículo? **2.** ¿Cuántos sellos tiene ya el autor en el pasaporte? **3.** ¿Cuántos días duró su viaje alrededor del mundo? **4.** ¿Quién imaginó una vuelta al mundo en cuarenta días? **5.** ¿Quién era un tipo adinerado, flemático y lento? / ¿Quién fue el protagonista de una obra de Julio Verne? **6.** ¿Qué hace falta para disfrutar de una vuelta al mundo? **7.** ¿Cuántas horas de vuelo duró este viaje? **8.** ¿Quién lo esperaba a la vuelta? / ¿Quién le dice "mala cara"? **9.** ¿Cómo le contesta a su hija?

36 Answers will vary, but students should mention that doing these activities just for the sake of doing them shows no appreciation or understanding of them *(hacer estas actividades por el mero hecho de hacerlas no demuestra que uno las aprecia ni las comprende, o sea que uno no disfruta de lo que está haciendo)*.

37 1. Posición A, línea 13

Instructional Notes

38 You might have students work in small groups to answer the questions for this activity, or have a whole-class discussion. The questions correspond to the reading on p. 19.

Additional Activities

Trabajo de investigación
Assign students a city or country in order to research the origins of that city or country's name, and present their findings to the class. Their research might include how the city or country was founded, and who named it (and why).

---

35 ¿Cuál es la pregunta?

Según lo que acaba de leer, escriba una pregunta lógica para estas respuestas.

1. Treinta veces
2. Once
3. Quince días
4. Julio Verne
5. Phileas Fogg
6. Muchísima organización
7. Setenta y cinco
8. Su hija
9. Con humor

36 ¿Qué piensa Ud.?

¿Qué cree que significa la expresión "viajar por viajar"? ¿Y otras similares como "comer por comer", "hablar por hablar" y "leer por leer"?

37 ¿Dónde va?

La siguiente frase se puede añadir a "Un pulso a Julio Verne": *que desagradan a tantos.* ¿Dónde encajaría mejor la frase?

1. Posición A, línea 13
2. Posición B, línea 19
3. Posición C, línea 32
4. Posición D, línea 35

Cita
Olviden toda idea acerca de ciudades perdidas, viajes exóticos y agujerear el mundo. No hay mapas que lleven a tesoros ocultos y nunca hay una X que marque el lugar.
—De la película *Indiana Jones y la última cruzada*

¿Piensa que existen tesoros ocultos? Si encontrara Ud. un mapa que mostrara donde hay un tesoro, ¿lo buscaría o se lo daría a las autoridades? Hable de lo que haría con un/a compañero/a.

¡Dato curioso!
Cuando Colón llegó a Costa Rica vio que muchos nativos llevaban bonitas joyas alrededor del cuello. Por eso los españoles pensaron que habían llegado a una costa muy rica.

38 Antes de leer

¿Cuál es el medio de transporte preferido por la gente en su ciudad o país? ¿Y por su familia? ¿Y por Ud.? ¿Suele Ud. comprar algún recuerdo cuando viaja? ¿Qué recuerdos le gusta comprar (o recibir)?

Nota cultural
Hace muchísimos años, los griegos y cartagineses llamaron lo que hoy es España, "Iberia", por el gran río Iber (actualmente el Ebro). Roma prefirió la palabra *Hispania*, que significa "tierra de conejos" (por la gran cantidad de estos animales en el país) y que incluía lo que ahora es España y Portugal. Luego el nombre evolucionó a Spania y, finalmente, pasó a ser España.

39 Los latinos

Lea con atención el siguiente artículo, prestando atención a las palabras en azul porque se le harán preguntas sobre ellas.

Viajan y gastan más

Los latinos de este país hacen más paseos en auto, tren o avión que otros grupos minoritarios

Lourdes López
Redactora de Vida y Estilo

Un estudio reciente de la Asociación Estadounidense de la Industria de Viajes (TIAA) mostró cómo los latinos encabezan la lista de viajeros respecto a otros grupos minoritarios, ya sea en automóvil, autobús, tren o avión.
[5] Esto ha ayudado al repunte del sector turismo, el cual fue uno de los más afectados a consecuencia de los atentados del 11 de septiembre de 2001.

"Hemos detectado un fuerte mercado entre las familias latinas con un 20% de crecimiento entre el año 2000
[10] a 2002", comenta la portavoz de TIAA, Cathy Keefe, quien enfatiza un ascenso en el crecimiento del sector turismo paralelo al aumento de la población, al referirse especialmente a la minoría más grande de Estados Unidos. "Los resultados del estudio *The Minority*
[15] *Traveler* indicaron viajes más frecuentes entre los latinos y con un mayor número de personas debido a la tendencia de viajar con la familia, incluyendo niños y otros parientes".

Les gusta la compañía

Según el estudio de TIAA, el 33% de los latinos prefiere
[20] viajar con tres o más miembros de la familia, incluyendo hijos menores de 18 años. El estudio también descubrió que prefieren más el automóvil a otros medios de transporte. "El 75% de ese grupo utiliza el automóvil en sus viajes y en promedio tienen una edad de 45 años,
[25] un poco más joven del promedio nacional que es de 47 años", explica Keefe.

"Un poco más de tres cuartos del total de este grupo viaja por recreación y sólo el 10% lo hace por negocios. Se ha notado también que los latinos prefieren primero
[30] lugares abiertos, más económicos, y también les gusta visitar lugares históricos, festivales y eventos con diferentes actividades". Los diez estados con mayor número de viajeros latinos son: California, Texas, Florida, Nuevo México, Nueva York y Arizona.

Recursos

[35] TIAA ha creado un sitio de la Internet, especial para apoyar y facilitar el itinerario a los aficionados a los viajes. Ingrese a seeamerica.org desde el sitio de TIIA, donde encontrará información detallada de los estados y los destinos más importantes de este país.

[40] "El sitio seeamerica.org es una herramienta eficiente y de uso fácil para programar un viaje en este país", explica Keefe. "La información está dividida por regiones, por parques nacionales y cuenta con mapas, fotos, itinerarios y la descripción de destinos más populares.
[45] También se describen las principales atracciones, ofertas, paquetes, consejos y otros".

Otros resultados

- El estudio de TIAA también detectó que los viajeros latinos tienden a pasear a lugares cercanos a su domicilio, con excepción de familias que tienen
[50] parientes en otros estados o países.
- Los latinos gastan en viajes un promedio de 523 dólares por año sin incluir el transporte.
- Un tercio de sus viajes incluyen a menores de 18 años.
- [55] Las preferencias del 34% de este grupo son las compras, le siguen los sitios abiertos en un 16%, y en el 14% se ubican los parques de diversiones. Los paseos a sitios históricos y playas ascienden ambos a un 13% respectivamente.
- [60] Sólo el 15% de los viajeros latinos opta por utilizar el avión. Existe una tendencia a usar el autobús y el tren.
- Ciudades preferidas por los viajeros latinos: Las Vegas, NV; San Antonio, TX; San Diego, CA;
[65] Houston, TX; Orlando, FL; Riverside/San Bernardino, CA; Phoenix-Mesa, AZ; Orange County, CA; San Francisco, CA.

www.laopinion.com

Instructional Notes

39 Enable a whole-class discussion on the students' preferences in travel: mode of transportation, cities or places visited, time spent there, etc.

40 Vocabulario

Mire las palabras que aparecen en la primera columna abajo y que también aparecen en azul en la lectura anterior. Busque su correspondiente sinónimo o definición entre las palabras de la segunda columna.

1. reciente   a. estar entre los primeros
2. encabezar   b. subir
3. portavoz   c. la media
4. pariente   d. ¾
5. en promedio   e. instrumento utilizado para trabajar manualmente
6. tres cuartos   f. persona que representa algo o a alguien
7. itinerario   g. ruta, camino sugerido con paradas y lugares de interés
8. herramienta   h. ⅓
9. un tercio   i. familiar
10. ascender   j. de hace poco

41 ¿Ha comprendido?

1. ¿A qué ha ayudado la movilidad de los latinos en Estados Unidos?
   a. Al resto de minorías que viven en Estados Unidos
   b. A la mejora del tren y otros medios de transporte
   c. A superar el trágico 11 de septiembre de 2001
   d. A la mejora económica del sector turístico

2. ¿Por qué ha crecido el turismo de los latinos en Estados Unidos?
   a. Son una parte importante del mercado.
   b. Son la minoría más grande en el país.
   c. Viajan varios miembros de una misma familia al mismo tiempo.
   d. Todas las respuestas anteriores

3. ¿Cuál es el propósito más común de los viajes de los latinos?
   a. Usar el automóvil como medio de transporte
   b. Negocios, fundamentalmente
   c. Viajes de ocio a lugares económicos y con diferentes actividades
   d. Viajar con tres o más miembros de la familia

4. ¿Qué proporciona el sitio Web seeamerica.org?
   a. Información sobre el turismo en algunos estados de Estados Unidos
   b. Foros para aficionados a los viajes internacionales
   c. Información para programar un viaje por Estados Unidos
   d. Itinerarios, lugares de interés fuera de Estados Unidos

5. ¿Qué opción es la preferida entre los viajeros latinos?
   a. Parques de diversiones
   b. Sitios históricos y playas
   c. Lugares abiertos y festivales
   d. Viajes organizados

42 Responda brevemente

¿Cree Ud. que existe un mercado turístico destinado solamente a los grupos minoritarios? Si su respuesta es afirmativa, ¿qué lugares son? Si su respuesta es negativa, ¿qué destinos crearía Ud. para algunos grupos minoritarios?

43 Se titula...

Piense en otro título para el artículo que acaba de leer. ¿Por qué lo ha escogido?

44 Lea, escuche y escriba/presente

Vuelva a leer el texto completo de "Viajan y gastan más" y luego escuche la grabación "Un domingo sin automóviles, compromiso ciudadano". Tome notas y escriba un ensayo o haga una presentación en clase contestando la pregunta, "¿Hacemos un uso responsable del transporte?" Mencione las consecuencias ambientales y no se olvide de citar las fuentes debidamente.

45 Antes de leer 🏃🏃

¿Cómo suele Ud. planear un viaje? ¿Ha ido alguna vez a una agencia de viajes? ¿Qué piensa de las agencias de viajes en su ciudad? ¿Cree que terminarán desapareciendo? Después de un viaje, ¿con quién comparte sus experiencias cuando regresa?

46 Los viajes 📖

Lea con atención el siguiente artículo y fíjese bien en las palabras en azul. Luego se le harán preguntas sobre este vocabulario.

Mensaje en una pantalla

Hola, estoy preparando un viaje a Argentina y me gustaría que me ayudarais a organizarme, ya que pretendo ir por libre y tengo muchas dudas. Visitaré Buenos Aires, Iguazú y el glaciar Perito Moreno, pero no sé cuántos días son necesarios para conocer
⁵*medianamente bien estos lugares (A). Además, me gustaría ir a Tierra del Fuego. También quiero saber posibles destinos alternativos, qué compañías aéreas funcionan mejor desde España o tienen los mejores precios. ¿Alguien puede informarme? Muchas gracias de antemano.*

Yolanda

Hace unos años Yolanda hubiera colgado este mensaje en un tablón de anuncios de, por ejemplo, el hall de cualquier facultad junto con un número de teléfono de contacto.
⁵También podría haberlo publicado en un periódico. Las posibilidades de que alguien le hubiera contestado, si no nulas sí eran pocas. Era como lanzar una botella con un mensaje a la inmensidad del océano. (...)

¹⁰Organizar y comprar un viaje por Internet se vuelve así algo tan sencillo como hacerse un traje a medida en un sastre de toda la vida. A través de los foros de viajeros se obtiene información de los hoteles más céntricos
¹⁵(B), de la calidad de sus servicios así como fotos de las habitaciones, por no hablar de la relación calidad/precio... Y lógicamente este fenómeno provoca que las primeras empresas en comprender la importancia
²⁰de estar al tanto de lo que de ellas se dice en la Red han sido las vinculadas (C) más directamente con el turismo. El mito de las tierras patagónicas donde se siente una inmensa soledad ya no lo es tanto. No sólo
²⁵por los miles de visitantes que reciben cada año, sino por los relatos que muchos de estos "aventureros" del siglo XXI "cuelgan" de los modernos tablones de anuncios —llamados ahora foros (D). Estos perfectos manuales de
³⁰viaje intentan que el próximo en aventurarse donde el mundo se acaba no deje de visitar los rincones más interesantes de este territorio que algunos se atreven a "vender" como inexplorado... —Che, por cierto 'mina',
³⁵que tengas un bonito viaje!

www.paradores.es

Investigue palabras clave:
Buenos Aires, Tierra del Fuego, Iguazú, glaciar Pedrito Moreno

---

Teacher Resources

🔘 Activity 44 (CD 1, track 3)

Instructional Notes

44 Encourage students to absorb comprehension of the reading in activity 39 before they listen to the audio. Tell them that they will hear some words in *gallego*, one of Spain's official languages. *Gallego* is spoken in Galicia, which borders Portugal. Galician and Portuguese are similar. Explain that *ourensanos* are citizens of Ourense, a city in Galicia.

Some other words you might want to review before listening to the audio are: *sumarse*, to add; *cargado*, filled; *gestión*, negotiation; *lema*, motto/slogan; *reforzarse*, to strengthen; *fomentar*, to promote; *comportamiento*, behavior; *efecto invernadero*, greenhouse effect; *patrimonio*, heritage; *desván*, loft, attic.

Ask students to predict what the listening will be about, based on the title.

45 You might have students work in small groups to answer these questions, or have a whole-class discussion.

46 After students have read "Mensaje en una pantalla," ask them what reading strategies they used to help find the meanings of new words in the article.

Additional Activities

Mini proyecto
After students listen to the audio, ask them to promote the use of public transportation in their city or town through advertising. They can create their ads on poster board or with a PowerPoint slide. Display their work in the classroom or throughout the school, or share them in class to help review vocabulary and grammar from the lesson. Later you could ask students to compare and contrast the ads for their effectiveness, layout, or message. Encourage a discussion about the most efficient, economical, and energy-conserving means of transportation in their city or town.

Comunicación
Ask students to work in small groups and create the ideal class trip to a Spanish-speaking country in order to perfect their language skills. They will need to choose the host city, and come up with details about the course, including the length of same, living accommodations, and cultural sightseeing trips.

Instructional Notes

You might want students to use some or all of the words from activity 47 in sentences.

Additional Activities

¡Post-it!
See p. TE28.

Juego
Have students play *¿Verdadero o falso?* See p. TE25.

47 Vocabulario 🔍

Mire las palabras que aparecen en la primera columna abajo y que también aparecen en azul en la lectura anterior. Busque su correspondiente sinónimo o definición entre las palabras de la segunda columna.

1.	por libre	a.	otra opción
2.	medianamente	b.	tirar, arrojar
3.	alternativo	c.	por cuenta propia, solo
4.	compañía aérea	d.	lugar escondido
5.	facultad	e.	situado en el centro de una ciudad
6.	lanzar	f.	unir, relacionar
7.	céntrico	g.	empresa que organiza el vuelo
8.	estar al tanto	h.	más o menos, aproximadamente
9.	vincular	i.	parte de la universidad
10.	rincón	j.	arriesgarse a hacer algo
11.	atreverse a	k.	informado, saber qué pasa

48 ¿Ha comprendido?

1. ¿De qué se trata el artículo?
   a. Sobre alguien que pide ayuda en la preparación de su viaje
   b. Sobre los comentarios y respuestas que uno encuentra en un blog
   c. Sobre viajeros que usan Internet como la herramienta más útil antes de un viaje
   d. Las agencias de viajes y su futuro en el siglo XXI

2. ¿Qué escribe Yolanda?
   a. Un e-mail a un compañero para indicarle la ruta de su viaje
   b. Una consulta acerca de los precios en España para volar a Argentina
   c. Un mensaje en un blog pidiendo ayuda para la organización de su viaje
   d. Una respuesta a un comentario en un blog argentino

3. ¿Por qué Internet resulta lo más sencillo para el viajero?
   a. Es más cómodo hacerlo desde casa.
   b. La calidad del servicio de la página es mejor que la de una agencia.
   c. La información es más concreta y el viajero configura su propio viaje.
   d. Uno puede ver las fotos de los lugares donde planea ir.

4. Según el texto, ¿ayudan los relatos de los foros en Internet a conocer nuevos lugares?
   a. Sí, son los nuevos manuales de viajes, donde uno puede encontrar información detallada de lugares desconocidos.
   b. No ayudan cuando alguien quiere realizar un viaje a un lugar inexplorado.
   c. Sí, ayudan, pero hay que ser cauto porque muchas veces no son reales.
   d. No ayudan, porque siempre quieren vender algo nuevo.

49 ¿Dónde va? 🔍

La siguiente frase se puede añadir al "Mensaje en una pantalla": *y que están tan de moda.* ¿Dónde encajaría mejor la frase?

1. Posición A, línea 5 (de la introducción)
2. Posición B, línea 15
3. Posición C, línea 21
4. Posición D, línea 29

50 ¿Inglés o español?

En el texto anterior aparece la palabra *hall*. ¿Cree que existe esta palabra en español? Piense en otras palabras de origen inglés que han pasado a formar parte del castellano, y las de origen español que ya son parte del inglés. Dé algunos ejemplos.

51 Lea, escuche y escriba/presente

Vuelva a leer el artículo completo de "Mensaje en una pantalla", y luego escuche la grabación "Viajes por la cara". Tome notas y escriba un ensayo o haga una presentación en clase contestando la pregunta, "¿Cómo han cambiado los viajes con la tecnología?" Incluya información de las dos fuentes citándolas debidamente.

Cita

Jamás viajo sin mi diario. Siempre debería llevarse algo estupendo para leer en el tren.
—Oscar Wilde (1854–1900), dramaturgo y novelista irlandés

Cuando viaja Ud., ¿escribe en su diario? ¿Piensa que es una buena idea? Comparta su opinión con un/a compañero/a.

¡Dato curioso! La palabra *guagua* significa autobús en varios países de Latinoamérica como Cuba y la República Dominicana. Dicen que tiene su origen en la época en la que los americanos llegaron a Cuba, a principios del siglo XX cuando trajeron unos carros a los que llamaban *wagon*. Al no saber los cubanos pronunciar la palabra en inglés bien, de ahí surgió la palabra.

El salto Iguazú

Nota cultural

También existe otra teoría sobre el origen de la palabra *guagua*. Se dice que un empresario de transportes no les cobraba a los niños, a quienes se les conocía como *guaguas*. Como había muchos pícaros que intentaban evitar pagar transporte se les decía "Va de guagua" y de ahí el nombre a estos autobuses.

Teacher Resources

 Activity 51 (CD 1, track 4)

Answers

50 La palabra *hall* existe en español y es aceptada por la Real Academia Española. Examples of English words: *living* (for living room *[sala]* in Spain), *e-mail, suspense, marketing, eslogan, esquí, esmoquin* (for tuxedo), *suéter*; examples of Spanish words: *siesta, patio, rodeo, plaza.*

Instructional Notes

51 Encourage students to absorb comprehension of the reading before they listen to the audio. You might need to explain that the expression *por la cara* means "for free or nothing." Other words you might review before students listen to the audio are: *empedernido,* compulsive; *rascarse el bolsillo,* to pay up; *compartir gastos,* to share expenses; *requisito,* requirement; *amoldarse,* to adapt; *plaza libre,* vacancy; *estar dispuesto a,* to be ready to; *trotamundos,* globetrotter; *abarcar,* to include/take in; *hospedaje de gorra,* free accommodations; *culminar,* to end; *anfitrión,* host.

Additional Activities

Trabajo de investigación
Ask students to visit a Spanish-language Web site on travel and print out some comments. Then have them work with a partner to compare remarks. Before students begin their research, review suitable Web site addresses and share these with students; these should be Web sites of cities or regions in Spain or Latin America.

Teacher Resources

 Activity 52 (CD 1, track 5)

 Activity 16

Answers

52 1.c; 2. b; 3. d; 4. c

Instructional Notes

52 You might want to review the following words with students before they listen to the audio: *provechoso,* beneficial/useful; *equivocado,* wrong; *pesadilla,* nightmare; *supuestamente,* supposedly; *tapado,* covered; *de golpe,* suddenly; *crisparse los nervios mutuamente,* to get on each other's nerves; *placentera,* pleasant; *por culpa de,* because of.

Remind students that they will hear the questions for activity 52 only on the audio; they will not be in their textbooks. These questions appear below:

1. ¿Qué parece ocurrir entre las familias durante la época de vacaciones?
2. ¿Qué se recomienda antes de viajar de vacaciones?
3. ¿Por qué surge el deterioro de la pareja durante las vacaciones?
4. ¿Cuál es la diferencia entre las expectativas masculinas y femeninas?

---

52 Vacaciones: ¿una verdadera pesadilla?

Lea las posibles respuestas primero y después escuche la grabación "Vacaciones, ¿una verdadera pesadilla?" Escoja la mejor respuesta para cada pregunta que escuchará en la grabación.

1. (Pregunta que escuchará en la grabación.)

   a. Salen a visitar a familiares.
   b. Toman su descanso con armonía.
   c. Desaparece el bienestar y todo se complica.
   d. En ocasiones el tiempo o el hotel puede ocasionar imprevistos.

2. (Pregunta que escuchará en la grabación.)

   a. Planearlo todo previamente para evitar imprevistos.
   b. No crear falsas ilusiones para evitar sentirse frustrado con el mundo real.
   c. Evitar viajar con niños porque se ponen insoportables.
   d. Asegurarse de que el tráfico, el hospedaje y el tiempo serán favorables.

3. (Pregunta que escuchará en la grabación.)

   a. Porque cada uno tiene una idea diferente de las vacaciones y distintos gustos por las actividades que quieren realizar
   b. Porque no existe comunicación entre ambos y en ocasiones no hablan más de 20 minutos al día
   c. Porque la pareja no está preparada para afrontar una convivencia así de intensa
   d. Las respuestas a y c

4. (Pregunta que escuchará en la grabación.)

   a. El hombre valora más el descanso mientras que la mujer prefiere el lujo.
   b. La mujer prefiere este tiempo para realizar algún deporte pero el hombre se inclina por la relajación y el descanso.
   c. La mujer desea tomar el tiempo como descanso y el hombre prefiere realizar otras actividades.
   d. El lujo y la comodidad es más importante para el hombre; para la mujer, basta con el descanso.

53 Hoteles originales

Escuche las grabaciones sobre "Hoteles originales" y luego conteste las preguntas.

Primer hotel
1. ¿Qué se les da a los clientes cuando llegan al hotel?
2. ¿Quién les lleva la comida a las habitaciones?
3. ¿Cómo se entretienen en el hotel?

Segundo hotel
1. ¿Dónde se encuentra este hotel?
2. ¿Qué es especial de este hotel?
3. ¿Quiénes son los dos escritores que se mencionan?
4. Mencione tres temas diferentes de los libros que hay en las habitaciones que uno puede reservar.

Tercer hotel
1. ¿Qué tipo de hotel es?
2. ¿Dónde está ubicado?
3. ¿Qué se hace con el ingrediente que se menciona?
4. ¿A qué se parece el paisaje que rodea el hotel?
5. ¿Cuál es la mejor época del año para ir? ¿Por qué?

Cuarto hotel
1. ¿Dónde se encuentra este hotel?
2. ¿Cuál es el requisito para poder ser un cliente de este hotel?
3. ¿Cómo entretienen a los jóvenes?
4. ¿Cómo se visten para las cenas de gala?
5. ¿Qué hacen con los huéspedes antes de irse a dormir?

54 Participe en una conversación

Ud. va a participar en una conversación. Primero lea la descripción de la conversación y piense en algunas palabras o expresiones que le serían útiles. Organice sus ideas, haciendo predicciones sobre lo que se le pueda preguntar o comentar. Una descripción de lo que va a escuchar aparece abajo en color. Participe en la conversación grabando las respuestas o escribiéndolas en su cuaderno.

Escena: Ya están planeando Macarena y Ud. una escapada para el fin de semana.

Macarena:	*(Suena el teléfono.)* Macarena llama por teléfono.
Ud.:	• Conteste.
Macarena:	Le explica por qué ha llamado.
Ud.:	• Dele una excusa.
Macarena:	Sigue la conversación. Le hace una pregunta.
Ud.:	• Conteste su pregunta, sorprendido/a por su sugerencia.
Macarena:	Sigue la conversación. Le hace otras preguntas.
Ud.:	• Háblele sobre sus preferencias para estos tipos de viajes. Explique las razones.
Macarena:	Sigue la conversación y le hace más preguntas.
Ud.:	• Haga un comentario y despídase.

Audioscript Activity 54

Macarena: Hola, ¿qué tal? ¿Qué haces?
[STUDENT RESPONSE]
Macarena: Anda, vente a dar una vuelta con nosotros.
[STUDENT RESPONSE]
Macarena: Ah, vale. Entonces quedamos otro día. Oye, de todas formas te llamaba porque quería saber si has visto el anuncio en el tablón de anuncios. Hay una oferta muy buena para pasar una semana de deportes de aventura en las montañas. ¿Qué te parece?
[STUDENT RESPONSE]
Macarena: Ja, ja. Ya me conoces. Apenas hemos vuelto de nuestras vacaciones y ya estoy pensando en las siguientes. ¿Te importa hacer viajes largos? ¿Qué tipo de medio de transporte prefieres?
[STUDENT RESPONSE]

Macarena: Bueno, la verdad es que ahora estoy pensando en otra posibilidad. Ya que nunca salgo del país. ¿Te animas a hacer un viaje a China? He oído que hay una buena oferta. ¿Te apetece? ¿Qué piensas?
[STUDENT RESPONSE]

Teacher Resources

 Activity 53 (CD 1, track 6)
Activity 54 (CD 1, track 7)

 Activity 17

Answers

53 Primer hotel 1. Una tarjeta para la habitación y un traje de buzo; 2. Un buzo con un contenedor que se puede meter en el agua; 3. Pueden ver la televisión o una película en el DVD, pero lo mejor es sentarse junto a la ventana para ver pasar los peces.

Segundo hotel 1. En la famosa avenida Madison de Nueva York; 2. Ofrece más de 6.000 libros a sus clientes. 3. Lord Byron y Neruda; 4. *Any three of the following:* Poesía, botánica, astronomía y cuentos de hadas.

Tercer hotel 1. Es como si fuera un palacio de sal. 2. En Uyuni (*Tell students that Uyuni is in Bolivia.*); 3. Todo: las camas, las sillas, las mesas, las paredes y el techo; 4. El polar (por ser blanco y azul); 5. La mejor época es de julio a noviembre. Es cuando el salar está seco.

Cuarto hotel 1. En Londres; 2. Ser menor de doce. 3. Con juegos, bailes y cenas de gala; 4. Las niñas de princesas y los niños, de superhéroes; 5. Les leen un cuento.

Instructional Notes

53 You might want to review the following words with students before they listen to the audio: *traje de buzo*, diver's suit; *comodidad*, comfort; *contenedor sumergible*, submersible container; *presumir*, to boast; *repartido*, distributed; *aderezar*, to season; *pizca*, pinch; *temática*, subject matter; *cuentos de hadas*, fairy tales; *sobrar*, to be left over; *materia prima*, raw material; *disponer de*, to have; *lodo*, mud; *entorno*, environment; *salar*, salt flat; *acudir*, to attend; *despistado*, absentminded; *módico*, modest.

54 Remind students that the speaker they will hear on the audio will provide cues for them to answer or elaborate on. You may choose to have students record their portions of the conversation, or have them write their responses in their notebooks.

Encourage students to use the vocabulary reviewed in the lesson for their conversation with Macarena. You may want students to brainstorm the meanings of some of the common expressions from these conversations. Ask them to start a list and add to it during the school year. Some expressions from this conversation are: *anda*, come on; *dar una vuelta*, take a (short) walk; *apenas*, hardly; *animarse*, to feel like; *apetecerse*, to feel like.

Instructional Notes

55–58 Make sure students go over the expectations outlined in the *Pautas* (Guidelines) on p. 480 of the Ápendice before they prepare any of the writing activities in this section.

59 Tell students that even if they might feel uncomfortable about correcting someone else's paper, it is part of the learning process. They should be prepared to explain why they have made the corrections. If there is disagreement over any such corrections, they need to discuss their reasoning and perhaps consult a reference grammar, or you could be the arbitrator.

Additional Activities

Lea, escriba y páselo
See p. TE27.

Corrija una carta
See p. TE26.

¡A escribir!

55 Texto informal: un blog

Escriba en un blog. Describa su último viaje (puede ser real o ficticio). Incluya lo siguiente:

- Su destino.
- El medio de transporte y cómo le fue.
- Una anécdota.
- Termine con una pregunta.

56 Texto informal: un consejo

En un foro alguien pide consejo sobre un lugar para pasar unas vacaciones en Latinoamérica. Busque información en Internet y dele consejos a esta persona.

- Dele razones para visitar este país.
- Dele consejos útiles para el viaje.
- Recomiéndele ciudades, festivales y actividades culturales.

57 Ensayo: viajar

Escriba un ensayo contestando la pregunta, "¿Es importante viajar?"

58 Ensayo: el transporte público

Escriba un ensayo en el que compare las ventajas y desventajas del transporte público.

59 En parejas

Intercambie sus ensayos con los de un/a compañero/a. Exprésele su opinión sobre el contenido y el uso del idioma.

Consejo

Antes de empezar, lea las pautas para escribir textos informales en la pág. 480 del Apéndice. Mientras escribe el texto tenga presente los objetivos. Cuando termine, verifique que ha cumplido con todo lo que se describe en la lista y reflexione sobre su trabajo.

Consejo

Antes de empezar, lea las pautas para escribir ensayos en la pág. 480 del Apéndice. Mientras escribe el ensayo tenga presente los objetivos, y no se olvide de ponerle un título original. Cuando termine, verifique que ha cumplido con todo lo que se describe en la lista y reflexione sobre su trabajo.

¡A hablar!

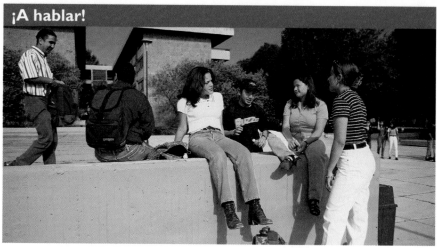

60 Charlemos en el café

Ud. va a debatir los siguientes temas con un/a compañero/a. Uno estará a favor de lo que se ha dicho y otro en contra. El debate durará varios minutos. El/La estudiante que esté de acuerdo comenzará el debate y hablará por unos diez segundos. Cuando el/la profesor/a lo indique, el/la otro/a estudiante tomará la palabra y expresará su opinión por otros diez segundos, y así sucesivamente.

1. El que no viaja sabe menos.
2. Los políticos deberían viajar a otros países.
3. Es necesario que el presidente de un país hable otros idiomas.
4. El coche es el mejor medio de transporte.
5. Es bueno viajar a algún sitio solo/a y hacerlo a menudo.

61 ¿Qué opinan?

Converse con un/a compañero/a sobre estas situaciones o preguntas.

1. Si se quedara Ud. sin dinero en un país extranjero, ¿qué haría?
2. ¿Cuáles cree que son los dos países hispanohablantes más visitados? ¿A qué se debe?

62 Presentemos en público

Conteste una de las siguientes preguntas o haga una presentación sobre uno de los temas durante varios minutos en clase. Organice sus ideas antes de hacer la presentación, busque las palabras necesarias y, después de practicar, presente en clase sin mirar las notas.

1. ¿Cree que viajar hace que uno aprecie más su país? ¿Por qué?
2. Si pudiera ser embajador/a de Estados Unidos en algún país hispanohablante, ¿adónde le gustaría ir? ¿Por qué?
3. Va a ser un gran experto sobre un país hispanohablante. Presente el país a sus compañeros. Hable de su historia, sistema político, lugares para visitar, fauna, etc., y prepárese para las preguntas que le harán.
4. Explique cómo los viajes o ideas de los exploradores, inventores, escritores, viajeros o historiadores han tenido un impacto en la vida de los demás.

Consejo

Antes de empezar, lea las pautas para presentaciones formales en la pág. 481 del Apéndice. Mientras formula su presentación tenga presente los objetivos. Cuando termine la presentación, verifique que ha cumplido con todo lo que se describe en la lista y reflexione sobre el trabajo que hizo.

Durante la presentación

1. Haga un esfuerzo por sonar natural y mostrar que domina el tema sobre el que está presentando.
2. Durante la presentación recuerde mirar a su audiencia a los ojos (no mire a sus pies, a su PowerPoint o exclusivamente a una persona).
3. Concéntrese en su acento, sobre todo la pronunciación de las letras *t, s, p, d* y *r*, y en su entonación.
4. No termine las frases con entonación ascendente.
5. Demuestre que ha trabajado en su presentación y que la ha practicado, pero no suene como un robot que ha memorizado toda la información.
6. No olvide a su público. Si se gana al público, es posible que se le perdonen algunos de los errores.

Share the rubric for oral presentations with students so they understand how you will be grading them (see below).

Rubric for Oral Presentations

Grade each question from 1–5 (5 being the highest, 1 the lowest).

1. ¿Trató todos los objetivos?
2. ¿Hizo la presentación de forma organizada y coherente?
3. ¿Usó el idioma adecuadamente?
4. ¿Tuvo una buena entonación?
5. ¿Fue una presentación creativa?
6. ¿Consiguió captar la atención del público?

Teacher Resources

 Activity 18

Instructional Notes

60 Because all students will speak, allow them time to prepare this activity. Be sure to tell students which issue and which side of the issue they will be debating, so that they can do some research and practice before their debate.

After students have debated these issues with a partner, you might want them to continue the debate in small groups, or even have a discussion with the whole class on one or two of these topics.

You might want to show a word bank on an overhead transparency or on the chalkboard to make sure that students use the new vocabulary.

61 Encourage students to review the vocabulary, including the expressions, at the end of the lesson in order to enhance their discussions. They need to pay attention to the grammar, pronunciation, and intonation, and use appropriate vocabulary to contradict or agree with their partner's comments. After students discuss these questions with a partner, you could hold a whole-class discussion.

62 Have students brainstorm what it takes to be an effective presenter. Then refer them to the *Pautas para presentaciones formales* on p. 481 to compare their ideas with the ones listed. Also write or state the following guidelines (*Antes y durante una presentación*) so they know what is expected of them. Students should copy this information and refer to it before making presentations in later chapters.

Antes de la presentación

1. Debe estar preparado/a; busque la información necesaria.
2. Practique en casa en voz alta.
3. Tome nota del tiempo que dura su presentación.
4. Asegúrese de que usa la gramática adecuada; debe de escribir su presentación, al igual que lo haría con una en su propio idioma.
5. Busque las palabras que necesite usar en un diccionario (no pregunte estas palabras a su profesor/a en medio de la presentación y no use inglés).
6. Asegúrese de que tiene una introducción y una conclusión (no se apresure en terminar).
7. Para hacer la presentación más interesante, siempre es bueno incluir una pequeña historia o anécdota.

Instructional Notes

Give students the following questions before they start the project. These questions will help them understand what is expected of them, and can also guide them in organizing their time and goals more effectively. After they complete their project, they should self-assess their work as a team using the grading system 1–5 (5 being the highest, and 1 the lowest) and write a grade next to each question. After they turn in their work or make their presentation to the class, you will review their project and write your comments and evaluation next to theirs.

Rubric for Projects

1. ¿Tratamos todos los objetivos del proyecto?
2. ¿Se buscó la información debidamente?
3. ¿Fue presentado de forma ordenada y coherente?
4. ¿Cómo presentó cada uno su parte?
5. ¿Cómo fue presentado visualmente?
6. ¿Conseguimos conectar con la audiencia?
7. ¿Hubo algo creativo y original?
8. ¿Cómo fue el uso de la gramática y la ortografía en la parte escrita del proyecto?
9. ¿Cómo fue el uso del vocabulario?
10. ¿Usamos estructuras adecuadas?
11. ¿Cómo fue nuestra entonación?
12. ¿Cómo fue nuestra pronunciación?
13. ¿Cómo presentamos la idea a la audiencia?
14. ¿Cómo conectamos con la audiencia?

Proyectos

63 ¡Manos a la obra!

Trabaje en un grupo de cuatro o cinco estudiantes para llevar a cabo uno de los siguientes proyectos y presentarlo en clase.

- Les han encargado que trabajen en la sección de viajes del periódico local y les han pedido que escriban sobre un país. Les han dado dos hojas del periódico para hacerlo. Decidan el país y los diferentes temas; por ejemplo, la historia, el ocio, los lugares de interés, y los formatos: la publicidad, las cartas al director, las tiras cómicas. Luego elaboren los artículos.

- Presenten un país del mundo hispano a la clase. Hablen de su historia, situación geográfica, sistema de gobierno, gastronomía, tradiciones y turismo.

- Hagan un anuncio para promover el uso del transporte público en su ciudad. Decidan si va a ser un anuncio gráfico, de radio o de televisión.

- Inventen un producto que haga que los viajes sean más placenteros. Preséntenselo a sus posibles compradores/compañeros. Puede ser un producto realmente interesante o absurdo. En cualquier caso, deben pensar en una buena estrategia para convencer al público.

Vocabulario

Verbos

abrocharse	to fasten
albergar	to house
apetecer	to feel like
arrancar	to pull up/out, start
arrugar(se)	to wrinkle
ascender (ie)	to raise
asegurar	to ensure
caber	to fit
colgar (ue)	to hang (up)
convencer	to convince
desafiar	to challenge
desplegarse (ie)	to spread out
desvelar	to reveal
discurrir	to go by
encabezar	to lead, head
golpear	to hit
guiar	to guide
influir	to influence, have influence
intentar	to try
lanzar	to throw
lograr	to achieve, obtain
padecer	to suffer
perseguir (i)	to pursue
pretender	to expect; to try
provocar	to cause
rebajar	to lower
recoger	to pick up
recorrer	to travel, go through
reñir (i)	to quarrel
soler (ue)	to be in the habit of
surgir	to come up
vincular	to link
volar (ue)	to fly
volver(se) (ue)	to go back

Verbos con preposición

verbo + a:

atreverse a	to dare to
conducir a	to drive to
ir a	to go to
llegar a	to arrive at
regresar a	to return to

verbo + con:

abrigarse con	to keep warm with
quedar con	to arrange to meet with

verbo + de:

acabar de + infinitivo	to have just finished doing something
alejarse de	to move away from
datar de	to date from

disfrutar (de)	to enjoy (doing something)
marcharse de	to go away from
regresar de	to return from
reírse (i) de	to laugh at

verbo + en:

alojarse en	to stay in
convertir (ie, i) en	to turn into
desarrollar en	to develop into
quedar en + infinitivo	to agree to do something
sentarse (ie) en	to sit down in/on

verbo + por:

conducir por	to drive by
pasar por	to go by

Sustantivos

el	alojamiento	accommodations
el/la	anfitrión/anfitriona	host, hostess
la	arena	sand
el	atasco	bottleneck
el	aterrizaje	landing
la	belleza	beauty
la	bienvenida	welcome
la	calefacción	heat
la	caminata	long walk
el	cariño	affection; *in direct speech:* darling
la	cifra	figure
el	cinturón	seatbelt, belt
la	despedida	good-bye
el	despegue	takeoff
el	destino	destination
el/la	dueño/a	owner
la	edificación	building
el	entorno	environment, surroundings
la	época	period
el	equipaje	luggage
el	guión	script
la	herramienta	tool
el	hogar	home
el	horario	schedule
la	lentitud	slowness
la	llegada	arrival
la	maleta	suitcase
la	muchedumbre	crowd
la	niebla	fog
la	nube	cloud
la	orilla	shore, riverbank
el	paisaje	landscape, scenery
el	paraíso	paradise
el/la	pariente/a	relative, family member
la	penumbra	semi-darkness, half-light
el	percance	mishap

Teacher Resources

 Activities 19–24

 Visite la página Web de *¡A toda vela!* en www.emcp.com

Additional Activities

Juegos

To practice and reinforce the lesson's vocabulary, have students play any of the following games: *Relevos*, *Cada uno una*, and *Cadena de palabras*. See pp. TE24 and TE25.

Juegos

To practice the culture topics presented in the lesson, ask students to play *¿Verdadero o falso?* or *¿Quién quiere ser millonario?* See p. TE25.

To review the lesson's vocabulary, have students do *El desafío del minuto* or *Vocabulario*. See pp. TE27 and TE29.

la	piedra	stone
el/la	portavoz	spokesperson
la	profundidad	depth
el	promedio	average
el	relato	tale, story
el	reto	challenge
el	rostro	face
la	sabiduría	wisdom
el	salón	living room
el	sello	stamp
la	soledad	loneliness; solitude
el	sosiego	serenity, peace
el	tablón de anuncios	bulletin board
la	temporada	season
el	tercio	(one) third
el	toque	touch
el/la	viajero/a	traveler
la	vista	view
la	viuda	widow

Adjetivos

adinerado, -a	rich
apasionado, -a	enthusiastic
asombroso, -a	amazing, astonishing
aventurero, -a	adventurous
desafiante	challenging
desnivelado, -a	uneven
dispuesto, -a	willing
entusiasmado, -a	excited
espantoso, -a	horrible
estrecho, -a	narrow
estupendo, -a	wonderful
forzado, -a	forced
inolvidable	unforgettable
lujoso, -a	luxurious
mareado, -a	dizzy, seasick
masificado, -a	overcrowded
nocturno, -a	night, nocturnal
peligroso, -a	dangerous
poblado, -a	populated
profundo, -a	deep
rebajado, -a	reduced
reciente	recent
rodeado, -a	surrounded
sencillo, -a	simple

silvestre	wild
último, -a	last

Adverbios

a menudo	often
demasiado	too, too much
lógicamente	logically
rara vez	rarely, not usually
temprano	early

Expresiones

a las afueras de	in the outskirts of
a lo largo de	along, through
(acomodarse) a sus anchas	(to make oneself) at home
con retraso	delayed
dar la bienvenida	to welcome
dar pánico	to get scared by smthg
dar saltos	to jump
de primeras	at first
estar al alcance de	to be reachable, obtainable
estar al tanto de	to be up-to-date
estar dispuesto a	to be willing to
(la) falta de	(the) lack of
hacer cola	to wait in line
(la) hora de vuelo	flight time
lo primero que	the first (thing) that
muchas gracias de antemano	to thank beforehand
no perder de ojo	to not lose sight of
para todos los gustos	for all tastes
¡Qué va!	No way!
(la) reserva de plaza	reservation
(el) siguiente paso	(the) next step
tener falta de sueño	to be deprived of sleep
tener mala cara	to look bad/sick
tres cuartos de	three quarters of

A tener en cuenta

Formación de sustantivos

Algunos nombres se forman con el participio de un verbo:
comer, la comida; entrar, la entrada
ir, la ida; llegar, la llegada
mirar, la mirada; salir, la salida
volver, la vuelta

Sustantivos femeninos:
-dad: la ciudad, la soledad
-ión: la excursión, la impresión
-tad: la dificultad, la facultad
-umbre: la costumbre, la muchedumbre
las islas: las Baleares, las Malvinas
las letras del abecedario: la *a*, la *b*, la *c*, la *d*,...

Sustantivos masculinos:
-aje: el equipaje, el pasaje
-án: el holgazán, el huracán
los colores: el azul, el gris, el morado
los números: el uno, el veintitrés
los días y meses: el lunes, el último octubre
los árboles: el manzano, el naranjo
los lagos, océanos, ríos, mares y montañas: el Amazonas, los Andes, el Everest
algunos que terminan en -*ma*: el clima, el dilema, el idioma ⟵ *palabras griegas*
nombres compuestos: el abrelatas, el paraguas, el rascacielos

el holgazán

See ExamView for assessment options.

Instructional Notes

You might want to ask students to review the grammar objectives, including the *"Tapitas" gramaticales*. Ask them to define the terms mentioned.

Find out what the students know about the culture topics of this lesson by asking: *¿Cuáles son las ventajas de ser bilingüe? ¿Qué significa ser bicultural? ¿Cuáles son algunos aspectos positivos de la inmigración? ¿Y los negativos? ¿Qué costumbres o tradiciones conocen de los países hispanohablantes? ¿Cómo se parecen o se diferencian de las costumbres o tradiciones de este país? ¿Qué pueden decir de Cochabamba, Bolivia, o de Bolivia en general? ¿Cuáles son algunos grupos indígenas de las Américas? ¿Qué saben de los problemas con los que se enfrentan? ¿Podría nombrar algunas lenguas de estos grupos indígenas? ¿Cuáles son?*

Engage students in a discussion on the Hispanic influence in the United States. Ask them how the photos on this page reflect this influence. (The top photo shows an Ecuadorian grocery store in Jackson Heights, New York; the middle image is of parade-goers celebrating Puerto Rican Day in New York City; and the bottom image is part of an ad campaign to encourage voter registration among Hispanics in Texas.) You might ask: *¿Por qué serán tan populares las tiendas étnicas? ¿Qué celebraciones hispanas conocen Uds. en los Estados Unidos? ¿Qué impacto tiene el voto latino en su ciudad/estado?*

Lección B

Objetivos

Comunicación
- Hablar de la inmigración
- Explorar las tribulaciones y el impacto del turismo
- Discutir el bilingüismo y el biculturalismo

Gramática
- El pretérito y el imperfecto del indicativo

"Tapitas" gramaticales
- el género de los sustantivos
- el sufijo *-ísmo*
- palabras negativas
- verbos reflexivos
- apócopes: *algún/alguno*; *cualquier/cualquiera*
- algunos usos del subjuntivo
- verbos como *gustar*
- usos de *e, al, la mayoría de* y *todos los*

Cultura
- La inmigración
- Tradiciones y costumbres
- Cochabamba (Bolivia)
- Los indígenas y sus lenguas

Visite la página Web de *¡A toda vela!* en www.emcp.com

32   Capítulo 1 • ¡Buen viaje!

Nota cultural

El aprendizaje de un segundo idioma no es un concepto nuevo. Los romanos aprendían griego, y más tarde el latín fue el segundo idioma de la gente educada en Europa. Hoy en día se hablan unos 500 idiomas en Latinoamérica; muchos hablan un idioma diferente en casa, y reciben la educación en las escuelas en español y portugués. En África hay al menos 1.000 lenguas (siendo el Swahili, inglés y francés las oficiales, dependiendo de la zona), y en India se hablan alrededor de 150. En los países de la antigua Unión Soviética se hablan al menos 50 lenguas, y en Suiza y España hay cuatro lenguas oficiales.

A finales del siglo XIX y a principios del XX era bastante común en Estados Unidos enseñar varios idiomas en las escuelas, siendo el alemán el más común. Con el estallido de la Primera Guerra Mundial hubo un gran rechazo del aprendizaje de otras lenguas, sobre todo el alemán, hasta tal punto que más de 20 estados aprobaron una ley en contra de la enseñanza de idiomas extranjeros.

Durante los años 50 la enseñanza de idiomas empezó a ponerse de moda otra vez, entre otros motivos por la Segunda Guerra Mundial. Se desarrolló un método fundamentalmente oral, para ser usado por los soldados en sus destinos. Luego muchos profesores adoptaron este método en sus clases.

Para empezar

1   Conteste las preguntas

Piense en las respuestas a las siguientes preguntas. Ud. puede tomar notas si lo considera necesario. Cuando termine, compare sus respuestas —pero sin mirar sus notas— con las de un/a compañero/a.

1. Explique la diferencia entre "viajar por placer" y "viajar por obligación".
2. Nombre diferentes situaciones en las que las personas se ven obligadas a viajar.
3. ¿Qué piensa de la inmigración? ¿Por qué son necesarios los inmigrantes para un país?
4. ¿Hay muchos inmigrantes en la zona donde vive? ¿De dónde viene la mayoría de ellos?
5. ¿Cree que es fácil para los hijos de los inmigrantes adaptarse al nuevo país? ¿Por qué?
6. ¿Qué piensa que ocurre con la cultura y tradiciones cuando una persona se muda a otro país?
7. ¿Es fácil adaptarse a otras culturas? ¿Por qué? ¿Ha tenido Ud. problemas para comunicarse con gente que habla otro idioma?
8. ¿Cree que las personas saben apreciar otras culturas y costumbres cuando viajan? ¿A qué se debe?
9. ¿Piensa que el turismo puede afectar a la gente de un país o región? ¿De qué manera?
10. ¿Qué tradiciones de otros países conoce?

La Tomatina

2   Mini-diálogos

Ud. va a crear un mini-diálogo con un/a compañero/a. Lea la descripción de la conversación antes de empezar. Puede tomar notas para organizar sus ideas, pero no las mire mientras conversa.

Escena: En la parada del metro dos amigos/as ven a una persona con una extraña vestimenta, típica de su país, y comienzan una conversación sobre otras culturas.

A:	Comience la conversación. Exprese su opinión sobre las tradiciones.
B:	Hágale preguntas sobre sus comentarios. Pregúntele su opinión al respecto.
A:	Exprese su opinión. Pregúntele sobre su tradición preferida.
B:	Contéstele. Hable sobre algo que es tradicional en su familia.
A:	Reaccione a su comentario. Hable sobre algo que es tradicional en su familia.
B:	Reaccione a su comentario. Háblele de una tradición en un país hispanohablante.
A:	Reaccione a su comentario. Háblele de otra tradición en un país hispanohablante.
B:	Despídase cordialmente.
A:	Despídase cordialmente.

Cita

La tradición no se hereda, se conquista.
—André Malraux (1901–1976), novelista y político francés

¿Está Ud. de acuerdo con lo que dice? ¿Por qué? ¿Qué tradiciones sigue su familia? Comparta su opinión con un/a compañero/a.

●Dato ¡curioso! Se dice que en la Edad Media las madres les tapaban la boca a sus hijos pequeños que bostezaban porque pensaban que el diablo podría penetrar en su cuerpo.

Notas culturales

La Tomatina se celebra en Buñol, Valencia. Cuentan que la fiesta comenzó en los años 40 cuando un grupo de amigos comenzó una batalla entre ellos con tomates y terminaron incluyendo a muchos más del pueblo. Como fue tan divertida decidieron volver a repetirla. Ahora, antes de la batalla colocan grandes hojas de plástico en los edificios para protegerlos, y luego limpian todo muy bien con mucha agua. Los participantes consideran esta fiesta una "amistosa batalla" en la cual suelen participar unos 40.000 "guerrilleros" y más de 110 toneladas de tomates maduros.

Hay personas supersticiosas en todos los países del mundo. En algunos países hispanos como, por ejemplo, El Salvador, hay gente que todavía cree en el "mal de ojo". Algunos piensan que si alguien le tiene envidia a uno porque es guapo o tiene éxito en la vida, puede echarle el mal de ojo y desearle algo malísimo, incluso la muerte. Para evitar esto, la gente busca remedios para protegerse, como el llevar brazaletes especiales.

Instructional Notes

3 Talk to students about the effectiveness of learning words in context, rather than in isolation, since they will be asked to use these new words in exercises in later chapters. Also encourage them to think about the grammar in context. Ask students to create a similar exercise to this one, in which they should use short paragraphs and underline new words in one color, and grammar points in another, and cite the rules of grammar.

Answers

4 *Ejemplos:*

de otra forma: de otra manera; para arriba y para abajo: constantemente (viajando); sin embargo: no obstante; no era oro todo lo que relucía: aunque pareciera algo bueno, no siempre lo era; por otro lado: por otra parte; estaba muerto de cansancio: estaba destrozado, cansadísimo; en cuanto llegaba: tan pronto como llegaba; solía madrugar: normalmente me despertaba muy temprano; gozar de: disfrutar de; apenas: casi no; mujer: esposa, señora casada; conseguí: logré algo (implica un esfuerzo); bastante: mucho; me despidió: me echó del trabajo; a menudo: muchas veces; al igual que: de la misma manera/forma que; noticias: medio de información en la televisión, noticiero; al mismo tiempo: a la vez; en cuanto: tan pronto como; nos hacía gracia: nos hacía reír, nos resultaba divertido; en el fondo: en realidad; parientes: familiares; tenían miedo de ser: temían; asentíamos: decíamos que sí; por desgracia: lamentablemente, desgraciadamente

5 1. *Pedro Ruiz:* acepté, pensé, pude, conseguí, gané, tuve, conseguí, oyó, despidió, sorprendí, abracé, pensó; *Isabel Segundo:* explicaron, se vinieron, nacimos, dijimos, quisieron, dejaron, sospeché, pasaron; **2.** subí, subiste, subió, subimos, subisteis, subieron; fui, fuiste, fue, fuimos, fuisteis, fueron; di, diste, dio, dimos, disteis, dieron; me despedí, te despediste, se despidió, nos despedimos, os despedisteis, se despidieron; **3.** supe, supo; anduve, anduvo; quise, quiso; vine, vino; produje, produjo; cupe, cupo; traduje, tradujo; obtuve, obtuvo; **4.** hube, hubiste, hubo, hubimos, hubisteis, hubieron; **5.** me equivoqué, nos equivocamos (*to be wrong*); tragué, tragamos (*to swallow*); saqué, sacamos (*to pull out*); marqué, marcamos (*to dial, mark*); me ahogué, nos ahogamos (*to drown*); alcancé, alcanzamos (*to reach*); colgué, colgamos (*to hang up*); aterricé, aterrizamos (*to land*); **6.** huiste, huyó; concluiste, concluyó; te caíste, se cayó; **7.** advertí, advertiste, advirtió, advertimos, advertisteis, advirtieron; seguí, seguiste, siguió, seguimos, seguisteis, siguieron; conseguí, conseguiste, consiguió, conseguimos, conseguisteis, consiguieron; reí, reíste, rió, reímos, reísteis, rieron

---

Vocabulario y gramática en contexto

3 Un foro 👥 📖

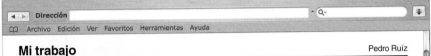

Túrnese con un/a compañero/a para leer los comentarios que dos personas han escrito en un foro sobre sus diferentes experiencias en otros países. Fíjese en las palabras que aparecen en azul (relacionadas con el vocabulario) y en rojo (relacionadas con la gramática), ya que en las siguientes actividades se le harán preguntas sobre ellas.

Dirección | Archivo Edición Ver Favoritos Herramientas Ayuda

Mi trabajo
Pedro Ruíz

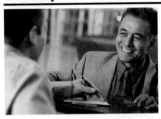

Cuando acepté el trabajo pensé que todo iba a ser de otra forma. No es que no me interesara lo que hacía, el problema era que siempre estaba con mi maleta para arriba y para abajo. Algunos colegas ⁵tenían celos de mí porque pensaban que tenía la oportunidad de ver sitios nuevos e ir a hoteles lujosos. Sin embargo no era oro todo lo que relucía. De las ciudades a las que iba sólo veía el aeropuerto, a mi taxista y la sala de reuniones. Por ¹⁰otro lado nunca disfrutaba de los hoteles ya que estaba muerto de cansancio y sólo quería dormir en cuanto llegaba de mis reuniones de negocios, y al día siguiente solía madrugar. Lo peor de todo es que no pude gozar de mi familia durante esos años, ¹⁵pues apenas la veía. Eso sí, mi mujer estaba contentísima porque conseguí muchas millas para volar a Florida con la familia. Aunque gané bastante dinero y tuve mucho éxito profesional, no conseguí acostumbrarme a este estilo de vida. ²⁰Cuando mi jefe oyó lo desgraciado que era me despidió al instante. Sorprendí a mi jefe cuando lo abracé unas cien veces. Estoy seguro de que nunca pensó que un empleado reaccionaría así al recibir este tipo de noticia.

Nuestra tierra
Isabel Segundo

Nunca me explicaron muy bien mis padres por qué se vinieron a vivir aquí pero sé que a menudo se acordaban de su tierra. Siempre me decían que preferían no hablar del tema y cambiaban de conversación inmediatamente, al igual que hacían cuando veían a un político platicar en las noticias. ⁵"Tonterías" —decían los dos al mismo tiempo en cuanto los oían. A mi hermana y a mí nos hacía gracia y siempre nos mirábamos y nos reíamos. Las dos nacimos acá, pero somos de allá según nuestros padres. Aunque nunca les dijimos nada, en el fondo nos resultaba difícil sentirnos de algún sitio que nunca habíamos visto. Mis padres siempre quisieron llevarnos ¹⁰un día a "nuestra tierra" —como ellos la solían llamar. Siempre lo decían, aunque nunca lo hacían. "Un día iremos todos juntos" —gritaban emocionados cuando durante la sobremesa nos contaban anécdotas de los parientes que dejaron allá. Pero creo que en el fondo tenían miedo de ser extranjeros en su propia tierra, de que ya no se sintieran de ningún país. ¹⁵Nosotros siempre asentíamos y les decíamos "¡Claro que sí!, un día vamos todos". Por desgracia, tal y como siempre sospeché, los años pasaron y no hemos conseguido ir a "nuestra tierra" como ellos la llamaban. Quizás ese día nunca llegue.

4 Amplíe su vocabulario

Defina en español o escriba un sinónimo o expresión similar para cada una de las palabras o expresiones que aparecen en azul en las lecturas anteriores.

5 El pretérito 👥👤

Trabaje con un/a compañero/a y conteste estas preguntas basadas en, o relacionadas con, los textos de la Actividad 3.

1. ¿Qué verbos del texto están en pretérito?
2. Conjuguen los verbos *subir, ir, dar* y *despedirse* en pretérito.
3. Escriban el pretérito de estos verbos en la primera y tercera persona singular: *saber, andar, querer, venir, producir, caber, traducir, obtener.*
4. ¿Cuál es el pretérito de *haber*?
5. Escriban el pretérito de estos verbos en la primera persona del singular y plural, y escriban su significado: *equivocarse, tragar, sacar, marcar, ahogarse, alcanzar, colgar, aterrizar.*
6. ¿Cuál es el pretérito de la segunda y tercera persona del singular de *huir, concluir* y *caerse?*
7. ¿Cuál es el pretérito de los siguientes verbos: *advertir, seguir, conseguir, reír?*

6 "Tapitas" gramaticales

Conteste estas preguntas basadas en las lecturas de la Actividad 3.

1. Explique por qué usamos las siguientes palabras en el género indicado: *el problema, la oportunidad, el taxista, unas cien veces, ese tema, un día.* Piense en otros ejemplos para cada caso y escriba dos ejemplos de cada uno.
2. ¿Por qué se usa la palabra *e* en la frase "ver sitios nuevos e ir a hoteles lujosos"? Piense en otros ejemplos que ilustren la regla.
3. Explique *contentísima.* Piense en la regla, incluyendo las formas irregulares. No se olvide de ilustrar su explicación con ejemplos.
4. Explique *aunque gané.* ¿De qué tiempo verbal se trata? ¿Podemos decir *aunque gane?* Explique su respuesta.
5. Explique el uso de las palabras negativas en *nunca les dijimos nada.* ¿Por qué usamos *nada* y no *algo?* Haga una lista de las palabras negativas al lado de su correspondiente afirmativa. Escriba las reglas.
6. ¿Son verbos reflexivos *mirar* y *reír?* Explique *nos mirábamos* y *nos reíamos.* Ilustre la explicación con otros ejemplos.
7. Explique por qué se utiliza *algún* en la frase *de algún sitio.* ¿Cuándo se utilizan *alguno* y *algunos?*
8. ¿De qué tiempo verbal se trata en la oración "Quizás ese día nunca llegue"? Explique por qué se usa en este contexto. *Llegue* es también la conjugación para otro tiempo verbal. ¿De cuál se trata?

7 ¿Qué opina? ✒

Reaccione a lo que cada persona ha escrito en el foro y hágale un comentario por escrito a cada uno. Incluya palabras del vocabulario nuevo que aparecen en azul y algunas "tapitas" gramaticales de la Actividad 6.

8 En mi opinión... ✒

Ud. es auxiliar de vuelo. Escriba su opinión en un foro de trabajo.

- Hable de las razones por las que Ud. eligió este trabajo.
- Hable sobre su experiencia en su trabajo.
- Diga si se lo recomendaría a otra persona. Explique su respuesta.

Lección 1B **35**

---

6. Con los pronombres reflexivos, sí; aunque el primero generalmente es recíproco. *Nos mirábamos* puede significar *we looked at ourselves* (reflexivo) o *we looked at each other/one another* (recíproco); nos reíamos (*we laughed*) es reflexivo. Otros ejemplos: me siento (reflexivo: *I sit down*); El camarero nos sentó cerca de la ventana (transitivo: *The waiter seated us near the window.*). El pobre siempre se hablaba a sí mismo. (reflexivo: *The poor man was always talking to himself.*) Hace tiempo que no nos hablamos. (recíproco: *It's been a while since we've spoken.*) 7. Se usa la forma apócope (*algún*) delante de un sustantivo masculino singular. Se usa *alguno* sola (como pronombre) y *algunos* delante de un sustantivo masculino plural. Ejemplos: No conozco ningún restaurante por aquí. ¿Conoces alguno? Sí, conozco algunos restaurantes colombianos muy buenos. (*Nota:* Cuando se usa *alguno* después del sustantivo en redacciones formales, tiene el significado enfático de *ningún:* Estas reglas no tienen sentido alguno. *These rules have no sense whatsoever.*) 8. Es el presente del subjuntivo. Se usa con *quizás* para expresar duda. También es mandato formal.

7–8 Answers will vary.

Teacher Resources

📝 Activities 1–2

Answers

6 1. *El problema* es una palabra masculina porque es de origen griego; el sufijo *-dad* indica una palabra femenina; *el* o *la taxista* depende del género de la persona; *unas* concuerda con *veces* y *cien* se usa delante de sustantivos; *tema* es otra palabra de origen griego y es masculina; *día* es una palabra masculina. Ejemplos: el clima, el crucigrama, el dilema, el diploma; la autoridad, la capacidad, la popularidad, la universidad; el/la estudiante, el/la intérprete, el/la joven, el/la mártir; el guardarropa, el mapa, el planeta, el yoga; 2. Usamos *e* cuando la palabra que sigue comienza con *i* o *hi* y cuando ésta tiene el sonido *e.* No se usa cuando estas palabras comienzan con el sonido *y;* por ejemplo: carbón *y* hierro, pero: padre *e* hijo, María *e* Isabel, Raúl *e* Ignacio, ermitas *e* iglesias. 3. Es el superlativo absoluto. Se quita la letra final y se añade el sufijo *-ísimo* (*-ísima, -ísimos, -ísimas*). Algunas formas irregulares incluyen: simpatiquísimo, riquísimo, felicísimo, vaguísimo, amabilísimo, jovencísimo, antiquísimo, cursilísimo, lejísimo, facilísimo. 4. El pretérito; sí, aunque cambia completamente el significado; aunque gané = *although I won;* aunque gane = *although I win (will win, might win)* e implica incertidumbre porque indica lo que va a pasar en el futuro. 5. Porque se usa el doble negativo en español.

Positivo	Negativo
sí	no
alguien	nadie
alguno/a/os/as	ninguno/a/os/as
algún	ningún
algo	nada
siempre	nunca, jamás (*extremo*)
otra vez	nunca más
también	tampoco
y también	ni tampoco, ni siquiera (*extremo*)
con	sin
o... o	ni... ni
todavía	ya no

Algunas reglas son:
no + verbo + palabra negativa (No viajo nunca.)
palabra negativa + verbo (Nunca/Jamás viajo.)
palabra negativa + verbo + *si no* (Nadie quiere ir si no voy.)
You might want to explain that *nada* also means "not at all" (*No soy nada viajera.*) and show a comparison using the word *nunca: Te quiero más que nunca.*

35

Answers

10 *Ejemplos:*

1. retos: desafíos; **2.** comienzos: orígenes, principio de algo; **3.** resultaba: era; **4.** ocasiones: momentos o circunstancias en las que ocurre un hecho; **5.** largas: extensas; **6.** vestimentas: ropa; **7.** de arriba abajo: completamente; **8.** tatuajes: dibujos permanentes en la piel; **9.** estaban faltos de sueño: necesitaban dormir más; **10.** un par de: dos; **11.** por lo que: así que; **12.** antojos: deseos muy grandes y temporales de algo

11 *Pretérito*: expresa acciones realizadas y terminadas en el pasado sin tener relación con el presente. *Imperfecto*: expresa acciones pasadas sin precisar el principio ni el final de dicha acción. Las oraciones variarán.

12 **1.** *Importar* es un verbo como *gustar*; es especial porque se usan sólo las formas de la tercera persona singular y plural, más un pronombre del objeto indirecto. Otros verbos que siguen esta regla son *aburrir, agradar, apetecer, bastar, convenir, doler, encantar, faltar, fascinar, fastidiar, hacer falta, interesar, molestar, parecer, preocupar, quedar, sobrar, sorprender, tocar.* **2.** *Al contar = As they had, al verlos = upon/on seeing them; no;* **3.** no; **4.** mensualmente; anualmente; **5.** *Cualquiera* es un pronombre (y es lo que hace falta aquí) y *cualquier* es un adjetivo. (*Nota:* Cuando *cualquiera* le sigue a un sustantivo, significa *any at all* o *any old*: Deme un bolígrafo cualquiera. = *Give me any [old] pen.*); **6.** Usamos el doble negativo en español.

Instructional Notes

10 Ask students to work in pairs to complete this activity until they feel more confident doing it alone.

Additional Activities

Comunicación

Have students look at the list of verbs that are similar to *gustar* on p. 58 and ask them to write a sentence with each one. When they finish, they should share their sentences with a partner or the entire class. Encourage them to come up with humorous sentences to "break the ice" and use their acting skills to make it more entertaining. For example: *Me molesta cuando prestas un lápiz y te lo devuelven mordido.*

Comunicación

Find out what really bothers or delights students by asking individuals: *¿Qué le molesta o fastidia? ¿Qué le encanta o fascina?* They should give examples. Then, in small groups they should make a list of what they like and what bothers them and share it with the rest of the class.

---

9 Una gira

Lea con atención el siguiente artículo, prestando atención a las palabras en azul y rojo, ya que se le harán preguntas sobre ellas.

De gira

El grupo tuvo sus retos en sus comienzos. Aunque eran jóvenes y no les importaba viajar, no siempre resultaba fácil. Al contar con bajo presupuesto, cada viaje era siempre una pequeña aventura. En ⁵la mayoría de las ocasiones viajaban largas horas en autobuses públicos, compartiendo asientos con otras personas que al verlos con esas vestimentas, los examinaban de arriba abajo desaprobando su ropa y tatuajes. Siempre estaban faltos de sueño ¹⁰antes de un concierto, tuvieron un par de accidentes leves e innumerables incidentes. Debían pasar 24 horas al día juntos durante estas largas giras por lo que terminaban con una pelea prácticamente diaria, como nos relata con una sonrisa uno de ellos. No ¹⁵obstante, según cuentan, esos viajes, todas esas horas juntos, les aseguró una amistad para toda la vida. Con tres Grammys ganados, es un grupo que sigue prefiriendo viajar en autobús por mucho que ganen. Eso sí, ya no van como antes pues ni ²⁰toman transporte público ni comparten la misma habitación. Ahora van siempre en tres autobuses privados cualquiera que sea su destino, decorados como los más lujosos hoteles de cinco estrellas y con todas las comodidades imaginables como un ²⁵jacuzzi, sala de masajes y otros pequeños antojos que los ricos y famosos se pueden permitir.

10 Amplíe su vocabulario

Defina las palabras o expresiones que aparecen en azul, o escriba un sinónimo o expresión similar para cada una.

11 El pretérito y el imperfecto

¿Cuándo usamos cada tiempo? Escriba una oración para cada situación en la que se use el pretérito o el imperfecto.

12 "Tapitas" gramaticales

Conteste las siguientes preguntas relacionadas con el artículo anterior.

1. Explique qué es especial del verbo *importar*. Escriba una lista de otros ocho verbos que siguen la misma regla.
2. ¿Cuál es la diferencia entre *al contar* y *al verlos*? ¿Significa *al* lo mismo en las dos frases?
3. ¿Se puede usar *la mayoría de* en masculino?
4. *Diario* significa "todos los días". ¿Cómo cree que se dice "todos los meses"? ¿Y "todos los años"?
5. ¿Por qué decimos *cualquiera que sea* y no *cualquier que sea*? ¿Qué diferencia hay entre las dos palabras?
6. ¿Por qué usamos *ni...ni* y no *o...o* después de la expresión *ya no*?

13 ¿Qué piensa Ud.?

Según el texto de la Actividad 9, ¿qué cree que significa "por mucho que ganen"?

14 ¿Quién viaja? ✒

Piense en otra profesión que requiera viajar mucho. Un/a amigo/a le comenta que quiere hacer este tipo de trabajo. Escríbale un correo diciéndole lo que Ud. piensa.

- Hable sobre las ventajas y desventajas de esta profesión.
- Dígale si es necesario que hable otros idiomas y explique por qué.
- Sugiérale otra profesión que requiera viajar menos.

Cita

El mundo es un libro, y los que no viajan leen solamente una página.
—San Agustín (354–439), obispo, filósofo y Padre de la Iglesia Latina

 ¿Está de acuerdo con lo que dice? ¿Por qué? Hable sobre sus experiencias o las de alguien conocido con un/a compañero/a.

¡Dato curioso! Uno de los medios de transporte más populares en Argentina es el "colectivo". Aunque haya más de cien líneas diferentes de autobuses en Buenos Aires, cada uno tiene un color distinto según la línea que sea. Otro tipo de autobús —aunque más caro— es el "diferencial", donde ofrecen aperitivos y bebidas, y puede hasta tener asientos reclinables y aseo.

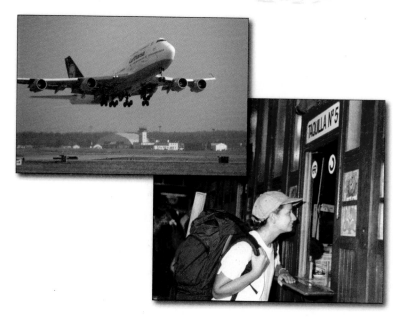

Answers

13 Answers will vary; examples: even though they earn a lot, in spite of how much they earn.

14 Answers will vary.

Instructional Notes

14 You may want to practice vocabulary related to professions. Brainstorm different professions with the class and ask students to identify those that require a lot of travel. Students should add these words to their vocabulary lists that they have been building during the year.

Additional Activities

Viaje cultural

Ask students to prepare an interesting cultural trip to a Spanish-speaking country. They should elaborate a brochure or make an oral presentation (with photos and in PowerPoint, if possible) and focus on a tradition or celebration in the country chosen. They will be experts on this tradition or celebration and will answer their classmates' questions. They might even include giving an estimate of how much such a trip would cost, where travelers could stay, and what other points of interest are in the area.

Nota cultural

En el período precolombino, los incas usaban un sistema de caminos muy básico, pero eficiente, y que se extendía por más de 20.000 millas. A pie o en llamas, iban personas y mercancías por su imperio. También construyeron numeros puentes de cuerdas que unían montañas; esto fue un gran logro arquitectónico. Los europeos tuvieron una gran influencia en el medio de transporte usado cuando llegaron a Latinoamérica. El transporte por agua se convirtió en uno de los preferidos, ya que era el mejor para transportar mercancías. También fue introducido el transporte a caballo, mula y sobre ruedas que hasta entonces no existía. En 1928 se decidió construir una carretera que uniera los territorios desde Alaska a Tierra de Fuego.

38

Idioma

15 Familia de palabras

Complete la tabla con el verbo, sustantivo o adjetivo apropiado y la traducción correspondiente.

Verbos		Sustantivos		Adjetivos	
aspirar	to aspire		aspiration, ambition	X	
beneficiar	___		benefit		useful, beneficial
___	to cross		crossing	cruzado	crossed
decepcionar	___		disappointment	decepcionante, decepcionado	
desarrollar	___		development		
___	to descend, fall	el descenso	fall		developed
___	to lead, head	el encabezamiento, el encabezado	heading	descendente	descending
impulsar	to promote, stimulate		impulse, stimulus	X	
ingresar	to come in, enter		entry, admission	impulsivo	impulsive
mover		el movimiento		X	
___	to protect		protection	___	mobile, movable
___	to separate		separation	movible	protective
				separado, separatista	separated, separatist
sorprender					surprising
transportar	to transport; to take		transportation	transportable	___
vivir	___		life	___	alive

16 ¿Verbo, sustantivo o adjetivo?

Complete las oraciones usando la forma correcta de las palabras que aparecen en la tabla, ya sea verbo, sustantivo o adjetivo. En el caso del sustantivo puede que necesite artículo. Siga el modelo.

MODELO Desgraciadamente, el gobierno no se preocupa de ___ (*vivir*) digna de ese grupo étnico.
    la vida

1. Manifestó ante la multitud que admiraba el valor de quienes dejaban sus países porque ___ (*aspirar*) a una vida mejor.
2. La compañía aérea está actualmente promocionando ___ (*beneficiar*) de tener una tarjeta de fidelidad con ellos.
3. Parece ser que hubo un accidente grave en ___ (*cruzarse*) que hay por aquí cerca.
4. La nueva cadena hotelera de origen alemán ha despertado reacciones que van desde la ilusión hasta la completa ___ (*decepcionar*). Compruébelo visitando el foro de clientes.
5. La mayoría de los sociólogos que he tenido ocasión de conocer, defienden la importancia de los inmigrantes en ___ (*desarrollar*) de la parte norte del país.
6. Según los últimos estudios, hace unos años ___ (*descender*) el número de estudiantes que viaja con esa agencia de viajes.
7. Puerto Vallarta ___ (*encabezar*) la lista de los principales destinos en la costa de México.
8. No le dieron el trabajo a Juan como auxiliar de vuelo por considerarlo una persona demasiado ___ (*impulsar*) y con gran dificultad para controlar sus emociones.
9. No olvide de leer las condiciones de ___ (*ingresar*) para ciudadanos con nacionalidad puertorriqueña.
10. Gracias a la tecnología, especialmente al uso del teléfono ___ (*mover*), la distancia y el tiempo dejaron de ser un problema en su profesión.

11. En esta zona existían numerosas áreas ___ (*proteger*) pero ha costado mucho que sean respetadas tanto por los gobiernos, como por la misma población.

12. Hace poco leí en la prensa sobre un juicio muy famoso en el que una aerolínea hizo que una madre de nacionalidad argentina viajara ___ (*separar*) de su hijo de diecinueve meses. ¡No me lo puedo creer!

13. Es ___ (*sorprender*) que esa línea aérea no haya aumentado las tarifas.

14. Van a tener que hacer algo con el problema del ___ (*transportar*) en esta ciudad. Hoy he tardado una hora y media en llegar.

15. Después de nuestro viaje a Brasil, ya pude apreciar cómo ___ (*vivir*) los indígenas de ese país.

17 Un viaje peligroso

Échele una ojeada al pasaje que sigue para ver de qué se trata, prestando atención a las palabras en azul, ya que se le harán preguntas sobre su significado después. Luego lea el artículo y decida cuál de las dos palabras entre paréntesis es la correcta para completar cada oración y escríbala.

Con el miedo al mar en el cuerpo

Ellos tuvieron suerte, otros no __1.__ (*pueden / puedan*) contarlo. Sambú, Sirifo, Jerry y Ansu lo tienen claro: no __2.__ (*vuelvan / volverían*) a cruzar el Atlántico en patera. La experiencia __3.__ (*fue / era*) tan dura que les ha dejado huella. Pero ahora no piensan en __4.__ (*vuelven / volver*). De
⁵momento __5.__ (*conseguían / han conseguido*) llegar a España y ya __6.__ (*duermen / duerman*) y __7.__ (*coman / comen*) caliente. Ahora les __8.__ (*queda / quedan*) por delante la difícil tarea de conseguir un trabajo. En principio todos miran al otro extremo del país. Hacia Girona y Barcelona donde __9.__ (*residen / residan*) sus familiares y amigos y donde tienen
¹⁰más posibilidades de conseguir un empleo. Será en condiciones de miseria pero, en __10.__ (*ellas / sus*) circunstancias, sin papeles y con __11.__ (*un / una*) orden de expulsión a la espalda, a poco más __12.__ (*pueden / puedan*) aspirar.

Mientras no alcanzan su El Dorado, __13.__ (*el / los*) cuatro gambianos
¹⁵descansan ya en el centro de acogida que Cáritas tiene en Vilaxoán. Francisco Rodríguez y Manuel Castroagudín nos __14.__ (*abrían / abrieron*) ayer sus puertas para que __15.__ (*conozcan / conociésemos*) a los nuevos inquilinos de la casa y para que nos __16.__ (*cuenten / contasen*) su historia. Ellos no saben nada de español y nosotros muy poco inglés, aunque menos mal que __17.__ (*un / nuestro*) compañero Carlos García nos sacó
²⁰del apuro. Gracias a __18.__ (*nuestras / sus*) labores de intérprete pudimos __19.__ (*saber / supimos*) un poco más de la azarosa vida de estos cuatro jóvenes africanos. Llegaron a Tenerife __20.__ (*en / el*) 4 de marzo, tras dos semanas de duro viaje en coche y cinco días de terrible travesía por mar. Atrás lo __21.__ (*dejaban / dejaron*) todo. Sambú, por ejemplo, a cinco hijas que no pueden ir al colegio por falta de dinero y un trabajo de carpintero que apenas le __22.__ (*dio / daba*) para comer. Ahora llega a España con __23.__ (*el / la*) ilusión
²⁵de poder cambiar su suerte y la de su familia. En Gambia esperan como agua de mayo los primeros euros que sus padres y hermanos __24.__ (*pueden / puedan*) mandar desde la opulenta Europa. Y es que Sirifo y sus amigos ya llevan gastando mucho. __25.__ (*Prefieren / Prefieran*) no hablar del tema —se ve que el temor a las mafias de la inmigración __26.__ (*llega / llegan*) incluso hasta Arousa— pero al final nos __27.__ (*cuenten / cuentan*) que el viaje les __28.__ (*costó / costaron*) entre cien y trescientos euros. Quizás aquí no sea mucho,
³⁰nos decían, pero allá es __29.__ (*una / la*) fortuna.

De momento, Sambú y __30.__ (*su / sus*) compañeros pasarán unos días en la casa de San Cibrán, compartiendo vida con otras personas sin hogar entre los __31.__ (*quienes / cuales*) hay, también, inmigrantes como ellos. Franklin y Sadu ya llevan una temporadita allí, de modo que __32.__ (*puedan / podrán*) enseñarles cómo funciona el centro. Cáritas da comida, ropa, cobijo y cariño pero también tiene un fantástico
³⁵invernadero y una hermosa huerta en la que __33.__ (*hay / haya*) mucho por hacer. Lo próximo que toca es plantar patatas, así que no sería raro ver a Jerry y Ansu con el sacho en la mano.

www.lavozdegalicia.es

Lección 1B   39

Investigue palabras clave: inmigración (en España), patera (cayuco), Gambia

---

18 ¿Qué significa?

Mire las palabras de la primera columna, que aparecen en la lectura anterior, y busque su traducción en la segunda columna.

1.	tenerlo claro	a.	to live
2.	dejar huella	b.	risky
3.	quedar por delante	c.	welcome
4.	conseguir	d.	to work
5.	residir	e.	shelter
6.	aspirar	f.	so that
7.	alcanzar	g.	to already have
8.	acogida	h.	to reach
9.	inquilino	i.	even to
10.	menos mal	j.	to obtain
11.	azaroso	k.	affluent
12.	opulento	l.	to seek to accomplish
13.	ya llevar	m.	resident
14.	incluso hasta	n.	strange
15.	compartir	o.	to understand
16.	temporadita	p.	to leave a mark
17.	de modo que	q.	to lie ahead
18.	funcionar	r.	to share
19.	cobijo	s.	short period of time
20.	raro	t.	thank goodness

19 En sus propias palabras

Haga un resumen oral o por escrito de lo que acaba de leer.

20 Los inmigrantes

Échele una ojeada al artículo que sigue para ver de qué se trata, prestando atención a las palabras en azul. Decida qué forma de las palabras entre paréntesis es la correcta y escríbala. No se olvide de escribir y acentuar las palabras correctamente.

Nuestra buena gente

Hablar sobre los inmigrantes es oscilar entre dos extremos

Los manifiestos públicos sobre los extranjeros que han __1.__ (*llegar*) a vivir en este país __2.__ (*ir*) de un lado a otro: o se __3.__ (*hacer*) discursos grandiosos y casi siempre muy generales indicando lo beneficiosos que __4.__ (*ser*) para esta sociedad, o se __5.__ (*el*) denigra indicando __6.__ (*el*) que roban, __7.__ (*el*) que quitan, __8.__ (*el*) que consumen ⁵ en servicios públicos.

Pero cada día, en __9.__ (*este*) ciudad (y en muchas otras), __10.__ (*mil*) de inmigrantes trabajan. Y no __11.__ (*el*) hacen sólo en el campo, en la fábrica, en el restaurante o en __12.__ (*el*) esquina. También __13.__ (*ser*) maestros, científicos, artistas, escritores, religiosos, periodistas y __14.__ (*tanto*) otras profesiones que no __15.__ (*pertenecer*) a ¹⁰ __16.__ (*ninguno*) grupo o raza en particular.

www.laopinion.com

21 ¿Cuál no está relacionada?

Mire las palabras a continuación. De cada grupo de cuatro, escoja la que no esté relacionada con la palabra del artículo anterior.

1. oscilar
   a. variar
   b. oponer
   c. fluctuar
   d. vacilar

2. extranjero
   a. nacional
   b. ajeno
   c. extraño
   d. remoto

3. beneficioso
   a. provechoso
   b. útil
   c. costoso
   d. benéfico

4. denigrar
   a. difamar
   b. desacreditar
   c. denotar
   d. calumniar

5. pertenecer
   a. ser de
   b. corresponder
   c. ser aceptado
   d. provocar

6. ninguno en particular
   a. todos
   b. ni uno solo
   c. ningunos
   d. nadie

22 Lea, escuche y escriba/presente

Vuelva a leer el texto completo de "Nuestra buena gente". Luego escuche la grabación "Inmigrantes y mercado laboral" y tome las notas necesarias. Escriba un ensayo o haga una presentación en clase desde el punto de vista de un inmigrante, y sugiera algunas soluciones para el problema de la falta de trabajo en su país. Puede consultar otras fuentes, pero cite todas debidamente.

Refrán

Más vale lo malo conocido, que lo bueno por conocer.

 ¿Está de acuerdo con este refrán? ¿Piensa que se puede aplicar a la vida de un inmigrante? ¿Cree que puede aplicarlo a otros contextos que no estén relacionados con viajar? Dé ejemplos y compártalos con un/a compañero/a.

¡Dato curioso!

Es tradición arrojarle arroz a los novios. Esto comenzó en una época de escasez, cuando se lo tiraba a los jóvenes para desearles que tuvieran suficiente alimento y prosperidad. En Babilonia y Mesopotamia echaban dulces a los esposos frente a la puerta de su nuevo hogar, para compartir con ellos lo dulce y lo bueno que puede ofrecer la vida en pareja.

Nota cultural

Una costumbre bastante común entre las novias de muchos países es que la novia lleve algo nuevo, viejo, prestado y azul. Lo nuevo simboliza la nueva vida que se le presenta a la pareja; lo viejo, las tradiciones y la familia; lo prestado, la amistad; y lo azul, fidelidad. Luego cada país tiene sus costumbres específicas. En El Salvador es tradición regalarle a la novia una muñeca con un traje igual al que llevará en la boda. Otra costumbre es el baile del dólar, en el que los amigos del novio le dan un dólar a la novia para bailar con ella. Al final, ella termina con más dinero ahorrado para su boda.

Teacher Resources

Activity 22 (CD 1, track 8)

Answers

21 1. b; 2. a; 3. c; 4. c; 5. d; 6. a

Instructional Notes

22 To help students comprehend the material on the recording, and before they start listening to it, you may want to tell them that they will hear the following words in the selection, all of which are recognizable cognates: *población, excluye, complementarios, expirar, proceso legal.*

You may wish to have them write down any other cognates they hear on the audio; for example: *beneficia, consumidores, posición económica internacional, negativamente, oportunidades, nativa, segmentos, receptor, ilegales, autorizados, típicamente, se concentran, abandonados, local, legal, se caracterizan, significan.*

You might want to review the following words before students listen to the audio: *sostener,* to maintain; *inversor,* investor; *mezcla,* mixture; *involucrar,* to involve; *violar,* to violate.

Before students write their essays, remind them to take a look at the *Pautas* on p. 480.

Ask students if they can think of an English-language equivalent for the saying in the *Refrán* ("Better the devil you know than the devil you don't") or to create one with a similar meaning in Spanish.

Additional Activities

Trabajo de investigación
For homework, ask students to look for information about wedding or courtship customs and traditions in some Spanish-speaking countries. The next day, have them share this information with the rest of the class. You might want to have them compare and contrast these traditions with those in the USA.

Answers

23 1. un; 2. del; 3. las; 4. están; 5. entró; 6. para; 7. hace; 8. mientras; 9. Puse; 10. volvió; 11. con; 12. El; 13. de; 14. les; 15. de; 16. Sin; 17. El; 18. se; 19. Sólo; 20. Todos

24 1. c; 2. b; 3. a; 4. b; 5. a; 6. c; 7. d; 8. d; 9. a

Instructional Notes

23 Tell students that among the options they have for completing answers for this activity (and for those to come) is the option of *not* supplying any word; in such cases, the correct answer would be indicated by an *X*. See item 15 in the reading.

---

23 Un turista

Échele una ojeada al artículo que sigue para ver de qué se trata. Fíjese bien en las palabras en azul porque se le harán preguntas sobre ellas. Luego decida cuál de las dos palabras entre paréntesis es la correcta para completar cada oración y escríbala.

Tribulaciones de un turista en Shangai

En __1.__ (*a / un*) reciente viaje organizado a China, viví muchas anécdotas por culpa de las diferencias __2.__ (*de la / del*) idioma. En __3.__ (*las / los*) calles de Shanghai, muchos letreros no __4.__ (*son / están*) escritos en inglés sino en un ininteligible mandarín. Era verano y hacía mucho calor de bochorno. Me __5.__ (*entró / tuve*) sed y le dije al guía que me separaba un momento del grupo __6.__ (*por / para*) entrar en una tienda a comprar una botella de agua. "¿Necesita ayuda?", dijo amablemente el encargado de la agencia de viajes. "No __7.__ (*hace / es*) falta, ya llevo un diccionario", indiqué. Entré en la tiendecilla y pedí agua al venerable anciano que estaba sentado en el mostrador junto a unos nietos. "Shuî", pronuncié muy despacio __8.__ (*al / mientras*) leía la palabra en el diccionario. El hombre sonrió, se metió en un rincón y volvió con unas frutas. "Shuî gûo", contestó con una sonrisa. __9.__ (*Tuve / Puse*) cara de decepción y repetí "Shuî".
El viejo y los nietos asintieron y rebuscaron en unas estanterías. Pero __10.__ (*trajo / volvió*) con unas gafas de sol. "Shuî", insistió __11.__ (*en / con*) una sonrisa cortés. Desesperado, abrí el frigorífico y tomé una botella de agua mineral. "Shuî", aclaré

mientras la ponía en el mostrador. __12.__ (*Un / El*) dependiente y los niños mostraron una cara __13.__ (*de / con*) sorpresa y luego se __14.__ (*les / los*) iluminó el rostro. No paraban __15.__ (*X / de*) reír y de repetir "Shuî". __16.__ (*Con / Sin*) entender nada, puse un billete grande en su mano y, tras hacer una reverencia, me marché con mi botella. __17.__ (*El / La*) guía me explicó que gafas, fruta o agua __18.__ (*se / los*) pronuncian parecido pues sólo varía el acento, que puede ser ascendente, descendente o plano. __19.__ (*Solo / Sólo*) un nativo es capaz de apreciar la diferencia. __20.__ (*Todas / Todos*) los días se aprende algo nuevo.

www.europamochila.es

24 ¿Cuál no pertenece?

Mire las palabras a continuación. De cada grupo de cuatro, escoja la que no esté relacionada con la palabra de la lectura.

1. reciente
   a. ayer
   b. esta mañana
   c. hace años
   d. hace poco

2. por culpa de
   a. por error
   b. en nombre de
   c. debido a
   d. culpable

3. letrero
   a. licenciado
   b. aviso
   c. anuncio
   d. cartel

4. ininteligible
   a. poco claro
   b. muy inteligente
   c. difícil de comprender
   d. sin mucho sentido

5. mostrador
   a. que molesta
   b. tablero
   c. que muestra
   d. mesa

6. rincón
   a. lugar
   b. esquina
   c. ritmo
   d. sitio

7. cortés
   a. bien educado
   b. amable
   c. agradable
   d. antipático

8. desesperado
   a. muy molesto
   b. disgustado
   c. sin esperanza
   d. muy feliz

9. billete
   a. libro
   b. moneda
   c. dinero
   d. en efectivo

25 Lea, escuche y escriba/presente

Vuelva a leer el texto completo de "Tribulaciones de un turista en Shangai" y luego escuche la grabación "El bilingüismo le da seguridad". Tome notas de las dos fuentes y escriba un ensayo o haga una presentación en clase sobre "Los desafíos de viajar a un país donde no hablen su idioma". No se olvide de citar las fuentes debidamente.

26 Las tradiciones

Échele una ojeada a la siguiente lectura para ver de qué se trata. Luego decida cuáles son las palabras que mejor completan cada oración y escríbalas. No se olvide de escribir y acentuar las palabras correctamente.

Las uvas de la suerte

__1.__ muchas tradiciones __2.__ se han llevado a cabo en un país o región durante años, pero hay __3.__ que son más recientes de __4.__ que creemos o que han tenido un origen muy diferente __5.__ que nos imaginábamos. Es el caso de ⁵las uvas de fin de año, que se ha convertido en una de las tradiciones más esperadas en España. Me contaron que __6.__ origen en este caso no fue ni cultural ni religioso, __7.__ que fue más bien económico. A __8.__ del siglo XIX los productores de uvas no sabían qué hacer con un excedente ¹⁰que tuvieron ese año. Un grupo de empresarios __9.__ una original idea, creando __10.__ tradición que se continúa desde entonces. Hoy en día todos celebran esta costumbre, que consiste __11.__ tomarse estas doce uvas al son de las campanadas para __12.__ buena suerte el resto del año. Yo me río __13.__ estas cosas, y más ahora que me he enterado __14.__ cómo surgió. No obstante cumplo con la tradición ya que tampoco me atrevo ¹⁵ __15.__ no tomarlas. Por lo tanto todos los años, en Noche Vieja, una a una me __16.__ tomo todas bien calladita... por si acaso. ¿Y __17.__ fuera verdad?

27 Lea, escuche y escriba/presente

Vuelva a leer el texto completo de "Las uvas de la suerte" y luego escuche la grabación "El luto en diferentes países". Tome notas de las dos fuentes y escriba un ensayo o haga una presentación en clase sobre "El origen de las tradiciones". No se olvide de citar las fuentes debidamente.

Cita

Si rechazas las costumbres, tienes miedo de la religión, evitas hablar a la gente y nunca pruebas la comida, mejor quedarte en casa.
—James Michener (1907–1997), escritor estadounidense

¿Por qué piensa que pudo haber hecho este comentario? Comparta su opinión con un/a compañero/a.

¡Dato curioso!

Dicen que hace un tiempo en Santo Domingo cuando una persona moría y su féretro cruzaba la calle, las personas tiraban agua a la calle por si el difunto había muerto con sed.

Lección 1B **43**

Notas culturales

Hace veinte años y más, era muy común que las personas (sobre todo las mujeres) se vistieran de negro por la muerte de un familiar y que llevaran ropa negra durante años. Había mujeres que estaban de luto durante décadas (debido a la muerte de diferentes familiares). Esta costumbre del luto se está perdiendo.

Según la tradición de los indígenas zapotecas, cuando una persona fallece emprende un viaje largo y duro. En esta jornada cruza montañas, desiertos y ríos; por lo tanto, en su ataúd se suele incluir comida y otros objetos que le serán útiles para llegar a su destino.

Investigue palabras clave: luto (costumbres de), zapotecas

Teacher Resources

 Activity 25 (CD 1, track 9)
Activity 27 (CD 1, track 10)

Answers

26 1. Hay; 2. que; 3. algunas / otras; 4. lo; 5. al; 6. el; 7. sino; 8. principios / mediados / finales; 9. tuvo; 10. una; 11. en; 12. tener; 13. de; 14. de; 15. a; 16. las; 17. si

Instructional Notes

25 Some of the cognates students will hear on the audio are: *conexión, accidental, subsecretario, preparación, personal, principal, acceder, interpretación, comandante, analizado, lingüistas, cladestinos*. You might want to highlight *idiomas clave* (key languages), and point out that *clave* is a noun used as an adjective here and, as such, is singular.

You might also want to review the following words before students listen to the audio: *orador*, speaker; *cifra*, number; *disfrazar*, to disguise; *argelino*, Algerian; *clave*, key.

26 Tell students that for those exercises with no prompts given (as in this activity), there might be two or more correct answers for some questions. See items 3 and 8, where all possible answers are shown.

27 Before students listen to the audio, make sure they understand the meaning of the word *luto* ("mourning").

You might also want to review the following words before students listen to the audio: *defunción*, death; *parentesco*, relationship; *inquietar*, to disturb; *con certeza*, for certain; *alma*, soul; *suspiro*, breath; *impedir*, to avoid; *semejante*, similar; *atuendo*, attire; *blanquear*, to whiten; *barro*, mud.

Additional Activities

Trabajo de investigación
For homework, have students use the Internet to research some other holiday traditions in Spanish-speaking countries and be prepared to give a brief presentation in class.

Proyecto
Students should choose a traditional celebration —including New Year's Eve— in any country, region, or city of the world and prepare an official poster to publicize and promote it. Have the class vote for the most original poster.

Instructional Notes

28 Encourage a whole-class discussion on these questions.

29 Because some students may have seen the movie *Spanglish*, you could ask them to explain the plot. Otherwise tell them that the movie deals with a Mexican mother and daughter and their relationship and vicissitudes when they leave Mexico for the United States. It is a comedy full of cultural references. You could ask students to describe what they think would be the major obstacles in adjusting to a new country and language.

There isn't a Spanish-language version available in the USA, but many parts of the film are in Spanish. You might be able to buy or order the movie from abroad in Spanish, or you could also show some scenes where Spanish is spoken.

¡A leer!

28 Antes de leer

¿Su familia siempre ha vivido donde vive ahora? ¿Se ha mudado en alguna ocasión? ¿De dónde? ¿Cuáles son los motivos por los que una familia se muda a otro lugar o a otro estado? Cuando alguien se muda, ¿qué cree que es lo que suele hacer para adaptarse mejor? ¿Le gustaría vivir en otro lugar? ¿Adónde se iría a vivir? ¿Qué haría para adaptarse mejor a la nueva situación? ¿Cree que le costaría hacerlo? ¿Por qué?

29 Una carta

Lea con atención el pasaje que sigue, que es parte del guión de la película *Spanglish*. Fíjese en las palabras en azul, ya que le ayudarán a comprender la lectura y luego se le harán preguntas sobre ellas.

Para el Decano de Admisiones.
Universidad de Princeton

La persona más influyente: mi mamá. Sin comparación.

Creo que he estado preparándome para esta redacción desde hace... doce años, en México, el día en que mi papá se fue.

Tanta era la necesidad de mi mamá de protegerme, que no me dejaba verla llorar. El truco consistía en superarlo cuanto antes y lo más a solas posible. Tanta era mi
⁵necesidad de protegerla a ella, que yo siempre fingía que no la oía.

Mi mamá me retuvo en México todo el tiempo que pudo para arraigarme en todo lo latino hasta que por fin vio llegar nuestra última oportunidad para cambiar.

Nos iríamos a Estados Unidos. "No más de una lágrima. No más de una... una... pero bien 'llorá'".

¹⁰Ella sería mi México. Como esta solicitud de admisión es un documento público diré simplemente que nuestro viaje a los Estados Unidos lo hicimos en... tercera clase.

Para poder educarme debidamente mi mamá necesitaba toda la seguridad posible de su propia cultura. Así que pasamos de largo Texas, con sólo el 34 % de hispanos, camino de Los Ángeles, con el 48 % de hispanos.

¹⁵Unos pocos minutos perdidas en un ambiente extranjero y a la vuelta de la esquina, volvíamos a estar en casa.

La prima favorita de mi mamá, Mónica, nos dio cobijo. En los seis años siguientes ninguna de nosotras se aventuró al exterior de nuestra nueva comunidad. Mamá hacía dos trabajos, cobrando un total de 450 dólares a la semana. Y las dos
²⁰hacíamos todo lo posible para que las cosas funcionasen. Estábamos contentas y bien. Ojalá hubiera tenido siempre seis años... pero yo estaba floreciendo y... quedó claro que tendría que dejar su trabajo nocturno para tenerme vigilada.

A los pocos días se dirigía a una entrevista de trabajo. Necesitaba 450 dólares de un sólo empleo y eso significaba que después de estar tanto tiempo en Estados
²⁵Unidos, por fin entraba en una tierra extranjera.

Cristina Moreno

30 ¿Cuál es la palabra?

Mire las palabras de la primera columna, que aparecen en la lectura anterior, y busque su traducción en la segunda columna.

1.	decano	a.	to pretend
2.	influyente	b.	application
3.	redacción	c.	to charge
4.	dejar ver	d.	own
5.	consistir en	e.	to pass through
6.	cuanto antes	f.	dean
7.	fingir	g.	everything possible
8.	arraigarse	h.	interview
9.	solicitud	i.	as soon as possible
10.	propio	j.	influential
11.	pasar de largo	k.	to consist of
12.	cobrar	l.	written piece
13.	todo lo posible	m.	to take root
14.	entrevista	n.	to allow to see

31 ¿Ha comprendido?

1. ¿Qué edad tiene Cristina Moreno?
2. ¿Por qué sentía la madre de Cristina Moreno la necesidad de protegerla?
3. ¿Cómo cree Ud. que llegaron a Estados Unidos?
4. ¿Cómo encontraron la seguridad que iban buscando en Estados Unidos? ¿Por qué era tan esencial para su madre?
5. ¿Cuánto tiempo se quedaron con Mónica?
6. Explique el significado de la última oración: "...eso significaba que después de estar tanto tiempo en Estados Unidos, por fin entraba en una tierra extranjera".
7. En esta carta que escribe para el decano hay muchas connotaciones culturales. Nómbrelas.
8. ¿Qué empleo piensa Ud. que termina consiguiendo la madre de Cristina? ¿Qué otras posibilidades hay para un extranjero que no sepa hablar inglés muy bien?

32 Lea, escuche y escriba/presente

Vuelva a leer el guión de la película *Spanglish* y luego escuche la grabación "Entre dos mundos". Tome notas de las dos fuentes y escriba un ensayo o haga una presentación en clase sobre el siguiente tema: "Viviendo entre dos culturas". No se olvide de citar las fuentes debidamente.

33 Antes de leer

¿Cuáles son los destinos más populares de los turistas estadounidenses? ¿Cuál cree Ud. que es el medio de transporte preferido por los estadounidenses? ¿Y por su familia? ¿Y por Ud.? ¿Suele Ud. comprar algún recuerdo cuando viaja? ¿Cuál? ¿Quiénes se benefician del turismo? ¿Quiénes se perjudican?

Teacher Resources

Activity 32 (CD 1, track 11)

Answers

30 1. f; 2. j; 3. l; 4. n; 5. k; 6. i; 7. a; 8. m; 9. b; 10. d; 11. e; 12. c; 13. g; 14. h

31 *Ejemplos:*
1. Unos 18 años; 2. Porque estaban solas (Cristina no habla de su padre); para su madre, Cristina era su vida. 3. Probablemente ilegalmente; 4. Siempre se quedaban en lugares con un alto porcentaje de hispanos; así, conservaba sus raíces mexicanas. 5. Seis años; 6. Por fin aceptó la idea de integrarse al país. 7. El deseo de la madre de no querer dejarle a su hija verla llorar; el deseo de arraigar a su hija en todo lo latino; vivir con una parienta (Mónica) al llegar a los Estados Unidos; el deseo de vivir entre hispanos en los Estados Unidos; el sentido de protección que sentía la madre hacia Cristina a medida que ésta iba creciendo. 8. Quizá en una fábrica; trabajar en lugares donde hay otros hispanos que la ayuden a entender el idioma.

Instructional Notes

32 Students will hear the expression *muy padre* on the audio. Explain that this is a common expression in Mexico that means "great" or "wonderful"; *padrísimo* is a variation.

You might want to review these other words with students before they listen to the audio: *cancha*, field; *inquieto*, restless; *inscribir*, to inscribe; *en la actualidad*, at present; *relato*, tale; *torneo*, tournament; *a patadas*, by kicking; *convocar*, to call on; *asegurar*, to assure; *encuentro*, meet/match; *enfrentar a*, to play against; *apoyo*, support; *brindar*, to offer.

Remind students to go over the *Pautas* on p. 480 before they start writing their essays.

33 After students answer these questions with a partner, the whole class can get together and make a list, based on their discussion, of the top tourist destinations in the USA, favorite modes of transportation, and most commonly purchased souvenirs.

Additional Activities

Composición

Before students start activity 33, have them write a letter pretending they are Flor, Cristina's mother. In it, Flor explains to her sister back in Mexico how they came to the States, and how Cristina finally got into Princeton.

34 Cochabamba

Lea con atención el siguiente artículo y use el contexto para descubrir el significado de las palabras en azul, ya que se le harán preguntas sobre ellas.

Estadísticas El año pasado visitaron la ciudad y las provincias del departamento 169.173 turistas, es decir un 26,5 por ciento más que en 2004 cuando la cantidad de visitantes llegó a 133.294.

Turismo reportó altas ganancias este año; esperan un año similar

La práctica del turismo en Cochabamba generó un movimiento económico aproximado de 11,4 millones de dólares durante la gestión este año y se constituyó en una de las principales actividades generadoras de [5] empleo.

Representantes del sector prevén que el próximo año el rubro experimente también buenas ganancias, especialmente por la estabilidad.

Según estadísticas de la Unidad de Turismo de la [10] Prefectura, del total de ingresos percibidos por la actividad turística, el rubro de la hostelería se benefició con 27,2 por ciento, alimentos con 15,9 por ciento, transporte con 13,7, artesanías con 10,6, recreación con 12,9 y otros, como el [15] comercio, con el 19,7 por ciento.

El año pasado llegaron a la ciudad y a las provincias del departamento 169.173 turistas (32.545 extranjeros y 136.628 nacionales), es decir un 26,5 por ciento más que en [20] 2004 cuando la cantidad de visitantes fue de 133.294 (22.827 extranjeros y 110.467 nacionales).

Considerando que los visitantes tienen una permanencia promedio de dos noches y [25] realizan un gasto promedio diario de 50 dólares los extranjeros y 30 dólares los nacionales, se establece que el turismo dejó un beneficio neto de $11,4 millones para el departamento, sin tomar en cuenta el movimiento [30] económico generado por el turismo familiar o comunitario, muy frecuente en los últimos años.

Esta última modalidad turística capta visitantes extranjeros y nacionales en viviendas familiares de la ciudad o comunidades campesinas de las provincias, [35] con un promedio de permanencia que supera los cinco días y gastos promedio día de 25 a 30 dólares, que van en directo beneficio de los anfitriones, que les proporcionan hospedaje y alimentación a precios módicos.

[40] No existen estadísticas sobre la cantidad de visitantes y el movimiento económico que genera este tipo de turismo, pero se estima que uno de cada 10 turistas que llega a Cochabamba opta por el turismo comunitario o solidario, que es impulsado por varios [45] municipios de las 16 provincias del departamento.

El jefe de la Unidad de Turismo de la Prefectura, Salvador Lobo, dice que este año la afluencia de turistas puede fácilmente registrar un crecimiento mayor al 30 por ciento, considerando que todos los [50] indicadores económicos, sociales e incluso políticos son favorables, para convertirse en una de las principales actividades generadoras de empleo y movimiento económico en Cochabamba y el país.

Laguna en Pairumani (Cochabamba)

Entre los indicadores mencionó la estabilidad social, la [55] transitabilidad de las carreteras, la capacidad hotelera instalada en la ciudad y el trópico de Cochabamba, la cada vez mayor conciencia en autoridades municipales sobre la incidencia del turismo en el desarrollo regional, el clima y la variedad de comidas, [60] la diversidad de pisos ecológicos, la arquitectura colonial de las provincias, la arqueología incaica y más de 1.000 atractivos.

www.lostiempos.com

Nota cultural

Cochabamba es la tercera ciudad más importante de Bolivia. Su nombre viene del quechua, una de las lenguas indígenas habladas en Argentina, Bolivia, Chile, Colombia, Ecuador y Perú. *Qhocha* significa "*swamp*", y *pampa* significa "llanura". Se le conoce como la ciudad de la eterna primavera, o la ciudad jardín, por su clima y sus parques.

Investigue palabras clave: Cochabamba, Bolivia (turismo)

35 ¿Qué palabra es?

Complete las oraciones con la palabra apropiada del recuadro. Escriba el artículo cuando sea necesario.

por ciento	según	alimentos	promedio de
beneficio neto	precios módicos	crecimiento	

1. ___ los expertos, el turismo ha mejorado este año.
2. Los turistas pasan ___ una semana en las playas.
3. ___ de los productos les atraen a los consumidores.
4. Mi negocio va muy bien. Tuve ___ de más de $75.000. Es casi el cincuenta ___ más de lo que gané el año pasado.
5. En aquel país, casi todos ___ son importados.
6. ___ de la economía ha ayudado a muchos trabajadores a vivir mejor que sus padres.

36 ¿Ha comprendido?

1. ¿Por qué se esperan buenas ganancias para la economía de Cochabamba?
   a. Porque vendrá un mayor número de turistas
   b. Porque el crecimiento se mantendrá estable
   c. Porque en este año habrá más empleo
   d. Por la nueva gestión de la economía

2. ¿Qué actividad se benefició más del turismo?
   a. Las actividades de ocio
   b. El sector hotelero
   c. Los medios de transporte
   d. El comercio de artesanía

3. ¿Qué grupos turísticos generan, con total seguridad, mayor riqueza en Cochabamba?
   a. El nuevo turismo familiar
   b. Los turistas que provienen del mismo país
   c. Los visitantes de otros países
   d. Los turistas que pernoctan dos noches

4. ¿Por qué la afluencia de turismo superará el 30%?
   a. Porque generará más empleo
   b. Porque existen favorables indicadores económicos, políticos y sociales
   c. Por la mejora en las infraestructuras, el clima y la diversidad de pisos ecológicos
   d. Las respuestas b y c

5. ¿Parece positiva la incidencia de turistas en Cochabamba?
   a. No para las autoridades municipales
   b. Sí, por generar empleo
   c. Sí, porque ayuda a mover la economía del país
   d. Las respuestas b y c

Answers

35 1. Según; 2. un promedio de; 3. Los precios módicos; 4. un beneficio neto; por ciento; 5. los alimentos; 6. El crecimiento

36 1. a; 2. b; 3. b; 4. d; 5. d

Answers

37 *Ejemplos:*
1. ¿Cuál es el gasto medio de los turistas al día?
2. ¿Cuánto más incrementó el turismo el año pasado que en el año 2004? 3. ¿Cuál es uno de los objetivos principales de la Unidad de Turismo de la Prefectura?
4. ¿Cuál fue el beneficio neto conseguido con el turismo?

Instructional Notes

38 You might want to review the following words with students before they listen to the audio: *acoger*, to welcome; *comportamiento*, behavior.

39 Ask students to create a story based on one of the photos shown.

Additional Activities

Hablen sobre esta foto
See p. TE27.

---

37 ¿Cuál es la pregunta?

Escriba una pregunta lógica, según el artículo que acaba de leer, para estas respuestas.

1. 50 dólares
2. 26.5 más
3. Generar empleo
4. 11,4 millones de dólares

38 Lea, escuche y escriba/presente

Vuelva a leer el texto sobre el turismo en Cochabamba y luego escuche la grabación "España aumenta un 6% la llegada de turistas extranjeros en el primer semestre, con 25,5 millones". Tome las notas necesarias de las dos fuentes y escriba un ensayo o haga una presentación en clase contestando la pregunta, "¿Qué influencia tiene el turismo en la economía de un país?" No se olvide de citar las fuentes debidamente.

39 Antes de leer

¿Qué sabe Ud. de las poblaciones indígenas? ¿Cree que existen muchos grupos indígenas en la actualidad? ¿Piensa que hay alguno que no ha sido influenciado por las civilizaciones occidentales? ¿Cómo se benefician y cómo se perjudican estas poblaciones con la influencia de la cultura occidental?

Dos amigos ecuatorianos

Una familia ecuatoriana

Un niño peruano

40 Los indígenas

Lea con atención el artículo que sigue y fíjese en las palabras en azul, usando el contexto y lo que sabe de cognados para descubrir su significado, ya que se le harán preguntas sobre ellas.

Los indígenas: los sacrificados

Son aproximadamente el 5% de la población mundial, y están en franca desventaja frente al empuje arrollador de la cultura occidental (A). A pesar de ser pocos, representan más del 90% de la [5]diversidad cultural de nuestro planeta. En medio de la tempestad, tratan de mantener su modo de vida, su cultura, su identidad. Muchos de ellos conservan costumbres que desde el mundo que se autodenomina "civilizado" calificamos como [10]ancestrales o primitivas. Desde occidente se observa con curiosidad —y con impertinencia a veces— sus pinturas corporales, sus plumas y abalorios, sus rituales y sus tradiciones. Se estudian sus leyendas, sus mitos y sus [15]comportamientos. Valoran sobremanera la fuerza del grupo porque son conscientes de que sólo así es posible sobrevivir. Los yanomamis no comprenden la avaricia. Los esquimales no sabrían vivir sin un profundo sentido de la [20]solidaridad (B). Y se cuenta que en Borneo, los penan tienen una sola palabra para designar los conceptos "él", "ella" y "ello", sin embargo tiene seis formas distintas de referirse a "nosotros". ¿Qué forma de vida se esconde detrás de eso? [25]¿Qué podrían enseñarnos sobre la relación con los demás?

Lo cierto es que es imposible trazar características en común. Si acaso podría decirse que todos conservan, de formas distintas y en distintas [30]intensidades, un mismo tesoro: el contacto con la naturaleza y con la tierra, algo que la cultura occidental ha ido progresivamente perdiendo. La naturaleza es la fuente de todos los remedios que necesitamos, pero su conocimiento está [35]lógicamente en manos de quienes no han perdido el contacto con la tierra (C). Empresas de varios sectores han visto en este conocimiento la gallina de los huevos de oro, una incalculable fuente de beneficios con un coste ridículo. Por [40]eso las multinacionales persiguen la sabiduría indígena, por los enormes beneficios que ello les reporta. Para elaborar un medicamento, un laboratorio necesita experimentar con alrededor de 10.000 plantas. Cuando echa mano del [45]conocimiento de las tribus del Amazonas, o de Papúa Nueva Guinea, se elabora un fármaco por cada dos plantas que estudia, con la consiguiente multiplicación de las ganancias. Desde anticonceptivos hasta neutralizadores de [50]veneno de serpientes, desde anticancerígenos hasta laxantes. La naturaleza es la farmacia más completa (D), si se sabe dónde buscar. Muchas organizaciones en todo el mundo luchan por preservar estas civilizaciones, ayudándoles a [55]mantener sus derechos frente al empuje del mercado.

www.revistafusion.com

Nota cultural

Existen alrededor de 350 millones de indígenas en todo el mundo. Son más de 5.000 pueblos con su propia visión del mundo, su propia cultura y lengua. Orgullosos de sus orígenes, luchan por mantener su identidad a pesar de la opresión que han sufrido durante siglos.

Investigue palabras clave: yanomamis, esquimales, penan

41 ¿Qué significa?

Empareje las palabras de la primera columna con su definición o sinónimo en la segunda columna.

1. aproximadamente
2. franca
3. desventaja
4. empuje arrollador
5. identidad
6. conservar
7. ancestral
8. abalorios
9. valorar
10. sobremanera
11. avaricia
12. trazar
13. si acaso
14. remedio
15. la gallina de los huevos de oro
16. ridículo
17. echar mano
18. fármaco

a. solución
b. absurdo
c. excesivamente
d. tener en estima
e. tal vez
f. más o menos
g. de los antepasados
h. gran ventaja
i. medicina
j. sincera
k. ayudar
l. adornos
m. describir
n. gusto por acumular riquezas
o. guardar
p. prejuicio
q. gran fuerza
r. descripción

42 ¿Ha comprendido?

1. ¿Cómo se encuentra la población indígena en el mundo?
   a. Intentan preservar su civilización frente al abuso occidental.
   b. Tienen una ventaja con Occidente de un 90%.
   c. Intentan influir en la cultura occidental.
   d. Son pocos pero están en una situación ventajosa.

2. ¿Cuál es su idea de supervivencia?
   a. Piensan que el individuo es el centro de la cultura.
   b. No usan la avaricia para acumular riqueza.
   c. Refuerzan la idea de comunidad y grupo frente al individualismo.
   d. Se encomiendan a la divinidad en sus rituales.

3. ¿Existe algún aspecto que compartan todos los indígenas del planeta?
   a. No es posible encontrar un rasgo en común.
   b. No, entienden el mundo de forma diferente.
   c. Sí, comparten una oposición al mundo occidental.
   d. Sí, comparten un acercamiento al mundo natural.

4. Según el texto, ¿cuál es la posición de las compañías farmacéuticas?
   a. Intentan encontrar nuevas soluciones acudiendo al mundo indígena.
   b. Les interesa encontrar la fórmula indígena para ahorrar costes.
   c. Utilizan los métodos de los indígenas aunque tengan menos ganancias.
   d. No existe una conexión entre el mundo indígena y el mundo globalizado.

5. ¿Por qué recurren al mundo indígena las compañías farmacéuticas?
   a. Amplían sus ganancias con los conocimientos indígenas.
   b. El mundo natural es más eficaz.
   c. Con los conocimientos, los indígenas ganan en rentabilidad.
   d. Las compañías ayudan al desarrollo indígena.

43 ¿Dónde va?

La siguiente frase se puede añadir a "Los indígenas: los sacrificados": *mientras que nosotros cada vez la cuidamos menos.* ¿Dónde encajaría mejor la frase?

1. Posición A, línea 3
2. Posición B, línea 20
3. Posición C, línea 36
4. Posición D, línea 52

44 Lea, escuche y escriba/presente

Vuelva a leer "Los indígenas: los sacrificados" y luego escuche la grabación "Conocer el mundo". Tome las notas necesarias de las dos fuentes y escriba un ensayo o haga una presentación en clase contestando estas preguntas: "¿La creencia de un pueblo es fruto de su cultura? ¿Qué sucede con la cultura de un país o región cuando llegan personas con otras tradiciones y culturas?" No se olvide de citar las fuentes debidamente. Póngale un título original al ensayo.

Cita

Para conocer a la gente hay que ir a su casa.

—Johann Wolfgang Goethe (1749–1832), poeta, novelista y dramaturgo alemán

¿Cree que solamente podemos llegar a conocer a las personas en su país? ¿Por qué? ¿A qué se debe? Hable sobre sus experiencias o las de alguien conocido.

¡Dato curioso!
Es una tradición entre los indígenas guaraníes en Bolivia que el pretendiente de una joven trabaje durante un año para su futuro suegro antes de poder casarse.

Nota cultural

En Venezuela la etnia predominante es la warao. Su nombre significa "gente de canoa", al ser muy hábiles con este medio de transporte. Para ellos la Luna es incluso más importante que el Sol, ya que se guian por ella para la pesca, la caza, la siembra y la recolección. Los waraos creen que la Tierra es un disco que flota en el mar. Hay alrededor de 300.000 indígenas en toda Venezuela.

Investigue palabras clave:
warao, guaraní

Teacher Resources

 Activity 44 (CD 1, track 13)

Answer

43 3. Posición C, línea 36

Instructional Notes

44 You might want to review the following words before students listen to the audio: *pisar*, to step; *corresponsal*, correspondent; *grabar*, to record; *deleite*, delight; *alejado*, far from; *difundir*, to spread/disseminate; *a menudo*, often; *aguantar*, to tolerate/stand; *por todos los medios*, in every possible way.

Ask students to change some words in the *Cita* given and to discuss the difference in meaning between the original quote and the "new" one.

Additional Activities

Composición

Have students write an eyewitness account from the point of view of an indigenous who witnesses foreigners coming into his or her village for the first time. The narrations should be in the first person.

Teacher Resources

 Activity 45 (CD 1, track 14)
Activity 46 (CD 1, track 15)

 Activities 15–16

Answers

45 1. Ejemplos: perros, gatos, pericos, conejos, caballos, vacas, víboras, iguanas, ratones, puercos, gallinas, chivos, palomas; **2.** Religiosa; **3.** Desde el siglo IV; **4.** La vaca; **5.** Los perros chihuahua; **6.** Sí (los candidatos a la alcaldía); **7.** Se basa en la tradición de pedir a Dios por la fertilidad y salud de los animales. Así, se rinde homenaje a los animales por sus servicios a los seres humanos.

46 1. b; 2. d; 3. d; 4. d; 5. d; 6. c

Instructional Notes

45 You might want to review the following words before students listen to the audio: *rito*, ceremony; *atraer*, to attract; *a la alcaldía*, for mayor; *perico*, parakeet; *víbora*, snake; *chivo*, billy goat; *desfilar*, to march (*in a parade*); *sacerdote*, priest; *aportación*, contribution; *imperar*, to rule; *encabezar*, to head/lead; *heredar*, to inherit; *acudir*, to attend; *jinete*, rider; *al brinco*, piggyback; *gran danés*, Great Dane; *aplastar*, to squash; *pata*, paw; *vicisitud*, vicissitude/hardship; *derramar*, to scatter; *don*, gift.

46 You might want to review the following words before students listen to the audio: *empuje*, push; *respaldo*, support; *abanderar*, to champion; *arrasar*, (*fig.*) takes it all; *aplastante*, overwhelming; *llevarse a cabo*, to carry out; *sencillo*, simple; *como mucho*, at most.

The questions from audio activity 46 appear below.
1. ¿Cuántas lenguas están en peligro de extinción?
2. ¿Qué constituye una lengua para un pueblo?
3. ¿Cuántas lenguas existen en el mundo? 4. ¿Cuántas personas deben hablar una lengua para que sobreviva?
5. ¿Por qué se está imponiendo el inglés a otras lenguas? 6. ¿Qué le pasa a las lenguas que tienen menos acceso a Internet?

52

¡A escuchar!

45 Benditos sean los animales

Lea las preguntas primero y después escuche la grabación "Benditos sean los animales". Luego conteste las preguntas.

1. Escriba el nombre de cinco animales que nombran en la grabación.
2. ¿Qué tipo de celebración es?
3. ¿Desde cuándo se celebra?
4. ¿Cuál es el animal que normalmente encabeza la procesión?
5. ¿Qué animales eran los más escandalosos?
6. ¿Participaba algún político?
7. ¿Por qué se celebra esta tradición?

46 Lenguas perdidas

Lea las posibles respuestas primero y después escuche la grabación "Lenguas perdidas". Escoja la mejor respuesta para cada pregunta que escuchará en la grabación.

1. (Pregunta que escuchará en la grabación.)
   a. Entre 30.000 y 60.000
   b. Entre 3.000 y 6.000
   c. Entre 13.000 y 16.000
   d. Entre 3.000 y 16.000

2. (Pregunta que escuchará en la grabación.)
   a. Un símbolo de una cultura pero no necesariamente un medio de comunicación
   b. Un medio de comunicación pero no es importante para la cultura
   c. Una cultura que quizás se olvide
   d. Un medio de comunicación y un símbolo de una cultura

3. (Pregunta que escuchará en la grabación.)
   a. Entre 13.000 y 60.000
   b. Sólo veinte
   c. Más de seis mil
   d. Unas seis mil

4. (Pregunta que escuchará en la grabación.)
   a. Unas 3.000
   b. 6.000
   c. Sólo veinte
   d. Más de 100.000

5. (Pregunta que escuchará en la grabación.)
   a. Porque lo hablan millones de personas
   b. Porque lo hablan más de 100.000 personas
   c. Porque tiene su origen en el esperanto
   d. Porque tiene una gramática fácil y por Internet

6. (Pregunta que escuchará en la grabación.)
   a. Que sus hablantes nunca aprenderán inglés
   b. Que estarán más protegidas y se harán más fuertes
   c. Que tendrán más riesgo de desaparecer
   d. Que terminarán siendo salvadas por la tecnología

Notas culturales

En México, un *charro* es un hombre de a caballo. Una *charrería* es la institución folclórica y tradicional de los charros, con sus costumbres, ceremonias y prácticas. Los charros datan de los años 1535 cuando los campesinos mexicanos en la colonia española empezaron a usar sus propios procedimientos para hacer las faenas del campo.

Ailla es un archivo digital de textos y grabaciones de lenguas indígenas en Latinoamérica. Se hablan cientos de lenguas, aunque desafortunadamente la mayoría están en peligro de extinción. Uno de los objetivos de Ailla es preservar esta riqueza grabando información cultural importante para los indígenas en su idioma. Hay zonas, aun cuando la lengua está viva, en que se están perdiendo formas de hablar, como diálogos ceremoniales, leyendas y canciones. Este archivo pretende guardar esto para futuras generaciones.

UNESCO es la sigla de "Organización de las Naciones Unidas para la Educación, la Ciencia y la Cultura".

47 Participe en una conversación

Ud. va a participar en una conversación. Primero lea la descripción de la conversación y piense en algunas palabras o expresiones que le serían útiles. Organice sus ideas, haciendo predicciones sobre lo que se le pueda preguntar o comentar. Una descripción de lo que va a escuchar aparece abajo en color. Participe en la conversación grabando las respuestas o escribiéndolas en su cuaderno.

Escena: Ud. es una persona muy conocida y por su posición tiene que viajar mucho. Hoy, le hacen una entrevista en un programa de televisión.

El presentador:	En un programa de televisión el presentador le pide algo.
Ud.:	• Conteste.
	• Dele la información que le pide.
El presentador:	Sigue la conversación. Le hace una pregunta.
Ud.:	• Conteste su pregunta.
	• Cuente una anécdota muy corta.
El presentador:	Sigue la conversación. Le hace una pregunta.
Ud.:	• Háblele sobre sus preferencias. Explique las razones.
El presentador:	Sigue la conversación. Le hace otra pregunta.
Ud.:	• Contéstele y dele detalles sobre lo que le pide.
El presentador:	Sigue la conversación y le pide algo.
Ud.:	• Haga un comentario e intente usar una expresión que ha aprendido o repasado en esta lección.

Teacher Resources

 Activity 47 (CD 1, track 16)

Activities 17–18

Audioscript Activity 47

El presentador: Y ahora tenemos a alguien muy conocido para todos. Por favor, preséntese y hable de su profesión.
[STUDENT RESPONSE]

El presentador: ¿Puede explicarnos por qué le obliga a viajar tanto este tipo de trabajo?
[STUDENT RESPONSE]

El presentador: ¿Qué medio de transporte usa normalmente? ¿Cuál es el principal motivo?
[STUDENT RESPONSE]

El presentador: Según su experiencia, ¿cuáles son las ventajas y desventajas de viajar?
[STUDENT RESPONSE]

El presentador: Bueno, muchísimas gracias por pasarse por aquí. Todos sabemos lo ocupadísimo que está. A propósito, ¿me podría firmar un autógrafo para mi hija?
[STUDENT RESPONSE]

idents go over the expectations
in the Pautas on p. 480 before they prepare any
of the writing activities in this section.

52 Monitor students' comments and corrections as
they evaluate their classmates' work. If certain errors
are being made repeatedly, go over this grammar with
the class.

Additional Activities

Corrija una carta
See p. TE26.

¡A escribir!

48 Texto informal: una carta

Tome el papel de un/a inmigrante ilegal. Escríbale una carta a su
madre hablándole de su experiencia. Incluya lo siguiente:

- Háblele de su experiencia para poder llegar a su destino.
- Hable del medio, o de los medios, de transporte que usó.
- Describa su primera impresión de su nuevo destino.
- Despídase.

49 Texto informal: un correo electrónico

Ud. ha decidido ir a pasar un mes en un país hispanohablante para
aprender español. Las cosas no son tan fáciles como esperaba. Escríbale
un correo electrónico a un/a amigo/a hablándole de su situación.

- Describa el país en el que está.
- Describa sus primeros días.
- Hable de sus retos y sus miedos.
- Piense en ideas para mejorar la situación.

Consejo

Antes de empezar, lea
las pautas para escribir
ensayos en la pág. 480
del Apéndice. Mientras
escribe el ensayo tenga
presente los objetivos, y
no se olvide de ponerle
un título original. Cuando
termine, verifique que
ha cumplido con todo
lo que se describe en la
lista y reflexione sobre su
trabajo.

Consejo

Antes de empezar, lea las
pautas para escribir textos
informales en la pág. 480
del Apéndice. Mientras
escribe el texto tenga
presente los objetivos.
Cuando termine, verifique
que ha cumplido con
todo lo que se describe
en la lista y reflexione
sobre su trabajo.

50 Ensayo: estudiar en el extranjero

Escriba un ensayo contestando la pregunta, "¿Piensa
que debe ser obligatorio que todos los estudiantes
estudien en otro país?"

51 Ensayo: la inmigración

Escriba un ensayo en el que compare las ventajas y
desventajas de la inmigración en un país. Su profesor/a
le va a decir si debe tomar la postura de un/a
inmigrante o de un/a ciudadano/a del país.

52 En parejas

Intercambie sus ensayos con los de un/a compañero/a.
Exprésele su opinión sobre el contenido y el uso del
idioma.

¡A hablar!

53 Charlemos en el café

Hable con sus compañeros sobre estos temas.

1. ¿Está igualmente aceptado que viaje una madre o un padre por cuestiones laborales? ¿Qué consecuencias tienen estos viajes en la familia?
2. Haga una lista de cinco personas famosas que se ven obligadas a viajar. Hable de los motivos por los que lo deben hacer y su posible impacto en otras personas al viajar.
3. ¿Son todos los inmigrantes tratados por igual? ¿Cuáles serán las razones por las que unos son más aceptados que otros por la sociedad? Explique su respuesta.
4. Cuando Ud. nota que alguien habla con acento extranjero, ¿cómo reacciona? ¿Cómo cree que otras personas reaccionan? ¿Cómo reaccionan otras personas al escuchar su acento en español?
5. ¿Cómo cree que el acento extranjero de una persona influye en la percepción que se tiene de ella?

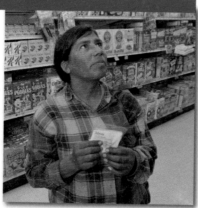

Clienta mexicana en un supermercado de Estados Unidos

54 ¿Qué opinan?

Converse con un/a compañero/a sobre estas preguntas.

1. ¿Cuáles son las tradiciones más conocidas de los Estados Unidos?
2. ¿Cuáles son las tradiciones más conocidas de otros países?
3. ¿Piensa que en los Estados Unidos se valora el aprendizaje de idiomas? ¿A qué se debe?

55 Presentemos en público 🎙

Hable sobre uno de los siguientes temas durante varios minutos en clase. Organice sus ideas antes de hacer la presentación, busque las palabras necesarias y, después de practicar, presente en clase sin mirar las notas.

1. Hable sobre los retos que tienen los hijos de inmigrantes.
2. Hable sobre el choque entre diferentes culturas. ¿Por qué sucede? Conforme pasa el tiempo, ¿piensa que somos más o menos tolerantes? Proponga una solución al problema de la intolerancia con respecto a otras culturas.
3. Hable sobre los diferentes tipos de turistas.
4. ¿Qué piensa de la globalización y de su impacto en las tradiciones y cultura de un país?

Consejo

Antes de empezar, lea las pautas para presentaciones formales en la pág. 481 del Apéndice. Mientras formula su presentación tenga presente los objetivos. Cuando termine la presentación, verifique que ha cumplido con todo lo que se describe en la lista y reflexione sobre el trabajo que hizo.

Teacher Resources

Activity 22

Instructional Notes

53 Because all students will speak, allow them time to prepare this activity. Be sure to tell students which issue and which side of the issue they will be debating, so that they can do some research and practice before their debate.

After students have debated these issues with a partner, you might want them to continue the debate in small groups, or even have a discussion with the whole class on one or two of these topics.

You might want to show a word bank on an overhead transparency or on the chalkboard to make sure that students use the new vocabulary.

54 Encourage students to review the vocabulary, including the expressions, at the end of the lesson in order to enhance their discussions. They need to pay attention to the grammar, pronunciation, and intonation, and use appropriate vocabulary to contradict or agree with their partner's comments. After students discuss these questions with a partner, you could hold a whole-class discussion.

55 Review the *Pautas para presentaciones formales* on p. 481, and refer students to their copies of the guidelines given to them in *Lección 1A* (*Antes y durante una presentación*). (See p. 27 of this Annotated Edition.)

56 Before students start their projects, go over the questions from *Lección 1A*, p. 28. Students should have a copy of these questions for each project.
Remind them that after they complete their project, they will self-assess their work as a team using the grading system 1–5 (5 being the highest, and 1 the lowest) and write a grade next to each question. After they turn in their work or make their presentation to the class, you will review their project and write your comments and evaluation next to theirs.

Proyectos

56 ¡Manos a la obra!

Trabaje en un grupo de cuatro o cinco estudiantes para llevar a cabo uno de los siguientes proyectos y presentarlo a la clase.

- Investiguen sobre una tradición o fiesta original en un país del mundo hispano. Intenten que sea una no muy conocida por los otros compañeros de clase. Promocionen la tradición o fiesta en su escuela o universidad, e intenten conseguir que venga el máximo número de participantes a verla. Pueden usar carteles, camisetas, concursos, etc. para promocionar la fiesta o tradición.

- Los miembros de su grupo tuvieron que emigrar a otro país. Expliquen en una rueda de prensa los motivos por los que tomaron esta decisión. Hablen de su viaje (pueden mostrar fotos y recuerdos), de los retos, del país donde están ahora y su adaptación al mismo. Prepárense para responder a las preguntas de sus compañeros.

- Hagan una lista de consejos y reglas para ser un buen turista. Preséntenlo en un cartel, un folleto o en PowerPoint.

- Hagan una rueda de prensa en la que hablan de una persona que ha ganado un premio por ser "el/la mejor turista". Expliquen a la clase qué es lo que hizo para merecer dicho premio.

- Piensen en películas o series de televisión donde aparezcan personas de otros países o culturas. Hablen sobre las películas y series y describan los personajes. ¿Cómo son tratados? ¿Son estereotipos de extranjeros? ¿Creen que reflejan el problema del choque cultural? Propongan un tema para una película que refleje lo que han aprendido o repasado en este capítulo.

La tradición del gaucho sigue vigente en Argentina y Uruguay.

Vocabulario

Verbos

alcanzar	to reach
arraigarse	to take root, establish oneself in a place
asentir (ie, i)	to agree, consent
cobrar	to charge
compartir	to share
conmemorar	to commemorate
conseguir (i)	to achieve, obtain
conservar	to conserve, keep
denigrar	to discredit
enfrentar	to face
equivocarse	to be wrong, be mistaken
fingir	to pretend
funcionar	to work
madrugar	to wake up early
oscilar	to oscillate, sway
pertenecer	to belong
perturbar	to disturb
residir	to live, reside
trazar	to outline, describe
valorar	to value

Verbos con preposición

verbo + a:

acostumbrarse a	to get accustomed to
aprender a	to learn to
dirigirse a	to go to, head toward
renunciar a	to resign

verbo + con:

acabar con	to finish off, end
amenazar con	to threaten to/with
soñar (ue) con	to dream about

verbo + de:

aprovecharse de	to take advantage of
despedirse (i) de	to say good-bye to
gozar de	to enjoy
huir de	to run away from
olvidarse de	to forget about
tratar de	to try to

verbo + en:

embarcar en	to embark on smthg
entrar en	to go into
incluir en	to include in/on
meterse en	to get in/into
tardar en	to take time to

verbo + por:

luchar por	to fight for
preocuparse por	to worry about
viajar por	to travel by

Sustantivos

el	abalorio	bead; *pl.*, adornments
la	acogida	welcome, reception
el	antojo	craving
el	beneficio	benefit
el	billete	bill
el/la	campesino/a	agricultural worker; peasant
la	censura	censorship
el/la	ciudadano/a	citizen
el	cobijo	shelter
el	crecimiento	growth
el	decano	(university) dean
el	desfile	parade
la	desventaja	disadvantage
el	dilema	dilemma
el	discurso	speech
la	economía	economy
el	empleo	employment
el	empuje	push, drive
la	entrevista	interview
el	fármaco	medicine
el/la	gobernante	leader
la	igualdad	equality
el	letrero	sign
el/la	líder	leader
la	meta	goal
la	pobreza	poverty
el	rechazo	denial
la	redacción	written piece, writing
el	riesgo	risk
el	rincón	corner
la	solicitud	application

Adjetivos

anual	annual
azaroso, -a	risky
cortés	polite
desesperado, -a	desperate
diario, -a	daily
diurno, -a	morning
influyente	influential
mensual	monthly
módico, -a	moderate
opulento, -a	affluent
propio, -a	own
provechoso, -a	profitable, worthwhile
raro, -a	strange
tanto, -a	so much; *pl.,* so many, as many

Teacher Resources

 Activities 23–28

 Visite la página Web de *¡A toda vela!* en www.emcp.com

Additional Activities

Juegos

To practice the vocabulary and grammar from the lesson, ask students to play any of the following: *Lo tengo en la punta de la lengua, Cada uno una,* or *El juego de la alarma.* See pp. TE24 and TE25.

Ask students to do any of the following activities to practice and strengthen the vocabulary and grammar presented in this lesson: *Hablen sobre esta foto, ¿Cómo están relacionados?, ¿Cuáles son las diferencias?, ¡Pongámonos de acuerdo!, La definición interminable,* or *Repaso Expreso.* See pp. TE26–TE28.

Teacher Resources

See ExamView for assessment options.

Additional Activities

Oraciones

Show students some of Murphy's Laws. Have them rewrite these sentences using verbs like *gustar* that are shown in the *A tener en cuenta* section.

Adverbios

apenas	barely
bastante	sufficiently, quite
debidamente	properly
ya no	no longer

Expresiones

el acuerdo de paz	peace treaty
al + infinitivo	on, when + *-ing* form of verb
al igual que	like, just like
bien educado, -a	well mannered
la crisis económica	economic crisis
cuanto antes	as soon as possible
de modo que	so that
de otra forma	in another way
dejar huella	to leave a trace, mark
en el fondo	deep down
en la mayoría de las ocasiones	most of the time
estar muerto de cansancio	to be dead tired
el golpe de estado	coup
hacer falta	to need
hacerle gracia a uno	to find smthg funny
hacer todo lo posible	to do whatever is possible
(la) mayoría de las veces	most of the time
menos mal	thank goodness
pasar de largo	to pass by (*ignore*)
por ciento	per cent
por culpa de	because of, through the fault of
por desgracia	unfortunately
por lo que	by what
el régimen político	political regime
según	according to
tenerlo claro	to understand (it)

A tener en cuenta

Verbos como *gustar*

aburrir	to bore
agradar	to be pleasing, please
apetecer	to crave, yearn for
bastar	to suffice, be enough
convenir	to suit, be convenient
doler (ue)	to hurt
encantar	to delight, charm
faltar	to lack
fascinar	to fascinate
fastidiar	to bother, annoy
hacer falta	to need
importar	to matter
interesar	to interest
molestar	to bother
parecer	to seem
preocupar	to worry
quedar	to be left
sobrar	to be more than enough, be too much
sorprender	to surprise

Capítulo 2

¡Gente joven!

Temas

- Cómo se definen y qué valoran
- Cómo viven
- Cómo hablan

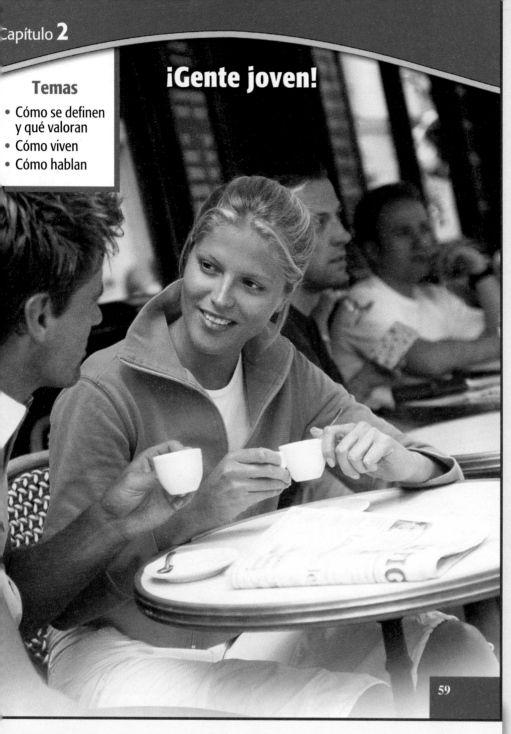

Overview of chapter 2

Encourage students to talk to their parents, grandparents, or guardians about the chapter topics in order to discover something about the older generations' values and lifestyles when they were the students' age. Encourage students to explore what their lives were like, how they dressed, how they spoke — for example, what slang terms were popular. Students could then report their findings back to the class and a whole-class discussion could follow, comparing the values, lifestyles, and speech of the students' elders to their own.

Instructional Notes

You might want to ask the following questions related to the topics of this chapter: *¿Qué palabras usarían Uds. para describirse a sí mismos? ¿Y a sus amigos y amigas? ¿Qué es lo que más valoran Uds.? ¿Hablan de una forma diferente a cómo hablan las personas mayores? ¿A qué se debe?*

Nota cultural

Para muchos universitarios europeos el programa Erasmus les ofrece la ocasión de vivir por primera vez en un país extranjero. Por esta razón se ha convertido en un fenómeno social y cultural, y es enormemente popular entre los estudiantes.

El programa fomenta no solamente el aprendizaje y entendimiento de la cultura y costumbres del país anfitrión, sino también el sentido de comunidad entre estudiantes de diversos países. La experiencia de Erasmus se considera una época de aprendizaje y de fomento de la vida social.

La importancia que tiene este programa ha desbordado el mundo académico europeo, siendo reconocido como un elemento importante para fomentar la cohesión y conocimiento de la Unión Europea entre la población joven. Esto ha hecho que se venga acuñando el término "generación Erasmus" para distinguir a esos estudiantes universitarios que a través de esta experiencia han creado lazos de amistad transfronterizos, poseyendo una clara conciencia ciudadana europea.

El programa de intercambio Erasmus de la Unión Europea ha sido galardonado con el Premio Príncipe de Asturias de Cooperación Internacional 2004 por ser uno de los programas de intercambio cultural más importantes de la historia de la humanidad.

Ask students to review the culture topics of the lesson and say which one interests them the most, and why.

Have students make up a story using one of the photos on the page. Give them some time to think about this if you wish to have them do it orally, or assign it as a written piece for homework.

Lección A

Objetivos

Comunicación
- Estar a la moda
- Los valores de los jóvenes
- Cómo se definen los jóvenes
- Las aspiraciones de los jóvenes

Gramática
- *Ser, estar* y *haber*
- Verbos reflexivos y construcciones reflexivas
- *Por* y *para*

"Tapitas" gramaticales
- *acabar* + gerundio
- *pero, sino, sino que*

Cultura
- La influencia de la moda
- Los jóvenes en su tiempo libre
- Metas y aspiraciones de los jóvenes
- El lenguaje de la gente joven
- La mayoría de edad

 Visite la página Web de *¡A toda vela!* en www.emcp.com

Para empezar

1 Conteste las preguntas

Piense en las respuestas a las siguientes preguntas. Ud. puede tomar notas si lo considera necesario. Cuando termine, compare sus respuestas —pero sin mirar sus notas— con las de un/a compañero/a.

1. ¿Qué suele hacer los fines de semana? ¿Hasta qué hora se queda cuando sale? ¿A qué dedica el domingo?
2. ¿Cree que Ud. cambió mucho cuando llegó a la adolescencia? ¿En qué notó los cambios?
3. ¿Qué tipo de ropa llevan los jóvenes ahora? ¿En qué se diferencia de la ropa que llevan los adultos? ¿Cree que a los mayores les gusta esta moda o que la comprenden?
4. ¿Quiénes están más a la moda? ¿Los quinceañeros, los veinteañeros o los treintañeros?
5. ¿Cómo son los piratas informáticos vistos por su generación?
6. ¿Qué imagen suelen tener los jóvenes de sí mismos?
7. ¿Los jóvenes de su generación tienen más o menos interés en la política que sus padres? ¿A qué se debe?
8. ¿Cómo es el lenguaje de los jóvenes? ¿Cómo se diferencia del lenguaje de sus padres? ¿Y del de sus abuelos?
9. ¿Hasta qué edad se es joven? ¿Se considera joven? ¿Qué marca el final de la juventud?
10. ¿Los jóvenes pueden mejorar el mundo a su alrededor? ¿De qué forma?

2 Mini-diálogos

Ud. va a crear un mini-diálogo con un/a compañero/a. Lea la descripción de la conversación antes de empezar. Puede tomar notas para organizar sus ideas, pero no las mire mientras conversa.

Escena: En una de sus clases, entre ejercicio y ejercicio su amigo/a y Ud. hacen planes para el fin de semana.

A: Entable una conversación sobre el fin de semana. Pregúntele sobre sus planes.

B: Reaccione con frustración. Dígale que no tiene planes. Pregúntele sobre los suyos.

A: Conteste su pregunta. Invítelo/la.

B: Acepte la invitación. Sugiérale otra actividad.

A: Reaccione con emoción. Sugiérale otra actividad.

B: Reaccione con emoción. Dele su número del móvil.

A: Hágale un comentario sobre su profesor(a). Despídase.

B: Despídase. Haga un comentario positivo sobre sus planes del fin de semana.

Cita

De mis disparates de juventud lo que más pena me da no es el haberlos cometido, sino el no poder volver a cometerlos.
—Pierre Benoît (1886–1962), novelista francés, miembro de la Acadèmie française

¿Cree que se cometen muchos disparates por ser joven? ¿A qué se deberá? ¿Se arrepiente de ellos? Comparta sus opiniones con un/a compañero/a.

¡Dato curioso!

El concepto de *joven* ha cambiado con el paso del tiempo. En la época medieval una persona de veintidós años no era considerada joven, al ser ésta la media de esperanza de vida en aquellos tiempos. También influye el país y la cultura sobre el concepto de ser joven.

Nota cultural

El país con mayor esperanza de vida es Japón, donde la edad media es de 82 años. España está entre los primeros con 78 años de promedio. Estados Unidos tiene un promedio de 77 años; 71 en Colombia; 64 en Rusia; 61 en Bolivia; y 45 en Afganistán. Entre los animales, las tortugas galápagos son entre los más longevos, ya que pueden vivir por más de cien años.

Answers

1 Answers will vary.

2 Dialogues will vary.

Instructional Notes

1 You might want to have students work in small groups or have the entire class participate in a discussion.

Ask students to decribe the photo by asking: *¿Qué edad tendrán las personas de la foto? ¿Qué ropa llevan? ¿Qué opinan de esa ropa? ¿La llevarían Uds.? ¿Por qué?*

2 You might want to have some students represent their dialogues in front of the class.

Encourage students to add expressions that they learn, or hear about as the year goes on, to their own vocabulary lists. These expressions should include words used to greet, continue a conversation, and express agreement or disagreement, and that would be useful for this type of activity.

Ask students to define the word *disparate* that appears in the *Cita* (*es algo absurdo o una atrocidad*). You might want students to also discuss the questions in the *Cita* feature in small groups or have the entire class participate in a discussion.

Activity 1

Answers

4 Wording will vary; English translations are also shown.

1. un poco rollo: un poco aburrido; *it's a little bit of a bore (pain)*; 2. me arreglara: me vistiera; *(for) me to get ready*; 3. muerta de sueño: muy, muy cansada; *dead tired*; 4. mono: bonito; *cute*; 5. ciega: sin poder ver; *blind*; 6. atento: me hace caso; *attentive*; 7. gracioso: divertido; *funny*; 8. sonrisita: una pequeña sonrisa; *little smile*; 9. guiño: cierro un ojo; *wink*

5 1. Estuvo muy bien: estado
era un poco rollo: descripción
estaba muy segura: estado
estaba lista: descripción
estaba muerta de sueño: con participio pasado para indicar condición o estado
Estaba tan ilusionada: estado
es muy buena gente: rasgo, característica
somos íntimas: característica
estás ciega: una actitud
quién es: descripción
Estaba tan atento: estado
Eran unos dátiles: característica
estaban increíbles: descripción
Fue una noche: descripción
estamos saliendo: con el participio presente
somos novios: característica
amor es ciego: característica

2. había mucha gente, nos habíamos llevado, había preparado, Hay que

3. *to be safe*; Ejemplos: ser frío, estar frío; ser ciego, estar ciego; ser listo, estar listo; ser maduro, estar maduro; ser rico, estar rico; ser vivo, estar vivo; ser verde, estar verde

Instructional Notes

3 La palabra *bacon* (línea 24) se pronuncia beicon; también se le dice *tocino*.

5 Ask students to explain the meanings of the examples they chose for question 3.

Vocabulario y gramática en contexto

3 Una fiesta 👥 📖

Túrnese con un/a compañero/a para leer lo que una chica escribió sobre una fiesta. Fíjese en las palabras que aparecen en azul (relacionadas con el vocabulario) y en rojo (relacionadas con la gramática), ya que en las siguientes actividades se le harán preguntas sobre ellas.

El otro día mis amigos y yo fuimos a una fiesta. Estuvo muy bien aunque al principio era un poco rollo. Yo no estaba muy segura de que quisiera
⁵ salir ese día. Paula me mandó un mensaje al móvil y me dijo que estaba lista, que me daba media hora para que me arreglara. Yo, aunque estaba muerta de sueño no pude decirle que
¹⁰ no. Estaba tan ilusionada... Ella es muy buena gente y somos íntimas desde hace siglos. Así que me puse un vestido verde muy mono y salimos. Fuimos a una fiesta donde había mucha gente
¹⁵ y allí vimos a Fernando. Él y yo nunca nos habíamos llevado bien pero nos quedamos hablando por horas. Mi amiga se acercaba de vez en cuando y

me murmuraba al oído: "Pero, ¿estás
²⁰ ciega? ¿No ves quién es?" A mí, nada de esto me importaba. ¡Estaba tan atento y gracioso! En la fiesta, tomamos unas tapas riquísimas que había preparado Alex. Eran unos dátiles con bacon que
²⁵ estaban increíbles. Fue una noche inolvidable. ¡Ah, se me olvidaba! Desde aquel día Fernando y yo estamos saliendo. Sí, ahora somos novios, y cuando mi amiga me recuerda con una
³⁰ sonrisita que lo odiaba, yo suspiro y le digo con ojos de enamorada: "¿No dicen que el amor es ciego? Hay que hacerle caso a las emociones". Y le guiño un ojo amistosamente.

—Yolanda

4 Amplíe su vocabulario 🔍

Defina en español las palabras o expresiones que aparecen en azul, o escriba un sinónimo o expresión similar para cada una.

5 *Ser, estar* y *haber* 🔍 👥

Con un/a compañero/a, haga estas actividades relacionadas con la lectura anterior.

1. Hagan una lista con las palabras y expresiones que aparecen con *ser* y *estar* en la lectura y expliquen la regla para su uso.
2. Escriban los ejemplos donde el verbo *haber* ha sido usado.
3. Ya saben que el significado de algunos adjetivos cambia según se use *ser* o *estar*. Por ejemplo, en la lectura se usa *estar seguro* para significar *to be sure*. ¿Qué significa *ser seguro*? Piensen en otros cinco adjetivos que cambian de significado según se usen con *ser* o *estar*. Pueden usar algunos ejemplos de la lectura además de sus propios ejemplos.

6 ¿Ser, estar o haber?

Complete el texto con el verbo *ser*, *estar* o *haber* en el tiempo correspondiente.

Ayer por la noche hubo una reunión para los estudiantes que __1.__ en la clase de mi hermano. __2.__ para formar un club de cine este año pues todos __3.__ unos fanáticos de la gran pantalla. Aunque yo __4.__ agotado fui con Paco para acompañarlo. Al principio no pudimos encontrar la sala, ya que iba a __5.__ en un edificio pero luego __6.__ en otro. Cuando por fin encontramos ⁵la clase, ya __7.__ llegado casi todo el mundo. Apenas __8.__ asientos libres. __9.__ muy divertido, todos __10.__ muy agradables y las conversaciones __11.__ muy vivas. Alfonso __12.__ el líder de este grupo y __13.__ un tío bastante listo que __14.__ estado interesado en el cine durante mucho tiempo y que seguramente __15.__ un actor o director algún día aquí en Argentina. Nos dijo a todos que __16.__ que hacer carteles y hablar con más chicos para que se ¹⁰unan al club. El club __17.__ abierto a todos aquellos que quieran participar. Así que si __18.__ interesado, tú también puedes __19.__ miembro. ¡Anímate! ¡__20.__ muy bien, en serio!

7 Escriba 🧍🧍✒️

Con un/a compañero/a, escriba un diálogo entre jóvenes en el que hablen sobre un club o página de Internet. Subraye los verbos *ser*, *estar* y *haber* que haya usado.

8 En una novela 📖

Lea el siguiente texto literario. Fíjese en las palabras que aparecen en azul y rojo, ya que en las siguientes actividades se le harán preguntas sobre ellas.

Era uno de esos días que te pasas tumbada en la cama sin nada que hacer. Aquel día decidí que intentaría conseguir mi primera cita con Mauricio. En cuanto le hablé de él a mi amiga Carmen, se empeñó en que tenía que arriesgarme y tratar de vernos.

⁵Le llamé a su móvil y le dije:

—Hola. Soy Gema Enríquez. Nos conocimos el otro día por el centro. ¿Te acuerdas?

—Pues claro que lo recuerdo. Nos conocimos hace una semana, ¿verdad? Fue cuando me quitaste el sitio para aparcar. Eres tú, ¿no?

¹⁰En ese momento me puse nerviosísima y comencé a tartamudear. ¿Cómo pude haber olvidado ese pequeño detalle? No me hizo nada de gracia que me recordara el incidente. Me esforcé por sonar normal y fue cuando empezó a reírse y me dijo que nos tomáramos algo fresquito juntos.

"Vaya, vaya. Un gracioso", pensé.

¹⁵Tenía la costumbre de recordar sólo lo bueno que me pasaba cada día, es por lo que había olvidado que el día que nos vimos por primera vez estaba de mal humor, pues me había enfadado con Virginia, de quien no te puedes fiar ni un pelo. Así que decidí pasearme por el centro comercial. Vi que un coche quería aparcar, pero hice una maniobra un poco arriesgada y le quité el sitio a Mauricio, a quien no conocía entonces. Su amigo se enfadó mucho conmigo por lo ocurrido, pero Mauricio me defendió ²⁰y consoló cuando empecé a llorar como loca. Sí, se me había olvidado esa parte de nuestro primer encuentro.

Eran las once y diez. Como era de esperar, llegué diez minutos tarde a mi cita para hacerme la interesante. La cena fue inolvidable. Nos reímos a carcajadas por horas, nos divertimos como nunca y nos dimos cuenta de que teníamos mucho en común. Se portó como un auténtico caballero conmigo. ²⁵Nos miramos el uno al otro, y me dio un abrazo cuando nos despedimos en mi portal. Cuando me volví y miré por encima del hombro, ya no estaba. Se había marchado. Entonces lo vi. Vi a un tipo muy raro con una chaqueta de cuero que se acercaba hacia mí rápidamente. Se me cayeron las llaves al suelo y no me dio tiempo recogerlas. Menos mal que en ese momento apareció Mauricio. Le echó una mirada fulminante al extraño, y ése se encogió de hombros y se fue inmediatamente. Acabamos saliendo un ³⁰par de meses, hasta que choqué con otro coche que conducía este chico muy simpático... Pero eso ya es otra historia.

Gema

Answers

6 1. están; 2. Es; 3. son; 4. estaba; 5. ser; 6. fue; 7. había; 8. había; 9. Fue; 10. fueron; 11. fueron; 12. es; 13. es; 14. ha; 15. será; 16. hay; 17. está; 18. estás; 19. ser; 20. Está

7 Dialogues will vary.

Instructional Notes

7 Remind students to use new words from the readings and to keep track of how many they use in their dialogue. You might want some pairs of students to present their dialogues in small groups or before the entire class.

8 Ask students to talk about how people their age go about meeting others. You might want to share some of your experiences, and talk about the role the new technologies have in this. Talk about the advantages and disadvantages of meeting people online or through a dating service, and ask them to predict how future generations —maybe their grandchildren— will meet their *media naranja*.

Additional Activities

Juego

¿Ser, estar o haber? To play the following game, you will need to prepare a short article or paragraph that uses the verbs *ser*, *estar*, or *haber* so that students can guess which one is correct. Try to vary the tenses and forms of these verbs.

Tell students: *Voy a leerles un texto, pero sin decir si el verbo debe ser* ser, estar *o* haber. *Uds. van a escucharme y, cuando haga una pausa, deben aplaudir si creen que el verbo es* ser, *hacer un chasquido con los dedos si creen que es* estar *y levantar la mano derecha si creen que es* haber. *A continuación, un voluntario debe decirme el tiempo y la forma correspondientes del verbo.*

If you want a less noisy version of this game, have students raise their right hand for *ser*, their left for *estar*, or both hands for *haber*. You can also ask them to show different-colored cards, depending on the verb.

Answers

9 1. tumbada, *lying down;* 2. se empeñó, *she insisted;*
3. arriesgarme, *to risk;* 4. Vaya, vaya, *Well, well;*
5. gracioso, *funny (guy);* 6. consoló, *consoled, comforted;*
7. Nos reímos a carcajadas, *We roared with laughter;*
8. portal, *doorway;* 9. tipo, *guy;* 10. cuero, *leather*

10 1. te pasas (*you spend*); se empeñó (*she insisted*); arriesgarme (*to risk*); ¿te acuerdas? (*do you remember?*); me puse (*I became*); me esforcé (*I forced myself*); reírse (*to laugh*); nos tomáramos (*we have a drink*); me había enfadado (*I had been angry*); no te puedes fiar (*you can't trust*); pasearme (*to take a walk*); se enfadó (*he got angry*); se me había olvidado (*I had forgotten*); hacerme (*to make myself out to be*); nos reímos (*we laughed*); nos divertimos (*we had fun*); nos dimos cuenta (*we realized*); se portó (*he behaved*); nos despedimos (*we said good-bye*); me volví (*I turned around*); se había marchado (*he had gone away*); se acercaba (*he was approaching*); se me cayeron (*I dropped*); se encogió (*he shrugged*); se fue (*he left*); 2. vernos, nos conocimos, nos vimos, nos miramos. 3. Se usa para dar énfasis y concuerda en género y número (por ejemplo, *la una a la otra, los unos a los otros*). 4. Ejemplos: aprovecharse, arrepentirse, asustarse, atreverse, enterarse, equivocarse, esconderse, fiarse, fijarse, levantarse, parecerse, sentarse, sonreírse, tranquilizarse; 5. Ejemplos: acercar (*to bring closer*), acercarse (*to approach*); acordar (*to agree*), acordarse (*to remember*); acostar (*to put to bed*), acostarse (*to go to bed*); dormir (*to sleep*), dormirse (*to fall asleep*); enfermar (*to make sick*), enfermarse (*to become sick*); hacer (*to make/do*), hacerse (*to make oneself out to be*); ir (*to go*), irse (*to go away, to leave*); levantar (*to lift*), levantarse (*to get up*); llamar (*to call*), llamarse (*to be called*); negar (*to deny*), negarse (*to refuse*); parecer (*to seem*), parecerse (*to look like*); poner (*to put*), ponerse (*to put on, to become*); probar (*to taste*), probarse (*to try on*); quitar (*to remove, take away*), quitarse (*to take off*); tratar (*to try*), tratarse (*to be about*); vestir (*to dress*), vestirse (*to get dressed*); volver (*to return*), volverse (*to turn around, to become*); 6. *I dropped the keys* (lit., *The keys fell to/on me*). El reflexivo (*se*) precede al directo (*me*).

11 1. *We ended up going out.* Ejemplo: Quería salir pero acabé viendo una película con unos amigos. 2. Se traduce como *but.* Ejemplos: Quiero salir pero no tengo dinero. No lo escribió él, sino ella. No compré el coche, sino que lo alquilé.

12 1. me levanté; 2. me apetecía; 3. acostarme; 4. hizo; 5. iba; 6. tropecé; 7. creí; 8. me dije; 9. preguntaba; 10. tocó; 11. me acordaba; 12. me puse; 13. acostarme; 14. me fui; 15. me enfermé; 16. se

---

9 Amplíe su vocabulario

Con un/a compañero/a traduzca al inglés las palabras de "En una novela" que aparecen en azul.

10 Verbos reflexivos y construcciones reflexivas

Con un/a compañero/a, haga estas actividades relacionadas con la lectura de la Actividad 8.

1. Hagan una lista de los verbos reflexivos que aparecen y tradúzcanlos.
2. Escriban los verbos que se usan para indicar que algo es recíproco.
3. ¿Qué función tiene *el uno al otro*?
4. Hagan una lista de otros diez verbos reflexivos que conozcan.
5. Algunos verbos cambian su significado cuando son reflexivos. Escriban diez verbos que cambien su significado según lleven pronombre reflexivo o no e incluya la traducción al inglés. Por ejemplo: despedir: *to fire*; despedirse: *to say good-bye.*
6. ¿Cómo traduciría al inglés *se me cayeron las llaves*? ¿Cuál es la traducción literal? ¿Cuál es la regla?

11 "Tapitas" gramaticales

Conteste estas preguntas basadas en la lectura de la Actividad 8.

1. ¿Cómo se traduce *acabamos saliendo*? Escriba una frase parecida usando *acabar* más el gerundio.
2. ¿Cómo se traduce *pero*? Escriba tres oraciones que ilustren el uso de *pero, sino* y *sino que.*

12 ¿Reflexivo o no?

Lea el siguiente texto y escriba la forma correcta de los verbos en pretérito, imperfecto o infinitivo. Decida si hay que usar el pronombre reflexivo o no.

Ayer yo __1.__ (levantar / levantarse) enfermo y como quien dice con el pie izquierdo; lo único que __2.__ (apetecer / apetecerme) era __3.__ (acostar / acostarse) de nuevo, pero Pablo __4.__ (hacer / hacerse) que fuera a
5 clase. Cuando yo __5.__ (ir / irse) de camino a clase, __6.__ (tropezar / tropezarse) dos veces con algo que había en el piso. Al principio __7.__ (creer / creerse) que sólo fue casualidad y __8.__ (decir / decirse) que mi suerte iba a cambiar. Evidentemente no fue así.

Llegué tarde a mi primera clase que era con el profesor más duro de toda la universidad. Este
10 señor a menudo __9.__ (preguntar / preguntarse) sobre la lección anterior a dos o tres de los alumnos, así que nada más entrar y siguiendo mi mala racha me __10.__ (tocar / tocarse) a mí. Obviamente yo no __11.__ (acordar / acordarse) de nada. De repente empecé a temblar y a tartamudear, y __12.__ (poner / ponerse) muy nervioso por lo que un par de mis amigos se rieron al verme así. Lo único en lo que yo pensaba era en __13.__ (acostar / acostarse) otra vez.
15 Es por lo que __14.__ (ir / irse) a mi casa justo después de esa clase; creo que __15.__ (enfermar / enfermarse) más del mal rato que había pasado. Cuando Pablo me vio pensó que era una excusa y __16.__ (enojar / enojarse) conmigo. Pero no __17.__ (preocupar / preocuparse) lo que me decía. Sabía que necesitaba unas horitas más de sueño. __18.__ (Negar / Negarse) rotundamente a __19.__ (levantar / levantarse). __20.__ (Quitar / Quitarse) los zapatos y __21.__
20 (meter / meterse) directamente en la cama. Cerré los ojos y __22.__ (dormir / dormirse) en seguida. Ya se sabe, lo que mal empieza peor acaba...

---

enojó; 17. me preocupaba; 18. Me negué; 19. levantarme; 20. Me quite; 21. me metí; 22. me dormí

Instructional Notes

11 You might want to review when *pero, sino,* and *sino que* are used; although all mean *but, pero* conveys the meaning of *nevertheless; sino* conveys the meaning of *rather* when the first part of the sentence is negative; *sino que* conveys this same meaning of *rather* when a conjugated verb follows.

Additional Activities

Más reflexivos
Give the students a list of other reflexive verbs and ask them to add to it as they learn new ones during the year.

13 Un diálogo

Con un/a compañero/a escriba un diálogo entre jóvenes sobre algo que les pasó (real o ficticio). Subraye los verbos reflexivos que use.

14 Un mensaje en el teléfono

Lea el siguiente mensaje que un joven le dejó a un amigo en su móvil.

> Hola Marcos:
>
> Soy Francisco. Pasaba por tu casa cuando iba para el trabajo y me paré un momento para saludarte. Tengo un empleo a tiempo parcial por las tardes cerca de tu casa. Para ser una cosa temporal no está mal. Lo hago para sacarme ⁵un dinero extra para las vacaciones. Oye, ¿qué tal si quedamos para mañana por la mañana? Podemos irnos juntos a clase y si nos da tiempo nos vamos por la moto que me compré. Voy a pedirle a Ángel que vaya a trabajar mañana por mí por un par de horas. Para eso están los amigos, ¿a que sí? Llámame. Ay, por ¹⁰cierto, ayer vi por casualidad a Enrique y dice que se va para Cartagena en dos días. Me preguntó por ti. Bueno, ya te cuento.

15 Por y para

Trabaje con un/a compañero/a para hacer estas actividades relacionadas con el mensaje anterior.

1. Hagan una lista de las frases en las que *por* y *para* aparecen en el texto, tradúzcanlas al inglés y expliquen por qué se usa la preposición en cada caso.
2. Expliquen las reglas de cuándo se usa *por* y *para* y escriba una oración para cada una.
3. Escriban diez expresiones que usen *por* o *para*.

16 Un fin de semana

Escriba una composición sobre su fin de semana en la que muestre los distintos usos de *por* y *para*. Numere cada uso y escriba la regla al lado. Comparta su composición con la de un/a compañero/a. Comenten sobre la forma y el contenido.

Additional Activities

Juego

¿Por o para? To play the following game, you will need to prepare a short article or paragraph that uses the prepositions *por* and *para* so that students can guess which one is correct. Tell students: *Voy a leerles un texto, pero sin decir la preposición correspondiente:* por *o* para. *Uds. van a escucharme y, cuando haga una pausa, deben aplaudir una vez si creen que la preposición es* por, *o hacer un chasquido con los dedos si creen que debe ser* para.

If you want a less noisy version of this game, have students either raise their right or left hands to indicate the correct preposition.

You can also ask them to show different-colored cards, depending on the word.

Comunicación

Ask students to work with a partner and make a mind map or spider map that shows different categories related to young people, including words and expressions. They should give their visuals an interesting shape and present their work to the class.

Teacher Resources

Activity 3

Answers

13 Dialogues will vary.

15 **1.** por tu casa (*by your house*), movimiento/tránsito por un lugar; para el trabajo (*to work*), destino; para saludarte (*to say "hi"*), objetivo/propósito; por las tardes (*in the afternoon*), tiempo; para ser (*considering that, for being*), expresa "teniendo en cuenta que"; para sacarme (*in order to get*), objetivo/propósito; para las vacaciones (*for vacation*), objetivo/propósito; para mañana (*for tomorrow*), tiempo/término fijo de un plazo; por la mañana (*in the morning*), tiempo impreciso o parte del día; por la moto (*to get the motorcycle*), finalidad; por mí (*for me, in my place*), en lugar de; por un par de horas (*for a couple of hours*), tiempo; para eso están los amigos (*that's what friends are for*), objetivo/propósito; por cierto (*to be sure*), expresión; por casualidad (*by chance*), modo, manera; para Catagena (*to Cartagena*), destino; por ti (*about you*), sigue al verbo *preguntar*
2. **Por: 1.** período de tiempo (Habló por dos horas.); **2.** motivo/razón (Lo hicimos por ti.); **3.** causa (Por no estudiar saqué mala nota.); **4.** a través de (Cruzamos por el parque.); **5.** medio de transporte (Viajamos por avión.); **6.** precio (Por diez dólares lo tienes.); **7.** en lugar de alguien (Fue a la reunión por mí.); **8.** para recoger (Fueron por pizza.); **9.** Estar a punto de: *por* + verbo (Estoy por volverme loco.); **10.** para indicar qué falta por hacer (Nos quedan diez millas por recorrer.)
Para: 1. objetivo, propósito (Es un libro fantástico para el tren.); **2.** destino (Nos vamos para Colorado.); **3.** fecha límite, para indicar cuándo se llevará a cabo algo (Lo tendré listo para mañana.); **4.** para comparar, "teniendo en cuenta que" (Para ser extranjero, no tiene mucho acento.)
3. Ejemplos: por ahora, por casualidad, por cierto, por eso, por fin, por lo general, por lo visto, por poco, ¡por Dios!, por supuesto, por desgracia, por lo menos, por lo tanto, por último, por este motivo, por esta razón, por consiguiente; para colmo, para siempre, para concluir, para resumir, para eso, para decir la verdad, para todos los gustos, para ser sincero, no estar para bromas, para entonces

Instructional Notes

13 Ask some pairs of students to present their dialogues in small groups or before the entire class.

14 Both *el móvil* and *el (teléfono) celular* can be used to mean "cell phone."

16 Review the uses of *por* and *para* with the entire class and ask individual students to read some of their rules. You could also review the rules with basic images (icons or drawings), to help the visual learners remember them. For example, to show "destination," you could show an arrow pointing toward a city; to show "through," you could show a park and an arrow going through it.

Additional Activities

Más con *por* y *para*

Ask students to observe other uses and examples of *por*
and *para* in whatever they may read. They should write
these in their notebooks to serve as reference.

La generación ?

Ask students to work in small groups and come up with
an original name for their generation. Then have them
share their names with the rest of the class and explain
how they happened to choose it.

Repaso Expreso

See p. TE28.

---

17 Más con *por* y *para*

Lea el siguiente diálogo y complételo con *por* o *para*.

Santiago: Hola Luis. ¿Cómo te va? Estaba __1.__ llamarte pero he tenido un mal día. __2.__ fin me han dado la nota del proyecto en el que tanto trabajé y estoy muy frustrado. Ya sabes que estuve trabajando __3.__ lo menos __4.__ dos semanas en el proyecto y __5.__ lo visto mi profesor cree que no he puesto suficiente interés. No comprendo __6.__ qué me ha puesto esta nota. __7.__ todo lo que trabajé, no me la merezco.

Luis: Bueno, no te preocupes __8.__ ahora, ¡que es sábado! ¿__9.__ qué no dejas todos estos problemas __10.__ el lunes? Venga, que hoy he salido __11.__ ti. Ya sabes que me quería quedar en casa __12.__ ver el partido que echaban hoy.

Santiago: De acuerdo. ¿__13.__ qué no vamos __14.__ la casa de Marcos? Creo que hoy tiene una fiesta __15.__ celebrar su cumpleaños. Creo que me mandó su dirección __16.__ correo electrónico. ¿Tú la tienes?

Luis: Sí, claro, __17.__ supuesto. ¿__18.__ cuánto tiempo crees que nos quedaremos? __19.__ lo visto la fiesta empieza pronto, quizás volvamos a tiempo __20.__ ver el partido. __21.__ si acaso, voy a llevar mi carro.

Cita

Haría cualquier cosa por recuperar la juventud, excepto hacer ejercicio, madrugar o ser un miembro útil de la comunidad.
— Oscar Wilde (1854–1900), dramaturgo y novelista irlandés

¿Qué es lo que le da más rabia de ser joven? ¿Qué es lo que más le gusta de ser joven? Comparta su opinión con un/a compañero/a.

¡Dato curioso!

Mientras que muchos mayores suspiran por esos recuerdos de la juventud, y en ocasiones hacen lo imposible por mantenerla, muchos jóvenes y niños están deseando ser mayores. Por el contrario, a muchos de los "baby boomers", estadounidenses nacidos entre 1946 y 1964, les cuesta renunciar a la idea de que ya no son jóvenes.

Nota cultural

Cuando les preguntan a los "baby boomers" su edad, muchos contestan diciendo que son tres años más jóvenes.

Idioma

18 Familia de palabras

Complete la tabla con el verbo, sustantivo o adjetivo apropiado, y la traducción correspondiente.

Verbos		Sustantivos		Adjetivos	
agradecer	to be grateful, appreciate	el agradecimiento	_____	_____	grateful
aislar		el aislamiento	_____	_____	isolated
consentir	to allow, consent	el consentimiento	_____	consentido	spoiled
consumir	to consume	el consumismo;	_____;		
		el/la consumidor(a)	_____		
_____	to experiment	la experiencia	experience	experimentado	_____
influir				influyente	_____
mentir	to lie			mentiroso	_____
oprimir		la opresión	oppression	oprimido	_____
rebelarse	_____	la rebeldía			
_____	to remember	el recuerdo	memory	recordado	remembered
tranquilizar	to calm (down)				calm, quiet, peaceful
valorar	_____	el valor	_____	valorado; valioso	_____; valuable

19 ¿Verbo, sustantivo o adjetivo?

Complete las oraciones usando la forma correcta de las palabras que aparecen en la tabla, ya sea verbo, sustantivo o adjetivo. En el caso del sustantivo puede que necesite artículo.

1. Todos coinciden en ___ (*influir*) que tienen los famosos en la moda.
2. Mis padres dicen que mi hermana se ha puesto muy ___ (*rebelarse*) últimamente.
3. Siempre hemos ___ (*agradecer*) el respeto que nos muestran los profesores.
4. Almudena ha enfermado al sentirse ___ (*aislar*) en la clase.
5. El encargado trató de mostrar ___ (*tranquilizar*) todo el tiempo durante la crisis, al tratarse de gente joven.
6. El joven *yuppie* se hizo famoso a base de muchas ___ (*mentir*).
7. Los chicos a menudo se quejaban de ___ (*oprimir*) que sentían para sacar buenas notas.
8. Muchos quisieron ___ (*experimentar*) cuando llegaron a la universidad por lo que se tiñeron el pelo y se dieron un corte raro.
9. Siempre hemos estado ___ (*agradecer*) por el trato recibido por nuestros profes.
10. No tengo muchos ___ (*recordar*) de mi infancia. ¡Qué rabia! Me frustra muchísimo.

Cita

A diferencia de la vejez, que siempre está de más, lo característico de la juventud es que siempre está de moda.
—Fernando Savater (1947–), filósofo español

 ¿Está de acuerdo con este comentario? ¿Por qué? ¿Qué otras características tiene la juventud? ¿Y la vejez? Comparta su opinión con un/a compañero/a.

Teacher Resources

Activity 4

Answers

18 Verbos
agradecer *to be grateful, appreciate*
aislar *to isolate/cut off*
consentir *to allow, consent*
consumir *to consume*
experimentar *to experiment*
influir *to influence*
mentir *to lie*
oprimir *to oppress*
rebelarse *to rebel*
recordar *to remember*
tranquilizar *to calm (down)*
valorar *to value*

Sustantivos
el agradecimiento *gratitude*
el aislamiento *isolation*
el consentimiento *consent*
el consumismo; el/la consumidor(a) *consumerism; consumer*
la experiencia *experience*
la influencia *influence*
la mentira *lie*
la opresión *oppression*
la rebeldía *rebellion*
el recuerdo *memory*
la tranquilidad *tranquillity/peacefulness*
el valor *value*

Adjetivos
agradecido *grateful*
aislado *isolated*
consentido *spoiled*
consumido *consumed*
experimentado *experienced*
influyente *influential*
mentiroso *lying/liar*
oprimido *oppressed*
rebelde *rebellious*
recordado *remembered*
tranquilo *calm, quiet, peaceful*
valorado; valioso *valued; valuable*

19 1. la influencia; 2. rebelde; 3. agradecido; 4. aislada; 5. tranquilidad; 6. mentiras; 7. la opresión; 8. experimentar; 9. agradecidos; 10. recuerdos

Additional Activities

Juego
Ask students to play *Voluntario, derecha e izquierda*. See p. TE25.

Familia de palabras
See p. TE27.

20 1. era; 2. terminó; 3. se sentían; 4. su; 5. comenzó; 6. vinieron; 7. los; 8. Es; 9. ha vuelto; 10. él; 11. sabe; 12. quiere; 13. son; 14. los; 15. está; 16. esa; 17. asusta; 18. llamada; 19. los; 20. producen; 21. van; 22. el; 23. el; 24. La; 25. la; 26. un; 27. está; 28. esta; 29. dijimos; 30. parezca; 31. se sienten; 32. quien; 33. la; 34. deje

¡Dato curioso! El reggaetón es muy popular entre los jóvenes latinos. Aunque esta música es criticada por muchos, otros dicen que les proporciona una identidad cultural a los jóvenes hispanos. Algunos artistas están usando su música para concienciar a sus seguidores e involucrarlos en el proceso político.

20 ¡Y hasta lleva arete...!

Échele una ojeada al artículo que sigue para ver de qué se trata, prestando atención a las palabras en azul, ya que se le harán preguntas sobre su significado después. Luego lea el artículo y decida cuál de las dos palabras entre paréntesis es la correcta para completar cada oración y escríbala.

¡Y hasta lleva arete...!
LUCÍA LEMOS

Javier **1.** (*fue / era*) un niño muy tranquilo y juicioso hasta que **2.** (*terminó / terminaba*) ⁵la primaria. Sus padres jamás tenían motivo para retarle y **3.** (*se sintieron / se sentían*) muy orgullosos de él.

¹⁰En las vacaciones previas a **4.** (*su / sus*) ingreso a la secundaria, sin embargo, su actitud **5.** (*comenzó / comenzaba*) a cambiar y, con ello, **6.** (*vinieron / venían*) **7.** (*los / las*) dolores de ¹⁵cabeza de los papás. ¡ **8.** (*Es / Está*) otro chico!, decían, se **9.** (*ha vuelto / volvía*) revoltoso, y con mal genio; ni **10.** (*el / él*) mismo **11.** (*sepa / sabe*) lo que **12.** (*quiere / quiera*).

²⁰Efectivamente, esos **13.** (*sean / son*) **14.** (*los / las*) síntomas de que el niño **15.** (*esté / está*) dejando de serlo y pasa por

16. (*ese / esa*) etapa difícil, que **17.** (*asuste / asusta*) a padres y madres de ²⁵familia, **18.** (*llamado / llamada*) adolescencia.

Alrededor de los 11 años en todos **19.** (*los / las*) seres humanos se **20.** (*produzcan / producen*) cambios importantes, que ³⁰ **21.** (*vayan / van*) desde lo físico y hormonal, hasta **22.** (*el / la*) carácter y **23.** (*el / la*) comportamiento. **24.** (*El / La*) educación y **25.** (*el / la*) comunicación juegan **26.** (*un / uno*) papel muy ³⁵importante cuando se **27.** (*esté / está*) pasando por **28.** (*este / esta*) situación. Los chicos y chicas, como ya **29.** (*digamos / dijimos*), están atravesando momentos difíciles.

⁴⁰Sin retos ni sermones, ellos, aunque no **30.** (*parece / parezca*), están ávidos de oír a sus padres, están asustados, **31.** (*se sientan / se sienten*) vulnerables y necesitan a alguien en **32.** (*quien / quienes*) confiar ⁴⁵pero que, a **33.** (*el / la*) vez, los **34.** (*deja / deje*) actuar y desarrollarse.

www.hoydomingo.com

Nota cultural

Esta "concienciación" que se menciona en el *Dato curioso* ya ocurrió con el hip-hop, que fue utilizado para involucrar a los jóvenes afro-americanos en la política. Un ejemplo de ello fue la campaña *"Vote or Die"*. El reggaeton es un género musical descendiente del reggae jamaicano, e influido por el hip-hop de Nueva York. Es muy popular entre los jóvenes de muchos países de América Latina. Las letras son pegadizas y fáciles. Los temas de las letras originariamente eran de denuncia social, aunque cada vez se han ido haciendo más comerciales. Tanto el disc jockey como el cantante tienen gran influencia en el éxito de la canción. Muchos critican este tipo de música por ser repetitivo, y con temas violentos, machistas y sexuales. Es por lo que muchas cadenas de radio se niegan a emitir este tipo de musica, por considerar que promueve la delincuencia y la violencia. Es música principalmente creada por hombres, pero poco a poco hay participación de algunas mujeres.

21 ¿Qué significa?

Mire las palabras de la primera columna, que aparecen en la lectura anterior, y busque su traducción en la segunda columna.

1. juicioso		a.	behavior
2. primaria		b.	to stop
3. retar		c.	symptom
4. orgulloso		d.	frightened
5. actitud		e.	sermon
6. revoltoso		f.	to play a role
7. mal genio		g.	to have confidence
8. síntoma		h.	character
9. dejar de		i.	to go through
10. pasar por una etapa difícil		j.	elementary school
11. carácter		k.	to challenge
12. comportamiento		l.	wise
13. jugar un papel		m.	proud
14. atravesar		n.	bad temper
15. sermón		o.	rebellious
16. asustado		p.	attitude
17. confiar		q.	to go through a bad period

22 Influenciados por la moda

Échele una ojeada al artículo que sigue para ver de qué se trata, prestando atención a las palabras en azul, ya que se le harán preguntas sobre ellas. Luego lea el artículo y decida qué forma de las palabras entre paréntesis es la correcta para completar cada oración y escríbala. No se olvide de escribir y acentuar las palabras correctamente.

¿Esclavos/as de la moda?
LUCÍA LEMOS

En la adolescencia, los jóvenes __1.__ (sentirse) inseguros. El estar a la moda __2.__ (lo) proporciona esa autosuficiencia y __3.__ (lo) ayuda a actuar sin temores.

¿Le __4.__ (suceder) a usted que de pronto __5.__ (encontrarse) con que su hija, que odiaba __6.__ (ponerse) falda aparece con una supercorta? ¿O le sorprende ver a su hijo con __7.__ (un) corte de cabello bastante "rarito" de la noche a la mañana? Y, para completar su sorpresa, todos __8.__ (su) amigos tienen __9.__ (un) pinta igual.

Antes de __10.__ (entrar) en shock, encienda la televisión y __11.__ (mirar) si encuentra a __12.__ (el) personajes de __13.__ (el) telenovela con una facha bastante parecida a __14.__ (el) de su hijo o hija.

Generalmente la moda __15.__ (imponerse) a través de lo que usan __16.__ (el) artistas de cine, de televisión o ciertos personajes a __17.__ (el) que quieren promocionar __18.__ (el) medios de comunicación. __19.__ (El) marcas también tienen su época y __20.__ (quien) no __21.__ (lo) usa "no está en nada". Eso trae consigo que __22.__ (el) que está "in" sea mucho más cara que la que __23.__ (estar) de moda hace algunos meses.

Muchos jóvenes se rebelan contra el uso de uniforme de colegio, pero no __24.__ (darse) cuenta de que, cuando __25.__ (estar) fuera de las aulas, tal vez están más uniformados con sus amigos y amigas. ¿Es esto __26.__ (ser) esclava o esclavo de la moda?

Si usted detesta lo que lleva encima o se aterra de verlo __27.__ (salir) con un pantalón tres tallas más grande y casi sin sostenerse en __28.__ (el) cintura, lo peor que puede hacer __29.__ (ser) criticarle o regañarle. Eso sólo __30.__ (provocar) que se desate su rebeldía y __31.__ (seguir) haciéndolo, ya no por seguir la moda sino por darle la contraria.

Aunque le __32.__ (parecer) "aterradora" la moda, salga de compras con ellos y, con todo el tino posible, demuéstreles, frente a __33.__ (un) espejo, si lo que __34.__ (querer) comprar va o no con su edad, tamaño, peso y estructura.

www.hoydomingo.com

Teacher Resources

Activity 5

Answers

21 1. l; 2. j; 3. k; 4. m; 5. p; 6. o; 7. n; 8. c; 9. b; 10. q; 11. h; 12. a; 13. f; 14. i; 15. e; 16. d; 17. g

22 1. se sienten; 2. les; 3. les; 4. sucede; 5. se encuentra; 6. ponerse; 7. un; 8. sus; 9. una; 10. entrar; 11. mire; 12. los; 13. la; 14. la; 15. se impone; 16. los; 17. los; 18. los; 19. Las; 20. quien; 21. las; 22. la; 23. estaba; 24. se dan; 25. están; 26. ser; 27. salir; 28. la; 29. es; 30. provocará; 31. siga; 32. parezca; 33. un; 34. quieren

Additional Activities

Hablar sobre esta foto
See p. TE27.

Answers

23 1. r; 2. m; 3. p; 4. g; 5. a; 6. l; 7. s; 8. d; 9. e; 10. t; 11. n; 12. k; 13. f; 14. c; 15. q; 16. i; 17. o; 18. b; 19. h; 20. j

Instructional Notes

24 Encourage students to absorb comprehension of the two readings before they listen to the audio. You might suggest that they retell the readings or the audio in their own words before they write their essays or make their presentations.

Before students listen to the audio, you might want to review the following words: *asunto*, issue; *desprendido*, detached; *terapeuta*, therapist; *constituir*, to make up; *regir*, to rule; *tornarse*, to become; *enfrascado*, involved; *angustioso*, anguished; *desconcertar*, to disturb; *cabellera*, head of hair; *vestuario*, clothes; *rayar en lo ridículo*, to border on the ridiculous; *estrafalario*, odd/eccentric; *quebrantar*, to break; *repercutir*, to have an effect.

Additional Activities

¿Qué es la moda?

Ask students to define what "fashion" is and what or who determines what is fashionable. You could also ask them to predict what will be fashionable in two years, or in twenty, and tell them to keep in mind that fashions from years past often become popular again.

---

23 ¿Qué palabra es?

Mire las palabras de la primera columna, que aparecen en la lectura anterior, y busque su sinónimo o definición en la segunda columna.

1.	inseguro	a.	ocurrir
2.	proporcionar	b.	desobediencia
3.	autosuficiencia	c.	odiar
4.	temor	d.	extraño
5.	suceder	e.	de pronto
6.	corte	f.	clase
7.	cabello	g.	miedo
8.	rarito	h.	buen juicio
9.	de la noche a la mañana	i.	reñir
10.	pinta	j.	enseñar
11.	marca	k.	período
12.	época	l.	estilo
13.	aula	m.	ofrecer
14.	detestar	n.	de un fabricante concreto
15.	aterrarse	o.	soltar, dar salida a algo
16.	regañar	p.	independencia
17.	desatar	q.	asustarse
18.	rebeldía	r.	sin seguridad
19.	tino	s.	pelo
20.	demostrar	t.	facha

24 Lea, escuche y escriba/presente

Vuelva a leer los textos completos de las Actividades 20 y 22 y después escuche la grabación "Nuestros problemas" y tome las notas necesarias. Escriba un ensayo o haga una presentación en clase contestando esta pregunta: "¿Por qué les gusta a los jóvenes estar a la moda?" No se olvide de citar las fuentes debidamente.

Cita

La moda que se adelanta diez años a su época es indecente; diez años después de ésta resulta horrorosa; un siglo después se convierte en romántica.
—Anónimo

¿Está de acuerdo con lo que dice? ¿Por qué? Dé ejemplos que ilustren esta cita. Comparta sus opiniones con un/a compañero/a.

¡Dato curioso!

La ropa de moda es un negocio de miles de millones de dólares. Cada vez más jóvenes tienden a comprar ropa de marca de diseñadores famosos. Aunque sean accesorios o cosméticos, pocos jóvenes se escapan de las campañas publicitarias destinadas a atraerlos como clientes.

Nota cultural

Mientras que antes apenas se salía con dinero para golosinas, los jóvenes de hoy cuentan como mayor poder adquisitivo. Un ejemplo de ello es el hecho de que algunos jóvenes de quince años vayan con marcas de diseñadores muy conocidos o tengan su propio teléfono móvil y tarjetas de crédito.

25 ¿Qué quieres ser cuando seas mayor? 📖

Échele una ojeada al artículo para ver de qué se trata, prestando atención a las palabras en azul, ya que se le harán preguntas sobre ellas. Luego lea el artículo con atención y decida cuál de las dos palabras entre paréntesis es la correcta para completar cada oración y escríbala.

Yo de mayor quiero ser hacker
ELENA F. VISPO

Estamos __1.__ (*ante / delante*) una generación que __2.__ (*ha / haya*) nacido con el móvil debajo __3.__ (*de / del*) brazo y no concibe la vida __4.__ (*sin / con*) ordenador. Tienen, además, ⁵un mundo creado __5.__ (*a / con*) su medida: Internet.

La gran diferencia __6.__ (*entre / con*) estos jóvenes y __7.__ (*les / los*) anteriores es que los del 2000 __8.__ (*están / han*) convivido __9.__ (*X / con*) ¹⁰la tecnología desde que tienen memoria. Es el mismo perro __10.__ (*en / con*) distinto collar: de nuevo, es una forma de distinguirse __11.__ (*en / de*) los adultos, que se acercan __12.__ (*a / en*) las nuevas tecnologías con ¹⁵mucha más cautela. Los jóvenes __13.__ (*están / son*) los primeros en asumir las novedades y __14.__ (*les / los*) que más partido le sacan a __15.__ (*el / lo*) que hay; para ellos puede tener la misma importancia poseer el último modelo ²⁰en deportivos __16.__ (*de / que*) un MP3. Son los reyes del teléfono móvil: mientras los adultos __17.__ (*el / lo*) usan sólo __18.__ (*por / para*) llamar, los jóvenes aprovechan todas las prestaciones (mensajes de texto, juegos, ²⁵conexión a Internet...). "Internet y el teléfono móvil __19.__ (*los / les*) da una sensación __20.__ (*en / de*) pertenecer a esa tribu de iguales que __21.__ (*son / están*) comunicándose continuamente, y eso genera lazos de cohesión", ³⁰argumenta [el sociólogo español Amando] de Miguel. Y ya tienen un mercado propio: existen modelos __22.__ (*de / en*) teléfonos con diseño y prestaciones especialmente pensados __23.__ (*por / para*) ellos. Hay una amplia franja ³⁵con un poder adquisitivo considerable, y __24.__ (*son / están*) dispuestos __25.__ (*en / a*) pagar por tener lo último. El término, recién acuñado, __26.__ (*es / está*) tecnopijos.

La gallina de los huevos __27.__ (*en / de*) oro ⁴⁰__28.__ (*es / está*) Internet. Lo que __29.__ (*por / para*) muchos adultos __30.__ (*es / está*) un

¿Se imagina Ud. la vida sin su computadora o teléfono móvil?

mundo hermético, __31.__ (*por / para*) ellos __32.__ (*es / está*) su mundo. __33.__ (*Es / Está*) el sueño de todo adolescente: representa un lugar ⁴⁵donde uno puede __34.__ (*ser / estar*) lo que se quiera, donde __35.__ (*X / se*) puede escoger una personalidad diferente cada día. __36.__ (*El / La*) tradicional rebeldía juvenil toma como modelo __37.__ (*X / a*) los hackers, piratas informáticos ⁵⁰que consiguen introducirse __38.__ (*en / dentro*) ordenadores protegidos __39.__ (*por / para*) el gobierno o las grandes empresas. Algunos buscan boicotearlos; otros, simplemente llaman la atención.

⁵⁵Los tecnopijos __40.__ (*son / están*) la generación más preparada __41.__ (*en / de*) los últimos tiempos, los que más información manejan. Y, al contrario que la mayoría de las tribus urbanas, no parece __42.__ (*X / que*) vayan a ⁶⁰desaparecer, sino a expandirse. __43.__ "(*Hace / Atrás*) cincuenta años muy poca gente llevaba reloj de pulsera", argumenta Amando de Miguel, "y hoy __44.__ (*quien / quienes*) no lo lleva __45.__ (*es / está*) porque no quiere. Pues el ⁶⁵móvil, __46.__ (*por / para*) ejemplo, es casi __47.__ (*el / lo*) mismo". Los adolescentes de ahora __48.__ (*son / están*) los adultos del futuro; y las tecnologías evolucionan a su mismo ritmo.

www.revistafusion.com

Answers

25 1. ante; 2. ha; 3. del; 4. sin; 5. a; 6. entre; 7. los; 8. han; 9. con; 10. con; 11. de; 12. a; 13. son; 14. los; 15. lo; 16. que; 17. lo; 18. para; 19. les; 20. de; 21. están; 22. de; 23. para; 24. están; 25. a; 26. es; 27. de; 28. es; 29. para; 30. es; 31. para; 32. es; 33. Es; 34. ser; 35. se; 36. La; 37. a; 38. en; 39. por; 40. son; 41. de; 42. que; 43. Hace; 44. quien; 45. es; 46. por; 47. lo; 48. son

Instructional Notes

25 Ask students to define "hacker" in Spanish before they start reading.

26 ¿Cuál de las dos?

Escoja la mejor palabra para completar cada oración.

1. Si uno hace algo con mucha cautela, lo hace con mucha ___ (*prisa / precaución*).
2. Sacarle partido es ___ (*jugar con / aprovecharse de*) algo.
3. Si convives con tu hermano, vives ___ (*separado de / con*) él.
4. Una palabra nueva es una recién ___ (*argumentada / acuñada*).
5. Marta es parte de nuestro grupo; ella ___ (*pertenece / concibe*) al grupo.
6. Yo no imagino el mundo sin mi teléfono móvil. No ___ (*convivo / concibo*) la idea de vivir sin él.
7. Ricardo siempre tiene las últimas ___ (*franjas / novedades*) de la tecnología.
8. Ellos intentan mantener los ___ (*lazos / collares*) con sus ex colegas. Los ven una vez al mes.
9. Cecilia siempre ___ (*llama la atención / asume*) con esa ropa tan exagerada que lleva.
10. La abogada ___ (*concibe / argumenta*) que las zonas verdes están desapareciendo.
11. Mi hermanito dice que ___ (*de mayor / al contrario que*) quiere ser periodista.
12. ___ (*Una franja / Un collar*) es un adorno.
13. Hay que ___ (*asumir / concebir*) responsabilidad cuando uno es mayor de edad.
14. Les comenté a mis compañeros que deben de (*sacar partido / llamar la atención*) al Internet y les di algunos buenos trucos.

27 Lea, escuche y escriba/presente

Vuelva a leer el texto completo de "Yo de mayor quiero ser hacker", y luego escuche la grabación "Historias de crackers y hackers". Tome notas de las dos fuentes y escriba un ensayo o haga una presentación en clase para contestar la pregunta, "¿Qué piensa del hecho de que muchos jóvenes sueñen con ser hackers?". No se olvide de citar las fuentes debidamente.

28 ¿Qué opinan?

Échele una ojeada al pasaje que sigue, y que continúa en la página siguiente, para ver de qué se trata, teniendo en cuenta que es una encuesta hecha a un grupo de jóvenes españoles. Preste atención a las palabras en azul porque se le harán preguntas sobre ellas. Luego lea el artículo con atención y decida cuáles son las palabras que mejor completan las oraciones y escríbalas.

Y tú, ¿qué valoras?

La solidaridad y el voluntariado **1.** valores en alza entre los jóvenes. Eso de donar tiempo y trabajo en favor **2.** los más desprotegidos **3.** una idea apoyada **4.** gran número de jóvenes. Los espacios de más aceptación **5.** los referidos a la defensa de los derechos humanos y enfermos **6.** SIDA. Ecología, pacifismo, ayuda a refugiados **7.** inmigrantes y movimientos a favor **8.** la mujer le siguen en la lista **9.** preocupaciones sociales.

Muchos jóvenes optan por trabajar de voluntarios en comedores de beneficencia.

¿Qué haces __10.__ fines de semana?

La oferta __11.__ muy variada. Su tiempo __12.__ lo ocupan en ir de cafés o cafeterías, ir al cine o teatro, salir de discoteca, ir de excursión, practicar deportes, asistir
[15]a conciertos, etc. Ahora no oiremos __13.__ nadie decir __14.__ se va de monte, sino __15.__ hace trekking. El pádel ha desbancado al tenis y el snowboard __16.__ esquí. La escalada libre, el puenting, el
[20]hidrospeed, el rafting... cuentan __17.__ día con más adeptos. Prima el deporte de riesgo y aventura, aunque el tumbing también tiene sus seguidores. No __18.__ deporte nuevo pero sí muy adecuado __19.__ amenizar
[25]los domingos, después __20.__ haberse levantado tarde. Consiste __21.__ tumbarse en un sofá a ver la televisión, echen __22.__ que echen, cambiando de canal __23.__ intercambiando algún que otro sueñecito.

¿Cómo ves __24.__ los políticos?

[30]Directamente les otorgan un "cero patatero", como diría un famoso político. Los jóvenes constituyen el sector de población __25.__ menos vota; valoran negativamente la política, castigándola __26.__ la indiferencia.
[35]Se ríen __27.__ la imagen que dan nuestros políticos __28.__ en plena campaña electoral visitan los mercados —poniendo cara de normales—, dando la mano __29.__ los tenderos y a las mujeres __30.__ cesta de
[40]la compra y monedero en mano. Les consideran "un grupo de desencantados de __31.__ década prodigiosa que no hablan el lenguaje __32.__ la vida. Sólo exponen utopías y cosas abstractas __33.__ nadie entiende y
[45]que luego tergiversan __34.__ llegan al poder", asegura Luis F. __35.__ veintidós años.

www.revistafusion.com

---

29 Vocabulario

Mire las palabras de la primera columna, que aparecen en el artículo anterior, y busque su traducción en la segunda.

1. voluntariado	a. fitting
2. en alza	b. human rights
3. donar	c. to assure
4. derechos humanos	d. to punish
5. pacifismo	e. shopkeeper
6. pádel	f. follower
7. desbancar	g. electoral campaign
8. adepto	h. channel
9. de riesgo	i. to donate
10. adecuado	j. to lie down
11. amenizar	k. to award
12. tumbarse	l. disillusioned
13. canal	m. pacifism
14. otorgar	n. risky
15. castigar	o. marvelous
16. campaña electoral	p. to make pleasant
17. tendero	q. volunteerism
18. desencantado	r. to replace
19. prodigioso	s. rising
20. asegurar	t. paddle ball

30 ¿Cuáles son tus aficiones?

Escriba un artículo para un periódico en el que hable sobre las aficiones de los jóvenes de su edad. ¿En qué están interesados? ¿Cómo pasan los fines de semana? Use algunas de las "tapitas" gramaticales y el vocabulario de la lección.

Cita

Oh capitán, mi capitán.
—De la película *El club de los poetas muertos (Dead Poets' Society)*

¿Ha visto la película *El club de los poetas muertos*? ¿Qué profesores le han inspirado o le han servido de modelos? ¿Cree que es importante tener buenos modelos? ¿Por qué? Comparta sus opiniones con un/a compañero/a.

Dato curioso

Algo más del 55 por ciento de los usuarios de videoconsolas tienen más de 18 años. Hoy en día se contratan a escritores de prestigio para idear el guión y se cuenta incluso con actores que recrean las expresiones faciales de los personajes y con especialistas que sirven como modelos para que los movimientos sean más realistas.

Nota cultural

Según los principales desarrolladores de entretenimiento, este *Dato curioso* supone en la práctica que muchos usuarios no han soltado el mando desde hace dos décadas. En unos años, aseguran, todo el mundo jugará.

Answers

28 10. los; 11. es; 12. libre; 13. a; 14. que; 15. que; 16. al; 17. cada; 18. es; 19. para; 20. de; 21. en; 22. lo; 23. e; 24. a; 25. que; 26. con; 27. de; 28. cuando; 29. a; 30. con; 31. la; 32. de; 33. que; 34. cuando; 35. de

29 1. q; 2. s; 3. i; 4. b; 5. m; 6. t; 7. r; 8. f; 9. n; 10. a; 11. p; 12. j; 13. h; 14. k; 15. d; 16. g; 17. e; 18. l; 19. o; 20. c

Instructional Notes

30 Ask some students to read their articles aloud in class.

Additional Activities

Comunicación
Ask students to discuss in small groups the volunteer community activities and services they value or practice and how these activities and services impact their community.

Composición
Ask students to write a letter to one of their favorite teachers. It could be a current teacher, or one they had in elementary school. They should tell this person what they liked about his or her class, and what their favorite memories are.

Comunicación
Ask students to take positions about the following topic and discuss it as a class: *Los nuevos juegos de computadora aislan a los jóvenes y promueven la violencia.*

Teacher Resources

Activities 7–13

Instructional Notes

31 After students discuss these questions with a partner, encourage a whole-class discussion.

32 After students read the article, ask them to define both the positive and negative characteristics that describe them and their friends; they should also state who their role models are. Then have them compare these results with those in the survey described in the article.

Additional Activities

Hablen sobre esta foto
See p. TE27.

¡A leer!

31 Antes de leer

¿Qué cree que piensan los adultos de los jóvenes? ¿Qué cinco adjetivos usaría Ud. para describir a los jóvenes de su edad? ¿En quién se fijan como modelo los jóvenes de su edad? ¿Por qué?

32 ¿Qué se dice de algunos jóvenes españoles?

Lea con atención el pasaje que sigue, fijándose en el contexto para entender las palabras en azul, ya que se le harán preguntas sobre ellas.

Jóvenes 2006. ¿Cómo son?

MARILÓ HIDALGO

Dicen que son difíciles de entender, egoístas, consumistas, independientes, bastante tolerantes y con poco sentido del deber y del sacrificio, (A). Pero, ¿qué dicen ellos? ¿Cómo se ven? ¿Qué piensan? ¿Cuáles son sus problemas y sus valores?

¿Qué imagen tienen de sí mismos?

Pantalones caídos, piercing, tatuajes, camisetas ajustadas, mochila, deportivos, móvil de última generación, reproductor MP3. Pelo largo, corto, con cresta, esculpido, teñido en colores
5 imposibles. Esta es una estética bastante común entre los jóvenes de hoy, aunque también hay otras. Una estética marcada por la publicidad, el consumismo y esa necesidad de ser diferente, atrevido, rebelde que al final se convierte, como
10 dice el periodista Vicente Verdú en su libro, en una "igualdad que ahoga". Pero, ¿qué hay detrás de esta imagen (B)?

Según el estudio "Jóvenes españoles de hoy" —realizado con jóvenes de 15 a 24 años— que
15 acaba de presentar la Fundación Santa María, ante la cuestión de cómo definirían a los jóvenes de su edad, añaden rasgos como éstos: "consumistas" (60%), "rebeldes" (54%), "pensando sólo en el presente" (38%),
20 "independientes" (34%), "egoístas" (31%), "con poco sentido del deber" (27%). Para encontrar algún aspecto positivo en esta descripción como "leales en la amistad", "solidarios", "tolerantes", "trabajadores", "maduros", "sacrificados" hay
25 que desplazarse hasta los últimos lugares de la lista con porcentajes irrisorios" (C) —apunta el sociólogo Javier Elzo, responsable de una parte de este estudio—, los jóvenes se atribuyen en notorio mayor grado los rasgos negativos que los
30 positivos. La conclusión se impone: los jóvenes del año 2005 tienen una baja autoestima que

además es notoriamente más acentuada que la de los jóvenes del año 1994 —fecha del anterior informe. Estamos ante uno de los datos más
35 preocupantes del estudio".

Si vamos un poco más allá y preguntamos por los modelos a los que les gustaría parecerse, encontramos respuesta en el sondeo de opinión (D).

40 Cuatro de cada diez jóvenes (41%) declara no tener personas en su entorno cercano o social a quien imitar o parecerse. Un porcentaje parecido declara no tener modelos vitales (E).

Y un 15% no tiene opinión formada en ese
45 sentido. Quienes declaran tener referentes de vida (58%) miran hacia la familia, concretamente a la figura del padre. Los siguientes modelos de importancia para estos jóvenes, señala el informe del INJUVE (Instituto
50 para la Juventud), son los deportistas (16%) y los actores y cantantes (11%). Los amigos (3%), los personajes de la cultura (3%), los políticos (2%) o las grandes fortunas (2%) no parecen tener demasiada aceptación entre los modelos
55 a seguir.

www.revistafusion.com

33 ¿Qué significa?

Mire las palabras de la primera columna, que aparecen en el artículo anterior, y busque
su definición o sinónimo en la segunda.

1. tatuaje		a.	característica
2. ajustado		b.	ridículo
3. de última generación		c.	encuesta
4. teñido		d.	confianza en sí mismo
5. ahogar		e.	alrededor
6. rasgo		f.	pintura en el cuerpo
7. solidario		g.	referencia
8. tolerante		h.	oprimir, no permitir respirar
9. irrisorio		i.	lo más reciente
10. apuntar		j.	ejemplo
11. autoestima		k.	estrecho
12. modelo		l.	pintado
13. sondeo		m.	unido a otros por intereses y responsabilidades
14. entorno		n.	que respeta a los demás
15. referente		o.	anotar

34 ¿Ha comprendido?

1. Según el texto, ¿cuál es la estética de los jóvenes de hoy?
   a. Llevan pantalones grandes y el pelo de color.
   b. Usan siempre el móvil y escuchan música.
   c. Intentan ir todos iguales.
   d. Van según la publicidad y la norma de consumo.

2. ¿Se consideran los jóvenes a sí mismos tolerantes?
   a. Sí, lo colocan a la cabeza de la lista.
   b. No, se consideran a sí mismos intolerantes.
   c. No es un valor que destaquen de sí mismos.
   d. Sí, es su segunda característica después de la consumista.

3. ¿Por qué se atribuyen los jóvenes de hoy malos hábitos?
   a. Porque los han educado así
   b. Porque se consideran inferiores, con poca estima hacia sí mismos
   c. Porque están preocupados por los estudios
   d. Porque piensan sólo en el presente

4. Según los sondeos realizados, ¿tienen los jóvenes del 2005 algún modelo o ejemplo?
   a. Sí, los encuentran en la publicidad deportiva.
   b. Sí, es la figura paterna en el 90% de los casos.
   c. Los amigos son el modelo principal.
   d. La mayoría no tiene un modelo claro en quien inspirarse.

35 *Ejemplos:*

1. ¿Qué marca la estética entre los jóvenes? 2. ¿Cuándo se hizo el estudio que se menciona en el artículo? 3. ¿Dónde está el referente a las grandes fortunas con respecto a su importancia? 4. ¿Por qué los jóvenes se atribuyen más rasgos negativos que positivos? 5. ¿Qué figura de la familia tienen como modelo? 6. ¿Dónde describieron los jóvenes sus modelos a seguir?

36 Graphs will vary.

37 1. B; 2. C; 3. A; 4. X; 5. D; 6. E

Instructional Notes

Tell students that identifying some key words as they read the text will help them complete activity 37 and other similar activities.

Additional Activities

Comunicación

Ask students to work in small groups and discuss answers to these questions: *¿Cuántos idiomas se hablan en su grupo? ¿Considera que la gente de su generación está bien preparada? ¿Por qué? ¿Cree que es fácil o difícil conseguir un trabajo después de terminar los estudios universitarios? ¿Por qué?*

---

35 ¿Cuál es la pregunta?

Según lo que acaba de leer, escriba una pregunta lógica para estas respuestas.

1. La publicidad y el querer sentirse diferente
2. En 2005
3. Está en el último lugar de la lista de los jóvenes
4. Porque no se valoran a sí mismos
5. La figura del padre
6. En un estudio del Instituto de la Juventud

36 Resuma en un gráfico

Haga un gráfico en el que resuma lo que dice la autora del artículo.

37 ¿Dónde va?

Las siguientes frases han sido extraídas del texto anterior. Vuelva a leer las oraciones donde hay una letra en color. Escriba la letra correspondiente al lado de las frases a continuación. Tenga en cuenta que hay una frase que sobra.

1. que proyectan
2. en otras palabras
3. o por lo menos eso es lo que opina una mayoría de adultos que les observa con preocupación
4. o parecerse
5. que realizó el Instituto de la Juventud (INJUVE) el pasado año
6. a quienes imitar

Cita

Los jóvenes de hoy no parecen tener respeto alguno por el pasado ni esperanza alguna por el porvenir.
—Hipócrates (460–377 a. de J. C.), médico griego, llamado "el padre de la medicina moderna"

¿Piensa que los adultos siempre han opinado igual de los jóvenes? ¿Cree que tienen razón? ¿Piensa que cuando eran jóvenes actuaban de forma diferente? ¿A qué se debe? Comparta su opinión con un compañero/a.

Dato curioso

Hoy los jóvenes de España son chicos muy preparados: han salido al extranjero, hablan varios idiomas y han hecho estudios superiores, pero sólo cuatro de cada diez llegarán a tener un trabajo acorde con sus estudios. Los sueldos de los otros jóvenes son muy bajos y les cuesta conseguir vivienda e independizarse.

38 Antes de leer 👥

¿Cree que los jóvenes tienen un lenguaje diferente al de los adultos? ¿Qué palabras o frases son típicas de su generación? ¿Ud. usa muchos vocablos propios de su generación? ¿Cambia Ud. cómo habla, dependiendo de con quién hable? ¿Escribe de la misma manera cuando lo hace por Internet? ¿Comete más o menos faltas de ortografía cuando usa un medio electrónico? ¿Usa la gente joven palabras en otro idioma para sonar más moderna?

39 Las jergas 📖

Lea con atención el siguiente artículo. Intente averiguar el significado de las palabras en azul por el contexto, ya que se le harán preguntas sobre ellas.

Jergas: cada día nace una nueva palabra

Elena F. Vispo

El lenguaje es algo vivo, y las palabras nacen, crecen, evolucionan y, en ocasiones, mueren. A veces ocurre tan rápido que los académicos no lo asimilan y no queda constancia de ellas.

Muchas palabras nacen y mueren con la costumbre, y otras evolucionan con ella. Una de las acepciones de *ocupar* es tomar posesión de un edificio; *okupar*, en cambio, es una forma ⁵de vida.

Si bien el objetivo fundamental de estas jergas es diferenciar al que las habla del que no las habla (en este caso, al joven del adulto, o a un grupo o tribu de otra), lo cierto es que casi nunca se ¹⁰inventa nada. La palabra *guiri* (por extranjero), que hace pocos años se empezó a oír en las zonas turísticas, ya la usaba Galdós en sus *Episodios nacionales*. Las palabras de jerga son en su mayoría compuestas, o extraídas por algún tipo de ¹⁵afinidad con su significado original, como *loro* (radiocassette, porque en los años ochenta se puso de moda llevarlo por la calle apoyado en el hombro) o *ciego* (borracho o drogado, porque ve mal).

²⁰El filón es, de nuevo, la tecnología. Este es el terreno donde la jerga tiene un sentido excluyente, especialmente para los adultos. Si no *controlas* no es fácil entender que "en un chat me enteré de una web donde bajar archivos piratas de ²⁵MP3". No es otro idioma, aunque a muchos se lo parezca. O quizá sí: es el lenguaje de Internet. Un lugar donde no hay puntos ni comas, ni mayúsculas, ni acentos, cosa de la que muchos

educadores están alertando: los exámenes uni-³⁰versitarios con faltas de ortografía y problemas a la hora de expresarse ya no son una excepción. Y no es que los jóvenes sean incultos; saben mucho, pero sólo de lo que les interesa.

La madre de casi todas estas jergas es el inglés, ³⁵la lengua de las nuevas tecnologías. Los jóvenes del 2000 tienen un inglés fluido; quizá no sea muy académico, pero es más que suficiente para apañarse en la red. De modo que ya no se molestan en traducirlo en los otros terrenos de ⁴⁰la vida. Especialmente en la música: durante un *rave party* (fiestas *techno* que suelen durar, al menos, un par de días), lo mejor es reponer fuerzas en un *chill-out* (sesión de música *ambient* suave). Está por todas partes: aunque no te ⁴⁵dé *feeling*, ahora mismo es más *fashion* el *look* de *bad boy* que el *grunge*.

Muchas de estas palabras permanecerán. Así ocurrió con *ratón* y *colega*. Y muchas otras desaparecerán, pero tampoco importa: siem-⁵⁰pre habrá jóvenes que necesiten, generación tras generación, reinventar el mundo a través del lenguaje.

www.revistafusion.com

Notas culturales

Un *okupa* es una persona que va a un edificio abandonado y se instala allí como si fuera su propia casa. Normalmente lo hacen en grupos y viven allí como en una especie de comuna.

Benito Pérez Galdós (1843–1920), novelista y dramaturgo español; fue uno de los escritores más importantes del siglo XIX en España. Algunos lo consideran el escritor español más importante después de Cervantes. Escribió más de sesenta obras. Sus *Episodios Nacionales* es una colección de 46 novelas históricas. Se tratan de la historia de España desde 1805 hasta 1880; Galdós las escribió entre 1872 y 1912.

Instructional Notes

39 You might want students to identify as many cognates as they can in the reading. Some examples are: *evolucionan, ocasiones, académicos, asimilan, constancia* (constancy/perseverance), *acepciones*, acceptations/meanings.

Teacher Resources

 Activity 44 (CD 2, track 3)

Answers

40 1. e; 2. h; 3. f; 4. b; 5. c; 6. j; 7. d; 8. g; 9. a; 10. i

41 1. d; 2. b; 3. c

43 Titles will vary.

Instructional Notes

42 You may ask for written or oral answers.

44 Before students listen to the audio, you might want to review the following words: *modismo*, idiom; *sonar mejor*, to sound better; *es un hecho*, it's a fact; *tener alguna gracia*, to be funny; *de un modo*, one way; *o sea*, that is to say; *divino tesoro*, divine treasure.

Explain the following slang terms from the audio: *pelar el cable*, to say or do something that does not make sense (*Se le está pelando el cable diciendo que nos vayamos a India haciendo autostop.*); *rayar la papa*, to keep talking about the same thing over and over; *apagar la tele*, perder la conciencia.

Additional Activities

Comunicación
Ask students to get together and make a list of ten slang words or appropriate expressions that they would like to learn in Spanish. Answer their curiosity.

---

40 Vocabulario

Mire las palabras que aparecen en la primera columna abajo y que también aparecen en la lectura anterior. Busque su correspondiente sinónimo o definición entre las palabras de la segunda columna.

1. jerga	a. recobrar la energía
2. controlar	b. error que se comete al escribir
3. mayúscula	c. que no tiene conocimientos
4. falta de ortografía	d. así que
5. inculto	e. vocabulario típico de un grupo social
6. apañarse	f. lo contrario de minúscula
7. de modo que	g. llevar un período largo de tiempo
8. durar	h. dominar
9. reponer fuerzas	i. en cada lugar
10. por todas partes	j. ser autosuficiente

41 ¿Ha comprendido?

1. ¿Qué significa que una palabra nace y muere?
   a. Que cambia continuamente su significado
   b. Que proviene de otra lengua
   c. Que se usaba en el castellano antiguo
   d. Que se usa durante poco tiempo

2. ¿Cuál es la función de las jergas?
   a. Inventar nuevas palabras
   b. Servir de distintivo social y cultural
   c. Recordar palabras antiguas
   d. Que sólo nos entiendan nuestras amistades

3. ¿De dónde provienen muchas de las nuevas palabras?
   a. De Internet
   b. De la música
   c. Casi siempre, del inglés
   d. De los chats

42 Responda brevemente

¿Le gusta hablar con sus amigos con un lenguaje especial que suelen usar los jóvenes? ¿Por qué? ¿Qué piensa cuando un adulto usa este tipo de lenguaje?

43 Se titula...

Piense en otro título para el artículo que acaba de leer. Explique por qué lo ha elegido.

44 Lea, escuche y escriba/presente

Vuelva a leer "Jergas: cada día nace una nueva palabra" y luego escuche la grabación "¿Qué es el lenguaje de los jóvenes?". Escriba un ensayo o haga una presentación en clase contestando la pregunta, "¿Por qué los jóvenes crean su propio lenguaje?". No se olvide citar las fuentes debidamente.

45 Antes de leer 👥

¿Cuál cree que es el período más feliz de la vida de una persona: la infancia, la juventud, la madurez o la vejez? ¿Le gusta o le molesta cumplir años? ¿Cree que cambiará de opinión en unos años? ¿Por qué?

46 ¿Cuándo se es adulto? 📖

Lea con atención el siguiente artículo, fijándose en las palabras en azul, ya que se le harán preguntas sobre ellas.

¿A qué edad nos convertimos en adultos?

Ya soy mayor

Se mire por donde se mire, la infancia es el período más feliz (A). Es cierto que nos pasamos toda la niñez deseando crecer, pero inevitablemente, llegados a la edad adulta, tarde o temprano aflora la añoranza [5] del mundo infantil.

Los científicos han querido cuantificar hasta qué grado llega esta nostalgia. El último informe sobre la juventud española elaborada por INJUVE (Instituto de la Juventud) revela, por ejemplo, que el 43 % de [10] los jóvenes de entre 15 y 29 años asegura que los niños son mucho más felices (B). Sólo un 6% muestra malos recuerdos de su niñez.

Posiblemente, los datos serían similares si se inquiriera a personas de entre 40 y 50 años sobre sus [15] recuerdos de juventud porque, al fin y al cabo, crecer no es otra cosa que ir dejando atrás etapas que nunca más volverán ¿o, quizás, no?

Hay gente que piensa que el proceso de desarrollo y crecimiento del ser humano es muy simple, que es [20] algo que está escrito en nuestros genes y que, con la compresión completa del genoma conseguiremos un conocimiento pleno del comportamiento de nuestra especie en las diferentes etapas de su vida. Pero otros científicos consideran que la cosa no es tan sencilla [25] y que, en realidad, los pasos de la evolución del ser humano no son tan evidentes. En otras palabras, que no existe respuesta rápida a la pregunta: ¿cuándo dejamos de ser niños?

Basta volver a los datos del informe del INJUVE antes [30] mencionado (C). Dicho estudio sobre la población juvenil española utilizó como muestra a personas de entre 15 y 29 años. Desde el punto de vista de un psicólogo, estas dos edades serían pues, las que marcan el umbral de entre la juventud y la infancia, [35] por debajo, y la juventud y la edad adulta, por arriba. Hoy en día, se considera joven, sin ninguna duda, a una persona menor de 30 años. Pero hace apenas unas décadas (no digamos hace un par de siglos) un treintañero estaba ya en la plenitud de su adultez. [40] En la Edad Media, con 30 años se era ya un anciano. A los 19 años Arthur Rimbaud había escrito la totalidad de su obra importante; a los 21, Cleopatra era una veterana reina de Egipto; a los 22, Charles Darwin empezaba a revolucionar el mundo de la biología a [45] bordo del *Beagle*... Pero en España de comienzos del siglo XXI, a un hombre o una mujer de 29 años se les considera muestra representativa de la juventud y se les pregunta sobre sus miedos antes de convertirse en adulto.

Depende de la cultura y del período histórico

[50] No es extraño. La consideración de la juventud no es homogénea entre distintos pueblos, ni entre diferentes períodos históricos. Existen factores sociológicos, biológicos, psicológicos y legales que hacen variar los umbrales de entre los diferentes estados evolutivos. [55] Veamos algunos de ellos. Desde el punto de vista social, la madurez se identifica con la capacidad de desenvolverse de manera independiente afectiva, económica y legalmente en el entorno en que se vive. Si se pregunta a los jóvenes españoles cuándo [60] consideran que van a dejar de serlo, la edad promedio resultante es 34 años. Esos mismos jóvenes creen que dejaron de ser niños, (D), a los 15 años. O sea, que la propia percepción de la juventud que tienen los que de ella aún disfrutan es diferente a la que tienen los [65] adultos. Para un sociólogo, se deja de ser joven a los 30; para un joven, se empieza a ser adulto a los 34.

Si en las sociedades tradicionales el paso de la infancia a la responsabilidad madura era casi directo —el niño se convertía en guerrero y la niña en madre [70] en un solo acto— ahora ese salto es más complejo. Los niños dejan de serlo pronto, sí, pero no para hacerse "mayores" sino para ingresar en una larga etapa de juventud que sólo se abandona cuando se quiere, o se puede dejar el hogar familiar. Y es que [75] cuesta mucho dejar de ser joven.

Revista *Muy Interesante*

Lección 2A **79**

Instructional Notes

46 Arthur Rimbaud (1854–1891), French poet; Cleopatra (69–30 B.C.), queen of Egypt; Charles Darwin (1809–1882), English naturalist and author of *The Origin of Species*.

You may want to tell this joke in Spanish about aging: *Un médico famoso le dice a su audiencia en un congreso: Existen tres síntomas típicos de la vejez; uno es la pérdida de memoria, y los otros dos,... ¡se me han olvidado!*

Additional Activities

Repaso Expreso
See p. TE28.

Investigue
palabras clave:
INJUVE, Arthur Rimbaud, Cleopatra, Charles Darwin

47 Vocabulario

Mire las palabras a continuación. De cada grupo de cuatro, escoja la que no esté relacionada con la palabra de la lectura.

1. añoranza
   a. melancolía   b. olvido
   c. nostalgia   d. recuerdo

2. inquirir
   a. interrogar   b. preguntar
   c. consultar   d. encontrar

3. etapa
   a. parada   b. fase
   c. período   d. ciclo

4. pleno
   a. total   b. completo
   c. 100%   d. a mitad

5. mencionar
   a. referir   b. nombrar
   c. omitir   d. citar

6. umbral
   a. entrada   b. final
   c. comienzo   d. portal

7. desenvolverse
   a. manejarse   b. apañarse
   c. valerse   d. dormirse

8. ingresar
   a. salir   b. entrar
   c. incorporarse d. formar parte

48 ¿Ha comprendido?

1. Según el artículo, ¿es la infancia un período feliz en nuestras vidas?
   a. No, solemos tener malos recuerdos de nuestra niñez.
   b. Sí, pero estamos todo el tiempo con nostalgia.
   c. Sí, los niños suelen ser más felices que los mayores.
   d. No, porque nos preocupamos por cosas sin importancia.

2. Hoy en día, en España, ¿cuándo deja una persona de ser joven?
   a. Depende de su comportamiento.
   b. Tiene que decidirlo un psicólogo.
   c. Es adulto a partir de los 30 años.
   d. Se es adulto con 29 años.

3. ¿La edad en la que empieza y termina la juventud es universal?
   a. Sí, las etapas están muy definidas en la sociedad en general.
   b. No, cada persona decide cuándo deja de ser joven.
   c. Sí, un adulto hoy en día es igual en todos los países.
   d. Existen generalidades, pero depende del tiempo y los valores culturales.

4. ¿Qué quiere decir la expresión "Se mire por donde se mire"?
   a. Es importante observar...
   b. Posiblemente...
   c. Considerando todos los aspectos...
   d. Parece ser...

49 ¿Dónde va?

Las siguientes frases han sido extraídas del artículo anterior. Vuelva a leer las oraciones donde hay una letra en color. Escriba la letra correspondiente al lado de las frases a continuación. Hay una frase que sobra.

1. que los adultos
2. para comprender cuán difíciles son las definiciones en este terreno
3. quienes se creían mayores
4. como media
5. de nuestras vidas

Nota cultural

En algunas culturas la pubertad es un evento muy importante. En el caso de la etnia de los kunas (una de las etnias más importantes de Panamá) la celebran con danzas en las que las mujeres tocan las maracas y los hombres la flauta, todo acompañado por cantores especiales. Muchas mujeres indígenas son ofrecidas en matrimonio, en muchas ocasiones sin su consentimiento, junto con una dote.

50 Lea, escuche y escriba/presente

Vuelva a leer el artículo "¿A qué edad nos convertimos en adultos?" y luego escuche la grabación, que es parte del mismo artículo. Tome notas y escriba un ensayo o haga una presentación en clase contestando la pregunta, "¿Cree que los niños dejan de ser niños demasiado pronto?" Incluya información de las dos fuentes, citándolas debidamente.

Cita

Los cuarenta son la edad madura de la juventud; los cincuenta la juventud de la edad madura.
—Victor Hugo (1802–1885), escritor francés

 ¿Hasta que edad cree Ud. qué se es joven? ¿Cree que nuestra sociedad valora demasiado o muy poco la juventud? ¿A qué se debe? Comparta sus opiniones con un/a compañero/a.

Dato curioso

¿Qué es el síndrome de Peter Pan? Los psicólogos lo atribuyen a la resistencia a asumir las responsabilidades propias de la edad adulta. El síndrome fue identificado por el estadounidense Dan Kiley y se manifiesta como un estado de ansiedad e inseguridad permanente, ligado a la negativa a independizarse del entorno maternal.

Nota cultural

Peter Pan fue creada por J.M. Barrie, mientras iba contando estas historias a los hijos de una amiga suya. Parece ser que el nombre viene de Peter, el hijo menor de su amiga, y Pan, el travieso dios griego de los bosques.

Teacher Resources

Activity 50 (CD 2, track 4)

Instructional Notes

50 Before students listen to the audio, you might want to review the following words: *efímera*, ephemeral; *descenso*, drop; *crío*, child; *fabricante*, manufacturer. You might also explain that the popular children's show *Sesame Street* is known as *Barrio Sésamo* in Spanish.

Teacher Resources

Activity 51 (CD 2, track 5)
Activity 52 (CD 2, track 6)

Activity 14

Answers

51 1. c; 2. c; 3. c; 4. d

52 1. La familia, los amigos y la salud; 2. Tienen buenas relaciones familiares. 3. Sí; muchos son fruto de separaciones y divorcios. 4. Sí

Instructional Notes

51 Encourage students to guess what the audio will be about, and also what the possible questions may be, based on the choice of possible answers. Encourage them to do some "detective work."

Before students listen to the audio, you might want to review the following words: *punto de mira*, target/objective; *a medias*, half done; *inculcar*, to instill; *raíz*, root; *mudarse*, to move; *etapa*, stage; *beca*, grant; *otorgar* to grant; *premio*, award; *minoría*, minority; *puesto fijo*, steady job; *banca de inversión*, investment bank; *tender a*, to tend to; *reclutar*, to recruit; *prueba*, proof.

The questions from audio activity 51 appear below.
1. ¿Por qué es Daniel Rivas un muchacho tan motivado? 2. ¿Daniel es de familia numerosa? 3. ¿Qué ha conseguido Daniel? 4. ¿Qué metas tiene este joven latino?

52 Before students listen to the audio, you might want to review the following words: *lo cotidiano*, daily things; *llevar una vida digna*, to have a decent life; *sustrato*, foundation; *edificar*, to build; *sondeo*, poll; *fémina*, female; *varón*, male; *nivel de vida*, standard of living; *desacuerdo*, disagreement; *pauta*, guideline/model; *envidiar*, to envy; *a su juicio*, in their opinion; *no tener que ver con*, to not have anything to do with; *por cierto*, to be sure; *soledad*, solitude; *en absoluto*, at all.

Additional Activities

Encuesta
Ask students to tell you what are the most popular professions people their age want to have when they finish school. Write these professions on the board and ask how many require fluency in a foreign language.

---

51 Wall Street

Lea las posibles respuestas primero y después escuche la grabación "Con el punto de mira en Wall Street". Escoja la mejor respuesta para cada pregunta que escuchará en la grabación.

1. (Pregunta que escuchará en la grabación.)

 a. Porque sus padres nunca pudieron darle una educación
 b. Porque es latino, y no quiere olvidar sus raíces
 c. Porque sus padres siempre le prometieron una educación
 d. Porque tuvo que trabajar duro para pagar su propia educación

2. (Pregunta que escuchará en la grabación.)

 a. Sí, tiene cinco hermanos.
 b. Sí, tiene ocho hermanos.
 c. Sí, tiene cuatro hermanos.
 d. No se menciona nada al respecto.

3. (Pregunta que escuchará en la grabación.)

 a. Ha trabajado como agente de bolsa en Wall Street.
 b. Ha trabajado en la Universidad de Long Island.
 c. Ha recibido un prestigioso premio otorgado a minorías.
 d. Ha estado empleado por casi un año en el Credit Suisse de Nueva York.

4. (Pregunta que escuchará en la grabación.)

 a. Ser bailarín de salsa profesional y profesor de la Universidad de Long Island
 b. Trabajar para el SEO y ser bailarín de salsa
 c. Tener un puesto fijo en la banca y ganar más premios
 d. Tener un puesto fijo en la banca y motivar a otros jóvenes

52 ¿Somos mayores ya?

Escuche la grabación "¿A qué edad nos convertimos en adultos? Ya soy mayor" y luego conteste las siguientes preguntas.

1. ¿Cuáles son los tres puntos importantes para los jóvenes?
2. ¿Por qué los jóvenes se demoran tanto para marcharse de la casa de los padres?
3. ¿Están los jóvenes abiertos a otros modelos de familia? ¿Cual es la razón?
4. ¿Quieren los jóvenes comprometerse con una pareja?

53 Participe en una conversación

Ud. va a participar en una conversación. Primero lea la descripción de la conversación y piense en algunas palabras o expresiones que le serían útiles. Organice sus ideas, haciendo predicciones sobre lo que se le pueda preguntar o comentar. Una descripción de lo que va a escuchar aparece abajo en color. Participe en la conversación grabando las respuestas o escribiéndolas en su cuaderno.

Escena: Su padre habla con usted sobre los programas televisivos que ve su hermano pequeño.

Padre:	Plantea el problema.
Ud.:	• Conteste.
	• Dele su opinión.
Padre:	Elabora el problema.
Ud.:	• Exprésele su opinión.
Padre:	Sigue elaborando el problema.
Ud.:	• Dele su opinión.
	• Sugiérale una solución.
Padre:	Sigue la conversación.
Ud.:	• Anímele.
	• Propóngale una actividad para realizar en familia.
Padre:	Interrumpe la conversación.

Teacher Resources

 Activity 53 (CD 2, track 7)

Activity 15

Instructional Notes

53 Before students listen to the audio, you might want to review the following words: *en cuanto*, as soon as; *partidito*, match; *te lo prometo*, I promise you; *¡Hombre!*, Hey!

Audioscript Activity 53

Padre: Tenemos que hablar. He estado muy ocupado últimamente y no he podido prestarle mucha atención a tu hermano. Estoy un poco preocupado porque creo que está viendo demasiada televisión. ¿Qué piensas?
[STUDENT RESPONSE]
Padre: El problema es que cada vez que le digo que la apague se enfada conmigo. Yo, como paso tan poco tiempo en casa por el trabajo, cuando llego quiero que esté contento y me quiera.
[STUDENT RESPONSE]
Padre: El otro día me pidió que le comprara una Play Station. Con lo pequeño que es... hmmm, no sé. Pero en seguida, en cuanto me vio dudando se enfadó y me dijo que quiere ser como los demás.
[STUDENT RESPONSE]
Padre: Sinceramente, ser padre es más difícil de lo que pensaba.
[STUDENT RESPONSE]
Padre: Pero, ¡qué buena idea! Estoy de acuerdo contigo. ¡Qué haría sin ti! Perfecto... (*phone rings*) ¡Ay! Un momento, por favor, que me llaman. ¿Por qué no miras un partidito de tenis o algo mientras que contesto esta llamada? Te lo prometo. Será un minuto. (*in the distance, father's voice:*) ¡Hombre, Manolo...!

Teacher Resources

 Activities 16–17

Instructional Notes

54–57 Remind students to go over the expectations outlined in the *Pautas* on p. 480 before they prepare any of the writing activities in this section.

58 Assure students that even if they might feel uncomfortable about correcting someone else's paper, it is part of the learning process. They should be prepared to explain why they have made the corrections. If there is disagreement over any such corrections, they need to discuss their reasoning and perhaps consult a reference grammar, or you could be the arbitrator.

59 Because all students will speak, allow them time to prepare this activity. Be sure to tell students which issue and which side of the issue they will be debating, so that they can do some research and practice before their debate.

After students have debated these issues with a partner, you might want them to continue the debate in small groups, or even have a discussion with the whole class on one or two of these topics.

You could show a word bank on an overhead transparency to make sure that students use the new vocabulary.

Additional Activities

Corrija una carta
See p. TE26.

¡A escribir!

54 Texto informal: un blog

Escriba en un blog. Hable sobre sus gustos y los de sus amigos. Incluya lo siguiente:

- Hable sobre la ropa que se lleva.
- Hable sobre el tipo de música que se escucha.
- Termine con una pregunta.

55 Texto informal: un correo electrónico

Sus padres quieren saber más sobre lo que le gusta a su generación. Explíqueles en un correo cómo han cambiado los gustos en relación a su generación.

- Hábleles sobre lo que se lleva y lo que es más "in".
- Compare su generación con la de sus padres.
- Recomiéndeles participar en una actividad con sus amigos.

56 Ensayo: los niños mimados

Escriba un ensayo contestando la pregunta, "¿Cree que los niños de hoy en día están demasiado mimados por sus padres?"

57 Ensayo: los videojuegos

Escriba un ensayo en el que exponga los beneficios y consecuencias del uso de los videojuegos por los jóvenes.

58 En parejas

Intercambie sus ensayos con un/a compañero/a. Exprésele su opinión sobre el contenido y el uso del idioma.

¡A hablar!

59 Charlemos en el café

Ud. va a debatir los siguientes temas con un/a compañero/a. Uno estará a favor de lo que se ha dicho y otro en contra. El debate durará varios minutos. El/La estudiante que esté de acuerdo comenzará el debate y hablará por unos diez segundos. Cuando el/la profesor/a lo indique, el/la otro/a estudiante tomará la palabra y expresará su opinión por otros diez segundos, y así sucesivamente.

1. Los jóvenes de hoy en día son víctimas de la publicidad.
2. Los niños de hoy en día consiguen todo lo que quieren. Están demasiado mimados.
3. Debido a las nuevas tecnologías los jóvenes no saben relacionarse entre ellos.
4. Los jóvenes siguen la moda para ser aceptados por los demás.
5. Los móviles aíslan a los jóvenes.
6. Ud. tomaría una píldora que le permitiera ser joven toda su vida.

Consejo

Antes de empezar, lea las pautas para escribir textos informales en la pág. 480 del Apéndice. Mientras escribe el texto tenga presente los objetivos. Cuando termine, verifique que ha cumplido con todo lo que se describe en la lista y reflexione sobre su trabajo.

Consejo

Antes de empezar, lea las pautas para escribir ensayos en la pág. 480 del Apéndice. Mientras escribe el ensayo tenga presente los objetivos, y no se olvide de ponerle un título original. Cuando termine, verifique que ha cumplido con todo lo que se describe en la lista y reflexione sobre su trabajo.

60 ¿Qué opinan?

Converse con un/a compañero/a sobre estas situaciones o preguntas.

1. ¿Cuáles son las cinco cosas más importantes para los jóvenes de su edad? Escríbalas en orden de importancia y explique por qué son importantes.
2. ¿Qué está de moda entre los jóvenes de su generación? ¿Qué está pasado de moda? Hablen sobre música, ropa, deportes, comida, aparatos tecnológicos, etc.

61 Presentemos en público 🎤

Conteste una de las siguientes preguntas durante varios minutos en clase. Organice sus ideas antes de hacer la presentación, busque las palabras necesarias y, después de practicar, presente en clase sin mirar las notas.

1. ¿Es fácil ser joven en estos tiempos? ¿Cuáles son las ventajas y los inconvenientes?
2. ¿Está deseando dejar de ser joven?
3. ¿Qué es lo que define a los jóvenes de los Estados Unidos?
4. ¿Cómo son los modelos en los que se fija la gente joven de su generación?

Consejo

Antes de empezar, lea las pautas para presentaciones formales en la pág. 481 del Apéndice. Mientras formula su presentación tenga presente los objetivos. Cuando termine la presentación, verifique que ha cumplido con todo lo que se describe en la lista y reflexione sobre el trabajo que hizo.

Proyectos

62 ¡Manos a la obra! 👥

Trabaje en un grupo de cuatro o cinco estudiantes para llevar a cabo uno de los siguientes proyectos y presentarlo a la clase.

- Les han encargado que trabajen en la sección de gente joven del periódico y les han pedido que diseñen toda esta sección. Tienen asignadas dos hojas del periódico para hacerlo. Decidan los diferentes temas; por ejemplo, música, pasatiempos, los lugares de interés, y los formatos: la publicidad, las cartas al director, las tiras cómicas.

- Presenten a un joven típico de su edad. Hablen de su vida, metas, amistades, pasatiempos, gustos, etc.

- Presenten a un joven de su edad, pero esta vez a modo irónico, según la forma en la que los jóvenes son percibidos por algunos mayores.

- Propongan un nuevo club del colegio o de la universidad que refleje los nuevos gustos y tendencias. Descríbanlo, denle un nombre e intenten captar a nuevos miembros cuando se lo presenten a sus compañeros.

- Entrevisten a una persona de un país hispanohablante, y pregúntenle sobre los jóvenes en su país. Elaboren de quince a veinte preguntas interesantes y graben las respuestas.

Instructional Notes

60 Encourage students to review the vocabulary, including the expressions, at the end of the lesson in order to enhance their discussions. They need to pay attention to the grammar, pronunciation, and intonation, and use appropriate vocabulary to contradict or agree with their partner's comments. After students discuss these questions with a partner, you could hold a whole-class discussion.

61 Review the *Pautas para presentaciones formales* on p. 481, and refer students to their copies of the guidelines given to them in *Lección 1A* (*Antes y durante una presentación*). (See p. 27 of this Annotated Edition.) You might want to assign these presentations as homework, so students have more time to prepare.

62 Before students start their projects, go over the questions from *Lección 1A*, p. 28. Students should have a copy of these questions for each project.

Remind students that after they complete their project, they will self-assess their work as a team using the grading system 1–5 (5 being the highest, and 1 the lowest) and write a grade next to each question. After they turn in their work or make their presentation to the class, you will review their project and write your comments and evaluation next to theirs.

Additional Activities

La noticia del día
See p. TE28.

Activities 18–23

 Visite la página Web de
¡A toda vela! en
www.emcp.com

Additional Activities

Juegos
To practice and reinforce the lesson's vocabulary, have students play one of these games: *Cada uno una. Lo tengo en la punta de la lengua.* See pp. TE24 and TE25.

Juego
To practice the vocabulary as well as the culture topics presented in the lesson, ask students to play *¿Quién quiere ser millonario?* See p. TE25.

Juego
To practice vocabulary or grammar, ask students to play *El juego de la alarma.* See p. TE25.

Ask students to do any of the following activities to practice and strengthen the vocabulary presented in this lesson: *El desafío del minuto, Vocabulario, ¿Cómo están relacionados?, ¿Cuáles son las diferencias?, ¡Pongámonos de acuerdo!, La definición interminable.* See pp. TE26–TE29.

Comics
You may want to show students some Hispanic comics that feature young characters (for example, Mafalda). These comics could serve as topics for discussion and to review grammar and vocabulary. Comics students might know, such as Garfield, can also be found in Spanish.

Vocabulario

Verbos

abrocharse	to fasten
amenizar	to make pleasant
asegurar	to assure
asumir	to assume, take on
atravesar	to go through
castigar	to punish
consolar (ue)	to console, comfort
convivir	to live with
desanimar	to discourage
desbancar	to replace
desear	to wish
durar	to last; to take time
encajar	to fit in
manejar	to handle; to drive
otorgar	to grant
parecerse	to look like
pasarse	to go too far
ponerse	to become; to place oneself
portarse	to behave
regañar	to scold, rebuke, tell off
reponer fuerzas	to recover
retar	to challenge
señalar	to point (to)
soportar	to stand, bear
suceder	to occur, happen
tartamudear	to stutter
tumbarse	to lie down

Verbos con preposición

verbo + a:

arriesgarse a	to risk
exponerse a	to expose oneself to
pertenecer a	to belong to

verbo + con:

conformarse con	to be satisfied with
contentarse con	to be happy/satisfied with; to make do with
entretenerse con	to amuse oneself with
quedar bien/mal con	to make a good/bad impression on
romper con	to break up with

verbo + de:

avergonzarse (ue) de	to be ashamed of
burlarse de	to make fun of
cansarse de	to become tired of
depender de	to depend on
presumir de	to think one is, boast of being
quejarse de	to complain about

verbo + en:

apoyarse en	to lean/rely on
empeñarse en	to make an effort to, insist on
esforzarse (ue) en	to try very hard to

verbo + para:

tener motivos para	to have reasons for

verbo + por:

interesarse por	to take an interest in
tener por	to take for, considered

Sustantivos

el/la	adepto/a	follower, supporter
el	agradecimiento	gratitude
la	amistad	friendship
el/la	anciano/a	elderly man/woman
el	apuro	jam, fix
la	autoestima	self-esteem
el	carácter	character
el	comportamiento	behavior
la	conjetura	conjecture
el	cuero	leather
los	derechos humanos	human rights
el	desempleo	unemployment
el	diseño	design
el	disparate	silly/stupid thing or action
la	edad adulta	adulthood
la	etapa	stage
la	facha	appearance *(colloquial)*
el	fallo	fault, mistake
la	falta de ortografía	spelling mistake
el	filón	gold mine *(colloquial)*
el	ingreso	entry
la	jerga	slang
el	lazo	link
el	mando	remote control
la	marca	brand
la	mayúscula	capital letter
la	niñez	childhood
el	pacifismo	pacifism
el	paso	step
el	peso	weight
la	pinta	appearance
el	portal	doorway
el/la	quinceañero/a	fifteen-year-old
el	rasgo	feature
el	recuerdo	memory
el	rollo	bore *(slang)*
el	síntoma	symptom
el	sondeo	poll
el	tamaño	size

el	tatuaje	tattoo
el	temor	fear
el	terreno	field
el	tino	common sense
el	tipo	type, sort, guy
el/la	treintañero/a	thirty-year-old
el/la	veinteañero/a	twenty-year-old
el	voluntariado	voluntary service

Adjetivos

ajustado, -a	tight
atrevido, -a	daring
caído, -a	fallen; hanging, droopy
capacitado, -a	qualified, trained
complejo, -a	complex
deportivo, -a	sports (*before nouns*)
fluido, -a	fluid, smooth
gracioso, -a	funny
inculto, -a	uncultured, uneducated
inseguro, -a	unsafe; insecure
leal	loyal
maduro, -a	mature
orgulloso, -a	proud
pleno, -a	full
preocupante	worrisome, worrying
prodigioso, -a	marvelous
realista	realistic
rebelde	rebellious
revoltoso, -a	rebellious
solidario, -a	in solidarity, supportive
teñido, -a	dyed
tolerante	tolerant

Adverbios

alrededor	around
de pronto	suddenly
efectivamente	effectively

Expresiones

a pesar de	in spite of
al fin y al cabo	finally
de última generación	most recent
de verdad	really
desde el punto de vista de	from the point of view of
en serio	seriously
no estar para bromas	not to be in a joking mood
no ser para tanto	it's not such a big deal
para ser sincero	to be sincere
por lo visto	apparently
por más que	no matter how hard
por poco	by little
por si acaso	if by any chance
por supuesto	of course
por todas partes	everywhere
por último	finally
¡Qué lata!	What a bore!
¡Qué lío!	What a mess!
sacar partido de	to profit from
se mire por donde se mire	wherever one looks
sin embargo	nevertheless
sin ninguna duda	without (any) doubt
tarde o temprano	sooner or later

A tener en cuenta

Usos de *se*:

1. Cuando tenemos dos pronombres. *Le* se convierte en *se*.
   ¿Le diste la fotocopia? Sí, se la di.

2. Reflexivos. Tercera persona.
   Siempre se equivoca cuando maneja el carro.

3. Construcción recíproca.
   No se miran a la cara.

4. El *se* accidental.
   Se me cayeron las hojas al suelo.

5. Impersonal.
   Se busca secretaria / cantante para grupo / informático/a / diseñador(a) de páginas web.

Instructional Notes

Write the following data on the board:
1. 150 millones
2. Decenas de millones
3. 1.800
4. 30%

Then explain that these figures represent the following:
1. Huérfanos que viven en 93 países subdesarrollados
2. Niños que viven en la calle
3. El número de niños infectados a diario por el SIDA
4. Porcentaje de niños de las zonas rurales que no van a la escuela

Encourage students to look for some more data regarding the plight of children around the world and share it with the class the following day.

Ask students what they know about *niños soldados* and *niños de la calle*, two cultural topics that will be dealt with in this lesson. Also have students describe the photos by asking: *Describan a los jóvenes que aparecen en las fotos. ¿Qué están haciendo? ¿Qué problemas puede que tenga el joven soldado? ¿Qué se puede hacer para eliminar este tipo de problemas?*

Additional Activities

Hablen sobre esta foto
See p. TE27 and use the photos on the lesson opener.

Lección B

Objetivos

Comunicación
- Conocer los problemas de otros jóvenes
- Describir el mundo de los niños y niñas de la calle
- Hablar de la importancia de seguir los estudios

Gramática
- El futuro
- Los tiempos perfectos
- Los participios pasados
- La voz pasiva

"Tapitas" gramaticales
- algunos usos del subjuntivo
- *tomar* y *hacer*
- *respeto* y *respecto*
- *volverse, ponerse, hacerse, quedarse*

Cultura
- Los jóvenes indígenas
- Albergues para jóvenes
- La emancipación de los jóvenes
- Los niños soldados
- Los hispanoamericanos en Estados Unidos
- Los niños y niñas de la calle
- Los peligros de la tecnología

Visite la página Web de
¡A toda vela! en
www.emcp.com

Para empezar

1 Conteste las preguntas

Piense en las respuestas a las siguientes preguntas. Puede tomar notas si lo considera necesario. Cuando termine, compare sus respuestas —pero sin mirar sus notas— con las de un/a compañero/a.

1. ¿Cuáles son los retos que tienen los jóvenes de Estados Unidos?
2. ¿En qué actividades de la comunidad participan los jóvenes?
3. ¿Qué tipo de voluntariado le gustaría hacer a Ud.? ¿Por qué? ¿Qué tipo de voluntariado hace? ¿Por qué?
4. ¿Qué tipo de problemas tienen los jóvenes de su generación? ¿Cómo suelen resolver estos problemas?
5. ¿Qué problemas cree que afrontan los jóvenes de las comunidades indígenas? ¿Son similares a los suyos?
6. ¿A qué edad se suelen emancipar los jóvenes estadounidenses? ¿Por qué cree que muchos jóvenes españoles y latinoamericanos se emancipan más tarde?
7. A la hora de elegir una universidad, ¿suelen los estadounidenses elegir una que esté cerca de casa? ¿La distancia es un factor que influye en su elección? ¿Qué otros factores influyen?
8. ¿Están los niños de todo el mundo protegidos actualmente? ¿Qué problemas afrontan muchos de los jóvenes?
9. ¿Qué sabe de los niños de la calle?
10. ¿Por qué razones dejan algunos jóvenes de estudiar?

2 Mini-diálogos

Ud. va a crear un mini-diálogo con un/a compañero/a. Lea la descripción de la conversación antes de empezar. Puede tomar notas para organizar sus ideas, pero no las mire mientras conversa.

Escena: En el gimnasio Ud. y su amigo/a mantienen una conversación sobre sus ídolos.

A: Hable con su compañero/a sobre alguien famoso que admire. Pregúntele qué piensa de esta persona.

B: Exprese su opinión. Pregúntele más sobre esta persona.

A: Conteste sus preguntas. Pregúntele sobre una de las personas que admira.

B: Conteste su pregunta. Dele detalles.

A: Exprese descontento. Dele razones por la que no le gusta esa persona.

B: Defienda a su ídolo. Y dígale cómo ha influido en su vida.

A: Discúlpese por lo que piensa decirle, pero continúe con sus comentarios. Despídase amistosamente.

B: Despídase de mal humor.

Refrán

El joven conoce las reglas, pero el viejo las excepciones.

Hable sobre el significado de este refrán. ¿Cree que es cierto? Comparta su opinión con un/a compañero/a.

¡Dato curioso!

Los jóvenes perciben de forma diferente la influencia de sus familias en función de su edad y su nivel económico, pero no por ser chicos o chicas.

Nota cultural

Los más jóvenes de una familia tienen una mayor influencia familiar (71,2%) que los mayores (52,8%). Al igual que ocurre con los que tienen menores ingresos (76%) frente a los que son más independientes económicamente.

3 En una novela

Lea el siguiente texto literario. Fíjese en las palabras que aparecen en azul (relacionadas con el vocabulario) y en rojo (relacionadas con la gramática), ya que en las siguientes actividades se le harán preguntas sobre ellas.

Hemos acordado que esta noche será la noche. Pensamos escapar del campamento de madrugada, cuando todos estén dormidos. Lo hemos planeado minuciosamente durante meses. Les prepararemos la cena a los soldados como de costumbre, mientras que conversamos con las otras
5 chicas del campamento. Después Ana y yo nos escaparemos en cuanto veamos el momento adecuado. Saldremos de esta pesadilla, seremos libres y volveremos con nuestros seres queridos. Seremos cuidadosas y no despertaremos ninguna sospecha, todo saldrá bien. Aquí nos estamos volviendo locas. Nos iremos juntas y podremos, ...pero ¿qué será ese ruido?
10 ¿quién gritará tanto?...

De golpe todos los gritos cesaron. Sólo se oía un leve murmullo. María se acercó a donde estaba el bullicio, abrió paso entre la multitud y allí vio a su amiga. Ana yacía inmóvil. Con una extraña sonrisa de vencedora. De alguna forma había podido escapar de allí. Había triunfado. María siguió con sus
15 planes. "Lo haré sola. Como no lo haga esta noche, nunca saldré viva de aquí". Y así lo hizo. Hoy en día reside en Nueva York. Habrá publicado su primer libro en unos meses. En la portada veremos una fotografía de las dos íntimas amigas, sonrientes, antes de que fueran secuestradas por la guerrilla. "¿Será más fácil para mi hija pequeña? ¡Disfruto tanto oyéndola hablar
20 sobre lo que quiere ser de mayor!" —piensa mientras le cepilla el pelo. "Te recogeré el pelo y te haré una coleta. A Ana le encantaba que la peinara así." María sonríe, aunque se ha puesto un poco sentimental. Las dos amigas se escaparon de algún modo juntas. Sabe que Ana siempre estará a su lado.

4 ¿Qué significa?

Según el contexto del texto anterior, empareje cada palabra de las dos primeras columnas con su traducción correspondiente en la tercera y cuarta columna.

1. acordar	14. murmullo	a. camp	n. uproar
2. campamento	15. bullicio	b. to wake up	o. winner
3. madrugada	16. multitud	c. to cease	p. close
4. minuciosamente	17. yacer	d. thoroughly	q. motionless
5. de costumbre	18. inmóvil	e. to decide	r. ponytail
6. en cuanto	19. vencedor	f. murmur	s. as usual
7. ser querido	20. triunfar	g. multitude	t. suspicion
8. despertar	21. residir	h. cover	u. loved one
9. sospecha	22. portada	i. to triumph	v. suddenly
10. salir bien	23. íntimo	j. kidnapped	w. to lie
11. de golpe	24. secuestrado	k. light, slight, trivial	x. to reside
12. cesar	25. coleta	l. as soon as	y. dawn
13. leve		m. to go well	

5 El futuro

Conteste estas preguntas relacionadas con la lectura de la Actividad 3.

1. ¿Cómo se forma el futuro de los verbos regulares?
2. Escriba 13 verbos irregulares que recuerde en el futuro en la tercera persona del singular. Puede usar verbos compuestos.
3. ¿Qué otros verbos o expresiones se usan para indicar el futuro? Escriba un ejemplo.
4. Haga una lista de los verbos que aparecen en futuro en el texto de la Actividad 3.
5. ¿Cómo se traduce *I hope you will come*? ¿Qué tiempo es?
6. ¿*Qué será? ¿Quién gritará? ¿Será más fácil?* ¿Qué tiempo verbal ha sido usado? ¿Por qué se usa en este contexto? ¿Cómo lo traduciría? Escriba otro ejemplo.

6 "Tapitas" gramaticales

Conteste estas preguntas basadas en la lectura de la Actividad 3.

1. ¿Cómo traduciría "Como no lo haga esta noche"? ¿De qué tiempo verbal se trata? Escriba una frase similar.
2. ¿Qué tiempo verbal es *peinara*? Escriba una frase similar usando el mismo tiempo.
3. ¿Cómo se traduce "se ha puesto un poco sentimental"? ¿Puede pensar en otros ejemplos con *ponerse*? ¿Cuáles son? ¿Cuál es la diferencia entre *ponerse, hacerse, quedarse* y *volverse*?

7 Entrevistando a María 🖋

Usted es un/a periodista que ha leído sobre la historia de María, quien fue secuestrada y obligada a ser una niña soldado. Le han pedido a Ud. que le haga una entrevista. Escriba diez preguntas para hacerle (incluya el vocabulario y las "tapitas" gramaticales de las actividades anteriores).

8 Los jóvenes indígenas 📖

Lea el siguiente artículo, prestando atención a las palabras en azul y rojo, ya que se le harán preguntas sobre ellas.

Estos nuevos tiempos representan un reto para los jóvenes indígenas de nuestro país. Todo a nuestro alrededor se mueve a un ritmo acelerado. No obstante, un grupo de jóvenes ha llamado recientemente la atención de los medios de comunicación por su actitud positiva ante las dificultades [5]y por su capacidad de lucha. Han escrito miles de cartas a políticos y a empresarios destacados solicitando ayuda para mejorar la situación. Por fin, y en gran parte gracias a la prensa, que ha difundido la noticia, y a su continua lucha y esfuerzo, han sido oídos. Para finales de año habrán abierto una organización sin ánimo de lucro que desempeñará un papel [10]muy importante para apoyar la creciente inquietud de nuestros jóvenes. Quieren superarse y conseguir sus metas, y están dispuestos a hacer todo lo que sea necesario. Saben que son el futuro, y por eso luchan por sus derechos. Han hecho todo lo que está en sus manos y han conseguido un cambio histórico. En una sociedad donde los adultos toman todas las [15]decisiones, los jóvenes han logrado ser escuchados. Según los medios, en unos meses habrán hecho mejoras importantes. Durante todo este proceso los jóvenes indígenas han demostrado que han aprendido mucho sobre las nuevas tecnologías, han mejorado sus destrezas y su formación para ser personas cultas, y han llegado a conocerse más como individuos. A la luz de los acontecimientos, los mayores, siempre tratados con respeto, y quienes se habían [20]opuesto tajantemente a cualquier cambio, se han comprometido a hacer un esfuerzo para comprender sus demandas.

Nota cultural

México es el octavo país con la mayor cantidad de pueblos indígenas (62 etnias), cada uno con sus propias creenicas y valores. Estos pueblos constituyen la décima parte de la población mexicana, contando con más de 10 millones de personas. Aunque los jóvenes indígenas de México se enfrentan a muchos retos, hay programas que los apoyan y debido a ellos, estos jóvenes están adquiriendo más educación, están adaptándose mejor a los tiempos modernos, y están más abiertos a los cambios. Esto les ayuda a jugar un papel más importante dentro de la sociedad. No obstante, el camino no es fácil, ya que sufren discriminación al tener otras creencias, valores y formas de ver la vida, y suelen tener una desventaja para integrarse con éxito.

Teacher Resources

📄 Activity 1

Answers

5 1. El futuro se forma añadiéndole las siguientes terminaciones al infinitivo: *-é, -á, -á, -emos, -éis, -án.* 2. Ejemplos incluyen: cabrá, deshará, dirá, habrá, hará, podrá, pondrá, propondrá, sabrá, saldrá, tendrá, valdrá, vendrá. 3. El presente (Te veo mañana); *ir a* + infinitivo (Van a ir a un campamento). 4. será, prepararemos, escaparemos, saldremos, seremos, volveremos, seremos, despertaremos, saldrá, iremos, podremos, será (indica especulación), gritará (indica especulación), haré, saldré, habrá publicado, veremos, será, recogeré, haré, estará; 5. Espero que venga(s). Es el presente del subjuntivo. 6. Es futuro. Se usa para especular o expresar una posibilidad. Se traduciría *I wonder what that is. I wonder who is screaming. I wonder if it will be easier.* Otro ejemplo: ¿Qué hora será?

6 1. *If I don't do it tonight.* Es el presente del subjuntivo. Otro ejemplo: Como no practique más. 2. Imperfecto del subjuntivo. Ejemplo: La profesora me aconsejó que practicara más en clase. 3. *She's become a little sentimental.* Otros ejemplos: se puso rojo/colorado, se puso bravo, se puso enfermo. Se usa para hablar de algo físico o emocional. *Hacerse* + un sustantivo se usa para indicar un cambio en la situación social o económica de alguien: se hizo millonario; *quedarse* se usa para hablar de un cambio físico (puede ser permanenete o no), por ejemplo: se quedó mudo, se quedó ciego; *volverse* es más permanente que *ponerse*: se volvió loco.

Instructional Notes

7 Ask students to work with a partner and, taking on the role of María, answer the questions in the interview. Have some students read their completed interviews aloud.

8 Elicit from students what they know of indigenous peoples in the United States, in Latin America, and from other countries around the world.

Additional Activities

Repaso Expreso
See p. TE28.

Activities 2–4

Answers

9 1. d; 2. b; 3. d; 4. a; 5. c; 6. c; 7. c; 8. a; 9. d; 10. a; 11. c; 12. b; 13. d; 14. b; 15. a; 16. b; 17. b; 18. b; 19. a; 20. d

10 Answers will vary.

11 1. El presente perfecto se conjuga con el presente del verbo *haber* y el participio pasado. El pluscuamperfecto se conjuga con el imperfecto del verbo *haber* y el participio pasado y el futuro perfecto con el futuro del verbo *haber* y el participio pasado. 2. Ejemplos: abierto, dicho, escrito, frito, hecho, impreso, muerto, provisto, puesto, visto, vuelto; 3. Su raíz (o radical) termina en vocal. Ejemplos incluyen: creer / creído; caer / caído; leer / leído; reír /reído; traer / traído. 4. *Presente perfecto*: ha llamado, han escrito, ha difundido, han sido, han hecho, han conseguido, han logrado, han demostrado, han aprendido, han mejorado, han llegado, se han comprometido; *Pluscuamperfecto*: se habían opuesto; *Futuro perfecto*: habrán abierto, habrán hecho

Instructional Notes

10 You might want to challenge students to draw their graphs, webs, or mind maps using original shapes and objects that represent the goals and objectives of the young people mentioned in the article. Display students' work and have some present and explain their work to the class.

11 You may want to review with students the present perfect and the past perfect in the subjunctive.

Additional Activities

El futuro perfecto

Bring some pictures from magazines to class that show people with a range of emotions. Show them to students, make a comment about the person, and ask students to make up sentences using the future perfect and to speculate as to why the person is feeling that way. Tell them: *Les voy a enseñar unas fotos y les haré un comentario sobre la persona en la foto. Uds. deben de hacer especulaciones sobre los motivos de su estado de ánimo usando el futuro perfecto. Por ejemplo:* (showing a photo) *Susana está triste. ¿Cuál creen que es el motivo?* Elicit from students, for example: *Habrá tenido un mal día.*

---

9 ¿Qué significa?

Elija la mejor traducción de cada palabra, según la lectura.

1. alrededor
   a. outskirts
   b. according
   c. around
   d. surroundings
2. empresario
   a. company
   b. business owner
   c. worker
   d. boss
3. destacado
   a. shown
   b. emphasized
   c. stressed
   d. distinguished
4. solicitar
   a. to ask for
   b. to pray to
   c. to work up
   d. to set up
5. prensa
   a. printer
   b. pressure
   c. press
   d. dam
6. difundir
   a. to defend
   b. to obstruct
   c. to spread
   d. to support
7. esfuerzo
   a. support
   b. amount
   c. effort
   d. strength
8. sin ánimo de lucro
   a. non-profit
   b. for profit
   c. without luxury
   d. without encouragement
9. desempeñar
   a. to help
   b. to change
   c. to disdain
   d. to play
10. apoyar
    a. to support
    b. to oppose
    c. to bring
    d. to recover
11. creciente
    a. turning
    b. changing
    c. increasing
    d. involving
12. superarse
    a. to suppress
    b. to excel
    c. to defeat
    d. to obtain
13. meta
    a. challenge
    b. measure
    c. medal
    d. objective
14. lograr
    a. to make
    b. to accomplish
    c. to get
    d. to find
15. mejora
    a. improvement
    b. good
    c. change
    d. better
16. destreza
    a. method
    b. skill
    c. capacity
    d. right
17. culto
    a. cult
    b. educated
    c. culture
    d. worshipped
18. a la luz de
    a. with the idea of
    b. in light of
    c. to the sun of
    d. to the light of
19. acontecimiento
    a. event
    b. date
    c. firm
    d. accounting
20. tajantemente
    a. in a bad manner
    b. in a good manner
    c. secretly
    d. categorically

10 Un resumen

Con un/a compañero/a haga un resumen del artículo "Los jóvenes indígenas" en un gráfico o dibujo y preséntelo a la clase.

11 Los tiempos perfectos: el presente perfecto, el pluscuamperfecto, el futuro perfecto

Conteste estas preguntas relacionadas con la lectura de la Actividad 8.

1. ¿Cómo se conjuga un verbo en presente perfecto? ¿Y en pluscuamperfecto? ¿Y en futuro perfecto?
2. Haga una lista de diez participios pasados irregulares.
3. ¿Por qué lleva acento el verbo *oír* en el participio pasado? ¿Qué otros verbos siguen esta regla? Escriba el participio pasado de cinco de estos verbos.
4. Haga una lista de los verbos que aparecen en presente perfecto, pluscuamperfecto o futuro perfecto en el texto.

12 El participio pasado

Conteste estas preguntas relacionadas con la lectura de la Actividad 8.

1. ¿Cómo se forma el participio pasado?
2. ¿Qué sucede cuando se usa un participio pasado como adjetivo?
3. Busque casos en los que el participio es usado como adjetivo en la lectura anterior.
4. Escriba cuatro oraciones con participios usados como adjetivos.

13 "Tapitas" gramaticales

Conteste estas preguntas basadas en la lectura de la Actividad 8.

1. ¿Por qué decimos *están dispuestos* y no *son dispuestos*?
2. ¿Por qué se usa el subjuntivo en la frase *hacer todo lo que sea necesario*?
3. ¿Por qué decimos *tomar decisiones* y no *hacer decisiones*?
4. ¿Cuándo se usa *respeto* y cuándo *respecto*?

14 Nuestros retos

Ud. es uno de los jóvenes descritos en el artículo anterior. Escríbale un correo electrónico a un/a amigo/a en el que describa sus experiencias durante todo el proceso. No se olvide de usar el vocabulario y las "tapitas" gramaticales de la lectura.

- Hable de las razones por las que decidió unirse a la lucha.
- Hable de las metas, los logros y los retos.
- Comente sus expectativas para el futuro.

15 Los tiempos verbales

Lea el siguiente texto y complételo con el presente perfecto, pluscuamperfecto, futuro perfecto o participio de los verbos entre paréntesis, según el contexto.

E-Mail

Archivo   Ver   Mensajes   Ayuda

A...   glm1902@emcp.com

Cc...

Asunto: Tu mensaje

Querido Gregorio:

Ya __1.__ (*pasar*) varios días desde que recibí tu mensaje, y confieso que no __2.__ (*tener*) nada de tiempo para responderte. Siempre __3.__ (*tratar*) de contestarte en cuanto recibo tus mensajes o cuando veo que estás __4.__ (*conectar*), para hacer un chat contigo. Debo confesar que ⁵últimamente __5.__ (*estar*) a tope y también que esta computadora casi siempre está __6.__ (*romper*). __7.__ (*Participar*) en varias obras benéficas con la organización Manos abiertas, con la que ya __8.__ (*trabajar*) en otras ocasiones. Te acuerdas, ¿verdad?

De todas formas, he de decirte que te __9.__ (*mandar*) un regalito por si ¹⁰__10.__ (*enfadarse*) conmigo y te __11.__ (*escribir*) una tarjeta muy linda y te __12.__ (*llamar*) varias veces. Nunca me __13.__ (*responder*). Creo que tu teléfono está __14.__ (*romper*). Me extraña pues no __15.__ (*oír*) nada de ti.

Un dentista voluntario examina a un paciente en Honduras.

continúa

Answers

12 **1.** Se forma quitándole la terminación al infinitivo y añadiendo *-ado* para los verbos en *-ar* e *-ido* para los verbos en *-er* e *-ir*. **2.** Cambia según la palabra sea masculina, femenina, singular o plural. **3.** acelerado, destacados, dispuestos, escuchados, tratados; **4.** Ejemplos: la mesa está puesta, los ejercicios están hechos, las canciones están compuestas, la película fue hecha

13 **1.** *estar* + participio pasado indica una condición y significa *estar preparado*. *Ser dispuesto* tiene otro significado; se usa para describir a una persona muy trabajadora, aplicada y activa. **2.** Se usa porque es una claúsula adjetival. **3.** Al igual que en otras expresiones, no siempre se traduce palabra por palabra en español. Es una expresión como *hacer una pregunta*. **4.** Son dos palabras diferentes. *Respeto* es un sustantivo que significa *estima*; *respecto* se usa en la locución adverbial *con respecto a*, que significa *en relación a*.

14 E-mails will vary.

15 1. han pasado; 2. he tenido; 3. he tratado; 4. conectado; 5. he estado; 6. rota; 7. He participado; 8. había trabajado; 9. he mandado; 10. te has enfadado; 11. he escrito; 12. he llamado; 13. has respondido; 14. roto; 15. he oído;

Instructional Notes

14 Encourage students to research some organizations that help the indigenous youth in Latin America.

Answers

15 16. He hecho; 17. ha sido; 18. escrito; 19. han otorgado; 20. he salido; 21. he rechazado; 22. tratada; 23. he sido; 24. habremos terminado; 25. me habré / nos habremos ido; 26. tratada; 27. he disfrutado; 28. hemos aprendido; 29. he incluído; 30. han hecho

16 (*Additional words will vary.*) 1. Los gritos serán oídos por todos. 2. Los políticos serán secuestrados por los extremistas. 3. El fuego será apagado pronto. 4. Los niños serán obligados a obedecer. 5. Las armas serán rotas por los policías. 6. El programa será visto por todo el mundo. 7. La noticia será leída a las ocho. 8. El artículo será impreso mañana. 9. Las ventanas serán abiertas por los ladrones. 10. El ensayo será escrito por el mejor estudiante. 11. El equipaje será provisto por la línea aérea. 12. Las patatas serán fritas en aceite de oliva.

Instructional Notes

You may want to ask students to come up with an alternative *Refrán* by changing a word or phrase in the one shown on this page. Then ask students to compare their "new" proverb's wisdom with the one given.

Additional Activities

El presente perfecto

As homework, ask students to prepare a story using the present perfect. They may bring photos from magazines or newspapers (or make their own drawings) to help the story along. They should be prepared to tell the story to the class. For a topic, suggest that they describe what they have done during the past few years, including their schoolwork, volunteer activities, or after-school work.

---

16. (*Hacer*) varios trabajos de voluntaria junto a mis colegas y **17.** (*ser*) bastante gratificante. Por haber **18.** (*escribir*) un cuento corto para los niños de aquí, me
15 **19.** (*otorgar*) un premio y **20.** (*salir*) en los periódicos. ¡Yo! ¡En los periódicos, ¡imagínate! Aunque **21.** (*rechazar*) el premio pues ya sabes que no me gusta ser **22.** (*tratar*) de ninguna forma especial o recibir ningún tipo de halago. Además, siempre **23.** (*ser*) muy tímida, ya lo sabes. Vuelvo dentro de poco. En tan sólo dos semanas ya **24.** (*terminar*) nuestra misión y **25.** (*irse*) de aquí. Espero verte
20 pronto. La verdad es que aquí soy **26.** (*tratar*) como una reina y **27.** (*disfrutar*) muchísimo con la experiencia. Todos nosotros **28.** (*aprender*) mucho de los niños, ya que siempre dan por sentado cosas que los demás nunca tendrán. Te echo mucho de menos. Estoy deseando verte.

Un abrazo muy fuerte.

25 P. D. Te **29.** (*incluir*) unas fotos que nos **30.** (*hacer*) hace poco.

16 La voz pasiva

Escriba oraciones completas con las palabras que aparecen a continuación. Use el verbo *ser* en futuro y el segundo verbo como participio pasado, más otras palabras que desee añadir. Siga el modelo.

MODELO programa / ser / ver   *El programa será visto por millones de personas.*

1. gritos / ser / oír
2. políticos / ser / secuestrar
3. fuego / ser / apagar
4. niños / ser / obligar
5. armas / ser / romper
6. programa / ser / ver
7. noticia / ser / leer
8. artículo / ser / imprimir
9. ventanas / ser / abrir
10. ensayo / ser / escribir
11. equipaje / ser / proveer
12. patatas / son / freír

Refrán

La juventud vive de la esperanza, la vejez del recuerdo.

¿Está de acuerdo con esta afirmación? ¿Por qué? Comparta su opinión con un/a compañero/a.

Dato curioso
Cada vez hay más jóvenes que triunfan en el mundo de los negocios. Aunque antes hubiera sido impensable, cada vez resulta bastante común ver en la portada de un periódico noticias de jóvenes que se hacen millonarios de la noche a la mañana. A diferencia de los jóvenes de otras generaciones que simplemente soñaban con el éxito, éstos luchan por realizar sus sueños.

Idioma

17 Familia de palabras

Complete la tabla con el verbo, sustantivo o adjetivo apropiado, y la traducción correspondiente.

Verbos		Sustantivos		Adjetivos	
abusar	to abuse	el abuso	abuse	abusado	abused
agravar	_____	_____	seriousness	grave	_____
apresar	_____	el preso	prisoner	apresado	_____
encarcelar	_____	la cárcel		_____	jailed
experimentar	_____	la experiencia		_____	experienced
fracasar	_____	_____	failure	fracasado	_____
luchar	_____	la lucha		_____	
_____	_____	la mejora		mejor, mejorado	_____ , _____
oprimir	_____	_____	oppression	oprimido	_____
_____	to promote	la promoción		promovido	_____
secuestrar	_____	el secuestro		_____	kidnapped
tratar	_____	el trato	treatment	tratado	_____
violar	_____ ; _____	la violación	violation; rape	violado	_____ ; _____

18 ¿Verbo, sustantivo o adjetivo?

Complete las oraciones usando la forma correcta de las palabras que aparecen en la tabla, ya sea verbo, adjetivo o sustantivo. En el caso del sustantivo puede que necesite artículo.

1. Unos empresarios han sido juzgados por ___ (tratar) que le han dado a sus empleados.
2. La prensa ha logrado llamar la atención sobre el chico y pensamos que al final no irá a ___ (encarcelar).
3. A partir del mes que viene, la organización sin ánimo de lucro en la que trabaja mi hermana ___ (promover) el aprendizaje de otro idioma entre los jóvenes.
4. Un grupo de personas cultas hará un estudio sobre ___ (fracasar) escolar de estos jóvenes.
5. Una multitud se ha acercado al alcalde para denunciar ___ (agravar) de la situación.
6. A la luz de los acontecimientos, ¿___ (mejorar) la seguridad en este barrio? Nadie quiere que más jóvenes sean ___ (violar).
7. El gobernador ha recibido muchos halagos por apoyar tajantemente ___ (mejorar) de las escuelas de la zona.
8. Ha sido muy gratificante comprobar que gracias a que Pili es una gran ___ (luchar), ha logrado lo que nadie logró.
9. Seguramente nunca se recuperará, después de ___ (oprimir) sufrida en su niñez.
10. Seguramente no le habrán otorgado el premio a Gloria por haber ___ (fracasar) en su anterior proyecto.

Refrán

¡Si el joven supiera y el viejo pudiera!

 ¿Qué cree que significa este refrán? Comparta su opinión con un/a compañero/a. Piensen en ejemplos. Intenten escribir otro refrán con un significado similar.

¡Dato curioso! Cada vez hay más organizaciones y encuentros para promover las habilidades, capacidades creativas y fluidez tecnológica en los niños. Un ejemplo de ello es la organización FRIDA, Fondo Regional para la Innovación Digital en América Latina y el Caribe.

Teacher Resources

 Activity 5

Answers

17 Verbos
abusar *to abuse*
agravar *to make worse*
apresar *to arrest*
encarcelar *to jail*
experimentar *to experiment*
fracasar *to fail*
luchar *to fight/struggle*
mejorar *to improve*
oprimir *to oppress*
promover *to promote*
secuestrar *to kidnap*
tratar *to treat*
violar *to violate; to rape*

Sustantivos
el abuso *abuse*
la gravedad *seriousness*
el preso *prisoner*
la cárcel *jail*
la experiencia *experience*
el fracaso *failure*
la lucha *fight/struggle*
la mejora *improvement*
la opresión *oppression*
la promoción *promotion*
el secuestro *kidnapping*
el trato *treatment*
la violación *violation; rape*

Adjetivos
abusado *abused*
grave *serious*
apresado *arrested*
encarcelado *jailed*
experimentado *experienced*
fracasado *failed*
luchador *fighting*
mejor, mejorado *better, improved*
oprimido *oppressed*
promovido *promoted*
secuestrado *kidnapped*
tratado *treated*
violado *violated; raped*

18 1. el trato; 2. la cárcel; 3. promoverá; 4. el fracaso; 5. la gravedad; 6. mejorará; violadas; 7. la mejora; 8. luchadora; 9. la opresión; 10. fracasado

Instructional Notes

You may want to give students more proverbs related to age in order to help them come up with their own.
El que de joven corre, de viejo trota.
El que de joven no trabaja, de viejo duerme en paja.
Envejecemos cuando nuestros recuerdos superan nuestros proyectos.

Encourage students to add these proverbs to their vocabulary notebooks, and to search for more online. Later, they should try to include some proverbs or sayings in their dialogues, or in some of their writing.

Additional Activities

Juego
Ask students to play *Voluntario, derecha e izquierda*. See p. TE25.

Composición
Tell students to write a paragraph using as many words from the table as they can with the three different parts of speech.

El desafío del minuto
See p. TE27.

Nota cultural

El Programa FRIDA se creó para promover el desarrollo de investigación en los países de las zonas citadas en el *Dato curioso*. Reciben pequeñas subvenciones para desarrollar proyectos en las regiones que ayuden a los sectores más exluidos de la población.

Teacher Resources

Activity 6

Answers

19 1. explicó; 2. está; 3. les; 4. comiencen; 5. sus; 6. pueden; 7. ofrecen; 8. terminar; 9. ahorrar; 10. Hay; 11. la; 12. estar; 13. alguna; 14. quieran; 15. les; 16. ningún; 17. comportarse; 18. agregó; 19. atender; 20. huyendo; 21. cualquier; 22. eran; 23. quienes; 24. son; 25. Un; 26. algún; 27. los; 28. es; 29. dan; 30. les; 31. atiende

Additional Activities

Trabajo de investigación

Ask some students to research organizations that promote young people's welfare. They should take notes and could print some visuals in order to make a presentation —without looking at their notes— to a partner the next day. After their presentations are completed, you might ask some of the presenters' partners to summarize what they learned about the organization.

---

19 Acogiendo a jóvenes

Échele una ojeada al texto que sigue para ver de qué se trata, prestando atención a las palabras en azul. Luego lea el pasaje y decida cuál de las dos palabras entre paréntesis es la correcta para completar cada oración y escríbala.

Al rescate de los jóvenes

Andrea Marchetti, director de programas de Jóvenes Inc., __1.__ (*explicó / explicaba*) que el albergue de emergencia __2.__ (*está / es*) preparado para acoger a siete muchachos. Se __3.__ (*les / le*) brinda la oportunidad para que __4.__ (*comiencen / comienzan*) a cambiar __5.__ (*su / sus*) vidas. En la vivienda eventual, __6.__ (*pueden / puedan*) estar hasta 18 meses y la __7.__ (*ofrecen / ofrezcan*) a los jóvenes que demuestran que necesitan un lugar estable donde vivir mientras alcanzan sus metas como __8.__ (*terminar / terminen*) de estudiar y __9.__ (*ahorrar / ahorran*) para un apartamento.

"__10.__ (*Hay / Haya*) varias condiciones para __11.__ (*el / la*) vivienda eventual. Los ¹⁰jóvenes tienen que __12.__ (*estar / estén*) trabajando y tener __13.__ (*algún / alguna*) meta que __14.__ (*quieran / quieren*) alcanzar. Por supuesto que no se __15.__ (*les / los*) permite __16.__ (*ninguna / ningún*) tipo de droga y tienen que __17.__ (*comportarse / se comporten*) bien", señaló Marchetti.

El padre Estrada __18.__ (*agregó / agregaba*) que la idea de los albergues surgió para ¹⁵__19.__ (*atender / atiendan*) a los jóvenes inmigrantes indocumentados que venían __20.__ (*huyendo / huían*) de la guerra de Centroamérica o de la pobreza en México en la década de los 80 y que por __21.__ (*cualquiera / cualquier*) motivo terminaban solos frente a la Placita Olvera.

"Al principio __22.__ (*eran / fueron*) jovencitos de 11 a 15 años a __23.__ (*quien / ²⁰quienes*) se atendía en los albergues. Con el tiempo se ha ido modificando y ahora __24.__ (*son / sean*) jóvenes de 18 a 24 años, en la mayoría inmigrantes, que necesitan un lugar donde los guíen para ser productivos", dijo el padre Estrada. "__25.__ (*Uno / Un*) 90% de los jóvenes que ayudamos son inmigrantes, hay __26.__ (*algún / alguno*) que otro afroamericano y asiático, pero en su mayoría son latinos".

²⁵Otro de __27.__ (*los / las*) programas de esta organización sin fines de lucro __28.__ (*es / sea*) el Centro de Aprendizaje, donde __29.__ (*dan / den*) clases de computación, de inglés y, además, __30.__ (*los / les*) enseñan cómo conseguir trabajo. Este centro __31.__ ³⁰(*atiende / atienda*) a tres grupos de veinte muchachos cada uno y trabaja en conjunto con preparatorias locales y con el Departamento de Servicios ³⁵Familiares del Condado.

www.laopinion.com

Investigue palabras clave: FRIDA, programa de 4-H

20 Amplíe su vocabulario

Mire las palabras de la primera columna, que aparecen en el artículo anterior, y busque su definición o sinónimo en la segunda.

1. acoger
2. brindar
3. estable
4. alcanzar
5. ahorrar
6. agregar
7. sin fines de lucro

a. lo contrario de gastar
b. añadir
c. ofrecer
d. no pretende ganar dinero
e. admitir, proteger
f. que no cambia
g. conseguir

21 Jóvenes con identidad

Échele una ojeada al artículo para ver de qué se trata, prestando atención a las palabras en azul. Luego lea el artículo y decida qué forma de las palabras entre paréntesis es la correcta para completar cada oración y escríbala. No se olvide de escribir y acentuar las palabras correctamente.

Jóvenes del Kollasuyo van en cruzada andina

Un grupo de jóvenes de Ecuador, Perú, Bolivia y Argentina, __1.__ (motivar) en __2.__ (fortalecer) la identidad andina, participa en __3.__ (el) II Encuentro Indígena ⁵del Kollasuyo, __4.__ (organizar) por __5.__ (el) agrupación Tinku Juvenil.

Ayer compartieron __6.__ (uno) de sus actividades con __7.__ (el) población al realizar __8.__ (un) ritual andino en la plaza ¹⁰14 de septiembre. La q'oa, __9.__ (preparar) con elementos simbólicos de la cultura incaica y __10.__ (acompañar) de coca, marcó la celebración de __11.__ (el) jóvenes.

El grupo Tinkus Cochabamba. La palabra *tinkus* significa "encuentro" o "reunión" en quechua.

Los representantes de __12.__ (el) ¹⁵comunidades del Kollasuyo __13.__ (encomendarse) a la madre tierra, Pachamama, en agradecimiento a los productos que __14.__ (éste) da a los pueblos andinos y para solicitar __15.__ (lo) ²⁰protección.

El I Encuentro de Jóvenes del Kollasuyo __16.__ (realizarse) en Argentina, en 2004. Los organizadores __17.__ (elegir) a Bolivia como sede del segundo evento y preparan ²⁵__18.__ (un) ritual para recibir el solsticio de verano, informó __19.__ (el) portavoz del grupo Tinku, Ramiro Saravia.

El II Encuentro __20.__ (incluir) en su agenda el tratamiento de temas culturales en ³⁰__21.__ (el) sociedad actual, como la educación intercultural y __22.__ (el) cosmovisión andina, además de la alimentación y salud en __23.__ (el) Andes.

Los jóvenes realizan __24.__ (el) mayoría ³⁵de __25.__ (su) actividades en __26.__ (el) Facultad de Humanidades de la UMSS. Los organizadores anunciaron que __27.__ (el) rituales andinos __28.__ (tener) lugar en la plaza, porque el objetivo es __29.__ (difundir) ⁴⁰las expresiones de __30.__ (el) Andes.

www.lostiempos.com

Lección 2B 97

Investigue palabra clave: tinkus

Answers

22 1. d; 2. a; 3. e; 4. h; 5. b; 6. g; 7. c; 8. f

Instructional Notes

23 Before students listen to the recording, you might want to review the following words: *pandillero*, gang member; *cumbre*, top; *contrarrestar*, to counteract; *discapacitado*, handicapped; *involucrarse con*, to get involved with; *balacera*, shooting/shootout; *alejar*, to move away; *ambiente*, surroundings; *asegurar*, to assure; *esperanza*, hope; *disparar*, to shoot; *atado*, tied/confined; *silla de ruedas*, wheelchair.

---

22 Amplíe su vocabulario

Mire las palabras de la primera columna, que aparecen en el artículo anterior, y busque su definición o sinónimo en la segunda.

1. compartir   a. llevar a cabo, hacer, efectuar
2. realizar   b. pedir
3. coca   c. ocurrir
4. encomendarse   d. ofrecer lo que se tiene a los demás
5. solicitar   e. planta
6. solsticio   f. extender, divulgar una noticia
7. tener lugar   g. comienzo de una estación
8. difundir   h. ofrecerse al cuidado o protección de alguien

23 Lea, escuche y escriba/presente

Vuelva a leer los textos completos de las Actividades 19 y 21. Luego escuche la grabación "Adolescentes en peligro" y tome las notas necesarias. Escriba un ensayo o haga una presentación en clase contestando esta pregunta: "¿Cuáles son los problemas con los que se enfrentan los jóvenes en las calles?" No se olvide de citar las fuentes debidamente.

Cita

Lo que se le dé a los niños, los niños darán a la sociedad.
—Karl Menninger (1893–1990), médico estadounidense; uno de los fundadores de la Clínica Menninger, un centro psiquiátrico

¿Está de acuerdo con esta afirmación? ¿Por qué? Comparta su opinión con un/a compañero/a y dele unos ejemplos.

¡Dato curioso!

En Honduras más de 300.000 niños abandonan la escuela para trabajar. Más de la mitad (60%) de estos niños dejan de trabajar y se dedican a pedir por la calle. Se calcula que alrededor de 50 menores de edad son asesinados cada año, y casi nunca se aclaran estos crímenes.

Nota cultural

En Latinoamérica hay alrededor de 40 millones de niños de la calle. En Honduras la mayoría de ellos viven en Tegucigalpa y San Pedro Sula, las dos ciudades más grandes del país. Piden en las calles, roban, buscan en la basura, limpian zapatos o hacen otros trabajos para sobrevivir. La mayoría de ellos son adictos al pegamento amarillo; muchos de estos jóvenes hondureños nunca llegarán a los dieciocho años. Últimamente se ven muchos menos en las calles; desgraciadamente, esto no significa que haya menos. Se debe a que el ejército está patrullando las calles, y los niños se deben esconder y sólo salir por la noche.

24 Emancipándose

Échele una ojeada al artículo para ver de qué se trata e intente descubrir el significado de las palabras en azul por el contexto, ya que se le harán preguntas sobre ellas. Luego lea el artículo y decida cuál de las dos palabras entre paréntesis es la correcta para completar cada oración y escríbala.

¿Por que los jóvenes no se van de casa?
MARILÓ HIDALGO

Según datos del Instituto de la Juventud, el 77% de jóvenes españoles menores de 30 años conviven en el domicilio *familiar. La falta de empleo y la dificultad de acceso a una vivienda son las primeras razones argumentadas para justificar esta situación.*

Generación *baby boom*

Se calcula que __1.__ (*en / de*) los más de trescientos millones de personas __2.__ (*que / quienes*) habitan en la UE, más __3.__ (*de / que*) 50 millones __4.__ (*son / están*) jóvenes
⁵ entre 15 y 25 años. Esto representa __5.__ (*un / uno*) 16,5% de la población total. Nos encontramos __6.__ (*sobre / en*) un momento histórico, especialmente __7.__ (*por / en*) nuestro país, ya que nunca se había contado
¹⁰ con tal porcentaje de gente joven y, según los demógrafos, este fenómeno no volverá __8.__ (*X / a*) producirse en los próximos años. La __9.__ (*gran / grande*) mayoría de estos jóvenes son consecuencia del denominado
¹⁵ *baby boom*, la explosión demográfica de los años sesenta a setenta y cinco. Han pasado más __10.__ (*de / que*) veinticinco años desde entonces y __11.__ (*esta / ésta*) generación cuenta ya __12.__ (*con / X*) la edad perfecta
²⁰ para independizarse y formar su propio hogar, pero rompiendo todos los pronósticos, __13.__ (*nos / X*) encontramos con una situación digna de estudio: los jóvenes rehuyen emanciparse.

España, según el último estudio realizado a
²⁵ los jóvenes __14.__ (*por / para*) el Instituto de la Juventud (INJUVE), es uno de los países de la UE __15.__ (*donde / quienes*) más personas jóvenes dependen económicamente __16.__ (*de / en*) sus padres (un 62%). En 15 años

³⁰ esta cifra apenas __17.__ (*ha / han*) variado. Otra cuestión que ellos argumentan en sus cuestionarios es la dificultad __18.__ (*de / por*) acceder a una vivienda. España es el país comunitario con __19.__ (*menos / más*) hogares
³⁵ unipersonales, __20.__ (*sólo / solo*) un 13,4% frente a otros países del entorno europeo como Dinamarca, que cuenta __21.__ (*con / en*) un 54,6% __22.__ (*por / según*) la última encuesta del Instituto Nacional de Estadística
⁴⁰ (INE). Y es que nuestro país dispone __23.__ (*del / de*) menor parque de viviendas en alquiler de la UE. De 1996 al 2000, el precio de la vivienda ha aumentado un 50%, cosa que no han __24.__ (*hecho / dicho*) los sueldos
⁴⁵ de los jóvenes, __25.__ (*lo / el*) que imposibilita un acceso real a la vivienda. María Sánchez, auxiliar de clínica, se queja __26.__ (*sobre / de*) no ganar suficiente dinero para poder hacerse cargo de los gastos que acarrea vivir __27.__
⁵⁰ (*sola / sóla*). "No puedo vivir __28.__ (*por / para*) mi cuenta —asegura— porque no me siento independiente económicamente. Los precios de los alquileres están altísimos y no puedo ahorrar __29.__ (*por / para*) comprarme un piso
⁵⁵ porque tengo que ayudar __30.__ (*en / para*) casa".

www.revistafusion.com

Nota cultural
En España, la edad promedio de la emancipación es entre los 28,5 y los 29 años.

Teacher Resources

 Activity 26 (CD 2, track 9)

 Activity 7

Answers

25 1. a; 2. d; 3. g; 4. h; 5. f; 6. c; 7. e; 8. b

27 1. para; 2. Uno; 3. debe; 4. Cada; 5. todo; 6. como; 7. hay; 8. en; 9. son; 10. son; 11. que; 12. si;

Instructional Notes

26 Before students listen to the audio, you might want to review the following words: *logro*, achievement; *medios*, media; *impensable*, unthinkable; *en el seno de la familia*, in the heart of the family; *irreconocible*, unrecognizable; *de antaño*, of days gone by/of the past; *antecesor*, predecessor; *paro*, unemployment; *trayectoria*, path; *incertidumbre*, uncertainty; *gravoso*, costly; *refugio*, shelter; *retraso*, delay; *acuciante*, urgent; *fructífera*, productive; *propuesta*, proposal.

---

25 ¿Qué significa?

Mire las palabras de la primera columna y busque su definición o sinónimo en la segunda.

1. domicilio	a. casa, hogar
2. habitar	b. solo
3. emanciparse	c. salario
4. encuesta	d. vivir, alojarse
5. disponer	e. lo contrario de ahorro
6. sueldo	f. tener, poseer
7. gasto	g. irse de la casa de los padres y pagar sus propios gastos
8. vivir por tu cuenta	h. una serie de preguntas que se hacen para obtener opiniones

26 Lea, escuche y escriba/presente

Vuelva a leer el texto completo de la Actividad 24. Luego escuche la grabación "La emancipación de los jóvenes en España" y tome las notas necesarias. Escriba un ensayo o haga una presentación en clase sobre este tema: "Los problemas que afrontan los jóvenes en España para emanciparse". No se olvide de citar las fuentes debidamente.

27 Niños soldados

Échele una ojeada al artículo para ver de qué se trata e intente descubrir el significado de las palabras en azul por el contexto, ya que se le harán preguntas sobre ellas. Luego lea el artículo y decida cuáles son las palabras que mejor completan las oraciones y escríbalas.

Pequeños soldados

La guerra no es __1.__ los niños. __2.__ de los ingredientes que no deberían faltar en la infancia es la protección. El niño __3.__ sentirse seguro en su entorno y con las personas que lo rodean. __4.__ año las guerras desplazan a millones de niños de sus hogares y los separan de sus familias. UNICEF apunta que casi la mitad de los 3,6 millones de personas que murieron en conflictos
5 armados desde 1990 eran menores de edad. Y no sólo eso. Se calcula además que más de 300.000 niños en __5.__ el mundo han sido alistados y luchan __6.__ soldados en guerras y conflictos armados. No __7.__ distinción entre niños y niñas. Los encontramos __8.__ África mayoritariamente, pero también en Latinoamérica o Asia.

Niño soldado del Congo

"En muchos lugares los niños __9.__ considerados ciudadanos de segunda clase porque no __10.__ productivos. Las altas tasas de mortalidad infantil hacen __11.__ a veces ni siquiera sean registrados, porque no se sabe __12.__ van a sobrevivir o no".

Son utilizados __13.__ mensajeros o como
¹⁰espías. Se __14.__ encarga colocar cargas
explosivas y tienen que aprender __15.__
manejar armas ligeras. También __16.__
les usa como escudos humanos __17.__
protegerse de las ráfagas enemigas. No
¹⁵disparará __18.__ un niño, ¿no? Son un
ejército barato, fácil __19.__ manipular, poco
conflictivo y obediente. ¿ __20.__ puede pedir
más? La mayoría han __21.__ morir a sus
padres a manos __22.__ enemigo y ven en la
²⁰posibilidad de incorporarse __23.__ ejército
o a la guerrilla, una puerta abierta hacia un
futuro inexistente. Con un fusil en la mano,
un niño de diez años se convierte __24.__ un
adulto y comprueba que impone respeto a
²⁵su alrededor. A muchos les proporcionan
alcohol y drogas __25.__ amortiguar los efectos

del combate. Algunos son obligados
__26.__ pasar duras pruebas, como matar
a algún miembro __27.__ su familia o
³⁰algún compañero para poder integrarse o
sencillamente para salvar la propia vida.
Así __28.__ van curtiendo.

La reeducación y reinserción es sumamente
complicada. Después __29.__ haber sido
³⁵adultos, no toleran fácilmente que se __30.__
vuelva a tratar __31.__ niños. Algunos han
combatido __32.__ los ocho años, están
habituados a empuñar un arma —su __33.__
preciada posesión— y conseguir con ella
⁴⁰__34.__ que quieran. Y luego están los
recuerdos de todo lo vivido y de todo lo visto.

www.revistafusion.com

28 ¿Qué significa?

Mire las palabras de la primera columna y busque su definición o sinónimo en la segunda.

1. entorno
2. desplazar
3. alistado
4. tasa de mortalidad
5. encargar
6. ráfaga
7. disparar
8. incorporarse
9. fusil
10. amortiguar
11. empuñar

a. pedir
b. conjunto de disparos
c. hacer menos intenso, suavizar
k. adscrito al ejército
d. trasladar
e. formar parte de
f. sujetar un arma
g. arma de fuego
h. alrededor, ambiente
i. hacer funcionar un arma
j. número de muertes

Dicho

Los jóvenes van por grupos, los adultos en parejas y los viejos van solos.

¿Qué piensa de este dicho?
¿Coincide con lo que ha podido
observar? Comparta su opinión
con un/a compañero/a.

¡Dato curioso! Los niños y niñas soldados suelen tener entre los diez y los dieciocho años, e incluso hay niños más jóvenes. En muchos casos constituyen hasta la cuarta parte de los combatientes. En algunos países son juzgados como adultos, e incluso se les condena a la pena de muerte.

Notas culturales

Amnistía Internacional denuncia que con
las nuevas armas cada vez resulta más fácil
y rápido enseñar a estos niños. Los niños
soldados sufren traumas indescriptibles y
muy difíciles de superar. En muchos casos
se ven expuestos a ver atrocidades incluso
contra su propia familia, y luego tienen que
convivir y luchar con las personas que han
cometido estas atrocidades.

En las sociedades primitivas los ancianos
jugaban un papel muy importante por su
sabiduria, experiencia y conocimientos.
Hoy en día hay cada vez un mayor
distanciamiento entre los jóvenes y los
ancianos, ya que a menudo los familiares
consideran a los muy mayores una molestia.
Mientras que antes era muy normal que los
abuelos se quedaran a vivir en la casa de su
familia, ahora es más común que vivan en
residencias de ancianos.

Instructional Notes

29 You might ask students if they think printed books will soon become a thing of the past, or if they will continue to be popular.

30 Before students read this review, ask them to try to find examples of book reviews from Spanish-language sources.

¡A leer!

29 Antes de leer

¿Le gusta leer? ¿Por qué? ¿Qué es lo que más le atrae de la lectura? ¿Cree que la lectura es un hábito común entre los jóvenes? ¿Cuál es su estilo favorito? ¿Cuál es el último libro que ha leído en inglés? ¿Y en español?

30 Entre dos culturas

Lea el siguiente artículo con atención e intente descubrir el significado de las palabras en azul por el contexto, ya que se le harán preguntas sobre ellas.

Padre e hijo; uno es residente de los EE.UU.; el otro, ciudadano.

Novela expone realidad bicultural de jóvenes latinos
Mario Bencastro

Birmingham (Alabama). La más reciente novela del salvadoreño Mario Bencastro explora la compleja realidad bicultural de jóvenes latinos inmigrantes a EE.UU.

[5] Escrita para un público joven, *Viaje a la tierra del abuelo*, de la editorial Arte Público, aborda los conflictos, preocupaciones y sueños de los jóvenes inmigrantes con gran acierto.

Parte de su éxito es que Bencastro buscó la ayuda de [10] estudiantes latinos de las escuelas Belmont High y OnRamp Arts de Los Ángeles, quienes sugirieron temas y opiniones para integrar a la trama.

De este modo, las situaciones e ideas que la novela propone exhiben una vitalidad y una vigencia rara vez [15] vista en la literatura juvenil contemporánea.

La historia se centra en la vida de Sergio, un adolescente que ha pasado la mayor parte de su corta vida en Los Ángeles, pero que a los 16 años comienza a cuestionar su identidad nacional y cultural.

[20] La novela comienza con la muerte repentina del abuelo, quien alguna vez le dijera a Sergio que si la muerte le encontraba en EE.UU. que por favor lo llevara a enterrar a su país.

Entre las aventuras y los obstáculos del joven en su lucha [25] por cumplir con los deseos de su abuelo, el autor logra exponer muchos de los retos que enfrentan los jóvenes latinos al intentar equilibrar el mundo de sus padres y el suyo.

Como toda novela de aprendizaje, el viaje se convierte [30] en herramienta de autodescubrimiento y durante la travesía, el joven comienza a cuestionar las ideas que más arraigadas tenía sobre su identidad.

Sutilmente Bencastro inserta situaciones que resonarán en sus lectores, como las escuelas sucias y abarrotadas [35] —la propia Belmont High donde estudia el personaje—, jóvenes pandilleros, adolescentes embarazadas y estudiantes que se duermen en las clases porque tienen que trabajar de noche para ayudar a sus familias.

Pero de igual modo abundan los personajes clave e [40] inspiradores, como la trabajadora social de la escuela, quienes le inyectan esperanza y optimismo a la historia.

Dos mundos
Como muchos jóvenes latinos, el personaje vive entre dos mundos completamente diferentes aunque con ciertos puntos de contacto entre sí. Ajeno pero heredero [45] del mundo de sus padres, Sergio se esfuerza por comprender la historia de El Salvador, sus tradiciones, su lengua y su política, pero siempre se aventaja el mundo de afuera donde el inglés, la televisión y los deportes capturan su imaginación y le facilitan [50] relacionarse con sus compañeros.

El personaje expone su identidad bifurcada con palabras simples pero abarcadoras, condensando en un solo párrafo la problemática de la juventud bicultural.

"El cuerpo de mis padres estaba en los Estados Unidos, [55] pero su corazón estaba en su patria", escribe.

"Yo estaba de cuerpo y corazón en el país norteamericano, pero cuando llegaba de la calle a la casa, el mundo de mis padres no dejaba de afectarme y entonces yo me sentía como si entrara en un espacio extraño".

[60] De este modo, el viaje a El Salvador y su regreso a EE.UU. constituyen para el personaje la ida y vuelta de un enorme descubrimiento.

Los increíbles percances que le acontecen durante su travesía se hacen más verosímiles con la historia de [65] otros personajes menores cuyas tragedias personales pueden hallarse resumidas en cualquier periódico fronterizo.

Viaje a la tierra del abuelo es una inolvidable novela de aprendizaje que de seguro servirá de trampolín a los [70] jóvenes lectores para adentrarse en la obra madura de Bencastro.

(Bencastro, Mario. *Viaje a la tierra del abuelo.* Houston: Arte Público, 2004)

31 ¿Qué significa? 🔍

Mire las palabras de la primera columna y busque su definición o sinónimo en la segunda.

1. abordar	a. de pronto
2. acierto	b. mujer que espera un bebé
3. trama	c. habilidad, éxito, destreza
4. repentino	d. llevar a cabo, realizar
5. enterrar	e. completamente
6. cumplir	f. tratar
7. equilibrar	g. asunto, argumento
8. arraigado	h. mantener en proporción
9. abarrotado	i. afirmado, establecido
10. embarazada	j. dar sepultura
11. ajeno	k. imprevisto, contratiempo
12. estar de cuerpo y corazón	l. lleno
13. percance	m. suceder
14. acontecer	n. distante

32 ¿Ha comprendido?

1. ¿Cuál es el tema principal de la novela de Bencastro?
   a. La inmigración de El Salvador a Estados Unidos
   b. Los problemas de los jóvenes con la generación de sus abuelos
   c. La realidad cultural de la joven población emigrada a Estados Unidos
   d. El viaje de un inmigrante joven

2. ¿De dónde procede el éxito de su obra?
   a. De su experiencia como inmigrante salvadoreño
   b. De testimonios reales e ideas de jóvenes
   c. De la promoción de la editorial Arte Público
   d. De los departamentos de las universidades de Los Ángeles

3. ¿Qué problema encuentra Sergio en la novela?
   a. La trágica muerte de su abuelo
   b. La dificultad de llevar a su abuelo a su país de origen
   c. Entender la cultura de su familia
   d. No se siente comprendido por la trabajadora social de la escuela.

4. ¿Qué les ocurría a los padres de Sergio?
   a. Ya no querían volver a su país.
   b. Se sentían frustrados porque su hijo no entendía su cultura latina.
   c. Nunca se separaron emocionalmente de su país de origen.
   d. Querían volver a Latinoamérica con toda la familia.

5. ¿Qué significa la expresión *servirá de trampolín*?
   a. Ayudará.
   b. Impedirá.
   c. Ilusionará.
   d. Saltará.

Answers

33 *Ejemplos:*

1. ¿Por qué decidió ir a El Salvador? 2. ¿Qué comienza a cuestionar? 3. ¿Dónde se encuentra el joven por su situación personal? 4. ¿En qué se convirtió el viaje?

34–36 Answers will vary.

Instructional Notes

You may want to share this saying with the class: *Hay que darle al niño malo más amor y menos palo.* Ask students to compare it to the *Cita* on this page.

Additional Activities

Comunicación

Ask students to write ten questions in Spanish that they would ask if they were interviewing a foreign exchange student. They can then use these questions to interview a real exchange student, or a partner posing as one.

---

33 ¿Cuál es la pregunta?

Según el artículo que acaba de leer, escriba una pregunta lógica para estas respuestas.

1. Para cumplir el deseo de su abuelo
2. Quién es realmente
3. Entre dos mundos
4. En un gran descubrimiento

34 ¿Qué piensa Ud.? 🏃🏃

"El cuerpo de mis padres estaba en los Estados Unidos, pero su corazón estaba en su patria". ¿Cree que esto describe el dilema de muchos inmigrantes? ¿Por qué? Discútalo con un/a compañero/a.

35 Comparta experiencias 🏃🏃

Con un/a compañero/a hable sobre el origen de sus antepasados. ¿De dónde vinieron? ¿Por qué razones? Comparta alguna historia curiosa sobre su llegada y adaptación a este país.

36 Se titula...

Piense en otro título para la crítica que acaba de leer. ¿Por qué lo ha escogido?

Cita

El mejor medio para hacer buenos a los niños es hacerlos felices.
—Oscar Wilde (1862–1900), dramaturgo y escritor irlandés

🏃🏃 ¿Está de acuerdo con lo que dijo? ¿Cree que si un niño no se comporta bien es porque no es feliz? Comparta su opinión con un/a compañero/a.

¡Dato curioso!

¿Sabía que ahora hay "buzones" para bebés abandonados? A veces las criaturas son abandonadas en plena calle, donde se mueren. Para evitar esta tragedia, en algunas ciudades europeas han instalado las BabyBox, incubadoras callejeras para que las madres dejen a sus bebés dentro, sin que sus vidas corran peligro.

Nota cultural

Los buzones o cabinas que se describen en el *Dato curioso* se han establecido en Roma. Cada vez que se deposita un bebé en su interior, una alarma avisa al hospital. Una cámara de video les confirma a las enfermeras que un niño ha sido dejado; de ser así, un auxiliar médico lo recoge.

37 Antes de leer 👥

¿Quiénes son los niños de la calle? ¿Por qué cree que están en esta situación? ¿En qué países se da este tipo de situación? ¿Cómo cree que sobreviven?

38 Los niños de la calle 📖

Lea el siguiente artículo con atención e intente averiguar el significado de las palabras en azul por el contexto, ya que se le harán preguntas sobre ellas.

Los niños y niñas de la calle

Carles Vidal

Periodista especializado en desarrollo e infancia

"A ellos, los que también sonríen con los pequeños gestos, los que agradecen la presencia ante tanta ausencia, los que sobreviven a la indiferencia, los nacidos del Sur que llaman a nuestras conciencias...".

—Poema anónimo dedicado a los niños
y adolescentes inmigrantes de la calle

Niños de la calle: ¿Por qué?

Existen al menos 18 millones de niños de la calle en la India, 40 millones en América Latina y cerca de 100 millones en todo el mundo. Chicos que nacen y mueren en las calles a causa de la pobreza, el abandono o la desestructuración familiar (provocada por el abuso psicológico o sexual, o el alcoholismo). Todos ellos demuestran una falta importante de afecto ante una sociedad que los margina. Ya sea en Delhi, Yakarta, Durban o recientemente en muchos países del Norte, el número de niños de la calle continúa creciendo sin cesar.

Ningún niño escoge la calle

Buena parte de los niños de la calle mantienen algún vínculo familiar y sobreviven robando, pidiendo limosna, vendiendo periódicos o lustrando zapatos para ayudar, de esta manera, a completar los ingresos de sus familias. Son lo que conocemos como niños *en* la calle.

Sin embargo, otros muchos han roto con todo vínculo familiar y hacen de la calle su modo de vida: los conocemos como niños *de* la calle. En este caso se trata de menores que viven en grupo con otros chicos, entorno a la figura de un líder, y se apoyan en la prostitución y los pequeños hurtos para sobrevivir.

La mayoría son adictos a las drogas, desde la heroína al pegamento común. En Estados Unidos y en Europa es la cocaína; para los niños y niñas de la calle en Centroamérica es algo mucho más simple pero igual de mortal: pegamento para los zapatos. Narcóticos de base solvente, fácilmente disponibles y baratos. Estos solventes —tolluneo, ciclohexano, etc.— llegan a una parte del cerebro de los niños y niñas suprimiendo las sensaciones de hambre, frío y soledad. Pero también hace que sus cerebros se desvanezcan, causando daños irreversibles e incluso la muerte repentina. La compañía que los produce gana millones con ellos.

Según los datos de UNICEF, hay unos 40 millones de niños de la calle en América Latina, y más de la mitad de ellos inhalan pegamento de base solvente. En total, 20 millones de clientes que consumen alrededor de 20 millones de galones de pegamento al mes. Eso sí que es un GRAN negocio.

www.canalsolidario.org
EFE/www.enbuenasmanos.com

---

39 Amplíe su vocabulario 🔍

Mire las palabras de la primera columna y busque su definición o sinónimo en la segunda según el contexto del artículo que acaba de leer.

1. gesto	a. dinero que se gana
2. provocado	b. forma
3. marginar	c. sustancia química que se usa para pegar
4. pedir limosna	d. expresión de la cara o cuerpo
5. ingresos	e. rogar que le hagan un donativo
6. vínculo	f. unión
7. modo	g. parte interior de la cabeza
8. apoyarse en	h. accesible
9. hurto	i. anular, eliminar
10. pegamento	j. robo
11. disponible	k. ayudarse de
12. cerebro	l. lo que no se puede cambiar
13. suprimir	m. causado
14. irreversible	n. aislar

Teacher Resources

 Activity 43 (CD 2, track 10)

Answers

40 1. a; 2. d; 3. c; 4. d

41 Los niños *de* la calle viven en la calle con otros niños, siendo uno de ellos el líder. Los niños *en* la calle ayudan a su familia, ya que todavía mantienen relaciones con ella.

42 *Ejemplos:*
1. Según el artículo, ¿cuántos niños de la calle hay en el mundo? 2. ¿Por qué es algo alarmante? 3. ¿Por qué motivo es peligroso el consumo de pegamento? 4. ¿Qué constituye este consumo para las empresas que fabrican este medicamento?

Instructional Notes

43 Before students listen to the audio, you might want to review the following words: *esclavitud*, slavery; *aguardar*, to await; *rumanas*, Rumanian; *los sin techo*, homeless; *fundarse*, to be founded; *perfil*, profile; *cumplimiento*, execution.

Additional Activities

Trabajo de investigación
Ask students to look for an organization that protects *niños de la calle*. After they've researched the subject they should be prepared to make a presentation to the class. Encourage them to write down the main points and a list of key words They could also include some photos in their presentation.

---

40 ¿Ha comprendido?

1. ¿Por qué hay tantos niños de la calle en el mundo?
   a. Por la pobreza, el abandono y la falta de familia
   b. Por el abuso de drogas
   c. Por el alcoholismo infantil
   d. Por el aislamiento social

2. ¿Cómo sobreviven diariamente los niños de la calle?
   a. Con la ayuda de la familia
   b. Gracias a la ayuda de las casas de acogida
   c. Con el apoyo de sus amigos
   d. Con la delincuencia o pequeños trabajos

3. ¿Cuál es la droga más común entre los niños en Centroamérica?
   a. La cocaína
   b. La heroína
   c. El pegamento
   d. El alcohol

4. ¿Cuáles son los efectos secundarios del uso de los solventes?
   a. La muerte lenta
   b. Las alucinaciones
   c. No tienen efectos secundarios.
   d. La supresión de sensaciones

41 Responda brevemente

¿Cuál es la diferencia entre niños *de* la calle y niños *en* la calle?

42 ¿Cuál es la pregunta?

Escriba una pregunta lógica, según el artículo que acaba de leer, para estas respuestas.

1. 100 millones
2. Porque el número continúa creciendo
3. Porque pueden hasta morir y les daña el cerebro
4. Un gran negocio

43 Lea, escuche y escriba/presente

Vuelva a leer "Los niños y niñas de la calle" y luego escuche la grabación "¿Oportunidades?". Tome notas y escriba un ensayo o haga una presentación en clase sobre el tema de los niños de la calle. Mencione las causas y proponga soluciones. No se olvide de citar las fuentes debidamente.

La barriada de La Ciénaga en Santo Domingo (República Dominicana)

44 Antes de leer 🏃🏃

¿Qué tecnología lleva consigo en este momento? ¿Cree que es más fácil para los jóvenes usar la tecnología que para los adultos? ¿A qué se debe?

45 Las adicciones 📖

Lea con atención el siguiente artículo, prestando atención a las palabras en azul.

Las adicciones sin drogas atrapan a los jóvenes

ELENA ESCALA SÁENZ

Las nuevas tecnologías han dado origen a un tipo de adicción bien distinto al generado por las sustancias químicas. Los chats de Internet, la telefonía móvil o los videojuegos están provocando numerosos [5] casos de dependencia entre los adolescentes en situación de riesgo, que encuentran en estas herramientas un refugio que les aleja de sus problemas emocionales o familiares.

Las nuevas tecnologías han pasado a formar parte de [10] las denominadas adicciones psicológicas o adicciones sin drogas. El uso abusivo de los videojuegos, los teléfonos móviles e Internet ha hecho que muchos jóvenes establezcan una relación de dependencia con estas herramientas.

[15] "Se trata de conductas repetitivas que resultan placenteras en las primeras fases, pero que después no pueden ser controladas por el individuo. Es habitual que este tipo de adicciones psicológicas se combinen con una o varias adicciones a sustancias químicas", [20] ha señalado Enrique Echeburua, catedrático de la Facultad de Psicología de la Universidad del País Vasco, durante su participación en las "VI Jornadas sobre Adolescentes, Dependencias y Nuevos Medios de Comunicación", (A) con la colaboración de la [25] Delegación del Gobierno para el Plan Nacional Sobre Drogas.

Pero las nuevas tecnologías no generan por sí mismas la adicción: las personas con determinados problemas previos son las que más recurren a ellas y hacen un [30] uso indebido de las mismas. "Debemos reflexionar sobre su valor educativo y sobre los efectos negativos que tienen en los jóvenes (B). Bajo el comportamiento adictivo normalmente subyacen problemas más profundos (C)", ha indicado Bartomeu Catalá, [35] presidente de la Asociación Proyecto Hombre.

Los jóvenes que se encuentran en situación de riesgo son aquellos que han crecido en un ambiente familiar poco propicio para su desarrollo, que poseen una baja autoestima y que tienden a huir de un mundo adulto [40] que les resulta hostil refugiándose en las nuevas tecnologías.

Adolescentes: firmes candidatos

Los adolescentes parecen ser firmes candidatos a sufrir este tipo de dependencias porque (D) deben adaptarse a numerosos cambios físicos y emocionales. "Muchos [45] jóvenes recurren al teléfono móvil o a los chats de Internet porque son incapaces de aceptar su imagen corporal. Con estas tecnologías pueden distorsionarla y convertirse en el 'yo ideal' que la sociedad reclama", ha indicado Luis Bononato, presidente de la Asociación [50] Proyecto Hombre de Jerez.

Este comportamiento les impide desarrollar sus habilidades sociales, les hace hipersensibles a los juicios y acrecienta sus sentimientos de inseguridad. En estos casos la familia debe prestar atención a [55] los primeros signos de alarma que se asocian al comportamiento adictivo, como son la tendencia al aislamiento, la ruptura de las relaciones sociales, el fracaso escolar o la agresividad.

Las claves para superar este tipo de dependencias [60] pasa por solucionar los problemas de base, fomentar la comunicación familiar, restablecer la confianza con los padres y los amigos y aceptar la imagen corporal, (E). En la actualidad dos jóvenes se encuentran bajo tratamiento en Proyecto Hombre debido a su adicción [65] al teléfono móvil, pero son muchos más los que solicitan información sobre este tipo de dependencias.

Tecnofobia y Tecnofilia

El desarrollo tecnológico ha dado origen a dos nuevos términos que se refieren a la actitud que las personas tienen ante los últimos avances:

[70] Tecnofilia: supone un interés acentuado por las tecnologías con cierta dependencia imaginaria con la máquina. Tienen una fe ciega en las tecnologías y se caracterizan por ser consumidores indiscriminados.

Tecnofobia: los tecnofóbicos están convencidos de que [75] los avances tecnológicos producen tensiones sociales y psicológicas, y que son responsables de los desastres que se viven en el campo social, económico y cultural.

www.ondasalud.com
EFE/www.enbuenasmanos.com

Lección 2B **107**

Instructional Notes

44 You might take an informal survey in class to see how "high" tech the students are and how dependent they are on these devices. Ask them how they would feel if they had to give up any one of their technological tools.

45 Before students start reading this article, have them brainstorm possible addictions that do not involve any substance abuse.

46 Amplíe su vocabulario

Mire las palabras de la primera columna y busque su definición o sinónimo en la segunda columna.

1. dar origen a	a. pertenecer
2. distinto	b. inapropiado
3. herramienta	c. no tener la aptitud de hacer algo
4. formar parte de	d. dar lugar a
5. denominado	e. imposibilitar
6. indebido	f. serio
7. profundo	g. llamado
8. incapaz	h. imprescindible, crucial
9. impedir	i. instrumento
10. clave	j. vencer una dificultad
11. superar	k. diferente

47 ¿Ha comprendido?

1. ¿Por qué las nuevas tecnologías dan lugar a problemas de dependencia en los jóvenes?
   a. Porque los separa de otros problemas como los familiares o sus propias emociones
   b. Porque nunca pueden controlarlas
   c. Porque casi siempre son adictivas
   d. Porque provocan fuertes emociones

2. ¿Es la tecnología siempre adictiva?
   a. Sí, siempre crea dependencia.
   b. No, la adicción es algo exagerado.
   c. Sólo durante la juventud
   d. Sólo cuando se usa de una forma inadecuada

3. ¿Por qué los adolescentes tienen más riesgo de dependencia?
   a. Pasan mucho tiempo solos.
   b. Sus familias no los comprenden.
   c. Se sienten inseguros y necesitan desarrollarse de otro modo.
   d. La sociedad los rechazan continuamente.

4. ¿Cuáles son los síntomas de una dependencia de las nuevas tecnologías?
   a. Que no salen de casa
   b. Que no tienen amigos
   c. Que pasan mucho tiempo delante del ordenador
   d. Poca comunicación, distanciamiento y problemas en la escuela

5. Los tecnofóbicos, ¿piensan que los nuevos adelantos en la tecnología ayudan al desarrollo humano?
   a. Piensan que ayudan pero es mejor no usarlos.
   b. Nunca los han usado, y no tienen ni idea de cómo hacerlo.
   c. Creen que son la causa de los desajustes en el mundo.
   d. Dependen de ellos completamente en su vida diaria.

48 ¿Dónde va?

Las siguientes frases han sido extraídas del texto anterior. Vuelva a leer las oraciones donde hay una letra en color. Escriba la letra correspondiente al lado de las frases a continuación. Hay una frase que sobra.

1. a los que hay que dar respuesta
2. organizadas por la Asociación Proyecto Hombre
3. se encuentran en un período en el que
4. que es uno de los factores que más contribuyen a la adicción
5. porque piensan
6. que están en situaciones de riesgo

49 Lea, escuche y escriba/presente 🗣

Vuelva a leer "Las adicciones sin drogas atrapan a los jóvenes" y luego escuche la grabación "Adictos a los medicamentos". Tome notas y escriba un ensayo o haga una presentación en clase sobre "Las adicciones en los jóvenes". No se olvide de citar las fuentes debidamente.

Refrán

Jóvenes y viejos, todos necesitamos consejos.

👥 ¿Está de acuerdo con este refrán? ¿Acepta Ud. los consejos fácilmente o, por el contrario, le cuesta aceptarlos? ¿Cree que es más fácil aceptar consejos cuando uno es más joven? ¿Por qué? Hable de este tema con un/a compañero/a.

¡Dato curioso! La mayoría de los pacientes suele tomar medicamentos de manera responsable, aunque no siempre es así. Tan sólo en Estados Unidos, alrededor de 9 millones de personas hicieron un uso indebido de algún medicamento el año pasado. Mientras que unos lo hicieron de forma no intencional, otros lo hicieron debido a la adicción que algunos de estos medicamentos pueden crear en los pacientes.

Teacher Resources

 Activity 50 (CD 2, track 12)

 Activities 17–19

Answers

50 1. b; 2. d; 3. b; 4. d; 5. d; 6. b

Instructional Notes

50 Before students listen to the audio, you might want to review the following words: *deserciones escolares*, school desertions/dropouts; *faltar*, to not be (present); *mente*, mind; *darle ganas de*, to feel like; *temporada*, period of time; *sobre todo*, above all.

The questions from audio activity 50 appear below.
1. ¿Por qué no estudió José Santa Cruz cuando era pequeño? 2. ¿Cuál es la ilusión de José Santa Cruz? 3. ¿Por qué no ha vuelto Rosa Ochoa a la escuela? 4. ¿Por qué dejó la escuela Claudia Hernández? 5. ¿Qué le pasa a Claudia Hernández? 6. ¿Qué significa la expresión "me pasan por la cabeza muchas cosas"?

---

50 Deserciones escolares

Lea las posibles respuestas primero y después escuche la grabación "Deserciones escolares". Escoja la mejor respuesta para cada pregunta que escuchará en la grabación.

1. (Pregunta que escuchará en la grabación.)
   - a. No había escuela en su pueblo.
   - b. El maestro no iba a las clases todos los días.
   - c. No había maestro.
   - d. No le gustaba.

2. (Pregunta que escuchará en la grabación.)
   - a. Hacer un curso de locución
   - b. Tener los papeles migratorios para ser policía
   - c. Ser famoso y ganar 1.200 dólares al día
   - d. Ser un buen locutor y aconsejar a los demás

3. (Pregunta que escuchará en la grabación.)
   - a. Quiere vivir en México.
   - b. Prefiere ser independiente y trabajar.
   - c. No le han validado los estudios de México.
   - d. Ha vuelto a la escuela de nuevo.

4. (Pregunta que escuchará en la grabación.)
   - a. Se llevaba mal con una profesora.
   - b. Faltaba tanto a clase que le avergonzaba volver.
   - c. Volvió a México para siempre y allí no pudo estudiar.
   - d. Las respuestas a y b

5. (Pregunta que escuchará en la grabación.)
   - a. No habla inglés bien.
   - b. No sabe a quién pedir consejos.
   - c. Se avergüenza de volver a su vieja escuela.
   - d. Todas las respuestas son correctas.

6. (Pregunta que escuchará en la grabación.)
   - a. Siempre me duele la cabeza.
   - b. Se me ocurren muchas ideas.
   - c. No ando bien de la cabeza.
   - d. Todas las respuestas son correctas.

110   Capítulo 2 • ¡Gente joven!

Nota cultural

Una de las razones por la que muchos latinos dejan la escuela en los Estados Unidos es el idioma, o sea la falta de buenos conocimientos de inglés. Es por lo que algunas escuelas están pensando en la enseñanza bilingüe, ya que al ser los hispanohablantes un grupo minoritario que va aumentando, su educación es cada vez más importante para el futuro del país.

51 Voto Latino

Antes de escuchar la grabación "Voto Latino" repase las palabras a continuación y escoja la mejor traducción.

1. propósito
   a. issue
   b. purpose
   c. change
   d. prospect
2. asunto
   a. aim
   b. term
   c. subject
   d. assault
3. raíz
   a. native
   b. root
   c. place
   d. ending
4. propio
   a. same
   b. different
   c. own
   d. proper

5. bienestar
   a. comfort
   b. goodness
   c. well-being
   d. good life
6. cura
   a. health
   b. cure
   c. happiness
   d. illness
7. empleo
   a. employment
   b. wealth
   c. richness
   d. practice
8. carrera
   a. study
   b. career
   c. job
   d. course

52 Voto Latino

Conteste estas preguntas según la grabación.

1. ¿Qué es Voto Latino?
2. ¿Hacia quién está dirigido?
3. ¿Es financiado el grupo sólo por los propios miembros de VL?
4. ¿Cuántos votantes latinos hay registrados en Estados Unidos? ¿Cuántos más deberían de usar su voto?
5. ¿Es necesaria la creación de una organización política y social latina en Estados Unidos? ¿Por qué?

53 Participe en una conversación

Ud. va a participar en una conversación. Primero lea la descripción de la conversación y piense en algunas palabras o expresiones que le serían útiles. Organice sus ideas, haciendo predicciones sobre lo que se le pueda preguntar o comentar. Una descripción de lo que va a escuchar aparece abajo en color. Participe en la conversación grabando las respuestas o escribiéndolas en su cuaderno.

Escena: Su amigo Manuel llega a su casa. Ud. acaba de ver un documental sobre la situación de unos niños. Los dos entablan una conversación.

Manuel:	Le saluda. Le hace una pregunta.
Ud.:	• Conteste.
	• Háblele un poco sobre ello.
Manuel:	Sigue la conversación y le hace unas preguntas.
Ud.:	• Conteste sus preguntas.
Manuel:	Le hace otra pregunta.
Ud.:	• Dele detalles sobre lo que le pide.
Manuel:	Le hace más preguntas.
Ud.:	• Siga la conversación.
	• Háblele sobre este tema.
Manuel:	Hace un comentario y le hace una pregunta.
Ud.:	• Piense en una idea para contestarle.

Lección 2B **111**

Teacher Resources

Activity 51 (CD 2, track 13)
Activity 53 (CD 2, track 14)

Activity 20

Answers

51 1. b; 2. c; 3. b; 4. c; 5. c; 6. b; 7. a; 8. b

52 1. Es una organización nacional de jóvenes que trata asuntos que impactan su vida diaria y, así, mejorarla. También anima a los jóvenes latinos a que participen en el proceso democrático del país. 2. Hacia los jóvenes y jóvenes adultos latinos; 3. No; trabaja con otras organizaciones para conseguir apoyo financiero. 4. 7 millones; 8 millones; 5. Sí; *answers to second part of the question will vary.* Ejemplo: Para darles una voz en la política del país.

Instructional Notes

52 Before students listen to the audio, you might also want to review the following words, in addition to those in activity 51: *apoyo*, support; *campaña*, campaign; comprometer, to commit to.

53 Before students listen to the audio, you might also want to review the following words: *peli*, movie; *dar pena*, to be terrible/sad; *me da rabia*, it makes me angry; *quedarse con los brazos cruzados*, to stand there and do nothing; *¿Se te ocurre algo?*, Have you got any ideas?

Audioscript Activity 53

Manuel: Hola. ¿Qué tal va esto? ¿Qué haces? ¿Acabas de ver una peli o qué era lo que estabas mirando?
[STUDENT RESPONSE]

Manuel: Ah, creo que una vez oí algo sobre eso. ¿Pero todavía hay niños soldados? ¿Pero cómo es posible? ¿Qué sabes de eso?
[STUDENT RESPONSE]

Manuel: Pero, ¿y los gobiernos? ¿Qué hacen?
[STUDENT RESPONSE]

Manuel: ¿Ha salido algo en el documental que has visto sobre el tema de los niños de la calle? Eso sí que da pena también, ¿verdad?
[STUDENT RESPONSE]

Manuel: Pues la verdad es que me apetece hacer algo. Me quiero sentir útil. Me da rabia quedarme con los brazos cruzados. ¿Se te ocurre algo?
[STUDENT RESPONSE]

Activity 21

Instructional Notes

54–57 Remind students to go over the expectations outlined in the *Pautas* on p. 480 before they prepare any of the writing activities in this section.

58 Assure students that even if they might feel uncomfortable about correcting someone else's paper, it is part of the learning process. They should be prepared to explain why they have made the corrections. If there is disagreement over any such corrections, they need to discuss their reasoning and perhaps consult a reference grammar, or you could be the arbitrator.

Additional Activities

Corrija una carta
See p. TE26.

Composición
Dictate some original sentences to students or use some from the readings in this lesson. Ask them to rephrase these sentences by using other words or grammar, but without changing the meaning. Ask some students to read their sentences aloud and explain the changes they made.

¡A escribir!

54 Texto informal: un blog

Escriba en un blog. Hable sobre las injusticias que sufren los jóvenes de su edad en el lugar donde estudia.

- Hable sobre lo que no le gusta.
- Cuente alguna anécdota.
- Proponga soluciones.
- Termine con una pregunta.

55 Texto informal: un foro

En un foro alguien pide información sobre organizaciones que protegen el bienestar de los niños y jóvenes. Busque información en Internet y ayude a esta persona.

- Dele los nombres de tres o cuatro organizaciones.
- Describa los servicios que prestan.
- Explíquele un poco sobre la historia de estas organizaciones.

56 Ensayo: los jóvenes indígenas

Escriba un ensayo sobre el futuro de los jóvenes indígenas.

57 Ensayo: los estudios

Escriba un ensayo sobre la importancia de no abandonar los estudios.

58 En parejas

Intercambie sus ensayos con los de un/a compañero/a. Exprésele su opinión sobre el contenido y el uso del idioma.

Consejo

Antes de empezar, lea las pautas para escribir textos informales en la pág. 480 del Apéndice. Mientras escribe el texto tenga presente los objetivos. Cuando termine, verifique que ha cumplido con todo lo que se describe en la lista y reflexione sobre su trabajo.

Consejo

Antes de empezar, lea las pautas para escribir ensayos en la pág. 480 del Apéndice. Mientras escribe tenga presente los objetivos, y no se olvide de ponerle un título original. Cuando termine, verifique que ha cumplido con todo lo que se describe en la lista y reflexione sobre su trabajo.

¡A hablar!

59 Charlemos en el café

Ud. va a debatir los siguientes temas con un/a compañero/a. Uno estará a favor de lo que se ha dicho y otro en contra. El debate durará varios minutos. El/La estudiante que esté de acuerdo comenzará el debate y hablará por unos diez segundos. Cuando el/la profesor/a lo indique, el/la otro/a estudiante tomará la palabra y expresará su opinión por otros diez segundos, y así sucesivamente.

1. El comportamiento —tanto malo como bueno— de los famosos influye en sus admiradores.
2. Los jóvenes de hoy están expuestos a más peligros que sus padres y abuelos.
3. Los padres deberían estar más pendientes de sus hijos.
4. Los videojuegos crean adicciones.
5. Las nuevas tecnologías crean demasiados peligros y estrés para los jóvenes.

60 ¿Qué opinan?

Converse con un/a compañero/a sobre estas situaciones o preguntas.

1. Si le dijeran que uno de los productos que consume o usa habitualmente ha sido hecho por mano de obra infantil, ¿lo seguiría comprando? ¿Por qué?
2. ¿Cuáles cree que son tres países en los que el ejército recluta a niños soldados? ¿En qué se basa su opinión? ¿Para qué los reclutarán?
3. ¿Cree que en los países desarrollados aún usan algún tipo de mano de obra infantil? ¿Qué tipo de trabajos suelen ser?
4. ¿Qué famosos dan ejemplo ayudando a los jóvenes? ¿Qué hacen para ayudarlos?
5. ¿Qué impulsa a los jóvenes a dejar sus estudios?

¿Sabía que Oprah Winfrey ha ayudado a muchos jóvenes?

61 Presentemos en público

Hable sobre uno de los siguientes temas durante varios minutos en clase. Organice sus ideas antes de hacer la presentación, busque las palabras necesarias y, después de practicar, presente en clase sin mirar las notas.

1. Los niños de la calle.
2. Los problemas más serios que afrontan los jóvenes hoy día y cómo pueden solucionarlos.
3. Los mayores no deberían criticar a los jóvenes por la manera en que se visten.
4. Los jóvenes extranjeros en Estados Unidos y los posibles conflictos que puedan tener debido a su biculturalismo.
5. Sugerencias para que los jóvenes españoles puedan emanciparse.

Consejo

Antes de empezar, lea las pautas para presentaciones formales en la pág. 481 del Apéndice. Mientras formula su presentación tenga presente los objetivos. Cuando termine la presentación, verifique que ha cumplido con todo lo que se describe en la lista y reflexione sobre el trabajo que hizo.

Teacher Resources

📝 Activity 22

Instructional Notes

59 Because all students will speak, allow them time to prepare this activity. Be sure to tell students which issue and which side of the issue they will be debating, so that they can do some research and practice before their debate.

After students have debated these issues with a partner, you might want them to continue the debate in small groups, or even have a discussion with the whole class on one or two of these topics.

Encourage students to use the new vocabulary from this lesson.

60 Encourage students to review the vocabulary, including the expressions, at the end of the lesson in order to enhance their discussions. After students discuss these questions with a partner, you could hold a whole-class discussion.

61 Review the *Pautas para presentaciones formales* on p. 481, and refer students to their copies of the guidelines given to them in *Lección 1A* (*Antes y durante una presentación*). (See p. 27 of this Annotated Edition.) You might want to assign these presentations as homework, so students have more time to prepare.

Additional Activities

La noticia del día
See p. TE28.

Instructional Notes

62 Before students start their projects, go over the questions from *Lección 1A*, p. 28. Students should have a copy of these questions for each project.

Remind them that after they complete their project, they will self-assess their work as a team using the grading system 1–5 (5 being the highest, and 1 the lowest) and write a grade next to each question. After they turn in their work or make their presentation to the class, you will review their project and write your comments and evaluation next to theirs.

Additional Activities

El periódico

Ask students to write a newspaper article for a Latin American country or Spain about one of the issues described in the lesson. In addition to describing the issue, and possibly offering some solutions, they need to include some relevant cultural information or a comment on some current event in the country.

Proyectos

62 ¡Manos a la obra!

Trabaje en un grupo de cuatro o cinco estudiantes para llevar a cabo uno de los siguientes proyectos y presentarlo a la clase.

- Hagan el papel de un niño soldado. Describan en un diario su experiencia durante los tres primeros días cuando llega al campamento.

- Hagan un póster en el que denuncien los malos tratos a los niños.

- Investiguen sobre las *sweatshops* (fábricas donde se explotaban a los trabajadores) y hagan una presentación a la clase.

- Hagan una campaña publicitaria para denunciar uno de los temas tratados en la lección. Piensen en los anuncios para la radio, la prensa y la televisión.

- Piensen en una causa que les gustaría defender. Denle un nombre a su organización, establezcan las metas, piensen en la publicidad que le darán y cómo conseguirán el dinero.

- Hagan diez predicciones para el año 2040 que puedan afectar a los jóvenes. Piensen en algunas que puedan crear controversia. Discútanlas en clase.

- Hagan predicciones sobre cómo será la vida de sus otros compañeros de clase en el 2025. Escriban un pequeño párrafo sobre cada uno. Hablen sobre su profesión, dónde vivirán, su vida personal, etc.

Niño soldado de Nicaragua

Vocabulario

Verbos

abordar	to approach
acoger	to welcome
acontecer	to happen
acordar (ue)	to decide
agravar	to make worse
agregar	to add
ahorrar	to save
amortiguar	to lessen, cushion, absorb
apoyar	to support
brindar	to provide
cesar	to cease, stop
colocar	to place
cometer	to commit
confesar (ie)	to confess
demostrar (ue)	to demonstrate, show
desempeñar	to carry out, fulfill
desplazar	to displace, move
difundir	to spread
disparar	to shoot
disponer	to dispose
emanciparse	to emancipate, gain independence
encargar	to put in charge, entrust
enterrar (ie)	to bury
explorar	to explore
facilitar	to make easy; to offer
golpear	to beat (up)
habitar	to inhabit
impedir (i)	to impede
justificar	to justify
manipular	to manipulate
nacer	to be born
oprimir	to oppress
plantearse	to take into consideration
proporcionar	to supply
realizar	to carry out
salvar	to save
sobrevivir	to survive
solicitar	to ask for
superarse	to excel
tener lugar	to take place
tolerar	to tolerate
triunfar	to triumph
yacer	to lie (recline)

Verbos con preposición

verbo + a:

encomendarse (ie) a	to commend oneself to
oponerse a	to oppose
resistirse a	to resist

verbo + con:

contar (ue) con	to count on

verbo + de:

abusar de	to abuse
arrepentirse (ie) de	to repent; to regret
dejar de	to stop

verbo + en:

influir en	to influence

verbo + por:

apasionarse por	to become very interested in
terminar por	to end up

Sustantivos

el	abandono	abandonment
el	acierto	wise decision/move
el	acontecimiento	event
la	actitud	stance, attitude
el	arma *(f.)*	weapon
el	bienestar	well-being
el	bullicio	uproar
la	carrera	career
el	cerebro	brain
la	clave	key
el	conflicto armado	armed conflict
la	convivencia	coexistence, living together
la	creencia	belief
el	daño	pain, damage
la	delincuencia	crime, delinquency
el/la	delincuente	delinquent, criminal
la	demanda	demand
la	destreza	skill
el	domicilio	home address, legal residence
el	ejército	army
el/la	empresario/a	businessman/woman
la	encuesta	poll, survey
el	esfuerzo	effort
la	esperanza	hope
el	gasto	expense
el	gesto	gesture
el	hurto	robbery, theft
la	infancia	childhood
la	juventud	youth
los	medios (de comunicación)	media
la	mejora	improvement
el/la	menor	minor, underage person
el	modo	way
la	mortalidad	mortality
la	multitud	crowd

Teacher Resources

 Activities 23–28

 Visite la página Web de *¡A toda vela!* en www.emcp.com

Additional Activities

Juegos
To practice and reinforce the lesson's vocabulary, have students play one of these games: *Relevos*, *Cadena de palabras*, *¡Háganlo!* See pp. TE24 and TE25.

Juego
To practice the vocabulary as well as the culture topics presented in the lesson, ask students to play *Hablar hasta por los codos*. See p. TE24.

Juego
To review vocabulary or grammar, ask students to play *El juego de la alarma*. See p. TE25.

To practice any of the culture topics presented in the lesson, ask students to do *Encuesta*. See p. TE27.

Ask students to do any of the following activities to practice and strengthen the vocabulary presented in this lesson: *Vocabulario, ¡Pongámonos de acuerdo!, ¡Post-it!, Gráfico sobre un tema.* See pp. TE27–TE29.

See ExamView for assessment options.

Instructional Notes

Ask students to come up with more examples for *falsos cognados* in the *A tener en cuenta* feature.

el	**murmullo**	murmur
las	**obras benéficas**	charity
la	**organización sin ánimo de lucro**	nonprofit organization
el	**papel**	role
la	**población**	town; population
la	**portada**	cover (*of a book, magazine*)
el	**premio**	prize
la	**raíz**	root
el	**ser querido**	loved one
la	**sospecha**	suspicion
el	**sueldo**	salary
la	**vejez**	old age
el/la	**voluntario/a**	volunteer

Adjetivos

alarmante	alarming
arraigado, -a	deeply rooted
creciente	growing
culpable	guilty
culto, -a	educated
desamparado, -a	defenseless, vulnerable
desmesurado, -a	excessive
distinto, -a	different
estable	stable
estricto, -a	strict

grave	serious
inmóvil	motionless
íntimo, -a	close, intimate
oprimido, -a	oppressed
repentino, -a	sudden
saludable	healthy

Adverbios

minuciosamente	thoroughly
tajantemente	categorically

Expresiones

¿Cómo está permitido?	How is it allowed?
con tal de que	provided that
¡Es increíble!	It's unbelieveable!
¡Me parece fatal!	It seems terrible/awful!
¡No hay derecho!	That's not fair!
¡No me digas!	You don't say!/I don't believe it!
¡No me lo puedo creer!	I just can't believe it!
¡Pobrecitos!	Poor things!
¡Qué barbaridad!	How terrible/awful!
¡Qué cruel!	How cruel!
¡Qué injusticia!	What injustice!
salir bien	to go well, turn out well
tener el alma en vilo	to be worried
tener ganas de	to feel like

A tener en cuenta
Cognados y falsos cognados

carácter: personality • (*literary*) character: **personaje**
conferencia: lecture • conference: **congreso**
coraje: anger, rage • courage: **valor, valentía**
decepción: disappointment • deception: **engaño**
distinto: different • distinct: **particular, marcado**
embarazada: pregnant • embarrassed: **avergonzado**
gol: soccer goal, scored point • goal: **meta, objetivo**
gracioso: funny • gracious: **amable, cortés**
pena: grief • pain: **dolor**
quieto: still, calm • quiet: **callado, silencioso**
quitar: to remove • to quit: **dejar de, dimitir**
raza: race (*ethnicity*) • race (*sports*): **carrera**
sensible: sensitive • sensible: **sensato**
simpático: nice • sympathetic: **compasivo, comprensivo**
soportar: to tolerate • to support: **apoyar**
sujeto (*persona*): individual • subject: **tema**
tenso: tense, stressed • tense (*of a verb*): **tiempo verbal**
últimamente: lately • ultimately: **en última instancia**

Capítulo 3

¡Que aproveche!

Temas
- Comidas típicas
- Alimentos
- Restaurantes

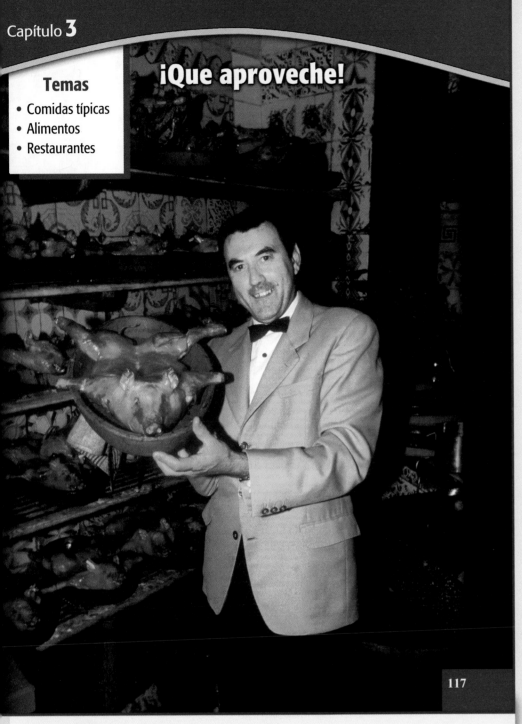

117

Overview of chapter 3

In this chapter, students will take a gastronomical tour of several Spanish-speaking countries. In addition to exploring some typical foods, drinks, and restaurants, students will learn something about the history of certain foods, the popularity of "Latin" food, and proper diets. The issue of worldwide hunger is also addressed, as is the view of food as part of a nation's patrimony.

Instructional Notes

You might want to ask the following questions related to the topics of this chapter: *Cuando se menciona comida "típica" de países hispanohablantes, ¿qué les viene a la mente? Si un extranjero les pidiera que nombraran el plato "nacional" americano, ¿cuál sería?*

Nota cultural

El camarero presenta un plato típico de Castilla (España): el cochinillo asado. Es bastante común ver platos como éste en los escaparates de los restaurantes de la región. El restaurante de la foto es El Botín, el más viejo del mundo (se estableció en el año 1725). Los chefs todavía usan el horno de leña original para preparar platos como el cochinillo y el cordero asado, otra especialidad de la región y del restaurante. El Botín está en Madrid, a un paso de la Plaza Mayor. Fue uno de los favoritos de Ernest Hemingway, quien lo menciona en su novela *The Sun Also Rises*.

Instructional Notes

You might want to review the grammar objectives, including the *"Tapitas" gramaticales,* before starting the lesson.

The top photo shows a cook in Mexico making tortillas; the middle and bottom photos are typical dishes from Spain: the middle one is *bacalao pil-pil* (codfish) and the bottom image is *callos a la madrileña* (tripe).

Objetivos

Comunicación
- Hablar de diferentes platos tradicionales
- Describir una receta
- Opinar sobre la comida
- Hablar de la influencia culinaria de otras culturas

Gramática
- El presente del subjuntivo
- El subjuntivo en cláusulas nominales
- Los mandatos y la voz pasiva

"Tapitas" gramaticales
- formación de adjetivos
- *el hecho de que*
- formas del progresivo
- identificar ciertos tiempos verbales
- el artículo masculino con sustantivos femeninos
- el orden de los pronombres
- *Que aproveche* y otras expresiones con *que*

Cultura
- La comida típica de diferentes países hispánicos
- El origen de ciertos alimentos
- Comida tradicional y comida moderna
- El mate
- Auge de la comida latina

Visite la página Web de *¡A toda vela!* en www.emcp.com

Para empezar

1 Conteste las preguntas

Piense en las respuestas a las siguientes preguntas. Ud. puede tomar notas si lo considera necesario. Cuando termine, compare sus respuestas —pero sin mirar sus notas— con las de un/a compañero/a.

1. ¿Qué sabe de la comida de los países hispanohablantes?
2. ¿Le gusta la comida mexicana? ¿Qué platos mexicanos conoce? ¿Qué le parecen?
3. ¿Cuál es la diferencia entre la tortilla española y la tortilla mexicana?
4. ¿Piensa que la comida mexicana es parecida a la española? Explique su respuesta.
5. ¿Qué platos típicos de otros países hispánicos conoce? ¿Cuáles diría que son algunos de los ingredientes básicos de estos platos?
6. ¿Por qué cree que hay tantas diferencias entre las comidas de los distintos países hispanohablantes?
7. ¿Le gusta comer en restaurantes? ¿Por qué? ¿Con quién va normalmente?
8. ¿Qué le gusta pedir cuando va a un restaurante?
9. ¿Le gusta cocinar o le gustaría aprender a hacerlo? ¿Por qué? ¿Cuál es su especialidad?
10. ¿Cuáles diría que son las tres frutas más populares en los Estados Unidos? ¿Cuáles son algunas frutas que nos llegan de Latinoamérica?

2 Mini-diálogos

Va a crear un mini-diálogo con un/a compañero/a. Lea la descripción de la conversación antes de empezar. Puede tomar notas para organizar sus ideas, pero no las mire mientras conversa.

Escena: Ud. va caminando por la calle y de repente ve a un/a amigo/a a quien que no veía desde hacía mucho tiempo.

A: Salúdelo/la. Exprese sorpresa y emoción.

B: Salude a su amigo/a e invítele a comer.

A: Acepte con entusiasmo. Pregúntele sobre sus gustos en la comida. Pregúntele a qué tipo de restaurantes le gusta ir.

B: Dígale el tipo de comida que le gusta a Ud. Sugiera un restaurante.

A: Reaccione a su sugerencia negativamente. Sugiera otro lugar.

B: Continúe la conversación. Invéntese una excusa para no ir.

A: Despídase cordialmente.

B: Despídase cordialmente.

Dicho

Sobre gustos no hay nada escrito.

¿Qué cree Ud. que significa este viejo dicho? ¿Cuál es su equivalente en inglés? Describa una situación en la que sea apropiado usarlo. Comparta sus opiniones y ejemplos con un/a compañero/a.

¡Dato curioso!

El aguacate es una fruta, no una verdura como muchos piensan. Los primeros aguacates datan del año 500 a. de J. C. y se encontraban en la zona de México. Los aztecas le daban mucha importancia, y los primeros españoles que llegaron al país estaban fascinados por esta fruta; no obstante, no se llegó a comercializar hasta principios del siglo XIX. Hoy en día se cultivan más de cuatrocientas especies.

Nota cultural
El aguacate es un árbol que sólo se cultiva en clima cálido, ya que no soporta bien el frío. California y México son los mayores productores, seguidos de Chile y Sudáfrica. Los países que abastecen a Europa de este preciado manjar son España e Israel. Se dice que es la fruta con más calorías de todas, y que tiene propiedades antioxidantes y es buena para el corazón.

Answers

1 Answers will vary.

2 Dialogues will vary.

Instructional Notes

1 You might want to have students work in small groups or have the entire class participate in a discussion.

2 You might want to have some students present their dialogues in front of the class.

A possible English equivalent for this *Dicho* is "There is no accounting for taste." You could introduce these other sayings that have similar meanings to the one on the page: *Refrán y sustos hay para todos los gustos. Sobre gustos y colores no han escrito los autores.* Ask students to invent a saying of their own with a similar meaning.

Vocabulario y gramática en contexto

3   Un blog

Túrnese con un/a compañero/a para leer los comentarios que dos personas han escrito en un blog. Fíjese en las palabras que aparecen en azul (relacionadas con el vocabulario) y en rojo (relacionadas con la gramática), ya que en las siguientes actividades se le harán preguntas sobre ellas.

¡Hay que probarlo!   JUAN PABLO

Como estamos de vacaciones en Ecuador, mis padres me dicen todo el tiempo que pruebe cosas nuevas para tener así más experiencias. Lo que esperan es que pruebe el cuy, que es un ⁵plato de por aquí un tanto peculiar. Yo les estoy diciendo constantemente que me resulta imposible, ya que no me entra por los ojos, pero nada, que no me hacen caso y me andan insistiendo con tono hasta un poco amenazador. La verdad ¹⁰es que si alguno de Uds. se atreve, vale la pena que lo prueben algún día, aunque no tenga buena pinta. Me extraña que a los de aquí se les haga la boca agua al verlo, pero según ellos merece la pena que todos tengan este tipo de experiencia. Por lo visto no está mal, para ser una especie de conejo de indias. Parece ser que sabe a pollo o algo así, o al menos eso es lo que me han dicho mis padres. Les invito a que lo prueben, pero he de ¹⁵reconocer que me avergüenzo de no tener el valor suficiente para hacerlo. Es soprendente para mí, pues siempre me había considerado muy aventurero. En el fondo, ¡perro ladrador poco mordedor! ¡Ja, ja, ja!

¡Que no sea rojo, por favor! ¡Se lo ruego!   ESTRELLA

Yo estoy harta de que mis padres me digan que tengo que probarlo todo. ¡Qué asco me da cuando hacen que me tome cosas de color rojo! No puedo ni ver el tomate, ni las fresas, ni los pimientos... Nada, es que no me entra en la cabeza cómo quieren que pruebe algo que no me entra por los ojos. Y me enoja que me prometan que si algo está para chuparse ⁵los dedos, que si al menos debo probarlo, que si... bla, bla, bla. ¡Es absurdo! No es que no quiera tomarlo, es que no puedo tomarlo. El hecho de que me digan que me van a castigar si no lo como no me ayuda a superarlo para nada. Te pongo por ejemplo lo que me pasó el otro día, para que te hagas una idea de lo que me ocurre un día sí y otro no. El otro día vi una pizza completamente cubierta de salsa de tomate en mi plato y, sin darme cuenta, ¹⁰solté un grito espeluznante que enfadó a mis padres muchísimo. Es por lo que ahora estoy castigada sin salir. ¡Qué rabia me da! Puede que ésta sea la gota del agua que colme el vaso. ¡Esto se tiene que acabar!

---

4   ¿Positivo o negativo?

Haga una lista y clasifique las expresiones que aparecen en azul en las lecturas anteriores según sean positivas o negativas.

5 Amplíe su vocabulario

Mire las palabras y expresiones de la primera columna y busque su definición en la segunda. ¿Cree que sería correcto usar algunas de estas expresiones en un contexto formal? ¿Cuáles?

1. no entrar por los ojos
2. tener buena pinta
3. hacerse la boca agua
4. merecer la pena
5. no estar mal
6. estar harto de
7. darle asco
8. no poder ni ver algo (o alguien)
9. no entrar en la cabeza
10. estar para chuparse los dedos
11. darle rabia

a. cuando algo está tan exquisito que uno aprovecha hasta el último bocado
b. ser agradable a la vista
c. no interesarle algo porque no le gusta lo que ve
d. no poder comprender algo
e. no gustarle algo para nada y sentir cierto malestar
f. estar muy cansado de algo
g. producir más saliva al ver algo que le gusta
h. detestar algo o a alguien
i. enojar, frustrar
j. valer el esfuerzo
k. ser bastante bueno

6 El presente del subjuntivo

Conteste estas preguntas relacionadas con los blogs anteriores. Todas tienen que ver con el presente del subjuntivo.

1. Escriba los verbos que aparecen en el presente del subjuntivo en los blogs.
2. Conjugue los verbos *comerse, ponerse* y *llenarse* en la segunda persona informal del singular.
3. Conjugue los verbos *almorzar, oler* y *mostrar* en la segunda persona formal del singular.
4. Conjugue los verbos *masticar, sacar, apagar, utilizar, gozar* y *especializarse* en la primera persona del singular.
5. Conjugue los verbos *pedir, servir, hervir, freír* y *advertir* en la primera persona del plural.
6. Conjugue los verbos *escoger, elegir* y *fingir* en la segunda persona informal del singular.
7. Conjugue los verbos *sustituir* y *atribuir* en la primera persona del plural.
8. Conjugue los verbos *convencer* y *producir* en la tercera persona del singular.
9. Conjugue *seguir* en la primera persona del plural.
10. Conjugue los verbos *enviar* y *continuar* en la tercera persona del plural.
11. Conjugue *dormir* en la segunda persona informal del singular y la primera persona del plural.
12. ¿Cuántos verbos irregulares recuerda? (No tienen que aparecer en estos blogs.) Haga una lista de diez de ellos en el infinitivo y conjúguelos en la primera persona del singular del presente del subjuntivo.
13. ¿Qué es especial del verbo *dar* en el presente del subjuntivo?

7 "Tapitas gramaticales"

1. Escriba los adjetivos que aparecen en rojo en los blogs y explique lo que se ha hecho para transformarlos en adjetivos. ¿Qué otras formas hay de transformar un infinitivo en adjetivo?
2. ¿Qué tiempo verbal le sigue a *el hecho de que*? ¿Por qué motivo?
3. ¿Qué tiempo verbal es *andan insistiendo*? Escriba otras dos formas para expresar lo mismo.
4. ¿Qué tiempo verbal le sigue a *cuando hacen que*? ¿Por qué?
5. ¿Qué tiempo verbal les sigue a *ya que* y *es que*? ¿Y a *no es que* y *puede que*? ¿Por qué?

Activity 1

Answers

5 1. c; 2. b; 3. g; 4. j; 5. k; 6. f; 7. e; 8. h; 9. d; 10. a; 11. i

6 1. pruebe, pruebe, prueben, tenga, haga, tengan, prueben, digan, tome, pruebe, prometan, quiera, digan, hagas, sea, colme; 2. te comas, te pongas, te llenes; 3. almuerce, huela, muestre; 4. mastique, saque, apague, utilice, goce, me especialice; 5. pidamos, sirvamos, hirvamos, friamos, advirtamos; 6. escojas, elijas, finjas; 7. sustituyamos, atribuyamos; 8. convenza, produzca; 9. sigamos; 10. envíen, continúen; 11. duermas, durmamos; 12. Ejemplos: caber, quepa; dar, dé; decir, diga; estar, esté; haber, haya; hacer, haga; huir, huya; ir, vaya; oler, huela; poner, ponga; saber, sepa; salir, salga; ser, sea; tener, tenga; valer, valga; venir, venga; ver, vea; 13. Lleva acento sobre la *e* en la primera y tercera persona del singular (*dé*).

7 1. amenazador, soprendente, aventurero, ladrador, mordedor, espeluznante; Se le ha añadido *-dor, -ente, -ero* o *-ante*. También se le puede añadir *-oso* (ejemplos: perezoso, estudioso). 2. el presente del subjuntivo; Es una expresión impersonal. 3. el progresivo; siguen insistiendo, continúan insistiendo; 4. el presente del subjuntivo; El verbo indica obligación. 5. ya que, es que: el presente del indicativo porque expresa una realidad (una verdad objetiva); no es que, puede que: el presente del subjuntivo porque indica probabilidad

Activity 2

Answers

8 Comments will vary.

9 1. Una cláusula nominal funciona como un sustantivo. Se usa como sujeto u objeto de un verbo. 2. Ejemplos: verbos que expresan emoción, deseo, influencia, voluntad, duda, negación, posibilidad, o con expresiones impersonales; 3. *primer blog:* [me dicen...] que pruebe cosas nuevas; [lo que esperan es] que pruebe el cuy; [vale la pena] que lo prueben algún día; [me extraña] que a los de aquí se les haga la boca agua; [merece la pena] que todos tengan este tipo de experiencia; [les invito a] que lo prueben; *segundo blog:* [estoy harta de] que mis padres me digan; [hacen] que me tome cosas de color rojo; [quieren] que pruebe algo que no me entra por los ojos; [me enoja] que me prometan... ; [no es] que no quiera tomarlo; [el hecho de] que me digan; [puede] que ésta sea la gota...vaso

10 1. Es; 2. vaya; después de una expresión de deseo; 3. es; 4. me apetece; 5. me acerque; después de una expresión impersonal; 6. salvar; 7. conozca; después de una expresión de deseo; 8. llevamos; 9. caiga; después de una expresión de emoción; 10. diga; después de una expresión impersonal; 11. soy; 12. olvida; 13. gusten; después de una expresión de negación; 14. soy; 15. mantenerme; 16. sabe; 17. sea; después de una expresión impersonal; 18. termine; después de una expresión impersonal; 19. termine; después de una expresión de emoción; 20. diga; después de una expresión de emoción; 21. sé

Instructional Notes

8 You could have students volunteer to answer some of the questions posed in the comments.

Encourage students to prepare *salmorejo*, which is described below in the *Nota cultural*, at home. Remind them that it is not a soup, but a creamy dip.

Additional Activities

Canción
See p. TE26.

El desafío del minuto con el subjuntivo
See p. TE27.

---

8 ¿Qué opina?

Reaccione a lo que cada persona ha puesto en el blog y hágale al menos dos comentarios por escrito a cada uno. Incluya palabras del vocabulario que aparecen en azul y subráyelas cuando las use. Termine su blog con una pregunta.

9 Cláusulas nominales

1. ¿Qué es una cláusula nominal?
2. ¿En qué diferentes categorías se pueden clasificar las cláusulas nominales? Nombre cinco.
3. Busque cinco ejemplos de cláusulas nominales en los blogs anteriores.

10 ¿Infinitivo, indicativo o subjuntivo?

Lea el siguiente párrafo y complételo con el infinitivo, el presente del indicativo o el presente del subjuntivo de los verbos entre paréntesis; a veces tendrá que elegir entre *ser* y *estar*. Explique por qué se usa el subjuntivo en cada caso; por ejemplo, con una expresión de emoción, de deseo, de duda o negación, o después de una expresión impersonal.

__1.__ (*Ser / Estar*) extraño pero mi novia me ha dicho que __2.__ (*ir*) a comer a su casa dentro de dos días. La verdad __3.__ (*ser / estar*) que no __4.__ (*apetecerme*) para nada, pero me ha dicho que más vale que __5.__ (*acercarse*) por allá si quiero __6.__ (*salvar*) nuestra relación. Se ha empeñado en que __7.__ (*conocer*) a sus padres. Es cierto que nosotros __8.__ (*llevar*)
5 dos años saliendo, pero tengo un poco de miedo de que no les __9.__ (*caer*) bien. Además, más vale que le __10.__ (*decir*) otra vez a Patricia que __11.__ (*ser / estar*) vegetariano, pues normalmente se le __12.__ (*olvidar*), lo que termina siendo un drama. No es que no me __13.__ (*gustar*) sus padres, pero __14.__ (*ser / estar*) un poco tímido y prefiero __15.__ (*mantenerse*) al margen de la familia de mi novia. ¡Quién __16.__ (*saber*)! Es posible que no __17.__ (*ser / estar*)
10 tan malo después de todo y __18.__ (*terminar*) llevándome bien. Por otra parte, temo que __19.__ (*terminar*) agobiado y no __20.__ (*decir*) ni una palabra durante la velada. Es que... no __21.__ (*saber*) por qué Patricia me mete en estos líos. ¡Qué chica!

11 Una sopa riquísima

Lea con atención la siguiente receta para el gazpacho andaluz.

Gazpacho andaluz
Ingredientes para 4 personas

1 pan grande (sólo la miga interior)
4 cucharadas de aceite de oliva
1 kilo de tomates rojos enteros
1 diente de ajo
1 litro de agua
sal y vinagre de vino

Para la guarnición:

1 ó 2 pimientos verdes picados
1 cebolla mediana picada
1 pepino
1 huevo duro

Nota cultural

En el sur de España, en particular en Córdoba, se hace salmorejo, que es casi lo mismo que el gazpacho, pero sin apenas agua. Básicamente, es la misma receta, pero no se le añade agua. Después de remojar el pan para quitarle la corteza, éste se exprime con la mano al igual que el tomate. Así se consigue una crema deliciosa para mojar con pan.

Preparación

Se introduce el pan en un recipiente con agua para que así sea más fácil quitarle la corteza (cuando el pan esté mojado le podrá sacar la miga fácilmente). Una vez que se tenga la miga del pan, ésta se pone en un recipiente para batirla con los demás ingredientes. Se le añade el
⁵ tomate troceado sin piel (para que luego uno no se la encuentre cuando lo tome), el aceite, el ajo, la sal, el vinagre y el agua. A continuación se bate todo junto y se prueba. Si queda muy espeso, se le puede añadir más agua. Si por otro lado está un poco soso, se le echa más sal, y si necesita más ajo, se puede picar más ajo. En resumen, siempre se
¹⁰ puede aderezar al final según el gusto de cada uno. Entonces se pican todos los ingredientes para la guarnición y se ponen en un cuenco. Por último, se sirve el gazpacho en recipientes individuales con la guarnición por encima o al lado (esto último es más apropiado), para que cada uno se eche una cucharada de lo que desee. ¡Que aproveche!

12 Amplíe su vocabulario

Según la receta que acaba de leer, ¿qué significan las siguientes expresiones de la receta?

1. el diente de ajo
2. la miga de pan
3. si queda muy espeso
4. soso
5. aderezar

13 Los mandatos y la voz pasiva

Con un/a compañero/a haga las siguientes actividades basadas en la receta.

1. Escriban de nuevo la receta usando el mandato con la forma *tú*.
2. Escriban las siguientes oraciones usando la voz pasiva.
   a. Se introduce el pan.
   b. Se le añade el tomate.
   c. Se pican los ingredientes.
   d. Se sirve el gazpacho.

14 "Tapitas gramaticales"

1. ¿Es masculino o femenino el sustantivo *agua*? ¿Qué artículo definido se usa con *agua*? ¿Y con *aguas*? ¿Por qué? Escriba otros dos sustantivos que sigan la misma regla.
2. Explique la posición de los pronombres en la frase "se le puede añadir más agua". ¿Cuál es la regla?
3. *La sal* es un sustantivo. ¿Cuál es el adjetivo correspondiente?
4. ¿Qué tiempo verbal se utiliza en la siguiente expresión: *¡Que aproveche!*? En inglés, ¿qué tiempo verbal se utilizaría? Escriba otras tres expresiones similares con *que*.

Activities 3–5

Answers

12 *Ejemplos:*
1. cada una de las partes en la que se divide la cabeza de ajo; 2. la parte interior del pan; 3. si está demasiado denso; 4. lo contrario de *salado*; 5. sazonar

13 1. *The following verbs show changes to tú command form:* Introduce el pan... ; cuando el pan esté mojado... podrás; Una vez que tengas la miga del pan, ponla en un recipiente y bátela con los demás ingredientes. Añádele el tomate troceado sin piel (para que luego no te la encuentres cuando lo tomes),... ; A continuación bate todo junto y pruébalo. Si queda muy espeso, añádele más agua. Si por otro lado... échale más sal; ...más ajo, pica más. En resumen, siempre puedes aderezar al final según tu gusto. Entonces pica todos los ingredientes... y ponlos en un cuenco. Por último, sirve...
2. a. El pan es introducido.
   b. El tomate es añadido.
   c. Los ingredientes son picados.
   d. El gazpacho es servido.

14 1. Es femenino; se usa el artículo masculino *el*; con *aguas* se usa *las*; se usa *el* delante de una palabra que comienza con *a* o *h* acentuada. Ejemplos: el águila, las águilas; el alma, las almas; el área, las áreas; el aula, las aulas; el hacha, las hachas. (Remind students that the indefinite article *un* follows this same rule: *un águila, un aula.*) 2. Cuando hay más de dos pronombres seguidos, y el primero se refiere a la tercera persona, se convierte en *se* para evitar decir *le lo/la/los/las* o *les lo/la/los/las*. 3. salado; 4. presente del subjuntivo; en inglés se usaría el mandato/imperativo; ejemplos: que estudien, que se lo pasen bien, que se relajen

Additional Activities

Juego
Ask students to play *¡Háganlo!* See p. TE24.

Additional Activities

Trabajo de investigación

Ask students to do some research about the origin of a dish or food. Then ask them to make a presentation in class.

---

15 Su blog

Un amigo suyo le pide consejo para prepararle una cena a una chica que le gusta. Escríbale un correo electrónico dándole consejos. Use expresiones nuevas y subráyelas.

- Aconséjele sobre lo que debe preparar.
- Explíquele cómo debe hacerlo.
- Deséele suerte y dele un par de consejos más para que la cita sea un éxito.

Dicho

Donde comen dos, comen tres.

¿Qué característica humana cree que describe este viejo dicho? ¿Qué cree que dice sobre la cultura latina? Describa una situación en la que sea apropiado usarlo. Comparta sus opiniones con un/a compañero/a.

¡Dato curioso! El gazpacho al principio no era rojo, ya que el tomate no llegó a España hasta el siglo XVII. Al principio se le consideraba una comida de gente humilde, quienes le echaban agua a la crema de pan y aceite para poder comer más. Dicen que la esposa de Napoleón III, una andaluza, lo puso de moda entre las clases más altas.

Nota cultural

Tal como se menciona en el *Dicho*, la tradición de compartir comida, aunque se tenga poca, está arraigada en la mayoría de las culturas del mundo.

Idioma

16 Familia de palabras

Complete la tabla con el verbo, sustantivo o adjetivo apropiado y la traducción correspondiente.

Verbos		Sustantivos		Adjetivos	
aderezar	to dress a salad; to season	_____	dressing, seasoning	aderezado	_____, _____
aportar	to contribute	_____, la aportación	contribution	aportado	
atender	to serve a customer	la atención	kindness, attention		
	to beat (food)	el batido; la batidora		batido	polite, attentive
_____	to cook		_____; _____	cocido	beaten
_____	to cover	_____; el cocido	cook; stew		cooked; boiled
		el cubierto	piece of cutlery; plates, napkin, etc. before each diner	_____	covered
_____	to taste	la degustación		X	
		el hervor			boiled
remojar	to soak	el remojo	soak, soaking	remojado	soaked
		el pegamento	glue	_____	sticky, stuck
pelar	to peel		skin	pelado	peeled, smooth
picar	to be hot	X			spicy
reposar	to let stand, rest (food)	el reposo	rest	reposado	
tapar	to put a lid on, cover	_____	lid	tapado	
trocear	to slice	_____	slice, piece	troceado	_____

17 ¿Verbo, sustantivo o adjetivo?

Complete las oraciones usando la forma correcta de las palabras que aparecen en la tabla, ya sea verbo, sustantivo o adjetivo. En el caso del sustantivo puede que necesite artículo.

1. ¿Por qué no ___ (tapar) tú la sopa hasta que los invitados se sirvan? Como te descuides se va a enfriar.
2. Después de hacer galletas se me quedaron las manos bastante ___ (pegar).
3. Un buen amigo italiano me ha comentado que es mejor echar la sal al agua antes de que empiece a ___ (hervir). Pruébalo, es un buen truco para que los espaguetis estén más sabrosos.
4. Dicen que es bueno que no le quites ___ (pelar) a la manzana ya que tiene muchas vitaminas.
5. ¿Me das ___ (trocear) de tarta? Ya lo sé. Éste es el tercer ___ (trocear), pero ya sabes que soy muy golosa. ¡Hijo, que no puedo resistir la tentación!
6. ¡Qué hambre tengo! Acabo de ___ (batir) unas fresas en ___ (batir) y estoy por prepararme otro. ¡Cómo me gusta ___ (batir) de fresa! Por cierto, ¿por casualidad sabes cuándo es la temporada de las fresas? Es probable que éstas sean de invernadero.
7. No me apetece ir a este restaurante porque el otro día nos ___ (atender) muy mal. Fueron bastante maleducados con nosotros y tardaron muchísimo en servirnos.
8. ¿Por qué no dejas que ___ (reposar) el arroz con pollo un poco antes de que lo comamos? Estará mejor. ¡Ay, qué rico... ya se me está haciendo la boca agua!
9. ¡No me distraigas! No quiero que la comida ___ (pegarse) mientras hablo contigo.
10. Llevo dos horas esperando en la mesa y todavía nadie me ___ (atender). No aguanto más, ¡estoy muerto de hambre! ¡Qué venga alguien, que ya estoy harto!
11. José echó demasiado chile en la salsa. ¡Es tan ___ (picar) que quema! De todas formas soy un adicto al ___ (picar), me lo tomo con todo.
12. No sé qué elegir de la carta. ¿Por qué no pedimos el menú de ___ (degustar)? Así probamos un poquito de cada plato. Por lo visto está para chuparse los dedos.

Teacher Resources

📄 Activity 6

Answers

16 Verbos
aderezar *to dress a salad; to season*
aportar *to contribute*
atender *to serve a customer*
batir *to beat (food)*
cocinar *to cook*
cubrir *to cover*
degustar *to taste*
hervir *to boil*
remojar *to soak*
pegar *to stick/glue*
pelar *to peel*
picar *to be hot*
reposar *to let stand, rest (food)*
tapar *to put a lid on, cover*
trocear *to slice*

Sustantivos
el aderezo *dressing, seasoning*
el aporte, la aportación *contribution*
la atención *kindness, attention*
el batido; la batidora *milkshake; mixer*
el/la cocinero/a; el cocido *cook; stew*
el cubierto *piece of cutlery; plates, napkin, etc. before each diner*
la degustación *tasting*
el hervor *boiling*
el remojo *soak, soaking*
el pegamento *glue*
la piel *skin*
X
el reposo *rest*
la tapa *lid*
el trozo *slice, piece*

Adjetivos
aderezado *dressed, seasoned*
aportado *contributed*
atento *polite, attentive*
batido *beaten*
cocido *cooked; boiled*
cubierto *covered*
X
hervido *boiled*
remojado *soaked*
pegajoso, pegado *sticky, stuck*
pelado *peeled, smooth*
picante *spicy*
reposado *resting*
tapado *covered*
troceado *sliced*

17 1. tapas; 2. pegajosas; 3. hervir; 4. la piel;
5. un trozo, trozo; 6. batir, la batidora, el batido;
7. atendieron; 8. repose; 9. se pegue; 10. ha atendido;
11. picante, picante; 12. degustación

Dicho
La vida es como una receta de comida, la sazón se la pones tú.

 ¿Por qué es importante ponerle sazón a la vida? ¿Cuál es la sazón que Ud. pone a la vida? Describa la sazón que aportan unas personas que Ud. admira. Comparta sus opiniones con un/a compañero/a.

¡Dato curioso! La palabra *tomate* viene de *tomatl*, que es de origen náhuatl, el idioma de muchos de los indígenas de México. A pesar de ser hoy imprescindible en toda cocina, no le llamó la atención a los españoles cuando lo vieron por primera vez. Los italianos no lo usaron hasta el siglo XVIII.

18 Los paradores

Échele una ojeada al artículo que sigue para ver de qué se trata, prestando atención a las palabras en azul, ya que se le harán preguntas sobre ellas. Luego lea el artículo y decida cuál de las palabras entre paréntesis es la correcta para completar cada oración y escríbala.

Dirección www.parador.es

Archivo   Edición   Ver   Favoritos   Herramientas   Ayuda

Parador de Segovia

Con la mente siempre __1.__ (*puso / puesta*) en las recetas de nuestras abuelas, Fernando Calvo, chef del Parador de Segovia, __2.__ (*se pone / se ponga*) manos a la obra día tras día para __3.__ (*ofrecer / ofrezca*) lo mejor de su buen hacer culinario a quien __4.__ (*se sienta / se siente*) a la mesa del restaurante. En sus fogones y en sus hornos de leña __5.__ (*nacen / nazcan*) platos tan típicos como el cordero o el cochinillo asado —lo más __6.__ (*soliciten / solicitado*)—, postres llenos de historia como el ponche segoviano e innovaciones __7.__ (*plenos / plenas*) de sabor, como las milhojas de trucha. Y todos __8.__ (*estén / están*) basados en productos de temporada y de la zona y la gastronomía tradicional, que mejora y se __9.__ (*actualiza / actualice*) gracias al estilo particular de este chef. En los paradores se __10.__ (*apuesta / apueste*) por la comida de siempre pero __11.__ (*adaptar / se adaptan*) a los nuevos tiempos. "Antes los platos __12.__ (*fueron / eran*) copiosos y más abundantes en grasas; ahora __13.__ (*son / sean*) más refinados y equilibrados. El cliente no __14.__ (*viene / venga*) a engullir sino a degustar, y lo que busca ante todo __15.__ (*es / sea*) calidad", afirma.

www.parador.es

19 ¿Qué significa?

Según el contexto del artículo que acaba de leer, empareje cada palabra de la primera columna con su definición o sinónimo de la segunda.

1. parador
2. ponerse manos a la obra
3. día tras día
4. culinario
5. fogón
6. leña
7. cochinillo asado
8. solicitar
9. pleno
10. temporada
11. apostar por
12. copioso
13. engullir

a. lleno
b. época del año
c. parte de un árbol que se trocea y se usa como combustible
d. depositar la confianza en algo
e. comenzar a hacer algo
f. edificio histórico convertido en hotel y propiedad del gobierno
g. tragar casi sin masticar
h. sección de la cocina donde se calienta la comida
i. relacionado con la cocina
j. abundante
k. cerdo pequeño al horno
l. a diario
m. pedir

Notas culturales
El tomate, como muchas palabras que terminan en *-ate*, viene del náhuatl, idioma hablado por muchos indígenas de México. Los españoles llevaron las semillas del tomate a España, pero al principio los europeos cultivaban la planta sólo con fines decorativos. En Estados Unidos el tomate no se convirtió en comida popular hasta después de la Guerra Civil (1865).

Los paradores españoles figuran entre los más románticos e históricos hoteles del mundo. La palabra significa "lugar donde parar". Castillos restaurados, monasterios, casonas, fuertes, conventos y palacios han sido transformados en lujosos hoteles y han abierto sus puertas al público. Actualmente hay unos 90 en España. Algunos de los más espectaculares son el Parador de Granada, justo al lado de la Alhambra, el Parador de Santiago de Compostela y el Parador de Ronda.

20 Un chef

Escriba un artículo para un periódico sobre un nuevo chef que está muy de moda últimamente (puede ser real o inventado). Siga el modelo del artículo anterior e incluya tantas palabras nuevas como pueda. Subráyelas en el artículo.

21 La comida mexicana

Échele una ojeada al cuento que sigue para ver de qué se trata. Fíjese en las palabras en azul, ya que se le harán preguntas sobre ellas. Luego lea el cuento y decida qué forma de los verbos entre paréntesis es la correcta para completar cada oración y escríbala.

Estrategia

Escribir un artículo sobre una persona para un periódico implica crear interés y presentar las ideas o los hechos con claridad y brevedad. Hay que incluir algunas anécdotas interesantes. Trate de crear una imagen de la persona y organizar lo que va a decir antes de empezar a escribirlo.

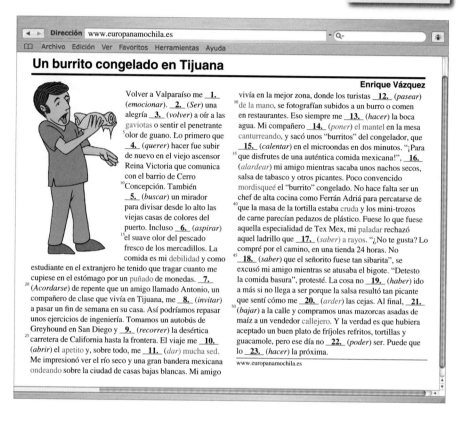

Dirección www.europanamochila.es

Archivo   Edición   Ver   Favoritos   Herramientas   Ayuda

Un burrito congelado en Tijuana

Enrique Vázquez

Volver a Valparaíso me __1.__ (*emocionar*). __2.__ (*Ser*) una alegría __3.__ (*volver*) a oír a las gaviotas o sentir el penetrante olor de guano. Lo primero que __4.__ (*querer*) hacer fue subir de nuevo en el viejo ascensor Reina Victoria que comunica con el barrio de Cerro Concepción. También __5.__ (*buscar*) un mirador para divisar desde lo alto las viejas casas de colores del puerto. Incluso __6.__ (*aspirar*) el suave olor del pescado fresco de los mercadillos. La comida es mi debilidad y como estudiante en el extranjero he tenido que tragar cuanto me cupiese en el estómago por un puñado de monedas. __7.__ (*Acordarse*) de repente que un amigo llamado Antonio, un compañero de clase que vivía en Tijuana, me __8.__ (*invitar*) a pasar un fin de semana en su casa. Así podríamos repasar unos ejercicios de ingeniería. Tomamos un autobús de Greyhound en San Diego y __9.__ (*recorrer*) la desértica carretera de California hasta la frontera. El viaje me __10.__ (*abrir*) el apetito y, sobre todo, me __11.__ (*dar*) mucha sed. Me impresionó ver el río seco y una gran bandera mexicana ondeando sobre la ciudad de casas bajas blancas. Mi amigo

vivía en la mejor zona, donde los turistas __12.__ (*pasear*) de la mano, se fotografían subidos a un burro o comen en restaurantes. Eso siempre me __13.__ (*hacer*) la boca agua. Mi compañero __14.__ (*poner*) el mantel en la mesa canturreando, y sacó unos "burritos" del congelador, que __15.__ (*calentar*) en el microondas en dos minutos. "¡Para que disfrutes de una auténtica comida mexicana!", __16.__ (*alardear*) mi amigo mientras sacaba unos nachos secos, salsa de tabasco y otros picantes. Poco convencido mordisqueé el "burrito" congelado. No hace falta ser un chef de alta cocina como Ferrán Adriá para percatarse de que la masa de la tortilla estaba cruda y los mini-trozos de carne parecían pedazos de plástico. Fuese lo que fuese aquella especialidad de Tex Mex, mi paladar rechazó aquel ladrillo que __17.__ (*saber*) a rayos. "¿No te gusta? Lo compré por el camino, en una tienda 24 horas. No __18.__ (*saber*) que el señorito fuese tan sibarita", se excusó mi amigo mientras se atusaba el bigote. "Detesto la comida basura", protesté. La cosa no __19.__ (*haber*) ido a más si no llega a ser porque la salsa resultó tan picante que sentí cómo me __20.__ (*arder*) las cejas. Al final, __21.__ (*bajar*) a la calle y compramos unas mazorcas asadas de maíz a un vendedor callejero. Y la verdad es que hubiera aceptado un buen plato de fríjoles refritos, tortillas y guacamole, pero ese día no __22.__ (*poder*) ser. Puede que lo __23.__ (*hacer*) la próxima.

www.europanamochila.es

 Activity 7

Answers

21 1. emocionó; 2. Era; 3. volver; 4. quise; 5. busqué; 6. aspiré; 7. Me acordé; 8. invitó / había invitado; 9. recorrimos; 10. abrió; 11. dio; 12. pasean; 13. hacía; 14. puso; 15. calentó; 16. alardeó; 17. sabía; 18. sabía; 19. habría; 20. ardían; 21. bajamos; 22. pudo; 23. haga

Instructional Notes

20 You might do some research to find out about other chefs who are revolutionizing food preparation, and share this information with the class. Then, you could make this a homework assignment so students write their newspaper articles based on real chefs, like Ferrán Adriá, and later hold a classroom discussion on these new culinary arts.

Teacher Resources

Activity 24 (CD 3, track 1)

Answers

22 1. g; 2. n; 3. e; 4. l; 5. a; 6. m; 7. p; 8. o; 9. b; 10. f; 11. d; 12. i; 13. k; 14. h; 15. j; 16. c

23 Stories will vary.

Instructional Notes

24 You might want to present or review the following words before students listen to the audio: *enriquecer,* to enrich; *litoral,* coastal region; *mantel,* tablecloth; *canela,* cinnamon; *mazorca,* corncob; *al vapor,* steamed; *rellenos,* stuffed/filled; *tender a,* to tend to; *constar de,* to be made up of; *caldo,* broth; *moluscos,* mollusks; *contundente,* weighty; *ligeramente,* lightly; *anisado,* flavored with anise/anise seed; *destacar,* to emphasize.

---

22 ¿Qué significa?

Según el contexto del artículo que acaba de leer, empareje cada palabra de la primera columna con su definición o sinónimo de la segunda.

1.	gaviota	a.	producir la necesidad de beber
2.	debilidad	b.	cantar en voz baja y tararear
3.	puñado	c.	de la calle
4.	apetito	d.	dar pequeños bocados a un alimento
5.	dar mucha sed	e.	poca cantidad de algo
6.	ondear	f.	presumir
7.	de la mano	g.	ave de plumas blancas que vive en la costa
8.	poner el mantel	h.	saber fatal
9.	canturrear	i.	sin cocer
10.	alardear	j.	quemar, abrasar
11.	mordisquear	k.	parte de la boca que identifica el sabor
12.	crudo	l.	ganas de comer
13.	paladar	m.	movimiento que hace una bandera con el viento
14.	saber a rayos	n.	flaqueza, punto débil
15.	arder	o.	poner una tela para comer
16.	callejero	p.	agarrados de la mano

23 Un cuento ✐

Escriba un cuento corto similar al anterior, en el que describa una experiencia que el personaje principal tiene con una comida. Nárrelo en el pasado, pero intente usar tiempos en presente de subjuntivo y mandatos cuando use discurso directo.

Dicho

El amor entra por la cocina.

¿Está de acuerdo con esto? ¿Cree que este dicho se refiere por igual a los hombres y a las mujeres? Comparta opiniones con un/a compañero/a.

 ¡Dato curioso!

La presencia del tenedor en Europa se debe a los italianos, quienes encontraron en él un invento muy útil para comer pasta. Algunos lo rechazaron durante muchos años porque pensaban que estaba relacionado con el demonio. Hasta el siglo XVIII casi todos los europeos comían con los dedos.

Estrategia

Escribir un cuento corto implica saber dar detalles generales del fondo y de los personajes, usar el discurso indirecto o directo, y escribir una introducción y una conclusión. Trate de crear una escena y organizar lo que va a decir antes de empezar a escribirlo.

24 Lea, escuche y escriba/presente 🐾

Vuelva a leer el cuento completo de la Actividad 21. Luego escuche la grabación "La comida de México" y tome las notas necesarias. Escriba un ensayo o haga una presentación en clase contestando la siguiente pregunta: "¿Qué es la comida mexicana?" No se olvide de citar las fuentes debidamente.

Nota cultural

Aunque muchos consideraban el tenedor como algo cursi, se usaban en Italia en el siglo XVI y en Francia e Inglaterra a mediados del siglo XVII. Catalina de Médicis fue una de las personas que lo hizo famoso en el siglo XVI. Como curiosidad dicen que ella también lo usaba para rascarse la espalda. El gobernador de Massachusetts, John Winthrop, trajo el primer tenedor a las colonias americanas en 1630. La cuchara, sin embargo, ha sido utilizada desde hace muchísimos siglos. Hay evidencia de cucharas primitivas en algunos yacimientos que datan del período paleolítico, o sea, la Antigua Era de Piedra, que data de la prehistoria del ser humano y termina en el año 8,000 a. de J. C. Hasta el siglo XVI, junto con la navaja o cuchillo, la cuchara era el único instrumento utilizado para comer, y se hacía normalmente de madera.

Investigue palabra clave: tenedor (historia de)

25 El Mambo Café

Échele una ojeada al artículo que sigue para ver de qué se trata, prestando atención a las palabras en azul. Luego lea el artículo y decida cuál de las palabras entre paréntesis es la correcta para completar cada oración y escríbala.

Frutas y especias del Caribe
Unidas dan sazón al menú del restaurante Mambo Café

KATIA RAMÍREZ BLANKLEY

Cuando __1.__ (*es* / *se*) habla de cocina caribeña, la __2.__ (*mayor* / *mayoría*) de la gente piensa en comida cubana: plátanos fritos, frijoles negros, ropa vieja y fricasé de pollo. Pero, como dice Aureliano Moreno,
5 propietario __3.__ (*de* / *del*) restaurante Mambo Café, un auténtico negocio de comida de este tipo tiene __4.__ (*X* / *que*) incluir la sazón de Puerto Rico, Jamaica, República Dominicana y las __5.__ (*unas* / *demás*) islas del Caribe. Y ése es precisamente el éxito del negocio de Moreno,
10 ubicado __6.__ (*X* / *en*) el 10032 del bulevar Venice en Culver City, donde __7.__ (*algunos* / *además*) de unos deliciosos platanitos fritos y frijoles negros, el comensal puede degustar una exquisita variedad __8.__ (*de* / *con*) platos sazonados con frutas y exóticas especias
15 caribeñas.

__9.__ (*Un* / *Uno*) de los platillos más llamativos es el pollo en salsa de mango y curry, que consiste en una pechuga de pollo asada a __10.__ (*una* / *la*) parrilla, cubierta __11.__ (*con* / *por*) una salsa que incluye
20 mango en tiritas, tomate, curry, piña y pasas. Muy sabrosa, también, la paella de mariscos, el pollo negro, condimentado con diez especias diferentes y salsa inglesa y el pollo preparado __12.__ (*por* / *con*) una receta tradicional de Jamaica, que lleva siete clases __13.__ (*en* /
25 *de*) chiles. También tienen aperitivos, sopas, ensaladas, sándwiches y una rica variedad de postres.

"El secreto de nuestra cocina es el balance adecuado de __14.__ (*los* / *unos*) ingredientes", dice Moreno, __15.__ (*cual* / *quien*) se confiesa enamorado __16.__ (*de* / *con*)
30 la cocina caribeña. "Así como __17.__ (*un* / *una*) artista mezcla colores y texturas, nosotros combinamos carnes, vegetales, frutas, hierbas y especias para obtener sabores diferentes y que __18.__ (*la* / *le*) gusten a la gente."

El menú de Mambo Café no es muy extenso, pero es que
35 todo se prepara justo cuando el cliente lo ordena. __19.__ (*Sin* / *Con*) embargo, a diario hay entre cuatro o cinco platillos especiales que elaboran con ingredientes que estén en temporada. "Durante la hora de almuerzo los platillos que más se venden son los hechos de pollo o
40 los vegetarianos; pero en la noche tienen más salida los mariscos", cuenta Moreno.

En el Mambo Café, además __20.__ (*de* / *con*) la rica comida y el esmerado servicio, el cliente encuentra entretenimiento en vivo y __21.__ (*el* / *un*) ambiente muy
45 acogedor. Los jueves por la noche hay música tipo blues latino a cargo __22.__ (*de* / *del*) argentino Massimo Corsini, y los viernes y sábados hay un conjunto que interpreta música tropical o un trío que canta boleros. Los precios son cómodos y la comida que se sirve
50 __23.__ (*es* / *está*) abundante. Casi todos los platos se sirven acompañados con arroz blanco, frijoles negros y unos deliciosos plátanos fritos que se deshacen en la boca.

El restaurante __24.__ (*abre* / *cierra*) sus puertas
55 __25.__ (*los* / *las*) siete días a la semana de 11:00 de la mañana a 9:30 de la noche, a excepción de los domingos que abre después __26.__ (*X* / *de*) las 5:00 de la tarde. También ofrece servicios de banquetes para fiestas o eventos especiales.
60 Mambo Café está ubicado __27.__ (*X* / *en*) el 10032 de Venice Blvd., en Culver City. Para más información llamar __28.__ (*al* / *el*) teléfono (310) 558-3106.

www.laopinion.com

26 ¿Qué significa?

Según el contexto del artículo que acaba de leer, empareje cada palabra de la primera columna con su definición o sinónimo de la segunda.

1. ropa vieja	a. cuidado
2. propietario	b. agradable, que le hace sentir a uno bien, a gusto
3. sazón	c. apropiado
4. comensal	d. aderezado
5. sazonado	e. plato típico de Cuba
6. llamativo	f. que llama la atención
7. pechuga	g. dueño
8. pasa	h. al igual que
9. adecuado	i. gusto, sabor
10. así como	j. persona que come en la mesa con otros
11. esmerado	k. al cuidado de
12. acogedor	l. uva seca
13. a cargo de	m. comida especial a la que asisten muchos invitados
14. deshacerse	n. pecho de un ave
15. banquete	o. descomponerse, disolverse

27 Investigue

Busque información en Internet sobre la cocina argentina, venezolana o cubana. Escriba un informe de unas 250 palabras sobre una de ellas y cite las fuentes que ha consultado. Use los tiempos presentados en la lección, y enumérelos cuando lo haga.

28 Una bebida especial

Échele una ojeada al artículo que sigue para ver de qué se trata, fijándose en las palabras en azul. Luego lea el artículo y decida cuál es la palabra que mejor completa cada oración y escríbala. No se olvide de escribir y acentuar las palabras correctamente.

Dirección www.recetanet.freeservers.com

Archivo   Edición   Ver   Favoritos   Herramientas   Ayuda

El mate... Su historia

Cuando los Jesuitas **1.** expulsados de los dominios españoles en el año 1769, **2.** redujo considerablemente el cultivo de la planta de yerba mate. Federico Naumann logró **3.** germinación de las semillas de yerba mate en 1901, en la colonia Nueva Germania en ⁵ Paraguay, y obtuvo en consecuencia el producto resultado **4.** ella.

En la Argentina **5.** primera plantación importante **6.** realizó en 1903 en la Provincia de Misiones, donde dos siglos antes **7.** habían hecho los padres de la compañía de Jesús.

En **8.** actualidad se la cultiva en **9.** región noroeste de la ¹⁰ Argentina, de Paraguay y en el sur de Brasil, y han fracasado todos los intentos **10.** cultivos en regiones con las mismas características climáticas como en América del Norte, Asia o África.

Durante la colonización española y **11.** principios del **12.** XIX las familias tradicionales utilizaban todos **13.** días mates ¹⁵ revestidos en plata con pie y asas **14.** mismo metal, pero el verdadero mate **15.** se utiliza para servir la infusión es **16.** variedad de calabaza en forma **17.** pera que se convierte en un recipiente abriendo en la parte más estrecha la boca circular, se **18.** sacan las semillas y se dejan secar.

Existe **19.** importante colección **20.** mates en algunos museos de **21.** ciudad de Buenos Aires.

El mate: tradición y significados

²⁰ • El mate amargo significa indiferencia.

• El mate dulce **22.** amistad.

• El mate con café significa ofensa perdonada.

• El mate **23.** azúcar quemada significa simpatía.

• El mate con canela significa **24.** ocupas mi pensamiento.

²⁵ • El mate **25.** leche significa estima.

• El mate con cáscara **26.** naranja significa ven **27.** buscarme.

www.recetanet.freeservers.com

Nota cultural

El mate viene de la palabra quechua *mati*, que significa "recipiente para beber". Los españoles y portugueses aprendieron de los guaraníes (los indígenas de la región) la forma en la que se prepara. Con el tiempo, los gauchos la adoptaron como bebida tradicional en Argentina, Uruguay, Paraguay, Brasil y Bolivia. En la actualidad, esta bebida sigue teniendo una gran popularidad, principalmente en Argentina y Uruguay, donde es bebido a diario por muchas personas quienes lo comparten cuando esperan el autobús, van al trabajo o se socializan. Muchos estudiantes lo beben porque es barato y ejerce los mismos efectos que el café.

Investigue
palabra clave:
el mate

29 ¿Qué significa?

Mire las palabras de la primera columna, que aparecen en la lectura anterior, y busque su significado en la segunda.

1. cultivo
2. semilla
3. fracasar
4. asa
5. canela
6. estima
7. cáscara

a. parte de un recipiente por donde se sujeta o agarra
b. siembra, plantación
c. piel de ciertas frutas, como la de los cítricos
d. corteza de las ramas de un árbol que se usa en postres y helados por su aroma y sabor
e. consideración o aprecio que se tiene de alguien o algo
f. no conseguir el resultado esperado
g. grano de un fruto

30 Lea, escuche y escriba/presente

Vuelva a leer el texto completo sobre el mate, y luego escuche la grabación "El sabor de Argentina". Tome notas de las dos fuentes y escriba un ensayo o haga una presentación en clase sobre la comida de Argentina. No se olvide de citar las fuentes debidamente.

Dicho

¡Me entra antes por los ojos que por la boca!

¿Qué significa? ¿Le ha sucedido esto alguna vez con la comida? ¿Con qué comida en particular? ¿Cree que esto le pasa a la mayoría de las personas? Comparta su opinión con un/a compañero/a.

¡Dato curioso!

El maíz siempre ha jugado un papel importantísimo en las civilizaciones maya y azteca. Formaba parte de sus creencias religiosas, festividades y nutrición. Estos pueblos decían que el maíz incluso formó la carne y la sangre de los seres humanos. Aunque tuvo su origen en América Central, posteriormente el maíz se extendió por otras zonas de las Américas.

Activity 30 (CD 3, track 2)

Answers
29 1. b; 2. g; 3. f; 4. a; 5. d; 6. e; 7. c

Instructional Notes
30 You might want to present the following words to the students before they listen to the audio: *sobre todo*, above all; *amasar*, to knead; *lomo*, loin; *denominar*, to name; *clave*, key; *estupendo*, marvelous; *guarnición*, garnish; *bocado*, bite to eat; *agujero*, hole; *brasa*, hot coal; *cuero*, leather; *calabaza*, pumpkin; *desecar*, to dry up; *desmenuzar*, to crumble; *pomelo*, grapefruit.

Additional Activities

Juego
Ask students to play *Relevos*. See p. TE25.

Trabajo de investigación
Ask small groups of students to research the various roles corn has played in indigenous Latin American cultures. Assign a different role to each of the groups, and ask them to make a brief presentation to the class.

Additional Activities

Trabajo de investigación

Ask a few students to do more research on the history of chocolate and its introduction in the United States. They should be prepared to make a brief presentation to the class.

¡A leer!

31 Antes de leer

¿Qué sabe Ud. del chocolate? ¿Sabe de dónde procede? ¿Es diferente el chocolate caliente en los Estados Unidos y en otros países? ¿Qué compañía cree que comercializó el chocolate por primera vez?

32 El chocolate

Lea con atención el siguiente artículo e intente averiguar el significado de las palabras en azul por el contexto, ya que se le harán preguntas sobre ellas.

Y el chocolate espeso

Fue el oro negro de las culturas precolombinas, y de ahí pasó a las mesas europeas más nobles. Hoy, una buena taza humeante es un lujo al alcance de los que tienen tiempo.

5 El refrán "las cosas claras y el chocolate espeso" nos da la pauta de cómo tomar el chocolate: espeso, cocido, bien movido y humeante; para que al mojar los churros, picatostes, bizcochos, magdalenas... éstos queden impregnados del sabroso líquido y, 10 así, irlo degustando poco a poco, para acabar con un vaso de agua fresca que aclare la garganta de tan calurosa bebida.

Hacer chocolate es todo un ritual de origen noble que se ha democratizado con distinta intensidad 15 en Europa ya que, según la Federación Española de Asociaciones del Dulce, España consumió en 2003 cerca de cuatro kilos por persona: el último puesto de un listado encabezado por Suiza, Austria y Bélgica. Manjar de reyes, hoy está exento de 20 connotaciones sociales y lo único que se precisa para tomar un buen chocolate es tener tiempo (A). Aunque las viejas chocolateras de barro estén en desuso, la manera más eficaz sigue siendo trocear las pastillas de chocolate con las manos y retirar la 25 leche a punto de hervir para desleír con cuidado los trozos. Cuando estén totalmente disueltos, se tapa el recipiente y se deja reposar. Después de dos minutos, el chocolate se mezcla hasta que tenga una unidad y sea una crema, que se vierte en un 30 recipiente de cobre, latón, hierro o loza. A continuación, se añade más leche.

Antaño, se ponía al fuego mientras hervía y se movía constantemente con el molinillo o la cuchara de madera que hacen que el batido del chocolate 35 tome cuerpo. En estos momentos de reposo es cuando los aromas se relajan, se concentran y adquieren un aspecto satinado. Se sirve en taza de loza o porcelana con 40 asa, para cogerla sin quemarse, y de boca ancha para facilitar el mojado. Los acompañamientos son muy variados, aunque los 45 churros —masa de agua, harina y sal, frita en aceite de oliva—, son quizá el más apropiado. En este punto interviene el gusto y, por lo tanto, es aconsejable probarlo con bizcochos, 50 magdalenas, picatostes, pan recién hecho o incluso uvas, para luego poder elegir con conocimiento de causa.

Pero no siempre se ha tomado así. Los mayas machacaban las semillas del árbol del cacaotero 55 con bayas, y las mezclaban con agua de lluvia. Bien batido, conseguían una refrescante y espumosa bebida, esencial para combatir el calor pegajoso en esas latitudes.

Posteriormente, los indios aztecas mejoraron la 60 receta calentando el líquido y endulzándolo con vainilla y miel (B). Llamaron a su bebida xocoalt, que significa "agua amarga". El Código Florentino, una de las principales fuentes históricas que describen la vida azteca, denomina al chocolate "la bebida 65 de los nobles" (utilizada, junto con el polvo de oro, como moneda), y observa que debe prepararse con sumo cuidado debido a su "naturaleza poderosa". Esta bebida daba tanta vitalidad a los guerreros, que las culturas precolombinas creyeron que el fruto 70 del cacao encerraba temibles poderes mágicos. Los sacerdotes lo usaron en rituales y curaciones.

Aunque Colón regresó a Europa con las primeras bayas de cacao, nadie supo qué hacer con ellas,

por lo que se olvidaron en favor de otros bienes
[75] comerciales. Los europeos probaron por primera
vez este alimento cuando Moctezuma recibió
a Hernán Cortés con un cuenco de espumoso y
caliente chocolate líquido. En 1528, cuando Cortés
regresó a España, trajo consigo la receta de los
[80] aztecas para preparar la bebida de chocolate (C).
La primera cocina de Europa en ponerla a prueba
fue la de los monjes cistercienses del monasterio de
Piedra, en Zaragoza. Sin embargo, debido a la fama
de brebaje mágico, los frutos fueron confinados
[85] en monasterios y la fórmula de la bebida divino
secreto, sólo para ser disfrutada por los más ricos
y nobles. Fue a principios del siglo XVII cuando
el viajero italiano Antonio Carletti acercó el fruto
al resto de Europa; por primera vez, el chocolate
[90] estuvo al alcance de la gente llana. Allá por 1700,
las chocolaterías estaban tan en boga como las
cafeterías y se convirtieron en punto de reunión de
golosos de toda clase y condición social.

La idea de mezclar el chocolate con la leche no
[95] surgió hasta el siglo XVIII; de ahí que la expresión
"como agua para chocolate", que significa estar
hirviendo o airado, haga referencia a la manera
americana de prepararlo. El primer chocolate con
leche fue producido en Suiza en 1875 por Daniel
[100] Peter, en colaboración con Henri Nestlé, utilizando
para ello la ya famosa leche condensada Nestlé.
De este modo, se inició la era de la producción de
chocolate en serie. Desde finales del siglo XIX y

durante el siglo XX, las chocolaterías proliferaron
[105] por toda Europa, convirtiéndose en el lugar donde
acabar la velada y el más dulce aliado antes de
regresar a casa de madrugada (D).

En el siglo XXI, lo tomamos como cacao soluble.
El chocolate se reserva para meriendas y
[110] celebraciones. Aunque en nuestros días no lo
consideramos la panacea universal, el que fue
alimento-golosina-medicamento goza de buena
reputación. La energía, que ya alababan los mayas,
le viene por su aporte en hidratos de carbono,
[115] rico en elementos minerales, potasio, fósforo y
magnesio; además, tiene vitaminas como la tiamina
(B_1) y el ácido fólico, regulador del metabolismo.
Los lípidos o grasas provienen de la manteca de
cacao, rica en ácido esteárico, que no aumenta el
[120] nivel de colesterol en sangre. Después de tantas
bondades, el chocolate tiene que lidiar con su fama
de alimento hipercalórico. Una taza de este manjar
de 200 ml. contiene unas 210 calorías. Tomado
en una dieta equilibrada, no favorece el aumento
[125] de peso. Tiene un efecto reconstituyente en el
organismo, es apropiado para todas las edades y,
cómo no, para adentrarse en las largas tardes de
otoño.

www.parador.es

33 Amplíe su vocabulario

Según el contexto del artículo que acaba de leer, ¿cuál es la mejor traducción de cada palabra?

1. humeante
   a. humid
   b. piping hot
   c. suffocating
   d. humble

2. al alcance de
   a. far from
   b. challenging for
   c. impossible for
   d. within reach of

3. mojar
   a. to try
   b. to soak
   c. to cover
   d. to mix

4. impregnado
   a. filled
   b. coated
   c. sprinkled
   d. washed

5. manjar
   a. delicacy
   b. snack
   c. recipe
   d. dessert

6. barro
   a. glass
   b. plastic
   c. clay
   d. cardboard

7. desuso
   a. disuse
   b. oblivion
   c. abandonment
   d. oversight

8. eficaz
   a. useless
   b. exciting
   c. effective
   d. effortless

9. pastilla
   a. tablet
   b. paste
   c. bag
   d. pinch

10. disuelto
    a. lit
    b. disintegrated
    c. dissolved
    d. blended

continúa

11. reposar
    a. to rest   b. to leave
    c. to calm   d. to repossess

12. loza
    a. china   b. glass
    c. metal   d. wood

13. masa
    a. massive   b. amazement
    c. dough   d. cream

14. harina
    a. sugar   b. flour
    c. cereal   d. grain

15. machacar
    a. to thrash   b. to flatten
    c. to crush   d. to grow

16. espumoso
    a. sparkling   b. frothy
    c. sweet   d. gorgeous

17. pegajoso
    a. sticky   b. sweet
    c. harmful   d. intense

18. amargo
    a. bland   b. sweet
    c. spicy   d. bitter

19. sumo
    a. extreme   b. most
    c. plus   d. peerless

20. brebaje
    a. bubble   b. food
    c. potion   d. ointment

21. llano
    a. clear   b. flat
    c. common   d. level

22. goloso
    a. overweight   b. cook
    c. Galician   d. having a sweet tooth

23. surgir
    a. to suggest   b. to develop
    c. to produce   d. to seem

24. manteca
    a. mantle   b. seed
    c. butter   d. oil

34 ¿Ha comprendido?

1. ¿Quiénes eran las personas que tomaban al principio el chocolate?
   a. Los mayas y los aztecas
   b. Los españoles
   c. La clase alta
   d. Los suizos, austriacos y belgas

2. ¿Qué ingredientes tiene una taza de chocolate?
   a. Cacao, leche y crema
   b. Cobre, latón, hierro o loza
   c. Agua y cacao
   d. Cacao y leche

3. ¿Para qué se usaba el chocolate antiguamente?
   a. Para la magia y guerras
   b. Como moneda
   c. Como medicina
   d. Todas las anteriores

4. ¿Por qué no tuvo éxito al principio el chocolate en España?
   a. Era bebida sólo para la clase alta.
   b. No sabían cómo tomarlo.
   c. Se le relacionaba con la magia.
   d. No se podía cultivar allí.

5. Cuando las chocolaterías se hicieron famosas en los siglos XIX y XX, se visitaban habitualmente _____.
   a. como lugar para conversar
   b. como lugar para ir después de salir por la noche
   c. como lugar para merendar y tener celebraciones
   d. como lugar donde ver a los amigos

6. ¿Qué es lo malo del chocolate?
   a. Nada, si se toma con moderación.
   b. Engorda.
   c. No es bueno para el colesterol.
   d. No se le recomienda a los ancianos.

7. ¿Qué cree que significa la expresión "las cosas claras y el chocolate espeso"?
   a. Cada persona es diferente.
   b. Hay que llamar a las cosas por su nombre.
   c. La única forma de tomar el chocolate es "espeso".
   d. No significa nada en particular.

35 ¿Dónde va?

La siguiente frase ha sido extraída del texto anterior: *aunque no tuvo el éxito que se esperaba.* ¿Dónde encajaría mejor la frase?

1. Posición A, línea 21
2. Posición B, línea 61
3. Posición C, línea 80
4. Posición D, línea 107

36 Lea, escuche y escriba/presente 🖐

Vuelva a leer el artículo "Y el chocolate espeso" y luego escuche la grabación "El chocolate. Un dulce rodeado de mitos". Tome las notas necesarias. Escriba un ensayo o haga una presentación en clase sobre "El chocolate, ayer y hoy". No se olvide de citar las fuentes debidamente.

Dicho

El que se pica es porque ajo come.

 Si alguien dijera algo negativo sobre Ud., ¿le molestaría mucho si no fuera verdad? Y si fuera verdad, ¿cómo reaccionaría? ¿Está de acuerdo con que aquellas personas que se enfadan mucho es porque de verdad ocultan algo? Comparta su opinión con un/a compañero/a.

¡Dato curioso!

El café fue descubierto hace siglos por unos pastores. Éstos se dieron cuenta de que las cabras que ellos cuidaban habían comido del fruto de la planta de café, y corrían y saltaban durante toda la noche en vez de dormir. Los pastores se lo contaron al abad de un monasterio, y él les pidió que se lo trajeran. De esa fruta se hizo una bebida... quizás la más popular del mundo.

Nota cultural

Se cree que los pastores que se mencionan en el *Dato curioso* eran de Etiopía. Antes de ser una bebida el café fue una comida, un vino y una medicina. La palabra *café* viene del árabe *qahwah* y se puso de moda primero en Arabia en el siglo XIII. Luego, en el siglo XVI, era una bebida muy popular en Turquía, y a principios del siglo XVII en Italia. El entusiasmo por el café era tal que había una ley turca de la época que estipulaba que una mujer podía divorciarse de su esposo si éste no le proporcionaba café a diario.

Teacher Resources

🔘 Activity 36 (CD 3, track 3)

Answers

34 6. a; 7. b

35 3. Posición C, línea 80

Instructional Notes

36 The following words appear in the audio and might need to be reviewed before students listen: *surtido*, selection; *aportar*, to contribute; *someter*, to submit; *amargor*, bitterness; *aterciopelada*, velvety.

Instructional Notes

37 You could tally the results from students to see which foods they ranked as the top five typical ones in the United States.

37 Antes de leer 🧍🧍

Con un/a compañero/a escriba una lista de las cinco comidas más típicas en los Estados Unidos. Cuando alguien de otro país habla de la comida típica estadounidense, ¿a qué cree que se refiere? ¿En qué se basan? ¿Cree que esas ideas son ciertas? Conversen sobre el tema.

38 ¿Ketchup o salsa? 📖

Lea con atención el siguiente artículo e intente averiguar el significado de las palabras en azul por el contexto, ya que se le harán preguntas sobre ellas.

EE.UU. consume más salsa que ketchup

¿Sabía Ud. que en Estados Unidos actualmente se vende más salsa que ketchup? Este hecho contundente demuestra la creciente influencia de la comida latina en la dieta del país y ha llevado a la industria de restaurantes a concluir que "los tacos son las hamburguesas del sigo XXI".

"América está cambiando", advierte Denyse Selesnick, directora de mercadotecnia internacional de la Asociación Nacional de Restaurantes (NRA por sus siglas en inglés), que agrupa a 900 mil establecimientos que emplean al 9 por ciento de la fuerza laboral del país y esperan ventas este año por 476 mil millones de dólares. La especialista dice que la tendencia hacia las comidas étnicas se explica porque "ahora somos más sofisticados en nuestros gustos". Selesnick cita que a nivel nacional una de cada cuatro personas se declara "comensal aventurero", lo que sigue ampliando la influencia latina entre una población que en promedio come 5.3 veces a la semana en restaurantes. "Este hecho ha derivado en una fusión de salsas mexicanas con la llamada cocina principal y por eso actualmente se vende más salsa que ketchup en este país", apunta.

El fenómeno no podía seguir pasando desapercibido para la Asociación Nacional de Restaurantes, que por primera vez incluyó un Pabellón de Cocina Internacional en su muestra anual. Aunque la idea apenas surgió en marzo pasado, la agrupación logró convocar a treinta empresas proveedoras procedentes de diez países, incluidos México, El Salvador, Brasil, Guatemala, Uruguay y España. Por supuesto no podía faltar una compañía productora de salsas. Jacinto Esteban, director de exportaciones de La Sabrosa, confía en que la muestra anual le permitirá ampliar significativamente su participación en el mercado estadounidense. "Actualmente ya distribuimos nuestros productos en Texas y California", refiere mientras ayuda a numerosos potenciales clientes para la empresa basada en Monterrey, México.

La misma apuesta la está haciendo el gobierno de Brasil, que incluso envió a la muestra anual a su Ministra de Turismo, María Luisa Campos Machado. Despachando en el exhibidor de su país, la funcionaria encabeza una delegación de empresas que buscan convertirse en proveedores de la prometedora industria de restaurantes de los Estados Unidos.

La influencia de la comida latina en la dieta de los estadounidenses tiene relación directa con el creciente poder de compra y sofisticación de la comunidad hispana en Estados Unidos. En un estudio, la NRA afirma que los hispanos gastan 55 mil millones de dólares al año en restaurantes, comparado con $51 mil millones que erogan los afro-americanos y $25 mil millones que invierten los asiático-americanos. En términos porcentuales, esta industria debe satisfacer el paladar hispano-americano porque es la minoría que más gasta en sus establecimientos. El informe de la NRA establece que en 1990 el poder adquisitivo de la población en general fue de 4 billones 277 mil millones de dólares, de los cuales 3 billones 738 mil millones fueron aportados por los blancos; 316 mil millones por los afro-americanos; 117 mil millones por los asiático-americanos; y 223 mil millones por los hispanos. Entre 1990 y el año 2000 el poder adquisitivo de los hispanos en EE.UU. creció un 120 por ciento, superando por mucho a todos los demás grupos étnicos. Para los negocios latinoamericanos la oportunidad de convertirse en proveedores de la industria de restaurantes estadounidense seguirá latente por muchos años.

Ante la contundencia de las cifras, es fácil comprender la conclusión de que "los tacos son las hamburguesas del siglo XXI". Sin duda, la especialista Denyse Selesnick no se equivoca cuando asegura que "América está cambiando". ¡Buen provecho!

www.laraza.com

Nota cultural

El ketchup tiene como origen al *ketsiap* chino, una salsa picante que acompañaba el pescado y la carne, pero que no incluía el tomate entre sus ingredientes. Los ingleses lo importaron del archipiélago malayo en el siglo XVIII. El ketchup moderno fue ideado por el norteamericano Henry J. Heinz, quien en 1876 añadió el tomate a dicha salsa.

39 ¿Qué significa?

Empareje cada palabra de la primera columna con su definición o sinónimo correspondiente en la segunda.

1.	contundente	a.	capacidad de compra
2.	advertir	b.	estar entre los primeros
3.	agrupar	c.	distribuidor de un producto
4.	ampliar	d.	que llena, que convence
5.	desapercibido	e.	que no llama la atención
6.	convocar	f.	contribuir
7.	proveedor	g.	llamar a reunir
8.	apuesta	h.	extender
9.	despachar	i.	atender
10.	encabezar	j.	restaurante, tienda, negocio
11.	erogar	k.	reunir en grupos
12.	establecimiento	l.	confianza en algo aunque conlleve un riesgo
13.	poder adquisitivo	m.	avisar

40 ¿Cuál es la pregunta?

Según lo que acaba de leer, escriba una pregunta lógica para estas respuestas.

1. Al venderse más salsa que ketchup
2. Una mayor tendencia hacia lo étnico
3. Aventureros
4. La Asociación Nacional de Restaurantes

41 ¿Ha comprendido?

1. ¿Por qué incluyó la Asociación Nacional de Restaurantes un nuevo Pabellón de Cocina Internacional?
   a. Porque quieren ser más étnicos
   b. Porque venden mucha salsa
   c. Porque el director es mexicano
   d. Porque los gustos en este país están cambiando

2. ¿Qué es La Sabrosa?
   a. Las palabras que describen la salsa mexicana
   b. Una compañía que está en Guatemala, Uruguay, España, México y Brasil
   c. Una compañía que lleva salsa al mercado estadounidense
   d. Un grupo de famosos mariachis que asistieron a la convención anual

3. Según el artículo, ¿cuál es la minoría en Estados Unidos que gasta menos en restaurantes?
   a. Los afro-americanos
   b. Los hispanos
   c. Los asiático-americanos
   d. Los extranjeros

Answers

42 1. *Answers will vary; students need to point out that tacos are becoming as popular as hamburgers in the USA.* 2. Un promedio de 5.3 veces; *answers to second part will vary.*

44 1. La africana, la árabe y la española; 2. El arroz con pollo, las arepas (normalmente rellenas de queso) y la sopa ajiaco (típica de Bogotá); 3. Son hormigas fritas. 4. Porque cultivan una gran variedad de frutas; 5. Ejemplos: papayas, mangos, ciruelas, mandarinas, sandías, piñas, zapote, guanábana, corozo

Instructional Notes

43 Review the following words with students before they listen to the audio: *paladar*, palate; *erigir*, to set up.

44 You may want to brainstorm the names of some fruits with the students before they listen to the audio. You could also write the following words on the board (without their translation) and ask students to volunteer their meanings in English, or have them look up the words in a dictionary: *inundar*, to flood; *bandeja*, platter; *rellena de*, stuffed with; *llamativo*, flashy/striking; *parte trasera*, backside; *sandía*, watermelon; *zapote*, a kind of plum; *espina*, thorn; *avellana*, hazelnut; *caña*, sugarcane; *empalagosa*, sickly sweet; *rallar*, to grate; *amurallada*, walled.

Additional Activities

¿Cuáles son las diferencias?
See p. TE26.

---

42 Más preguntas

1. Explique la oración "Los tacos son las hamburguesas del siglo XXI". ¿Está de acuerdo? ¿Por qué?
2. ¿Cuántas veces a la semana come la población latina en un restaurante? ¿Y Ud.?

43 Lea, escuche y escriba/presente

Vuelva a leer el texto "EE.UU. consume más salsa que ketchup". Luego escuche la grabación "Comida latina, primer lugar en Estados Unidos" y tome las notas necesarias. Escriba un ensayo o haga una presentación en clase sobre "El auge de los restaurantes étnicos en los Estados Unidos". No se olvide de citar las fuentes debidamente.

Dicho
Desayunar como rey, comer como príncipe y cenar como mendigo.

¿Qué cree que significa este viejo dicho? ¿Es así como come Ud.? Hable sobre esto con un/a compañero/a.

Dato curioso!

Los chiles picantes son muy apreciados por muchos, y temidos por otros tantos. El color rojo no indica que el chile va a ser picante. Lo que en realidad pica son las venas del chile, y no la semilla como muchos creen. Si algunas de esas semillas pican es por estar en contacto con dichas venas. Aquellas venas que tienen color amarillento indican que ese chile va a ser muy potente. En ese caso, después de comerlo, un remedio es tomar leche, yogur, helado, pan, zumo de tomate o limón. No se aconseja beber agua.

¡A escuchar!

44 El sabor de Colombia

Lea las preguntas primero y después escuche "Descubrir el sabor de Colombia". Luego conteste las preguntas.

1. ¿Qué culturas han influido en la gastronomía de Colombia?
2. Nombre tres platos típicos del país.
3. ¿En qué consiste uno de los platos más llamativos del país conocido como "la hormiga culona"?
4. ¿Por qué se dice que las frutas son el tesoro de Colombia?
5. Nombre cinco frutas que se cultivan en Colombia.

Un vendedor de plátanos en Armenia, Colombia

Nota cultural

En México hay más de 150 variedades de chiles. Algunas personas dicen que son adictas a lo picante, y de hecho tienen razón. Según los estudios, lo picante engancha. Lo que ocurre es que después de tomar algo picante su sistema nervioso, al sentir dolor, genera una especie de analgésico contra ese dolor que causa una sensación placentera y, por lo tanto, adicción.

45 Sazón con tradición

Lea las posibles respuestas primero y después escuche "Sazón con tradición". Escoja la mejor respuesta para la pregunta que escuchará en la grabación.

1. (Pregunta que escuchará en la grabación.)

   a. En cualquier momento
   b. Después de unas semanas
   c. Después de varios años
   d. No se sabe.

2. (Pregunta que escuchará en la grabación.)

   a. De Venezuela, Bolivia, Guatemala y Portugal
   b. De Venezuela, Bolivia, Guatemala y Panamá
   c. De Venezuela, España, Guatemala y Colombia
   d. De todos los países latinoamericanos, España y Portugal

3. (Pregunta que escuchará en la grabación.)

   a. Eligió lo más original.
   b. Eligió lo más reconocido.
   c. Eligió lo que más se echa de menos.
   d. Eligió las mejores recetas.

4. (Pregunta que escuchará en la grabación.)

   a. La variedad
   b. La creatividad
   c. El colorido
   d. El precio

46 Participe en una conversación

Ud. va a participar en una conversación. Primero lea la descripción de la conversación y piense en algunas palabras o expresiones que le serían útiles. Organice sus ideas, haciendo predicciones sobre lo que se le pueda preguntar o comentar. Una descripción de lo que va a escuchar aparece abajo en color. Participe en la conversación grabando las respuestas o escribiéndolas en su cuaderno.

Escena: Ud. es la tía de Juan, quien la ha llamado porque quiere preparar un plato auténtico de un país hispánico para el club de español. Él sabe que Ud. es famosa en todo San Antonio por su don en la cocina.

Ud.:	• (Suena el teléfono.) Conteste.
Juan:	Juan la llama por teléfono y la saluda.
Ud.:	• Salúdelo. • Pregúntele sobre su llamada.
Juan:	Le explica por qué la ha llamado.
Ud.:	• Dele detalles.
Juan:	Sigue la conversación. Le hace una pregunta.
Ud.:	• Conteste su pregunta y continúe con otros detalles.
Juan:	Sigue la conversación.
Ud.:	• Dele un consejo.
Juan:	Se despide, pero le hace otra pregunta.
Ud.:	• Contéstele y despídase.

Lección 3A **139**

Teacher Resources

 Activity 45 (CD 3, track 6)
Activity 46 (CD 3, track 7)

 Activities 19–20

Answers

45 1. a; 2. d; 3. c; 4. a

Instructional Notes

45 Before students listen to the audio, you might want to review the following words: *antojitos*, typical snacks; *enmarcado*, framed; *churrasco*, barbecued steak; *tequeños*, small cheese pancakes; *choclo*, corncob; *envuelto*, wrapped; *fritura de yuca*, fried cassava/manioc; *extrañarse*, to be missed; *crucero*, cruise; *langosta*, lobster; *vieiras*, scallops; *mejillones*, mussels; *ostiones*, large oysters; *corvina*, a kind of fish; *almejas*, clams; *tostones*, fried plantains; *palmitos*, hearts of palm; *arepas*, corn pancakes; *totopos*, taco chips.

The questions from audio activity 45 appear below.
1. ¿A partir de cuándo le apetece al latino que deja su tierra tomar comida típica de su país? 2. ¿De dónde proviene el menú del restaurante? 3. ¿Qué seleccionó el chef García para su menú? 4. ¿Qué es lo más interesante que ofrece el chef en su restaurante?

46 Before students listen to the audio, you might ask them if they know the meaning of the word *pesado* ("bore").

Audioscript Activity 46

(*Telephone rings.*) [STUDENT RESPONSE]
Juan: Hola, tía Carmela. ¡Qué gusto hablar contigo! ¿Cómo está mi tía favorita? Hace mucho que no hablamos.
[STUDENT RESPONSE]
Juan: Pues mira. Les prometí a unos amigos que iba a preparar un plato típico de un país hispánico para unas cenas internacionales que organizamos. Y la verdad es que no sé qué preparar. ¿Qué recomiendas que haga?
[STUDENT RESPONSE]
Juan: Sí, me parece una buena idea. Lamentablemente, tía, el pesado de Julián ya lo preparó el mes pasado. Así que tengo que pensar en otra cosa. ¿Se te ocurre algo?
[STUDENT RESPONSE]

Juan: ¡Qué buena idea! ¡Me encanta! Ya sabes que por eso te llamé. Sabía que pensarías en algo interesante. Je, je, ...por algo eres mi tía preferida.
[STUDENT RESPONSE]
Juan: Bueno, tía Carmela. Será mejor que me vaya —que tengo muchas cosas que hacer. Entre otras, estoy buscando algo de música, ¿qué llevo?
[STUDENT RESPONSE]

Instructional Notes

47–50 Remind students to go over the expectations outlined in the *Pautas* on p. 480 before they prepare any of the writing activities in this section.

51 You might want to have students work in small groups rather than with a partner to critique one another's work.

Additional Activities

Imágenes que cuentan
See p. TE27.

Corrija una carta
See p. TE26.

¡A escribir!

47 Texto informal: una carta

Escríbale una carta a su abuela en la que le habla de su experiencia cuando les preparó a sus amigos una de sus famosas recetas. Hable sobre:

- La receta que decidió preparar.
- El motivo de su elección.
- Cómo fue la elaboración del plato.
- Cómo reaccionaron sus compañeros.

48 Texto informal: un correo electrónico

Un nuevo estudiante de intercambio de Chile está en su clase. Escríbale un correo electrónico y explíquele cómo son las comidas y costumbres relacionadas con la comida en los Estados Unidos, para evitar que él tenga un choque cultural a la hora de comer. Incluya lo siguiente:

- Primero, dele la bienvenida al país.
- Describa la comida en los Estados Unidos y los platos que él debe probar. Incluya los platos típicos de su región.
- Mencione los horarios y otras costumbres relacionadas con la comida aquí y pregúntele cómo se comparan con lo que se hace en Chile.
- Hágale un par de sugerencias, y deséele una buena estancia.

49 Ensayo: comer en casa

Hoy en día cada vez más personas optan por comer en un restaurante o comer algo por la calle. Escriba un ensayo contestando la pregunta, "¿Piensa Ud. que se debería comer más a menudo en casa"?

50 Ensayo: las recetas de las abuelas

En muchas ocasiones oímos a los mayores decir "En mis tiempos,..." o "Las cosas ya no son lo que eran...". Escriba un ensayo contestando las siguientes preguntas: "¿Qué piensa que les pasará a las recetas de las abuelas? ¿Qué recetas cree que sobrevivirán en veinte años y cuáles no? ¿Perdería su familia parte de su identidad si algunas no se conservaran?"

51 En parejas

Intercambie sus ensayos con un/a compañero/a. Exprésele su opinión sobre el contenido y el uso del idioma.

Consejo

Antes de empezar, lea las pautas para escribir textos informales en la pág. 480 del Apéndice. Mientras escribe el texto tenga presente los objetivos. Cuando termine, verifique que ha cumplido con todo lo que se describe en la lista y reflexione sobre su trabajo.

Consejo

Antes de empezar, lea las pautas para escribir ensayos en la pág. 480 del Apéndice. Mientras escribe el texto tenga presente los objetivos, y no se olvide de ponerle un título original. Cuando termine, verifique que ha cumplido con todo lo que se describe en la lista y reflexione sobre su trabajo.

¡A hablar!

52 Charlemos en el café

Ud. va a debatir los siguientes temas con un/a compañero/a. Uno estará a favor de lo que se ha dicho y otro en contra. El debate durará varios minutos. El/La estudiante que esté de acuerdo comenzará el debate y hablará por unos diez segundos. Cuando el/la profesor/a lo indique, el/la otro/a estudiante tomará la palabra y expresará su opinión por otros diez segundos, y así sucesivamente.

1. Las comidas en familia son muy importantes y todos los miembros de una familia siempre deben cenar juntos.
2. La comida mediterránea es mucho mejor y más sana que la comida típica de los Estados Unidos.
3. El café y los refrescos con cafeína —por ser un tipo de droga— deberían estar prohibidos.
4. Es necesario comer una variedad de alimentos y probar comida exótica de vez en cuando.
5. Todo el mundo debe aprender a cocinar.

53 ¿Qué opinan?

Converse con un/a compañero/a sobre estas preguntas.

1. ¿Cuáles son los restaurantes más populares de la zona en la que vive? ¿A qué se debe?
2. ¿Cuáles son los quince alimentos imprescindibles de la cocina americana (de los Estados Unidos)?
3. ¿Cómo definiría la cocina americana?
4. ¿Cuál es el porcentaje que se le suele pagar a un/a camarero/a por sus servicios? ¿Piensa que el salario de los camareros debería ser pagado por los restaurantes como en otros países?

54 Presentemos en público

Conteste una de las siguientes preguntas o haga una presentación oral sobre uno de los temas durante varios minutos en clase. Organice sus ideas antes de hacer la presentación, busque las palabras necesarias y, después de practicar, presente en clase sin mirar las notas.

1. Para una familia grande, ¿cuáles son las ventajas y desventajas de comer en un restaurante o llevar comida hecha a casa?
2. Hable sobre el fenómeno de la comida rápida en los Estados Unidos.
3. Elija un país hispano y hable sobre la comida típica de allí.
4. Cada vez hay más personas que optan por evitar la carne y el pescado en sus dietas. ¿Qué piensa que les impulsa a las personas a tomar una decisión de este tipo?

> **Consejo**
>
> Antes de empezar, lea las pautas para presentaciones formales en la pág. 481 del Apéndice. Mientras formula su presentación tenga presente los objetivos. Cuando termine la presentación, verifique que ha cumplido con todo lo que se describe en la lista y reflexione sobre el trabajo que hizo.

Teacher Resources

Activity 23

Instructional Notes

52 Because all students will speak, allow them time to prepare this activity. Be sure to tell students which issue and which side of the issue they will be debating, so that they can do some research and practice before their debate.
After students have debated these issues with a partner, you might want them to continue the debate in small groups, or even have a discussion with the whole class on one or two of these topics.
Encourage students to use the new vocabulary from this lesson.

53 Encourage students to review the vocabulary, including the expressions, at the end of the lesson in order to enhance their discussions. After students discuss these questions with a partner, you could hold a whole-class discussion.

54 Review the *Pautas para presentaciones formales* on p. 481, and refer students to their copies of the guidelines given to them in *Lección 1A* (*Antes y durante una presentación*). (See p. 27 of this Annotated Edition.) You might want to assign these presentations as homework, so students have more time to prepare.

Additional Activities

La noticia del día
See p. TE28.

Instructional Notes

55 Before students start their projects, go over the questions from *Lección 1A*, p. 28. Students should have a copy of these questions for each project.
Remind them that after they complete their project, they will self-assess their work as a team using the grading system 1–5 (5 being the highest, and 1 the lowest) and write a grade next to each question. After they turn in their work or make their presentation to the class, you will review their project and write your comments and evaluation next to theirs.

Proyectos

55 ¡Manos a la obra!

Trabaje en un grupo de cuatro o cinco estudiantes para llevar a cabo uno de los siguientes proyectos y presentarlo en clase.

- Les han encargado que trabajen en la sección de gastronomía en el periódico del centro donde Uds. estudian. Decidan las diferentes secciones que va a haber. Por ejemplo, puede haber recetas, artículos, publicidad, cartas o tiras cómicas. Hagan el diseño y las ilustraciones o busquen fotos que van a acompañar esta sección.

- Van a celebrar una feria de comida internacional. Decidan qué países deben de ser representados y qué comidas típicas van a preparar para la feria. Preparen un cartel o un anuncio publicitario con una lista de por lo menos cuatro países, sus platos típicos y la lista de ingredientes o las recetas para por lo menos cuatro de estos platos. Deben acompañar la presentación con ilustraciones o fotos.

- Hoy en día es cada vez más evidente que los nuevos restaurantes siempre corren el riesgo de no tener éxito. Pero Uds. tienen una idea que no puede fallar, y por eso van a abrir un restaurante. Tengan presente lo siguiente: ¿Cuáles son tres factores importantes a considerar antes de abrir un nuevo restaurante? ¿Cómo van a garantizar que su restaurante no va a fracasar? ¿Cuál sería un buen nombre y lema? ¿Cómo lo piensan decorar? Presenten su proyecto a los posibles inversores (o sea, sus compañeros de clase). Diseñen un cartel o un anuncio para el periódico y un menú. Asimismo, describan el lugar del establecimiento y sus horas.

La bombonería La Violeta, Madrid

Vocabulario

Verbos

actualizarse	to be up-to-date
advertir (ie)	to inform; to warn
alabar	to praise
alardear	to boast
antojarse	to have a craving for, feel like
arder	to burn
batir	to beat
canturrear	to hum
cocer (ue)	to cook
convocar	to convene, call together
cortar	to cut
degustar	to taste, sample
despachar	to dispatch, wait on (a customer)
engullir	to gulp, gobble
ensuciarse	to get dirty
freír (i)	to fry
hervir (ie)	to boil
iniciar	to begin
mezclar	to mix
mojar	to soak, wet
mordisquear	to nibble
picar	to be hot; to chop
quedarse	to stay
quemar	to burn
quitar	to remove
rechazar	to reject
sofreír (i)	to sauté, fry lightly

Verbos con preposición

verbo + a:

añadir a	to add to

verbo + con:

servir (i) con	to serve with

verbo + de:

acordarse (ue) de	to remember
llenarse de	to fill up with
provenir de	to come from

verbo + en:

insistir en	to insist on

verbo + para:

quedarse para	to stay for

verbo + por:

apostar por	to bet on

Sustantivos

el	**aceite de oliva**	olive oil
el	**apetito**	appetite
el	**asa** (f.)	handle
el	**barro**	clay
la	**canela**	cinnamon
la	**cáscara**	rind, (egg) shell
el/la	**comensal**	table guest
la	**corteza**	skin (of fruit)
el	**cubierto**	cover (plate, napkin, etc. set for each *comensal*); cutlery
el	**cultivo**	crop
la	**debilidad**	weakness
el	**diente (de ajo)**	clove (of garlic)
el	**éxito**	success
el	**fogón**	stove
la	**gaviota**	seagull
la	**grasa**	fat
la	**harina**	flour
el	**horno (de leña)**	(wood-burning) oven
la	**loncha**	slice (of meat)
la	**loza**	china
el	**manjar**	special dish, delicacy
la	**masa**	dough
la	**mazorca**	corncob
la	**mezcla**	mixture
la	**miga (de pan)**	inside part of bread
la	**muestra**	sample
el	**paladar**	palate
el	**parador**	roadside inn, state-owned hotel
la	**pasa**	raisin
la	**pastilla**	tablet
la	**pechuga**	breast (of fowl)
el	**pedazo**	piece
la	**piel**	skin
el/la	**propietario/a**	owner
el/la	**proveedor(a)**	supplier
el	**puerto**	port
el	**puñado**	handful, fistful
el	**sabor**	flavor
la	**sazón**	flavoring, seasoning
la	**semilla**	seed
la	**tajada**	slice
la	**velada**	evening, get-together

Adjetivos

acogedor(a)	cozy, welcoming
adecuado, -a	appropriate
amargo, -a	bitter
amenazador(a)	threatening
amplio, -a	wide
congelado, -a	frozen
contundente	convincing, conclusive
copioso, -a	abundant
crudo, -a	raw
cubierto, -a	covered

Teacher Resources

 Activities 24–29

 Visite la página Web de *¡A toda vela!* en www.emcp.com

Additional Activities

Juegos

To practice and reinforce the lesson's vocabulary and grammar, have students play one of these games: *Aplausos o chasquidos, Dibuje, defina o gesticule, El juego de la alarma, ¡Háganlo!* See pp. TE24 and TE25.

Juego

To practice more vocabulary and grammar as well as the culture topics presented in the lesson, ask students to play *Trivia*. See p. TE25.

To practice any of the culture topics presented in the lesson, ask students to do *Inserte una frase*. See p. TE27.

Ask students to do any of the following activities to practice and strengthen the vocabulary presented in this lesson: *El desafío del minuto, Vocabulario, Repaso Expreso*. See pp. TE27–TE29.

Teacher Resources

See ExamView for assessment options.

Instructional Notes

Have students work in small groups to see how many more words they can come up with that are made up of the suffixes cited in the *A tener en cuenta* feature.

---

desapercibido, -a	unnoticed
eficaz	effective, efficient
esmerado, -a	careful, meticulous
espeluznante	horrifying, terrifying
espeso, -a	thick
goloso, -a	having a sweet tooth
lleno, -a	full
pegajoso, -a	sticky
refinado, -a	refined
rico, -a	good, delicious
salado, -a	salty
seco, -a	dry
sorprendente	surprising
soso, -a	bland

Expresiones

abrir el apetito	to whet someone's appetite
además de	besides, apart from
al alcance de	within reach of
al fin y al cabo	finally
al gusto (de)	to order, to individual taste
chuparse los dedos	to lick one's fingers
dar hambre	to make someone hungry
dar sed	to make someone thirsty
darle asco	not to stand something, make someone sick
darle rabia a alguien	to make someone angry
(no) entrar en la cabeza	to (not) understand
(no) entrar por los ojos	to be easy (hard) on the eyes
estar a cargo de	to be in charge of
estar en boga	to be in vogue, fashion
estar harto de	to be fed up with
estar para chuparse los dedos	to be finger-licking good
hace un rato	a while ago
hacerse la boca agua	to make one's mouth water
manos a la obra	let's get to work
merecer la pena	to be worth it
no poder ni ver algo (o alguien)	not to be able to stand something (or someone)
nunca digas de esta agua no beberé	you can never say that you won't do something
el poder adquisitivo	purchasing power
poner el mantel / la mesa	to set the table
ponerse como una sopa	to get soaked
ponerse como un tomate	to get very red
ser como pan comido	to be easy
tener buena (mala) pinta	to look good (bad)
tener malas uvas	to be nasty
valer la pena	to be worth it

A tener en cuenta

Usar sufijos para crear palabras nuevas:

-ado denota conjunto o golpe, entre otros significados:

la cuchara	la cucharada
el puño	el puñado

-ero denota pertenencia o relación:

el café	el cafetero
la sal	el salero

-udo y *-azo* denotan aumento y, a veces, burla:

la panza	el panzudo
el éxito	el exitazo

Lección B

Objetivos

Comunicación
- Hablar de las comidas y las dietas
- Discutir el tema del hambre mundial
- Hablar del impacto de la propaganda sobre lo que comemos

Gramática
- El imperfecto, el presente perfecto y el pluscuamperfecto del subjuntivo
- El condicional perfecto del indicativo

"Tapitas" gramaticales
- las preposiciones que siguen a algunos verbos
- *ni...ni*
- los demostrativos
- algunos usos del subjuntivo
- el significado de *crear* y *creer*
- el prefijo *des-*

Cultura
- La alimentación vegetariana
- La carne
- El hambre
- Comer en Madrid
- De compras por la comida
- Los menús escolares
- La comida rápida
- La comida como Patrimonio de la Humanidad

Visite la página Web de
¡A toda vela! en
www.emcp.com

Instructional Notes

You might ask students the following questions to practice some of the communication and grammar objectives of the lesson: *¿Qué tipo de comida sirven en la cafetería de su escuela o universidad? Si pudieran cambiar algo de la comida de la cafetería, ¿qué cambiarían y por qué lo cambiarían? ¿Qué les parecen los anuncios y la propaganda en la televisión, radio o revistas y periódicos sobre las dietas para adelgazar o sobre la comida rápida? ¿Qué Uds. pudieran comer cualquier tipo de comida todos los días, ¿qué comerían? Si Uds. quisieran preparar la comida "perfecta", ¿qué prepararían? ¿Y para quién sería esta comida: para su novio/a, para unos invitados especiales o para su familia? Si pudieran hacer algo para aliviar el problema de la hambruna, ¿qué harían?*

Ask students to identify and talk about the foods pictured in the photos. Top photo shows *churros*; middle: *tortilla con pollo y verduras*; bottom: *un batido de frutas*.

Answers

1 Answers will vary.

2 Dialogues will vary.

Instructional Notes

1 You might want to have students work in small groups or have the entire class participate in a discussion. Use the photos and brainstorm vocabulary the students already know. You could then ask students to classify these words and expressions into graphic organizers or Venn diagrams.

Ask students to decribe the photos by asking: *¿Qué comida hispana conocen Uds.? ¿Qué opinan de esa comida? ¿La comerían o la han comido Uds. alguna vez? Comparen la presentación de la comida en las fotos con la presentación en los supermercados de los Estados Unidos y describan en qué se parecen y en qué se diferencian. ¿Por qué creen que muchas personas en el mundo hacen la compra todos los días? ¿Cuáles serían las ventajas de esto? ¿Y las desventajas? ¿Creen que es mejor hacer la compra sólo una vez a la semana? ¿Por qué?*

2 You might want to have some students present their dialogues in front of the class. Remind students to answer with some substantive answers for 15 seconds or more if possible. Always encourage more detailed responses. A group of four students could work together; two might present the dialogue and the other two might take notes, and then summarize or critique their classmates' dialogue. Then have the pairs of students switch roles.

Students might also discuss the questions in the *Cita* in small groups or as an entire class. Ask students to give synonyms for *lubrificar* (such as *engrasar, aliñar, adornar, lubricar, sazonar*) and infer how the quote could change if each of the new words were now part of it.

Encourage students to talk about the topics mentioned in the *Dato curioso*: organic foods, pesticides, and irrigation with untreated water, and the impact they have on protecting life on our planet, including our health. If possible, bring to class some organic food labels or products, as well as ads or brochures that foster protection of the environment. Use them to enhance the discussion. You might ask: *¿Cómo protege la comida orgánica la vida del planeta? ¿Cómo se cultivan los productos orgánicos? ¿Por qué es más cara la comida orgánica?*

Para empezar

1 Conteste las preguntas

Piense en las respuestas a las siguientes preguntas. Ud. puede tomar notas si lo considera necesario. Cuando termine, compare sus respuestas —pero sin mirar sus notas— con las de un/a compañero/a.

1. ¿Desayuna Ud. todos los días? ¿Qué suele tomar para desayunar?
2. ¿Toma café por la mañana o durante el día? ¿Cuánto toma? ¿Cómo le afecta a Ud. la cafeína?
3. ¿Qué suele tomar en las distintas comidas? ¿Se salta alguna comida? ¿Cuál?
4. ¿Cómo piensa que ha cambiado la industria de alimentación en los últimos años?
5. ¿Toma alimentos orgánicos o ecológicos? ¿Qué piensa de este tipo de alimentos? ¿Cree que merece la pena pagar lo que cobran? ¿Por qué?
6. En la mayoría de los casos, cuando va al supermercado, ¿son las frutas y las verduras de la zona, de otra región del país o son de importación? ¿Por qué piensa que hay una diferencia en los precios de las frutas y verduras según el origen de ellas y la temporada cuando las compra?
7. ¿Piensa que es normal encontrar todo tipo de frutas y verduras en cualquier época del año? ¿A qué se debe?
8. ¿Ha comido alguna vez comida exótica, como insectos (por ejemplo, hormigas o saltamontes) en chocolate? Si no, ¿le gustaría probarlos?
9. Mire las fotos. Hable durante un par de minutos sobre lo que le sugieren.
10. ¿Cómo puede la comida orgánica proteger la vida del planeta? ¿Cómo se cultivan los productos orgánicos? ¿Por qué la comida orgánica siempre es más cara que otra que no sea orgánica?

2 Mini-diálogos

Va a crear un mini-diálogo con un/a compañero/a. Lea la descripción de la conversación antes de empezar. Puede tomar notas para organizar sus ideas, pero no las mire mientras conversa.

Escena: En el supermercado, dos personas están cerca de los puestos de fruta escogiendo algunas para llevar.

A:	Ve a su amigo/a con un carrito lleno. Salúdelo/la y hágale un comentario sobre los precios de la comida y la calidad de la fruta.
B:	Salude a su amigo/a y quéjese de la calidad de la fruta.
A:	Dígale que está de acuerdo. Compare las manzanas con los melocotones.
B:	Dígale que tiene razón. Exprese su preocupación por el uso de los productos químicos en la fruta.
A:	Reaccione a su comentario. Dele otro ejemplo.
B:	Despídase cordialmente con actitud negativa sobre el asunto.
A:	Despídase cordialmente con actitud positiva sobre el asunto.

Cita

Una comida lubrifica los negocios.
—James Boswell (1740–1795), autor y abogado escocés

¿Qué significa esta cita? ¿Está de acuerdo? ¿Por qué? Comparta sus opiniones con un/a compañero/a.

Dato curioso
La comida orgánica es un sistema de nutrición en el que las frutas, legumbres y verduras son cultivadas sin pesticidas y regadas con agua natural no tratada, es decir, no dañan de ninguna forma la tierra. Algunos dicen que es un tipo de alimentación que protege la vida del planeta y la salud de los consumidores.

Vocabulario y gramática en contexto

3 Un foro

Túrnese con un/a compañero/a para leer los comentarios que dos personas han escrito en un foro sobre la comida. Fíjese en las palabras que aparecen en azul (relacionadas con el vocabulario) y en rojo (relacionadas con la gramática), ya que en las siguientes actividades se le harán preguntas sobre ellas.

Dirección — Q-

Archivo   Edición   Ver   Favoritos   Herramientas   Ayuda

Cuando yo era niña, la gente no se preocupaba tanto por la comida sana. Todo era sano. Ni existía la comida basura, ni la comida orgánica, ni la comida exótica. Me alegro de que se haya desarrollado la comida preparada porque me ayuda en la casa. Si hubiera existido todo esto cuando era niña, no sé si habría podido resistir las tentaciones. Me extraña que las compañías hayan continuado
5 bombardeando a los niños con una estrategia publicitaria de propaganda que les ruega comprar y consumir esa comida hipercalórica. Es increíble que nadie haya velado esta estrategia. Si las empresas siguen promoviendo esas campañas, los niños padecerán de desnutrición más y más. ¿Qué harías tú si tuvieras niños que siempre quieren consumir bebidas carbónicas y comida llena de grasa y no alcanzan a comer los vegetales cada día?

ANITA, MADRE DE DOS NIÑOS

Soy médico de nutrición y tengo muchos pacientes que vigilan cuidadosamente su salud, procurando seguir dietas sanas para mantenerse en forma. Cuando se creó la
5 nueva pirámide alimenticia, muchos de mis pacientes me preguntaron qué impacto iba a tener esta nueva pirámide nutricional en su dieta. Les expliqué que la nueva pirámide tiene en cuenta la importancia
10 de seguir una dieta de alimentos variados y evitar una vida sedentaria. La nueva pirámide divide los alimentos en seis grupos y, además, incluye unas escaleras para recordar a la gente que haga ejercicio
15 físico. Los grupos alimenticios están representados por distintas bandas de color verticales —no horizontales, como en la vieja pirámide. Cuanto más ancha sea la banda, más importancia tiene ese tipo de alimento en la dieta. La nueva pirámide da importancia a las frutas y verduras, al pan y a los cereales integrales y a las grasas saludables, como el aceite de oliva. Al
20 principio, mucha gente creía que el viejo sistema era mejor. Sin embargo, después de investigar la nueva pirámide, mis pacientes consideran que los cambios no han restringido ni complicado su dieta; de hecho, los cambios los han ayudado a mantener una dieta más sana, sobre todo si tienen en cuenta el ejercicio físico, que considero esencial. Si los críticos del nuevo sistema hubieran analizado los beneficios de la nueva pirámide, se habrían dado cuenta de que la nueva es mejor para todos.

DR. IGNACIO RODRÍGUEZ PERALTA

---

3 Ask students to skim the two articles or to review the highlighted words and look at the illustration in order to predict what the reading will be about. Encourage them to share their opinions in writing or orally, with a partner or in front of the class.

Answers

4 Comidas

Adjetivos: sana, orgánica, exótica, preparada, hipercalórica, carbónicas, alimenticia, nutricional, sedentaria

Sustantivos: comida basura, desnutrición, bebidas (carbónicas), grasa, pirámide alimenticia, alimentos

Verbos: se haya desarrollado, padecerán, alcanzan a, vigilan, procurando

Empresas

Verbos: se haya desarrollado, hayan continuado bombardeando, ruegan, siguen promoviendo

Sustantivos: estrategia publicitaria, propaganda, empresas

5 1. l; 2. p; 3. f; 4. i; 5. k; 6. c; 7. m; 8. b; 9. q; 10. a; 11. g; 12. o; 13. d; 14. r; 15. u; 16. t; 17. e; 18. h; 19. n; 20. s; 21. j

6 1. El imperfecto del subjuntivo; expresa una condición posible en el futuro, y esto se expresa con el imperfecto del subjuntivo. 2. Se haya desarrollado, hayan continuado: siguen verbos de la cláusula principal que indican una reacción emocional (*alegrarse* y *extrañarse*); haya velado: sigue una expresión impersonal que implica duda (es increíble). 3. *Conjugations will vary; verify that students have used the correct conjugation of* haber (haya, hayas, haya, hayamos, hayáis, hayan), *plus the past participle.* *Participios pasados:* Ejemplos: abierto, dicho, impreso, puesto, roto, visto; 4. Si hubiera existido todo esto cuando era niña, no sé si habría podido resistir las tentaciones. Si los críticos del nuevo sistema hubieran analizado los beneficios de la nueva pirámide, se habrían dado cuenta de que la nueva es mejor para todos. Se refiere a lo que podría haber ocurrido en el pasado. Si existiera todo esto ahora, no sé si podría resistir... ; Si los críticos analizaran los beneficios, se darían cuenta... 5. Sentences and explanations will vary.

---

4 Las comidas y las empresas

Clasifique las palabras que aparecen en azul y rojo en las lecturas anteriores usando las siguientes categorías: adjetivos, sustantivos y verbos relacionados con comidas, y verbos y sustantivos relacionados con las empresas.

5 Amplíe su vocabulario

Según el contexto de los artículos anteriores, empareje las palabras de la primera columna con su definición o sinónimo correspondiente en la segunda.

1. sano	a. compañía
2. comida basura	b. pedir con insistencia
3. orgánico	c. perseguir sin parar, atacar
4. exótico	d. refresco con gas
5. preparado	e. intentar
6. bombardear	f. sin productos químicos o pesticidas
7. estrategia publicitaria	g. sufrir
8. rogar	h. forma geométrica triangular
9. hipercalórico	i. fuera de lo normal
10. empresa	j. de poco movimiento
11. padecer	k. ya hecho
12. desnutrición	l. saludable, nutricional
13. bebida carbónica	m. propaganda
14. grasa	n. relacionado con la comida
15. alcanzar	o. muy pocas vitaminas y minerales
16. vigilar	p. con poca nutrición y mucha grasa
17. procurar	q. con muchas calorías
18. pirámide	r. manteca de un animal
19. alimenticio	s. comida
20. alimento	t. atender cuidadosamente
21. sedentario	u. conseguir

6 El subjuntivo

Conteste estas preguntas relacionadas con los textos de la Actividad 3.

1. ¿Qué tiempo y modo es *tuvieras*? ¿Por qué se usa esta forma del verbo aquí? Hable de otros usos de este tiempo.
2. Haga una lista de los verbos en el presente perfecto del subjuntivo que aparecen en las lecturas y explique por qué se usa el subjuntivo en cada caso.
3. Conjugue tres verbos de diferentes terminaciones en el presente perfecto del subjuntivo. Escriba seis participios pasados irregulares.
4. Cite los verbos en el pluscuamperfecto del subjuntivo y en el condicional perfecto (del indicativo) que aparecen en las lecturas. Explique por qué se usan estos dos tiempos verbales con la palabra *si*. Vuelva a escribir las oraciones donde aparecen estos tiempos, pero use el imperfecto del subjuntivo y haga cualquier cambio que sea necesario para justificar el uso de este tiempo.
5. Forme seis oraciones que tengan que ver con la comida: tres con la palabra *si* y el imperfecto del subjuntivo, y tres con la palabra *si*, el pluscuamperfecto del subjuntivo y el condicional perfecto. Explique por qué ha tenido que usar el subjuntivo en cada ejemplo.

7 "Tapitas" gramaticales

Conteste estas preguntas relacionadas con las lecturas de la Actividad 3.

1. ¿Qué preposiciones siguen a los verbos *preocuparse, alegrarse* y *darse cuenta*?
2. Vuelva a escribir la oración "Ni existía la comida basura, ni la comida orgánica, ni la comida exótica" empezándola con las palabras *La comida basura...*
3. Busque las formas de *este* y *eso* en los textos anteriores. ¿Cuál es la regla para su uso?
4. Haga una tabla que nombre los tiempos verbales con *si* en el pasado que se usan en las lecturas.
5. ¿Cuál es la diferencia entre *crear* y *creer*? Use las oraciones de las lecturas con estas dos palabras para explicar la diferencia.
6. El adjetivo *nutricional* viene de la palabra *nutrición;* búsquela en la lectura anterior. ¿Cuál es la diferencia entre *la nutrición* y *la desnutrición*? Dé otros tres ejemplos con el prefijo *des-* que tienen que ver con el tema de la comida. Pueden ser palabras que ya conoce, o que busque en el diccionario.
7. Busque los ejemplos del presente del subjuntivo en el segundo artículo y explique su uso.

8 ¿Qué opina? 👥

Reaccione a lo que cada persona ha escrito en el foro y comparta su opinión con un/a compañero/a. Incluya palabras de las lecturas que aparecen en azul.

9 La comida 👥

Trabaje con un/a compañero/a para contestar las siguientes preguntas.

1. Dé un ejemplo de las comidas siguientes: la comida basura, la comida orgánica, la comida exótica y la comida preparada. ¿Ha pensado más en el alimento mismo o la marca y dónde se venden estas comidas? ¿Por qué?
2. ¿Siempre tienen malos efectos las estrategias publicitarias de propaganda para la comida? ¿Puede pensar en algunas que han tenido buenos efectos? ¿Cuáles son?
3. ¿Hay censura de las estrategias publicitarias de propaganda para la comida? ¿Quién las ha censurado? ¿Cómo? ¿Puede pensar en algunos ejemplos censurados y el efecto de la censura? ¿Cuáles son?
4. ¿Conoce la nueva pirámide alimenticia? ¿Sigue sus recomendaciones todos los días? ¿Cuáles son los seis grupos alimentarios?

10 La pirámide alimenticia

En una tabla, compare la vieja pirámide alimenticia con la nueva. Explique los cambios.

📒 Activities 6–8

Answers

7 1. preocuparse por, alegrarse de, darse cuenta de; 2. La comida basura no existía entonces, y tampoco la comida orgánica o la comida exótica. 3. Si hubiera existido todo *esto*; pronombre demostrativo sin referencia específica; ...les ruega comprar y consumir *esa* comida hipercalórica; Es increíble que nadie haya velado *esta* estrategia; Si las empresas siguen promoviendo *esas* campañas; ...qué impacto iba a tener *esta* nueva pirámide; todos son adjetivos demostrativos femeninos. 4. Si hubiera existido: pluscuamperfecto del subjuntivo; no sé si habría podido resistir: condicional perfecto; ¿Qué harías tú si tuvieras niños: imperfecto del subjuntivo; Si los críticos... hubieran analizado: pluscuamperfecto del subjuntivo; 5. crear = establecer/fundar (*to create*); creer = dar por cierto (*to believe*); 6. La nutrición es la alimentación sana; la desnutrición es la negación o la falta de nutrición. Ejemplos: el ayuno/el desayuno; el equilibrio/el desequilibrio; igual/desigual; 7. Para recordar a la gente que haga ejercicio físico: es una petición; cuanto más ancha sea la banda: se usa con la expresión *cuanto más;* en inglés sería equivalente a *"however"* wide.

9 1. Ejemplos: la comida basura: papas fritas; la comida orgánica: manzanas sin pesticidas; la comida exótica: hormigas en chocolate; la comida preparada: una lata de sopa. *Answers to the second part of this question will vary.* Ejemplo: Según la comida, a veces es más fácil pensar en la marca o la empresa; ejemplos: la comida basura: Burger King; la comida orgánica: Whole Foods/Mother Earth Foods; la comida exótica: "jerky" de canguro de Australia; la comida preparada: Lean Cuisine. 2.–4. *Answers will vary, but students should identify the food groups in the last part of question 4*: cereales, verduras, frutas, productos lácteos, carne y pescado, aceites.

10 Answers will vary. Students should note the inclusion of physical exercise and the emphasis on more fruits and vegetables.

Instructional Notes

8 Check to see how many new words students have used. You could turn this activity into a debate, in which students take opposing views of the issues expressed in the two *foros*. Or, students could prepare ads or brochures that illustrate the major points of each *foro*. The class could then vote for the winner of the debate or the best ad or brochure.

10 Ask students to explain each pyramid and then explain the similarities and differences. Although Web sites change their addresses periodically, you can probably find the new pyramid in Spanish at: www.mypyramid.gov/sp-index.html and the old pyramid at: www.colorado.edu/studentgroups/wellness/NewSite/NutritionPyramidOriginal.html.

Answers

11 1. hubiera / hubiese sabido; 2. habría comido;
3. bombardean; 4. hubieran / hubiesen planeado;
5. habría tenido; 6. hubiera / hubiese reconocido;
7. hubieran / hubiesen descubierto; 8. habrían
proclamado; 9. habían revelado; 10. hubiera / hubiese
cuidado; 11. habría disfrutado; 12. hubieran / hubiesen
causado

12 1. c; 2. a; 3. c; 4. a; 5. a; 6. d; 7. c

Instructional Notes

13 Ask some pairs of students to share their opinions
with the rest of the class.

Cita

Encourage students to discuss the pros and cons of a
vegetarian diet and of diets that include meat products.
You might want to mention mad cow disease or any
other diseases brought about by food contamination or
improper handling or preparation.

You might ask the following questions related to the
*Dato curioso: ¿Ayunan los atletas o los modelos de vez
en cuando? ¿Por qué lo harán? ¿Creen Uds. que esta
práctica es peligrosa? ¿Por qué? ¿Cuáles son algunas
comidas sanas para "reactivarse" por la mañana?*

Additional Activities

Las frases con *si*

Have students work in pairs or small groups and come
up with a top ten list. They should use any of the
following as their opening line: *Si yo tuviera hambre
prepararía (tipo de comida, un plato especial, etc.), y
para hacerlo tendría que comprar... ; y luego invitaría
a comer a... para celebrar...* Then have students
share their lists on poster board or in a PowerPoint
presentation.

Juego

Ask students to play *Dibuje, defina o gesticule.*
See p. TE24.

---

11 Buenos consejos

Lea el siguiente texto y complételo con el pluscuamperfecto del subjuntivo, el condicional
perfecto o el pluscuamperfecto del indicativo de los verbos entre paréntesis, según el
contexto. ¡Ojo! Hay una respuesta en el presente del indicativo.

Consejos de un viejo

¡Jóvenes! Si yo **1.** (*saber*) los efectos de los productos químicos en la comida, yo **2.**
(*comer*) menos comida basura, menos comida preparada y menos comida hipercalórica
en mi juventud. ¿No les molesta que las grandes empresas nos **3.** (*bombardear*) con su
propaganda sin tener en cuenta el efecto de su comida en nuestros cuerpos? Si ellos lo
5 **4.** (*planear*) mejor, yo no **5.** (*tener*) tantos problemas con mi salud ahora. Me
imagino que nadie **6.** (*reconocer*) el efecto de tantos aditivos en la comida. Si ellos lo
7. (*descubrir*) antes no lo **8.** (*proclamar*) porque se querían beneficiar de las ventas
de comidas basura e hipercalórica. ¿Por qué piensan Uds. que ellos no lo **9.** (*revelar*) al
público? Siempre es cuestión de ganar dinero. Y ahora yo sufro. Si yo **10.** (*cuidar*) mejor
10 mi salud en los cincuenta años pasados, yo **11.** (*disfrutar*) mejor de la vida ahora. No
puedo creer que los cincuenta años pasados **12.** (*causar*) tantas dificultades. ¡Tengan
cuidado, jóvenes! ¡Velen por su salud!

12 Amplíe su vocabulario

Según el contexto del artículo anterior, ¿cuál es la mejor traducción?

1. tener en cuenta
   a. to realize   b. to pay
   c. to take into account   d. to damage
2. salud
   a. health   b. healthy
   c. well-being   d. nutrition
3. aditivo
   a. addict   b. ad
   c. additive   d. addictive
4. beneficiar
   a. to benefit   b. to be fit
   c. to lose profit   d. to rely
5. cuidar
   a. to care for   b. to cost
   c. to be careful   d. to urbanize
6. disfrutar
   a. to live   b. to trust
   c. to distrust   d. to enjoy
7. velar por
   a. to sail   b. to damage
   c. to watch over   d. to guard

Cita

*La carne nunca fue la mejor
comida, pero su uso ahora es
doblemente objetable, desde que las
enfermedades en los animales están
incrementándose rápidamente.*
—Ellen G. White (1827–1915),
reformadora de salud
vegetariana

La cita de Ellen G. White data de
1902. ¿Todavía tiene relevancia
en el siglo XXI? ¿Cómo y por qué?
Comparta sus opiniones con
un/a compañero/a.

13 ¿Qué opina?

Con un/a compañero/a, reacciona a lo que aconseja el
viejo a los jóvenes en la Actividad 11.

Dato curioso La primera
comida del día,
el desayuno, irrumpe un
período de ayuno muy prolongado.
Mientras dormimos, muchas
funciones cerebrales también "se
duermen" y al levantarse necesitan
del aporte energético del desayuno
para reactivarse para el día.

Idioma

14 Familia de palabras

Complete la tabla con el verbo, sustantivo o adjetivo apropiado y la traducción correspondiente.

Verbos		Sustantivos		Adjetivos	
afectar	to affect, have an effect on	el efecto	effect	afectado	_____
_____	to feed	la alimentación	nourishment, feeding	alimenticio, alimentario	_____, _____
amenazar	to threaten	_____	threat	amenazante	_____
consumir	_____	el consumo; el/la consumidor (a)	consumption;	consumido	_____
contaminar	to pollute	_____	pollution	contaminado	_____
empeorar	_____	lo peor	the worst part	peor	_____
engrasar	to grease	la grasa	_____	grasiento, grasoso	_____
_____	to balance	el equilibrio	balance	_____	balanced
_____	to improve	lo mejor	_____	_____	best
repartir	to distribute	el reparto	_____	_____	distributed
surtir	_____	el surtido	assortment	_____	stocked, supplied
X		la carne	_____	cárnico	_____
X		la leche	_____	lácteo	_____
X		la obesidad	_____	obeso	obese
X		los vegetales; las legumbres	vegetables; _____	vegetariano; vegetal	_____ ; _____

15 ¿Verbo, sustantivo o adjetivo?

Complete las oraciones usando la forma correcta de las palabras que aparecen en la tabla, ya sea verbo, sustantivo o adjetivo. En el caso del sustantivo puede que necesite artículo.

1. A veces es difícil ___ (*alimentar*) a una familia numerosa. El costo de la comida es espantoso.
2. Algunos nutricionistas dicen que nosotros ___ (*amenazar*) a nuestra salud cuando comemos tanta comida con aditivos.
3. Siempre salen estudios sobre cómo ___ (*afectar*) a los niños la propaganda de la comida basura.
4. En la primavera, a los pescadores del noroeste de los Estados Unidos les gusta pescar cuando los ríos están ___ (*surtir*) de salmones.
5. Unos platos ___ (*vegetal*) con muchas legumbres, como zanahorias, pepinos y lechuga, ahora aparecen en los menús de los restaurantes de comida rápida.
6. Con tanta propaganda a favor de la dieta sana, la calidad de la comida preparada y la cantidad y calidad de la comida sana en los restaurantes de comida rápida ___ (*mejorar*).
7. Un almuerzo ___ (*equilibrar*) consiste en poca carne, muchas legumbres frescas y fruta.
8. Muchos niños americanos son gordos por falta de ejercicio pero ___ (*obeso*) crece como problema mundial.
9. Me gusta ayudar en ___ (*repartir*) de comida a los sin hogar.
10. Muchos ___ (*consumir*) de hamburguesas prefieren tomarlas con papas fritas.
11. El uso de productos químicos ___ (*contaminar*) la calidad de muchos alimentos.
12. El ama de casa siempre tiene un gran ___ (*surtir*) de alimentos sanos en casa.

continúa

Teacher Resources

Activity 9

14 Verbos
afectar *to affect, have an effect on*
alimentar *to feed*
amenazar *to threaten*
consumir *to consume*
contaminar *to pollute*
empeorar *to worsen*
engrasar *to grease*
equilibrar *to balance*
mejorar *to improve*
repartir *to distribute*
surtir *to stock/supply*
X
X
X
X

Sustantivos
el efecto *effect*
la alimentación *nourishment, feeding*
la amenaza *threat*
el consumo; el/la consumidor(a) *consumption; consumer*
la contaminación *pollution*
lo peor *the worst part*
la grasa *fat*
el equilibrio *balance*
lo mejor *the best part*
el reparto *distribution*
el surtido *assortment*
la carne *meat*
la leche *milk*
la obesidad *obesity*
los vegetales; las legumbres *vegetables; legumes*

Adjetivos
afectado *affected*
alimenticio, alimentario *nutritious, nourishing*
amenazante *threatening*
consumido *consumed*
contaminado *polluted*
peor *worse*
grasiento, grasoso *fat/fatty*
equilibrado *balanced*
mejor *best*
repartido *distributed*
surtido *stocked, supplied*
cárnico *related to meat*
lácteo *lactose/dairy*
obeso *obese*
vegetariano; vegetal *vegetarian; vegetable*

15
1. alimentar; 2. amenazamos; 3. afecta; 4. surtidos; 5. vegetales; 6. han mejorado; 7. equilibrado; 8. la obesidad; 9. el reparto; 10. consumidores; 11. contamina; 12. surtido;

Additional Activities

Familia de palabras
See p. TE27.

Instructional Notes

Cita

You might want to have a discussion on how American eating habits are programmed by societal norms such eating and watching TV, "instant" meals, lunch hour at work, three meals a day, all-you-can-eat buffets, and the disappearing "family" meal.

Dato curioso

You might want to have a class discussion on "Spanglish" and bring up other examples, such as: *el chopin* (shopping center), *rentar* (to rent), *la ganga* (gang), *la yarda* (yard). Students could research *Spanglish: The Making of a New American Language* by Ilan Stavans, who has even included a Spanglish translation of excepts from *El Quijote*.

13. ___ (*Mejor*) de la comida orgánica es que es muy saludable. ___ (*Peor*) es que cuesta más.
14. No tolero bien los productos ___ (*leche*) como el helado, la crema o el queso.
15. ___ (*Consumir*) de mucho café puede hacerle daño.
16. Comer mucha comida basura ___ (*amenazar*) la salud de los jóvenes.
17. A los vegetarianos no les apetecen los productos ___ (*cárnico*) porque no consumen carne.
18. Muchas veces los dueños de los restaurantes basan sus menús especiales en los gustos de los ___ (*consumidor*).
19. Muchas nuevas madres necesitan consejos con ___ (*alimentar*) de sus bebés.
20. La falta de ejercicio puede ___ (*empeorar*) la salud de cada persona.

Cita

Hay que comer para vivir, y no vivir para comer.
  —Molière (1622–1673), dramaturgo francés, de la corte del Rey Luis XIV

 ¿Qué opina de la cita de Molière? ¿Hay algunas personas en nuestra sociedad actual que viven para comer? ¿Qué problemas resultan al seguir esa actitud? Comparta sus opiniones con un/a compañero/a.

¡Dato curioso! El *Diccionario Panhispánico* registra las palabras *lonche, lonchera* y *lonchería* que se derivan de la palabra *lunch*. Estas palabras son transformaciones hechas por los hispanohablantes para referirse a una comida ligera. Se oyen en ciudades como Miami, donde conviven el español y el inglés.

16 El hambre

Échele una ojeada al artículo que sigue para ver de qué se trata, prestando atención a las palabras en azul, ya que se le harán preguntas sobre ellas. Luego lea el artículo y decida cuál de las palabras entre paréntesis es la correcta para completar cada oración y escríbala.

El mundo en desequilibrio

Tres **1.** (*cuarto / cuartas*) partes de la humanidad no han probado ni probablemente probarán una hamburguesa de queso, ni una bolsa de patatas fritas, **2.** (*o / ni*) los bollos rellenos de chocolate. Jamás tendrán problemas con el colesterol ni se pelearán con la báscula. ¿Saben cuidarse? No. Las tres cuartas partes de la humanidad **3.** (*pasa / pasan*) hambre.

Mientras miles de personas mueren cada año por las enfermedades derivadas del abuso de alimentos, la **4.** (*mejor / mayor*) parte del planeta no tiene qué comer. Las cifras son tan espectaculares que la imaginación no alcanza para valorar la gravedad de la situación. Más de 30.000 personas mueren todos los días **5.** (*de la / de*) hambre en el mundo; de ellas, tres cuartas partes son personas **6.** (*menores / mayores*) de cinco años. Eso supone la muerte de 11 millones de personas **7.** (*el / al*) año, además de los millones que padecen enfermedades relacionadas tanto con la falta de vitaminas y minerales, como con la contaminación de los alimentos y la insalubridad del agua. Según las fuentes, las cantidades varían, posiblemente porque es absolutamente imposible **8.** (*que calcule / calcular*) los números reales de la tragedia de la hambruna. La esperanza de vida en un país subdesarrollado se **9.** (*situa / sitúa*) en torno a los 38 años, mientras que en el primer mundo se alcanzan con facilidad los 70. La desnutrición crónica provoca un crecimiento limitado, fatiga permanente y debilidad **10.** (*extremo / extrema*), lo que hace al cuerpo mucho más vulnerable al padecimiento de todo tipo de enfermedades. En un estado grave de desnutrición, una persona no es capaz de mantener ni **11.** (*cualquiera / siquiera*) las funciones vitales básicas. En 2002, la Organización de las Naciones Unidas **12.** (*para / por*) la Agricultura y la Alimentación (FAO) dio la voz de alarma: la reducción del hambre en el mundo se ha detenido. **13.** (*Somos / Estamos*) muy lejos de alcanzar el objetivo de la Cumbre Mundial de la Alimentación de 1996, que ponía de plazo hasta el 2015 para reducir a la mitad el número de personas que **14.** (*sufre / sufren*) hambre. Para lograr este propósito, la disminución de personas hambrientas debería **15.** (*ser / estar*) de 24 millones por año, cosa que está lejos de las cifras actuales. El África Subsahariana sigue registrando las peores cifras. Para realmente poner freno al problema del hambre sería **16.** (*necesario / necesaria*) una actuación coordinada a nivel global, con la colaboración de todo el mundo desarrollado, consciente **17.** (*a / de*) que un problema de semejante envergadura hipoteca el futuro de todos. No es posible **18.** (*mantener / mantenerse*) siempre en el desequilibrio. La FAO ha calculado que serían necesarios 24.000 millones de euros anuales hasta el año 2015 para reducir a la mitad las cifras del hambre. No es demasiado dinero, **19.** (*teniendo / tener*) en cuenta el que se emplea para otros fines. Numerosos estudios se han encargado de dejar **20.** (*claro / claros*) que el problema no es la escasez, **21.** (*pero / sino*) una mala gestión empeñada en servir a los intereses del primer mundo. Tampoco es cierto que falte tierra para cultivar, ya que por distintas razones, sólo un 44% del terreno cultivable se dedica a la producción de alimento. El resto no produce. Los terratenientes y las grandes empresas propietarias consideran el suelo **22.** (*como / cómo*) una inversión rentable, más que una fuente de alimento. Por otra parte, muchas de las que sí se cultivan están dedicadas enteramente a la exportación. El desigual reparto de las tierras deja desposeídos a los campesinos locales y es una de las principales razones de la escasez de **23.** (*alimentos / unos alimentos*). Si las tres cuartas partes del planeta no reciben su ración, cabe preguntarse, ¿cuánto consume el cuarto restante? Y también, ¿cuánto alimento se tira en el mundo desarrollado?

www.revistafusion.com

Investigue
palabras clave:
hambruna, Somalia, Sudan, África Subsahariana

Answers

17 1. b; 2. c; 3. a; 4. d; 5. c; 6. b; 7. b; 8. c; 9. a; 10. b;
11. c; 12. d; 13. a; 14. a; 15. c; 16. b; 17. b; 18. d

18 *El tema principal:* el hambre/la hambruna
en el mundo. *Otros tres temas relacionados:* los
efectos de la desnutrición, la contaminación de
alimentos y la insalubridad del agua. *¿Cómo espera
ayudar la FAO?:* Hacer una actuación coordinada a
nivel global, con la colaboración de todo el mundo
desarrollado. *Algunos obstáculos:* Necesitan 24.000
millones de euros anuales hasta el año 2015; sólo un
44% del terreno cultivable se dedica a la producción
de alimentos; muchas de las tierras que se cultivan
están dedicadas enteramente a la exportación; hay
un desigual reparto de las tierras.
Summaries will vary.

Additional Activities

Juego
Ask students to play *Relevos*. See p. TE25.

---

17 Amplíe su vocabulario 🔍

Según el contexto del artículo anterior, ¿cuál es la mejor traducción?

1. bollo relleno
   a. stuffed cake   b. filled roll
   c. ice-cream filled   d. none of these
2. báscula
   a. level of cholesterol b. diet
   c. scale   d. image
3. cifra
   a. number   b. code
   c. statistic   d. quote
4. alcanzar
   a. to reject   b. to imply
   c. to reveal   d. to reach
5. valorar
   a. to devalue   b. to attain
   c. to value   d. to consider
6. tres cuartas partes
   a. 25%   b. 3 out of 4
   c. 34%   d. 70%
7. insalubridad del agua
   a. stagnant water   b. unhealthiness of water
   c. murky water   d. lack of freshwater
8. fuente
   a. fountain   b. research
   c. source   d. number
9. poner plazo
   a. to put a time limit   b. to put in the forefront
   c. to put a halt to   d. to put down
10. lograr
    a. to end   b. to achieve
    c. to locate   d. none of these
11. poner freno
    a. to eliminate   b. to accelerate
    c. to end   d. none of these
12. envergadura
    a. heaviness   b. girth
    c. with a vegetarian diet d. importance
13. encargarse
    a. to take charge   b. to announce
    c. to feel responsible   d. none of these
14. terrateniente
    a. landowner   b. land lover
    c. down to earth   d. none of these
15. desigual reparto
    a. unequal choice   b. unequal favoritism
    c. unequal distribution   d. unequal importance
16. desposeído
    a. possessed   b. homeless
    c. poor   d. none of these
17. cuarto restante
    a. remaining room   b. remaining quarter
    c. still one-fourth   d. one-fourth still
18. tirar
    a. to save   b. to hoard
    c. to grow   d. to throw away

18 Lea y escriba/presente 👥

Vuelva a leer el texto completo sobre el hambre y, basándose en él, haga un resumen
por escrito u oral contestando las siguientes preguntas: "¿Cuál es el tema principal
del artículo? ¿Cuáles son otros tres temas relacionados al tema principal? ¿Cómo
espera ayudar la organización FAO? ¿Cuáles son algunos obstáculos para resolver este
problema?"

Nota cultural
Un niño muere cada 15 segundos debido
a enfermedades causadas por la falta de
acceso al agua potable, el saneamiento
inadecuado o la higiene precaria. Y
cada año, son casi cuatro millones de
personas que mueren de enfermedades
por esta misma razón. En América Latina
y el Caribe entre el 4% y el 17% de los
sistemas de suministro de agua en áreas
rurales no funciona.

19 La alimentación vegetariana

Échele una ojeada al artículo que sigue para ver de qué se trata, prestando atención a las palabras en azul, ya que se le harán preguntas sobre ellas. Luego lea el artículo y decida qué forma de las palabras entre paréntesis es la correcta para completar cada oración y escríbala. No se olvide de escribir y acentuar las palabras correctamente.

Mitos sobre la alimentación vegetariana

Existe la creencia popular de que la alimentación vegetariana es más saludable que una alimentación que incluya carne __1.__ (o) otros productos derivados de animales. Lo cierto es que todo tipo de alimentación __2.__ (contar) con beneficios nutritivos y puede también presentar aspectos problemáticos. La selección de alimentos que escoge la persona es el factor que determina si una alimentación __3.__ (ser) saludable o no. Si se elige una alimentación vegetariana, es importante asegurarse de ingerir cantidades suficientes de vitamina B$_{12}$ y calcio, especialmente durante la adolescencia. Una alimentación vegetariana bien planeada tiende a incluir niveles menores de grasa saturada y colesterol, así como niveles más __4.__ (alto) de fibra y nutrientes derivados de las plantas que una alimentación no vegetariana. Especialistas en nutrición de la Extensión Cooperativa de la Universidad de California citan diversas investigaciones que __5.__ (indicar) que una alimentación con __6.__ (tal) características puede reducir el riesgo de desarrollar diabetes, presión arterial alta, problemas del corazón y obesidad. Sin embargo, los beneficios mencionados pueden obtenerse también con una alimentación que __7.__ (incluir) productos animales. Planeando cuidadosamente y consumiendo carnes magras y productos animales con poca grasa, así como frutas y verduras, se puede llevar una alimentación con poca grasa saturada y colesterol y rica en fibra y nutrientes derivados de plantas. Además, el consumo de productos animales facilita obtener las cantidades recomendables de calcio, zinc, hierro y vitamina B$_{12}$. Si se desea seguir una dieta vegetariana,

es importante elegir alimentos con miras a prevenir deficiencias de minerales y vitaminas. En particular, hay que asegurar el consumo de alimentos ricos en calcio, zinc, vitamina D y vitamina B$_{12}$, así como hierro en algunos casos. Entre las mejores fuentes de esta vitamina se __8.__ (encontrar) los cereales, leche de soja y "carnes" vegetales fortificadas con vitamina B$_{12}$. El calcio es otra sustancia de importancia particular para los vegetarianos, especialmente si son adolescentes, pues el crecimiento principal de los huesos ocurre durante esos años. __9.__ (Quien) consumen huevos y productos lácteos __10.__ (ingerir) niveles de calcio iguales o mayores que quienes no consumen una alimentación vegetariana. Sin embargo, quienes evitan por completo el consumo de productos animales tienen niveles de calcio generalmente menores que los lacto-ovo-vegetarianos y los no vegetarianos. Los nutricionistas recomiendan que la manera más sencilla de consumir una alimentación saludable consiste en:

- incluir una amplia variedad de alimentos
- elegir aquellos con poca grasa, colesterol y azúcar
- incluir alimentos con mucha fibra y
- comer todo con moderación.

www.laraza.com

Instructional Notes

21 Ask students to present their menus to the class.

22 Before students start reading the article, ask them:
*¿Se puede mantener una dieta sana sin comer grasa?
¿Cuál es la mínima cantidad de grasa aceptable en su
dieta? ¿Qué saben del efecto de la grasa en su dieta,
en su cuerpo? ¿Son aventureros a la hora de elegir la
comida? Por ejemplo, ¿han probado alguna vez carne
de caza o poco tradicional, como de ciervo/venado, de
búfalo o de avestruz? ¿Qué piensan de estos platos?*

20 ¿Qué significa?

Mire las palabras de la primera columna, que aparecen en la lectura anterior, y busque su
definición o sinónimo en la segunda.

1.	ingerir	a.	sin mucha grasa
2.	tender a	b.	planta leguminosa procedente de Asia
3.	fibra	c.	persona que no consume carne pero consume productos
4.	magro		lácteos y de huevos
5.	mira	d.	parte del esqueleto humano
6.	deficiencia	e.	defecto
7.	soja	f.	consumir
8.	hueso	g.	especialista en nutrición
9.	lacto-ovo-vegetariano	h.	inclinarse
10.	nutricionista	i.	objeto o propósito
		j.	filamento de los tejidos orgánicos vegetales o animales

21 Lea, escriba/presente

Vuelva a leer el artículo completo sobre la alimentación vegetariana y luego escriba un
menú para el desayuno, almuerzo y cena de un/a vegetariano/a, teniendo en cuenta
los consejos en la lista al final del artículo. Haga una búsqueda de la alimentación
vegetariana, de los lacto-ovo-vegetarianos y de las vitaminas esenciales en cada dieta.
Describa la dificultad de encontrar platos vegetarianos en la mayoría de los restaurantes,
y cómo se puede seguir una dieta vegetariana en un restaurante típico.

22 La carne

Échele una ojeada al artículo que sigue para ver de qué se trata, prestando atención a las
palabras en azul, ya que se le harán preguntas sobre ellas. Luego lea el artículo y decida
qué forma de las palabras entre paréntesis es la correcta para completar cada oración y
escríbala. No se olvide de escribir y acentuar las palabras correctamente.

Dirección www.lostiempos.com

Archivo   Edición   Ver   Favoritos   Herramientas   Ayuda

**Aunque aporta grasa, la carne no es tan mala
como la pintan**

Hay quienes creen que comer carne no es beneficioso para
la salud, incluso __1.__ (*lo*) eliminan de sus comidas sin saber
que posee proteínas irreemplazables para la conformación de
__2.__ (*cierto*) tejidos orgánicos. La carne es otra musculatura
⁵animal de __3.__ (*la*) distintas especies aptas para el consumo.
Es una rica fuente de proteínas y de aminoácidos esenciales, de hierro y de vitamina B₁₂. Aporta grasa al organismo,
posee pocos carbohidratos, contiene agua, zinc y fósforo. La cantidad de carne recomendada para
los adultos __4.__ (*ser*) de 150 a 200 gramos tres veces por semana, y para los niños raciones de 15
¹⁰gramos por cada año de edad. El tiempo de cocción influye en el contenido de nutrientes que la
carne __5.__ (*otorgar*): cocerla lentamente destruye parte de sus vitaminas, aunque __6.__ (*mejorar*) la
ingesta de proteínas, no altera ni el contenido de grasa ni de minerales porque éstos pasan al caldo.
Para conservar mejor sus vitaminas es mejor cocerla en olla de presión. No se la debe consumir
__7.__ (*crudo*) porque no se aprovecha bien el hierro que contiene, es de más difícil digestión y
¹⁵__8.__ (*perder*) su valor proteico. Se la debe mantener refrigerada, y consumirla durante __9.__ (*el*) primeras 48 horas, o hasta en 72 horas si es que __10.__ (*estar*) congelada.

www.lostiempos.com

23 Amplíe su vocabulario

Según el contexto del artículo que acaba de leer, empareje cada palabra de la primera columna con su definición o sinónimo de la segunda.

1. aportar
2. irreemplazable
3. tejido orgánico
4. musculatura
5. fósforo
6. otorgar
7. ingesta
8. caldo
9. olla de presión
10. proteico
11. congelado

a. elemento químico, inflamable y luminoso en la oscuridad
b. recipiente para cocer rápidamente
c. enfriado
d. que no se puede sustituir
e. líquido que resulta de cocer los alimentos en agua
f. de proteínas
g. acción de ingerir
h. estructura de células de los órganos
i. conjunto de los músculos del cuerpo
j. contribuir
k. dispensar, ceder

24 Lea, escuche y escriba/presente 👣

Vuelva a leer el texto completo de la Actividad 22 y luego escuche la grabación "¿Por qué comer carne es malo para el planeta?" y tome las notas necesarias. Escriba un ensayo o haga una presentación en clase sobre este tema: "Las ventajas y las desventajas de comer carne". No se olvide de citar las fuentes debidamente.

Cita

La esperanza es un buen desayuno, pero una mala cena.
—Francis Bacon (1561–1626), autor inglés

¿Qué sugiere Francis Bacon con esta cita? ¿Qué tiene que ver la esperanza con las comidas? ¿Se refiere la cita al momento del día cuando uno come, a la cantidad de comida o a las dos cosas? Comparta sus opiniones con un/a compañero/a.

¡Dato curioso! La quinua real es considerada un alimento "perfecto". Es "el grano de oro de los Andes" y el cereal más nutritivo del mundo. Se encuentra sólo en Bolivia. Su proteína de alto valor biológico y la ausencia de colesterol la convierten en un excelente sustituto de la carne.

Teacher Resources

Activity 24 (CD 3, track 8)

Answers

23 1. j; 2. d; 3. h; 4. i; 5. a; 6. k; 7. g; 8. e; 9. b; 10. f; 11. c

Instructional Notes

24 You might want to present the following words to the students before they listen to the audio: *desperdicios*, waste products; *matadero*, slaughterhouse; *pastizaje*, pastureland; *arrasado*, razed (to the ground); *avena*, oats.

Ask students to change a word or two in the *Cita* in order to come up with a new meaning. Ask them to compare their new quote with the one on the page.

Additional Activities

El desafío del minuto
See p. TE27.

Composición
Share some definitions for the word *esperanza* that appears in the *Cita* and encourage students to write some definitions of their own. *Ejemplos: Estado de ánimo en el que se nos presenta como posible todo lo que deseamos. Confianza de lograr algo.*

Trabajo de investigación
Have students search the Web for information on quinoa and the value of protein in one's diet.

25 Comer en Madrid

Échele una ojeada al artículo que sigue para ver de qué se trata, fijándose en las palabras en azul. Luego lea el artículo y decida cuáles son las palabras que mejor completan las oraciones y escríbalas. No se olvide de escribir y acentuar las palabras correctamente.

Bueno, barato y saludable

Diversos locales transforman con materias primas de calidad el concepto de comida rápida

Productos frescos, platos imaginativos y bocadillos integran la nueva cocina urbana

Una y otra vez la pregunta se repite: ¿Es posible comer rápido y bien sin **1.** facturas desmesuradas? ¿Existen establecimientos **2.** Madrid donde los productos **3.** razonablemente buenos y la 5 cocina posea **4.** calidad? Afortunadamente, en los dos últimos **5.** se han inaugurado locales que calcan los patrones norteamericanos, sin que por ello incurran en los pecados de la comida basura. Y, por supuesto, han abierto sus puertas algunas 10 bocadillerías capaces de desempeñar una función parecida. Si admitimos con Ferran Adrià que el concepto *fast food* (comida rápida) no corresponde a un **6.** de comida sino a una manera de tratar y servir los alimentos, es evidente que en años 15 venideros la dignificación de la comida rápida pasará por **7.** buenos productos y por manipularlos de la forma adecuada. No hay **8.** ejemplo que el de las hamburguesas. Si se elaboran con carnes nobles cortadas a cuchillo constituyen una exquisitez, pero 20 si proceden de recortes de desecho se convierten en el símbolo de la **9.** alimentación. Más aún cuando las patatas se fríen en **10.** infectas, como suele ser habitual. En Madrid, los bocadillos y los montaditos siguen ganando la batalla al *fast food* basado en 25 la hamburguesa. Se reconozca o no, pocas cosas resultan más suculentas que un bocadillo de calidad. Entre los últimos locales de comida rápida en llegar a la capital figuran dos de interés. En La Montadería,

bar angosto que **11.** mediodía se llena a rebosar, 30 la oferta de montaditos y bocadillos es inabarcable. No menos interesante resulta La Paninoteca d'E, decorada a la última, que podría definirse como la catedral de los bocadillos para *gourmets*. Bajo la asesoría del conocido cocinero Sergi Arola 35 (La Broche), recién fichado por la casa, se **12.** ofreciendo dos de sus especialidades más deliciosas: los bocadillos de torta del Casar con rúcola y los mediterráneos de jamón. Con hechuras más firmes, aunque fiel a la idea de restaurante informal, abrió 40 sus **13.** hace algunos meses el ya popular Fast Good, una idea del celebérrimo Ferran Adrià para la cadena NH. No **14.** trata de un *fast food* corriente, porque los productos **15.** dignos y se preparan de manera adecuada. Tampoco es un *quick service* 45 (servicio fulminante), pero sí entronca con la idea de *fast casual* (rápido y desenfadado) y de *self-service* (autoservicio). En Fast Good se puede paladear una de las hamburguesas con patatas más nobles de la ciudad o unos buenos huevos fritos con jamón.

www.elpais.es

26 Amplíe su vocabulario

Según el contexto del artículo anterior, ¿cuál es la mejor traducción de cada palabra de la primera columna?

1.	local	a.	narrow
2.	factura desmesurada	b.	signed on
3.	incurrir	c.	sandwiches
4.	bocadillería	d.	building, premises
5.	desempeñar	e.	worthy
6.	venidero	f.	high-quality item
7.	exquisitez	g.	to be subject to
8.	recortes de desecho	h.	out-of-sight bill
9.	bocadillos y montaditos	i.	to overflow
10.	angosto	j.	up-to-date
11.	rebosar	k.	sandwich shop
12.	inabarcable	l.	arugula
13.	a la última	m.	very famous
14.	asesoría	n.	to carry out
15.	fichado	o.	consultation
16.	rúcola	p.	leftovers
17.	hechura	q.	coming
18.	celebérrimo	r.	endless
19.	digno	s.	to connect
20.	entroncar	t.	style

27 El menú

Escriba un anuncio impreso y un menú creativo para uno de los tres restaurantes mencionados al final del artículo anterior. En el anuncio, describa las ventajas de comer en el restaurante. Puede acompañar el anuncio con fotos o ilustraciones.

Refrán

A buen hambre, no hay mal pan.

¿Está de acuerdo con lo que dice este refrán? ¿Por qué? ¿Qué piensa que significa buen hambre y mal pan? Comparta sus opiniones con un/a compañero/a.

¡Dato curioso! Las bases de la comida rápida son la rapidez de servicio, los horarios amplios, los precios económicos y una vastísima red de establecimientos. La película *Super Size Me* trató de exponer por qué los norteamericanos están engordando. Nos pregunta quién tiene la culpa: ¿el individuo que no tiene auto-control sobre lo que come, o las empresas de comida rápida y su propaganda?

Teacher Resources

Activities 10–18

Instructional Notes

28 After students answer these questions and share them with the entire class, they could make a chart or other graphic to indicate their classmates' responses.

29 After students read this article, suggest that some research the comparative data on grocery shopping habits in the USA, and to compare and contrast them with the patterns in Spain.

¡A leer!

28 Antes de leer

¿Quién suele hacer la compra en su casa? ¿Cuántas veces por semana se va al supermercado? ¿Suele comprar comida preparada, comida orgánica o qué otro tipo de comida? ¿Qué es más importante a la hora de escoger la comida: la calidad o el precio?

29 De compras

Lea el siguiente artículo con atención. Fíjese en las palabras en azul e intente averiguar su significado por el contexto, ya que se le harán preguntas sobre ellas.

Solteros y parejas sin hijos compran la comida más cara

El nuevo modelo social se empieza a reflejar en la cesta de la compra de los españoles (A). Los llamados hogares emergentes, es decir, los formados por solteros, parejas sin hijos y familias
[5] monoparentales, tienen unos hábitos de consumo muy distintos de los de la familia tradicional: comen más fuera de casa; les gustan las marcas, la calidad y la comida saludable, y son los más abiertos a la innovación. Por ello, estos nuevos hogares ya
[10] representan el 56% del gasto en alimentación, unos 33.000 millones de euros anuales, según el informe *Nuevos modelos de hogar: todo un reto para la innovación*, elaborado por la asociación de fabricantes y distribuidores Aecoc y la consultora
[15] TNS, presentado ayer en el marco del salón Alimentaria. En España hay un millón de personas de menos de 50 años que viven solas, y representan el 20% de los hogares (B). Es una tasa aún baja si se compara con las de otros países europeos,
[20] como Finlandia, Alemania y Holanda, donde estos hogares ya representan el 35% del total. El 41% de estos consumidores comen regularmente fuera de casa (frente al 11% de la población general) y sólo el 31% cree que tienen tiempo para cocinar (frente
[25] al 53% general). Estas personas "se alimentan de forma más desestructurada, pican más y suelen hacerlo frente al televisor", explica el director de TNS para el sur de Europa, Josep Montserrat. Los hogares unipersonales representan el 13% total del
[30] gasto, y el 43% restante corresponde a las parejas de mediana edad en que trabajan ambos y no tienen

hijos (C). Los consumidores de ambos grupos son "impulsivos y caprichosos, atrapados por el tiempo y más preocupados por la salud y el aspecto físico que
[35] el resto", señala el informe. De hecho, por ejemplo, compran el triple de pasta fresca que el resto, y el doble de cremas y sopas preparadas.

Salud y calidad

Su preferencia por la comida rápida o fácil de preparar no significa que no les preocupe seguir
[40] una dieta mediterránea. Al contrario, los solteros y las parejas sin hijos han convertido la salud en una "obsesión" y el 79% de ellos declaran que les gusta seguir una dieta sana, hasta el punto de que el 66% de los integrantes de este grupo aseguran que están
[45] dispuestos a pagar más por un producto de mayor calidad (D). No hay diferencias entre el hábito de consumo de la mujer que vive sola y el hombre, según los expertos, aunque en el caso de las parejas el comprador masculino es más impulsivo porque
[50] está menos acostumbrado a hacer la compra...
www.elpais.es

30 Amplíe su vocabulario

Elija la palabra del recuadro que mejor completa cada oración. Incluya los artículos cuando sean necesarios.

monoparental	marca	gasto	marco	tasa	picar
unipersonal	de mediana edad	caprichoso	atrapado	integrante	mayor calidad

1. Un sinónimo de *contexto* es ___.
2. Una persona que tiene unos 50 años es una persona ___.
3. Una familia con solamente la madre o el padre es una familia ___.
4. Comer en pequeñas cantidades es ___.
5. Actuar sin razón aparente es ser ___.
6. Una familia con una persona es una familia ___.
7. Burger King es un ejemplo de ___ de comida basura.
8. Un sinónimo de *aprisionado* es ___.
9. Un miembro es ___.
10. Un sinónimo de *proporción* es ___.
11. Lo contrario de una condición inferior es una de ___.
12. ___ de la comida rápida puede ser más alto que la comida preparada en casa.

31 ¿Ha comprendido?

Empareje las oraciones 1–6 con el grupo o grupos que correspondan (a–f). Sobran algunos grupos.

1. Están dispuestos a pagar más por un producto de mayor calidad.
2. Comen más fuera de casa; les gustan las marcas, la calidad y la comida saludable.
3. Están menos acostumbrados a hacer la compra.
4. Pican más que otros grupos y suelen alimentarse frente al televisor.
5. Son los más abiertos a la innovación en alimentación.
6. Se preocupan más por la salud y el aspecto físico.

  a. los solteros, parejas sin hijos y familias monoparentales
  b. los solteros y parejas sin hijos
  c. las personas de menos de 50 años que viven solos
  d. los compradores masculinos que viven solos
  e. los compradores masculinos y femeninos que viven solos
  f. la familia tradicional

32 ¿Dónde va?

La siguiente oración se puede añadir al artículo anterior: *No suelen comer comida basura sino comida preparada.* **¿Dónde encajaría mejor la oración?**

1. Posición A, línea 2
2. Posición B, línea 18
3. Posición C, línea 32
4. Posición D, línea 46

Refrán

El mundo es una gran olla, el corazón la cuchara. Según cómo remuevas, te saldrá la comida.
—Refrán Zen

¿Qué opina de este refrán? Explíquelo. ¿Qué hay en la olla de una mala persona? ¿De una buena persona? ¿Cómo es la comida de Ud. en este momento de su vida, y cómo llegó a ser así? Comparta sus opiniones con un/a compañero/a.

Instructional Notes

33 You could lead students in a discussion about the healthfulness of the foods served in your school's cafeteria, and the positive effects of banning "junk" food in schools.

34 Ask students to look for cognates in the reading to help them decode new words.

33 Antes de leer

¿Las cafeterías estadounidenses ofrecen mucha comida sana a los estudiantes? En su escuela o universidad, ¿cuáles son las comidas más populares que sirve la cafetería? ¿Suele Ud. comprar la comida del día en su escuela? ¿Bebe mucha agua cada día? ¿Cuánta? ¿Consume muchas bebidas carbónicas? ¿Por qué? ¿Se da cuenta del número de calorías que consume cada día? ¿Cómo?

34 Los menús escolares

Lea con atención el artículo que sigue. Intente averiguar el significado de las palabras en azul por el contexto, ya que se le harán preguntas sobre ellas.

Inglaterra prohíbe la comida basura en los colegios

Las máquinas dispensadoras no podrán ofrecer patatas fritas y caramelos y se revisarán los menús escolares.

Se acabó la comida grasienta, demasiado salada y muy rica en azúcares en los colegios ingleses. La secretaria de Educación del Gobierno de Tony Blair, Ruth Kelly, ha anunciado esta mañana durante una entrevista con la BBC una intensa campaña para mejorar la alimentación de los menores que incluirá la prohibición de dispensar comida basura en todos los colegios de Inglaterra. Gales, Escocia e Irlanda del Norte ya habían emprendido iniciativas similares. A partir del próximo mes de septiembre las máquinas dispensadoras no podrán ofrecer patatas fritas, caramelos o bebidas azucaradas. Además, la semana que viene una comisión encargada de analizar la alimentación en los colegios presentará sus conclusiones y anunciará los criterios nutricionales que serán obligatorios en los menús escolares. El Gobierno británico lanzó una cruzada para mejorar la comida en los colegios a raíz de una campaña del chef televisivo Jamie Oliver en la que se denunciaba la mala calidad de la misma. El Ejecutivo se comprometió entonces a aumentar en 50 peniques (unos 70 céntimos de euro) el presupuesto en alimentación por niño al día y crear una comisión para establecer mínimos nutricionales. "Lo que Jamie ha hecho es realmente bueno porque ha puesto de manifiesto lo importante que es para los niños comer sano", ha asegurado Kelly. En total, Londres gastará 280 millones de libras esterlinas (400 millones de euros) en comida escolar en los próximos tres años. Se espera que a lo largo de la tarde la responsable de Educación detalle estas propuestas en el transcurso del Congreso del Partido Laborista que se celebra en la localidad de Brighton. La comisión, que incluye nutricionistas, proveedores de catering y expertos en educación, pretende limitar el número de días que se sirven patatas fritas en los colegios y también ha respaldado la prohibición de bebidas carbónicas y chocolate en los colegios. Se supone que el Gobierno seguirá sus recomendaciones aunque se enfrenta a una dura resistencia de los fabricantes de comida y bebidas y con las compañías privadas del sector del catering.

www.elpais.es

35 Amplíe su vocabulario 🔍

Según el contexto del artículo que acaba de leer, empareje cada palabra de la primera columna con su definición o sinónimo de la segunda.

1. máquinas dispensadoras
2. grasiento
3. salado
4. campaña
5. Gales
6. Escocia
7. emprender
8. a partir de
9. lanzar
10. comprometerse
11. penique
12. presupuesto
13. libra esterlina
14. transcurso
15. respaldar
16. bebida carbónica

a. país del Reino Unido al oeste de Inglaterra
b. con mucha sal
c. proyectar
d. al comienzo
e. refresco con gas
f. cruzada
g. implicarse
h. centésima parte de la libra esterlina
i. donde se puede comprar una bebida enlatada
j. favorecer
k. moneda inglesa
l. con mucha grasa
m. país del Reino Unido al norte de Inglaterra
n. lapso de tiempo
o. iniciar
p. coste y gastos

36 ¿Ha comprendido?

1. ¿Qué van a prohibir en las máquinas dispensadoras en los colegios de Inglaterra?
   a. Algunos alimentos que tienen mucho azúcar
   b. Algunos alimentos que tienen mucha grasa
   c. Algunos alimentos que tienen mucho azúcar y algunos que tienen mucha grasa
   d. No habrá máquinas dispensadoras en los colegios.

2. ¿Cuál es el propósito de esta nueva campaña?
   a. Unas compañías privadas de catering se quejaban y el Gobierno quiere arreglar la situación.
   b. El Gobierno quiere mejorar la alimentación de los menores en los colegios.
   c. El Gobierno quiere ahorrar dinero con esta campaña.
   d. El Gobierno ha creado una comisión encargada de analizar seriamente la alimentación en los colegios.

3. ¿En qué están de acuerdo el Gobierno y Jamie Oliver?
   a. Piensan que la comida de los escolares es de mala calidad.
   b. Piensan que con una campaña en la televisión se puede mejorar la situación.
   c. Piensan que la propaganda de la comida rápida contribuye a empeorar la situación.
   d. Dicen que van a gastar más dinero para mejorar la situación.

4. ¿Qué cambios proponen en los colegios?
   a. Van a abolir las patatas fritas, las bebidas carbónicas y el chocolate.
   b. Van a abolir las bebidas carbónicas y las patatas fritas.
   c. Van a abolir las patatas fritas y el chocolate.
   d. Van a abolir las bebidas carbónicas y el chocolate y van a limitar los días cuando se pueden servir patatas fritas.

5. ¿Quiénes se oponen a esta decisión y por qué?
   a. Los fabricantes de comida y bebidas y las compañías privadas del sector del catering se oponen porque se supone que van a perder dinero.
   b. Las compañías privadas del sector del catering se oponen porque se supone que los fabricantes de comida y bebidas van a ganar todo el dinero ahora.
   c. Los fabricantes de comida y bebidas se oponen porque se supone que las compañías privadas del sector del catering van a ganar todo el dinero ahora.
   d. Nadie se opone porque todos piensan que es mejor para los escolares.

37 *Ejemplos:*

La lista de ingredientes, las calorías y la cantidad de grasas y otros componentes de los alimentos están en casi todas las etiquetas de la comida preparada, en los menús de los restaurantes de comida rápida y en algunas recetas. El contenido nutritivo de los alimentos está en la etiqueta para informarle al consumidor sobre el valor nutritivo de la comida. Los iconos más conocidos son McDonald's, Burger King, Wendy's, Pizza Hut, Subway y Kentucky Fried Chicken.

39 1. j; 2. d; 3. h; 4. b; 5. i; 6. g; 7. a; 8. c; 9. e; 10. f

Instructional Notes

37 Ask students to search the Internet for the Spanish-language Web sites of some of the fast-food restaurants they mentioned in their answers. Following their research, ask them to work in small groups and to compare their findings.

38 You might point out that McDonald's and other American fast-food chains can be found throughout most of the world, and these restaurants are often in elegant and even historical buildings.

Additional Activities

Proyecto

Tell students that Ronald is retiring from McDonald's and they need to create a new mascot for the company. Have them work in pairs and come up with a new name, description, and illustration of Ronald's replacement.

37 Antes de leer 🏃🏃

¿Dónde ha visto una lista de ingredientes con las calorías y la cantidad de grasas y otros componentes de los alimentos? ¿Por qué se coloca el contenido nutritivo de los alimentos en la etiqueta? ¿Hay algunos iconos de la comida rápida norteamericana conocidos mundialmente? ¿Cuáles son los más conocidos?

38 Un icono 📄

Lea con atención el siguiente artículo, prestando atención a las palabras en azul, ya que se le harán preguntas sobre ellas.

El payaso de McDonald's cambia de imagen

La figura icónica de la empresa (A) de comida rápida se estiliza, adopta ropa más deportiva y estimula a los más jóvenes a hacer ejercicio. El cambio de imagen de McDonald's (B) ha afectado a su veterana
⁵mascota, Ronald, el payaso que lleva 42 años promocionando hamburguesas y bolsas de patatas. En su afán por limpiar su imagen de fabricante de comida hipercalórica, la compañía estadounidense (C) ha decidido estilizar a su icono más conocido y vestirlo
¹⁰con atuendos más deportivos. La transformación no sólo se limita a su imagen: Ronald se dedicará desde ahora a promover el ejercicio físico entre los más jóvenes.

www.elpais.es

Un McDonald's en Buenos Aires

39 Amplíe su vocabulario 🔍

Mire las palabras en la primera columna, que aparecen en el artículo anterior, y busque su correspondiente sinónimo o definición entre las palabras de la segunda.

1. figura icónica	a. con muchas calorías
2. empresa	b. experto
3. estilizarse	c. ropa
4. veterano	d. corporación
5. afán	e. cambio
6. fabricante	f. estimular, fomentar
7. hipercalórico	g. creador
8. atuendo	h. caracterizarse
9. transformación	i. deseo
10. promover	j. símbolo muy reconocido

40 ¿Ha comprendido?

1. ¿Cuál podría ser otro título del artículo?
   a. McDonald's recupera clientes
   b. Un icono más deportista
   c. McDonald's apoya los deportes
   d. Todas las anteriores

2. Se usa *payaso* para describir a Ronald McDonald. ¿Qué otras palabras del texto lo caracterizan?
   a. Mascota, figura icónica y empresa
   b. Mascota y empresa
   c. Mascota, figura icónica e icono
   d. Figura icónica y empresa

3. ¿Por qué quieren cambiar la imagen de Ronald McDonald?
   a. La imagen es muy vieja; necesitan algo más joven.
   b. La imagen es demasiado conocida; necesitan algo nuevo.
   c. Quieren animar a los jóvenes a practicar deportes y mostrar que McDonald's promueve la buena salud.
   d. Quieren transformar su imagen de comida hipercalórica en comida más sana.

4. Se usa *empresa* para describir a McDonald's. ¿Qué otras palabras del texto lo caracterizan?
   a. Fabricante de comida, compañía e icono
   b. Fabricante de comida e icono
   c. Fabricante de comida y compañía
   d. Compañía e icono

41 ¿Dónde va?

La siguiente frase se puede añadir al texto anterior: *que tiene más de treinta mil locales y sirve a más de 50 millones de personas cada día en más de 119 países mundialmente.* ¿Dónde encajaría mejor la frase?

1. Posición A, línea 1
2. Posición B, línea 4
3. Posición C, línea 8
4. Las respuestas 2 y 3

42 Lea, escuche y escriba/presente

Vuelva a leer los textos "Inglaterra prohíbe la comida basura en los colegios" y "El payaso de McDonald's cambia de imagen". Luego escuche la grabación "McDonald's informará al consumidor del valor nutritivo de la comida" y tome las notas necesarias. Escriba un ensayo o haga una presentación en clase sobre el tema "Comida nutritiva y buena salud: el gobierno y las empresas ayudan a los jóvenes". No se olvide de citar las fuentes debidamente.

Cita

La sociedad está dividida en dos grandes clases: la de los que tienen más comida que apetito y la de los que tienen más apetito que comida.
—Nicolas Chamfort (1741–1794), académico y escritor francés

 ¿Qué significa esta cita y qué piensa de ella? ¿De qué otras formas dividiría el mundo? Comparta sus opiniones con un/a compañero/a.

¡Dato curioso!

¿Sabía que 800 millones de personas pasan hambre en el mundo actual? Según estadísticas de las Naciones Unidas, cada cinco segundos muere un niño de hambre; uno de cada cinco niños en Estados Unidos es peligrosamente obeso; 10 millones de personas mueren cada año debido al hambre o las enfermedades que provocan y acentúan la malnutrición.

Teacher Resources

Activity 42 (CD 3, track 9)

Answers

40 1. b; 2. c; 3. c; 4. c

41 4. Las respuestas 2 y 3

Instructional Notes

42 You might want to present the following words to the students before they listen to the audio: *por antonomasia*, par excellence; *envoltorio*, wrapper/packaging; *acudir*, to come/respond.

After students read and discuss the *Dato curioso*, have them go to the United Nations Web site (or another nonprofit organization's site) to find more information and statistics on world hunger.

Additional Activities

Trabajo de investigación
Ask some students to look for information on culinary schools in Spanish-speaking countries and prepare a short presentation to the rest of the class.

Repaso Expreso
See p. TE28.

Teacher Resources

 Activity 43 (CD 3, track 10)
Activity 44 (CD 3, track 11)

 Activities 19–21

Answers

43 *Wording will vary; the following is taken directly from the audio.*

1. Ésa es una de las mentiras que nos hacemos en todo el mundo, que la obesidad es un problema solamente de Estados Unidos. Es un problema de todo el planeta.
2. No, los países más avanzados están más avanzados también en obesidad. En los países pobres hay un gran aumento de la obesidad y no están preparados desde el punto de vista financiero y sanitario para poder tratar los estragos que hace la obesidad sobre la salud.
3. No lo sabemos. Todavía no sabemos cuáles son las alteraciones que te pueden llevar a la obesidad o a su opuesto, la anorexia nerviosa. 4. La comida se ha hecho muy fácil, barata y más sabrosa. Al tiempo, nuestra actividad física ha disminuido mucho. Comemos más de lo que tenemos que comer y apenas hacemos ejercicio.
5. Hay muchas formas de obesidad y hay que tratar a cada uno individualmente. En cuanto al sexo también hay diferencias. Cuanto menor es el nivel sociocultural hay más obesidad entre las mujeres; en cambio, entre los hombres hay más obesos cuanto mayor es el nivel sociocultural. 6. Hay un gran debate científico sobre este tema, si debe ser baja en carbohidratos, alta en proteínas o incluso alta en grasas. 7. La publicidad de la comida basura asocia el tomar estos alimentos con éxito y felicidad en la vida, y subliminalmente se queda el mensaje de que la felicidad y el amor están en las calorías y eso no es cierto. 8. La comida no es amor, no es felicidad. Las calorías no resuelven el problema que uno tiene y que le hace estar deprimido. Intentar solucionar la depresión comiendo es lo que se llama el apetito emociogénico. No comemos porque tengamos hambre, sino por una necesidad emocional, pensando que eso nos va a hacer felices.

44 1. c; 2. a; 3. c; 4. c; 5. a;

Instructional Notes

43 You might want to present the following words to the students before they listen to the audio: *fallar*, to fail; *impartir*, to give; *paradoja*, paradox; *estragos*, havoc; *comilona*, glutton/huge meal; *engaño*, deceit.

44 You might want to present the following words to the students before they listen to the audio: *medir*, to measure (height); *elixir*, elixir/cure-all; *crujiente*, crusty; *arrebato*, rage; *con aplomo*, with composure; *bajón*, slump/drop; *susurrar*, to whisper; *gula*, gluttony; *zarandear*, to shake; *a renglón seguido*, immediately

---

¡A escuchar!

43 Todas las dietas funcionan

Primero lea las preguntas y observaciones que siguen, y después escuche la grabación "Todas las dietas funcionan; el que falla es el ser humano". Luego haga un resumen de las respuestas que hace el Dr. Rolla a estas preguntas y observaciones.

1. Trabaja como endocrinólogo en un país donde el sobrepeso supone un problema de salud fundamental.
2. ¿No se da sólo en los países más avanzados?
3. ¿Obesidad y anorexia son dos manifestaciones de una misma enfermedad?
4. ¿Cómo se ha llegado a este estado de una excesiva obesidad?
5. No todos los obesos son iguales.
6. ¿Cómo debe ser una dieta para bajar de peso?
7. En el crecimiento de la obesidad ha influido la comida basura.
8. El chocolate o un buen helado alivian cuando uno está deprimido.

44 Dietas

Lea las posibles respuestas y después escuche la grabación "Dietas". Escoja la mejor respuesta para cada pregunta que escuchará en la grabación.

1. (Pregunta que escuchará en la grabación.)

   a. Un día
   b. Una semana
   c. Dos semanas
   d. Un mes

2. (Pregunta que escuchará en la grabación.)

   a. Cinco kilos
   b. Diez kilos
   c. Dos kilos
   d. Nunca dice.

3. (Pregunta que escuchará en la grabación.)

   a. Estaba comiendo muchos pasteles, mucho pan y muchas patatas fritas.
   b. Se miró en el espejo un día y decidió hacerlo.
   c. No le servían unos pantalones de verano.
   d. Todas las respuestas son correctas.

4. (Pregunta que escuchará en la grabación.)

   a. El pan y el chocolate
   b. El pan y las galletas
   c. El pan y las patatas fritas
   d. Las patatas fritas y las galletas

5. (Pregunta que escuchará en la grabación.)

   a. Entre la mente y tu estómago
   b. Entre tus instintos mentales y físicos
   c. Entre tu conciencia y tu voluntad
   d. Todas las respuestas son correctas.

afterwards; *manjar*, delicacy; *escalafón*, ladder; *abofetear*, to slap in the face; *estropeada*, broken; *michelines*, spare tires/love handles.

The questions from audio activity 44 appear below.

1. ¿Hace cuánto tiempo está el narrador de dieta? 2. ¿Cuánto peso quiere el narrador perder? 3. ¿Qué evento provoca esta decisión de ponerse a dieta? 4. ¿Qué alimentos le va a costar no tocar al narrador? 5. ¿Dónde hay una batalla al principio de una dieta? 6. Según el narrador, ¿por qué hacen los demás comentarios sobre la dieta? 7. ¿Cómo ha cambiado la actitud del narrador de los que se ponen a dieta?

6. (Pregunta que escuchará en la grabación.)

   a. Están celosos y quieren molestarte.
   b. Quieren premiar tus esfuerzos.
   c. Te admiran.
   d. Odian las dietas.

7. (Pregunta que escuchará en la grabación.)

   a. Antes pensaba que eran héroes; ahora piensa que son tontos.
   b. Antes pensaba que eran tontos; ahora piensa que son héroes.
   c. Antes pensaba que eran demenciales; ahora piensa que son repulsivos.
   d. Antes pensaba que eran repulsivos; ahora piensa que son demenciales.

45 Participe en una conversación

Ud. va a participar en una conversación. Primero lea la descripción de la conversación y piense en algunas palabras o expresiones que le serían útiles. Organice sus ideas, haciendo predicciones sobre lo que se le pueda preguntar o comentar. Una descripción de lo que va a escuchar aparece abajo en color. Participe en la conversación grabando las respuestas o escribiéndolas en su cuaderno.

Escena: Ud. está mirando la televisión y ve muchos anuncios de comida. Le empieza a entrar hambre. De repente, suena el teléfono. Es una agencia de publicidad que quiere saber si ha visto un nuevo anuncio sobre una pizza-combo con entrega a domicilio. Conteste las preguntas del agente.

Ud.:	• (*Suena el teléfono.*) Conteste el teléfono.
El agente:	Se presenta y le hace una pregunta.
Ud.:	• Contéstele afirmativamente.
El agente:	Le hace otra pregunta.
Ud.:	• Dele detalles del anuncio que acaba de ver.
El agente:	Sigue la conversación y le hace una pregunta.
Ud.:	• Continúe con los detalles.
El agente:	Sigue la conversación y le hace más preguntas.
Ud.:	• Continúe con los detalles pero reaccione negativamente a sus preguntas.
El agente:	Sigue la conversación y le pide un consejo.
Ud.:	• Dele un consejo para ayudarlo.
El agente:	Se despide.
Ud.:	• Despídase.

Teacher Resources

Activity 45 (CD 3, track 12)

Answers

44 6. a; 7. b

Audioscript Activity 45

(*Telephone rings.*) [STUDENT RESPONSE]
El agente: ¡Buenas tardes! Me llamo Alfonso y trabajo en una agencia de publicidad. Queremos saber si Ud. ha visto el nuevo anuncio sobre la pizza-combo de Pizza Express.
[STUDENT RESPONSE]
El agente: Pizza Express tiene un nuevo anuncio para una oferta fantástica de su nuevo pizza-combo, que es pizza con piña. ¿Qué opina sobre el anuncio y sobre la oferta?
[STUDENT RESPONSE]

El agente: La oferta es válida por las pizzas que se entregan a domicilio. ¿Le importa a Ud. que la oferta sea por la entrega a domicilio? ¿Me explica por qué, por favor?
[STUDENT RESPONSE]
El agente: ¿Piensa que el precio es justo? ¿Compraría esta nueva pizza?
[STUDENT RESPONSE]
El agente: ¿Qué sugiere Ud. para que Pizza Express venda más pizzas?
[STUDENT RESPONSE]
El agente: Gracias por su tiempo y la información que nos ayudará mucho.

¡A escribir!

46 Texto informal: un correo electrónico

Escriba un correo electrónico a su hermana que está estudiando en la universidad, lejos de casa. Ella acaba de ponerse a dieta, pero el régimen le cuesta. Escríbale un mensaje que le anime a continuar. Hable sobre:

- Los beneficios de ponerse a dieta.
- Las distracciones que le impiden continuar.
- Cómo Ud. va a ayudarle a tener éxito.

47 Texto informal: otro correo electrónico

Primero lea el artículo que sigue, prestando atención a las palabras en azul, ya que se le harán preguntas sobre ellas. Luego haga el papel del novio y escriba un correo electrónico a su novia después del incidente. Describa:

- El problema que tuvo.
- Las infracciones que Ud. cometió.
- Las sanciones contra Ud.

> **Consejo**
>
> Antes de empezar, lea las pautas para escribir textos informales en la pág. 480 del Apéndice. Mientras escribe el texto tenga presente los objetivos. Cuando termine, verifique que ha cumplido con todo lo que se describe en la lista y reflexione sobre su trabajo.

Comida rápida en helicóptero

Expedientado un soldado británico que usó un aparato Lynx del Ejército para llevar una pizza a su novia.

Tener un detalle galante con su novia le ha costado una sanción a un militar británico y unos cuantos miles de libras al Ejército del Reino Unido. Un teniente de helicópteros del escuadrón 659 del [5]Ejército del Aire con base en Suffolk, al este de Inglaterra, ha sido castigado por utilizar el aparato que pilotaba para llevar una pizza a su novia, según informa *The Sun*. El incidente tuvo lugar el pasado 25 de enero. El piloto, de 25 años, compró el menú [10]para su novia en un establecimiento de comida rápida y, aprovechando un vuelo rutinario, se desvió de su ruta y dirigió el aparato, un helicóptero Lynx, unos 50 kilómetros, hacia la zona donde su pareja, también militar, se encontraba de manio-[15]bras. Según un portavoz del ministerio de Defensa

citado por la agencia Reuters, se decidió no retirar el carnet al piloto por consideración a las especiales circunstancias de su escapada. El Ejército no ha facilitado ni el nombre del enamorado infractor, ni [20]el coste de su travesura, ni la sanción aplicada, ni los ingredientes de la pizza.

www.elpais.es

---

48 Amplíe su vocabulario 🔍

Según el contexto del artículo anterior, ¿cuál es la mejor traducción?

1. expedientar		a. spokesperson	
2. libra		b. routine flight	
3. castigar		c. escapade	
4. vuelo rutinario		d. price	
5. maniobra		e. prank	
6. portavoz		f. to bring disciplinary action against	
7. escapada		g. pound	
8. infractor		h. to punish	
9. coste		i. maneuver	
10. travesura		j. offender	

49 Ensayo: los régimenes ✒

Escriba un ensayo sobre "Los beneficios y los obstáculos de seguir un régimen".

50 Ensayo: la comida rápida ✒

Escriba un ensayo contestando la pregunta, "La comida rápida: ¿conveniente pero a qué costo?"

Consejo

Antes de empezar, lea las pautas para escribir ensayos en la pág. 480 del Apéndice. Mientras escribe el texto tenga presente los objetivos, y no se olvide de ponerle un título original. Cuando termine, verifique que ha cumplido con todo lo que se describe en la lista y reflexione sobre su trabajo.

51 En parejas 👥

Intercambie sus ensayos con los de un/a compañero/a. Exprésele su opinión sobre el contenido y el uso del idioma.

¡A hablar!

52 Charlemos en el café 👥

Ud. va a debatir los siguientes temas con un/a compañero/a. Uno estará a favor de lo que se ha dicho y otro en contra. El debate durará varios minutos. El/La estudiante que esté de acuerdo comenzará el debate y hablará por unos diez segundos. Cuando el/la profesor/a lo indique, su compañero/a tomará la palabra y expresará su opinión por otros diez segundos, y así sucesivamente.

1. La comida basura debería estar prohibida en los colegios.
2. Una dieta vegetariana es más saludable que una dieta que admite carne.
3. Hay que colocar una etiqueta en los alimentos que muestre si éstos han sido alterados genéticamente.
4. Opine a favor o en contra de los alimentos orgánicos.

53 ¿Qué opinan? 👥

Con un/a compañero/a conteste las siguientes preguntas y converse sobre los temas.

1. ¿Qué imagen de los Estados Unidos promueven las figuras icónicas de la comida rápida a través de la estrategia publicitaria de esas empresas?
2. ¿Qué efecto ha tenido la globalización de la alimentación en los hábitos alimenticios de la gente en los Estados Unidos? ¿Qué efecto ha tenido en la comida que hay en los supermercados? ¿En los restaurantes de su ciudad? ¿En el paladar norteamericano?

Lección 3B **169**

Answers

48 1. f; 2. g; 3. h; 4. b; 5. i; 6. a; 7. c; 8. j; 9. d; 10. e

Instructional Notes

49–50 Again, remind students to go over the expectations outlined in the *Pautas* on p. 480 before they write their essays.

51 You might want to have students work in small groups rather than with a partner to critique one another's work.

52 Because all students will speak, allow them time to prepare this activity. Be sure to tell students which issue and which side of the issue they will be debating, so that they can do some research and practice before their debate.

After students have debated these issues with a partner, you might want them to continue the debate in small groups, or even have a discussion with the whole class on one or two of these topics. Remind students to use as much of the new vocabulary from this lesson as they can.

53 Encourage students to review the vocabulary, including the expressions, at the end of the lesson in order to enhance their discussions. After students discuss these questions with a partner, you could follow up with small-group or a whole-class discussion.

54 Before students read the first part of the selection, review the following words with them: *disfrutar*, to enjoy; *la exacerbación*, aggravation; *constatar*, to verify; *a cabalidad*, precisely, exactly; *mazorca*, corncob.

54 Presentemos en público

Ud. va a contestar la siguiente pregunta: "¿Cómo puede la cocina de una nación representar la cultura del país ante el mundo?" Haga una presentación del caso de la comida mexicana a la UNESCO. Justifique cómo la comida mexicana tiene los valores de la antigüedad, la continuidad histórica, la originalidad y la autenticidad. Use las tres fuentes a continuación para preparar su presentación y tome las notas necesarias. Primero, lea el artículo siguiente con atención.

Consejo

Antes de empezar, lea las pautas para presentaciones formales en la pág. 481 del Apéndice. Mientras formula su presentación tenga presente los objetivos. Cuando termine la presentación, verifique que ha cumplido con todo lo que se describe en la lista y reflexione sobre el trabajo que hizo.

◄ ►	**Dirección** www.lostiempos.com	▲ Q▾
▭ Archivo Edición Ver Favoritos Herramientas Ayuda		

La comida mexicana, patrimonio cultural
Primera parte

Es la primera vez que un país pide que reconozcan su gastronomía como Patrimonio de la Humanidad. La próxima vez que coma un taco, una quesadilla, un mole poblano o algunas de las variedades de enchiladas mexicanas, tenga en cuenta que no sólo estará disfrutando de
5 una de las comidas más ricas y variadas del mundo, siéntase también un privilegiado porque estará disfrutando de una gastronomía que está a un paso de ser considerada Patrimonio de la Humanidad. Y no se trata de una exacerbación del nacionalismo mexicano, sino que se ha constatado que cumple los requisitos establecidos por la UNESCO
10 para recibir esta valoración. Es por eso que el Gobierno, instituciones y la sociedad civil de este país han presentado su candidatura ante la agencia internacional y la están promoviendo por todo el mundo para tratar de convencer al grupo de 19 expertos que revisarán la solicitud y que darán su veredicto el próximo 25 de noviembre en París...
La UNESCO establece que para que un bien cultural sea inscrito como Patrimonio Intangible de la
15 Humanidad debe tener, entre sus principales valores: antigüedad, continuidad histórica, originalidad y autenticidad. Requisitos que no son fáciles de reunir, pero que la comida mexicana cumple a cabalidad.

"Tenemos técnicas especiales para hacer nuestros alimentos que tienen historia y una larga tradición que se ha conservado desde la época prehispánica y que en otros casos se ha mestizado dándole sabor y características
20 especiales, pero que ha empezado a ser desvirtuado a medida que se ha ido popularizando en todo el mundo y por el predominio de la 'comida rápida'", dice Pilar Fausto González, chef mexicana con 30 años de experiencia e instructora del Instituto Gastronómico de Estudios Superiores, S.C. (IGES) de Querétaro. Y añade: "Hay tanta diversidad que por mucho
25 tiempo la gente del norte conocía muy poco las características de la cocina del sur y viceversa, lo mismo ocurría con la del centro de la República, pero la mayor parte de nuestra cocina tiene como base el maíz. Incluso decimos que 'México es el país del maíz'". Ahora no es lo único, porque también está el chile (ají) y en algunas regiones predominan más otros
30 vegetales o diversos tipos de insectos que son comestibles.

El maíz sigue siendo el ingrediente más importante de la comida mexicana, cultivo considerado sagrado por las culturas prehispánicas y que aún lo sigue siendo para las comunidades indígenas. La mazorca ha sido utilizada como moneda, ha representado símbolos míticos y está vinculada a las expresiones artísticas y artesanales. Del maíz se hace la tortilla, que sigue siendo una parte importante de la dieta
35 del mexicano. Se estima que en México diariamente se consumen cerca de 300 millones de tortillas, y para satisfacer esa demanda ya existen máquinas que las elaboran en grandes cantidades; sin embargo, en muchas partes del país las mujeres aún siguen haciéndolas de la manera tradicional.

www.los tiempos.com

Ahora escuche la grabación "La comida mexicana, patrimonio cultural" y después lea la segunda parte del artículo con atención.

La comida mexicana, patrimonio cultural

Segunda parte

Con maíz también se elaboran más de 370 tipos de tamales. Los hay de todos los sabores y con él se realizan platillos como el pozole, enchiladas, tostadas, chilaquiles y muchos otros platos que son de consumo
5 popular. "En México estamos luchando por el rescate y la preservación de elementos que son símbolos de nuestra nacionalidad y de nuestro pasado, porque creo que somos lo que comemos y las nuevas tendencias como el 'fast food' o comida rápida tienden a que
10 desaparezcan nuestras prácticas ancestrales que dieron origen a nuestra genética e identidad como pueblo",

dice González. Junto al maíz, el frejol, la calabaza (zapallo) y el chile han sido parte de la alimentación básica del mexicano durante siglos, pero quizás éste último sea el más popular en el mundo.

Un aspecto que ha caracterizado a la comida mexicana ha sido el mestizaje entre los usos y alimentos
15 originarios con los extranjeros que llegaron de España, Francia y Estados Unidos. Un ejemplo de ello es el mole, que es una salsa espesa preparada con más de 35 ingredientes. Su preparación lleva varias horas y cada región tiene uno diferente o varios; como es el caso de Oaxaca, donde se preparan siete variedades: entre ellas el mole negro, amarillo, el verde, etc. Sin embargo, el más famoso es el poblano. Sobre su origen hay muchas leyendas, pero una de las más conocidas sitúa su creación en los
20 conventos de las religiosas en la época colonial. No menos llamativa es la variedad de comidas en base a los saltamontes o "chapulines", gusanos y otros insectos que más que platos exóticos son una fuente nutricional importante. Lo cierto es que aún hay mucho por hablar y degustar de la gastronomía de este país y que se podrá apreciar y conocer más, si el 25 de noviembre la UNESCO llega a darle el valor que se merece. Del mismo modo podría abrir las puertas para que la cocina de otras regiones de América
25 Latina sean valoradas y preservadas. La mesa está servida.

www.los tiempos.com

Teacher Resources

Activity 54 (CD 3, track 13)

Instructional Notes

54 Before students listen to the audio, review the following words with them: *incendiar,* to set fire to; *sudor,* sweat; *coronilla,* crown (of the head).

Review the *Pautas para presentaciones formales* on p. 481, and refer students to their copies of the guidelines given to them in *Lección 1A* (*Antes y durante una presentación*). (See p. 27 of this Annotated Edition.)
Assign this presentation as homework, since students will need time to prepare.

Additional Activities

La noticia del día
See p. TE28.

Optional Activity (CD 3, track 14)

Instructional Notes

55 Before students start their projects, go over the questions from *Lección 1A*, p. 28. Students should have a copy of these questions for each project.
Remind them that after they complete their project, they will self-assess their work as a team using the grading system 1–5 (5 being the highest, and 1 the lowest) and write a grade next to each question. After they turn in their work or make their presentation to the class, you will review their project and write your comments and evaluation next to theirs.

To help those students who need some assistance in selecting a Hispanic cuisine that is worthy of being named *Patrimonio de la Humanidad*, you might ask them to listen to *"La cocina puertorriqueña en todo su esplendor."* Before doing this, review the following words with them: *arrancar*, to take off/start; *primigenio*, original; *constatación*, verification; *ameno*, pleasant; *paladar*, palate; *borinqueño*, Puerto Rican; *recuadro*, section; *galleguito*, Galician (used to refer to someone from Spain); *florecer*, flourishing; *recalcar*, to emphasize.

Proyectos

55 ¡Manos a la obra!

Trabaje con un grupo de cuatro o cinco estudiantes para llevar a cabo uno de los siguientes proyectos y presentarlo en clase.

- La directiva de su escuela o universidad está considerando cambios en el servicio de la cafetería. Expresen su opinión de lo que tienen que dejar y lo que tienen que cambiar. Ofrezcan sugerencias para mejorar la comida y el servicio.

- Van a preparar un almuerzo "especial" para cuatro invitados este sábado. De los cuatro, hay un vegetariano, otro que no puede tomar muchos productos lácteos, una a quien le encanta la comida orgánica y otra que no puede comer mariscos. Piensen en el menú ideal que será del agrado de todos. Después, decidan qué productos van a comprar y si van solamente al supermercado o a algún mercado especial y por qué.

- Elijan una gastronomía hispana que piensan sea digna de ser nombrada Patrimonio de la Humanidad. Hagan una lista de los platos nacionales de varios países hispanos. Discutan todas las sugerencias y decidan qué gastronomía merece el título y por qué.

- Elijan una dieta popular o un programa de ejercicio que promete hacer perder peso o sentirse mejor. Describan las ventajas y desventajas de seguir la dieta o el programa. Decidan cuál es mejor —la dieta o el programa de ejercicio físico— y expliquen por qué.

- Busquen en periódicos, revistas o Internet y elijan tres anuncios en español que venden comida o tres anuncios en español de un restaurante. Preparen una presentación sobre el contenido de cada anuncio. Decidan cuál es el mejor y hagan sugerencias para mejorar los otros dos anuncios.

Vocabulario

Verbos

adelgazar	to get thin, lose weight
alcanzar	to reach, catch up with
aliviar	to relieve
bombardear	to bombard
consumir	to consume
dañar	to damage, harm
desempeñar	to play, perform
desviarse	to deviate
emprender	to undertake
engañar	to trick, deceive
engordar	to get fat, put on weight
estilizar	to characterize
estimular	to stimulate
fichar	to sign up with, sign on
impedir (i)	to forbid, prevent
incurrir	to incur
ingerir	to ingest
paladear	to savor, relish
picar	to snack
probar (ue)	to taste
procurar	to try to, endeavor to
promover (ue)	to promote
regar (ie)	to water
rogar (ue)	to beg, plead
valorizar	to value
vigilar	to watch

Verbos con preposición

verbo + a:

aportar a	to contribute
comprometerse a	to promise to
empezar (ie) a	to begin to
proceder a	to proceed
tender a	to tend to, incline

verbo + con:

amenazar con	to threaten with
enfrentarse con	to face up to
entroncar con	to be connected with

verbo + de:

alegrarse de	to be happy about
beneficiar de	to benefit from
darse cuenta de	to realize
encargarse de	to take charge of
padecer de	to suffer from
proceder de	to originate from
tratarse de	to be about

verbo + en:

comprometerse en	to get involved in

verbo + por:

velar por	to watch over

Sustantivos

el	afán	zeal
la	alimentación	nourishment, feeding
el	alimento	food
la	antigüedad	antiquity
la	autoestima	self-esteem
el	ayuno	fast
la	bebida carbónica	carbonated drink
el	caldo	broth
la	calidad	quality
la	campaña	campaign
la	cantidad	quantity
la	comida basura (rápida)	junk (fast) food
la	comida exótica	exotic food
la	comida orgánica	organic food
la	comida vegetariana	vegetarian food
la	compañía	company, business
el/la	consumidor(a)	consumer
el	consumo	consumption
la	deficiencia	deficiency
el	desequilibrio	imbalance
la	desnutrición	malnutrition
la	empresa	business, company
el	equilibrio	balance
la	escasez	shortage
el	fabricante	manufacturer
la	factura	bill
la	fibra	fiber
la	gravedad	seriousness
la	hambruna	hunger, starvation
el	hierro	iron (*mineral*)
el	hueso	bone
el	icono	icon
la	ingesta	consumption
el	local	premises
el	lonche	lunch
la	lonchería	restaurant for lunch
la	maca	bruise (*on fruit*)
la	máquina dispensadora	vending machine
la	mascota	pet, mascot
el/la	nutricionista	nutritionist
la	obesidad	obesity
el	patrimonio	heritage
el	presupuesto	budget
los	(productos) químicos	chemicals
el	puesto	stand
la	quinua	quinoa (*Bolivian grain*)
el	régimen	diet
el	reparto	distribution

Teacher Resources

 Activities 24–28

 Visite la página Web de
¡A toda vela! en
www.emcp.com

Additional Activities

Juegos
To practice and reinforce the lesson's vocabulary, have students play one of these games: *Cada uno una, Cadena de palabras, Lo tengo en la punta de la lengua.* See pp. TE24 and TE25.

Juego
To practice the vocabulary, grammar, and the culture topics presented in the lesson, ask students to play *¿Quién quiere ser millonario?* See p. TE25.

Juego
To review the culture topics presented in the lesson, ask students to play *¿Verdadero o falso?* See p. TE25.

Ask students to do any of the following activities to practice and strengthen the vocabulary presented in this lesson: *Vocabulario, La definición interminable, Repaso Expreso, Tengo memoria de mosquito.* See pp. TE27–TE29.

Teacher Resources

See ExamView for assessment options.

Instructional Notes

Ask students to come up with more examples of words formed with the prefixes cited in the *A tener en cuenta* feature.

el	**sobrepeso**	excessive weight
la	**soja**	soya
la	**subalimentación**	undernourishment
la	**tasa**	rate
la	**travesura**	prank

Adjetivos

alimentario, -a	nourishing
alimenticio, -a	nutritious
caprichoso, -a	capricious, impulsive
cárnico, -a	relating to meat
celebérrimo, -a	very famous
desmesurado, -a	vast, enormous, excessive
fresquito, -a	really fresh
genial	wonderful
grasiento, -a	greasy
hipercalórico, -a	with high caloric content
impensado, -a	unexpected
inoloro, -a	odorless
insípido, -a	tasteless, insipid
irreemplazable	irreplaceable
lácteo, -a	lactose, dairy
liviano, -a	light
magro, -a	lean
monoparental	relating to a single parent
nutritivo, -a	nutritious
obeso, -a	obese
oloroso, -a	smelly
orgánico, -a	organic
rentable	profitable, worthwhile
saludable	healthy
sano, -a	healthy
sedentario, -a	sedentary
vasto, -a	vast, immense
venidero, -a	future

Expresiones

a la última	up to date
a partir de	beginning from
en gran medida	in great part
entrega a domicilio	home delivery
la estrategia publicitaria/ de propaganda	advertising strategy
la figura icónica	icon, symbol
la insalubridad del agua	unhealthiness of water
mayor calidad	best quality
no dar abasto	to not cope
pasar hambre	to endure hunger
pese a	in spite of
poner freno	to stop, halt
tener en cuenta	to take into account

A tener en cuenta
Prefijos

des- denota negación o el significado opuesto:

el ayuno	el desayuno
empeñar	desempeñar
el equilibrio	el desequilibrio
igual	desigual
la nutrición	la desnutrición
el orden	el desorden

hiper- denota exceso:

activo	hiperactivo
calórico	hipercalórico
el mercado	el hipermercado

mono- denota único o solo:

cromático	monocromático
parental	monoparental
tono	monótono

auto- denota mismo o propio:

el control	el autocontrol
la estima	la autoestima
el retrato	el autorretrato
el servicio	el autoservicio

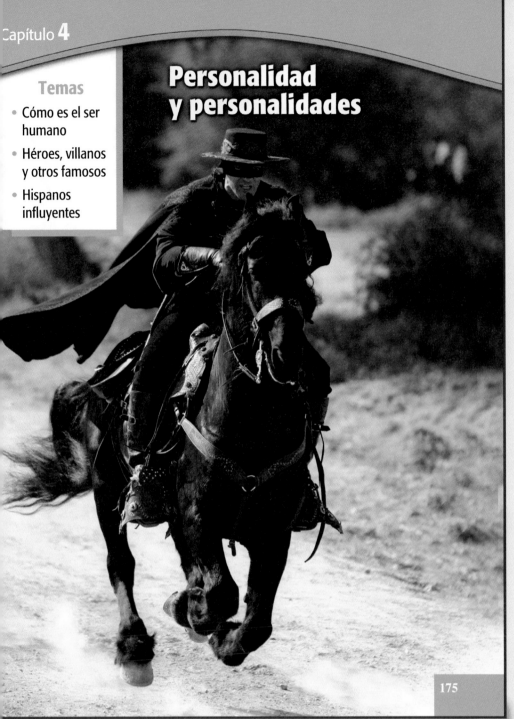

Capítulo 4

Temas

- Cómo es el ser humano
- Héroes, villanos y otros famosos
- Hispanos influyentes

Personalidad y personalidades

175

Overview of chapter 4

This chapter explores some human behavior and emotions—from love, hate, and jealousy to fears, phobias, and lies—and also takes a look at well-known personalities from around the world, including both real and fictitious characters.

Instructional Notes

Among the fictional characters, El Zorro (in the photo, portrayed by the Spaniard Antonio Banderas) is one of several legendary heroes who fights for the underprivileged. Ask students to name some other fictional, or real, heroes who help the underdog.

Ask students these or similiar questions that have to do with the topics of the chapter: *¿Cuál es la diferencia entre la personalidad y el carácter de una persona? ¿Y qué diferencia hay entre* personalidad *y* personalidades? *¿Les parecen más interesantes los héroes o los villanos? ¿Por qué? ¿Quiénes son los hispanos más influyentes de este siglo? ¿Y de todos los tiempos?*

Nota cultural

El Zorro fue la creación del escritor norteamericano Johnston McCulley (1883–1958). Cuando El Zorro no estaba luchando contra las injusticias de la California española a principios del siglo XIX, era el aristócrata californiano don Diego de la Vega, amante de la poesía. Desde que apareció este personaje en una serie de historias publicadas en 1919 bajo el título *La maldición de Capistrano*, se han hecho decenas de películas y series de televisión basadas en él. La primera apareció en 1920, y fue protagonizada por Douglas Fairbanks. En 2007 apareció una nueva película de televisión, *El Zorro: la espada y la rosa* con el peruano Christian Meier.

Investigue palabras clave:
El Zorro, Johnston McCulley

176

Instructional Notes

Ask students to study the photos and think about what is happening in each one. They should then choose one on which to create a story. You may have students narrate their stories aloud or write them.

Objetivos

Comunicación

- Opinar sobre personas y personalidades
- Hablar sobre manías y fobias
- Hablar sobre el amor, la envidia y las mentiras
- Describir cómo nos comunicamos
- Opinar sobre el poder de la mente

Gramática

- El subjuntivo en cláusulas adjetivales y con expresiones impersonales
- El subjuntivo en cláusulas adverbiales

"Tapitas" gramaticales

- *aun* y *aún*
- expresiones con *lo*
- los nexos
- el orden de los adjetivos

Cultura

- Conceptos del amor
- Fobias, manías y miedos
- Atracción por lo malo o prohibido
- La comunicación no verbal
- Elementos de la personalidad
- Los mentirosos

Visite la página Web de
¡A toda vela! en
www.emcp.com

Para empezar

1 Conteste las preguntas

Piense en las respuestas a las siguientes preguntas. Ud. puede tomar notas si lo considera necesario. Cuando termine, compare sus respuestas —pero sin mirar sus notas— con las de un/a compañero/a.

1. ¿Qué tipo de persona es Ud.? ¿Qué tres palabras usaría para describirse a sí mismo/a?
2. ¿Se considera una persona positiva o negativa? Dé un ejemplo de un problema y su actitud ante él.
3. ¿Le resulta fácil expresar sus sentimientos a otra persona? ¿Suele decirles a sus amigos o familiares que los quiere, o prefiere que "lo intuyan"?
4. ¿Se enamora con facilidad o le cuesta enamorarse?
5. ¿Le resulta fácil mentir? ¿Por qué?
6. ¿Tiene algún tipo de fobia? ¿Cuál?
7. ¿Tiene manías? ¿Qué manías son las más comunes?
8. ¿Qué cualidades valora más en los amigos y amigas? ¿Y en los familiares?
9. ¿Cuáles son tres rasgos positivos y tres negativos de la personalidad?
10. ¿Qué cualidades considera que deben tener los profesores?

2 Mini-diálogos

Ud. va a crear un mini-diálogo con un/a compañero/a. Lea la descripción de la conversación antes de empezar. Puede tomar notas para organizar sus ideas, pero no las mire mientras conversa.

Escena: En el almuerzo Ud. y su amigo/a mantienen una conversación sobre otros amigos.

A: Hable con él/ella sobre uno/a de sus amigos. Describa su personalidad y pregúntele qué piensa de esta persona.

B: Exprese su opinión. Pregúntele qué piensa de otro/a amigo/a que tienen.

A: Conteste sus preguntas. Hable sobre la personalidad de esta persona. Háblele sobre una de las manías que tiene (puede inventársela si no la tiene).

B: Reaccione con sorpresa. Háblele sobre una de las manías que Ud. tiene.

A: Reaccione a su comentario. Quede para verse otro día y despídase.

B: Acepte la invitación. Despídase y recuérdele algo que tiene que hacer.

Cita

Todo hombre es como la luna: con una cara oscura que a nadie enseña.

—Mark Twain (1835–1910), escritor y humorista estadounidense

 ¿Es pesimista u optimista esta cita? ¿Por qué? ¿Cree que la mayoría de las personas tienen una cara oscura? Cite algunos ejemplos y comparta su opinión con un/a compañero/a.

¡Dato curioso!

Según unos investigadores, los gestos también se heredan. En un experimento se le pidió a un grupo de personas ciegas y a algunos de sus familiares que reaccionaran a ciertas situaciones para mostrar cómo se sentían cuando estaban tristes, contentos, frustrados, etc., mientras todos los gestos fueron grabados. Los científicos comprobaron que los gestos eran muy similares o iguales, aun en el caso de los ciegos que jamás habían podido observar a otras personas.

Nota cultural

Aunque el hombre lleva siglos usando gestos para comunicarse, nunca se le ha prestado la atención que se merece. No se han estudiado realmente hasta hace unas décadas. El investigador Albert Mehrabian afirma que en una comunicación verbal cara a cara la parte verbal constituye un 35%, mientras que la no verbal, un 65%.

Answers

1 Answers will vary.

2 Dialogues will vary.

Instructional Notes

1 You might want to have students work in small groups or have the entire class participate in a discussion.

2 Before you ask students to prepare their dialogues, you may want them to brainstorm some adjectives that describe people's personality. Students should record these words in their notebooks, and keep adding to them during the year.

Ask students questions about the people in the photo: *¿En qué creen que trabaja cada persona en la foto? ¿Qué tipo de personalidad tendrá cada uno? ¿Qué tipo de cosas les gustarán? ¿Suelen Uds. formar una opinión de una persona antes de conocerla bien? Si lo hacen, ¿aciertan la mayoría de las veces?*

Dato curioso

Ask students to work in small groups and illustrate or describe some common gestures that we use in the United States. Ask them how they would explain (or show) these gestures, and what they mean, to a Spanish speaker.

You could show some gestures from Spanish-speaking countries to the students and ask them to guess what they mean. Ask them to compare and contrast these gestures with ones they know from the United States.

Additional Activities

Amnesia
See p. TE26.

Activities 1–2

Answers

4 *Ejemplos:*

positivo: lo contrario de negativo; compañeros: colegas; vergüenza: timidez; el qué dirán: lo que otras personas pensarán; elegir: escoger; tranquilo: lo opuesto de nervioso; confianza: seguridad; sinvergüenza: insolente, pícaro, canalla; entre la vida y la muerte: estar muy grave; débil: con poca fuerza

5 1. Sea/motive: se niega la existencia del antecedente; sigan: sigue la expresión impersonal *es fácil*; pueda: sigue la expresión impersonal *es imposible*; te levantes/tomes: siguen la expresión impersonal *es importante*; aprendas/seas: siguen la expresión impersonal *es mejor*; tomes: sigue la expresión impersonal *es indispensable*; sobreviva: sigue la expresión impersonal *es imposible*; puedan: sigue el mandato *hagan*; sea alérgico: se niega la existencia del antecedente; tenga: sigue la expresión impersonal *lo importante que es*. 2. Una cláusula adjetival modifica al sustantivo en la oración principal de la misma manera que lo hace un adjetivo. 3. Ejemplos: es bueno que, es probable que, es dudoso que, es una lástima que, es extraño que, es preciso que, es raro que, es urgente que; 4. Ejemplos: es seguro, es cierto, es evidente

Instructional Notes

3 Remind students to keep adding new words in their notebooks as they work through the lessons. Encourage them to use these words when doing the activities.

Share this Mexican saying with students: *A las balas no hay que tenerles miedo, hay que tener miedo a la velocidad a la que vienen.*

Additional Activities

Comunicación

After students read the article, ask them to work in small groups and describe a very positive person they may know. You might want them to also write about this person.

Vocabulario y gramática en contexto

3 David Aron

Túrnese con un/a compañero/a para leer el siguiente artículo. Fíjese en las palabras que aparecen en azul (relacionadas con el vocabulario) y en rojo (relacionadas con la gramática), ya que en las siguientes actividades se le harán preguntas sobre ellas.

Personas con una gran personalidad

No conozco a nadie que sea tan positivo como David Aron. Es una de esas personas que siempre le busca el lado positivo a las cosas. En realidad no conozco a nadie que motive a sus compañeros tanto como él. Por esta razón es fácil que muchos le sigan a todas las tiendas donde trabaja. Desafortunadamente, por algún motivo es imposible que yo pueda tener esa actitud, así que esta mañana fui a su tienda y le pregunté con cierta vergüenza cómo lo hacía. Él me contestó cariñosamente: "Es importante que te levantes cada día y tomes la decisión de estar de buen humor y no de mal humor. Si alguien te critica por algo es mejor que aprendas de ello y que no seas una víctima. En resumen, es indispensable que tomes una actitud positiva ante cada situación sin importarte el qué dirán. ¡Tú eliges!" Me fui de allí tranquilo y con mucha más confianza en mí mismo de la que había tenido en siglos. Por desgracia, me acabo de enterar de que justo después de mi visita un sinvergüenza entró a robarle y le disparó en el pecho. Por suerte lo llevaron enseguida al hospital. No obstante, al estar herido gravemente, todos los médicos pensaron: "Es imposible que este hombre sobreviva". Al verles la cara David comprendió que estaba entre la vida y la muerte: "Tranquilos. Hagan lo que puedan, pero por favor, recuerden que aún estoy vivo, no muerto". Como resultado, los médicos reaccionaron de inmediato y le preguntaron: "Señor, ¿es alérgico a algún medicamento?" David les respondió: "No, no hay nada a lo que sea alérgico. Bueno, sí, una cosa: a las balas". Todos rieron y comprendieron lo importante que es que uno tenga una actitud positiva. ¿Y tú? ¿Cómo ves el vaso? ¿Medio lleno o medio vacío?

4 Vocabulario

Defina en español el significado de las palabras en azul que aparecen en la lectura anterior.

5 El subjuntivo en cláusulas adjetivales y con expresiones impersonales

Conteste estas preguntas relacionadas con la lectura de la Actividad 3.

1. Haga una lista de los verbos que se usan en el subjuntivo en el artículo anterior y explique por qué se usaron.
2. ¿Qué es una cláusula adjetival?
3. Escriba ocho expresiones impersonales que estén seguidas del subjuntivo, pero que no aparezcan en el artículo anterior.
4. Escriba una expresión impersonal seguida del indicativo. No tiene por qué aparecer en el artículo anterior.

6 "Tapitas" gramaticales

1. ¿Cómo traduciría *aún*? ¿Qué significa cuando se escribe sin acento? Escriba una oración con cada uno de estos ejemplos.
2. ¿Cómo traduciría *lo importante*? Escriba una oración usando *lo* con otro adjetivo.
3. Los nexos, tales como *en realidad*, sirven para conectar las ideas en una oración. ¿Cuáles son los otros nexos que se usan en el artículo?

7 Una carta al periódico

Ud. es uno de los empleados de David Aron. Después de que su jefe haya sido asaltado, un periódico local le ha pedido que describa el tipo de persona que es para luego escribir un artículo sobre él. Escriba una carta al periódico de unas 200 palabras. Use nexos, verbos en subjuntivo y algunas palabras del artículo de la Actividad 3 y subráyelos.

8 Sobre el amor

Lea con atención el siguiente texto, fijándose en las palabras en azul y en rojo, ya que se le harán preguntas sobre ellas.

¿Qué es el amor?

Un grupo de profesionales le propuso a varios niños la siguiente pregunta: ¿Qué significa amar a una persona? Las respuestas obtenidas fueron más amplias y profundas de lo que los profesionales pudieron imaginar. Aquí tienen algunas de ellas.

⁵ Cuando alguien te ama, cada vez que diga tu nombre lo hará de una manera diferente al resto.

El amor es cuando sales a comer con alguien y le das tus papas fritas sin que te importe.

Amor es cuando después de que le digas a un chico que te gusta su camisa, él se la ponga todos los días.

¹⁰ Amor es cuando mi mami ve a mi papi después de trabajar y le dice que es más guapo que Brad Pitt, sin que le importe que esté sudoroso y oloroso.

Amor es cuando mi perrito me chupaba la cara con cariño todos los días aunque lo dejara solo cada vez que me iba a la escuela.

Amor es cuando mis padres piensan siempre en nosotros antes de hacerlo en ellos mismos.

¹⁵ Amor es cuando mi abuelo le pinta las uñas a mi pobre abuela quien tiene artritis, a fin de que se sienta tan bella como de costumbre.

Amor es lo que hace que mi hermana me dé toda su ropa para que yo la use, y luego ella tiene que ir a comprársela nueva.

Amor es cuando mis abuelos siempre van de la mano dondequiera que vayan, después de tantos años
²⁰ juntos.

Amor es cuando mi papá se queda en el trabajo hasta muy tarde a fin de que podamos irnos todos juntos una semana de vacaciones en verano.

Amor es cuando mis padres entran en nuestra habitación y nos besan en la frente con cariño sin que lo sepamos.

²⁵ Amor es cuando mi madre prueba siempre primero la sopa para que nadie se queme.

Amor es cuando mis padres me dicen "Muy bien" aunque me equivoque.

En resumidas cuentas, después de leerlo, puede ser que te haga pensar en cosas a las que normalmente no le sueles prestar atención; por lo tanto, en cuanto puedas, dile a un ser querido que lo amas, en caso de que se haya olvidado de lo que sientes por él o por ella.

www.enbuenasmanos.com

Answers

6 1. aún: *still*; aun: *even*; ejemplos: Aún está lloviendo. Aun cuando duermo pienso en español. 2. *the important thing*; ejemplo: Lo increíble es que el pianista sólo tiene seis años. 3. por esta razón, desafortunadamente, así que, en resumen, por desgracia, por suerte, no obstante, como resultado

Instructional Notes

7 Ask some students to read their articles to the class.

8 After students read "¿Qué es el amor?" you might want to have them discuss the Italian proverb *El amor y la tos no pueden ocultarse*.

Additional Activities

Mensajes breves
While the students are working on activity 7, or any other activity in this lesson, ask them questions about the task at hand and establish a brief dialogue. This is an excellent way of enhancing students' informal and spontaneous writing skills.

¡A escribir juntos!
See p. TE26.

Answers

9 1. g; 2. i; 3. c; 4. h; 5. j; 6. a; 7. d; 8. b; 9. e; 10. f

10 1. Una cláusula adverbial es una cláusula que modifica al verbo de la misma manera en que lo hace un adverbio. Por ejemplo, indica cuándo, cómo, con qué frecuencia, etc. tiene lugar la acción. Éstas van introducidas por conjunciones como *cuando, en caso de que, para que,* etc. 2. cada vez que diga, *each time he says*; sin que te importe, *without it mattering to you*; después de que le digas, *after you tell him*; sin que le importe, *without it mattering to her*; aunque lo dejara solo, *even if I left him alone*; a fin de que se sienta, *in order for her to feel*; para que yo la use, *in order for me to use it*; dondequiera que vayan, *wherever they go*; a fin de que podamos, *so we can*; sin que lo sepamos, *without our knowing it*; para que nadie se queme, *so that no one burns himself*; aunque me equivoque, *even though I'm wrong*; en cuanto puedas, *as soon as you can*; en caso de que se haya olvidado, *in case he has forgotten*

11 1. in themselves; same, very, right (Vivo en el mismo París.) 2. **antiguo**—delante: *former*; después: *old, ancient*; **cierto**—delante: *certain*; después: *true*; **grande**—delante: *great*; después: *big*; **nuevo**—delante: *different (style or model)*; después: *brand new*; **pobre**—delante: *unfortunate*; después: *poor (no money)*; **simple**—delante: *simple (uncomplicated)*; después: *simple-minded. Grande* se convierte en *gran.*

12 Visuals will vary.

13 E-mails will vary.

Instructional Notes

12 You might want to challenge students so they present their visuals in an original way as drawings, spider maps, or other graphics, and then explain why they chose the shapes and symbols to the class. Display their work in the classroom.

13 Encourage students to look up and use some sayings in their response.

---

9 Amplíe su vocabulario

¿Cuál es la mejor definición según el contexto del artículo que acaba de leer?

1. amplio
2. profundo
3. de una manera
4. el resto
5. sudoroso
6. oloroso
7. chupar
8. uña
9. dondequiera
10. a fin de que

a. que huele mal
b. parte dura que crece al final de los dedos
c. de una forma
d. mojar o humedecer con la lengua
e. a/en cualquier parte
f. para que
g. extenso
h. los demás
i. serio, trascendente, hondo
j. con sudor, con la piel húmeda por la transpiración

10 Cláusulas adverbiales

1. ¿Qué es una cláusula adverbial? ¿Cómo van introducidas en la oración principal?
2. Haga una lista de las situaciones en las que aparece el subjuntivo después de una cláusula adverbial en el texto anterior. Escriba el significado en inglés de dichas palabras o expresiones.

11 "Tapitas" gramaticales

1. La palabra *mismo* cambia de significado según vaya delante o detrás del sustantivo. ¿Qué significa en este contexto: "en ellos mismos"? ¿Cómo se traduce cuando se usa delante del nombre?
2. Escriba los diferentes significados de los siguientes adjetivos, según vayan delante o detrás del nombre: *antiguo, cierto, grande, nuevo, pobre* y *simple.* ¿Qué le ocurre al adjetivo *grande* cuando va delante de un sustantivo singular?

12 El amor es...

Con un/a compañero/a haga un gráfico con formas originales en el que los dos describan qué es el amor. Luego, preséntenlo a la clase.

13 Un correo electrónico

Un amigo suyo está un poco deprimido porque ha sido rechazado por la persona que ama. Escríbale un correo electrónico para animarle. Use el vocabulario, las estructuras repasadas y las tapitas gramaticales de la lección. Subraye las palabras nuevas y las estructuras que use.

- Hable de la situación en la que está.
- Hable de todas las cualidades que tiene.
- Anímele a hacer nuevos planes para el futuro.

14 El subjuntivo

Escriba oraciones completas usando como base las palabras dadas, más una cláusula adverbial o adjetival con el subjuntivo. Siga el modelo.

MODELO Ramón / ir / sin que
Ramón siempre se va sin que nos podamos despedir de él.

1. Este ejercicio / ser / para que
2. Yo / no ir / a menos que
3. Tú / no venir / sin que
4. Ser / bienvenido / quienquiera que
5. Los estudiantes de New Trier / esperar / cuando
6. Bant Breen / llamar por teléfono / a menos que
7. Magdalena / ser tímida / a menos que
8. Mi médico / ponerme una inyección / en caso de que

15 Indicativo o subjuntivo

Vicente le mandó el siguiente mensaje electrónico a una de sus mejores amigas. Complételo con la forma correcta del verbo según sea indicativo o subjuntivo; a veces tendrá que elegir entre *ser* y *estar*.

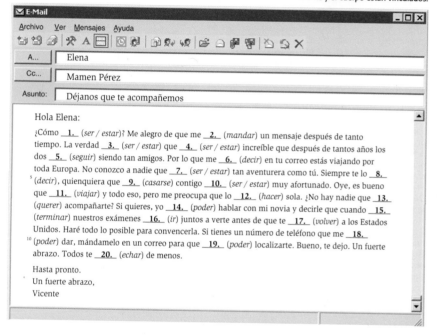

☑ E-Mail _ □ ✕

Archivo   Ver   Mensajes   Ayuda

A...   Elena
Cc...   Mamen Pérez
Asunto: Déjanos que te acompañemos

Hola Elena:

¿Cómo __1.__ (*ser / estar*)? Me alegro de que me __2.__ (*mandar*) un mensaje después de tanto tiempo. La verdad __3.__ (*ser / estar*) que __4.__ (*ser / estar*) increíble que después de tantos años los dos __5.__ (*seguir*) siendo tan amigos. Por lo que me __6.__ (*decir*) en tu correo estás viajando por toda Europa. No conozco a nadie que __7.__ (*ser / estar*) tan aventurera como tú. Siempre te lo __8.__ (*decir*), quienquiera que __9.__ (*casarse*) contigo __10.__ (*ser / estar*) muy afortunado. Oye, es bueno que __11.__ (*viajar*) y todo eso, pero me preocupa que lo __12.__ (*hacer*) sola. ¿No hay nadie que __13.__ (*querer*) acompañarte? Si quieres, yo __14.__ (*poder*) hablar con mi novia y decirle que cuando __15.__ (*terminar*) nuestros exámenes __16.__ (*ir*) juntos a verte antes de que te __17.__ (*volver*) a los Estados Unidos. Haré todo lo posible para convencerla. Si tienes un número de teléfono que me __18.__ (*poder*) dar, mándamelo en un correo para que __19.__ (*poder*) localizarte. Bueno, te dejo. Un fuerte abrazo. Todos te __20.__ (*echar*) de menos.

Hasta pronto.
Un fuerte abrazo,
Vicente

Cita

Un optimista ve una oportunidad en toda calamidad, un pesimista ve una calamidad en toda oportunidad.
—Sir Winston Churchill (1874–1965), primer ministro británico y premio Nobel de Literatura

 ¿Está de acuerdo con lo que dijo Sir Winston? ¿Qué tipo de persona se considera Ud.? Comparta su opinión con un/a compañero/a.

¡Dato curioso!

Un estudio de la Clínica Mayo de Estados Unidos revela que las personas optimistas viven alrededor de un 19 por ciento más que las pesimistas. Los resultados surgen de un estudio realizado a 839 personas, quienes participaron en un sondeo de personalidad que las clasificó de optimistas, pesimistas o un poco de ambas. Esto confirma, tal y como se lleva pensando durante siglos, que la mente y el cuerpo están vinculados.

Nota cultural

Tras una investigación que duró 30 años, un grupo de científicos de la Clínica Mayo concluyó que la salud depende en gran parte de la actitud con la que el individuo se enfrenta a la vida. La manera en que las personas reaccionan a su salud hace que uno pueda vivir más o menos años, al igual que afecta su calidad de vida.

Teacher Resources

📄 Activities 3–7

Answers

14 *Ejemplos:*
1. Este ejercicio es para que no me equivoque más. 2. Yo no iré a menos que tú vengas conmigo. 3. Tú no vengas sin que le compres un detalle a Virginia. 4. Será bienvenido quienquiera que ayude con la cena. 5. Los estudiantes de New Trier esperarán sus notas cuando haya exámenes. 6. Bant Breen llamará por teléfono a menos que haya perdido el número. 7. Magdalena es tímida a menos que conozca muy bien a la persona. 8. Mi médico me puso una inyección en caso de que me fuera a África con ustedes.

15 1. estás; 2. hayas mandado; 3. es; 4. es; 5. sigamos; 6. dices; 7. sea; 8. he dicho; 9. se case; 10. será; 11. viajes; 12. hagas; 13. quiera; 14. puedo; 15. terminemos; 16. vayamos; 17. vuelvas; 18. puedas; 19. pueda; 20. echamos

Instructional Notes

Cita
You might share the following quote from the *The Lion King*: *Hakuna matata*, which means "No worries" in Swahili. Ask students: *¿Quién dice esto? ¿Por qué? ¿Qué creen que significa?*

The discoveries described in the *Dato curioso* are not new. The Romans and other ancient civilizations always observed this relationship. You might want to introduce the Latin saying *Mens sana in corpore sano*, still used in Spain and Italy today: Healthy mind in healthy body (*Mente sana, en cuerpo sano*).

Additional Activities

Comunicación
Bring a *Worst Case Scenario* book to the class, and show it to the students. Ask them to describe the book and how it is used. Then give them a handout with sentences created by you and based on statements found in the book. These sentences must use the subjunctive in adjective and adverbial clauses. Have students discuss the situations described in these statements.

Juego
Have students play *Historias en cadena* using adjective and adverbial clauses followed by the subjunctive. See p. TE25.

Idioma

16 Familia de palabras

Complete la tabla con el verbo, sustantivo o adjetivo apropiado, y la traducción correspondiente.

Verbos		Sustantivos		Adjetivos	
aislar(se)	_____	el aislamiento	_____	aislado	_____
atraer	_____	_____	_____	atractivo	_____
avergonzarse	*to be ashamed*	_____	_____	avergonzado	_____
coquetear	*to flirt*	el coqueteo	_____		
	to be depressed	la depresión	*depression*	deprimido	_____
emocionarse	_____		*emotion*	emocionado	_____
enamorarse	_____	el amor; el/la enamorado/a	_____ ; _____	enamorado	_____
_____	*to deceive*	el engaño	_____		
estresarse	_____	_____	*stress*		
fracasar	_____	el fracaso	_____	estresante	_____

17 ¿Verbo, sustantivo o adjetivo?

Complete las oraciones usando la forma correcta de las palabras que aparecen en la tabla, ya sea verbo, adjetivo o sustantivo. En el caso del sustantivo puede que necesite artículo.

1. Luciano, haz lo que tengas que hacer para que dejes de ___ (*deprimirse*), y empieces a tomar una actitud más positiva. Tienes que tomar control de tus ___ (*emocionarse*).
2. Dondequiera que vaya, Gustavo siempre termina usando ___ (*engañarse*), incluso con las personas que ama.
3. Por desgracia, Rafael le presta demasiada atención al qué dirán y, como resultado, cuando sale a la calle está ___ (*avergonzarse*) por su aspecto físico.
4. Aunque no lo pareciera, la actriz estuvo tres horas arreglándose para la rueda de prensa, ya que, como todos sabemos, es una persona bastante ___ (*coquetear*).
5. A menos que le ___ (*atraer*) sinvergüenzas como él, no creo que Alfonso tenga ninguna oportunidad con Teresa. Ella siempre siente ___ (*atraer*) por los chicos buena gente y sin maldad.
6. Después de haber ___ (*engañar*) a casi todos sus amigos, éstos lo han ___ (*aislarse*) y prácticamente no le hablan a José Luis.
7. Nunca se comportó muy bien y, para colmo, en cuanto ___ (*enamorarse*) Felipe de Almudena, se olvidó de todos sus amigos.
8. No me entra en la cabeza cómo Quique es tan pesimista y está siempre ___ (*deprimirse*), ya que es una persona muy ___ (*atraer*) e inteligente, y con muchas buenas cualidades. ¿No crees?
9. Era un secreto a voces que todo aquello era una trampa, el que lo intentara sólo conseguiría ___ (*fracasar*).

Cita
Si en lo profundo de mi corazón tuviera la certeza de que mañana se acabaría el mundo, me gusta pensar que soy el tipo de persona que aun así hoy plantaría un árbol.
—Martin Luther King (1929–1968), pastor baptista y líder de los derechos civiles en los Estados Unidos

Bajo estas circunstancias, ¿cree que Ud. perdería la esperanza o seguiría luchando por el futuro? ¿Por qué? Discuta esto con un/a compañero/a.

Dato curioso
Según un estudio hecho por la Universidad de Queensland, Australia, las personas que toman cafeína son más propensas a decir que sí cuando alguien les intenta persuadir de algo. Los investigadores les pidieron sus opiniones a los participantes antes y después de haber tomado café. Se descubrió que la mayoría de las personas eran más fáciles de persuadir para así cambiar su opinión inicial después de tomar un café.

Nota cultural
En 1964 le dieron el Premio Nobel de la Paz al Dr. King, siendo el hombre más joven jamás premiado con tan prestigioso galardón. Desde 1986, el día de su cumpleaños (el 15 de enero) ha pasado a ser un día festivo en Estados Unidos.

10. Ya te he dicho miles de veces que mientras ___ (avergonzarse) tanto de cantar en público, difícilmente te van a contratar para cantar en una banda hasta que tengas más confianza en ti misma.

11. Aunque su novio la ___ (engañar) constantemente, aún se siente ___ (atraerse) por él.

12. No hay nadie que ___ (estresarse) tan fácilmente como Pepe. Está todo el tiempo ___ (estresarse), y por nada. Este chico se ahoga en un vaso de agua.

18 ¡Qué fobia me da! 📖

Échele una ojeada al artículo que sigue para ver de qué se trata, prestando atención a las palabras en azul, ya que se le harán preguntas sobre ellas. Luego lea el artículo y decida cuál de las dos palabras entre paréntesis es la correcta para completar cada oración y escríbala.

El mundo de las fobias

Tengo unas __1.__ (cuantos / cuantas) fobias y no me dejan llevar una vida normal, pero no es que __2.__ (puedo / pueda) evitarlo... Tengo fobia a __3.__ (les / los) lugares __4.__ (cerrados / ⁵cerradas), a las alturas y a los perros. __5.__ (Muchos / Muchas) veces en la discoteca __6.__ (me agobio / me agobie) muchísimo y quiero que todo el mundo __7.__ (se va / se vaya) de allí, pero como es imposible me ¹⁰__8.__ (tengo / tenga) que marchar yo. Algunas personas piensan que __9.__ (estoy / esté) un poco loca, pero no sé cómo soportar la presión.

El otro día __10.__ (fui / iba) por la calle ¹⁵paseando cuando un perro se me abalanzó y me __11.__ (puse / ponía) a gritar desesperada. Todo el mundo que __12.__ (estaba / estaban) alrededor acudió porque pensaban que el animal me __13.__ (ha / había) mordido, pero ²⁰sólo me __14.__ (fue / estaba) lamiendo. Fue un espectáculo, yo gritaba, el perro me lamía y la gente se partía de risa. ¡Qué vergüenza! Pero es que nadie lo __15.__ (comprende / comprenda); mis padres creen que __16.__ (es / ²⁵sea) una tontería y que se me __17.__ (pasaré / pasará), pero yo pienso que con mi edad ya se __18.__ (me / mi) habría pasado si fuera sólo eso.

Por __19.__ (le / lo) menos con mis fobias ³⁰puedo hacer __20.__ (un / una) vida diaria más o menos normal. Conozco a gente que __21.__ (los / las) tiene de lo más surrealista: miedo a los espejos, a los sueños, al fuego o incluso a los hospitales. Sin ir más lejos, ³⁵una de mis mejores amigas tiene una fobia tremenda __22.__ (a / al) número trece; y puede llegar a convertirse en una pesadilla para ella y para __23.__ (la / los) que ⁴⁰la rodeamos: si vamos a una cafetería y __24.__ (nos sentamos / nos sentemos) en la mesa trece, quiere que nos __25.__ (vamos / vayamos) de allí; como vea el ⁴⁵número trece en la carta, o incluso en la cuenta, __26.__ (se ponga / se pone) nerviosa y empieza a pensar que ya durante todo el día __27.__ (tenga / tendrá) mala ⁵⁰suerte; incluso __28.__ (nos hemos ido / nos hayamos) con la comida en la mesa. Algunas veces me enojo pero yo la entiendo mejor que __29.__ (los / las) demás, porque si me pasara a mí actuaría igual ⁵⁵que ella. A los demás del grupo les cuesta un poco más de trabajo, pero intento que la __30.__ (comprenden / comprendan) haciéndoles ver que ella no __31.__ (los / lo) hace con mala intención, es sólo un problema que, con ⁶⁰paciencia, se puede llevar más o menos bien.

Sólo pido que cuando __32.__ (tendrá / tenga) compañeras de apartamento __33.__ (pueden / puedan) entenderlo y __34.__ (aceptan / acepten) que mis fobias vienen ⁶⁵conmigo a todos lados.

Mari Sierra Ramos Castro

Lección 4A **183**

Answers

17 10. te avergüences; 11. engañe, atraída; 12. se estrese, estresado

18 1. cuantas; 2. pueda; 3. los; 4. cerrados; 5. Muchas; 6. me agobio; 7. se vaya; 8. tengo; 9. estoy; 10. iba; 11. puse; 12. estaba; 13. había; 14. estaba; 15. comprende; 16. es; 17. pasará; 18. me; 19. lo; 20. una; 21. las; 22. al; 23. los; 24. nos sentamos; 25. vayamos; 26. se pone; 27. tendrá; 28. nos hemos ido; 29. los; 30. comprendan; 31. lo; 32. tenga; 33. puedan; 34. acepten

Additional Activities

Comunicación

Before students read "El mundo de las fobias", ask them to make a spider map, bubble map, or other graphic (*esquema de ideas*) and write down different quirks or *manías* of some celebrities or historical figures. When they finish, go over their graphics in class. You might want to do the same thing with phobias, but this time the students should also include themselves, a good friend, or a family member. You might want to share with the class any *fobia* you might have.

Comunicación

Ask students to think about the following situation. They are out at sea on a sailboat and are ready to return to port, but there is no wind. How would the following people react: a pessimist, an optimist, and a realist? You might tell them the following answer, according to William Ward (1812–1882), an English writer: *El pesimista se queja del viento; el optimista espera que cambie; el realista ajusta las velas.*

183

19 Amplíe su vocabulario

¿Cuál es la mejor traducción según el contexto del artículo que acaba de leer?

1. altura
   a. tallness
   b. height
   c. atlas
   d. stature

2. marcharse
   a. to match
   b. to march
   c. to leave
   d. to make

3. soportar
   a. to support
   b. to assist
   c. to endure
   d. to sustain

4. partirse de risa
   a. to part with rice
   b. to laugh one's head off
   c. to smile from ear to ear
   d. to leave laughing

5. ¡Qué vergüenza!
   a. What a view!
   b. What a pity!
   c. How upsetting!
   d. How embarrassing!

6. ser una tontería
   a. to be a silly person
   b. to be a silly thing
   c. to feel silly
   d. to be a passing thing

7. tremendo
   a. trembling
   b. shaking
   c. terrible
   d. fearful

8. rodear
   a. to film
   b. to travel
   c. to surround
   d. to rope in

9. intentar
   a. to intend
   b. to try
   c. to pursue
   d. to intensify

20 Pero,... ¡qué manía!

Échele una ojeada al siguiente artículo para ver de qué se trata, prestando atención a las palabras en azul, ya que se le harán preguntas sobre ellas. Luego lea el artículo y decida qué forma de las palabras entre paréntesis es la correcta para completar cada oración y escríbala. No se olvide de escribir y acentuar la palabra correctamente.

E-Mail

Archivo   Ver   Mensajes   Ayuda

A...   Dr. Oídos

Cc...

Asunto: Ya es hora de que esto cambie

Cada cual con sus manías

Tengo un gran problema, y el causante __1.__ (*ser*) mi marido. Es que todas las noches __2.__ (*despertarse*) al menos treinta veces. Tiene la manía de __3.__ (*mirar*) el gas, la puerta y que __4.__ (*estar*) las luces apagadas. Y esto no __5.__ (*ser*) lo peor, sino que siempre que __6.__ (*el*) hace __7.__ (*encender*) la luz de la habitación, por miedo a __8.__ (*caerse*) en la
⁵ oscuridad; y desde que vimos una película de miedo __9.__ (*el*) otro día no deja de __10.__ (*pedir*) que yo __11.__ (*mirar*) debajo de la cama en caso de que alguien __12.__ (*estar*) escondido. Para colmo, en cuanto __13.__ (*oír*) un mínimo ruido __14.__ (*despertarse*), __15.__ (*empezar*) a llorar y yo tengo que aguantarlo.

Estoy ya harta porque él, en cuanto __16.__ (*apoyar*) la cabeza en la almohada __17.__
¹⁰ (*quedarse*) dormido como __18.__ (*un*) bebé y yo me quedo ahí con los ojos abiertos como platos, sin que me __19.__ (*poder*) dormir __20.__ (*otro*) vez por al menos una hora. Es insoportable y quiero que __21.__ (*parar*) ya, para que no __22.__ (*terminar*) yo como él. Necesito ayuda. Quienquiera que __23.__ (*conocer*) a alguien que __24.__ (*saber*) sobre el tema, ¿me podría contestar a mi correo? Haré lo que me __25.__ (*decir*) que __26.__ (*hacer*).
¹⁵ Aunque ni siquiera __27.__ (*saber*) si las manías se pueden curar.

He buscado información por todos lados, __28.__ (haber) leído en Internet que tiene que __29.__ (seguir) una rutina, como comer y dormir siempre a la misma hora; pero no __30.__ (saber) si con eso bastará. Es que ni se fía de mí; yo lo miro todo antes para que él no tenga que hacerlo y le __31.__ (decir) que está todo bajo control, pero no puede evitarlo, tiene que ir a revisarlo para __32.__ (asegurarse). __33.__ (El) problema es que desde que le dio por hacer eso yo apenas __34.__ (dormir), y luego en el trabajo se me __35.__ (cerrar) los ojos continuamente y por mucho café que __36.__ (tomar) no puedo mantenerme despierta. Ya me __37.__ (dar) miedo que me __38.__ (despedir) y __39.__ (tener) que buscarme otro trabajo, con lo que tardé en encontrar éste... y seguro que me __40.__ (pagar) menos. Pronto __41.__ (tener) que tomar medidas drásticas e irme a dormir a otra habitación, pero yo no __42.__ (querer) eso y seguro que él tampoco, quizás así __43.__ (acabarse) el problema: si le doy a elegir entre sus manías y yo.

Para esta noche __44.__ (haber) alquilado una película de Jack Nicholson, una que se llama *Mejor imposible*. A ver si viéndola mi marido comprende lo absurdo de __45.__ (el) situación. A ver si __46.__ (conseguir) dormir al menos unas horitas sin que me __47.__ (despertar) con sus historias. Dicen que con la edad las personas __48.__ (volverse) más maniáticas. Conociendo a mi marido seguro que se __49.__ (lo) ocurre alguna otra cosa nueva en cuanto __50.__ (poder). ¡Necesito ayuda profesional tan pronto como __51.__ (ser)! ¡No lo soporto más!

Mari Sierra Ramos Castro

21 ¿Qué significa?

Según el contexto del artículo que acaba de leer, empareje cada palabra de la primera columna con su definición o sinónimo de la segunda.

1. cada cual con sus manías
2. al menos
3. tener la manía de
4. dejar de
5. para colmo
6. aguantar
7. insoportable
8. curar
9. por mucho que
10. despedir
11. lo absurdo de la situación
12. conseguir

a. inaguantable
b. cesar de, parar de
c. obtener
d. sanar
e. echar a un empleado de un trabajo
f. cada uno tiene una forma particular de hacer las cosas
g. como mínimo
h. tener una forma especial y particular de hacer algo
i. además de todo esto
j. lo ridículo del caso
k. soportar
l. no importa cuántas veces

22 Lea, escuche y escriba/presente

Vuelva a leer el texto completo de la Actividad 20. Luego escuche el diálogo entre tres amigos —Luis, José y Laura— en la grabación "Todos tenemos alguna manía" y tome las notas necesarias. Escriba un ensayo o haga una presentación en clase contestando la pregunta, "¿Qué piensa de las manías?" No se olvide de citar las fuentes debidamente.

Refrán

De tal palo, tal astilla.

Al igual que sucede con las características físicas, ¿cree que las manías y las fobias también se heredan? ¿Qué evidencia tiene de esto? Comparta su opinión con un/a compañero/a y dele ejemplos.

¡Dato curioso!

Últimamente se habla de nuevas manías, fobias y adicciones. Por ejemplo, la adicción al trabajo, bastante común en Estados Unidos, donde se le conoce por el nombre *Workaholism*; la de la compra compulsiva o la de la adicción al móvil o al pasatiempo japonés *sudoku*. ¡Pero que no se preocupen los amantes del chocolate! Por lo visto el chocolate, aunque engancha, no se le considera adicción porque una vez satisfecha la necesidad de comerlo, el deseo desaparece.

Nota cultural

El Workaholismo, o adicción al trabajo, se considera un tipo de problema similar al de obsesivo-compulsivo. Las personas que sufren de ello piensan que si no trabajan, habrá problemas serios. No lo hacen porque amen su trabajo o quieran mejorarlo, sino porque piensan que si no lo hacen ellos, nadie lo va a hacer. La persona que lo sufre deja de relacionarse con sus compañeros y familia, deja de tener pasatiempos y no hace otras actividades que no estén relacionadas con el trabajo.

Teacher Resources

 Activity 22 (CD 4, track 1)

 Activity 9

Answers

20 28. he; 29. seguir; 30. sé; 31. digo; 32. asegurarse; 33. El; 34. duermo; 35. cierran; 36. tome; 37. da; 38. despidan; 39. tenga; 40. pagan; 41. tendré; 42. quiero; 43. se acabe; 44. he; 45. la; 46. consigo; 47. despierte; 48. se vuelven; 49. le; 50. pueda; 51. sea

21 1. f; 2. g; 3. h; 4. b; 5. i; 6. k; 7. a; 8. d; 9. l; 10. e; 11. j; 12. c

Instructional Notes

22 Remind students to absorb comprehension of the reading before they listen to the audio. They may want to write some key words and the main points of the reading.

You might want to review the following words with students before they listen to the audio: *montón*, crowd; *rodear*, to surround; *procurar*, to try to.

Refrán

You might also introduce this saying from Napoleón Bonaparte: *Ceder a un vicio cuesta más que mantener una familia*. Have students discuss its meaning.

Dato curioso

Here are the names of some other phobias you might want to share with students: *cromofobia, miedo a ciertos colores; claustrofobia, miedo a los espacios cerrados; batofobia: miedo a las plantas; antofobia, miedo a las flores; apifobia, miedo a las abejas; antropofobia, miedo a la gente; acrofobia, miedo a las alturas; agorafobia, miedo a los espacios abiertos; ailurofobia, miedo a los gatos; algofobia, miedo al dolor; fobofobia, miedo a los propios miedos; ergofobia, miedo al trabajo; fotofobia, miedo a la luz; gefidrofobia, miedo a cruzar puentes; iatrofobia, miedo a los médicos; ombrofobia, miedo a la lluvia; optofobia, miedo a abrir los ojos; pedifobia, miedo a los niños; psicrofobia, miedo al frío; teratofobia, miedo a los monstruos; verbofobia, miedo a las palabras; xenofobia, miedo a los extranjeros; zoofobia, miedo a los animales.* You could ask students to research the roots of these words and to find the English-language equivalents.

23 Atracción fatal

Échele una ojeada al artículo que sigue e intente averiguar el significado de las palabras en azul por el contexto, ya que se le harán preguntas sobre ellas. Luego lea el artículo y decida cuál de las palabras entre paréntesis es la correcta para completar cada oración y escríbala.

¿Por qué triunfan los malos?

Los odiamos, admiramos y caemos __1.__ (*en / sobre*) las trampas afectivas de __2.__ (*los / las*) canallas. Los psicólogos y psiquiatras investigan a qué __3.__ (*se / X*) debe la atracción __4.__ (*por / para*)
⁵ el lado oscuro.

Algunos __5.__ (*son / sean*) drogadictos, otros narcisistas, los __6.__ (*hay / haya*) dominantes, chulos y delincuentes. Pero tienen __7.__ (*el / un*) atractivo al __8.__ (*que / quien*) pocos se pueden
¹⁰ resistir. ¿Cuál __9.__ (*es / sea*) la clave de su éxito? ¿Por qué nos atraen si no nos convienen?

"Nos gusta coquetear __10.__ (*para / con*) el lado oscuro de la vida __11.__ (*por qué / porque*) la actividad social a la que estamos sometidos nos
¹⁵ obliga __12.__ (*a / X*) adoptar ciertas normas de comportamiento", explica Juan Carlos Revilla, profesor __13.__ (*en / de*) Psicología Social de la Universidad Complutense __14.__ (*en / de*) Madrid. Representan, desde el punto __15.__ (*de / X*) vista
²⁰ psicoanalítico, aspectos inconscientes de nosotros mismos __16.__ (*cuales / que*) no nos atrevemos __17.__ (*a / X*) expresar. Son el espejo __18.__ (*sobre / en*) el que vemos nuestro "yo" más reprimido.

¿A __19.__ (*quién / quiénes*) no __20.__ (*lo / le*)
²⁵ gustaría vivir una historia de amor y lujo? La top model Kate Moss lo hace, y aderaza su existencia con grandes dosis de frivolidad, drogas, escándalos y __21.__ (*la / X*) policía. Y aun así, triunfa. __22.__ (*Le / La*) siguen contratando, pagando fortunas por
³⁰ dejarse fotografiar, seduciendo a los medios y a las marcas exclusivistas. Un milagro que __23.__ (*se / X*) repite en decenas de personajes famosos, como

el rockero Tommy Lee, acusado __24.__
³⁵ (*de / para*) maltratar a su ex pareja, Pamela Anderson, y __25.__ (*la / el*) líder de Oasis, Liam
⁴⁰ Gallagher, a __26.__ (*que / quien*) no le preocupa llegar borracho a una rueda de prensa
⁴⁵ o cancelar un concierto media hora antes __27.__ (*de / X*) que empiece.

Admiración, envidia,
⁵⁰ odio, deseo. Los sentimientos se confunden __28.__ (*cuándo / cuando*) una de estas personas aparece. Según Freud, la explicación __29.__ (*esta / está*) en esa parte demoníaca __30.__ (*cual / que*) cada uno de nosotros llevamos dentro; es un instinto natural
⁵⁵ hacia la transgresión y la no aceptación de normas y leyes. De ahí a la maldad absoluta __31.__ (*haya / hay*) un abismo, porque tan perversas fuerzas __32.__ (*sean / son*) contrarrestadas con las pulsiones de vida —los sentimientos positivos— del
⁶⁰ individuo. Sólo de la compensación __33.__ (*para / entre*) ambas fuerzas nace el equilibrio.

www.quo.wanadoo.es

24 ¿Qué significa?

Empareje cada palabra de la primera columna (que continúa en la página siguiente) con su definición o sinónimo de la segunda, según el contexto del artículo que acaba de leer.

1. admirar	a. forma de actuar
2. trampa	b. tratar a alguien o algo de mala manera
3. investigar	c. plan concebido para engañar a alguien
4. oscuro	d. lo contrario de bondad
5. drogadicto	e. estudiar a fondo, indagar
6. atraer	f. declaraciones que se hacen durante reuniones con periodistas
7. coquetear	g. lo contrario de claro
8. comportamiento	h. apreciar a alguien
9. inconsciente	i. sentimiento de aversión muy intenso
10. lujo	j. nombre de un producto

continúa

11. contratar   k. persona que tiene una adicción a las drogas
12. seducir   l. traer hacia sí
13. marca   m. flirtear
14. decena   n. lo contrario de despedir
15. maltratar   o. conjunto de diez unidades
16. rueda de prensa   p. sin darse cuenta
17. odio   q. riqueza
18. maldad   r. persuadir sutilmente

25 Lea, escuche y escriba/presente

Vuelva a leer el texto completo de la Actividad 23. Luego escuche la grabación "Atracción por lo imposible" y tome las notas necesarias. Escriba un ensayo o haga una presentación en clase contestando la pregunta, "¿Por qué cree que nos atraen a veces las cosas que no podemos conseguir?" No se olvide de citar las fuentes debidamente.

26 Gestos que hablan de ti

Échele una ojeada al artículo que sigue para ver de qué se trata, prestando atención a las palabras en azul, ya que se le harán preguntas sobre ellas. Luego lea el artículo y decida cuáles son las palabras que mejor completan las oraciones y escríbalas. No se olvide de escribir y acentuar las palabras correctamente.

El cuerpo habla más que la boca

Konstantin Stanislavsky, teórico de la interpretación, afirmaba que para __1.__ actor no bastaba con interpretar un personaje; había __2.__ convertirse __3.__ él. Para ello, el actor
5 debía rescatar __4.__ propias experiencias y emociones, y asimilarlas a las del personaje; así, tenía que sumergirse de tal forma __5.__ él, que el público no viera ya __6.__ un determinado intérprete, sino __7.__ un hombre
10 de carne y hueso sintiendo, viviendo.

Todo esto, __8.__ teoría, __9.__ muy bien. Se puede, quizá, declamar o recitar un texto a __10.__ perfección. Pero, ¿ __11.__ puede controlar en su totalidad el lenguaje no verbal?

15 "En realidad", afirma __12.__ investigador Mark L. Knapp en su obra *La comunicación no verbal*, "somos conscientes de algunas conductas no verbales, y ejercemos sobre ellas un considerable control". Algunas, ¿pero todas?
20 Antes __13.__ responder, conviene tener __14.__ cuenta que los expertos estiman en cerca de __15.__ millón las claves y señales que emitimos. "Desde críos, __16.__ aprendido __17.__ controlar lo que queremos transmitir, pero hay __18.__ ser
25 un gran actor __19.__ manejar la mirada, __20.__ gestos, las posturas".

"La comunicación no verbal se puede dominar mucho, pero al 100%, creo que no", señala Maribel Reyes, profesora de Comunicación y
30 Publicidad de la Universidad Rey Juan Carlos. He ahí la clave: lo queramos __21.__ no, es el cuerpo __22.__ habla por nosotros, mucho más __23.__ nuestras palabras.

Lo anterior parece ser corroborado también por
35 el antropólogo Ray Birdwhistell, __24.__ asegura que una persona habla unos diez __25.__ once minutos diarios (una oración sólo ocupa 2,5 segundos); pero eso, en una conversación normal, sólo supone __26.__ 35% del significado
40 social, frente al 65% que transmite la comunicación no verbal.

www.quo.wanadoo.es

Teacher Resources

 Activity 25 (CD 4, track 2)

Answers

24 11. n; 12. r; 13. j; 14. o; 15. b; 16. f; 17. i; 18. d

26 1. ser; 2. que; 3. en; 4. sus; 5. en; 6. a; 7. a; 8. en; 9. está; 10. la; 11. se; 12. el; 13. de; 14. en; 15. un; 16. hemos; 17. a; 18. que; 19. para; 20. los; 21. o; 22. que; 23. que; 24. quien; 25. u; 26. un

Instructional Notes

25 You might want to review the following words with students before they listen to the audio: *hazañas*, heroic deeds/feats/exploits; *temeroso*, fearful; *apostar*, to bet; *a ciencia cierta*, for certain/for a fact; *palo*, stick.

Additional Activities

Comunicación
Ask students to exchange the essays they wrote for activity 25 with a partner and critique them.

Comunicación
Review those gestures from Spanish-speaking countries that you had introduced on page 177, and ask students to guess what they mean. Encourage students from different ethnic backgrounds to share some gestures from other cultures.

187

Answers

Instructional Notes

If you had students make a list of the eight most popular *malos* (p. 186), ask them to compare those characters to the *villanos* mentioned in the *Nota cultural* on this page.

Additional Activities

A escribir por quince minutos
See p. TE26.

---

27 Amplíe su vocabulario

Según el contexto del artículo que acaba de leer, busque la mejor definición o sinónimo de cada palabra.

1. rescatar
   a. recobrar
   b. proteger
   c. ir
   d. ayudar

2. sumergirse
   a. introducirse
   b. hundirse
   c. tirarse
   d. perderse

3. de carne y hueso
   a. real
   b. de cerca
   c. pequeño
   d. tranquilo

4. a la perfección
   a. sin defectos
   b. sin problemas
   c. natural
   d. campestre

5. lenguaje
   a. capacidad
   b. trabajo
   c. mensaje
   d. idioma

6. comunicación no verbal
   a. expresiones de la cara o cuerpo
   b. comunicar por señas
   c. mensaje
   d. idioma

7. conducta
   a. manejo
   b. atajo
   c. camino
   d. comportamiento

8. convenir
   a. estar de acuerdo
   b. ser aconsejable
   c. necesitar
   d. ir con alguien

9. clave
   a. llave
   b. estado
   c. problema
   d. punto importante

10. señal
    a. mensaje
    b. marca
    c. curación
    d. solución

11. crío
    a. adulto
    b. adolescente
    c. persona mayor
    d. niño

12. manejar
    a. utilizar
    b. cambiar
    c. dirigir
    d. buscar

13. mirada
    a. olfato
    b. acción de fijar la vista
    c. señal
    d. acción de mover el cuerpo

14. gesto
    a. cambio
    b. expresión del rostro o cuerpo
    c. acto
    d. movimiento

Cita

No hay malas hierbas ni hombres malos; sólo hay malos cultivadores.
—Víctor Hugo (1802–1885), escritor francés

¿Qué piensa de esta cita? ¿Quiénes son los cultivadores? Comparta su opinión con un/a compañero/a.

¡Dato curioso!

Según el Instituto del Cine Americano (AFI, American Film Institute), éstos son los cinco villanos y los cinco héroes más famosos de la pantalla, y sus películas. Los malos: Dr. Hannibal Lecter, *El silencio de los inocentes*; Norman Bates, *Psicosis*; Darth Vader, *El imperio contraataca*; la malvada bruja del oeste, *El mago de Oz*; la enfermera Ratched, *Alguien voló sobre el nido del cuco*. Por otro lado, los buenos: Atticus Finch, *Matar a un ruiseñor*; Indiana Jones, *En busca del arca perdida*; 3. James Bond, *Dr. No*; Rick Blaine, *Casablanca*; Will Kane, *Sólo ante el peligro*.

Nota cultural

En la página Web www.lomáscurioso.com nos presentan a los villanos más odiados y peligrosos de la pantalla según un estudio del Cine Americano. Los que siguen a los malos en el *Dato curioso* son: Sr. Potter, *Qué bello es vivir*; Alex Forrest, *Atracción fatal*; Phyllis Dietrichson, *Perdición*; Regan MacNeil, *El exorcista*; la Reina, *Blancanieves y los siete enanitos*; Michael Corleone, *El padrino, parte 2*. Y los buenos que siguen a los ya mencionados son: Clarice Starling, *El silencio de los inocentes;* Rocky Balboa, *Rocky*; Ellen Ripley, *Aliens*; George Bailey, *Qué bello es vivir*; T.E. Lawrence, *Lawrence de Arabia*.

¡A leer!

28 Antes de leer

¿Cree en el amor a primera vista? ¿Es posible enamorarse más de una vez? ¿Qué tipo de sentimientos produce el amor? ¿Le gusta estar enamorado/a? ¿Por qué?

29 El amor

Lea con atención el siguiente artículo. Intente averiguar el significado de las palabras en azul por el contexto, ya que se le harán preguntas sobre ellas.

Enamoradictos

Jorge Loayza

Hay un tipo de personas a las que se suele llamar "enamoradizos", porque pareciera que siempre están a la espera de una nueva pareja. Y cuando llega, viven la relación con una intensidad casi incontenible. Son de los que opinan que el amor no tiene estación pues —como el sol de una ciudad tropical— puede salir en cualquier época del año. Y a cada rato.

> Esperaba que llegaras
> esperaba primavera
> pues sabía que traías (A)
> —Palito Ortega

Si el amor es una droga, los enamoradizos son sus adictos más incurables. Los que con una dosis intravenosa de pasión hacen latir sus
5 corazones, ver cosas que no existen y caminar como sonámbulos. Una droga que probaron de adolescentes y que no desean dejar aunque ya tengan muchos años con ese vicio maldito.

10 El actor Jesús Delaveaux debe ser uno de los enamoradizos conocidos más incurables de este país. "Estoy convencido de que soy un enamorado del amor, y ahora que no tengo pareja
15 espero una para tener ese sentimiento y vibrar, como me pasó hace poco con una chica española y sentí que la adrenalina fluía", reconoce con una cara de púber ilusionado y la misma
20 mirada con la que, a los 14 años, se enamoró de una chica de 13 y su corazón latía con sólo verla pasar en el bus.

Ahora tiene 56 años, no recuerda
25 cuántas veces se ha enamorado, pero sí tiene cinco dedos de frente para enumerar las relaciones que le desangraron (B). Y hasta cuándo seguirá como el muchacho que
30 busca enamorarse una vez más. Dice que llegará a los 80 años y (C). "Me enamoraré otra vez".

El psicoanalista Fernando Maestre define a la persona enamoradiza como
35 al tipo pasional que no puede tener un vínculo con la otra persona si no tiene un compromiso muy grande de involucrarse, enamorarse y poner los sentimientos de por medio. Tiene que
40 enamorarse de todas maneras como una forma única de relación. "Pero se le pasa rápido", añade el especialista.

Y no sólo eso. Un enamoradizo cuando está en pleno proceso de pasión
45 regala flores o bombones a su pareja, le escribe poemas, la llama todo el día. Es como si se narcotizara de su propio amor. "Por eso muchas veces no soportan la separación y buscan
50 otras personas para tener las mismas sensaciones. Además, ellos no pueden tener varias parejas a la vez, sino sólo una a quien le agarran camote", precisa el doctor Maestre.

55 En situaciones más graves, esos tipos llegan a tomar decisiones descabelladas. Es decir, hacen actos de amor sin medir las consecuencias, como abandonar los estudios o
60 escapar de casa para seguir a la pareja. ¿Y acaso los enamoradizos sólo pueden ser los adolescentes? No. El doctor Maestre dice que la adolescencia es la típica edad de esas
65 personas, pero todo puede continuar en la adultez.

Otra característica es que esos casos se dan más en el hombre, porque es él quien busca, el que llama, invita
70 a salir y por eso tiene más facilidad de jugar ese rol. "En cambio ellas, generalmente, presentan casos de amores platónicos", (D).

Pero si hay algo de cierto en este tema
75 es que se hace muy difícil determinar quién ha llegado a ese grado de pasión tan intenso. El actor y recordado galán

continúa

Teacher Resources

Activities 10–18

Instructional Notes

28 You might want to hold a whole-class discussion on answers to these questions.

29 Ask students to take turns reading paragraphs of this article aloud.

de la telenovela "Natacha", Paul Martin, dice que en su caso el 80 amor no tiene estación pues puede enamorarse en invierno, primavera o verano. Ahora, a los 39 años de edad, reconoce que vive ese proceso con gran intensidad y que le es 85 imposible fingirlo, pero descarta que se le califique de enamoradizo (E).

"El amor es motor de muchas cosas y si uno lo va a hacer a medias o poner parámetros, no llega a 90 disfrutar de lo que realmente es ese sentimiento. Sin embargo, también he tenido algunas temporadas en las que deseé estar solo porque no había encontrado a esa persona 95 ideal", reflexiona Martin.

Sólo así se entiende cómo, de enamorado, ha hecho cosas como llevar mariachis a la playa (F) o viajar al extranjero 100 por un año siguiendo a la que fue su amada Sonia Smith. "Cuando uno siente algo por una mujer, empiezan los latidos del corazón, se 105 elevan las pulsaciones y se escarapela el cuerpo, pero ese sentimiento es indescriptible porque es algo tan complejo y bonito que

110 no hay palabras", dice mirando al parque frente a su casa.

Adicto a ti

El psiquiatra Javier Manrique explica que el hombre enamoradizo es como un tipo adicto a la cocaína. Es que 115 durante el enamoramiento el cerebro produce una cantidad elevada de endorfinas que provocan que (G), pierda el hambre, vea todo "color de rosa" y se piense que está en las 120 nubes.

"Y cuando las endorfinas decaen, esa persona tiene la necesidad de estar de nuevo así. Entonces corta la relación y comienza a buscar

125 otra pareja para tener el nivel de endorfinas adecuado. Por eso es como un tipo de adicción a la cocaína o marihuana", explica el doctor.

130 Además, el doctor Manrique dice que los enamoradizos son personas muy particulares, generalmente dependientes, histriónicas u obsesivas, y necesitan estar 135 constantemente con esa emoción.

Para el especialista, la manera de curar a esos tipos que constantemente están buscando pareja es tratar de cambiarles los 140 esquemas mentales que, quizá, han aprendido de sus padres. Pero también se debe solucionar algo en la parte biológica: cuando hay una baja de serotonina —un 145 neurotransmisor que ejerce una acción relajante en el cerebro— es indicador de un proceso de depresión, pero también de una obsesión hacia una 150 persona especial. Entonces, ¿los enamoradizos se pueden curar? Es muy posible, aunque también pueden morir de una sobredosis. Sólo así habrán amado hasta la 155 muerte.

Agencia EFE

30 ¿Qué significa? 🔍

Según el contexto del artículo que acaba de leer, empareje cada palabra de la primera columna (que continúa en la página siguiente) con su definición o sinónimo de la segunda.

1. enamoradizo
2. a cada rato
3. latir
4. sonámbulo
5. vicio
6. vibrar
7. enumerar
8. involucrarse
9. pasar algo rápido
10. regalar
11. bombón
12. agarrar camote
13. grave

a. resolver
b. no durar
c. eliminar
d. estar distraído
e. tan impresionante, que es difícil de describir
f. persona perfecta para uno, la media naranja de uno
g. presentar como cierto o real lo que es imaginado o irreal
h. ser extremadamente positivo
i. emocionarse, sentir el cuerpo temblar de entusiasmo
j. persona que se enamora con facilidad
k. adicción a algo
l. serie de televisión de melodrama, culebrón
m. complicado, difícil

continúa

14. platónico
15. telenovela
16. fingir
17. descartar
18. persona ideal
19. indescriptible
20. complejo
21. ver todo "color de rosa"
22. estar en las nubes
23. solucionar

n. a menudo, constantemente
o. relacionarse, implicarse
p. persona que anda mientras duerme
q. palpitar el corazón
r. contar o enunciar
s. desinteresado
t. tomarle cariño a algo
u. pequeño dulce de chocolate
v. serio
w. dar a uno una cosa en muestra de afecto

31 ¿Ha comprendido?

1. ¿Qué siente ahora Jesús Delaveaux?
   a. Tiene pareja y vive el amor intensamente.
   b. Busca de nuevo el amor.
   c. No quiere enamorarse más.
   d. Se ha enamorado de una española.

2. ¿Qué es para Fernando Maestre un enamoradizo?
   a. El que tiene varias parejas al mismo tiempo
   b. Aquel que necesita comprometerse con el matrimonio para vivir el amor
   c. Quien se enamora sin ningún tipo de vínculo con la otra persona
   d. El que vive intensamente el amor, en todos sus aspectos, sin ser estas aventuras demasiado largas

3. ¿Cómo describe Javier Manrique el enamoramiento?
   a. Decae el nivel de endorfinas y la persona se siente bien.
   b. Sube el nivel de endorfinas y el enamorado se comporta de forma diferente y más positiva.
   c. Es un estado en el que la persona nunca deja de buscar una nueva pareja.
   d. Es la necesidad de tener un compromiso.

4. ¿Pueden los enamoradizos curarse?
   a. Sí, se curan si cambian sus patrones mentales o su aspecto biológico.
   b. No, serán así hasta la muerte.
   c. Sí, con una medicación para la depresión se curan.
   d. No, siempre estarán cambiando de pareja.

32 ¿Cuál es la pregunta?

Según lo que acaba de leer, escriba una pregunta lógica para estas respuestas.

1. Una dosis intravenosa de pasión
2. Cincuenta y seis años
3. Regala flores y bombones, escribe poemas y llama a la chica todo el día.
4. No, un enamoradizo también puede ser un adulto.
5. Sí, cambiando sus esquemas mentales

Teacher Resources

 Activity 36 (CD 4, track 3)

Answers

33 1. C; 2. E; 3. B; 4. A; 5. F; 6. D; 7. G

34 Answers will vary.

Instructional Notes

35 Encourage a discussion of the different titles students have selected.

36 You might want to review the following words with students before they listen to the audio: *puenting*, bungee jumping; *parapente*, paragliding; *ala delta*, hang gliding; *subidón*, rush/high; *sentirnos realizados*, to feel fulfilled; *entrañable*, close (friend); *de fondo*, in the background; *caritativo*, charitable; *infarto*, heart attack; *secuestrar*, to kidnap; *amordacer*, to gag; *aturdir*, to stun; *descolocar*, to dislocate; *montaña rusa*, roller coaster; *en pleno diciembre*, at the height of December; *palomitas*, popcorn; *agarrar*, to hold on to.

Write the quotes from the *Nota cultural* that appears below on the board, but leave out some of the words, and ask students to come up with some alternatives. Later, you might want to compare their versions with the original quote.

Additional Activities

Literatura
Bring to class some poems of Lorca, Neruda, Bécquer, or Machado that talk about love or human qualities, or encourage students to bring in some selections of Spanish-language literature that address a character's emotions and feelings, and ask them to paraphrase these descriptions.

Comunicación
Ask students to vote for their favorite love story. They can choose from the ones mentioned in the *Dato curioso* or any other movie they have seen or novel they have read.

---

33 ¿Dónde va?

Las siguientes frases han sido extraídas del texto anterior. Vuelva a mirar el artículo, fijándose en las letras de color, y escriba la letra que mejor corresponda a cada frase.

1. continuará buscando el amor
2. como muchos pueden pensar
3. el órgano del pecho izquierdo
4. para mí un nuevo amor
5. para que le toquen a su pareja
6. dice el psicoanalista
7. la persona se sienta bien

34 ¿Qué piensa Ud.? 👥

Discuta la siguiente oración con un/a compañero/a: *Soy un enamorado del amor*. ¿Qué piensa de esta afirmación? ¿Piensa que hay culturas más pasionales que otras? ¿A qué se debe?

35 Se titula...

Piense en otro título para el artículo que acaba de leer. ¿Por qué lo ha escogido?

36 Escuche y escriba/presente 🎧

Después de leer el artículo "Enamoradictos", escuche la grabación "Necesito más emoción". Tome notas y escriba un ensayo o haga una presentación en clase contestando la pregunta, "¿Por qué hay gente que se enamora constantemente?" Incluya información de las dos fuentes, citándolas debidamente.

Proverbio
El amor y la tos no pueden ocultarse.
—Proverbio italiano

👥 ¿Está de acuerdo con este proverbio? ¿Qué signos muestran que alguien está enamorado/a? Comparta su opinión con un/a compañero/a.

¡Dato curioso!
En una de las páginas de su sitio Web, Portal Mix hace una propuesta para votar por la película que narra las más bellas historias de amor. Aquí están algunas de las candidatas: *Casablanca, Pretty Woman, Moulin Rouge, Titanic, El padre de la novia, Doctor Zhivago, Drácula, Ghost y Dirty Dancing.* ¿Por cuál votaría? ¿Por qué?

Nota cultural

Uno está enamorado cuando se da cuenta de que otra persona es única.
—Jorge Luis Borges (1899–1986), escritor argentino

Si no te quieren como tú quieres que te quieran, ¿qué importa que te quieran?
—Amado Nervo (1870–1919), poeta, novelista y ensayista mexicano

Los suspiros son aire y van al aire. Las lágrimas son agua y van al mar, dime mujer, cuando el amor se olvida, ¿sabes adónde va?
—Gustavo Adolfo Bécquer (1836–1870), poeta español

Uno debería estar siempre enamorado. Por eso jamás deberíamos casarnos.
—Óscar Wilde (1854–1900), dramaturgo y novelista irlandés

37 Antes de leer

¿Qué es la personalidad? ¿Se nace con una personalidad determinada o depende de otros factores? ¿Se puede cambiar la personalidad?

38 ¿Cómo somos?

Lea el siguiente artículo con atención e intente averiguar el significado de las palabras en azul por el contexto, ya que se le harán preguntas sobre ellas.

Renovarse o morir

¿Te gustaría mejorar? ¿Cambiar tu personalidad? Seguro que alguna vez has pensado en ello; la ciencia te puede enseñar a hacerlo.

[5] Desde el comienzo del psicoanálisis, Freud aseguró que parte de nuestra personalidad es debida a cómo nos afecta nuestro entorno; la Escuela de [10] la Personalidad lo estudió y Jung, discípulo del padre del psicoanálisis, (A).

Mediante un estudio, se ha llegado a la conclusión de que de los 20 a [15] los 30 hay una mayor disciplina y organización; a partir de esta edad, somos más sociables y generosos; y en la medida que vamos madurando, hay una [20] decadencia en nuestras relaciones sociales, somos más "cerrados" cuantos más años pasan.

Nuestra personalidad es única, pero todas dependen de cinco [25] elementos: extraversión, afabilidad, conciencia, estabilidad y apertura. Estos cinco rasgos son comunes y variables; (B), como los combinemos y la cantidad que [30] "echemos" de cada uno, dará un resultado u otro completamente distinto.

¿Realmente podemos modificarnos? Según recientes [35] investigaciones sí es posible, todo depende de nuestras ganas y nuestra habilidad para ello. Nuestra capacidad de cambio se deberá a tres circunstancias o factores: [40] primero, cuando tenemos un vasto conocimiento sobre nosotros mismos y somos capaces de

realizar estos cambios en nuestra personalidad sin necesidad de que [45] (C); el segundo, es un cambio en nuestro entorno, éste cambia y nosotros cambiamos con él, por ejemplo: mucha gente al empezar a vivir sola se vuelve más huraña [50] y asocial, no es por convicción propia, es de manera totalmente inconsciente, pero es más reacia a compartir sus cosas y a convivir con otras personas. El tercer factor [55] son los sucesos que ocurren de manera inesperada, un suceso tanto positivo como negativo puede hacer que te conviertas en una persona completamente [60] distinta, con un amplio abanico de posibilidades, desde un ser completamente triste y deprimido hasta ser la persona más feliz y segura.

[65] Al menos un 52% de nuestro carácter está determinado por el ambiente en el que nos encontramos; evidentemente también nuestra personalidad [70] está relacionada con nuestra herencia genética, (D) hay varios niveles en la estructura de nuestra personalidad y gran parte de ésta depende de nuestro entorno. Por [75] esto mismo somos capaces de cambiar nuestra personalidad si lo deseamos y creemos que podemos llegar a hacerlo, y hay una manera muy simple: cambiando lo que [80] nos rodea, el ambiente en el que nos movemos, hacia otro más propicio; esto modifica nuestra actitud, esto es mucho más fácil que cambiarnos a nosotros mismos.

[85] Curiosamente unos psicólogos de la Universidad de Texas han descubierto que cuando hablamos otro idioma algunas características básicas como la extraversión y el [90] neurotismo, cambian para que nos parezcamos a los que hablan ese otro idioma; estos cambios son adaptaciones al nuevo ambiente; estos cambios son mucho más [95] fáciles hasta los 40 ó 50 años. Se pueden cambiar ciertos rasgos de la personalidad, como los arranques de ira o la timidez; si podemos controlarlos podemos [100] hacer grandes progresos en este campo. Es necesario darse cuenta de la necesidad de evolucionar, ese es el primer paso para llegar a convertirnos en la persona que [105] realmente queremos llegar a ser.

www.quo.wanadoo.es

Instructional Notes

37 You might want to turn this into an interesting class discussion.

38 After students read the article, ask them to define in their own words the terms that apppear on lines 25 and 26: *extraversión, afabilidad, conciencia, estabilidad, apertura.*

Investigue palabras clave:
Sigmund Freud, Carl Gustav Jung

Answers

39 1. h; 2. v; 3. k; 4. u; 5. m; 6. l; 7. s; 8. t; 9. f; 10. w; 11. b; 12. n; 13. r / i; 14. i / r; 15. q; 16. a; 17. c; 18. j; 19. d; 20. g; 21. o; 22. e; 23. p

40 1. a; 2. c; 3. b; 4. d; 5. d;

39 Vocabulario

Según el contexto del artículo que acaba de leer, ¿cuál es la mejor traducción para cada palabra de las dos primeras columnas?

1. mejorar	13. huraño	a. unexpected	m. to mature
2. asegurar	14. asocial	b. immense	n. capable
3. entorno	15. ser más reacio a	c. depressed	o. field
4. sociable	16. inesperado	d. anger	p. really
5. madurar	17. deprimido	e. first step	q. to be reluctant
6. cerrado	18. herencia	f. skill	r. unsociable
7. rasgo	19. ira	g. shyness	s. characteristic
8. gana	20. timidez	h. to improve	t. willingness, desire
9. habilidad	21. campo	i. asocial	u. friendly
10. capacidad	22. primer paso	j. inheritance	v. to assure
11. vasto	23. realmente	k. environment	w. ability
12. capaz		l. narrow-minded	

40 ¿Ha comprendido?

1. ¿Qué hipótesis seguían Freud, Jung y la Escuela de la Personalidad?
   a. Que el entorno es clave para nuestra personalidad
   b. Que la personalidad cambia cada vez que cambia nuestro entorno
   c. Que genéticamente nuestra personalidad cambia
   d. Que cambiamos de personalidad continuamente

2. Según los estudios, ¿qué sucede cuando vamos madurando?
   a. Que somos más ordenados y serios
   b. Que no podemos cambiar nuestra personalidad
   c. Que nos cuesta más trabajo relacionarnos con otras personas
   d. Que tenemos más capacidad para relacionarnos

3. ¿Cómo son los rasgos en los que se basan todas las personalidades?
   a. Son parecidos entre ellos y necesarios.
   b. Son únicos y combinables.
   c. Son distintos y personales.
   d. Son necesarios y únicos.

4. ¿Qué tenemos que tener para modificar nuestra personalidad?
   a. Conocimiento sobre nosotros mismos
   b. Necesidad de cambiar
   c. Recursos monetarios
   d. Deseo de cambiar y capacidad para ello

5. ¿Cuál es el tercer factor que puede hacer cambiar nuestra personalidad?
   a. Los cambios bruscos de tiempo
   b. Los cambios dentro de nosotros mismos
   c. Los cambios en las personas que nos rodean
   d. Los cambios de manera accidental

6. ¿Cuál es la manera más fácil de cambiar nuestra personalidad?
   a. Cambiándonos a nosotros mismos
   b. Cambiando lo que nos rodea
   c. Intentando evolucionar y ser felices
   d. Solucionando nuestros problemas

7. ¿Qué paso hay que dar primero para cambiar nuestra personalidad?
   a. Conocerse a sí mismo
   b. Compararse con las demás personas
   c. Intentar ser feliz
   d. Darse cuenta de que tenemos que cambiar

41 ¿Dónde va?

Las siguientes frases han sido extraídas del texto anterior. Vuelva a leer las oraciones donde hay una letra en color. Escriba la letra correspondiente al lado de las frases a continuación.

1. es como una receta
2. pero estos estudios aseguran que
3. ratificó esta teoría
4. una circunstancia externa lo fuerce

42 ¿Cuál es la pregunta?

Según el artículo que acaba de leer, escriba una pregunta lógica para estas respuestas.

1. De los 20 a los 30
2. Extraversión, afabilidad, conciencia, estabilidad y apertura
3. Un cambio en nuestro entorno
4. Estos cambios son adaptaciones al nuevo ambiente.

43 You might want to have a whole-class discussion.

44 Ask students if they think it is okay to lie, and under what circumstances. You may want to ask them: *¿Está bien mentir? Una persona que mienta, ¿está haciendo algo malo? Y si miente alguien, ¿cuáles pueden ser sus motivos? ¿Qué son las mentiras piadosas?* You could prepare some sentences such as the following: *¡Qué vestido tan bonito! No recuerdo a qué hora llegué. Sí, claro, yo también te quiero. Tu perro se nos escapó y no lo podemos encontrar.* Read them aloud to the class or pass out photocopies and explain that all the statements are lies. Ask students to discuss the sentences with a partner, and describe why they think that these people lied, and what the circumstances were.

---

43 Antes de leer 🧍🧍

¿Cree que es fácil mentir? ¿Por qué les resulta más fácil mentir a algunas personas que a otras? ¿Cómo se siente cuando descubre que alguien le ha mentido? ¿Y cuando es descubierto/a?

44 Las mentiras 📖

Lea el siguiente texto con atención e intente averiguar el significado de las palabras en azul, ya que se le harán preguntas sobre ellas.

Un cerebro preparado para mentir
Los mentirosos compulsivos tienen un cerebro diferente

Estudio

El cerebro de los mentirosos patológicos y el de las personas consideradas normales es diferente.

El éxito cinematográfico de Jim Carrey (*Mentiroso compulsivo*) no es sólo una historia inventada para incrementar la taquilla sino que, una vez más, la realidad supera a la ficción. El protagonista de la
5 película es el ejemplo perfecto (A), en el que se pone de manifiesto que los mentirosos compulsivos tienen un 22% más de materia blanca en el cerebro en comparación con las personas normales.

La materia blanca puede ser la respuesta a las
10 constantes mentiras de algunas personas; sin embargo, surge la eterna duda del ámbito científico: ¿son estas diferencias en el cerebro la causa o el efecto de mentir continuamente? Lo cierto es que la distinción entre los cerebros de los mentirosos compulsivos y las personas
15 consideradas normales es significativa.

"Mentir requiere un gran esfuerzo, es como leer la mente", reconoce Adrian Raine, uno de los autores del estudio, "el mentiroso tiene que ser capaz de comprender el pensamiento del otro y suprimir sus
20 emociones o regularlas porque no puede parecer nervioso", señala.

La corteza prefrontal del cerebro de los mentirosos compulsivos está compuesta por una cantidad mucho mayor de materia blanca (B). Esta parte del cerebro es
25 la encargada de controlar la capacidad para mantenerse al tanto de muchos fragmentos de información de forma simultánea, así como de ordenar y ponderar estos datos a medida que se van acumulando y descubrir pautas en esa información.
30 Según el estudio, las personas que engañan de forma patológica tienen un 22% más de materia blanca que las personas consideradas normales; (C). A partir de ahora las investigaciones se dirigirán a determinar si esto es una causa o una consecuencia de las constantes
35 mentiras.

Un trastorno de la personalidad

Pseudología fantástica: éste es el nombre que recibe el trastorno de la personalidad al que lleva el hábito de mentir. Es una compulsión provocada por el deseo de causar admiración en los demás y atraer su atención y
40 aprecio. Por este motivo, los mentirosos compulsivos inventan unos hechos y una historia, es decir, se imaginan una vida diferente a la que tienen.

Lo patológico comienza cuando las mentiras se hacen cada vez más grandes pudiendo llevar incluso
45 a cometer delitos. El mentiroso se comporta igual que un actor que interpreta un papel que debe resultar creíble, lo que requiere un gran esfuerzo para que el "personaje" no se confunda con su realidad.

Pero surge un problema: el mentiroso patológico
50 nunca podrá disfrutar de los halagos y admiración que recibe de los demás porque es consciente de que no se dirigen a él sino al personaje inventado. Finalmente, la mentira no le lleva a ningún sitio.

La mentira facilita las relaciones sociales

La mentira es un mecanismo de adaptación emocional
55 para eludir la realidad e incluso, según algunos investigadores, facilita las relaciones sociales. La capacidad de mentir es natural en las especies como mecanismo de protección. En este sentido hay estudios que ponen de manifiesto que la gente miente
60 constantemente y sin ninguna necesidad; sin embargo, estas mentiras se llaman coloquialmente mentiras piadosas, ya que no tienen ninguna consecuencia negativa y están motivadas por el deseo de halagar a los demás.
65 Sólo hay una situación en la que mentir es prácticamente imposible: el autismo. Diversos estudios demuestran que los autistas son incapaces de mencionar cosas que no existen ya que su cerebro tiene menor proporción de sustancia blanca (D), lo que
70 apoya la hipótesis de que la capacidad de mentir está relacionada con la cantidad de materia blanca en el cerebro.

www.websalud.com

45 Vocabulario 🔍

Defina o dé un sinónimo o ejemplo en español de las palabras que aparecen en azul en el artículo anterior.

46 ¿Ha comprendido?

1. ¿La película *Mentiroso compulsivo* refleja sólo un fenómeno de ficción?
   a. No, esos mismos casos existen en la vida real.
   b. Sí, es una película de Jim Carrey.
   c. Sí, es una exageración para ganar dinero con el cine.
   d. No, pero sólo el 22% es realidad.

2. ¿Son diferentes los cerebros de los mentirosos compulsivos?
   a. Sí, son más inteligentes porque leen mucho.
   b. No se sabe, es un enigma científico.
   c. Sí, la diferencia se encuentra en la cantidad de materia blanca.
   d. Sí, ellos no tienen materia blanca.

3. ¿Por qué los mentirosos compulsivos se inventan historias?
   a. Porque les gusta la fantasía
   b. Porque quieren tener una vida distinta
   c. Porque quieren llamar la atención y que la gente los admire
   d. Las respuestas a y b

4. ¿Son felices los mentirosos compulsivos?
   a. Sí, porque siempre reciben halagos
   b. No, porque se descubre que son actores
   c. No lo saben, porque se confunden con su verdadera personalidad.
   d. No, porque los halagos son para el personaje inventado

5. ¿Qué son mentiras piadosas?
   a. Mentiras graves, que resultan creíbles
   b. Pequeños insultos hacia los demás
   c. Mentiras de poca importancia
   d. Mentiras que son dichas inconscientemente, sin uno darse cuenta

47 ¿Dónde va? 🔍

Las siguientes frases han sido extraídas del texto de la Actividad 44. Vuelva a mirar el artículo, fijándose en las letras de color y escriba la letra que mejor corresponda a cada frase. Hay una frase que sobra.

1. para mentir
2. por el contrario, tienen un porcentaje menor de materia gris
3. que de materia gris
4. que de sustancia gris
5. que podría ilustrar un estudio publicado en el *British Journal of Psychiatry*

Answers

48 *Ejemplos:*

1. ¿Qué nombre científico recibe el trastorno de mentir?
2. ¿Cuándo comienza la patología de la enfermedad?
3. ¿Por qué mentir es natural en la especie humana?
4. ¿Quién es incapaz de mentir? 5. ¿Qué sentido tienen las mentiras piadosas?

Instructional Notes

49 Students may want to write some key words and the main points of the article. You might want to review the following words with students before they listen to the audio: *echar unas canastas*, to shoot some hoops; *nave espacial*, spaceship; *pillarle las mentiras*, to catch someone in a lie.

---

48 ¿Cuál es la pregunta?

Según lo que acaba de leer en la Actividad 44, escriba una pregunta lógica para estas respuestas.

1. Pseudología fantástica
2. Cuando las mentiras se hacen peligrosamente grandes
3. Porque lo necesitamos como mecanismo de protección
4. Aquel que padece autismo
5. Halagar a los demás

49 Lea, escuche y escriba/presente

Vuelva a leer "Un cerebro preparado para mentir". Luego escuche el diálogo entre Carlos y Alfredo en la grabación "Pero, ¡deja de mentir!" y tome las notas necesarias. Escriba un ensayo o haga una presentación en clase sobre las mentiras y las mentiras piadosas. No se olvide de citar las fuentes debidamente.

Cita

El cuerpo humano es el carruaje; el yo, el hombre que lo conduce; el pensamiento son las riendas, y los sentimientos los caballos.
—Platón (427–347 a. de J. C.), filósofo griego

¿Qué piensa de este comentario? Con un/a compañero/a invente una metáfora sobre el hombre y su personalidad, similar a la que hizo Platón en su época. Adáptela a los nuevos tiempos.

¡Dato curioso! ¿Sabe que según un artículo de la BBC, dependiendo de su postura al dormir así es su personalidad? Hay seis tipos distintos. Con estos datos se puede saber si es sensible, atento o seguro de sí mismo.

Nota cultural

Según el estudio citado en el *Dato curioso*, la posición más común al dormir es la posición fetal, ya que el 41 % duerme así. Los que duermen así aparentan ser fuertes, pero realmente son muy sensibles. Aunque la mayoría de los adultos necesitan dormir unas ocho horas diarias, algunos necesitan dormir más, mientras que otros duermen muy poco. Thomas Edison decía que dormir era una pérdida de tiempo y solía echar pequeñas siestas durante el día. Napoleón, Margaret Thatcher y Florence Nightingale sólo necesitaban unas cuatro horas de sueño.

50 El hombre que dijo que llamaría

Lea las posibles respuestas primero y después escuche el diálogo entre dos amigas —Lola y Tamara— en la grabación "El hombre que dijo que llamaría". Escoja la mejor respuesta para la pregunta que escuchará en la grabación.

1. (Pregunta que escuchará en la grabación.)

   a. Sobre una cita que una de ellas tuvo el día anterior
   b. De una cita que Tamara tendrá al día siguiente
   c. De un antiguo compañero de clase
   d. De un robo a un chico joven

2. (Pregunta que escuchará en la grabación.)

   a. Le gustó su peinado.
   b. La llamó antes de irse a dormir.
   c. La acompañó a casa después de cenar.
   d. Quiso conocer a su familia.

3. (Pregunta que escuchará en la grabación.)

   a. No la llamó y ninguna de ellas conoce el motivo.
   b. No la llamó porque le robaron la cartera.
   c. No la llamó porque tenía el teléfono averiado.
   d. No; fue a su apartamento sin avisar.

4. (Pregunta que escuchará en la grabación.)

   a. No; él tiene que llamar.
   b. No; no tiene su teléfono.
   c. Sí; pero su amiga, Lola, llamará primero en su nombre.
   d. Sí; quiere tener otra cita y enseñarle su nuevo "look".

51 El Amor y el Tiempo

Escuche la grabación "El Amor y el Tiempo" y luego conteste las preguntas.

1. Nombre cuatro de los valores y sentimientos que había en la isla.
2. ¿Qué problema surgió en la isla?
3. ¿Qué le contestó la Riqueza al Amor?
4. ¿Y el Orgullo?
5. ¿Y la Tristeza?
6. Al final, ¿quién le ayudó al Amor? ¿Por qué?

Teacher Resources

Activity 50 (CD 4, track 5)
Activity 51 (CD 4, track 6)

Activity 19

Answers

50 1. a; 2. c; 3. a; 4. d

51 1. Ejemplos incluyen: el Buen Humor, la Tristeza, la Sabiduría, el Amor, la Riqueza, el Orgullo, el Tiempo. 2. La isla se iba a hundir. 3. Que no podía ayudarle porque su barca estaba llena de oro y plata. 4. El Orgullo quería todo perfecto en su barca y temía por su reputación. 5. Estaba tan triste que quería estar sola. 6. El Tiempo, porque el Tiempo es el único capaz de comprender lo importante que es el Amor en la vida.

Instructional Notes

50 You might want to review the following words with students before they listen to the audio: *¿qué onda?*, what's happening?; *de maravilla*, fantastic; *cumplir su palabra*, to keep one's word; *averiado*, broken down; *ser caso aparte*, to be something else/a piece of work.

The questions from audio activity 50 appear below.
1. ¿Sobre qué hablan las dos amigas? 2. ¿Por qué parece que el chico está interesado en Tamara? 3. ¿Llamó el joven a Tamara? 4. ¿Quiere Tamara llamar al joven?

51 You might want to review the following words with students before they listen to the audio: *indescriptible*, indescribable; *sabiduría*, wisdom; *hundirse*, to sink; *partir*, to leave; *estar a punto*, to be ready; *lujosísima*, very luxurious; *rogar*, to beg/plead; *arruinar*, to ruin; *lleno de gozo*, full of joy; *saber*, knowledge.

Activity 52 (CD 4, track 7)

 Activities 20–21

Instructional Notes

52 You might ask students if they know the meaning of *espejo* ("mirror") before they listen to the audio. You could also ask them to name objects, animals, or actions associated with bad luck (broken mirrors, black cats, walking under a ladder, spilling salt, Friday the 13th [*martes 13*], and, in general, the number 13).

53–54 Make sure students go over the expectations outlined in the *Pautas* on p. 480 before they prepare the writing activities on this page.

---

52 Participe en una conversación

Ud. va a participar en una conversación. Primero lea la descripción de la conversación y piense en algunas palabras o expresiones que le serían útiles. Organice sus ideas, haciendo predicciones sobre lo que se le pueda preguntar o comentar. Una descripción de lo que va a escuchar aparece abajo en color. Participe en la conversación grabando las respuestas o escribiéndolas en su cuaderno.

Escena: Una amiga, Elena, lo/la llama por teléfono para hablar de unos planes que Uds. habían hecho y para describir algo que le pasó.

Ud.:	• (*Suena el teléfono.*) Conteste.
Elena:	Lo/La saluda y le explica por qué llama.
Ud.:	• Salúdela y exprese su gran interés por el plan.
Elena:	Le hace un comentario sobre la situación.
Ud.:	• Muestre decepción y frustración (use al menos dos expresiones de subjuntivo).
Elena:	Le hace un comentario y le pide consejos.
Ud.:	• Siga la conversación. • Dele dos consejos (use al menos dos expresiones de subjuntivo).
Elena:	Le hace una afirmación en forma de pregunta.
Ud.:	• Niegue esa afirmación con firmeza.
Elena:	Le hace un comentario.
Ud.:	• Use una expresión de emoción, siga la conversación y despídase.

¡A escribir!

53 Texto informal: los envidiosos

Escriba en un blog y hable sobre el siguiente tema: **Las malas experiencias que ha tenido —o las que pueda tener— con personas envidiosas.**

- Hable sobre lo que piensa del tema.
- Cuente alguna anécdota.
- Termine con una pregunta a los lectores del blog.

54 Texto informal: las supersticiones

En un foro, hable sobre el tema de las supersticiones.

- Exprese su opinión sobre el tema.
- Confiese tener una superstición (real o imaginaria).
- Pida consejos para "curarse" de esta superstición.

Consejo

Antes de empezar, lea las pautas para escribir textos informales en la pág. 480 del Apéndice. Mientras escribe el texto tenga presente los objetivos. Cuando termine, verifique que ha cumplido con todo lo que se describe en la lista y reflexione sobre su trabajo.

Audioscript Activity 52

(telephone ringing) [STUDENT RESPONSE]

Elena: Hola, ¿cómo estás? Mira, te llamo porque tengo que hablar contigo sobre el viaje que teníamos organizado.
[STUDENT RESPONSE]

Elena: Pues, mira. He pensado que no voy a ir. Sé que lo teníamos organizado desde hace un año. Pero es que no te puedes ni imaginar lo que me ha pasado. Esta mañana cuando estaba haciendo la maleta se me ha roto un espejo. Y ya sabes la mala suerte que da un espejo roto. Así que es imposible que haga un viaje así. Lo siento.
[STUDENT RESPONSE]

Elena: Es que todo esto es muy duro para mí. ¿Qué me aconsejas que haga?
[STUDENT RESPONSE]

Elena: A propósito, me ha dicho Magdalena que tú tienes bastantes fobias, ¿no?
[STUDENT RESPONSE]

Elena: Bueno, yo creo que me has convencido. Creo que todo va a ir bien. ¡¡Ayyyyyyyyy!! Mira lo que hay ahí. ¡Un enorme gato negro!
[STUDENT RESPONSE]

55 Ensayo: tener una actitud positiva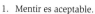

Escriba un ensayo sobre la importancia de tener una actitud positiva en la vida.

56 Ensayo: la personalidad

Escriba un ensayo contestando la pregunta, "¿Se puede cambiar la personalidad?"

57 En parejas

Intercambie sus ensayos con los de un/a compañero/a. Exprésele su opinión sobre el contenido y el uso del idioma.

Consejo

Antes de empezar, lea las pautas para escribir ensayos en la pág. 480 del Apéndice. Mientras escribe el ensayo tenga presente los objetivos, y no se olvide de ponerle un título original. Cuando termine, verifique que ha cumplido con todo lo que se describe en la lista y reflexione sobre su trabajo.

¡A hablar!

58 Charlemos en el café

Ud. va a debatir los siguientes temas con un/a compañero/a. Uno estará a favor de lo que se ha dicho y otro en contra. El debate durará varios minutos. El/La estudiante que esté de acuerdo comenzará el debate y hablará por unos diez segundos. Cuando el/la profesor/a lo indique, el/la otro/a estudiante tomará la palabra y expresará su opinión por otros diez segundos, y así sucesivamente.

1. Mentir es aceptable.
2. Cada persona tiene una personalidad determinada desde que nace.
3. "Dime con quien andas y te diré quien eres".
4. Si un estudiante se porta mal en clase es porque quiere llamar la atención.
5. En el fondo, nadie es malo.
6. Si una persona es tímida, los profesores nunca deberían hacerle presentar en clase.
7. Los animales también tienen miedos, celos y manías.
8. Las personas que son quejicas (que se quejan constantemente) lo son porque siempre hay alguien que las escucha.

59 ¿Qué opinan?

Converse con un/a compañero/a sobre estas preguntas.

1. ¿Cuáles son las ventajas y las desventajas de ser una persona que siempre dice lo que piensa?
2. ¿Cómo les hacemos ver a las personas que queremos lo que sentimos por ellas?
3. ¿Qué cree que es más importante: ser inteligente o ser listo?
4. ¿Colecciona cosas? ¿Cree que esto se puede convertir en una manía? Explique su respuesta.

Teacher Resources

Activity 22

Instructional Notes

55–56 Again, remind students to go over the expectations outlined in the *Pautas* on p. 480 before they prepare the writing activities on this page.

57 Monitor students' comments and corrections as they evaluate their classmates' work. If certain errors are being made repeatedly, go over this grammar with the class.

58 Because all students will speak, allow them time to prepare this activity. Be sure to tell students which issue and which side of the issue they will be debating, so that they can do some research and practice before their debate.

After students have debated these issues with a partner, you might want them to continue the debate in small groups, or even have a discussion with the whole class on one or two of these topics.

You might want to show a word bank on an overhead transparency to make sure that students use the new vocabulary.

59 Encourage students to review the vocabulary, including the expressions and *nexos*, at the end of the lesson in order to enhance their discussions. They need to pay attention to the grammar, pronunciation, and intonation, and use appropriate vocabulary to contradict or agree with their partner's comments. After students discuss these questions with a partner, you could hold a whole-class discussion.

Additional Activities

Corrija una carta
See p. TE26.

Instructional Notes

60 Review the *Pautas para presentaciones formales* on p. 481, and refer students to their copies of the guidelines given to them in *Lección 1A* (*Antes y durante una presentación*). (See p. 27 of this Annotated Edition.)

61 Before students start their projects, go over the questions from *Lección 1A*, p. 28. Students should have a copy of these questions for each project.
Remind them that after they complete their project, they will self-assess their work as a team using the grading system 1–5 (5 being the highest, and 1 the lowest) and write a grade next to each question. After they turn in their work or make their presentation to the class, you will review their project and write your comments and evaluation next to theirs.

60 Presentemos en público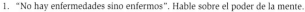

Conteste una de las siguientes preguntas o haga una presentación oral sobre uno de los temas durante varios minutos. Organice sus ideas antes de hacer la presentación, busque las palabras necesarias y, después de practicar, presente en clase sin mirar las notas.

1. "No hay enfermedades sino enfermos". Hable sobre el poder de la mente.
2. ¿Quién ha sido una persona importante en su vida? ¿Cómo lo/la ha influenciado?
3. ¿Por qué nos gusta ponerle "etiquetas" a la gente?
4. ¿En qué se parecen y en qué se diferencian los chicos de las chicas?

> **Consejo**
>
> Antes de empezar, lea las pautas para presentaciones formales en la pág. 481 del Apéndice. Mientras formula su presentación tenga presente los objetivos. Cuando termine la presentación, verifique que ha cumplido con todo lo que se describe en la lista y reflexione sobre el trabajo que hizo.

Proyectos

61 ¡Manos a la obra!

Trabaje en un grupo de cuatro o cinco estudiantes para llevar a cabo uno de los siguientes proyectos y presentarlo en clase.

- Hagan un cartel y presenten las cinco virtudes y defectos de nuestra sociedad. Acompañen las presentaciones con anécdotas e historias.

- Acaba de ser descubierto un nuevo país. Hablen de su ubicación, su bandera, idioma, los principios que se siguen, el tipo de gobierno, cómo son las personas que viven allí; hablen de su personalidad, aspecto físico, vestimenta, etc.

- Escriban una fábula sobre la envidia. Hagan las ilustraciones necesarias.

- ¿Cuáles son las cinco cosas más importantes para los seres humanos de nuestra sociedad? ¿Y para los de sociedades menos avanzadas? Comparen los valores de las dos sociedades; hablen de sus diferencias y de lo que tienen en común.

- Escriban un cuento para niños en el que les hablen sobre una cualidad o defecto del ser humano.

Vocabulario

Verbos

admirar	to admire
aguantar	to tolerate, stand, bear
asegurar	to assure
atraer	to attract
contratar	to contract; to hire
convenir (ie)	to be advisable, convenient
costar (ue)	to find difficult; to cost
curar(se)	to get well
desear	to want, desire
descartar	to eliminate, put aside
despedir (i)	to fire
elegir (i)	to choose
eludir	to elude, avoid
enumerar	to list
facilitar	to make easier
fingir	to pretend
indignarse	to get angry
intuir	to sense, intuit
investigar	to investigate
latir	to beat
madurar	to mature
maltratar	to mistreat, abuse
manejar	to manage
reducir	to reduce
regalar	to give (a present)
rescatar	to rescue
rodear(se)	to be surrounded
sobrecogerse	to be moved, deeply affected
solucionar	to solve
sumergirse	to be submerged
vibrar	to vibrate, quiver
volverse (ue)	to turn into

Verbos con preposición

verbo + a:

ponerse a	to begin to
ser reacio a	to be reluctant to

verbo + con:

coquetear con	to flirt with

verbo + de:

enamorarse de	to fall in love with
enterarse de	to find out about
estar a punto de	to be about to
pensar (ie) de (+ sustantivo)	to think about (opinion)

verbo + en:

involucrarse en	to be involved in
pensar (ie) en	to think of

Sustantivos

la	admiración	admiration
la	altura	height
el	bombón	chocolate candy
la	capacidad	ability
la	clave	key (solution)
el	comportamiento	behavior
la	conducta	conduct
la	confianza	confidence
el/la	crío/a	child
la	decena	(unit of) ten
la	envidia	envy
la	gana	desire, wish
la	habilidad	skill
el	halago	praise, flattery
la	herencia	inheritance; heritage
la	hipótesis	hypothesis, unproved theory
la	inquietud	worry, concern
la	ira	anger
el	lujo	luxury
la	maldad	evil
la	manía	obsession, funny little way
el	medicamento	medicine
la	mente	mind
la	mirada	look
el	odio	hatred
la	paciencia	patience
la	pauta	guideline
la	persona ideal	ideal person
la	postura	position
el/la	protagonista	protagonist, main character
el	rasgo	physical characteristic
la	rueda de prensa	press conference
el	sentimiento	feeling
la	señal	sign, signal
el/la	sinvergüenza	shameless person, rascal, scoundrel
el/la	sonámbulo/a	sleepwalker
la	timidez	shyness
la	tontería	silly/stupid thing
la	trampa	trap
el	trastorno	disorder
la	vergüenza	shame, embarrassment
el	vicio	vice

Teacher Resources

 Activities 23–28

 Visite la página Web de *¡A toda vela!* en www.emcp.com

Additional Activities

Juegos

To practice vocabulary and grammar from the lesson, ask students to play any of the following: *Dibuje, defina o gesticule, Relevos,* or *El juego de la alarma.* See pp. TE24 and TE25.

Ask students to do any of the following activities to practice and strengthen the vocabulary or grammar presented in this lesson: *Hablen sobre esta foto, ¿Cuáles son las diferencias?, ¡Post-it!,* or *Repaso Expreso.* See pp. TE26–TE28.

Ask students to do one or both of the following activities to practice the culture topics presented in this lesson: *Gráfico sobre un tema* or *Encuesta.* See p. TE27.

Cláusulas adverbiales y conjunciones

Tell students to pretend that because of bad weather you are all trapped in school for a day. Bring a surprise bag to the class filled with things that could be useful in such an emergency. Ask students to make up sentences guessing why you brought some of the items. You may want to bring some funny or outrageous things, and convince students that they are really necessary and useful. Write on the board some adverbs and conjunctions that are followed by the subjunctive, such as: *para que, mientras que, hasta que, en caso de que, con el fin de que, cuando.* Model the activity; you could show students an object or a picture of one, for example, a mat for yoga. Elicit from the students something like: *"Es muy práctico tenerla en caso de que quiera hacer yoga para relajarse".*

Adjetivos

acogedor(a)	cozy, welcoming
alérgico, -a	allergic
amplio, -a	complete; wide
brusco, -a	abrupt
capaz	capable
cariñoso, -a	affectionate
complejo, -a	complex
débil	weak
deprimido, -a	depressed
drástico, -a	drastic
enamoradizo, -a	inclined to fall in love easily; easily infatuated
eterno, -a	eternal
grave	solemn; serious; seriously ill
huraño, -a	unsociable
inconsciente	irresponsible; unaware
indescriptible	indescribable
inesperado, -a	unexpected
insoportable	unbearable
mandón/mandona	bossy
mentiroso, -a	lying
mimado, -a	spoiled
provocado, -a	provoked; angered
sudoroso, -a	sweaty
tímido, -a	timid, shy
tranquilo, -a	calm
tremendo, -a	terrible, tremendous

Adverbios

al menos	at least
cariñosamente	affectionately
curiosamente	curiously
realmente	really; actually

Expresiones

a cada rato	every five minutes, very often
a la perfección	perfectly
abanico de posibilidades	range of possibilities
ahogarse en un vaso de agua	to get worked up about nothing
al verles la cara	on seeing their faces
cada cual con sus manías	everyone with their funny little ways
cada vez que	each time that
la comunicación no verbal	nonverbal communication
de carne y hueso	of flesh and blood; to have feelings
echar de menos	to miss
el qué dirán	what others will say
entre la vida y la muerte	between life and death
¡es una tontería!	it's a silly/stupid thing!
estar de buen (mal) humor	to be in a good (bad) mood
estar en las nubes	to be absentminded
llamar la atención	to attract attention
lo absurdo de la situación	the absurdity of the situation
nada de nada	nothing at all
¡no faltaba más!	don't mention it!
¡oye!	hey!, excuse me
para colmo	on top of that
partirse de risa	to laugh one's head off, split one's sides laughing
pasársele rápido	to get over (something) quickly
¡Qué vergüenza!	How shameful!, How embarrassing!
ser indispensable	to be indispensable
sin cesar	ceaseless
tener un don	to have a special gift (for doing something)
tiene la manía de	he/she has this little thing/ obsession about
ver todo "color de rosa"	to see everything through rose-colored glasses

A tener en cuenta

Nexos (Palabras y expresiones útiles para unir ideas)

a fin de cuentas	when it comes down to it, when all's said and done
a lo mejor	maybe
a pesar de	in spite of
actualmente	nowadays, at the present time
como consecuencia	as a result/consequence
como resultado	as a result
de hecho	in fact
en conclusión	in conclusion
en primer lugar, en segundo lugar	in the first place, in the second place
en realidad	actually
en resumen	to summarize
por consiguiente	thus, therefore
por desgracia	unfortunately
por eso	for that reason
por esta razón	for this reason
por este motivo	for this reason, motive
por lo general	in general
por lo tanto	thus, therefore
por mucho (café) que	no matter how much (coffee)
por si acaso	just in case
puesto que	since, because
ya que	since

Lección B

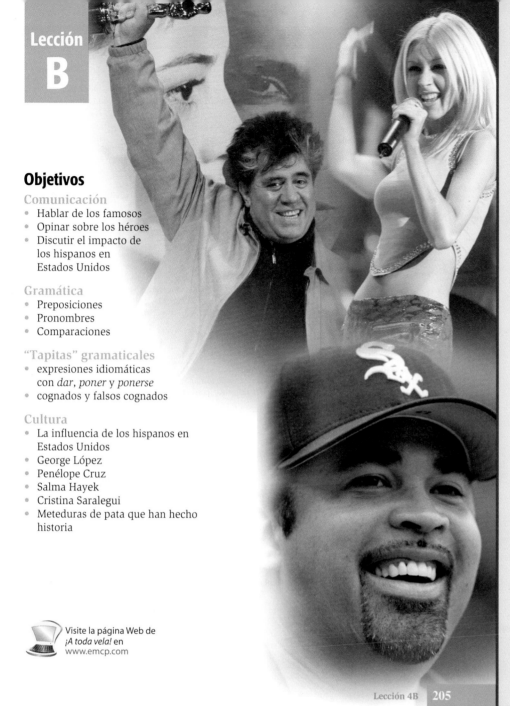

Objetivos

Comunicación
- Hablar de los famosos
- Opinar sobre los héroes
- Discutir el impacto de los hispanos en Estados Unidos

Gramática
- Preposiciones
- Pronombres
- Comparaciones

"Tapitas" gramaticales
- expresiones idiomáticas con *dar*, *poner* y *ponerse*
- cognados y falsos cognados

Cultura
- La influencia de los hispanos en Estados Unidos
- George López
- Penélope Cruz
- Salma Hayek
- Cristina Saralegui
- Meteduras de pata que han hecho historia

Visite la página Web de *¡A toda vela!* en www.emcp.com

Lección 4B **205**

Investigue palabras clave:
Pedro Almodóvar,
Cristina Aguilera,
Ozzie Guillén

Instructional Notes

See if students can identify the people pictured on the page, where they are from, and anything else they might know about them. Encourage students to find out more information about each person. (From top to bottom they are: Pedro Almodóvar, Spanish film director; Cristina Aguilera, pop singer from Colombia; "Ozzie" Guillén, Chicago White Sox manager from Venezuela.)

Ask students the following question and have them work in small groups or as a whole class to try to figure it out: *¿Qué tienen en común los presidentes Garfield, Hoover, Truman, Ford, Reagan, George H.W. Bush, Bill Clinton y los actores Dan Aykroyd, Tom Cruise, Matt Dillon, Whoopie Goldberg, Angelina Jolie, Nicole Kidman, Marilyn Monroe, Robert Redford, Keanu Reeves, Julia Roberts, Bruce Willis y Oprah Winfrey?* (Respuesta : todos son o eran zurdos.)

Answers

1 Answers will vary.

2 Dialogues will vary.

Instructional Notes

1 You might want to have students work in small groups or have the entire class participate in a discussion.

2 You might want to have a couple of students present one of the dialogues in front of the class.

Refrán

You could ask the following questions: *¿Creen que una vez que se tiene fama se puede descansar? ¿Creen que una vez que se consigue la fama surge la necesidad de conseguir más? ¿Es la fama efímera? ¿Qué piensan del comentario que hizo Marco Aurelio hace cientos de años: "Todo es efímero y efímeros son la fama y los famosos"? ¿Cree que la necesidad de ser famoso ha cambiado con el paso del tiempo? ¿Cómo?*

Para empezar

1 Conteste las preguntas

Piense en las respuestas a las siguientes preguntas. Ud. puede tomar notas si lo considera necesario. Cuando termine, compare sus respuestas —pero sin mirar sus notas— con las de un/a compañero/a.

1. ¿Qué es la fama? ¿Cree que la fama es algo eterno?
2. ¿Por qué se hace alguien famoso?
3. ¿Qué tipo de premios se conceden a personas famosas o importantes?
4. En su opinión, ¿quiénes son actualmente los tres hispanohablantes más famosos?
5. Nombre a cinco actores hispanohablantes.
6. ¿Cree que lo latino está de moda? ¿En qué campo hay más hispanohablantes conocidos?
7. ¿Cree que los famosos están orgullosos de ser famosos? ¿Por qué?
8. ¿Cree que los famosos tienen más manías y hacen cosas más extravagantes que los que no lo son? ¿A qué se debe?
9. Nombre tres héroes de fama mundial y explique por qué, desde su punto de vista, son héroes.
10. ¿Piensa que un héroe busca la fama? ¿Por qué?

Carolina Herrera, diseñadora de modas venezolana

2 Mini-diálogos

Ud. va a crear un mini-diálogo con un/a compañero/a. Lea la descripción de la conversación antes de empezar. Puede tomar notas para organizar sus ideas, pero no las mire mientras conversa.

Escena: En el gimnasio Ud. y su amigo/a mantienen una conversación sobre sus ídolos.

A:	Hable con su compañero/a sobre alguien famoso/a quien Ud. admira. Pregúntele a su compañero/a qué piensa de esta persona.
B:	Exprese su opinión. Pregúntele más sobre esta persona.
A:	Conteste sus preguntas. Pregúntale sobre una de las personas que admira.
B:	Conteste su pregunta. Dele detalles.
A:	Exprese desacuerdo. Explique por qué esta persona no es de su agrado.
B:	Defienda a su ídolo.
A:	Discúlpese por su tono. Haga un comentario agradable y despídase amistosamente.
B:	Quede con su amigo/a para ver un espectáculo. Despídase.

Refrán

Crea fama y échate a dormir.

 ¿Qué cree que quiere decir este refrán? ¿Está de acuerdo? ¿Por qué? Comparta su opinión con un/a compañero/a.

¡Dato curioso! Hay una empresa francesa que transforma a las personas anónimas en "famosas". Estas personas van escoltadas por guardaespaldas y perseguidas por paparazzi y admiradores. Es como un teatro y toda esta representación puede llegar a costar unos 4.000 dólares.

Nota cultural

Andy Warhol dijo que todo el mundo tenía derecho a quince minutos de fama. Aunque lo que se describe en el *Dato curioso* no es lo mismo, gracias a esta empresa la gente puede llegar a meterse en el papel de cualquier estrella.

Investigue palabras clave: Carolina Herrera, Oscar de la Renta

Vocabulario y gramática en contexto

3 Un blog

Túrnese con un/a compañero/a para leer el siguiente blog. Fíjese en las palabras que aparecen en azul (relacionadas con el vocabulario) y en rojo (relacionadas con la gramática), ya que en las siguientes actividades se le harán preguntas sobre ellas.

Dirección

Archivo   Edición   Ver   Favoritos   Herramientas   Ayuda

¡Qué ilusión!

El otro día quedé en verme con una amiga en el Café El Brillante. Habíamos quedado en vernos a las tres, pero como no tenía ganas de estar de pie esperándola, pedí un café y me puse a leer un periódico. Estaba por irme
5 cuando alrededor de las cuatro apareció Marisol con la sonrisa de oreja a oreja de siempre y con una camiseta de algodón muy de moda. Me contó en voz baja que se había tropezado con un actor famoso y que por eso llegaba tarde. Yo ya estaba acostumbrada a sus retrasos
10 y aun más a sus excusas. Si ustedes la conocieran sabrían que nunca llega a tiempo a ningún lado. Al verme enojada me miró la cara y me dijo que no era para tanto. En el fondo no me enojé con ella, pero me quedé allí de mala gana. Yo le dije que a mí no me gustan ese tipo de famosos, y que sin embargo admiro muchísimo
15 a aquellas personas que han hecho algo bueno por la sociedad. Me gusta leer sus biografías y pensar en su trayectoria. Es el caso de las personas que reciben uno de los galardones más preciados de todos en reconocimiento por los logros obtenidos a lo largo de su carrera: los premios Nobel, y le hablé a Marisol de por qué empezó todo esto a llamarme la atención. De hecho empecé a interesarme por estos premios cuando una profesora me contó en la escuela cómo empezó todo. Por lo visto Alfredo Nobel era un
20 químico inventor de origen sueco que consiguió inventar un explosivo menos peligroso del que se usaba hasta entonces. No fue un camino fácil; un ejemplo de ello es el hecho de que en una de las explosiones en su laboratorio murió su hermano. A pesar de ello, Nobel siguió con su sueño y consiguió una gran fortuna con dicho invento y algunos otros. Su fortuna fue grandísima, pero según me contaron estaba horrorizado por el uso que se le dio a su invento ya que empezó a ser usado en la guerra y por lo tanto muchas personas
25 fallecieron. Es por lo que Alfred Nobel, un filántropo entre otras muchas cosas, decidió donar a su muerte toda su fortuna a aquellas personas que con sus descubrimientos, investigaciones u obras cambiaron el curso de la historia gracias al aporte que le dieron a la sociedad.

Después de mi aburrida charla sobre los premios Nobel, vi como alguien se acercaba a mi amiga Marisol, le ponía la mano en el hombro y le decía: "¿Otra vez tú por aquí?". Era Armando Alconcer, el famosísimo
30 actor de las telenovelas. Me puse a tartamudear como una tonta, no podía creer que en ese momento no tenía ninguna cámara a mano. Les interrumpí maleducadamente, le di la mano y dos besos y le supliqué que me firmara un autógrafo en una servilleta de papel. Mi amiga se puso colorada y me miraba horrorizada por mi comportamiento infantil, pero a mí no me importaba. Le di las gracias y cuando me fui, me puse a contarle la historia a todas mis amigas. Al fin y al cabo, todas las reglas tienen su excepción,
35 ¿no? Fue el día más emocionante de toda mi vida. Al día siguiente, en cuanto llegué a clase en seguida les mostré orgullosa a todos mi preciada servilleta. Ah, y además empecé a interesarme más por las revistas del corazón. En el fondo, siempre buscaba alguna historia en la que hablaran de mi príncipe azul.

Instructional Notes

3 Remind students to keep adding new words from the readings to their notebooks, and to use them when doing the activities. After students read the article, ask them: *¿Por qué aparece la palabra* hablaran *(en la última línea) en el imperfecto del subjuntivo? (Porque el antecedente, alguna historia, es indefinido y el verbo de la cláusula principal, buscaba, aparece en el imperfecto.)*

Additional Activities

Discusión
Ask students what they think about the *paparazzi* and the intrusion of the media in celebrities' lives.

Trabajo de investigación
For homework, ask students to do some research on a Nobel Prize winner and make a written or oral presentation to the class. Students should briefly explain the field for which the prize was awarded, as well as some interesting biographical information about the recipient. Remind them that anecdotes are always welcome.

Nota cultural

Como dato curioso la familia de Nobel estaba muy sorprendida y enojada cuando conoció los deseos de su pariente en su testamento. Un premio Nobel puede serle concedido a más de una persona —a tres como máximo para ser exacto. Sólo el Premio Nobel de la Paz puede ser concedido a una organización; varias veces se lo han otorgado a organismos como UNICEF y la Cruz Roja. De los más de cien premios otorgados a escritores, diez han sido a escritores hispanohablantes: José Echegaray (España, 1904); Jacinto Benavente (España, 1922); Gabriela Mistral (Chile, 1945); Juan Ramón Jiménez (España, 1956); Miguel Ángel Asturias (Guatemala, 1967); Pablo Neruda (Chile, 1971); Vicente Aleixandre (España, 1977); Gabriel García Márquez (Colombia, 1982); Camilo José Cela (España, 1989); Octavio Paz (México, 1990). El trabajo de otros hispanohablantes en diferentes campos también ha sido reconocido, e incluye personas como Adolfo Pérez Esquivel (de la Paz, Argentina), Ramón y Cajal, (Biología y medicina, España) y Severo Ocho (Física, España).

📝 Activity 1

Answers

4 1. c; 2. a; 3. c; 4. a; 5. b; 6. c; 7. c; 8. a; 9. c; 10. b; 11. b; 12. c; 13. b; 14. d

5 1. *Wording for translations will vary;* habíamos quedado en, *we had agreed to;* tenía ganas de estar de pie, *I felt like standing up;* me puse a, *I started to;* estaba por, *I was about to;* alrededor de las cuatro, *around four;* sonrisa de oreja a oreja de siempre, *same big smile as always;* camiseta de algodón, *cotton T-shirt;* de moda, *stylish;* en voz baja, *in a low voice;* se había tropezado con, *she had bumped into;* por eso, *for this (resaon);* a tiempo, *on time;* a ningún lado, *anywhere;* al verme, *on seeing me;* no era para tanto, *it wasn't an issue;* en el fondo, *deep down;* me enojé con, *I got mad at;* de mala gana, *unwillingly;* sin embargo, *nevertheless;* por la sociedad, *for society;* a lo largo de, *throughout;* de hecho, *in fact;* interesarme por, *to get interested in;* por lo visto, *apparently;* de origen sueco, *of Swedish origin;* a pesar de ello, *in spite of it;* por el uso, *for the use;* por lo tanto, *therefore;* es por lo que, *that's why;* gracias al aporte, *thanks to the contribution;* charla sobre, *chat about;* por aquí, *around here;* me puse a, *I started to;* a mano, *handy;* por mi comportamiento infantil, *because of my childish behavior;* me puse a contarle, *I began telling;* al fin y al cabo, *in the end;* de toda mi vida, *of my entire life;* al día siguiente, *the next day;* en cuanto, *as soon as;* 2. Ejemplos: expresiones con *a*: a la derecha, *to the right;* a continuación, *and then;* a mano, *by hand;* a pie, *on foot;* a todas horas, *all the time;* a eso de las dos, *around two;* con *en*: en cambio, *on the other hand;* en cuanto, *as soon as;* en fin, *after all;* en medio de, *in the middle of;* en vez de, *instead of;* en todas partes, *everywhere;* con *de*: de buena gana, *willingly;* de día, *by day;* de modo que, *so that;* de nada, *you are welcome;* de ninguna manera, *by no means;* de noche, *at night*

6 1. Le di la mano y dos besos, le di las gracias. Otros ejemplos: dar miedo, *to be afraid of;* dar un paseo, *to go for a walk;* dar de comer a alguien, *to feed someone;* 2. me puse a leer, me puse a tartamudear, se puso colorada, me puse a contarle; otros ejemplos: ponerse enfermo, *to get sick;* ponerse al sol, *to sit in the sun;* poner en marcha, *to start;* poner la mesa, *to set the table*

Instructional Notes

7 You might have students work with a partner and answer each other's questions.

---

4 Amplíe su vocabulario 🔍

Empareje cada palabra con su definición o sinónimo, según el contexto del artículo anterior.

1. quedar en
   a. ir a   b. pedir
   c. citarse   d. llegar tarde

2. retraso
   a. tardanza   b. camino
   c. cancelación   d. costumbre

3. enojado
   a. alegre   b. triste
   c. enfadado   d. risueño

4. biografía
   a. historia   b. camino
   c. cancelación   d. costumbre

5. trayectoria
   a. lugar   b. camino recorrido
   c. parada   d. costumbre

6. galardón
   a. dinero   b. trabajo
   c. premio   d. victoria

7. logro
   a. llegada   b. trayecto
   c. éxito   d. ampliación

8. fortuna
   a. capital   b. opulencia
   c. carácter   d. particularidad

9. fallecer
   a. caer   b. herir
   c. morir   d. resurgir

10. filántropo
    a. dadivoso   b. bienhechor social
    c. caballeroso   d. respetuoso

11. obra
    a. estudio   b. trabajo
    c. recorrido   d. caminante

12. telenovela
    a. película   b. animación
    c. serial   d. programa

13. tartamudear
    a. hablar con errores   b. hablar entrecortado
    c. hablar otro idioma   d. corregir al hablar

14. orgulloso
    a. tranquilo   b. serio
    c. trabajador   d. feliz por los logros obtenidos

5 Preposiciones 👥 🔍

Trabaje con un/a compañero/a y conteste estas preguntas relacionadas con la lectura de la Actividad 3.

1. Escriban y traduzcan las palabras o expresiones con preposiciones que aparecen en rojo.
2. Hagan una lista de seis expresiones con cada una de las siguientes preposiciones: *a, en* y *de* e incluyan la traducción. Pueden ser expresiones que no aparezcan en la lectura.

6 "Tapitas" gramaticales 🔍

1. Busque las expresiones idiomáticas con el verbo *dar* que aparecen en el texto. Escriba otras tres e incluya la traducción.
2. Busque las expresiones idiomáticas que aparecen en el texto con el verbo *poner* o *ponerse*. Escriba dos expresiones más con estos verbos, y su correspondiente traducción al inglés.

7 Una entrevista ✒️

Ud. es periodista y le han pedido que le haga una entrevista a uno de los candidatos (puede ser real o ficticio) al próximo premio Nobel. Escriba diez preguntas para hacerle e incluya el vocabulario y algunas tapitas gramaticales de las actividades anteriores. Subraye las palabras nuevas.

Additional Activities

Ensayo
Ask students to write about the experience of getting the Nobel Prize. They need to research one of the winners, or use the information they gathered if they completed the *Trabajo de investigación* on p. 207, and write about the experience in the first person.

8 Los héroes

Lea con atención el siguiente texto, prestando atención a las palabras en azul y rojo.

Mis héroes

¿Quién no creía en los héroes cuando era niño? Pues bien, los que yo recuerdo con cariño son los dibujos animados del Hombre Araña y El Zorro. Eran los dos héroes de más éxito cuando éramos pequeños. Mi hermano Fernando y yo siempre nos acurrucábamos en el sofá para ver la serie del mejor héroe de todos: *Las aventuras*
5 *del Zorro* (y su caballo Plata). ¡Qué buen nombre para un caballo!, ¿verdad? La música, la vestimenta, el caballo: todo era un mito. Aun ahora, aunque esté un poco anticuada, se la recomiendo a quien quiera pasar un buen rato.

Hay un libro del que les quiero hablar hoy y que es sobre él. Se titula, lógicamente, *Zorro*. Lo que más me gustó es la perspectiva con la que la autora, Isabel Allende,
10 escribió sobre el legendario personaje, Diego de la Vega, a quien nos describe antes de convertirse en el legendario Zorro. ¿A quién no le gusta este valiente, apasionado, carismático y aventurero personaje? Tanto hombres como mujeres caen rendidos a sus pies. Allende nos da una interesante panorámica de la California de los años 1790 y de la España de principios del siglo XIX ocupada por las tropas de Napoleón.
15 Según cuentan, la escritora chilena decidió llevar la historia a España porque durante esa época había mucha acción en Europa, donde se estaban gestando grandes cambios, tales como la Revolución Francesa entre muchos otros. Es uno de los períodos más fascinantes de la historia. Un dato curioso es el hecho de que Allende decidiera hacer al joven héroe de la máscara y el traje negro mestizo. Es
20 un libro fascinante. Si quieres leer algo que sea ameno, cómpratelo sin dudarlo —seguro que te va a gustar. Por lo que he oído van a llevar la historia al cine y quizás la protagonice alguien del estilo de Johnny Depp. Ojalá que escojan a alguien como él, pues yo siempre se lo digo a mi amigo Julián, que no hay nadie como él, cuyo talento para este tipo de personajes es indiscutible, como ya lo demostró en la película *Don*
25 *Juan de Marco*. Muchos coinciden conmigo en que es uno de los mejores actores para este tipo de personaje.

9 Amplíe su vocabulario

¿Cuál es la mejor traducción?

1. éxito
   a. exit
   b. popular
   c. success
   d. failure

2. acurrucarse
   a. to hum
   b. to play
   c. to curl up
   d. to hide

3. legendario
   a. old
   b. character
   c. celebrity
   d. legendary

4. carismático
   a. pleasant
   b. nice
   c. charismatic
   d. chaotic

continúa

Answers

9 1. c; 2. c; 3. d; 4. c;

Instructional Notes

8 Before students read the article, ask them to name their childhood heroes. How do they compare with any heroes they might have now?

Answers

9 5. d; 6. a; 7. c; 8. d

10 *Ejemplos:*

héroe, persona admirada por su valentía; *dibujo animado*, serie de dibujos fotografíados que se filman y muestran un movimiento; *mito*, persona o leyenda relacionada con muchas cualidades positivas e idealizada; *anticuado*, que ya no se lleva o usa; *valiente*, lo contrario de cobarde; *mestizo*, que proviene de una mezcla de raza o culturas

11 1. los que: relativo, sujeto; se la: se = objeto indirecto, lo = objeto directo; (a) quien: relativo como objeto indirecto; les: objeto indirecto; lo que: relativo, sujeto; la que: relativo, objeto de la preposición *con*; a quien: relativo y objeto directo; ¿a quién?: relativo y objeto indirecto; cómpratelo: te = objeto indirecto, lo = objeto directo; lo que: relativo, objeto de la preposición *por*; se lo digo: se = objeto indirecto, lo = objeto directo; cuyo: relativo y adjetivo posesivo; 2. que, quien, cual, lo que, cuyo; 3. *what, the thing which*; Se usa cuando se hace referencia a un antecedente no específico; por ejemplo: No recuerdo *lo que* quería decir. 4. Sí; por ejemplo: La historia *de que* te hablaba es muy amena. La chica *con quien* bailé me gusta mucho. 5. *whose*; Debe concordar con el sustantivo que lo sigue; concuerda en género y número. Ejemplo: Éste es el hombre *cuya hija* fue secuestrada por unos delincuentes. 6. El objeto directo indica la persona o cosa sobre la que recae la acción; el indirecto indica para quién o a quién se efectúa una acción. 7. Los pronombres se colocan delante del verbo ya sea compuesto o no, a excepción del infinitivo, gerundio o mandato afirmativo; en estos casos, los pronombres se colocan al final. Ejemplos: Te lo di. Nos lo habían dado. Quiero regalártelo. Estoy preparándotelo. Dígamelo, por favor. 8. El objeto indirecto se coloca delante del directo. (Una forma para recordarlo es decirle a los estudiantes que las personas son más importantes que las cosas.)

12 1. el comparativo de superioridad, de inferioridad, de igualdad y el superlativo; 2. Se usa *que* en todos los casos excepto delante de números; en ese caso se usa *de*: Había más de cien personas. Aunque cuando queremos decir "sólo" usamos "que": No me quedan más que cinco dólares. Cuando el antecedente es un adjetivo o un adverbio, entonces usamos "de lo que": Tenía menos tarea de lo que pensaba. 3. No; son formas intensivas del adjetivo. Ejemplos: las palabras que terminan en -*co/-ca*, -*go/-ga* y -*z* cambian a -*qu*, -*gu* y -*c* respectivamente. 4. *only (He has only ten dollars.)* 5. *Mayor/es, menor/es*; suelen colocarse detrás del sustantivo y *mejor/es, peor/es* que suelen colocarse

---

5. caer rendidos a sus pies
   a. to render to the feet
   b. to fall faint
   c. to keep falling on one's feet
   d. to surrender at one's feet

6. tropas
   a. troops
   b. ropes
   c. friends
   d. traps

7. gestar
   a. to recommend
   b. to advise
   c. to develop
   d. to spend

8. ameno
   a. boring
   b. easy to read
   c. funny
   d. enjoyable

10 Defina las palabras

Defina en español las siguientes palabras: *héroe, dibujo animado, mito, anticuado, valiente* y *mestizo*.

11 Pronombres

Trabaje con un/a compañero/a y conteste estas preguntas relacionadas con la lectura de la Actividad 8.

1. Identifiquen por categorías (objeto directo, objeto indirecto, relativo) los pronombres en las expresiones o palabras que aparecen en rojo y expliquen su uso.
2. ¿Cuáles son los cinco pronombres relativos más comunes?
3. ¿Qué significa *lo que*? ¿Cuándo se usa? Den un ejemplo.
4. ¿Se puede usar *que* o *quien* con una preposición delante? Den un ejemplo con cada palabra.
5. ¿Qué significa *cuyo*? ¿Con qué elemento de la oración concuerda? ¿Cómo debe concordar? Den otro ejemplo.
6. ¿Cuál es la diferencia entre un objeto directo y uno indirecto?
7. ¿Dónde se coloca el pronombre del objeto directo o indirecto? Den ejemplos para cada situación.
8. ¿Dónde se colocan los pronombres cuando hay dos seguidos en la misma oración?

12 Comparaciones

Conteste las siguientes preguntas.

1. ¿Cuáles son los diferentes comparativos en español?
2. ¿Por qué se usa *que* unas veces en la segunda parte de la comparación, y en otras *de*?
3. ¿Son comparativas las palabras terminadas en -*ísimo* (*alto, altísimo*)? ¿Qué cambio consonántico sufren algunas de estas palabras?
4. ¿Qué significa *más que* en la oración, "No tiene más que diez dólares"?
5. ¿Cuáles son los comparativos irregulares? ¿Dónde se colocan?
6. ¿Cómo se expresan las comparaciones de igualdad?
7. ¿Cómo se forma el superlativo en español?

13 "Tapitas" gramaticales

1. ¿Cuál es la traducción de *exit* en español?
2. ¿Significa *success* un suceso o hecho ocurrido repentinamente? Si no, ¿qué significa?
3. Traduzca al español las siguientes palabras: *no exit, without success*.
4. ¿Qué nombre reciben en español las palabras de ambos idiomas que se parecen y significan lo mismo como, por ejemplo, *sofá/sofa* y *aventura/adventure*? ¿Y cuando las palabras se parecen pero no significan lo mismo como, por ejemplo, *soportar* y *to support*?

---

delante. 6. *Tanto/a/os/as* + sustantivo + *como*; *tan* + adverbio/adjetivo + *como*; *tanto como* 7. artículo + sustantivo + *más/menos* + adjetivo + *de* + artículo + sustantivo

13 1. salida; 2. No; significa *éxito*. 3. sin salida, sin éxito; 4. cognados; falsos amigos (falsos cognados)

14 Un superhéroe ✎

Ud. es un superhéroe. Escríbale un correo electrónico a uno de sus compañeros. Use el vocabulario y algunas tapitas gramaticales de la lección.

- Hable de cómo se convirtió en superhéroe.
- Hable de sus poderes especiales.
- Compare su vida con la de una persona normal.
- Hable de sus logros y sus retos.

15 Preposiciones

Lea las siguientes oraciones y complételas con la preposición adecuada: *a, con, de, en, por* o *para*. No se olvide de hacer las contracciones necesarias con *de* y *a*, más el artículo. Use las palabras del recuadro para explicar por qué se usa cada preposición.

a través del tiempo/espacio	descripción de verbo	medio
actitud	introduce objeto directo	movimiento o dirección
característica	(persona)	origen
causa o razón	introduce objeto indirecto	período de tiempo
compañía	localización	propósito
contenido	manera	tema
descripción de adjetivo	material	tiempo

1. Eduardo llegó ___ el mercado, se sentó ___ la silla y empezó ___ sacar los alimentos ___ las bolsas.
2. Carmen consiguió ahorrar ___ comprar la blusa ___ seda que era cara, pero que se la habían dado ___ sólo $50.
3. Habían viajado ___ cinco horas ___ pie y llegaron ___ un café al borde del camino. Le preguntaron ___ la dueña ___ cuántos kilómetros quedaba el pueblo más cercano.
4. La mesera les sirvió ___ mala gana porque era tarde. Después ___ beber un jugo ___ naranja y comer arroz ___ camarones, continuaron el paseo ___ el campo.
5. Como no llegamos ___ tiempo no pudimos entrar ___ el concierto porque el teatro estaba lleno ___ gente hasta la puerta.
6. Elisa y Juan Pedro viajan de vez en cuando ___ países latinos y compran cosas hechas ___ mano ___ los indígenas.
7. Llegaré mañana ___ la tarde. No puedo volar hoy ___ el mal tiempo y estoy muerto ___ cansancio. Trataré ___ buscar un hotel ___ dormir.
8. Néstor se dedica ___ la ecología porque le gustaría acabar ___ los problemas del mundo. Sabe que si no hacemos algo, ___ treinta años muchas especies habrán desaparecido.

Answers

14 E-mails will vary.

15 1. del: movimiento; en: localización; a: descripción del verbo; de: descripción del verbo; 2. para: causa o razón; de: material; por: medio; 3. por: tiempo; a: medio; a: descripción del verbo; a: introduce objeto directo (persona); a: localización; 4. de: característica; de: período de tiempo; de: material; con: contenido; por: movimiento o dirección; 5. a: descripción del verbo; en: descripción del verbo; de: característica; 6. por: movimiento o dirección; a: manera; por: medio; 7. por: tiempo; por: causa o razón; de: descripción de adjetivo; de: descripción de verbo; para: propósito; 8. a: descripción del verbo; con: descripción del verbo; en: período de tiempo

Answers

16 1. más; 2. de; 3. que; 4. le; 5. que; 6. que; 7. te; 8. del; 9. tanto; 10. del; 11. tan; 12. le; 13. Le; 14. lo; 15. quién; 16. más; 17. de; 18. le; 19. lo; 20. lo; 21. lo; 22. lo; 23 lo; 24. tan; 25. como; 26. te; 27. lo

Additional Activities

Comparaciones

Ask students to do some research about five interesting facts that are in the *Guinness Book of Records*, making sure that they can be compared among one another. They should present these comparisons to the class the following day.

Preposiciones

Bring a set of cards or drawings of things that you would like students to talk about in order to practice prepositions and pronouns. You can use the visuals individually or to create a story.

Juego

Ask students to play *Trivia*. See p. TE25.

---

16 Comparativos y pronombres

Complete el siguiente diálogo con las palabras del recuadro. ¡Ojo! Algunas se usarán más de una vez, pero otras no se usarán.

menos	te	tan	tantas	quién
lo	me	tanto	más	del
la	de	tanta	que	como
le		tantos		

José: Lupe, hoy he tenido uno de los días __1.__ emocionantes __2.__ toda mi vida. Diego y yo íbamos a ir al café al __3.__ solemos ir todos los días, cuando __4.__ digo a mi amigo __5.__ yo tenía mucha hambre y por eso que fuéramos mejor al restaurante __6.__ hay al lado porque había menos gente y así nos servirían antes. Los dos entramos, y ¡adivina qué me pasó!

Lupe: ¿Qué __7.__ pasó?

José: Pues, vi a Eva Longoria. Sí, a la mujer más guapa __8.__ mundo.

Lupe: Bueno, no es para __9.__ .

José: Perdona, a la segunda mujer más guapa __10.__ mundo. Nadie es __11.__ guapa como tú, cariño.

Lupe: Sí, sí, ya, ya.

José: Pues sí. ¿Quién podía imaginárselo? ¡Ella aquí? ¡Al lado mío?

Lupe: ¿Y qué __12.__ dijiste? ¿ __13.__ pediste un autógrafo? Seguro que sí, ¿se __14.__ pediste? Ándale, cuéntame todo.

José: ¡Que va!, no quería que pensara que soy un admirador pesado. Pensé, … ¿qué haría Joey? ¿Sabes __15.__ es, no? El de *Friends*.

Lupe: Sí, claro. El Don Juan.

José: Exacto. Siempre terminaba con las chicas __16.__ guapas __17.__ todas. Así que me acerqué a Eva y __18.__ dije,

"¿Qué pasa? ¿Qué estás haciendo?" en voz baja, con las manos en los bolsillos de mis jeans y mirándola de reojo. Como si no me interesara demasiado.

Lupe: No me __19.__ puedo creer. ¿Se __20.__ dijiste de verdad? ¿Y qué te dijo?

José: Errr, bueno, en fin, no creo que __21.__ quieras saber.

Lupe: ¡Cómo que no __22.__ quiero saber! Por supuesto. Dímelo. ¿Qué te pasó?

José: Pues tenía un refresco en la mano y me __23.__ tiró en la cabeza.

Lupe: ¿Cómo? ¿Y tú que le dijiste?

José: Creo que le dije… ¡me encantas, Eva! Eres __24.__ mala __25.__ en la serie *Mujeres desesperadas*.

Lupe: ¡No __26.__ __27.__ puedo creer!

José: ¡Que no te enojes, Lupe! Que sólo la vi de lejos. Es que me quedé de piedra y no reaccioné a tiempo.

La actriz Eva Longoria

Cita

¿Quién no sabe que en México seguimos al pie de la letra el precepto bíblico de alabar a los muertos? A los vivos los elogiamos cuando pueden darnos algo.

—Amado Nervo (1870–1919), escritor mexicano

¿Cómo describiría el tono de esta cita? ¿Está de acuerdo? ¿Piensa que algunas personas sólo se hacen famosas después de morir? Explique sus respuestas y comparta sus opiniones con un/a compañero/a.

Dato curioso

Cuando se habla de famosos también se suele hablar del mundo que los rodea, y en muchas ocasiones, éste es de gran lujo y dinero excesivo. Los sueldos de los famosos muestran cifras asombrosas. Oscilan entre los cinco y los 225 millones de dólares, o incluso más. ¿Imagina lo que Ud. podría hacer con ese dinero?

Nota cultural

Algunos de los famosos mejor pagados del mundo son Oprah Winfrey, Tiger Woods, Steven Spielberg y Madonna.

Idioma

17 Familia de palabras

Complete la tabla con el verbo, sustantivo o adjetivo apropiado y la traducción correspondiente.

Verbos		Sustantivos		Adjetivos	
___	to support	___		apoyado	___
drogarse	___	la droga; el/la drogadicto/a	___ ; ___	___	___
empeñarse	___	___		empeñado	___
fallecer	___	___	death	___	___
___	to influence	___	influence	influyente	___
luchar	to fight	___		luchador	___
obsesionarse	___	la obsesión		obsesionado	___
superar	___	la superación	overcoming	___	___
___	to triumph	el triunfo		triunfante	___

18 ¿Verbo, sustantivo o adjetivo?

Complete las oraciones usando la forma correcta de las palabras que aparecen en la tabla, ya sea verbo, sustantivo o adjetivo. En el caso del sustantivo puede que necesite artículo.

1. Los padres de Óscar y Paco siempre ___ (empeñarse) en que sus hijos ___ (triunfar) en la escuela. En el fondo, esta disciplina fue lo que los ayudó a ser unos exitosos hombres de negocios.
2. La adolescencia es una edad difícil, pues los chicos no siempre ___ (superar) los miedos propios de la edad. Los padres en ocasiones viven en una continua ___ (luchar) con sus hijos.
3. Es importante que los famosos hagan un buen uso de su situación privilegiada, que ___ (apoyar) causas benéficas y que ___ (luchar) por un mundo más equitativo.
4. Al administrador del cantante de mayor ___ (triunfar) se le quitó de golpe la sonrisa que solía tener en las ruedas de prensa cuando tuvo que comunicarle a los periodistas que su cliente llevaba más de dos años siendo ___ (drogarse), y es por eso que tuvo que ser ingresado en una clínica.
5. Por lo visto, le dieron varios galardones cuando se enteraron de que ___ (fallecer). Aunque su mujer estaba orgullosa, también estaba apenada, pues no reconocieron su talento hasta su ___ (fallecer).
6. Cuando la gente supo que el profesor iba a visitar su antiguo colegio comenzaron a llegar alrededor de cincuenta y tantas personas a pie, ___ (empeñarse) en visitarlo. Al fin y al cabo, se había convertido en una de las personas más ___ (influir) de la vida de muchos.
7. Debo de reconocer que estaba totalmente ___ (obsesionarse) con este actor de la telenovela "Amor y celos" y lo peor es que un día tropecé con él, y aunque tenía un poco de encanto, no es para tanto. Además me dio un autógrafo de mala gana. Creo que ya ___ (superar) mi ___ (obsesionarse) por él.
8. Cuando los concursantes, a pesar de ser grandes ___ (luchar), no consiguieron el premio, volvieron a sus casas un poco deprimidos y se acurrucaron en el sofá para seguir viendo el programa con sus familiares, quienes siempre les habían mostrado su ___ (apoyar).

Cita

El éxito tiene muchos padres, pero el fracaso es huérfano.
—John F. Kennedy (1917–1963), 35° presidente de los Estados Unidos

¿Cree que es cierto lo que dice? ¿A qué se debe? Cite unos ejemplos de su propia experiencia. Comparta sus experiencias y opiniones con un/a compañero/a.

continúa

Teacher Resources

 Activity 7

Answers

17 **Verbos**
apoyar *to support*
drogarse *to be drugged*
empeñarse *to strive to*
fallecer *to die*
influir *to influence*
luchar *to fight*
obsesionarse *to be obsessed*
superar *to overcome*
triunfar *to triumph*
Sustantivos
apoyo *support*
la droga; el/la drogadicto/a *drug; drug addict*
el empeño *effort*
el fallecimiento *death*
la influencia *influence*
la lucha *fight*
la obsesión *obsession*
la superación *overcoming*
el triunfo *triumph*
Adjetivos
apoyado *supported*
drogado *drugged*
empeñado *committed to*
fallecido *dead*
influyente *influential*
luchador *fighting/fighter*
obsesionado *obsessed*
superado *overcome*
triunfante *triumphant*

18 1. se empeñaron, triunfaran; 2. superan, lucha; 3. apoyen, luchen; 4. triunfo, drogadicto; 5. había fallecido, fallecimiento; 6. empeñadas, influyentes; 7. obsesionada, he superado, obsesión; 8. luchadores, apoyo;

Instructional Notes

Cita
You might wish to share these quotes that deal with success and fame:
No, el éxito no se lo deseo a nadie. Le sucede a uno lo que a los alpinistas, que se matan por llegar a la cumbre y cuando llegan, ¿qué hacen? Bajar, o tratar de bajar discretamente, con la mayor dignidad posible. —Gabriel García Márquez, escritor (1927–)
Yo no merezco más de la mitad del mérito por las batallas que he ganado. Por regla general, son los soldados los que ganan las batallas y los generales los que se llevan la fama. —Napoleón Bonaparte, estadista y emperador francés (1769–1821)

Additional Activities

Juego
Ask students to play *Voluntario, derecha e izquierda* after they complete activity 17. See p. TE25.

18 9. influyente, apoyaremos, lucha, la droga;
10. empeño, drogadictos

19 1. lo; 2. Cientos; 3. del; 4. están; 5. fue; 6. es;
7. Hemos; 8. estamos; 9. que; 10. quienes; 11.
dominaban; 12. Empezamos; 13. mirando; 14. estar;
15. nuestros; 16. la; 17. afortunada; 18. nos; 19. miles;
20. cientos; 21. iba; 22. era; 23. vernos; 24. avanzado;
25. recordar; 26. es; 27. cualquier; 28. trabajen;
29. podrán

Additional Activities

El desafío del minuto
See p. TE27.

Juego
Ask students to play ¿Verdadero o falso? See p. TE25.

---

9. Somos conscientes de que la música que mi banda y yo tocamos es
muy ___ (*influir*) en los jóvenes, y es por eso que hemos decidido
que los ___ (*apoyar*) en su ___ (*luchar*) contra ___ (*drogarse*) y
daremos un concierto gratis.
10. Patricia y José estaban muy orgullosos; al fin y al cabo gracias a su
___ (*empeñarse*) lograron que muchos ___ (*drogarse*) superaran su
adicción y triunfaran en su lucha.

19 Los hispanos

**Échele una ojeada al artículo que sigue para ver de qué se trata,
prestando atención a las palabras en azul, ya que se le harán preguntas
sobre ellas. Luego lea el artículo y decida cuál de las dos palabras entre
paréntesis es la correcta para completar cada oración y escríbala.**

La influencia de los hispanos

Lo latino arrasa

Se lleva **1.** (*lo / el*) latino. **2.** (*Cientos /
Cientas*) de artistas, cocineros, diseñadores,
arquitectos, médicos, empresarios y demás
3. (*en / del*) mundo latino **4.** (*están / estén*)
⁵ arrasando en otros países, tanto de América
como de Europa o Asia. Estamos de moda. Hace
años **5.** (*fue / era*) prácticamente imposible
ver a un sudamericano en la televisión o en
los periódicos, pero ahora todo **6.** (*ser / es*)
¹⁰ distinto. **7.** (*Hemos / Hayamos*) ganado
Oscars, Grammys, Emmys; incluso **8.**
(*estamos / estemos*) siendo considerados como
mejores cocineros y diseñadores **9.** (*que /
de*) los franceses, **10.** (*quien / quienes*)
¹⁵ siempre habían sido los que **11.** (*dominaron /
dominaban*) estas facetas.
12. (*Empezamos / Empecemos*) a influir en la
forma de vestir, de peinarnos, de comportarnos;
el resto del mundo comienza a vernos como un
²⁰ espejo en el que muchas personas se andan
13. (*mirar / mirando*) a diario. Tenemos
que **14.** (*ser / estar*) orgullosos de **15.**
(*nuestro / nuestros*) antepasados y de toda
la cultura de **16.** (*el / la*) que hemos sido
²⁵ beneficiarios, porque aunque en ocasiones
nos cueste creerlo, somos gente muy **17.**
(*afortunado / afortunada*). Hoy en día **18.**
(*nos / nosotros*) invitan a **19.** (*mil / miles*)
de fiestas, salimos en **20.** (*cien / cientos*)
³⁰ de los canales y emisoras... ¡Tenemos éxito!
¿Quién **21.** (*fue / iba*) a decirlo a mediados
del siglo XX? Hasta hace poco **22.** (*fue / era*)

común **23.** (*verlos / vernos*) jugando en las
grandes ligas; no obstante, ya empezamos a
³⁵ tomar otros tipos de cargos en la administración
y marketing. Hemos **24.** (*avanzando /
avanzado*) a pasos agigantados y todo gracias
a nuestros propios méritos, y aunque todavía
tenemos miles de problemas de integración,
⁴⁰ hay que **25.** (*recordemos / recordar*) que
no **26.** (*es / sea*) fácil, pero luchando, y con
buena cara, podremos llegar a **27.** (*cualquier /
cualquiera*) lugar. Como modelos a seguir
tenemos el ejemplo de grandes triunfadores:
⁴⁵ cantantes como Shakira y Jennifer López,
arquitectos como Santiago Calatrava, cocineros
innovadores como Ferrá Adriá y otros
muchos que nos demuestran que quienes **28.**
(*trabajan / trabajen*) duro **29.** (*puedan /
⁵⁰ podrán*) conseguir sus sueños.

Isabel Segundo

El Pabellón Quadracci del Museo de Arte de
Milwaukee, diseñado por Santiago Calatrava

Nota cultural
Un avispado hombre de negocios utilizaba
los nombres de los famosos para crear
dominios en Internet. Usaba nombres
como Celine Dion o Kevin Spacey. Según el
creador de los dominios, él lo hacía de forma
inocente, pero no consiguió que el tribunal
le creyera. Pregúntenles a los estudiantes si
creen que un famoso debe de tener control
de su nombre, y si debe de ser ilegal ser
usado por otros en medios como en Internet
para crear páginas a su nombre.

20 ¿Qué significa? 🔍

Según el artículo que acaba de leer, ¿cuál es la mejor definición o sinónimo de cada palabra?

1. empresario
   a. persona que trabaja para una empresa
   b. persona que tiene mucha presión
   c. persona que tiene una empresa
   d. persona que tiene una imprenta

2. arrasar
   a. destruir
   b. tener un gran éxito
   c. levantar
   d. tirar

3. distinto
   a. idéntico
   b. diferente
   c. heterogéneo
   d. homogéneo

4. comportarse
   a. suponer
   b. portarse
   c. componerse
   d. encerrarse

5. resto
   a. lo sobrante
   b. basura
   c. ruina
   d. descanso

6. antepasado
   a. antiguo
   b. pasado de moda
   c. familiar ya muerto
   d. anteayer

7. costar
   a. ser caro
   b. ser difícil
   c. causar
   d. dormir

8. cargo
   a. peso
   b. empleo
   c. problema
   d. cargamento

9. agigantado
   a. enorme
   b. alegre
   c. pequeño
   d. de fantasía

10. con buena cara
    a. guapo
    b. saludable
    c. con buen humor
    d. con buenos modales

El cantante puertorriqueño Marc Anthony

Answers

21 1. uno; 2. importantes; 3. El; 4. los; 5. producido; 6. quinta; 7. tiene; 8. le; 9. ser; 10. un; 11. ha participado/participó; 12. premiada; 13. Una; 14. tercero; 15. uno; 16. conocido; 17. creó; 18. quien; 19. gran; 20. países

22 1. d; 2. g; 3. h; 4. e; 5. c; 6. b; 7. f; 8. a

Instructional Notes

Dato curioso

Here are some names in Spanish that you might ask students to translate into English: Antonio Banderas, Anthony Flags; Penélope Cruz, Penelope Cross; Paz Vega, Peace Fertile Plain; Enrique Iglesias, Richard Churches; Inés Sastre, Agnes Tailor.

Additional Activities

Comunicación

Start some conversation by asking the question, *¿Por qué muchas personas se hacen famosas, o más famosas, sólo después de su muerte?*

216

---

21 George López

Échele una ojeada al artículo que sigue para ver de qué se trata, prestando atención a las palabras en azul, ya que se le harán preguntas sobre ellas. Luego lea el artículo y decida qué forma de las palabras entre paréntesis es la correcta para completar cada oración y escríbala. No se olvide de escribir y acentuar las palabras correctamente.

George López

George López es __1.__ (*uno*) de los comediantes y presentadores más __2.__ (*importante*) de la industria televisiva hoy en día.
__3.__ (*El*) programa, *The George López Show*, es uno de __4.__ (*el*) más vistos y es __5.__ (*producir*) por la encantadora actriz Sandra Bullock. Ya va por su __6.__ (*quinto*) temporada. López es considerado uno de los cómicos más prestigiosos del país.

Su autobiografía, *Why are you crying?*, __7.__ (*tener*) mucho éxito, y varios discos __8.__ (*lo*) han ayudado a apoderarse de un Grammy, e incluso __9.__ (*ser*) comentarista durante la temporada 2003–2004 de la Liga de Fútbol Americano. Por otro lado, también ha dado conciertos de __10.__ (*uno*) lado a otro de los Estados Unidos e incluso ha actuado para el Presidente del país. También __11.__ (*participar*) en la comedia *Las mujeres de verdad tienen curvas*, sobre los inmigrantes latinos en el país, que fue __12.__ (*premiar*) en varios festivales internacionales y muy aclamada por la crítica y el público.

__13.__ (*Un*) de sus pasiones es el golf, y ha llegado a quedar __14.__ (*tercer*) en competiciones nacionales. López vive en Los Ángeles con su mujer y sus hijos, y es __15.__ (*un*) de los pocos afortunados que tienen una estrella en el __16.__ (*conocer*) paseo de la fama de Hollywood Boulevard.

El comediante participa en bastantes acciones benéficas, asimismo __17.__ (*crear*) una fundación con su mujer, con __18.__ (*quien*) está potenciando la educación en Los Ángeles, y ha hecho un __19.__ (*grande*) esfuerzo para ayudar a las víctimas de __20.__ (*país*) como El Salvador y Guatemala.

Mari Sierra Ramos Castro

22 ¿Qué significa?

Empareje las palabras de la primera columna con su definición o sinónimo de la segunda.

1. comediante	a. desarrollar, impulsar
2. autobiografía	b. exaltar
3. disco	c. interpretar un papel
4. comentarista	d. cómico
5. actuar	e. locutor, reportero
6. aclamar	f. agraciado, con suerte
7. afortunado	g. diario, historia sobre su propia vida
8. potenciar	h. lámina circular de materia plástica

Cita

A la gloria de los más famosos se adscribe siempre algo de la miopía de los admiradores.
—Georg Christoph Lichtenberg (1742–1799), científico alemán y profesor de física

¿Piensa que idolatramos demasiado a los famosos? ¿Qué piensa de los admiradores? ¿Cree que ven los defectillos de los famosos? ¿Por qué cree que a veces no les dan mucha importancia a éstos?

¡Dato curioso! ¿Ha intentado traducir algunos nombres de famosos a español? He aquí algunos: Michael Fox, Miguel Zorro; Tom Cruise, Tomasín Crucero; Nicole Kidman, Nicolasa Hombrechico; Britney Spears, Britania Lanzas; George Bush, Jorge Arbusto; Bill Gates, Guillermito Puertas; Nicholas Cage, Nicolás Jaula.

23 Salma Hayek

Échele una ojeada al artículo que sigue e intente averiguar el significado de las palabras en azul por el contexto. Luego lea el artículo y decida cuál de las dos palabras entre paréntesis mejor completa cada oración y escríbala.

Salma Hayek

Salma, **1.** (*cuyo / cual*) nombre en hindi significa Paz, es una de las latinas más impactantes **2.** (*del / de la*) panorama cinematográfico actual. Tiene una especial
[5] espontaneidad y simpatía **3.** (*cual / que*) la hace tremendamente atractiva. Es considerada la latina más exuberante **4.** (*por / para*) muchos estadounidenses.

Hija de un empresario libanés y una cantante
[10] **5.** (*de / en*) ópera mexicana, tiene un hermano **6.** (*quien / que*) se llama Sami. **7.** (*X / De*) pequeña despertaba a su padre los domingos muy temprano **8.** (*por / para*) que la llevara al cine, y se imaginaba que ella era la protagonista
[15] de la película.

Es una mujer **9.** (*en / de*) gran carácter que siempre consigue **10.** (*el / lo*) que se propone, hasta tal extremo que **11.** (*por / para*) convencer a sus padres **12.** (*por / para*) que la
[20] dejaran irse a vivir con su tía **13.** (*en / a*) los Estados Unidos, hizo una huelga de hambre con **14.** (*tanto / tan*) sólo doce años. Pasó parte **15.** (*de / en*) su adolescencia en un internado de Louisiana, de donde la echaron **16.**
[25] (*por / para*) sus múltiples gamberradas, que

tenían como objetivo las monjas **17.** (*que / quienes*) se encargaban de él.

Cuando volvió a México empezó **18.** (*para / a*) estudiar Relaciones Internacionales en la
[30] universidad, pero dejó estos estudios **19.** (*por / para*) tomar clases de interpretación. Comenzó **20.** (*hacer / haciendo*) telenovelas, incluso fue protagonista de una de ellas, consiguiendo **21.** (*gran / grande*) éxito en su país **22.** (*de / en*)
[35] origen. Pero a ella le faltaba **23.** (*algo / algún*), **24.** (*así / por*) que hizo la maleta y decidió irse a la meca **25.** (*de / del*) cine. En Los Ángeles estudió inglés **26.** (*y / e*) interpretación, y comenzó **27.** (*para / a*) hacer papeles en
[40] películas de poco presupuesto. **28.** (*En / En el*) 1995 llegó su salto a la fama con la película *Desperado*, de Robert Rodríguez, junto **29.** (*a / al*) Antonio Banderas. Después **30.** (*con / de*) esto su vida cinematográfica ha sido casi como
[45] un camino de rosas. Fue nominada a un Oscar **31.** (*por / para*) la película *Frida*, la **32.** (*quien / cual*) también produjo. Ella idolatraba a la pintora Frida Khalo y deseaba llevarla **33.** (*a / al*) cine; algunos cuentan **34.** (*X / que*)
[50] incluso se afeitaba los pocos pelitos del "bigote" que tenía **35.** (*para que / porque*) saliera más pelo y, así, parecerse más a la famosa artista. **36.** (*Por / Para*) la película *Wild Wild West*, uno **37.** (*X / de*) los protagonistas —y también
[55] creador de una de las canciones de la banda sonora—, Will Smith, **38.** (*la / le*) pidió que participara en el video clip. **39.** (*Lo / El*) que ella no sabía es que la iba **40.** (*X / a*) cubrir de arañas, precisamente **41.** (*de / con*) tarántulas.
[60] Ha sido imagen de algunas firmas de cosméticos y maquillaje, gracias **42.** (*a / por*) su exótica belleza. Incluso ha participado **43.** (*en / para*) la publicidad **44.** (*en / de*) un champú.

Siempre ha mantenido su vida sentimental al
[65] margen de su imagen pública, lo que hace que todavía **45.** (*X / se*) la respete más. **46.** (*Uno / Una*) de sus principios es no aceptar papeles **47.** (*que / cuales*) degraden la cultura o la sociedad latina.

Mari Sierra Ramos Castro

Investigue palabras clave: Salma Hayek

Answers

24 1. c; 2. i; 3. f; 4. g; 5. a; 6. n; 7. h; 8. o; 9. b; 10. d; 11. l; 12. e; 13. j; 14. k; 15. m

25 1. una; 2. del; 3. de; 4. del; 5. le; 6. De; 7. que; 8. como; 9. de; 10. a; 11. de; 12. ser; 13. los; 14. que; 15. que; 16. de; 17. de; 18. de; 19. De; 20. a; 21. para; 22. a; 23. a; 24. en; 25. con; 26. en; 27. del; 28. a; 29. que; 30. de;

24 ¿Qué significa?

Empareje las palabras de la primera columna con su definición o sinónimo en la segunda, según el contexto del artículo anterior.

1. impactante	a. protesta durante la cual uno no come
2. espontaneidad	b. actuación
3. exuberante	c. impresionante
4. protagonista	d. de bajo coste
5. huelga de hambre	e. adorar
6. internado	f. voluptuoso, muy abundante
7. gamberrada	g. personaje principal
8. monja	h. travesura extrema
9. interpretación	i. naturalidad
10. de poco presupuesto	j. insecto de ocho patas que caza a sus presas en una red
11. salto	k. fuera de, separada de
12. idolatrar	l. lanzamiento
13. araña	m. humillar
14. al margen de	n. institución donde los estudiantes estudian y duermen
15. degradar	o. mujer religiosa de una orden

25 Chica Almodóvar

Échele una ojeada al artículo que sigue para ver de qué se trata, prestando atención a las palabras en azul, ya que se le harán preguntas sobre ellas. Luego lea el artículo y decida cuál es la palabra que mejor completa cada oración y escríbala. No se olvide de escribir y acentuar la palabra correctamente.

Penélope Cruz

Penélope, se llama así __1.__ canción muy conocida __2.__ cantante español Joan Manuel Serrat, es una __3.__ las actrices más atractivas __4.__ cine español. Sus gestos ⁵dulces __5.__ han hecho gala del pseudónimo de Blanca Nieves. __6.__ pequeña soñaba __7.__ cuando tuviera fama sería __8.__ Audrey Hepburn, una __9.__ sus actrices favoritas; también adora __10.__ Marilyn Monroe. En el ¹⁰año 2000, después __11.__ rodar una película con animales, decidió __12.__ vegetariana; y __13.__ que la conocen dicen que cocina las mejores hamburguesas vegetarianas __14.__ existen, están deliciosas, incluso mejor __15.__ ¹⁵las __16.__ carne. También adora la comida japonesa y no bebe alcohol, sólo agua y Coca-Cola; __17.__ vez en cuando también pica una onza __18.__ chocolate. __19.__ pequeña tenía muy claro __20.__ lo que se quería ²⁰dedicar, estuvo estudiando ballet durante trece años y luego dejó el instituto __21.__ dedicarse __22.__ su pasión, el cine. Estudió arte dramático y se marchó __23.__ vivir __24.__ Nueva York. Su carrera ha sido rápida, como

²⁵un rayo, __25.__ sólo 32 años se ha convertido __26.__ una de las actrices más respetadas __27.__ cine español y fuera de él. Parte de esta fama es debida __28.__ su relación con el famoso actor y productor Tom Cruise, con el ³⁰ __29.__ coincidió en el rodaje __30.__ *Vanilla Sky*.

Nota cultural

Pedro Almodóvar es un director español que ha gando muchos galardones internacionales por su cinematografía. Ha dirigido a muchas actrices, un grupo de las cuales se les conoce por el apodo "Chica Almodóvar". En 2007 Penélope fue nominada para un Oscar a la mejor actriz con la película *Volver* y creó historia al ser la primera española nominada. No lo consiguió, ya que le fue concedido a Helen Mirren, por su papel en *La Reina*. No obstante, Penélope apareció en todas las portadas de las revistas por ser una de las actrices mejor vestidas la noche de los Oscar, junto con otra latina, Jennifer López.

Le encanta la música clásica y dormir, puede dormir incluso 18 horas seguidas; una __31.__ sus pasiones es __32.__ gata persa ³⁵Aitana, regalo de su amiga y también actriz, Aitana Sánchez-Gijón, y otra, la lectura; su libro favorito __33.__ *El guardián entre el centeno* de J.D. Salinger. __34.__ de sus vicios confesables es comprar ropa; le encantan ⁴⁰los pantalones tejanos y los colores blanco y negro. Otra curiosidad __35.__ que no usa perfume. Es muy tímida, odia __36.__ los paparazzi, y hacer entrevistas __37.__ ella es un continuo suplicio. Odia la hipocresía y la mala ⁴⁵educación, además __38.__ carácter frívolo de Hollywood, ya que lo considera demasiado falso.

__39.__ considera una persona muy celosa con su pareja. Su deporte es el baile; uno ⁵⁰__40.__ sus personajes históricos favoritos es Gandhi y uno de sus sueños, __41.__ ya no podrá cumplir, __42.__ haber conocido a la madre Teresa de Calcuta. Su próximo proyecto, tener un hijo.

26 ¿Qué significa?

Defina en español las siguientes palabras del artículo sobre Penélope Cruz: hacer gala, pseudónimo, rodar (una película), respetado, suplicio, hipocresía, mala educación.

27 Lea, escuche y escriba/presente

Vuelva a leer los textos completos de las Actividades 23 y 25. Luego escuche la grabación "Cristina Saralegui" y tome las notas necesarias. Escriba un ensayo o haga una presentación en clase sobre el tema de las mujeres hispanas influyentes.

Cita

Las oportunidades son como los amaneceres, si uno espera demasiado, se los pierde.
—William Arthur Ward (1921–1994), autor, editor, pastor y maestro estadounidense

 ¿Qué piensa de esta cita? ¿Es Ud. el tipo de persona que aprovecha una oportunidad? Comparta su opinión con un/a compañero/a.

¡Dato curioso!

El inventor de las papas fritas fue un chef, George Crumble, quien fue criticado en varias ocasiones por cortar las papas muy gruesas. Así, probó con un cuchillo bien afilado a cortarlas finas, y observó con grata sorpresa cómo se frieron crujientes y doradas rápidamente. Mientras que otras personas por menos se han hecho famosas, pocas personas han oído hablar de él, a quien le debemos tan delicioso invento.

Nota cultural

Hay muchos inventos que hoy en día tomamos por sentado, y muchos inventores que han pasado al olvido. Cuando los árabes conquistaron España introdujeron al país sus conocimientos e inventos. Muchos de los conceptos de la aritmética, geometría y álgebra se los debemos a ellos. El signo "cero" fue inventado por los árabes en 976, aunque no se empleó en Occidente hasta el siglo XIII. En la medicina realizaron logros importantes. Entre los médicos más conocidos figuraban Rhases y Avicena, cuyos libros de medicina se usaron en las universidades europeas por cientos de años. El cirujano musulmán (de Córdoba) más destacado fue Abul Qa (Abulcassis), gran fuente de inspiración desde 1100 hasta el siglo XIV. Otro médico-filósofo importante fue Averroes, también de Córdoba. Alrededor del siglo XI los médicos árabes ya eran capaces de llevar a cabo operaciones de catarata. Se dice que los árabes fueron los primeros en tratar la química como ciencia. Hicieron también importantes inventos como el alcohol y la pólvora (aunque los chinos la usaban en fuegos artificiales, los árabes la usaron para las armas). También se le atribuye a los árbes la invención del papel, ya que hasta entonces sólo se usaban los pergaminos o el papel de seda de los chinos.

Teacher Resources

Activity 27 (CD 4, track 8)

Answers

25 31. de; 32. una/su; 33. es; 34. Uno; 35. es; 36. a; 37. para; 38. del; 39. Se; 40. de; 41. que; 42. es

26 *Ejemplos:*
hacer gala: sentirse orgulloso, alardear; pseudónimo: nombre empleado por una persona (un autor) en lugar del suyo; rodar (una película): filmar; respetado: bien considerado; suplicio: tortura, martirio; hipocresía: cuando se finge, y en verdad se oculta un sentimiento negativo; mala educación: falta de cortesía, forma de actuar inadecuada

Instructional Notes

27 You might want to review the following words before students listen to the audio: *licenciatura*, degree; *estrenar*, to premiere; *premiado*, awarded; *asimismo*, also; *estelar*, stellar/special (guest) appearance.

Cita
You might want to elicit an alternative quote or another interpretation of the one on the page by changing a word or phrase. Afterwards, ask students to compare the original quote's strength and weakness to the newly coined ones.

Additional Activities

Comunicación
Ask students to bring to class two pictures of famous people and then have them work in small groups to talk about the personalities, interests, achievements, goals, etc. of these people. When you call time, you can ask a few students to present their pictures and comments to the whole class.

Trabajo de investigación
Ask volunteers to look for more information on the people mentioned in the *Nota cultural* and report their findings to the class.

Activities 9–17

Instructional Notes

28 You might want to have a whole-class discussion.

29 Ask students to take turns reading paragraphs of this article aloud.

¡A leer!

28 Antes de leer

¿Qué impresiones tiene sobre la cultura latina contemporánea? ¿Cree que lo latino está muy de moda en los Estados Unidos? ¿Por qué? ¿Cuál es su latino famoso preferido?

29 Los latinos

Lea el siguiente artículo con atención e intente averiguar el significado de las palabras en azul por el contexto, ya que se le harán preguntas sobre ellas.

Dirección www.univision.com

Archivo Edición Ver Favoritos Herramientas Ayuda

Los famosos latinos se cotizan alto...

Verónica Durán, EFE

El cantante puertorriqueño, Elmer Figueroa-Arce, es mejor conocido como Chayanne.

Las empresas los usan para vender más

Todo indica que las figuras latinas están en auge. Prestigiosas firmas de moda han escogido modelos latinos para sus campañas publicitarias y los actores latinos se cotizan y suben escalafones rápidamente en ⁵la meca del cine estadounidense. Mientras, el público pierde el control con la música de Chayanne, Ricky Martin o Juanes.

Estrellas que venden con su rostro

Las estrellas latinas dan cada día más juego en las pantallas y rompen con el estereotipo de la belleza ¹⁰clásica, de tez blanca, ojos azules, cuerpo delgado y melena rubia.

Hollywood lo tiene claro: la sociedad estadounidense está cada vez más mezclada, la colonia latina es numerosa y quiere atraer al mercado latinoamericano y español, por tanto ¹⁵incluyen en su reparto estrellas que representan su fuerza y belleza.

Bardem y Benicio, dos viriles latinos

El actor español Antonio Banderas fue uno de los pioneros en Hollywood y quien contribuiría a abrirle las puertas de Los Ángeles a sus compatriotas, como ²⁰es el caso de Javier Bardem, cuyo *look* rudo y masculino hace soñar y sonrojarse a miles de mujeres. Su nariz rota, cuerpo corpulento y aspecto tosco le imprimen un carácter particular.

Bardem (Las Palmas de Gran Canaria, España, ²⁵1969) con paso cuidadoso pero seguro, coquetea con los productores estadounidenses, pero procura mantener su línea y no manchar su imagen con una producción mala y netamente comercial.

Así lo demuestra su reciente participación en las ³⁰super producciones *Matando a Pablo* o *Los fantasmas de Goya*, entre otras, donde comparte reparto con figuras de talla internacional como Tommy Lee Jones, Natalie Portman y Tom Cruise, entre otros.

Su consagración como actor internacional llega en ³⁵el 2000 de la mano de la película *Antes que anochezca* y cuya interpretación le valió ese año la nominación de la academia de los Oscar como mejor actor.

Asimismo, por la película *Mar adentro*, dirigida por Alejandro Amenábar, recibió el Oscar como ⁴⁰mejor película extranjera en el 2005, galardón que afianzó la trayectoria del actor español.

El puertorriqueño Benicio del Toro es otro de los actores latinos de mayor prestigio y fama en Hollywood. Su mirada sexy y aspecto viril, lo convierten ⁴⁵en uno de los hombres más atractivos del mundo del cine.

Asimismo, del Toro ha mostrado un buen olfato a la hora de seleccionar su participación en las distintas producciones, perfilándose como un actor ⁵⁰talentoso que sabe escoger sus papeles y obteniendo distintas nominaciones en los Oscar.

Este puertorriqueño obtuvo su primera nominación a los Premios de la Academia en la categoría de mejor actor secundario por su trabajo en la película ⁵⁵*Traffic*, y su segunda nominación gracias a su interpretación en *21 Gramos*.

Investigue palabras clave: Chayanne, Ricky Martin, Juanes, Antonio Banderas, Javier Bardem, Benicio del Toro

El talento musical latino barre

Quizá es en el escenario musical en donde mejor se ensambla el espíritu latino y donde mayor repercusión genera.

60 En la última década cobran gran fuerza los ritmos, bailes y letras de distintas etnias, interpretadas por cantantes colombianos, puertorriqueños, mexicanos y españoles.

Elmer Figueroa-Arce, conocido como Chayanne 65 (Puerto Rico, 1968) es, junto con Ricky Martin, Alejandro Fernández y Juanes, uno de los músicos latinos de mayor proyección internacional.

Tienen en común un estilo propio definido, talento, un atractivo físico poderoso, son seductores 70 y por todos corre sangre latina.

Chayanne comenzó su carrera musical a los diez años con el grupo Los Chicos y a los diecisiete años grabó su primer disco en solitario.

La canción "Este ritmo se baila así" lo lanzó a 75 la fama y le mereció el Premio MTV al mejor video latino. Con temas como "Torero", o "No te preocupes por mí" ha cosechado grandes éxitos.

Su aspecto varonil, su capacidad de seducción y sus cualidades como bailarín le han valido para

80 participar en diversas producciones cinematográficas tales como *Linda Sara* o *Baila conmigo*.

Por otra parte, siguiendo las tendencias del mercado, los diseñadores de moda contratan modelos latinos para promocionar sus marcas.

85 El diseñador Ralph Lauren, se decantó por el polista argentino Nacho Figueras: elegante, exitoso y muy atractivo.

Con rasgos marcados, ojos grandes, mirada profunda y con un cuerpo de deportista profesional, 90 Nacho es la nueva imagen de la conocida marca y a su vez, se ha convertido en uno de los modelos más cotizados del mundo.

"Hay un marcado interés internacional por todo lo 'latino', la música, la literatura, la moda, el cine. 95 El mundo latino está de moda", señala Figueras.

Nacho es también uno de los mejores jugadores de polo. Tiene siete goles (el *ranking* llega a 10) y es miembro del equipo Black Watch, que juega en Palm Beach y Long Island, y en Argentina juega con el 100 equipo Centauros.

EFE/www.univision.com

30 Amplíe su vocabulario

Según el contexto del artículo que acaba de leer, empareje cada palabra de la primera columna con su definición o sinónimo de la segunda.

1. indicar	a. rudo, poco cuidado
2. figura	b. hacer que uno desee algo
3. en auge	c. personalidad
4. prestigioso	d. también
5. escoger	e. valorar
6. campaña publicitaria	f. raza
7. cotizar	g. imagen que se tiene de un grupo
8. estereotipo	h. característica física, facción
9. reparto	i. dejar huella
10. hacer soñar	j. instinto
11. sonrojarse	k. inclinarse, decidirse
12. tosco	l. candidatura para un premio
13. imprimir carácter	m. ensuciar
14. manchar	n. elegir algo entre varios
15. de talla	o. resultado del éxito
16. consagración	p. de moda
17. nominación	q. ponerse rojo o colorado
18. asimismo	r. conjunto de diez años
19. buen olfato	s. de importancia
20. década	t. que tiene influencia, autoridad
21. etnia	u. mostrar
22. decantarse	v. anuncios para promocionar un producto
23. rasgo	w. actores de una obra o película

Answers

31 1. c; 2. d; 3. a; 4. c; 5. d

32 *Ejemplos:*
1. ¿Quién fue el primer latino en Hollywood? **2.** ¿Dónde nació el actor Javier Bardem? **3.** ¿En qué año recibió el Oscar la película *Mar adentro*? **4.** ¿A qué cantante pertenecía el tema "Torero"? **5.** ¿Para quién trabaja como modelo Nacho Figueras?

Instructional Notes

33 After students discuss this with their partners, you might want to have a group debate this statement.

34 Ask some students to research the economic effects of pirated tapes, videos, and books.

35 Encourage a discussion of the different titles students have selected.

Cita
You could read the following poem to students:
Reír a menudo y mucho; ganar el respeto de gente inteligente y el cariño de los niños, conseguir el aprecio de críticos honestos y aguantar la traición de falsos amigos; apreciar la belleza; encontrar lo mejor en los demás; dejar el mundo un poco mejor, sea con un niño saludable, una huerta o una condición social redimida; saber que por lo menos una vida ha respirado mejor porque tú has vivido. Eso es tener éxito.

—Ralph Waldo Emerson, poeta americano
Ask students to comment.

Additional Activities

Canción
Use a song that has examples of prepositions, pronouns, or comparisons in the lyrics. See p. TE26.

---

31 ¿Ha comprendido?

1. ¿Por qué están en auge los famosos latinos?
   a. Cobran menos.
   b. El cine los ha hecho famosos.
   c. Tienen otro tipo de belleza diferente.
   d. Tienen bellas melenas y cuerpos delgados.

2. ¿Es Antonio Banderas el prototipo de belleza latina?
   a. No, está ya muy anticuado.
   b. Sí, lo es gracias a la ayuda de Javier Bardem.
   c. No, sus películas son totalmente comerciales.
   d. Sí, y fue el primer latino en Hollywood y eso ayudó a latinos posteriores.

3. ¿Qué tienen en común los músicos latinos de proyección internacional?
   a. Tienen estilo personal, un atractivo físico y una naturaleza propia.
   b. Todos son cantantes.
   c. Todos empezaron su carrera a los diez años.
   d. Todos consiguieron premios de la MTV.

4. ¿Cuál es la opinión de Nacho Figueras sobre lo latino?
   a. El diseñador Ralph Lauren es elegante y atractivo.
   b. La moda de Ralph Lauren es la más conocida del mundo.
   c. Existe una moda internacional de amor por lo latino.
   d. Los latinos suelen ser explotados por las grandes compañías.

5. ¿Qué piensa que significa la expresión *Abrir las puertas*?
   a. Abrir la puerta de un camerino de artistas
   b. Echar a alguien de un lugar discretamente
   c. Cambiar las tendencias en la moda, cambiar de aires
   d. Facilitar el camino profesional

32 ¿Cuál es la pregunta?

Según lo que acaba de leer, escriba una pregunta lógica para estas respuestas.

1. El español Antonio Banderas
2. En Las Palmas de Gran Canaria
3. En el año 2005
4. La canción pertenece a Chayanne.
5. Para el diseñador Ralph Lauren

33 ¿Qué piensan?

Discuta la siguiente oración con un/a compañero/a: "Las empresas utilizan lo latino para vender más". ¿Está de acuerdo con esta afirmación? ¿Por qué?

34 Comparta experiencias

Con un/a compañero/a hable sobre sus actores y cantantes favoritos. ¿Le gusta ver videos en Internet y bajarse canciones de Internet? ¿Cómo cree que la piratería puede afectar a la industria del cine y de la música? ¿Y a los propios artistas?

35 Se titula...

Piense en otro título para esta lectura. ¿Por qué lo ha escogido?

Cita
Detrás de cada hombre con éxito, hay una mujer sorprendida.
—Anónimo

¿Qué piensa de esta cita? ¿Cree que lo escribió un hombre o una mujer? ¿Por qué? Comparta su opinión con un/a compañero/a.

¡Dato curioso!
El general Patton, héroe de la armada estadounidense, sostenía que había tenido vidas anteriores, luchando en la guerra de Troya, contra Atila, en las Cruzadas o en el ejército de Napoleón. Él aseguraba que no moriría hasta que no salieran victoriosos los aliados de la Segunda Guerra Mundial. Y así fue: tres meses después de que se rindiera Japón, un tanque, con los frenos rotos, aplastaba su coche en Alemania, causándole graves heridas que le ocasionaron una embolia, produciéndole la muerte.

Nota cultural
George Smith Patton, hijo (11 de noviembre de 1885–21 de diciembre de 1945), fue general del Ejército de los Estados Unidos durante la Segunda Guerra Mundial. Su carrera profesional duró 46 años. Fue de los primeros en abogar por los carros blindados, comandando importantes unidades en África y Sicilia. Era considerado un héroe puro y valiente, pero es cierto que también era conocido por su inestabilidad emocional y creyente en temas de esoterismo. Era un personaje que infundía temor y buscaba reconocimiento e idolatría continuamente. Detestaba la cobardía y adoraba a los soldados decisivos y muy activos.

36 Antes de leer 👥

¿Qué hace que alguien se haga famoso? ¿Puede llegar alguien a hacerse famoso por algo que haya hecho mal o por algún comentario inoportuno? ¿Está de acuerdo con el dicho popular *Aunque hablen mal de ti, ¡pero que hablen!* ¿Por qué? Cite ejemplos.

37 Ideas absurdas 📖

Lea el siguiente texto con atención e intente averiguar el significado de las palabras en azul por el contexto, ya que se le harán preguntas sobre ellas.

Meteduras de pata de famosos
CARLES VIDAL

Aquí puede ver algunas de las personas que han pasado a la posteridad, no por su talento y grandeza, sino por sus meteduras de pata.

Grandes torpes de la humanidad

El rey que creía que el café era mortal

Ni siquiera algunos reyes, portadores de la dignidad más majestuosa, se libran de inscribir su nombre en los anales de la historia de la estupidez humana. Es el caso de Gustavo III de
⁵Suecia, un monarca que detestaba el café hasta el punto de creer que se trataba de una bebida letal y que su
¹⁰consumo prolongado podía causar la muerte.

(A), se le ocurrió una absurda idea. Condenó
¹⁵a un reo de asesinato a ser ejecutado lentamente, bebiendo doce tazas de café diarias, mientras un
²⁰grupo de médicos iba comprobando su progresivo deterioro físico. Pero el soberano nunca vio el desenlace del experimento, ya que murió casi diez años después, en 1792,
²⁵asesinado por un disidente que se llamaba Anckarström. Y en los años sucesivos fueron muriendo uno a uno los médicos (B).

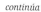

De hecho, al final el único que quedó vivo fue el reo, quien acabó siendo indultado y
³⁰murió mucho tiempo después, por causas perfectamente naturales. Aunque eso sí, nunca dejó de tomarse sus tacitas diarias de café.

Tampoco tiene desperdicio el caso de Menelik II, emperador de Abisinia. En 1887, un empleado
³⁵de Thomas Alva Edison llamado Harold P. Brown inventó la silla eléctrica, y en 1890 se ejecutó con ella al primer reo: William Kleiner.

La noticia dio la vuelta al mundo y, al enterarse, el emperador abisinio hizo las gestiones para
⁴⁰comprar una que, creía, sería un símbolo de su gran poder. Pero Menelik no tuvo en
⁴⁵cuenta un detalle esencial. La silla letal sólo funcionaba con electricidad, un adelanto
⁵⁰que por aquel entonces todavía no había llegado al país africano. Evidentemente, el rey
⁵⁵no pudo achicharrar a ningún reo con aquella silla, pero, tratando de buscarle alguna utilidad, no se le ocurrió mejor idea que utilizarla como trono
⁶⁰durante algún tiempo.

La historia está repleta de bocazas y profetas de pacotilla que, por su ceguera, rechazaron

continúa

Instructional Notes

36 You could also ask students to comment on the difference between being famous and having success in life, and to define what success means to them.

37 Ask students to decode new words in the article by looking for cognates.

adelantos e inventos que estaban llamados a cambiar el mundo. Es el caso de Rutherford [65] Richard Hayes, uno de los directivos de la compañía de telégrafos Western Union, (**C**), cuando Alexander Graham Bell quiso venderle la patente de su nuevo invento, el teléfono, le respondió con una carta que decía: "Su invento [70] parece interesante, señor Bell, pero sinceramente no acabo de verle su posible *utilidad práctica*."

Y los ejemplos de visionarios similares abundan en todos los campos. El físico estadounidense Lee DeForest sentenció en 1957: "El hombre [75] nunca *pisará* la Luna, al margen de los posibles adelantos científicos". Solamente doce años después, el astronauta Neil Armstrong se paseaba por nuestro satélite.

Igualmente, el padre del cine, Louis Lumière, [80] sentenció que su gran invento no pasaba de ser una curiosidad científica y que no le veía "ninguna posibilidad de ser explotado comercialmente". Años después, el productor Irving Thalberg tomó el testigo de Lumière y [85] vaticinó en 1927 el fracaso del cine sonoro, alegando que "nadie *en su sano juicio* puede soportar dos horas escuchando a un grupo de personas hablando sin parar".

Otro que dejó escapar el negocio de su vida [90] fue Dick Rowe, un ejecutivo de la compañía discográfica Decca Recording Company, (**D**), tras escuchar las maquetas de un grupo de muchachos *melenudos*, sentenció: "No me gusta cómo suenan; además, la música de guitarra ya [95] está pasada de moda". Pero, claro, si hubiera sabido entonces que aquellos jóvenes eran The Beatles...

Un desprecio similar lo *sufrió* en su propia carne Ronald Reagan cuando en 1964 se presentó [100] a una prueba para el papel de Presidente de los EE.UU. en el filme *El mejor hombre*. El productor, Walter R. Hagen, le rechazó alegando que "no parece lo suficientemente inteligente como para resultar creíble como mandatario". Se [105] ve que, años después, los votantes no pensaron lo mismo.

Un seguro contra extraterrestres

Es el caso del cineasta Stanley Kubrick, quien creía firmemente en la existencia de extraterrestres. Por eso, cuando inició el rodaje [110] de *2001, una odisea del espacio* (1968) quiso suscribir un seguro con la Lloyd's de Londres, temiendo que en ese período se pudiera producir

un contacto con seres de otros mundos que echara por tierra las tesis de su carísima película [115] y le arruinase. (**E**) la Lloyd's no firmó el trato alegando "altas posibilidades de riesgo".

Peor fue lo de Theodor von Bischoff, un fisiólogo alemán y experto en anatomía de la Universidad de Heidelberg que, a finales del siglo XIX, [120] estudió la diferencia entre los cerebros del hombre y de la mujer.

Terminadas sus investigaciones, llegó a la conclusión de que el cerebro masculino pesaba una media de 1.350 g, mientras que el femenino [125] sólo llegaba a los 1.250 g. El investigador se basó en esa diferencia de peso para afirmar la superioridad intelectual del varón sobre la mujer. Conviene señalar que es cierto que los cerebros masculinos suelen pesar más que los [130] femeninos, aunque ese hecho no tiene ninguna relación con la capacidad intelectual de las personas.

Pero von Bischoff no lo creía así, y defendió su tesis *machista* (**F**). La lástima es que, tras [135] su muerte, uno de sus discípulos quiso pesar el cerebro del científico. ¿Y *adivinas* cuál fue el resultado? 1.245 g. Menos mal que el pobre Bischoff ya no estaba vivo para afrontar semejante *ridículo*.

www.quo.orange.es

Investigue palabras clave: mitos del café, Louis Lumière, Theodor von Bischoff

38 Vocabulario 🔍

Empareje las palabras de la primera columna con su definición o sinónimo de la segunda, según el contexto del artículo anterior.

1. torpe	a. con pelo largo, con mucho cabello
2. dignidad	b. uso, provecho
3. detestar	c. sin vista
4. reo	d. decoro
5. soberano	e. odiar
6. indultar	f. preso
7. gestión	g. prudente, que razona
8. letal	h. poner los pies en el suelo
9. bocazas	i. lento, incompetente
10. ceguera	j. predecir
11. utilidad	k. rey
12. pisar	l. persona indiscreta que habla demasiado
13. en su sano juicio	m. perdonar
14. melenudo	n. hacer frente a
15. sufrir en su propia carne	o. sin lógica, absurdo
16. machista	p. que puede causar la muerte
17. adivinar	q. padecer algo personalmente
18. afrontar	r. diligencia
19. ridículo	s. persona que considera a las mujeres inferiores

39 ¿Ha comprendido?

1. ¿Qué pensaba el rey Gustavo III de Suecia que le pasaría a una persona si consumía mucho café?
   a. Que se le deterioraba el cuerpo
   b. Que podría llegar a fallecer
   c. Que tardaba más en morir
   d. Que se convertía en inmortal

2. ¿Por qué el emperador de Abisinia no pudo usar la silla eléctrica?
   a. La consideraba peligrosa.
   b. No entendía su funcionamiento.
   c. Carecía de electricidad.
   d. Prefirió utilizarla como trono.

3. ¿Por qué Irving Thalberg pensó que el cine sonoro sería un fracaso?
   a. Pensó que nadie soportaría por mucho tiempo las conversaciones en el cine.
   b. Creía que el cine interesante era el de aventuras y en ése no era necesario hablar.
   c. Lo veía aburrido.
   d. Creía que nadie iría al cine a ver películas sonoras ya que eran como la realidad.

4. ¿Cómo justificó Hagen el no admitir a Reagan para el papel de Presidente de los Estados Unidos?
   a. Cobraba un sueldo muy alto.
   b. Físicamente no daba la talla como Presidente.
   c. Necesitaba a alguien más listo para ese papel.
   d. Era demasiado bajo para ese papel.

continúa

Answers

39 5. a; 6. c

40 *Ejemplos:*
1. ¿Murió el reo por tomar café? Dé algunos detalles.
2. ¿Qué pensó Lumière cuando presentó su invento?
3. ¿Qué dijo un ejecutivo de la compañía discográfica Decca? 4. Cuando pesaron el cerebro de von Bischoff, ¿cuánto pesaba?

41 1. B; 2. D; 3. E; 4. F; 5. C; 6. A; 7. X

Instructional Notes

42 You might want to review the following words before students listen to the audio: *avisar*, to let know; *apoyo*, support; *es más fácil decirlo que hacerlo*, easier said than done.

Additional Activities

Trabajo de investigación
Ask students to look for information about famous inventors and the impact their inventions have had.

---

5. ¿Por qué no firmó Lloyd's un seguro con Kubrick para el rodaje de *2001*?
   a. Había posibilidades de que vinieran los extraterrestres.
   b. Creían que no había necesidad de ello.
   c. No se pusieron de acuerdo con las indemnizaciones.
   d. Kubrick pensó que los extraterrestres nunca vendrían.
6. ¿Cuál era la teoría de Theodor von Bischoff?
   a. El cerebro de los hombres pesaba más que el de las mujeres.
   b. El cerebro de las mujeres era más grande que el de los hombres.
   c. Debido al mayor peso de sus cerebros, los hombres son más inteligentes que las mujeres.
   d. No tiene nada que ver el peso de los cerebros con la capacidad intelectual de los hombres y las mujeres.

40 ¿Cuál es la pregunta?

Según lo que acaba de leer, escriba una pregunta lógica para estas respuestas.

1. No, al final fue el único que quedó vivo; todos los demás murieron mucho antes que él.
2. Que no tendría ningún éxito comercial
3. No me gusta cómo suenan; además, la música de guitarra ya está pasada de moda.
4. 1.245 gramos

41 ¿Dónde va?

Las siguientes frases han sido extraídas del texto de la Actividad 37. Vuelva a mirar el artículo, fijándose en las letras de color, y escriba la letra que mejor corresponda a cada frase. Hay una frase que sobra.

1. que el rey había designado
2. quien en 1962
3. Pero lo gracioso del caso es que
4. hasta el final de su vida
5. que en 1876
6. Para demostrarlo
7. por lo que fue un gran invento

42 Lea, escuche y escriba/presente

Vuelva a leer "Meteduras de pata de famosos" y luego escuche la grabación "Sentido del ridículo". Tome notas y escriba un ensayo o haga una presentación en clase contestando la pregunta, "¿Qué piensa de las personas que no actúan por miedo a equivocarse?" Mencione las causas y proponga soluciones. No se olvide de citar las fuentes debidamente.

43 Antes de leer 👥

¿Qué es un héroe? Cite a algunos héroes famosos que conozca. ¿Qué piensa de estos héroes? ¿Cree que hoy hay pocos héroes famosos? ¿Cree que hace años era más importante la figura del héroe que ahora? ¿Por qué?

44 Una paloma valiente 📖

Lea el siguiente artículo con atención e intente averiguar el significado de las palabras en azul, ya que se le harán preguntas sobre ellas.

Valentín, la paloma héroe
Un palomo sueña con ser héroe de guerra

Elena Escala Sáenz

Valiant. Dibujo animado dirigido por Gary Chapman. Guión: Jordan Katz, George Webster y George Melrod, basado (A). Música: George Fenton. Presentado por Alfa Films. Hablado en español. Duración: 76 minutos. Calificación: Apta para todo público.

Nuestra opinión: Buena

Valiant es un pequeño palomo que desea convertirse en héroe del comando de palomas mensajeras del ejército británico durante la Segunda Guerra Mundial. Entre la burla de sus compañeros y el escepticismo de sus jefes, esta ave dispuesta a servir a su patria logra ser aceptada para las más difíciles misiones y así, con valentía y entereza, comenzará sus peligrosas aventuras. Él compensa su baja estatura con grandes sueños y una audacia a toda prueba, y allí va, cruzando ríos y montañas, a llevar los mensajes vitales para la causa de los aliados, tratando de eludir a la vez los intentos para ser detectado y capturado, (B).

De los mismos productores de *Shrek*, este dibujo animado propone con calidez y ternura la prueba de fuego a que se somete su protagonista y recrea con imaginación las aventuras y desventuras del palomo que, (C) Bugsy, Lofty y Rolo, lograrán una hazaña increíble para su país. Sin ampulosidad ni violencia, el incansable Valiant deberá crecer de golpe en medio del conflicto bélico, y saldrá indemne de su misión al llegar a Londres con un parte de guerra

que le brindará, como premio, una codiciada condecoración y el amor de una paloma enfermera.

El film es un muy válido entretenimiento asentado en la comedia brillante, a lo que se agregan la tensión y el suspense, (D). Los dibujos, de impecable factura, son otras sólidas bases para que las misiones del simpático Valiant sobresalgan de un guión pensado para el público infantil, aunque también sirve de entretenimiento para los mayores. El director Gary Chapman supo manejar con habilidad un libreto que posee ternura y humor, y con estos elementos a favor el film divierte en torno de las peripecias y de las tribulaciones de ese pichón de palomo que debe hacerse adulto de golpe en un mundo más grande, (E).

Posiblemente a los más pequeños no les sea demasiado fácil internarse en los vericuetos de la guerra, pero la propuesta fílmica sale indemne a través de esas aves heroicas que, entre el peligro y las balas, cumplieron con su deber de soldados en la contienda mundial.

Ver *Valiant* es divertirse y pasar algo más de una hora apoyando al palomo en su tarea de salvar a su patria y de seducirse por su tesón y por su entrega a la misión encomendada. Y es, también, un canto a la paz y al heroísmo en medio de una trama que resume la necesidad de confraternizar entre amigos en un terreno sembrado de peligros.

www.lanacion.com

Nota cultural

La palabra *héroe* viene del griego *heros*. En la antigüedad los héroes eran semi-dioses, y solían salvar a la gente de monstruos, de la muerte y también conquistaban grandes territorios. Poco a poco la religión fue deshaciéndose de muchos de estos héroes, y en Europa aparecieron los santos. En las películas contemporáneas, el héroe suele ser una persona que se abre paso en la sociedad. En todas las culturas del mundo aparece la figura del héroe en la mayoría de los cuentos infantiles.

Instructional Notes

43 You might want some students to research several of the heroes mentioned among the pairs of students.

44 Before students start reading the article, ask them what characteristics are usually used in a movie review.

Teacher Resources

 Activity 49 (CD 4, track 10)

Answers

45 1. k; 2. m; 3. i; 4. q; 5. r; 6. p; 7. o; 8. c; 9. f; 10. b; 11. u; 12. n; 13. t; 14. g; 15. h; 16. j; 17. e; 18. d; 19. a; 20. l; 21. s

46 1. Drama; 2. Porque es un canto a la paz en el mundo; 3. Sí, porque sabe sus limitaciones y quiere ayudar

47 *Ejemplos:*
1. ¿Quién es el director de la película? 2. ¿Cuánto dura la película? 3. ¿Qué otra película hicieron los productores? 4. ¿Cómo se llaman los amigos de Valiant? 5. ¿Cuál es el premio por la misión de Valiant? 6. ¿Para quién está pensado el guión de la película?

48 1. C; 2. A; 3. D; 4. X; 5. E; 6. B

Instructional Notes

49 Ask students to name and talk about their heroes when they were younger.

Cita

You might want to share these other sayings with the class. You could leave out some of the words and ask students to supply them.

Yo sólo sé que no sé nada. —Sócrates (470 a. de J. C.–399 a. de J. C.), filósofo griego

El sabio no se sienta para lamentarse, sino que se pone alegremente a su tarea de reparar el daño hecho. —William Shakespeare (1564–1616), escritor británico

Saber que se sabe lo que se sabe y que no se sabe lo que no se sabe; he aquí el verdadero saber. Confucio (551 a. de J. C.–479 a. de J. C.), filósofo chino

Additional Activities

Juego

Ask students to play *El juego de la alarma*. See p. TE25.

El desafío del minuto

See p. TE27.

---

45 ¿Qué significa?

Mire las palabras de las dos primeras columnas que aparecen en la lectura anterior y busque su traducción en la tercera y cuarta columna.

1. dibujo animado	12. ternura	a. battle	l. perseverance
2. héroe	13. hazaña	b. message	m. hero
3. burla	14. de golpe	c. height	n. tenderness
4. escepticismo	15. indemne	d. unexpected event	o. integrity
5. patria	16. parte de guerra	e. strong	p. bravery
6. valentía	17. sólido	f. audacity	q. skepticism
7. entereza	18. peripecia	g. suddenly	r. homeland
8. estatura	19. contienda	h. unharmed	s. sown
9. audacia	20. tesón	i. joking	t. great deed
10. mensaje	21. sembrado	j. war bulletin	u. warmth
11. calidez		k. cartoon	

46 ¿Ha comprendido?

1. ¿Qué tipo de película es: comedia o drama?
2. ¿Por qué elige un entorno bélico para desarrollar la película?
3. ¿Es Valiant un palomo humilde? ¿Por qué?

47 ¿Cuál es la pregunta?

Según lo que acaba de leer, escriba una pregunta lógica para estas respuestas.

1. Gary Chapman
2. Una hora y dieciséis minutos
3. *Shrek*
4. Bugsy, Lofty y Rolo
5. Una condecoración de honor y el amor de una paloma
6. Es para un público infantil, pero puede ser disfrutado también por adultos.

48 ¿Dónde va?

Las siguientes frases han sido extraídas del texto anterior. Vuelva a mirar el artículo, fijándose en las letras de color, y escriba la letra que mejor corresponda a cada frase. Hay una frase que sobra.

1. con sus amigos
2. en una historia de George Webster
3. elementos vitales que llevan el pulso de la historia
4. al ser un palomo muy valiente
5. de lo que se hubiese imaginado
6. por la salvaje Brigada Halcón del enemigo

49 Lea, escuche y escriba/presente

Vuelva a leer "Valentín, la paloma héroe" y luego escuche la grabación "El Capitán Planeta" y tome las notas necesarias. Escriba un ensayo o haga una presentación en clase contestando las preguntas, "¿Cómo influyeron en su infancia los dibujos animados? ¿Quiénes fueron sus héroes favoritos?" No se olvide de citar las fuentes debidamente.

Cita

Dios dispuso que las estupideces de los hombres fueran efímeras, pero algunas veces sus palabras las condenan a ser eternas.
—Descartes (1596–1650), filósofo, matemático y científico francés; el "padre" de la filosofía moderna

¿Está de acuerdo con este comentario? Piense en situaciones vergonzosas o absurdas que han convertido a alguien en famoso o recordado. Dé ejemplos y hable de ellos con un/a compañero/a.

¡Dato curioso!

El escritor Jonathan Swift (1667–1745) mencionaba, en su obra *Los viajes de Gulliver*, "dos estrellas menores o satélites que giraban alrededor de Marte". Describió con gran precisión sus proporciones y sus órbitas. Más de siglo y medio después, en 1877, las dos lunas de Marte, bautizadas con los nombres de Fobos y Deimos, fueron descubiertas oficialmente por el astrónomo Asaph Hall (1829–1907).

¡A escuchar!

50 Manías de los famosos

Lea las posibles respuestas primero y después escuche la grabación "Manías y extravagancias de famosos". Escoja la mejor respuesta para la pregunta que escuchará en la grabación.

1. (Pregunta que escuchará en la grabación.)

   a. Hablar sobre su color favorito, el blanco
   b. Contar la manía de Jennifer López
   c. Remodelar y pintar su casa
   d. Irse de vacaciones a un hotel

2. (Pregunta que escuchará en la grabación.)

   a. Su amiga Ana
   b. Los residentes de los hoteles
   c. Los Rolling Stones
   d. Jennifer López

3. (Pregunta que escuchará en la grabación.)

   a. Pedir todos los periódicos locales
   b. Llevarse de gira sus propios muebles
   c. No tocar los muebles del hotel
   d. Alojarse en una gran casa

4. (Pregunta que escuchará en la grabación.)

   a. Camerón Díaz, que las abre con los codos
   b. Leonardo Di Caprio en su camerino
   c. Woody Allen, el más excéntrico
   d. El personaje de Ana

51 ¿Qué opina?

¿Qué cree que significa la expresión: "nadie está libre de culpa"?

52 Antes de escuchar

Repase las siguientes palabras que forman parte de la grabación que luego va a escuchar. Elija la mejor traducción.

1. dudar
   a. to doubt
   b. to shout
   c. to jump
   d. to cry

2. conservar
   a. to forget
   b. to keep
   c. to smile
   d. to be moved

3. motivo
   a. dream
   b. reason
   c. circumstance
   d. because of

4. protector
   a. spoiled
   b. strict
   c. protective
   d. jealous

5. desmotivado
   a. motivated
   b. excited
   c. unmotivated
   d. relaxed

Lección 4B   **229**

 Activity 50 (CD 4, track 11)

Activities 18–20

Answers

50 1. c; 2. d; 3. b; 4.a

51 Students' answers should indicate that everyone is responsible.

52 1. a; 2. b; 3. b; 4. c; 5. c

Instructional Notes

50 *The questions from the audio appear below.*
1. ¿Qué es lo que acaba de hacer Ana? 2. Según Belinda, ¿quién es una persona caprichosa? 3. ¿Qué manía tienen los Rolling Stones? 4. ¿Quién tiene una extraña manía al abrir las puertas?

Additional Activities

¿Cuál es la pregunta?
See p. TE26.

Teacher Resources

Activity 53 (CD 4, track 12)
Activity 54 (CD 4, track 13)

Answers

53 1. Su tía Anita preguntándole qué quiere ser de mayor; 2. Ser astronauta; 3. No cumplió su sueño; ahora es secretaria. 4. Tiene diez años y su sueño es ser famosa. 5. Quitarle la televisión y comprarle un maletín de médico

Instructional Notes

53 You might want to review the following words with students before they listen to the audio: *remontarse*, to go back; *adjunta*, associate; *estupidez*, stupidity; *desmotivada*, unmotivated; *ociosa*, idle; *desfilar*, to parade; *payaso*, clown; *maletín*, suitcase.

54 You might ask students if they know the meaning of *campaña* ("campaign") before they listen to the audio.

---

53 Mamá, quiero ser famosa

Escuche la grabación "Mamá, quiero ser famosa" y luego conteste las preguntas.

1. ¿Cuál es el primer recuerdo de la persona que nos habla?
2. ¿Qué sueño tenía cuando era pequeña?
3. ¿Cumplió su sueño? ¿Cuál es su trabajo actualmente?
4. ¿Qué edad tiene la hija? ¿Y cuál es su sueño?
5. ¿Qué medida toma la madre para combatir el comportamiento de su hija?

54 Participe en una conversación

Ud. va a participar en una conversación. Primero lea la descripción de la conversación y piense en algunas palabras o expresiones que le serían útiles. Organice sus ideas, haciendo predicciones sobre lo que se le pueda preguntar o comentar. Una descripción de lo que va a escuchar aparece abajo en color. Participe en la conversación grabando las respuestas o escribiéndolas en su cuaderno.

Escena: Ud. es un/a famoso/a, y un periodista le va a hacer una entrevista. Le va a hacer algunas preguntas, y Ud. debe de contestarlas.

Periodista:	Lo/La saluda. Le hace una pregunta sobre su participación en algo.
Ud.:	• Nombre la marca y dele detalles.
Periodista:	Le hace una pregunta sobre una oferta que le han hecho.
Ud.:	• Conteste su pregunta con emoción y duda.
Periodista:	Sigue la conversación y le hace una pregunta.
Ud.:	• Conteste su pregunta. Use una o dos expresiones con preposición.
Periodista:	Le pide que le dé algún consejo.
Ud.:	• Haga un comentario sobre este grupo.
	• Dele dos consejos.
Periodista:	Le hace otra pregunta.
Ud.:	• Conteste su pregunta. Use dos adjetivos y un superlativo en su respuesta.
Periodista:	Se despide.
Ud.:	• Despídase. Use una expresión de la lección.

Audioscript Activity 54

Periodista: Buenas tardes. Nos alegra que esté de visita en nuestro país. He oído que una empresa de publicidad le ha pedido que participe en una campaña. ¿Nos podría dar más detalles?
[STUDENT RESPONSE]
Periodista: ¿Va a aceptar la oferta?
[STUDENT RESPONSE]
Periodista: Muchos de sus admiradores piensan que es una persona muy carismática. ¿A qué se debe? ¿Cuál es su secreto?
[STUDENT RESPONSE]
Periodista: ¿Qué les aconsejaría a sus admiradores más jóvenes?
[STUDENT RESPONSE]

Periodista: ¿A qué otros famosos admira? ¿Quién es su ídolo?
[STUDENT RESPONSE]
Periodista: Muchas gracias por su tiempo. Le deseamos una feliz estancia.
[STUDENT RESPONSE]

¡A escribir!

55 Texto informal: un blog

Escriba en un blog. Hable sobre algunos famosos de hoy en día.

- Describa lo que no le gusta de ellos.
- Describa lo que le gusta de ellos.
- Cuente alguna anécdota.
- Termine con una pregunta.

Consejo

Antes de empezar, lea las pautas para escribir textos informales en la pág. 480 del Apéndice. Mientras escribe el texto tenga presente los objetivos. Cuando termine, verifique que ha cumplido con todo lo que se describe en la lista y reflexione sobre su trabajo.

56 Texto informal: un foro

En un foro, alguien que no se cree muy atractivo/a está agobiado/a porque quiere ser famoso/a y teme que su físico lo/la condicione. Escríbale un correo en el que le hable sobre el tema y le dé consejos.

- Dígale lo que piensa al respecto.
- Dele consejos útiles para llegar a ser famoso/a.
- Anímele.

57 Ensayo: la fama

Escriba un ensayo contestando la pregunta, "¿Todos buscamos la fama?".

58 Ensayo: una persona famosa

Escriba un ensayo contestando la pregunta, "¿A qué famoso admira?".

Consejo

Antes de empezar, lea las pautas para escribir ensayos en la pág. 480 del Apéndice. Mientras escribe el ensayo tenga presente los objetivos y no se olvide de ponerle un título original. Cuando termine, verifique que ha cumplido con todo lo que se describe en la lista y reflexione sobre su trabajo.

59 En parejas 👥

Intercambie sus ensayos con los de un/a compañero/a. Exprésele su opinión sobre el contenido y el uso del idioma.

Teacher Resources

 Activities 21–22

Instructional Notes

55–58 Remind students to go over the expectations outlined in the *Pautas* on p. 480 before they begin writing.

59 You might want to have students work in small groups rather than with a partner to critique one another's work.

Teacher Resources

Activities 23–24

Instructional Notes

60 Because all students will speak, allow them time to prepare this activity. Be sure to tell students which issue and which side of the issue they will be debating, so that they can do some research and practice before their debate.

After students have debated these issues with a partner, you might want them to continue the debate in small groups, or even have a discussion with the whole class on one or two of these topics. Remind students to use as much of the new vocabulary from this lesson as they can.

61 Encourage students to review the vocabulary, including the expressions, at the end of the lesson in order to enhance their discussions. You might want to introduce these other expressions to students, along with their translations:

a escondidas secretly
a fin de cuentas all things considered
dar en el clavo to hit the nail on the head
en un abrir y cerrar de ojos in the blink of an eye
más vale it's better
ni siquiera not even

After students discuss these questions with a partner, you could follow up with a small-group or whole-class discussion.

62 Review the *Pautas para presentaciones formales* on p. 481, and refer students to their copies of the guidelines given to them in *Lección 1A* (*Antes y durante una presentación*). (See p. 27 of this Annotated Edition.) Remind them that while they are presenting they should not read from their notes.

Additional Activities

La noticia del día
See p. TE28.

232

¡A hablar!

60 Charlemos en el café

Ud. va a debatir los siguientes temas con un/a compañero/a. Uno estará a favor de lo que se ha dicho y otro en contra. El debate durará varios minutos. El/La estudiante que esté de acuerdo comenzará el debate y hablará por unos diez segundos. Cuando el/la profesor/a lo indique, el/la otro/a estudiante tomará la palabra y expresará su opinión por otros diez segundos, y así sucesivamente.

1. *El fin justifica los medios* —Maquiavelo. Esto es válido en relación con la fama.
2. La fama es algo pasajero.
3. Para conseguir la fama, uno debe estar dispuesto a presentarse a un *Reality Show*.
4. Los niños pequeños no están preparados psicológicamente para afrontar la fama.
5. Los famosos de hoy no son los de antes. Hoy se hace famosa una persona por "tonterías".

Antonio Banderas firma autógrafos.

61 ¿Qué opinan?

Converse con un/a compañero/a sobre estas preguntas.

1. ¿Qué daría por un día de fama?
2. Muchos famosos venden entrevistas, pero luego se quejan si les hacen fotos sin permiso. ¿Qué piensa de esto?
3. Si va a elegir entre dos productos, y ve que uno de ellos —aunque sea un poco más caro— tiene la imagen de un famoso al que admira, ¿cuál compraría? ¿Por qué?
4. Si Ud. pudiera hacerse famoso/a por algo, ¿por qué motivo le gustaría hacerse famoso/a?
5. ¿Cuáles son las cinco cosas más importantes que se necesitan para ser famoso?
6. ¿Quiénes son los tres famosos que más admira y por qué?
7. ¿A qué héroes conoce que se hayan hecho famosos?

62 Presentemos en público

Conteste una de las siguientes preguntas o haga una presentación oral sobre uno de los temas durante varios minutos. Organice sus ideas antes de hacer la presentación, busque las palabras necesarias y, después de practicar, presente en clase sin mirar las notas.

1. Investigue la vida de alguien famoso. Describa su vida y logros y muestre fotografías de esta persona, si las consigue, a la clase.
2. Describa la vida paralela de dos personajes famosos que han llegado a la fama por diferentes motivos o caminos.
3. Si pudiera sentarse a cenar con alguien famoso, ¿al lado de quién le gustaría hacerlo? Explique por qué.
4. Si pudiera haber conocido a alguien famoso que ya no está vivo, ¿a quién le hubiera gustado conocer? ¿Por qué?

Consejo

Antes de empezar, lea las pautas para presentaciones formales en la pág. 481 del Apéndice. Mientras formula su presentación tenga presente los objetivos. Cuando termine la presentación, verifique que ha cumplido con todo lo que se describe en la lista y reflexione sobre el trabajo que hizo.

Proyectos

63 ¡Manos a la obra!

Trabaje en un grupo de cuatro o cinco estudiantes para llevar a cabo uno de los siguientes proyectos y presentarlo en clase. **Si es posible, hagan algunas presentaciones en PowerPoint.**

- En un cartel, comparen las vidas y las personalidades de dos famosos o dos héroes.
- Hablen sobre las quince personas más influyentes de los últimos cien años y expliquen a qué se debe su influencia.
- Hablen sobre quiénes son las quince personas más influyentes en el mundo de la música de los últimos treinta años.
- Hablen sobre quiénes son las quince personas más influyentes en la actualidad.
- Hablen sobre quiénes son los diez latinos más conocidos en la actualidad.

Vocabulario

Verbos

actuar	to act
adivinar	to guess
afrontar	to face, face up to
arrasar	to have success, victory
arruinarse	to ruin
comportarse	to behave
cotizarse	to increase in value
degradar	to humiliate, degrade
escoger	to choose
fallecer	to die
idolatrar	to worship, idolize
imponer	to impose
indicar	to indicate
infiltrarse	to infiltrate
interpretar	to interpret, perform
ir bien/mal	to go well/badly
liderar	to lead, head
manchar	to spot, soil
nominar	to nominate
potenciar	to promote development
premiar	to give an award
renunciar	to quit, renounce
rodar (ue)	to film
sonrojarse	to blush
tartamudear	to stutter

Verbos con preposición

verbo + a:

dedicarse a	to devote oneself to
hacer caso a	to pay attention to

verbo + con:

cumplir con	to comply with, carry out, do the right thing
tropezar (ie) con	to bump into

verbo + en:

acurrucarse en	to curl up in, cuddle
destacarse en	to distinguish oneself in

verbo + por:

decantarse por	to be inclined/leaning toward

Sustantivos

la	amenaza	threat
el/la	antepasado/a	ancestor
la	audacia	audacity, boldness
la	autobiografía	autobiography
el	autógrafo	autograph
el	ave *(f.)*	bird
la	biografía	biography
el/la	bocazas	big mouth, blabbermouth
la	burla	mockery, jest
la	cadena	chain
la	calidez	warmth
la	campaña	campaign
el	cargo	position, job
el/la	comediante	comedian
el/la	comentarista	commentator
el/la	compatriota	compatriot
la	consagración	reputation, acclaim
la	curiosidad	curiosity
la	década	decade
el	dibujo animado	cartoon
la	dignidad	dignity
el/la	ejecutivo/a	executive
la	entereza	integrity
la	espontaneidad	spontaneity
la	estatura	height, stature
el	estereotipo	stereotype
la	etnia	ethnic group
el/la	extraterrestre	extraterrestrial, alien
la	figura	figure
el/la	filántropo/a	philanthropist
la	fortuna	fortune
el	galardón	prize, award
la	gamberrada	total lack of manners; hooliganism
la	gestión	step, action
la	hazaña	heroic deed, exploit
el/la	héroe/heroína	hero, heroine
el	heroísmo	heroism
la	hipocresía	hypocrisy
la	huelga de hambre	hunger strike
el	inconveniente	disadvantage

Teacher Resources

 Activities 25–30

 Visite la página Web de *¡A toda vela!* en www.emcp.com

Instructional Notes

63 Before students start their projects, go over the questions from *Lección 1A*, p. 28. Students should have a copy of these questions for each project.

Remind them that after they complete their project, they will self-assess their work as a team using the grading system 1–5 (5 being the highest, and 1 the lowest) and write a grade next to each question. After they turn in their work or make their presentation to the class, you will review their project and write your comments and evaluation next to theirs.

You could check the Web site www.estoesmarketing. com, which offers interesting information about the origin of famous brand names. For example, it explains that while watching her daughter, Barbara, play with dolls, Ruth Handlers came up with the name *Barbie*. Barbie went on to become the world's most famous doll. The auction site, eBay, was named after East Bay, one of San Francisco's districts. You can also find out how the name James Bond came to be.

Additional Activities

Juegos
To practice and reinforce the lesson's vocabulary, have students play one of these games: *Cadena de palabras, Lo tengo en la punta de la lengua, Hablar hasta por los codos.* See pp. TE24 and TE25.

Juego
To practice the culture, grammar, or vocabulary presented in the lesson, ask students to play *Trivia*. See p. TE25.

Ask students to do any of the following activities to practice and strengthen the vocabulary presented in this lesson: *Vocabulario, ¿Cómo están relacionados?, ¿Cuáles son las diferencias?, Repaso Expreso.* See pp. TE26, TE28, TE29.

See ExamView for
assessment options.

Instructional Notes

Ask students to come up with more examples for *falsos
cognados* in the *A tener en cuenta* feature.

la	**interpretación**	acting
el	**logro**	achievement
la	**mala educación**	rudeness
la	**maqueta**	model, mock-up
los	**medios**	means
el	**mito**	myth
la	**nominación**	nomination
la	**paloma mensajera**	carrier pigeon
el	**palomo**	(*male*) pigeon
la	**patria**	homeland
el	**percance**	accident, mishap
la	**pérdida**	loss
la	**peripecia**	vicissitude, (*pl.*) ups and downs
el	**prejuicio**	prejudice
el/la	**protagonista**	protagonist, main character
el	**reparto**	cast (*of characters*); distribution
el	**requisito**	requirement
el	**retraso**	delay
el	**sentido del humor**	sense of humor
los	**seres de otros mundos**	beings from other worlds
la	**silla eléctrica**	electric chair
el/la	**soberano/a**	sovereign
el	**suplicio**	torture
la	**telenovela**	soap opera
el/la	**televidente**	TV viewer
la	**ternura**	tenderness
el	**tesón**	determination, tenacity
el	**trato**	deal, treatment
la	**trayectoria**	trajectory, path
la	**valentía**	valor
el	**varón**	male
el/la	**visionario/a**	visionary
el/la	**votante**	voter

Adjetivos

absurdo, -a	absurd
aclamado, -a	acclaimed
afortunado, -a	lucky, fortunate
ameno, -a	enjoyable, pleasant
anticuado, -a	old-fashioned, out of style
apuesto, -a	good-looking
brillante	brilliant
carismático, -a	charismatic
consentido, -a	spoiled
conservador(a)	conservative
desconocido, -a	unknown
encantador(a)	charming
exitoso, -a	successful
impactante	powerful, impressive
legendario, -a	legendary
letal	deadly
melenudo, -a	long-haired
mezclado, -a	mixed
poderoso, -a	powerful
prestigioso, -a	prestigious, famous
respetado, -a	respected
ridículo, -a	ridiculous, absurd
sabio, -a	wise
sembrado, -a	sown, seeded

talentoso, -a	talented
torpe	clumsy
tosco, -a	rude
valiente	brave

Expresiones

al margen de	separate from, on the margin (fringes) of
asimismo	also
caer rendido	to surrender
la campaña publicitaria	advertising campaign
con buena cara	with good humor
dar la vuelta al mundo de golpe	to go around the world suddenly
de poco presupuesto	low budget
de talla	of considerable stature, standing
en auge	on the increase
estar dispuesto, -a	to be willing
estar pasado, -a de moda	to be out of fashion
hacer gala de algo	to display something
hacer soñar a alguien	to make someone dream
hasta el punto de	to the point of
imprimir carácter	to form/build character
lanzar(se) a la fama	to rush to fame
meter la pata	to make a mistake, stick one's foot (in one's mouth)
mirar de reojo	to look out of the corner of one's eye
nadie en su sano juicio	no one in his/her right mind
no tener más remedio	to have no other choice
pasar a la posteridad	to pass on to posterity
quedar en ver a alguien	to agree to see someone
quedarse mudo, -a	to be speechless
el salto a la fama	jump to fame
sufrir en su propia carne	to suffer in one's own skin
tener buen olfato	to have good judgment
tener un éxito rotundo	to have a resounding success
¡venga ya!	are you kidding/serious?

A tener en cuenta

Falsos cognados

actual: present, current • actual: **verdadero**

apreciar: to judge; appreciate in value • to
appreciate: **agradecer**

asistir: to attend • to assist: **ayudar**

atender: to take care of • to attend: **asistir**

éxito: success • exit: **salida**

ignorar: not to know • to ignore: **no hacer caso**

papel: piece of paper; role • (term) paper: **trabajo**

procurar: to try to • to procure: **obtener, conseguir**

realizar: to come true • to realize: **darse cuenta**

recordar: to remember • to record: **grabar**

rudo: coarse • rude: **maleducado, grosero**

sano: healthy • sane: **cuerdo**

suceder: to happen • to succeed: **tener éxito**

suceso: event • success: **éxito**

último: last • ultimate: **máximo, supremo**

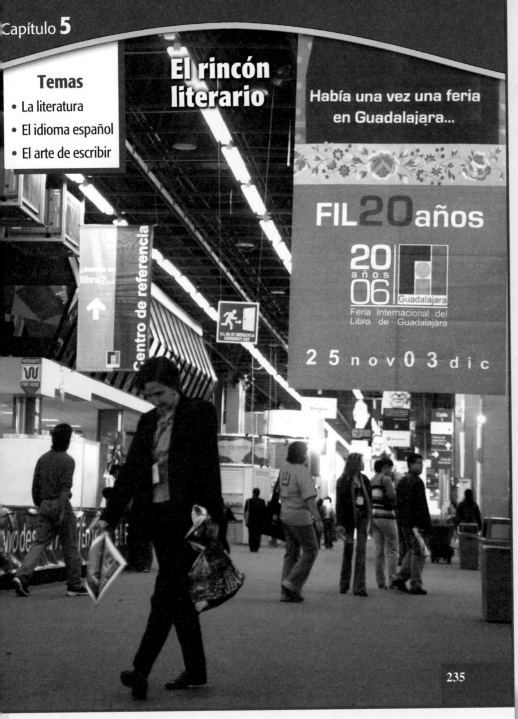

Capítulo 5

Temas

- La literatura
- El idioma español
- El arte de escribir

El rincón literario

Había una vez una feria en Guadalajara...

FIL**20**años

20 años 06 Guadalajara

Feria Internacional del Libro de Guadalajara

2 5 n o v 0 3 d i c

235

Nota cultural

La Feria Internacional del Libro de Guadalajara (FIL) fue creada en 1987 a instancias de la Universidad de Guadalajara. Hoy es la mayor feria de publicaciones en español. Se celebra cada año a finales de noviembre-principios de diciembre y asisten editores, agentes literarios, promotores de lectura, traductores, distribuidores, bibliotecarios y escritores. Acuden alrededor de medio millón de personas, unas 1.608 editoriales, más de cien agentes literarios, unos 16.000 profesionales del libro y representantes de 39 países. Durante la Feria, suelen hacerse presentaciones organizadas de libros, hay foros literarios y académicos, actividades artísticas y musicales, actividades para profesionales y presentaciones de premios y homenajes.

Investigue palabras clave:
Feria del Libro de Guadalajara, de Madrid, de Francfort

Overview of chapter 5

Encourage a discussion of the chapter's topics by asking the following questions that have to do with literature, the Spanish language, or the art of writing: *¿Qué nos puede enseñar la literatura? ¿Qué obras de literatura en español han leído? De éstas, ¿cuál es la que más les ha gustado? ¿Por qué? ¿Qué importancia tiene el idioma español en nuestra comunidad, estado o región? ¿Cómo piensan sacar provecho de sus conocimientos de español en el mercado laboral? ¿Cómo definirían la habilidad de escribir bien? ¿Lo consideran un arte? ¿Se puede aprender a escribir bien, o se nace con esta habilidad especial? ¿Qué cualidades valoran en un escritor o escritora?*

Instructional Notes

Ask the following questions related to the opening photo for this chapter: *¿Qué es una feria del libro? ¿Han estado alguna vez en una? Aparte de presentar y vender los libros, ¿qué otros servicios o actividades hay en estas ferias?*

Instructional Notes

Ask students if they can identify the writers pictured on the page (from top to bottom: Gabriel García Márquez, Octavio Paz, and Camilo José Cela) and what they have in common (all are recipients of the Nobel Prize in Literature). You might also ask the following questions related to these authors and some others whose lives and works are discussed in the lesson: *¿Conocen o han leído a los escritores cuyas fotos aparecen aquí? ¿Qué obras de ellos han leído? ¿Qué saben de los siguientes escritores: Miguel de Cervantes, Federico García Lorca, Pablo Neruda, Carlos Fuentes, Isabel Allende? ¿Qué otros autores hispanos conocen? ¿Han oído hablar de Naguib Mahfouz? ¿Qué saben de él?*

Lección A

Objetivos

Comunicación
- Hablar de los géneros literarios
- Conocer a algunos autores hispanos
- Conocer algunos movimientos de la literatura española
- Hablar del impacto de la tecnología en los libros del futuro

Gramática
- Repaso de los tiempos verbales
- Los verbos con *se*
- Los infinitivos
- Las preposiciones

"Tapitas" gramaticales
- el orden de los adjetivos
- *solo* y *sólo*
- las mayúsculas
- el pronombre de objeto indirecto
- los usos de *la, el, le* y *lo*
- el comparativo y el superlativo
- *antiguo* y *viejo*

Cultura
- El Premio Nobel
- Federico García Lorca
- Naguib Mahfouz
- Carlos Fuentes
- Pablo Neruda
- *Don Quijote de la Mancha*

Visite la página Web de *¡A toda vela!* en www.emcp.com

Nota cultural

Gabriel García Márquez nació en Aracataca, Colombia (1927); ganó el Nobel en 1982 y es el creador del realismo mágico; obras destacadas: *Cien años de soledad, El amor en los tiempos del cólera, El coronel no tiene quien le escriba.* Octavio Paz (1914–1998), escritor mexicano, ganador del Nobel en 1990; obras destacadas: *El laberinto y la soledad, El arco y la lira, Libertad bajo palabra.* Camilo José Cela (1916–2002); novelista español, ganó el Nobel en 1989; obras destacadas: *La colmena, La familia de Pascual Duarte, Viaje a la Alcarria.*

Investigue palabras clave: Gabriel García Márquez, Octavio Paz, Camilo José Cela

Para empezar

1 Conteste las preguntas

Piense en las respuestas a las siguientes preguntas. Ud. puede tomar notas si lo considera necesario. Cuando termine, compare sus respuestas —pero sin mirar sus notas— con las de un/a compañero/a.

1. ¿Lee Ud. mucho? ¿Quiénes son sus autores favoritos? ¿Qué tipo de lectura prefiere?
2. Haga una lista de los autores hispanos que conoce.
3. ¿Qué sabe de los movimientos literarios? Descríbalos.
4. ¿Bajo qué circunstancias cree que alguien podría ser arrestado por lo que ha escrito? ¿Y en qué ocasiones censurada su obra o su distribución?
5. ¿Qué opina de la lectura obligatoria de ciertos libros durante el verano?
6. En el futuro, ¿piensa que será menos importante leer y más importante informarse a través de otros medios de comunicación? ¿Por qué?
7. Nombre algunas carreras en las que es importante leer mucho. ¿Estaría interesado/a en una de esas carreras? ¿Por qué?
8. ¿Qué papel jugará la tecnología en el futuro de los libros? ¿Piensa que habrá menos libros impresos y más ediciones digitales? Justifique su respuesta.
9. ¿Cree que un autor puede afectar el mundo en el que vive por su obra? Dé ejemplos.
10. Nombre los cinco libros más vendidos en estos días. Búsquelos en el periódico o en la Red. ¿Ha leído alguno de estos libros? ¿Qué revela esta lista sobre el mundo actual?

2 Mini-diálogos

Ud. va a crear un mini-diálogo con un/a compañero/a. Lea la descripción de la conversación antes de empezar. Puede tomar notas para organizar sus ideas, pero no las mire mientras conversa. Le pueden servir algunas palabras del recuadro.

la novela	la ciencia ficción	la ficción
el cuento	la literatura	la no ficción
la poesía	fantástica	la biografía
la literatura	la tragedia	la autobiografía
realista	la comedia	

Escena: Dos amigos/as están en una librería. Uno/a ("B") quiere comprar un nuevo libro. Ayúdelo/la a decidir cuál debe comprar.

A: Entable una conversación sobre los géneros literarios. Pregúntele a su compañero/a sobre las características que busca en su nuevo libro.

B: Hable sobre algunas características.

A: Después de mirar varios libros, hable de las características de un género literario que le gusta a Ud. y explique por qué.

B: Haga unos comentarios sobre la sugerencia y hágale preguntas sobre otro género literario.

A: Conteste las preguntas con información adicional.

B: Reaccione y pídale que mire otro tipo de libro.

A: Haga un comentario sobre este tipo de libro.

B: Tome una decisión sobre el tipo de libro que piensa comprar. Despídase e invítele a que compre el mismo libro para que los/las dos puedan discutirlo.

A: Reaccione a la invitación. Despídase cordialmente.

Cita

Cuando se hace uno viejo le gusta más releer que leer.
—Pío Baroja (1872–1956), novelista español

¿Por qué piensa que Baroja hace esta distinción en los gustos de lectura de las personas mayores? Comparta su opinión con un/a compañero/a.

¡Dato curioso!

El cantar de Mío Cid es un gran poema épico español y es la obra más antigua de la literatura española. Se basa en la historia de un guerrero medieval del reinado de Alfonso VII (rey de Castilla y León de 1072 a 1109).

Nota cultural

Los primeros poemas épicos nacieron en el siglo IX a. de J. C. con *La Ilíada* y *La Odisea* del poeta griego Homero, quien los recitaba de ciudad en ciudad. Unos ocho siglos después, el poeta romano Virgilio escribió una de las obras cumbres de la literatura: *La Eneida*. Durante la Edad Media surgieron poemas épicos como *Beowulf* (Inglaterra), *La Canción de Roldán* (Francia) y *El Cid*. Estos poemas relatan las hazañas de los héroes durante las guerras y los viajes. Suelen ser largos y comenzar en medio de la acción. Rodrigo Díaz de Vivar (1043–1099), El Cid, luchó a veces por los cristianos y otras veces por los musulmanes durante la Reconquista.

El Cid logró fama en las batallas, y el poema logró fama en la literatura española.

Investigue palabras clave: Revista de Occidente, José Ortega y Gasset, Pío Baroja

---

Answers

1 Answers will vary.

2 Dialogues will vary.

Instructional Notes

Revista de Occidente The magazine was founded in 1923 by the Spanish philosopher and writer José Ortega y Gasset; the cover shown in the photo is from its first issue. From its first issue it has chronicled innovations in thinking and artistic and literary creativity. After an absence of some years, it reappeared in 1963, and from 1980 until her death in 2007, it was under the direction of Ortega's daughter, Soledad Ortega Spottorno. The magazine's areas of special interest lie with the Humanities and the Social Sciences, but also include science. Articles by leading intellectuals and interviews with outstanding men and women in the arts and sciences make up the contents.

Encourage a classroom conversation about books students have read or are reading in their free time —including fairy tales they may have read as children— and what they are reading now in their literature classes. You might also ask them about reading clubs or book clubs at school or in the community, or even at local bookstores.

Additional Activities

Ask students to do *¡Pongámonos de acuerdo!* to practice the words in the word bank. See p. TE28.

Composición

Ask students to work with a partner and come up with a title for a magazine whose content is similar to *Revista de Occidente*. Students should design a cover and create a table of contents.

3 After students read the first article, you might want them to define the literary terms mentioned.

Answers

4 There might be some variation as to classifications; for example, *realismo* might be included with nouns and *mágico* with adjectives; some words, such as *se destacan*, which is not literature-specific, might not be included. ***Sustantivos:*** géneros, contenido, odas, sátiras, poemas épicos, poemas, romances, prosa, cuento, novela, ensayo, crítica, drama, tragedia, comedia, literatura, género, ciencia ficción, Oratoria, Periodismo, sabios, ficción, no ficción, escritor, obra, narrativa, periodista, ensayista; ***Adjetivos:*** literarios, realista, fantástico, absurdo, contemporáneos, laureados; ***Verbos:*** se clasifican, se destacan, escribir, han experimentado, se han dedicado, han desarrollado, han explorado, otorgó, honraron; ***Expresiones:*** obras literarias, Premio Nobel de Literatura, realismo mágico

5 1. ***presente perfecto:*** han experimentado, se han dedicado, han escogido, han desarrollado, han explorado, ha sido, ha habido; Expresa acciones realizadas en el pasado y que perduran en el presente. ***préterito:*** se añadieron, dio, reconoció, fue, entregaron, otorgó, aceptó, fue, honraron; Expresa acciones realizadas y acabadas en el pasado sin tener relación con el presente. **2.** *Se clasifican, se hallan, se destacan* y *se añadieron* funcionan como la voz pasiva; *se han dedicado* funciona como verbo reflexivo. **3.** *Seguir* y *elegir* siguen el verbo *poder*; *escribir* se usa después de la proposición *para*; *considerar* sigue la expresión *hay que*. **4.** Expresa acciones pasadas sin precisar el principio ni el final de la acción. **5.** Se usa *en*. Indica lo siguiente: el tiempo durante el cual tiene lugar una acción; un lugar/una situación; el interior de un lugar; el término de un movimiento; el medio de transporte; el precio; el modo; y acompaña ciertos verbos. **6.** ***desde*** (desde el principio del siglo XX): indica el comienzo de un período de tiempo; ***con*** (han experimentado con): sigue el verbo *experimentar*; (hispanos laureados con el Premio/con el Nobel): expresan medio; ***por*** (está compuesta por la ficción): sigue el verbo *componer*; (por la Academia Sueca): indica medio o instrumento; (por el estilo): expresa causa; ***como*** (como odas, sátiras... romances/como el cuento): introduce ejemplos; (como toda clasificación, como género aparte, como "realismo mágico"): indica "en calidad de"

6 1. Ejemplos: caído, creído, cubierto, descubierto, dicho, escrito, hecho, impreso, leído, muerto, oído, puesto, reído, resuelto, roto, traído, visto, vuelto; **2.** ir, ser, ver; iba, ibas, iba, íbamos, ibais, iban; era, eras, era, éramos, erais, eran; veía, veías, veía, veíamos, veíais, veían; **3.** ***irregulares en el presente:*** ser, componer, haber, dar, decir; ***irregulares en el préterito:*** ser, poder, componer, haber, dar, decir; ***cambios ortográficos:*** se clasifican, se destacan, se han

---

Vocabulario y gramática en contexto

3 Un foro

Túrnese con un/a compañero/a para leer los comentarios que dos personas han escrito en un foro sobre los géneros literarios y el Premio Nobel de Literatura. Fíjese en las palabras que aparecen en azul (relacionadas con el vocabulario) y en rojo (relacionadas con la gramática), ya que en las siguientes actividades se le harán preguntas sobre ellas.

Los géneros literarios — KATARINA, PROFESORA DE INGLÉS

Los géneros literarios son los distintos grupos o categorías de literatura en que se clasifican las obras literarias según las semejanzas de su estilo y contenido. Se hallan varias categorías de poesía como odas, sátiras, poemas épicos, poemas y romances. En el género de la prosa, se destacan distintos grupos como el cuento, la novela, el ensayo, la crítica y el drama; todos pueden seguir las reglas de la tragedia o de la comedia. La prosa, la poesía y el teatro son los tres grandes caminos formales que un autor puede elegir para escribir. Algunos autores han experimentado con todos ellos; otros se han dedicado a uno solo. Unos han escogido la literatura realista; otros han desarrollado el género fantástico; y otros han explorado el mundo de la ciencia ficción o el del absurdo. Como toda clasificación, la de los géneros ha sido siempre muy discutida. Los antiguos establecían una distinción fundamental entre Poesía y Oratoria. A estos géneros se añadieron más tarde la Historia, la Novela y el Ensayo. En la actualidad, hay que considerar también, como género aparte, el Periodismo. Según algunos sabios contemporáneos, la división popular de los géneros literarios está compuesta por la ficción, la no ficción y la novela.

El Premio Nobel — TOMÁS, CATEDRÁTICO DE ESPAÑOL

Ha habido varios autores hispanos laureados con el Premio Nobel de Literatura por la Academia Sueca cada año desde el principio del siglo XX. En 1967, el comité le dio el Premio Nobel de Literatura a Miguel Ángel Asturias, escritor y diplomático guatemalteco. El comité reconoció la obra del escritor español Camilo José Cela en 1989. Cela dominaba el lenguaje y fue un gran innovador de la narrativa en castellano. Algunos dicen que Gabriel García Márquez, periodista, editor y escritor colombiano, es el maestro de la literatura hispana del siglo XX. Le entregaron el premio Nobel de Literatura en 1982. García Márquez es conocido mundialmente por el estilo que usa en sus obras, conocido como "realismo mágico". En 1945, la Academia Sueca le otorgó el Premio Nobel de Literatura a una poeta, diplomática y profesora chilena, Gabriela Mistral. Otro poeta, escritor y diplomático chileno, Pablo Neruda, aceptó el Premio Nobel de Literatura en 1971. Neruda fue uno de los poetas más importantes de la lengua española del siglo XX. Honraron al poeta, ensayista y diplomático mexicano, Octavio Paz, con el Nobel en 1990.

Miguel Ángel Asturias

---

dedicado (*c* > *qu* delante de *e*); entregaron, otorgó (*g* > *gu* delante de *e*); elegir, han escogido (*g* > *j* delante de *o* y *a*); establecían, reconoció, conocido (*c* > *zc* delante de *o*). Los verbos son irregulares porque no siguen las conjugaciones de los verbos regulares. Los cambios ortográficos son necesarios para mantener el mismo sonido que tienen las letras *c* y *g* en el infinitivo, aunque en el caso de los verbos que terminan en *-cer*, hay que cambiar la *c* en *zc*. **4.** ***desde:*** indica el origen en el espacio y en el tiempo (desde Madrid; desde la semana pasada); ***de:*** Expresa **1.** posesión o pertenencia (la obra del escritor español Camilo José Cela); **2.** origen o procedencia (Vengo de la biblioteca.); **3.** materia y cualidad (el vaso de plata); **4.** causa (morirse de hambre); **5.** modo (Trabaja de enfermero.); **6.** tiempo (Son las tres de la tarde.); **7.** aposición (la avenida de las Américas); **8.** locuciones prepositivas a partir de adverbios o nombres (antes de); **9.** se usa con ciertas expresiones (estar de vacaciones); ***por:*** Expresa **1.** lugar aproximado (Su casa está por Córdoba.); *continues in margin of p. 239*

Investigue palabras clave:
Miguel Ángel Asturias, Gabriela Mistral, Pablo Neruda

4 Amplíe su vocabulario 🔍

Clasifique las palabras que aparecen en azul y rojo en las lecturas anteriores según sean sustantivos, adjetivos, verbos o expresiones relacionados con la literatura.

5 Repaso de todo 🔍

Conteste estas preguntas basadas en las lecturas de la Actividad 3.

1. Haga una lista de todos los verbos en el presente perfecto y el pretérito del indicativo y explique su uso en las lecturas.
2. Busque los verbos acompañados de *se* (por ejemplo, *se clasifican*) y explique el uso de *se* en cada caso.
3. Busque los infinitivos y describa tres usos diferentes de ellos en los comentarios del foro.
4. Explique el uso del imperfecto usando como ejemplo la frase "los antiguos establecían una distinción fundamental".
5. ¿Qué preposición se usa para expresar que algo pasó "durante" cierto año? Hable sobre otros usos de esta preposición.
6. Explique el uso de las preposiciones *desde, con, por* y *como* que aparecen en las lecturas.

6 Más repaso 🔍 👥

Haga las siguientes actividades con un/a compañero/a.

1. Hagan una lista de diez participios pasados irregulares. No tienen que aparecer en los comentarios del foro.
2. Hagan una lista de los verbos irregulares en el imperfecto y conjúguelos en ese tiempo verbal.
3. Miren los verbos en las lecturas anteriores y decidan cuáles son irregulares en el presente o pretérito del indicativo (no tienen por qué aparecer en estos dos tiempos en las lecturas) y hagan una lista de ellos. Hagan lo mismo con los verbos que tienen cambios ortográficos. Expliquen por qué son irregulares y por qué son necesarios los cambios ortográficos.
4. Expliquen los usos generales de las siguientes preposiciones: *desde, de, por* y *para*, y la diferencia entre *como* y *tal como*.
5. Expliquen el uso de la preposición *según* en las dos oraciones donde se encuentra.

7 "Tapitas" gramaticales 🔍

Conteste estas preguntas basadas en las lecturas de la Actividad 3.

1. ¿Qué significa *distintos grupos* y *grandes caminos* en inglés? Explique lo que significarían si fueran *grupos distintos* y *caminos grandes*.
2. Explique la diferencia ente *solo* y *sólo* basándose en la frase "otros se han dedicado a uno solo".
3. ¿Por qué se usan letras mayúsculas para las palabras *Poesía, Oratoria* y *Periodismo*? ¿Habría otro significado si llevaran letras minúsculas? ¿Cuál?
4. Explique el uso de *le* en las lecturas. Hay varios ejemplos en la segunda lectura.
5. Explique el uso de *la* en la frase "la de los géneros ha sido siempre muy discutida" y el uso de *el* en la frase "el del absurdo".
6. Explique el uso del superlativo en la frase "uno de los poetas más importantes de la lengua española".
7. Hagan una lista de los adjetivos irregulares en el comparativo y en el superlativo.

8 ¿Qué opina? 👥

Reaccione a lo que cada persona ha escrito en el foro de la Actividad 3 y comparta su opinión con un/a compañero/a. Incluya palabras del vocabulario nuevo que aparecen en azul.

Lección 5A **239**

Answers

2. movimiento por un lugar (ir por la calle); **3.** desplazamiento geográfico, medio de transporte (ir por Europa, viajar por avión); **4.** tiempo aproximado (por marzo); **5.** duración aproximada de una acción (leer por unas horas); **6.** periodicidad (estudiarlo dos veces por semana); **7.** finalidad de una acción (todo por la familia); **8.** precio, sustitución o equivalencia (comprarlo por cien dólares; hazlo por mí; lo vendo por poco); **9.** medio o instrumento (hablar por teléfono); **10.** causa, motivo o razón (No lo compré por falta de dinero. No aprobó por tonto.); **11.** agente de voz pasiva (El poema fue escrito por mi primo.); **12.** reparto o distribución ($50 por persona); **13.** implicación personal (Por mí, no importa.); **14.** uso idiomático (por cierto, por ejemplo, por fin, por lo general, por lo menos, por otro lado, por supuesto, etc.); ***para:*** expresa **1.** propósito o destino de una acción (tomar la medicina para aliviar el dolor); **2.** movimiento hacia un destino (ir para Sevilla); **3.** tiempo, término fijo de un plazo (¡Escriban el ensayo para el lunes!); **4.** finalidad, uso, destino (El libro es para ti. La lechuga es para la ensalada.); **5.** localización en el tiempo de forma precisa (Nos veremos para la feria del libro.); **6.** un punto de vista u opinión (Para él, es vital leer.); **7.** "en vista de" (Es poco para tanto trabajo.); **8.** uso idiomático (para siempre, no estar para bromas, tener para rato, va para largo, etc.); ***como y tal como:*** tal como = *just as* (Lo escribí tal como me indicaste.) *Como* tiene más usos, por ejemplo: expresa comparación o relación de equivalencia (Ella trabaja como su padre.); como adverbio relativo (Es la manera como debes vestirte.); aproximación o semejanza (Llegué como a la una.); y en oraciones subordinadas que expresan causa (Como no llovía, salimos.); **5.** *Según* indica particularidad (según las semejanzas), o modo o parecer (según algunos sabios).

7 **1.** distintos grupos = *unique or distinct groups*; grandes caminos = *great roads*; grupos distintos = *different groups*; caminos grandes = *big roads*. La posición del adjetivo cambia el sentido. **2.** *Solo* quiere decir único; *sólo* significa solamente. **3.** Se refieren a un movimiento literario en particular. Sí; sin mayúsculas serían términos corrientes. **4.** Se usa como objeto indirecto. **5.** *La* sustituye *clasificación*; *el* sustituye *el mundo*. Los dos son artículos que se usan como sustantivos. **6.** El superlativo asigna el grado máximo o mínimo de la cualidad a una o varias personas o cosas en relación con las demás de un conjunto determinado; por ejemplo, aquí se asigna el grado máximo a uno de los poetas en relación con los demás. **7.** bueno (mejor); malo (peor); más joven (menor); más viejo (mayor)

8 Reactions will vary.

Instructional Notes

6 You might want to review the following verbs that have the same spelling changes as those mentioned in item 3: *verbos en -car: atacar, buscar, comunicar, explicar, indicar, pescar, sacar, tocar; verbos en -gar: colgar, jugar, llegar, navegar, negar, pagar, regar, rogar; verbos en -cer: agradecer, aparecer, desaparecer, parecer.* Plus verbs that end in -zar (z > c delante de e): *alcanzar, almorzar, comenzar, cruzar, empezar, forzar, gozar, rezar.*

Additional Activities

Juego
Ask students to play *El juego de la alarma* to practice spelling-changing verbs, and *Relevos* to practice vocabulary from this lesson. See p. TE25.

Juego
Ask students to play *¿Por, para o...?* to review the prepositions *desde, de, por,* and *para.*

Before class prep: Prepare a short paragraph in Spanish that uses the prepositions *desde, de, por,* and *para.* Then tell students: *Voy a leerles un texto, pero sin decir la preposición correspondiente. Uds. van a escucharme y, cuando haga una pausa, deben levantarse si creen que la preposición es* desde, *levantar la mano derecha si es* de, *la izquierda si es* por, *y aplaudir si creen que es* para.

9 Before students start reading the article, find out what they know about Federico García Lorca and if they have read any of his poetry or plays. Ask: *¿Qué saben de Federico García Lorca y sus obras? ¿Cuáles son algunos temas de sus poemas y dramas?*

Tell students that many of Lorca's works are represented in whole or in part by music and dance, as shown in the scene of the photo. It is from the dress rehearsal of *Romancero gitano*.

You might ask students: *¿Qué función gramatical tiene además de?* (l. 57). (*Respuesta: Es un adverbio.*)

Additional Activities

Pronombres relativos
Ask students to name the five most common relative pronouns in Spanish and their English-language equivalents. (Answer: *que*, that; *quien(es)*, who; *el que, el cual*, which; *cuyo*, whose)

Comunicación
After students read the article, ask volunteers to read aloud to the class selected pieces from Lorca's poetry. Afterwards, encourage a discussion of the content, meaning, and style.

Answers

10 1. j; 2. h; 3. r; 4. l; 5. p; 6. m; 7. a; 8. s; 9. o; 10. k; 11. i; 12. q; 13. c; 14. n; 15. f; 16. e; 17. g; 18. b; 19. d

11 *Ejemplos:*
la influencia literaria, el movimiento literario, publicar, editar, estrenar una obra de teatro, tener éxito, los temas, el público, el estilo literario, los símbolos, los personajes, el contexto, la metáfora, el símil, la personificación, la época, la comedia, la tragedia, la farsa, el drama

12 1. mantuvo, fue (fue fusilado), tuvo, comenzó, cruzó, dio, invitó, viajó, publicó, marchó, comenzó, se instaló, convivió, fue, pintó, estrenó, acrecentó, llevó, quiso, se encargó, escribió, dejó, pudo; El pretérito expresa una acción realizada y acabada en el pasado sin tener relación con el presente. *Quiso* y *pudo* expresan acciones que ocurrieron durante un período de tiempo claramente definido (de 1932 a 1935... quiso; hace 70 años... pudo). **2.** ser asesinado, fue fusilado, ser detenido, fue publicada, serían conocidos, fue fusilado; indica una acción en la que el sujeto recibe dicha acción. **3.** Se usa el imperfecto (decía, afirmaba, se veía, escribía) para expresar acciones pasadas sin precisar el principio ni el final de la acción. El imperfecto en el artículo describe dichas acciones, mientras que el pretérito expresa acciones que ocurrieron y acabaron en un momento determindao del pasado; muchas veces estas acciones van acompañadas de fechas (comenzó en 1929, viajó... en 1933). **4.** El condicional expresa una

---

9 García Lorca

Lea atentamente el siguiente artículo, prestando atención a las palabras en azul, ya que se le harán preguntas sobre ellas.

Un poeta y dramaturgo vinculado a América

Federico García Lorca, uno de los autores más importantes del movimiento literario español de la generación del 27, mantuvo una intensa
5 vinculación con América con varias visitas al continente antes de ser asesinado hace ahora 70 años. Nacido el 5 de junio de 1898 en la localidad andaluza de Fuente Vaqueros (sur de España), Lorca fue fusilado el 19 de agosto de 1936 —un mes después del inicio de la Guerra Civil— en
10 un pueblo cercano llamado Víznar... Poco antes de ser detenido en la casa de su amigo y también poeta Luis Rosales, Lorca había rehusado el exilio ofrecido por Colombia y México, cuyos embajadores en España habían expresado su
15 temor de que pudiera ser víctima de la represión de los alzados en armas. De aquellas fechas son unas declaraciones al diario *El Sol*, en las que decía sentirse "español integral" y afirmaba que le resultaría "imposible vivir fuera de mis
20 límites geográficos". Lorca se veía viviendo en España, pero tuvo una estrecha y fructífera relación con América, que comenzó en 1929, cuando cruzó por primera vez el Atlántico para dar conferencias en la Universidad de Columbia
25 (Nueva York) y enamorarse del barrio de Harlem. Esa primera experiencia dio como fruto *Poeta en Nueva York*, la más vanguardista de sus obras poéticas, que no fue publicada hasta 1940 en México, cuatro años después de su muerte.
30 La Institución Hispano-Cubana de Cultura le invitó en la primavera de 1930 a La Habana... Tras su regreso a España y el éxito de *Bodas de Sangre, Yerma y Doña Rosita la soltera*, viajó por Argentina y Uruguay en 1933 para trabajar
35 como director de teatro y ver las producciones de *Bodas de sangre, Mariana Pineda, La zapatera prodigiosa* y su propia adaptación de la comedia de Lope de Vega, *La dama boba*... Con apenas 20 años publicó su primer libro *Impresiones y*
40 *paisajes* y un año después marchó a Madrid para continuar los estudios universitarios de Derecho que comenzó en Granada en 1916. En la capital española, Lorca se instaló en la Residencia de Estudiantes, donde convivió dos años con otros

45 jóvenes que más tarde serían mundialmente conocidos, como Rafael Alberti y Salvador Dalí. Fue este último el que pintó para Lorca los decorados de su obra teatral *Mariana Pineda* en 1927, un verdadero éxito mundial que estrenó
50 mientras escribía *Romancero Gitano*, obra con la que el poeta acrecentó su fama internacional... Con la compañía Teatro Universitario La Barraca, Lorca llevó de 1932 a 1935 lo mejor del teatro clásico por todo el territorio de España, en un
55 espectáculo con el que quiso educar al pueblo y en el que, además de dirigir, se encargó de la música. Además de las obras citadas, García Lorca escribió también: *Canciones, Llanto por Ignacio Sánchez Mejías, Primeras canciones,*
60 *Seis poemas gallegos, El lenguaje de las flores y Amor de Don Perlimplín con Belisa en su jardín. El paseo de Buster Keaton, La niña que riega la albahaca y el príncipe preguntón y El misterio de los Reyes Magos* son otras de las obras de
65 Lorca, un poeta que dejó composiciones llenas de metáforas brillantes, color en las palabras y ternura infantil. Hace 70 años, durante la Guerra Civil española, fue fusilado el poeta Federico García Lorca, fusilamiento que, según la
70 última teoría, pudo estar motivado por rencillas familiares, así como por sus ideas políticas y su homosexualidad...

www.eldiariony.com

---

acción futura o posible (resultaría, serían). El pluscuamperfecto expresa acciones pasadas y acabadas con relación a otras acciones pasadas (había rehusado, habían expresado). **5.** Por la expresión "habían expresado su temor". Expresiones que indican duda o posibilidad; voluntad, orden o prohibición; percepción negativa; juicio de valor (es posible que, es injusto que, etc.); reacciones emotivas; obligación personal; y locuciones finales como para que, a que, a fin de que, etc. **6.** *a:* a América, al continente, al diario *Sol*, a La Habana, a España, a Madrid: indica destino; a 1935: expresa tiempo o fechas con de; *como:* como fruto, como director: se usa "en calidad de"; como Rafael Alberti o Salvador Dalí: introduce ejemplos; *con:* con

América, con varias visitas, con América, con otros jóvenes, con la que, con la compañía, con el que, con Belisa: expresa compañía; con apenas 20 años: expresa tiempo o edad; *de:* de los autores, del movimiento, de la generación del 27, de junio de 1898, de Fuente Vaqueros, de España, el 19 de agosto de 1936, de la Guerra Civil, de su amigo, de la represión de los alzados, de aquellas fechas, de Columbia, de Harlem, de sus obras poéticas, de 1930, de *Bodas de Sangre*, de teatro, de la comedia, de Lope de Vega, de Derecho, de Estudiantes, de su obra teatral, de 1932, del teatro clásico, de España, de las flores, de Don Perlimplín, de Buster Keaton, de los Reyes Magos, de las

continues in margin of p. 241

10 Amplíe su vocabulario

Según el contexto del artículo que acaba de leer, empareje cada palabra de la primera columna con su definición o sinónimo de la segunda.

1. mantener
2. vinculación
3. andaluz
4. inicio
5. rehusar
6. temor
7. alzado
8. diario
9. fructífero
10. vanguardista
11. tras
12. apenas
13. Derecho
14. convivir
15. decorado
16. estrenar
17. acrecentar
18. ternura
19. rencilla

a. rebelde
b. cariño
c. estudios para ser abogado
d. desacuerdo
e. representar un espectáculo público por primera vez
f. elemento que crea un escenario
g. aumentar
h. relación
i. después de
j. conservar
k. con intención renovadora, de avance y exploración
l. comienzo
m. miedo
n. habitar en compañía de otras personas
o. que produce un buen efecto
p. lo contrario de aceptar
q. casi no
r. de Andalucía
s. periódico

11 La carrera de un dramaturgo/poeta 👤👤

Con un/a compañero/a haga una lista de las palabras o expresiones relacionadas con la carrera de un dramaturgo o poeta que conozcan. Piensen en otras palabras o expresiones relacionadas que les gustaría saber y búsquenlas en el diccionario.

12 Más repaso 🔍

Conteste estas preguntas relacionadas con "Un poeta y dramaturgo vinculado a América".

1. Haga una lista de los verbos en el pretérito y explique su uso en general. Explique en particular el uso de *quiso* y *pudo*.
2. Haga una lista de los verbos en la voz pasiva y explique su uso.
3. ¿Cómo se usa el imperfecto en la lectura? Haga un contraste entre el imperfecto y el pretérito en el artículo.
4. ¿Cómo se usa el condicional en la lectura? ¿Y el pluscuamperfecto?
5. ¿Por qué se usa el imperfecto del subjuntivo en la frase "pudiera ser víctima"? ¿Qué tipo de expresiones dictan el uso del subjuntivo?
6. Haga una lista de las preposiciones que aparecen en el texto y las frases preposicionales que las siguen. Explique el uso de estas preposiciones en la lectura y en general.

13 "Tapitas" gramaticales 🔍

Conteste estas preguntas basadas en el artículo anterior.

1. ¿Cómo se transforma un verbo en adjetivo (por ejemplo, *nacer → nacido*)? Busque otros ejemplos en el texto.
2. Explique el uso de *el* en las siguientes frases: "Fue este último el que pintó para Lorca..." y "con el que quiso educar al pueblo y en el que, además de dirigir, se encargó de la música". Cite otros ejemplos de pronombres relativos en el artículo.
3. Explique el uso de *lo* en la frase "Lorca llevó de 1932 a 1935 lo mejor del teatro clásico por todo el territorio de España".

Teacher Resources

📝 Activity 1

Answers

obras, de Lorca: expresa posesión/pertenencia, origen, tiempo y sigue ciertos verbos (como *enamorarse del barrio, encargarse de la música*) y se usa en algunas expresiones como *lleno de* (*lleno de metáforas*); ***durante:*** durante la Guerra Civil: denota tiempo o duración; ***en:*** en la localidad, en un pueblo, en la casa, en España, en las que, en España, en la Universidad, en Nueva York, en México, en Granada, en la capital española, en la Residencia, en un espectáculo, en el que, en su jardín, en las palabras: indica lugar; en 1929, en 1933, en 1916, en 1927: indica fecha; en armas: es parte de la expresión "alzados en armas"; en la primavera: indica el tiempo durante el cual tiene lugar la acción; ***fuera de:*** fuera de mis límites geográficos: expresa "más allá de"; ***hasta:*** hasta 1940: expresa el punto límite; ***para:*** para dar conferencias, para trabajar, para continuar, para Lorca: expresa finalidad; ***por:*** (ofrecido) por Colombia y México: se usa con la voz pasiva; por primera vez: indica el tiempo; por Argentina y Uruguay, por todo el territorio: indica movimiento (tránsito por un lugar); por Ignacio Sánchez Mejías: indica finalidad de una acción; por rencillas, por sus ideas políticas y su homosexualidad: expresa "debido a"; ***según:*** según la última teoría: expresa modo, parecer; ***tras:*** tras su regreso: expresa posterioridad en el tiempo

13 **1.** Se transforma un verbo en adjetivo al quitarle la terminación -*ar*, -*er* o -*ir* y añadir la terminación correspondiente del participio pasado (*-ado*, *-ido*). Ejemplos: asesinar, asesinado; fusilar, fusilado; llamar, llamado; detener, detenido; ofrecer, ofrecido; publicar, publicada; conocer, conocido; citar, citadas; motivar, motivado; **2.** *El que* es un pronombre relativo; en la primera oración se refiere al pintor Salvador Dalí. En la segunda oración, *con el que* y *en el que* se refieren al espectáculo. Ejemplos de otros pronombres relativos: cuyos (l. 13); (en) las que (l. 17); (con) la que (ll. 50–51). **3.** *Lo* es un artículo determinado neutro que se usa con adjetivos. Aquí significa el conjunto de todos los buenos elementos.

Additional Activities

La voz pasiva

Ask students to write some sentences first in the active voice and then in the passive. You could choose some from the text or others that deal with the theme of the chapter. For example: *Lorca escribió* Canciones y Llanto por Ignacio Sánchez Mejías. Canciones y Llanto por Ignacio Sánchez Mejías *fueron escritos por Lorca.*

14 Un correo electrónico

En un correo electrónico explíquele a un/a amigo/a que Ud. está pensando seguir con sus estudios de literatura en la universidad. Háblele sobre los beneficios de esta carrera e intente convencerle para que él/ella haga lo mismo.

15 Los verbos

Échele una ojeada al artículo que sigue para ver de qué se trata, prestando atención a las palabras en azul, ya que se le harán preguntas sobre ellas. Luego lea el artículo y decida qué forma de los verbos entre paréntesis es la correcta para completar las oraciones y escríbalas. No se olvide de escribir y acentuar las palabras correctamente.

Falleció el escritor egipcio Naguib Mahfouz

El escritor egipcio Naguib Mahfouz, primer árabe en __1.__ (*ganar*) el Premio Nobel de Literatura, __2.__ (*morir*) ayer a los 95 años; la noticia la dio su médico Hossam Mowafi. Mahfouz falleció en el hospital
5 donde __3.__ (*ser*) recluido hace más de un mes por una herida en la cabeza, tras __4.__ (*sufrir*) una caída en la calle. Según las mismas fuentes, poco antes de __5.__ (*morir*), su esposa le __6.__ (*estar*) hablando al oído y Mahfouz __7.__ (*sonreír*). El laureado autor, muy
10 conocido en América Latina por la adaptación al cine que __8.__ (*hacer*) el director mexicano Jorge Fons de su libro *El callejón de los milagros*, con Salma Hayek, __9.__ (*describir*) en sus novelas la idiosincrasia egipcia, especialmente en El Cairo antiguo. El literato __10.__
15 (*nacer*) en El Cairo el 11 de diciembre de 1911, y __11.__ (*ganar*) el Nobel en 1988. La salud de Naguib Mahfouz __12.__ (*ser*) seriamente dañada cuando en 1994 __13.__ (*ser*) apuñalado en el cuello por un

fundamentalista islámico, molesto por la forma en
20 que __14.__ (*describir*) a Dios en una de sus novelas. El frustrado atentado __15.__ (*afectar*) los nervios de su mano derecha, y __16.__ (*limitar*) seriamente su capacidad de escribir. Aun así, se __17.__ (*mantener*) activo y unas seis noches a la semana __18.__ (*reunirse*)
25 con sus amigos del círculo literario de El Cairo. En 2005 __19.__ (*publicar*) su última obra, *El séptimo cielo*, una colección de relatos sobre el más allá. En 34 novelas, centenares de cuentos y ensayos, docenas de guiones cinematográficos y cinco obras de teatro,
30 Mahfouz __20.__ (*describir*) con realismo al hombre egipcio, que se debate entre la tradición y el mundo moderno. El escenario principal de sus personajes lo fue El Cairo islámico, un barrio de mil años de antigüedad donde __21.__ (*nacer*).

www.lostiempos.com

---

16 Amplíe su vocabulario

¿Cuál es la mejor traducción según el contexto del artículo anterior?

1. fallecer
   a. to honor
   b. to be wounded
   c. to die
   d. to be born

2. recluido
   a. recruited
   b. guarded
   c. confined
   d. wounded

3. herida
   a. stabbing
   b. hit
   c. tumor
   d. wound

4. caída
   a. fall
   b. attack
   c. robbery
   d. accident

5. literato
   a. laureate
   b. man of letters
   c. poet
   d. short story writer

6. apuñalado
   a. hit
   b. attacked
   c. strangled
   d. stabbed

7. el más allá
   a. the absurd
   b. the world beyond
   c. the occult
   d. the holy world

8. centenares
   a. centuries
   b. thousands
   c. hundreds
   d. centennials

9. guión
   a. script
   b. score
   c. scene
   d. excerpt

10. escenario
    a. plot
    b. setting
    c. score
    d. excerpt

17 Las preposiciones y los verbos

Conteste estas preguntas basadas en el obituario de la Actividad 15.

1. Haga una lista de las preposiciones que aparecen en la lectura.
2. Explique el uso de cada preposición en el contexto de la lectura.
3. Explique por qué la mayoría de los verbos en la lectura son del mismo tiempo verbal. Indique los que no son de este tiempo verbal, y diga qué tiempos son, explicando el uso de los mismos.

18 "Tapitas" gramaticales

Conteste estas preguntas basadas en el texto de la Actividad 15.

1. Traduzca la frase "apuñalado en el cuello por un fundamentalista islámico, molesto por la forma en que describió a Dios".
2. Traduzca la frase "el frustrado atentado afectó los nervios de su mano derecha".
3. ¿Por qué se dice El Cairo *antiguo* y no *viejo*?

Cita

La pluma es la lengua de la mente.
—Miguel de Cervantes Saavedra
(1547–1616), escritor español

¿Está de acuerdo con esta cita? ¿Por qué? A veces se le aconseja a uno que no escriba lo que piensa en una carta o correo electrónico. ¿Por qué será? Hable con un/a compañero/a sobre esto y comparta sus opiniones.

¡Dato curioso!

El Siglo de Oro en España fue el período en que florecieron las letras, las artes y la política del país. Comprendió la segunda mitad del siglo XVI y la primera mitad del siglo XVII. Durante ese tiempo, surgió el personaje más famoso de la literatura mundial: Don Quijote, el héroe creado por Cervantes. También aparecieron otras obras importantes durante esta época: *Lazarillo de Tormes,* una novela picaresca, y varias obras de teatro de Calderón de la Barca (*La vida es sueño*) y de Lope de Vega (*Fuenteovejuna*).

Miguel de Cervantes

Una colección de comedias de Lope de Vega, el autor más prolífico de la literatura española. Tenemos constancia de 426 comedias y 42 autos suyos.

Notas culturales

El Siglo de Oro fue un tiempo en el que las letras, las artes y la política del país tuvieron el mayor esplendor. El Renacimiento fue un movimiento intelectual y artístico que se inició en Italia en el siglo XIV y se extendió por Europa durante los siglos XV, XVI y XVII. En él se desarrollaron la investigación científica, las literaturas nacionales y las artes, teniendo como modelos los artistas grecolatinos. El Barroco se caracteriza por la profusión de adornos en la arquitectura, pero que también se extendió a la pintura, escultura y literatura durante los siglos XVII y XVIII. La novela picaresca aparece en el Siglo de Oro y se caracteriza por su narración autobiográfica en boca de un "pícaro" que satiriza la sociedad en la que vive. Un auto es una composición dramática en la que intervienen geneneralmente personajes bíblicos o alegóricos.

Quizás Lope de Vega fue el autor más prolífico de la literatura mundial. Según su amigo Pérez de Montalbán, Lope fue un "monstruo de la natualeza" y escribió 1.800 comedias y 400 autos. El mismo Lope confesó que había escrito algunas obras "en horas veinticuatro".

Teacher Resources

Activities 3–6

Answers

17 1.–2. en ganar: modo; de Literatura: materia; a los 95 años: edad; en el hospital: lugar; de un mes: tiempo; por una herida: causa; en la cabeza: lugar; tras sufrir: después/posterioridad; en la calle: lugar; según las mismas fuentes: modo, parecer; de morir: es parte de la frase adverbial "antes de"; al oído: dirigido a (se usa con ciertos verbos); en América Latina: lugar; por la adaptación: a través de; al cine: dirigido a; de su libro: posesión; de los milagros: posesión; con Salma Hayek: participación; en sus novelas: lugar; en El Cairo antiguo: lugar; en El Cairo: lugar; de diciembre de 1911/ en 1988/en 1994: fechas; de Naguib Mahfouz: posesión; en el cuello: lugar; por un fundamentalista islámico: con la voz pasiva; por la forma: motivo; a Dios: *a* personal; en una: lugar; de sus novelas: posesión; de su mano derecha: posesión; de escribir: manera; a la semana: periodicidad; con sus amigos: compañía/participación; del círculo literario: materia; de El Cairo: posesión; en 2005: fecha; de relatos: materia; sobre el más allá: relativo a; en 34 novelas: lugar; de cuentos y ensayos: materia; de guiones: materia; de teatro: materia; con realismo: modo; al hombre egipcio: *a* personal; entre la tradición y el mundo moderno: relación y comparación; de sus personajes: posesión; de mil años de antigüedad: edad; 3. Son del pretérito porque expresan acciones realizadas y acabadas en el pasado sin tener relación con el presente. *Estuvo hablando* es el pretérito del progresivo y se usa por la misma razón. Se usaron los infinitivos porque siguieron preposiciones; se usó el imperfecto en las frases *describía en sus novelas* y *se reunía con sus amigos* porque se refiere a lo que hacía repetidas veces en el pasado; se usó el presente del indicativo en *se debate* porque ocurre en el presente.

18 1. *Stabbed in the neck by an Islamic fundamentalist who was bothered by the way he described God.* 2. *The unsuccessful (frustrated) attempt affected the nerves of his right hand.* 3. *Antiguo* se usa para referirse a una cultura o civilización que existía hace muchas décadas o siglos.

Instructional Notes

18 You might share some of these differences between *antiguo* and *viejo* with students: a long-standing friend, enemy, or rivalry: use *viejo* before the noun; the Ancient World, ancient history, *el mundo antiguo, la historia antigua*; previous or former: use *antiguo* before the noun; veteran, experienced, use *viejo* before the noun; not new (when referring to clothes, cars, or remedies): *viejo*; old civilization or custom: *antiguo* and *viejo*; an old cheese: *un queso añejo*; an old family: *una familia de abolengo*; the old part of the city: *el casco antiguo/ viejo de la ciudad*; the old country: *la madre patria*.

Teacher Resources

 Activity 7

Answers

19 **Las personas**
el/la autor(a) *author*
el/la crítico/a *critic*
el/la cuentista *short-story writer*
el/la dramaturgo/a *playwright*
el/la ensayista *essayist*
el/la escritor(a) *writer*
el/la literato/a *man/woman of letters*
el/la novelista *novelist*
el/la periodista *journalist*
el/la poeta *poet*

El arte
la obra *work*
la crítica *critique/review*
el cuento *short story*
el drama, la obra de teatro *drama, play*
el ensayo *essay*
la escritura *writing*
la literatura *literature*
la novela *novel*
el periodismo *journalism*
la poesía, el poema *poetry, poem*

20 1. del novelista; 2. cuentista; 3. literatos; 4. crítico, críticas; 5. autora, obra; 6. el periodismo, periodista; 7. ensayos, un ensayista; 8. dramaturgo, obras de teatro / dramas; 9. escritores, obras / escrituras; 10. poeta, poesía, poemas

Instructional Notes

After students discuss the *Cita* in pairs, you might want them to discuss the role that imagination plays in both fiction and nonfiction, as well as in journalism.

Additional Activities

Trabajo de investigación
Have students research and then discuss the literary movements mentioned in the *Dato curioso* (*el romanticismo, el realismo, el naturalismo*) and do the same for some of the works of Gustavo Adolfo Bécquer, Clarín, and Galdós. Have them compare Clarín and Galdós to some American realists and naturalists such as Jack London, Stephen Crane, or Benjamin Franklin (Frank) Norris (naturalists), and William Dean Howells (realist).

Juego
Ask students to play *Voluntario, derecha e izquierda* and/or *¿Quién quiere ser millonario?* See p. TE25.

Idioma

19 Familia de palabras

Complete la siguiente tabla con la persona que crea el arte correspondiente, el arte creado y la traducción apropiada.

Las personas		El arte	
el/la autor(a)	_____	_____	*work*
_____	*critic*	_____	_____
el/la cuentista		_____	_____
el/la dramaturgo/a		el drama, la obra de teatro	_____,
el/la ensayista	*essayist*	_____	_____
	writer	la escritura	_____
el/la literato/a		_____	*literature*
_____	*novelist*	la novela	_____
	journalist		
el/la poeta		_____ _____	*poetry, poem*

20 ¿Persona o su arte?

Complete las oraciones usando la forma correcta de las palabras que aparecen entre paréntesis, ya sean referencias a la persona o su arte. Use artículos cuando sean necesarios.

1. Las grandes obras de ___ (*novela*) Benito Pérez Galdós son muy largas.
2. Estoy leyendo un libro de ese gran ___ (*cuento*) mexicano, Juan Rulfo.
3. Es difícil sumar toda la buena literatura de un siglo sin incluir a todos los mayores ___ (*literatura*) en una antología.
4. No me gusta este ___ (*crítico*) que escribe las ___ (*crítico*) sobre las películas. Siempre tengo la opinión opuesta; él no aprecia el buen cine.
5. Isabel Allende, ___ (*autor*) chilena, firmó ejemplares de su nueva ___ (*autor*) en la feria del libro.
6. A veces, un escritor encuentra trabajo en la prensa, en la radio, en la televisión o en ___ (*periodismo*) y se hace ___ (*periodismo*).
7. Los ___ (*ensayo*) de Montaigne iniciaron el género. Él era ___ (*ensayo*) del Renacimiento francés.
8. Federico García Lorca, ___ (*drama*) español, está considerado como uno de los más grandes por sus ___ (*drama*) como *Yerma, Bodas de Sangre* y *La Casa de Bernarda Alba*.
9. Esta semana, se celebra la obra de algunos nuevos ___ (*escritor*) y la influencia mundial de sus ___ (*escritor*).
10. Gabriela Mistral, ___ (*poeta*) chilena, era también maestra de una escuela primaria. En su ___ (*poeta*), ella escribió muchos ___ (*poeta*) sobre la religiosidad, la naturaleza y la ternura.

Cita

La imaginación es más importante que el conocimiento.
—Albert Einstein (1879–1955), físico alemán y premio Nobel de Física

¿Está de acuerdo con lo que dice? ¿Por qué? Hable sobre las ventajas y desventajas de tener una imaginación viva cuando uno escribe ficción. Comparta sus opiniones con un/a compañero/a.

¡Dato curioso! Durante la primera mitad del siglo XIX, en España surge el género literario llamado romanticismo, que es una rebelión contra la rigidez clásica y, a la vez, ofrece una actitud nueva que da importancia al sentimiento y la imaginación. Un poeta clave del romanticismo es Gustavo Adolfo Bécquer (1836–1870). A finales del siglo XIX surgen el realismo y el naturalismo. Leopoldo Alas, "Clarín" (1852–1901), escribió una novela fundamental del realismo español: *La Regenta*. Benito Pérez Galdós (1843–1920) dio forma moderna a la novela realista y fue un escritor prolífico. Entre sus obras más conocidas figuran *Episodios nacionales* (la historia de la política española en 46 tomos), *Doña Perfecta* y *Misericordia*.

21 Los poetas

Échele una ojeada al artículo que sigue para ver de qué se trata, prestando atención a las palabras en azul, ya que se le harán preguntas sobre ellas. Luego lea el artículo y decida cuál de las dos palabras entre paréntesis es la correcta para completar cada oración y escríbala.

Los poetas mueren jóvenes, según un estudio

Podría ser porque los poetas __1.__ (*suelen / soler*) sufrir intensamente y tienen tendencias autodestructivas, pero también podría ser porque muchos poetas alcanzan la fama de
[5] jóvenes y sus muertes prematuras llaman mucho la atención, __2.__ (*expresaba / expresó*) James Kaufman, del Instituto de Investigación del Aprendizaje de la Universidad Estatal de California en San Bernardino, según informó Reuters. En su
[10] investigación, publicada en la revista *Death Studies*, Kaufman estudió __3.__ (*1,987 / a 1.987*) escritores que murieron hace varios siglos en Estados Unidos, Europa del Este, China y Turquía; informó IBLNews. Los poetas mueren __4.__ (*menores / más*
[15] *jóvenes*) que los novelistas, los dramaturgos y otros escritores, dijo el investigador estadounidense. El científico clasificó a los autores como escritores de ficción, poetas, dramaturgos, ensayistas, historiadores y biógrafos. Pero no estudió las causas
[20] de su muerte. "Entre los escritores norteamericanos, chinos y turcos, los poetas murieron mucho más jóvenes que los autores que no __5.__ (*escribían / escribieron*) obras de ficción", escribió Kaufman en

el estudio. "En toda la muestra, los poetas murieron
[25] más jóvenes que todos los escritores, tanto los de ficción como los de no ficción". Como Kaufman estudió a algunos escritores que vivieron hace __6.__ (*ciento / cientos*) de años, es posible comparar la edad promedio a __7.__ (*ella / la*) que murieron con
[30] la de la población general. "Como promedio, los poetas vivieron 62 años, los dramaturgos 63, los novelistas 66 y los escritores de obras que no son de ficción vivieron 68 años", dijo Kaufman en una entrevista por correo electrónico. Kaufman también
[35] estudió la incidencia de enfermedades mentales entre los poetas. "Lo que encontré __8.__ (*era / fue*) muy consistente con los hallazgos de muerte. Las poetas tenían más tendencia a las enfermedades mentales que __9.__ (*cualquiera / cualquier*) otro tipo
[40] de escritor o __10.__ (*cualquiera / cualquier*) otro tipo de mujer eminente", informó. "He bautizado esto como el Efecto Sylvia Plath", dijo. Sylvia Plath fue __11.__ (*un / una*) poeta y novelista que se suicidó en 1963 cuando tenía 30 años.

www.lapaginadigital.com

22 Amplíe su vocabulario

Según el contexto del artículo que acaba de leer, busque la mejor definición o sinónimo de cada palabra.

1. autodestructivo
   a. que destruye su carro
   b. que se destruye a sí mismo
   c. que destruye a los demás
   d. que destruye todo

2. muestra
   a. ejemplar
   b. demostración
   c. lista de poetas vivos
   d. lista de poetas muertos

3. promedio
   a. más alto
   b. más bajo
   c. mediano
   d. menos alto

4. incidencia
   a. consecuencia
   b. efecto
   c. influencia
   d. todas las respuestas anteriores

5. hallazgo
   a. descubrimiento
   b. fantasía
   c. suicidio
   d. ninguna de las respuestas anteriores

6. eminente
   a. inferior
   b. a punto de ocurrir
   c. sobresaliente
   d. mediocre

Teacher Resources

Activities 8–11

Answers

21 1. suelen; 2. expresó; 3. a 1.987; 4. más jóvenes; 5. escribían; 6. cientos; 7. la; 8. fue; 9. cualquier; 10. cualquier; 11. una

22 1. b; 2. a; 3. c; 4. d; 5. a; 6. c

23 Carlos Fuentes

Échele una ojeada al artículo que sigue para ver de qué se trata, fijándose en las palabras en azul, ya que se le harán preguntas sobre ellas. Luego lea el artículo y decida qué forma de las palabras entre paréntesis es la correcta para completar cada oración y escríbala. No se olvide de escribir y acentuar la palabra correctamente.

Fuentes: "Historia de familias es la base de toda literatura"

El escritor mexicano Carlos Fuentes, autor de un nuevo libro en __1.__ (*el*) que hace un recuento de relatos familiares desgarradores, considera que "la historia de las familias está ⁵en la base de toda la literatura", y que todo evoluciona a partir de __2.__ (*el*).

En entrevista con Efe tras el lanzamiento de *Todas las familias felices* (Alfaguara, 2006), el autor señala que son las familias "una ¹⁰base universal en __3.__ (*el*) que siempre hay historias que contar". "En la familia más feliz siempre va a haber __4.__ (*alguien*) de la propia familia que va a crear un drama, una tragedia, un obstáculo, para la felicidad de ¹⁵esa propia familia. Es inevitable", afirma el autor de *Aura* (1962), *Cristóbal Nonato* (1987) y de un sinfín de ensayos y novelas __5.__ (*exitoso*).

En su más reciente libro, que tiene una estructura muy original, el escritor mexicano __6.__ (*elegir*) ²⁰dieciséis historias de familias __7.__ (*infeliz*), de distinta extracción social, y armó una obra que tiene más de recopilación de cuentos que de novela. La esencia de los relatos es que __8.__ (*el*) protagonistas forman parte de cierto núcleo familiar, pero a partir de ahí cada ²⁵historia es diferente, de clase alta o baja, tristes, duras, disparatadas, basadas en la crueldad, el sufrimiento o en el engaño.

Una novedad del libro es la inclusión de __9.__ (*uno*) especie de coro clásico entre cuento y cuento que ³⁰representa a "la sociedad mexicana que grita", que utiliza un "lenguaje híbrido", llegado del mundo del rock y del inglés de barrio propio de pandilleros, ladrones o delincuentes.

"El coro siempre ha cumplido __10.__ (*ese*) voz desde ³⁵Grecia, ser más allá de la voz de los personajes, que son individuales, está el coro para advertir que hay una comunidad. Es la voz de la comunidad", en este caso mexicana. La voz del coro se identifica con __11.__ (*el*) "de los humillados", "desamparados", que grita

⁴⁰al lector "qué es de nosotros, qué queremos, por qué nos pasa esto", en tono de elegía, desgarrada y desesperada, afirma Fuentes.

"Desde la frontera norte con EE.UU. hasta __12.__ (*el*) del sur con Guatemala hay una violencia creciente en ⁴⁵México. Son las bandas juveniles, la Mara Salvatrucha, en el norte y en el sur, los 'Zetas', al servicio del narco, los narcos mismos", __13.__ (*recordar*) el escritor.

El autor reconoce que para entender el México de hoy hay que darse cuenta de cómo funciona la violencia ⁵⁰y los dos elementos que son su germen: la pobreza y la desigualdad. "Aquí no hay 'Osama bin Ladens' que __14.__ (*venir*) de las clases altas. No, la violencia viene desde abajo porque __15.__ (*lo*) propician las estructuras desde arriba: la injusticia en el reparto de la ⁵⁵riqueza, el hecho de que la mitad del país __16.__ (*vivir*) en la pobreza", asegura.

"Cuando yo __17.__ (*nacer*), hace ya unas décadas, la mitad de los mexicanos vivía en la pobreza. Hoy, la mitad de los mexicanos __18.__ (*seguir*) viviendo en la ⁶⁰pobreza. Eso no puede ser, y somos socios de Canadá y Estados Unidos con el Tratado de Libre Comercio (TLCAN), dos países muy prósperos", lamenta.

EFE/www.los tiempos.com

Investigue palabras clave: Carlos Fuentes

24 Amplíe su vocabulario

Según el contexto del artículo que acaba de leer, empareje cada palabra de la primera columna con su definición o sinónimo de la segunda.

1. desgarrador
2. sinfín
3. disparatado
4. engaño
5. híbrido
6. pandillero
7. desamparado
8. elegía
9. narco
10. germen

a. de una banda juvenil
b. abandonado
c. fraude
d. doloroso
e. mezclado
f. lamento
g. traficante de drogas
h. multitud
i. núcleo
j. irracional

¡Dato curioso!

El modernismo, un movimiento literario hispanoamericano del siglo XX, fue introducido en España por el poeta nicaragüense Rubén Darío (1867–1916). Dentro de este género también hay que destacar al español Juan Ramón Jiménez (1881–1958, y Premio Nobel 1956) y su famosísima obra *Platero y yo*, escrita en prosa poética y en la que nos describe con mucha ternura la amistad entre él y un borriquillo.

25 Lea, escuche y escriba/presente

Vuelva a leer los textos de las Actividades 21 y 23. Luego escuche la grabación "Escritora mexicana elogia a Cervantes y a Bolaño" y tome las notas necesarias. Escriba un ensayo o haga una presentación en clase contestando la pregunta, "¿Cuáles son las ventajas o las desventajas de ser escritor o poeta?" No se olvide de citar las fuentes debidamente.

Cita

Quien lee sabe mucho; pero quien observa sabe todavía más.
—Alejandro Dumas (1802–1870), escritor francés

¿Está de acuerdo con lo que dice? ¿Por qué? ¿En qué contextos se puede aplicar esta cita? ¿Qué opina sobre leer un libro e interpretarlo? Dé unos ejemplos de observaciones o interpretaciones de un texto para ilustrar esta cita. Comparta sus opiniones con un/a compañero/a.

26 Pablo Neruda

Échele una ojeada al artículo que sigue para ver de qué se trata, fijándose en las palabras en azul, ya que se le harán preguntas sobre ellas. Luego lea el artículo y decida cuál de las dos palabras entre paréntesis es la correcta para completar cada oración y escríbala.

Biografía de Pablo Neruda

1904: Ricardo Neftalí Reyes Basoalto (Pablo Neruda) nace el 12 de julio en Parral (Chile), hijo de doña Rosa Neftalí Basoalto de Reyes y de don José del Carmen Reyes Morales. En agosto muere doña Rosa Basoalto.

1910: Pablo Neruda ingresa en el Liceo de Hombres de Temuco, donde realiza todos sus estudios hasta __1.__ (terminar / termina) el 6º año de humanidades.

1920: En octubre adopta definitivamente para sus publicaciones el seudónimo de Pablo Neruda.

1921: Viaja a Santiago a seguir la carrera de profesor __2.__ (de francés / del francés) en el Instituto Pedagógico.

1927: Lo __3.__ (nombra / nombran) cónsul *ad honorem* en Rangún (Birmania).

1932: Regresa a Chile. Segunda edición, en texto definitivo, de *Veinte poemas de amor y una canción desesperada*.

1933: En casa de Pablo Rojas Paz conoce a Federico García Lorca.

1934: Viaja a Barcelona. En la revista *Cruz y Raya*, de Madrid, aparecen *Visiones de las hijas de Albión* y *El viajero mental*, de William Blake, __4.__ (traducido / traducidos) por Pablo Neruda. Conferencia y recital poético en la Universidad de Madrid, presentado por García Lorca.

Pablo Neruda

1935: Se traslada como cónsul a Madrid, donde Gabriela Mistral también ejerce funciones consulares. Homenaje a Pablo Neruda de los poetas españoles.

1936: Conoce a Delia del Carril, que habrá de __5.__ (estar / ser) su segunda mujer. Matan a Federico García Lorca.

1937: Regresa a Chile. Funda y preside la Alianza de Intelectuales de Chile __6.__ (para / por) la Defensa de la Cultura.

1938: Muere su padre. En el frente de batalla de Barcelona, en plena Guerra Civil española, se edita *España en el corazón*.

continúa

Investigue palabras clave:
Rubén Darío, Juan Ramón Jiménez

Teacher Resources

Activity 25 (CD 5, track 1)

Activity 12

Answers

24 1. d; 2. h; 3. j; 4. c; 5. e; 6. a; 7. b; 8. f; 9. g; 10. i

26 1. terminar; 2. de francés; 3. nombran; 4. traducidos; 5. ser; 6. para;

Instructional Notes

25 You might want to review the following words with students before they listen to the audio: *genial*, brilliant; *en fuga*, in flight; *tinte*, hue; *disparado*, shot out; *disparatado*, absurd.

26 Before students start reading, ask them: *¿Qué saben del poeta Pablo Neruda? ¿De qué nacionalidad era? ¿Qué premio ganó? ¿Cuándo? ¿Conocen algunos de sus poemas? ¿Cuáles? ¿Qué saben de la política de Chile durante los años en que vivía Neruda?*

Ask students to talk about how they go about interpreting a text. Then ask them to make a list of their favorite authors who really oblige them to interpret what they are reading. You might ask: *¿Provocan estos autores interpretaciones similares en todos los lectores? ¿Por qué?*

Discuss the work and influence of Rubén Darío and Juan Ramón Jiménez with students. Have volunteers read excerpts from *Azul* and *Platero y yo*.

Answers

26 7. es; 8. escribiendo; 9. entrevistarse; 10. despierte; 11. para; 12. con; 13. la cual; 14. concedido; 15. esté; 16. insigne poeta

27 1. d; 2. c; 3. d; 4. c; 5. a; 6. c; 7. b; 8. a;

1939: Viaja a París, donde es nombrado cónsul para la emigración española. Hace gestiones a favor de los refugiados españoles; a fines de año consigue embarcar a muchos para Chile a bordo del *Winnipeg*.

1940: Llega a México, donde __7.__ (*está / es*) nombrado cónsul general.

1942: Viaja a Cuba.

1945: Es elegido senador de la República por las provincias de Tarapaca y Antofagasta. Obtiene el Premio Nacional de Literatura. Se afilia al Partido Comunista de Chile.

1948: Discurso en el senado, publicado después con el título de "Yo Acuso". La Corte Suprema aprueba el desafuero de Neruda como senador de la República. Los tribunales de justicia ordenan su detención. Desde esa fecha permanece oculto en Chile __8.__ (*escribiendo / escrito*) el *Canto General*.

1949: Viaja por primera vez a la Unión Soviética, donde asiste a los festejos del 150° aniversario de Pushkin.

1950: Viaja a Guatemala. Se edita *Pablo Neruda en Guatemala*. Viaja a Praga y después a París, a Roma y después a Nueva Delhi para __9.__ (*entrevistar / entrevistarse*) con Jawaharlal Nehru. Recibe el Premio Internacional de la Paz por su poema "Que __10.__ (*despierta / despierte*) el leñador".

1952: Al cabo de tres largos años revocan en Chile su orden de detención.

1954: Dona su biblioteca y su colección de caracoles a la Universidad, que acuerda financiar la Fundación Pablo Neruda __11.__ (*por / para*) el Desarrollo de la Poesía.

1955: Se casa __12.__ (*a / con*) Matilde Urrutia, su última compañera. Funda y dirige la revista *La Gaceta de Chile*, de __13.__ (*el cual / la cual*) salen tres números anuales.

1960: Comienza a edificar La Sebastiana, su casa de Valparaíso.

1961: El Instituto de Lenguas Romances de la Universidad de Yale (EE.UU.) lo nombra miembro correspondiente. Este cargo honorífico ha sido __14.__ (*consedido / concedido*) entre otros poetas a Saint-John Perse y T.S. Eliot.

1968: Viaja a Estados Unidos.

1969: Se vuelve a rumorear que su candidatura al Premio Nobel es cosa cierta.

1970: En diciembre es nombrado embajador de Chile en París.

1971: Se rumorea que Neruda __15.__ (*está / esté*) enfermo. Recibe el Premio Nobel de Literatura.

1973: En Isla Negra, en medio de la tragedia que ha cubierto a Chile y mientras los golpistas queman y destruyen sus libros, saquean La Chascona y La Sebastiana y torturan y asesinan a sus amigos, el __16.__ (*insigne poeta / poeta insigne*) salta a la eternidad.

www.laraza.com

27 Amplíe su vocabulario

¿Cuál es la mejor traducción, según el contexto del artículo anterior?

1. seudónimo
   a. synonym
   b. homonym
   c. stage name
   d. pen name

2. desafuero
   a. zeal
   b. disparity
   c. withdrawal
   d. disagreement

3. festejo
   a. feast
   b. celebration
   c. festivity
   d. all of these

4. leñador
   a. lender
   b. loaner
   c. woodcutter
   d. baby

5. donar
   a. to donate
   b. to receive
   c. to sell
   d. to buy

6. caracol
   a. seafood
   b. poem about the sea
   c. sea shell
   d. sailboat

7. honorífico
   a. horrified
   b. honorary
   c. honored
   d. honor

8. rumorear
   a. to rumor
   b. to criticize
   c. to whisper
   d. to imply

9. golpista
   a. one who scores goals
   b. one who hits hard
   c. one who defends the government
   d. one who participates in a coup

10. saquear
    a. to loot
    b. to plunder
    c. to ransack
    d. all of these

28 Lea, escuche y escriba/presente

Vuelva a leer el texto sobre la biografía de Pablo Neruda. Luego escuche la grabación "Neruda en el cine" y tome las notas necesarias de las dos fuentes. Escriba un ensayo o haga una presentación en clase sobre la obra y la influencia de Pablo Neruda. No se olvide de citar las fuentes debidamente.

29 García Lorca

Échele una ojeada al artículo que sigue para ver de qué se trata, fijándose en las palabras en azul, ya que se le harán preguntas sobre ellas. Luego lea el artículo y decida cuáles son las palabras que mejor completan las oraciones y escríbalas. No se olvide de escribir y acentuar las palabras correctamente.

García Lorca, a los 70 años de su muerte

Hace 70 años, durante la Guerra Civil española, __1.__ fusilado el poeta Federico García Lorca, fusilamiento que, según la última teoría, pudo __2.__ motivado por rencillas familiares, así como ⁵por sus ideas políticas y su homosexualidad.
__3.__ hoy, todo lo que rodea a su asesinato en la madrugada del 19 de agosto de 1936, en un barranco de la población de Víznar (sureste de España), por combatientes del bando que se ¹⁰alzó __4.__ armas contra la República, parece estar envuelto en __5.__ incertidumbre que Laura García Lorca, sobrina del poeta, cuestiona. "Incertidumbre relativa. Creo que se __6.__ los motivos, las circunstancias principales, el lugar, ¹⁵aunque no exacto, pero __7.__ cierta precisión. Las circunstancias y las causas de su muerte son bastante conocidas", explica a Efe. La última hipótesis sobre su fusilamiento ha sido planteada __8.__ el documental *Lorca, el mar* ²⁰*deja de moverse*, que no se estrenará hasta septiembre y que, según su director Emilio Ruiz Barrachina, recoge el "run run" popular que apuntaba a los primos del poeta, de la familia Roldán, __9.__ los instigadores de su ejecución.
²⁵Laura García Lorca asegura que nunca se habló sobre esa posibilidad en su casa y que __10.__ ella es una cosa "absolutamente nueva", aunque reconoce que con una parte de los Roldán su familia no tenía __11.__ relaciones. "Sé que eso ³⁰no cambiará la parte fundamental de la historia y es que el crimen y asesinato de Federico García

El gobierno italiano rindió homenaje a Lorca con este sello conmemorativo.

Lorca fue un asesinato político, porque __12.__ una persona muy vinculada al proyecto de la República en todos sus aspectos y proyectos: ³⁵social, educativo, cultural y político", añade. La sobrina del poeta admite que __13.__ existir más factores que intervinieran en el fusilamiento de su tío, que se produjo en los primeros __14.__ de la Guerra Civil española (1936–1939), contienda ⁴⁰que dejó cientos de miles de víctimas y a cuyas familias el Gobierno __15.__ pretende ahora resarcir económicamente.

EFE/www.lostiempos.com

30 Amplíe su vocabulario

Según el contexto del artículo que acaba de leer, ¿cuál es la mejor definición de cada una de las siguientes palabras?

1. rodear
   a. abrir
   b. encerrar
   c. suponer
   d. determinar

2. barranco
   a. precipicio
   b. castillo
   c. mesón
   d. arroyo

3. alzarse
   a. levantarse
   b. bajar
   c. surgir
   d. esconderse

4. apuntar
   a. anotar
   b. golpear
   c. limitar
   d. crecer

5. instigador
   a. víctima
   b. policía
   c. causante
   d. criminal

6. vinculado
   a. vendido
   b. comprado
   c. mencionado
   d. relacionado

7. resarcir
   a. donar
   b. entroncar
   c. compensar
   d. cobrar impuestos

31 ¿Por qué lo asesinaron?

Haga una lista de los posibles motivos del asesinato de Lorca. Luego escriba la reacción de la sobrina del poeta a cada uno de los motivos, usando una variedad de tiempos verbales. Intente usar algunas de las "tapitas" gramaticales y el vocabulario que ha repasado en esta lección.

Cita

Escribir es como mostrar una huella digital del alma.
—Mario Bellatín (1960–), escritor mexicano

¿Está de acuerdo con lo que dice? ¿Por qué? ¿Por qué usa Bellatín la imagen de la huella digital y del alma? ¿Por qué piensa que pudo haber hecho este comentario? Comparta sus opiniones con un/a compañero/a.

¡Dato curioso!

Miguel de Unamuno y Antonio Machado son los autores más representativos de la generación del 98. La obra de Unamuno trata su preocupación filosófica por los temas de la religión y la búsqueda angustiada de Dios. Cultivó todos los géneros (teatro, poesía, ensayo y prosa). Aunque era de Sevilla, Machado se sentía atraído por las tierras severas de Castilla, y a este paisaje dedicó sus mejores versos.

Investigue palabras clave: Miguel de Unamuno, Antonio Machado, generación del 98

¡A leer!

32 Antes de leer 👥

¿Qué sabe de la novela *Don Quijote de la Mancha* o de Cervantes? ¿Qué opina de un libro que, después de 400 años de su primera publicación, todavía tiene fama y popularidad? ¿A qué se debe?

33 El Quijote 📖

Lea el siguiente pasaje con atención e intente averiguar el significado de las palabras en azul por el contexto, ya que se le harán preguntas sobre ellas.

Don Quijote: Por qué una gran novela

Anne J. Cruz, Universidad de Miami

En 1605, en las páginas de una larga historia escrita por un autor poco conocido de nombre Miguel de Cervantes, se dibuja cabalgando por las ventosas llanuras de la Mancha una pareja que llama la atención del lector por lo inverosímil. Un hidalgo alto, flaco y cincuentón, apenas protegido por una armadura improvisada, con el escudo enmohecido y la lanza rota, va precariamente balanceado sobre un rocín famélico. A su lado, un campesino robusto y bajo se ladea en su asno, parlando y quejándose sin cesar. Lo que llevó a estas dos figuras contrastantes a abandonar su cómoda y sedentaria vida en los recintos polvorientos de la meseta central española fue la creencia del hidalgo de que estaba destinado a imitar a los caballeros famosos de antaño y tomar armas para salvar el mundo. (A) Con el fin de distraerse en las noches de hastío hogareñas, el viejo solterón había vendido su hacienda por parcelas para obtener, en cambio, las novelas de caballerías que tan populares eran en la época. Al dedicarse solitario a su lectura durante las largas noches, su imaginación se fue impregnando de las aventuras novelescas hasta quedar convencido que también a él le tocaba rectificar todos los males del mundo. El hidalgo, cuyo apellido podría haber sido Quejana o Quijano, se afana en buscar unas armas entre sus herramientas de campo, ensilla un caballejo de corcel y en emulación de sus héroes literarios, se nombra caballero con el encumbrado título de don Quijote de la Mancha. Convence a su vecino, el campesino Sancho Panza, a que le sirva de escudero, el cual, exaltado por el deseo de aventuras de su amo y por la dudosa promesa de gobernar una ínsula, deja su rústica vivienda y acepta entusiasmado

la invitación del auto-denominado caballero a unirse con él en sus pretensiones caballerescas. Los lectores de esta historia, acostumbrados a los lucidos caballeros de los cuentos medievales, jamás se habían topado con semejante pareja tan dispar. Siguiendo el modelo de los caballeros de estas novelas, don Quijote también anhela el amor de una bella doncella, distante y desdeñosa. Su amada Dulcinea, sin embargo, no es más que una figura imaginaria inventada por él para así tener a quién dedicar sus hazañas. Para confundirnos aun más, al comienzo del relato, el narrador ficticio cuenta cómo halló la historia de las aventuras de don Quijote escritas por un historiador árabe en unos trozos de papel. Al llegar al final de los primeros capítulos, ve que el relato ha terminado y sale a buscar por el pueblo algunos retazos más que contengan la continuación de la historia. Al hallarla en unos legajos en el mercado de Toledo, le paga con pasas a un morisco para que los traduzca al castellano. Éste, riéndose, le dice que allí hay algo que trata de una tal Dulcinea, mujer del pueblo que sala la carne de puerco. Feliz con el hallazgo, el narrador continúa contando la historia relatada por el mendaz historiador árabe. Por medio de esta confusión de lenguas y culturas, el autor advierte a sus lectores que a la trama de esta narración muy bien puede faltarle la verdad que deseamos y esperamos de la historia. (B) Es más: al guiñar el ojo ante el estereotipo promulgado por los cristianos de la mendacidad de los árabes, Cervantes claramente pone en duda la veracidad de todo escrito histórico. No se burla Cervantes de los árabes o musulmanes por sus diferencias religiosas ni culturales, sino que subraya la subjetividad del relato. A fin de cuentas, ¿a quién

continúa

Teacher Resources

📝 Activities 17–19

Instructional Notes

33 Before the reading, discuss with students the importance of *Don Quijote de la Mancha* and Miguel de Cervantes. Don Quixote is often nominated as the world's greatest work of fiction. Its importance in literature has produced a large and varied cultural and artistic legacy. The cultural legacy of Don Quixote is one of the richest and most varied of any work of fiction ever produced. It stands in a unique position between medieval chivalric romance and the modern novel. The novel contains many minor literary "firsts" for European literature, including psychological insights into the characters.

You might also encourage students to talk about the many film and theater adaptations of *Don Quijote de la Mancha*.

Nota cultural

Las ilustraciones en esta página y la que sigue son del francés Gustave Doré (1832–1883). Doré fue ilustrator, dibujante, grabador, pintor y escultor, y brilló en las ilustraciones de obras literarias. Trabajó en más de 120 obras, como El Quijote, la Biblia, *El Paraíso perdido* y *La Divina Comedia* y tuvo una gran influencia sobre muchos ilustradores europeos, ya que sus libros aparecieron en Francia, Inglaterra, Alemania y Rusia.

hazañas de don Quijote con las historias verdaderas que en esos días circulaban como relaciones, en especial las enviadas a la corte desde el Nuevo Mundo. **(C)** La segunda parte del Quijote, publicada una década más tarde en 1615, se enfoca con mayor atención en las aventuras de Sancho, al alcanzar por fin el ingenioso campesino su sueño de gobernar la ínsula prometida. Mientras Sancho cobra mayor realce, se va disminuyendo en nuestro caballero el poder de la imaginación hasta que el protagonista queda al margen de varios capítulos. Como en la primera parte, la pareja inverosímil deambula por los campos, encontrándose con personajes muy parecidos a los que actualmente vivían en España en el siglo XVII. Lo sorprendente, en esta segunda parte, es que los demás ya han leído la primera; desean y esperan que don Quijote actúe de la misma manera en que actuó cuando comenzaba sus andanzas. Sufre su peor humillación en manos de los duques, nobles indolentes cuya única diversión es la de manipular la ficción antes creada por don Quijote: con gran fastuosidad, celebran en su palacio la llegada del caballero y su escudero, sólo para jugarles la broma pesada de insistir en su existencia. No obstante, por hallarse don Quijote alienado en otro tiempo y espacio, sus aventuras terminan siempre por fallar y tanto en la primera como en la segunda parte, el caballero regresa derrotado a su pueblo. Si don Quijote parece un tonto para algunos, otros lo consideran un verdadero héroe. La gente se ríe del caballero por comportarse de una manera tan irracional; sin embargo, él se aferra a los principios de la caballería andante como mejor los entiende. Vive en un mundo al revés, donde las humildes posadas se vuelven castillos imponentes y las campesinas rudas se convierten en pulcras doncellas y donde todo lo que él cree ser una realidad, no es más que una invención idealizada para los demás. De igual manera, la historia de don Quijote —como toda ficción— es sólo el producto de la imaginación de alguien (y ese alguien bien podría ser un historiador árabe como un escritor castellano). Aun así, como sucede con toda la literatura que nos envuelve en el espacio de su imaginario, los deseos y fracasos de don Quijote no son más que reflejos de los nuestros. **(D)**

(Conferencia dictada en el Festival de Ravinia, en el marco de las celebraciones por los 400 años de Don Quijote.)

www.laraza.com

hay que creerle —al historiador, al traductor o al narrador? Tampoco resulta una coincidencia que don Quijote imite ciegamente las mismas novelas de caballerías que acabaron por volverlo loco. Por el contrario, el autor del libro —autor, en fin, de una obra de literatura— se burla del poder y de la atracción de la literatura, al mismo tiempo que reconoce ese mismo poder. No en vano deciden el cura y el barbero, representantes del conservadurismo propio de la Iglesia y de la burguesía, echar a las llamas de la hoguera, parodiando los autos de fe en los cuales se quemaban a los heterodoxos religiosos, a los libros que tanto le habían costado a don Quijote. Estas advertencias sobre la subversión social de la lectura, así como la ficción inherente en la historia y la historicidad de la ficción, son sólo algunas de las principales lecciones que nos enseña *Don Quijote*, el libro que hoy en día se celebra como la primera novela moderna. Cervantes escribió el Quijote en dos partes. La primera incluye numerosos ejemplos de literatura que les eran familiares a sus lectores, muchos de ellos tomados de los romances y poemas épicos medievales que alababan a héroes ficticios. De tanto leer, don Quijote a menudo confunde las novelas de caballerías y los retazos de poemas y cuentos cortos con la realidad histórica. Esta confusión asegura que el lector comparará las

Investigue palabras clave: Miguel de Cervantes, El Quijote

34 Amplíe su vocabulario 🔍

Emparaje cada palabra de la primera columna con su definición o sinónimo
de la segunda.

1.	cabalgar	a.	hablar
2.	inverosímil	b.	cerrar un ojo por un momento
3.	cincuentón	c.	caballo de trabajo
4.	escudo	d.	grandeza
5.	rocín	e.	aburrimiento, tedio
6.	famélico	f.	paje que acompaña a un caballero
7.	parlar	g.	que se ha nombrado a sí mismo
8.	polvoriento	h.	hecho heroico
9.	antaño	i.	montar a caballo
10.	hastío	j.	tropezar
11.	impregnar	k.	moro bautizado
12.	corcel	l.	cubierto de polvo
13.	escudero	m.	empapar, saturar
14.	ínsula	n.	persona de unos 50 años
15.	auto-denominado	o.	andar
16.	topar	p.	rendido
17.	desdeñoso	q.	improbable
18.	hazaña	r.	fragmento
19.	retazo	s.	que tiene mucha hambre
20.	legajo	t.	precioso
21.	morisco	u.	lugar pequeño
22.	mendaz	v.	arrogante
23.	guiñar	w.	aventura
24.	conservadurismo	x.	caballo ligero
25.	auto de fe	y.	mentiroso
26.	realce	z.	doctrina política
27.	deambular	aa.	insistir
28.	andanza	bb.	arma defensiva
29.	derrotado	cc.	en otro tiempo
30.	aferrarse	dd.	castigo público
31.	pulcro	ee.	atado de papeles

35 ¿Ha comprendido?

1. Según la autora, ¿cómo se caracteriza al principio la relación de los dos
   personajes principales?
   a. Es rústica y rudimentaria.
   b. Es difícil pensarla posible.
   c. Es muy probable.
   d. Es noble.

2. ¿Cuál es el mejor perfil del protagonista?
   a. Es un hombre distinguido, con todo lo necesario para hacerse caballero andante.
   b. Es un hombre distinguido que apenas tiene lo necesario para hacerse
      caballero andante.
   c. Es un hombre distinguido a quien le falta todo lo necesario para hacerse
      caballero andante.
   d. Es un hombre rudo que acaba de reunir todo lo necesario para hacerse
      caballero andante.

continúa

Answers

34 1. i; 2. q; 3. n; 4. bb; 5. c; 6. s; 7. a; 8. l; 9. cc; 10. e;
11. m; 12. x; 13. f; 14. u; 15. g; 16. j; 17. v; 18. h; 19. r;
20. ee; 21. k; 22. y; 23. b; 24. z; 25. dd; 26. d; 27. o;
28. w; 29. p; 30. aa; 31. t

35 1. b; 2. b;

3. ¿Quién es "un paisano que se lamenta mucho de sus problemas"?
   a. El protagonista
   b. El rocín
   c. El hidalgo
   d. El personaje que ayuda al protagonista

4. ¿Cuál es la misión del protagonista?
   a. Proteger el mundo
   b. Abandonar la vida cómoda
   c. Conquistar el mundo
   d. Todas las respuestas anteriores

5. ¿De dónde recibe don Quijote la inspiración para aventurar con Sancho?
   a. De su hogar
   b. De los libros
   c. De la geografía española
   d. De su compañero

6. ¿Cómo recibió el protagonista el nombre de don Quijote de la Mancha?
   a. Se lo dio un escudero.
   b. Se lo dio un vecino.
   c. Así se nombró a sí mismo.
   d. Lo escogió de una de sus novelas.

7. ¿Por qué decidió Sancho Panza ayudar a don Quijote?
   a. Don Quijote le iba a pagar mucho dinero después de las aventuras.
   b. Sancho esperaba ser gobernador de una ínsula.
   c. Don Quijote le convenció hacerlo para probar su amistad.
   d. Ninguna de las respuestas anteriores

8. ¿Por qué era tan popular esta historia durante la época de Cervantes?
   a. La historia era única.
   b. Había un renacimiento de interés en cosas medievales.
   c. A los lectores les gustó la novedad de la historia.
   d. Las respuestas a y c

9. Según la autora, ¿quién puede ser el autor de esta novela?
   a. Un historiador árabe
   b. Un musulmán cristiano
   c. Un morisco que vivía en Toledo
   d. Las respuestas a y c

10. ¿De qué se burlaba el autor de esta historia?
    a. De la fuerza de gobernar
    b. De la caballería medieval
    c. De la fascinación con la literatura
    d. Las respuestas b y c

11. ¿Qué hacen el barbero y el cura para interrumpir las aventuras de don Quijote?
    a. Queman sus libros.
    b. Acusan a don Quijote de robar dinero.
    c. Advierten a don Quijote de su liberalismo.
    d. Se burlan de él.

12. ¿Cómo se pueden comparar las dos partes del libro?
    a. La primera parte se concentra en don Quijote; y la segunda, en Sancho Panza.
    b. La primera parte es un relato de personajes que son similares a la familia del autor; la segunda parte es más imaginativa.
    c. Las dos respuestas anteriores
    d. Ninguna de las respuestas anteriores

13. Explique la oración "Vive en un mundo al revés".
    a. Don Quijote es un verdadero loco.
    b. Don Quijote es un verdadero héroe.
    c. Don Quijote parece un tonto para algunos, pero otros lo consideran un verdadero héroe.
    d. Don Quijote tiene una imaginación viva cuando intercambia la realidad con un mundo de fantasía.

14. Según la autora, ¿por qué es *Don Quijote* una gran novela?
    a. Porque trata temas universales
    b. Porque capta la imaginación del lector quien puede identificarse mucho con el protagonista
    c. Porque el autor ha tenido mucho éxito en explicar los deseos y los fracasos del protagonista y los lectores aprecian la riqueza del lenguaje y el mensaje del libro
    d. Porque se entiende fácilmente el personaje de don Quijote por la riqueza del lenguaje del libro

36 ¿Cuál es la pregunta?

Escriba una pregunta lógica, según la lectura, para estas respuestas.

1. Por las ventosas llanuras de la Mancha
2. Una meseta central polvorienta
3. De tiempos antaños
4. Rectificar todos los males del mundo
5. Quejana o Quijano
6. La persona a quien don Quijote dedica sus hazañas
7. Por medio de una confusión de lenguas y culturas
8. Representan el conservadurismo de la Iglesia y la burguesía.
9. La subversión social de la lectura, la ficción inherente en la historia y la historicidad de la ficción
10. La primera novela moderna

37 ¿Qué piensa Ud.?

¿Qué cree que significa la expresión *pretensiones caballerescas*? ¿Puede ofrecer algunos ejemplos de esas pretensiones? Cítelas.

38 ¿Dónde va?

La siguiente oración ha sido extraída del texto anterior: *Son dos figuras buscando hazañas asequibles en el sur de España.* ¿Dónde encajaría mejor la oración?

1. Posición A, línea 20
2. Posición B, línea 71
3. Posición C, línea 111
4. Posición D, línea 159

Cita

La tarea de la literatura no es crear belleza, sino decir la verdad.
—Javier Cercas (1962–), escritor y catedrático español

¿Está de acuerdo con lo que dice? ¿Por qué? ¿Por qué piensa que pudo haber hecho este comentario? ¿Habla Javier Cercas de la no ficción o habla de la ficción también? En su opinión, ¿la literatura tiene otro fin? ¿Cuál es? Comparta su opinión con un/a compañero/a.

¡Dato curioso!

¿Sabía que El Quijote de Cervantes se publicó en 1605, cuatro años antes de publicarse *Hamlet*, de William Shakespeare? ¿Y que los dos genios de las letras se murieron el mismo día —el 23 de abril de 1616?

Answers

35 13. d; 14. b

36 *Ejemplos:*
1. ¿Dónde viajan don Quijote y Sancho Panza? 2. ¿Cómo es la llanura? 3. ¿De dónde sale la inspiración por el libro? 4. ¿Cuál es una misión importante de don Quijote? 5. ¿Cuáles son algunos apellidos posibles del protagonista de la novela? 6. ¿Quién es Dulcinea? 7. ¿Cómo advierte el autor que el lector puede ser desilusionado con la historia? 8. ¿Qué representan el barbero y el cura en la historia? 9. ¿Cuáles son algunas lecciones que nos enseña el personaje don Quijote? 10. ¿Cómo se celebra hoy en día el libro?

37 Answers will vary; for example: *Pretensiones caballerescas* son las aventuras de don Quijote y Sancho Panza mientras iban de caballero y escudero como en tiempos medievales. Algunos ejemplos: las humildes posadas se convierten en castillos imponentes y las campesinas rudas en pulcras doncellas; los molinos de viento y las botas de vino son gigantes; una pobre campesina es doña Dulcinea del Toboso, nombre inventado por Don Quijote para sustituir el de Aldonza. Don Quijote confunde las novelas de caballerías y los poemas y cuentos cortos con la realidad histórica. Él sigue los principios de la caballería andante.

38 1. Posición A, línea 20

Instructional Notes

After students discuss the terms *belleza* and *verdad* in the *Cita*, ask them to cite examples from literature that create and show beauty and truth. Have students compare the works they cited and discuss what they have in common.

Additional Activities

Trabajo de investigación
Encourage students to search the Web for anecdotal information on the life of Cervantes and his work.

Las noticias de hoy
See p. TE28.

Instructional Notes

39 You might lead students in a discussion on how literacy evolved in the United States, the important role that the family has played in literacy throughout the country's history, particularly the important role of a parent as teacher.

40 Remind students of the importance of *Don Quijote* as a novel, and the importance of literacy in early America and Latin America.

---

39 Antes de leer

¿Piensa que la literatura europea llegó a las Américas con los primeros colonos a partir del año 1492? Si no, ¿cómo cree que llegaron los libros? ¿Quiénes leerían esa literatura?

40 El Quijote 📖

Lea el siguiente texto con atención, fijándose en las palabras en azul, ya que se le harán preguntas sobre ellas.

El Quijote en las Américas: la llegada y el exilio

Una orden real prohibía enviar al Nuevo Mundo obras "de imaginación". Sin embargo, los primeros ejemplares del Quijote llegaron en 1605, el mismo año en que salió de las prensas madrileñas. De modo
⁵que hoy se están cumpliendo, también, los 400 años de la novela en América. Aunque, en rigor, los primeros ejemplares hayan visto la luz en Valladolid a fines de 1604.

• Las primeras huellas
Don Quijote de la Mancha fue leído en el siglo
¹⁰XVII como mera obra de burlas. Igual tuvo un éxito inmediato, en España como en América, que fue decayendo para renacer prestigiado en el XIX. Ricardo Palma, en sus *Tradiciones peruanas* (1872), dice haber visto un ejemplar dedicado por Cervantes
¹⁵a un amigo de juventud, Juan de Avedaño, quien residía en Lima en 1606. Un año después aparecen disfraces de don Quijote y Sancho en las fiestas populares limeñas. El edicto real, que también impedía publicar en América libros de ficción,
²⁰nunca se derogó, aunque fue dejando de cumplirse. Esto explica la fecha tardía de las ediciones del

Quijote en el subcontinente. La primera sale en México en 1833, donde se reeditará cinco veces más en
²⁵el siglo. En Valparaíso se realiza una edición abreviada en 1863, mientras que en 1880 sale en Montevideo el primer Quijote de América del Sur, por más que la edición argentina
³⁰—publicada en La Plata en 1904— luce en su portadilla la inscripción "Primera edición sudamericana". Hasta 1930 la anterior era desconocida. El hallazgo de esta rareza correspondió
³⁵a Arturo Xalambrí, quien atesoró una importante biblioteca cervantina. El Quijote uruguayo fue publicado en entregas por el periódico *La Colonia Española*, por lo que se ha estimado que la edición
⁴⁰no pasaría de los quinientos ejemplares. La primera referencia americana se anota en Chile, en 1746. En el Río de la Plata se encuentran ejemplares de la novela en las bibliotecas jesuíticas de Montevideo, Buenos Aires, Santa Fe y Córdoba. Con seguridad,
⁴⁵el ejemplar del Quijote de los jesuitas fue el que leyó con devoción el primer escritor montevideano.

• Literatura cervantina
Por toda América hubo importantes cervantistas en el siglo XIX. Pero Cervantes no fue un escritor imitado, como ocurrió con Góngora o Quevedo.
⁵⁰El que llegó más lejos fue el ecuatoriano Juan Montalvo (1833–1889). En 1882 da a conocer sus *Siete tratados*, el último de los cuales —"El buscapié", un ensayo sobre el Quijote— servirá como prólogo a los Capítulos que se le olvidaron a
⁵⁵Cervantes.

• Cervantes en el 1900
Cuando en 1905 se cumple el tercer centenario de la novela, la crítica española estaba dominada por

la "generación del 98". Entonces se publica *Vida de Don Quijote y Sancho*, de Miguel de Unamuno, y antes o después la figura del hidalgo será retomada por casi todos los del grupo. La crisis de España encontró eco en Hispanoamérica. Aunque las causas fueran otras, la situación abonaba las mismas preguntas y parecidas respuestas. La amenaza del poderío norteamericano y la necesidad de construir modelos nacionales, volcó a muchos intelectuales —como José Enrique Rodó y Rubén Darío— hacia las raíces españolas y la "raza" latina. En ese cruce, *Don Quijote de la Mancha* emergió en los discursos de los centenarios de 1905 y 1916, con una carga ideológica que pronto lo transformó en mito.

• **Don Quijote en el exilio**
Cipriano S. Vitureira expresa en Montevideo una visión integradora del hombre —que es a la vez Quijote y Sancho— y un también nuevo y enaltecedor concepto de "pueblo". De igual modo, Cervantes sigue estando por encima de los bandos, "no les pertenece ni a los pancistas ni a los quijotistas, ni a los ahítos de poder ni a los de gloria". La premonición de Cervantes sólo se cumplió cabalmente con el fin de la Guerra Civil: la desaparición de España como idea histórica.

• **Hispanidad y centenario**
Los homenajes de los centenarios suelen ser poco propicios a la novedad. En 1916 Alfonso Reyes había advertido estos riesgos: "La mejor manera de honrar al autor del Quijote es no aumentar la secta de cervantistas, sino acrecer el número de los lectores". En 1947 había dos caminos para celebrar a Cervantes: el oficial, que se nutría de una tradición fuerte en América de hispanismo conservador, y las alternativas con que respondían los antifranquistas.

El homenaje de la Academia Argentina de Letras, en el que participó el Embajador de España, se cerró con un discurso del presidente Juan Domingo Perón. De nuevo el Quijote es funcional a estrategias políticas y solidifica alianzas contra el poder del Norte. Perón propicia la unidad hispánica: "Recordar a Cervantes es reverenciar a la madre España; es sentirse más unidos que nunca a los pueblos que descienden legítimamente de tan noble tronco; es afirmar la existencia de una comunidad cultural de la que somos parte y de una continuidad histórica que tiene en la raza su expresión objetiva más digna".

• **Cervantes en la novela**
Es un lugar común decir que el Quijote es la primera novela de la modernidad y que muchos de sus recursos narrativos reaparecen en el siglo XX. Bastan los nombres de Jorge Luis Borges, Mario Vargas Llosa, Carlos Fuentes y hasta Guimarães Rosa, para mostrar que en América ha sido un libro cuya incidencia consolida una poética irrecusable. Alejo Carpentier llamó a su autor el "padre de todas las novelas", y cuantos recibieron el Premio Cervantes lo confirmaron. "Si algún día tuviera poder suficiente, decretaría universalmente la lectura de *El Quijote*", dijo Juan Carlos Onetti cuando de manos del rey Juan Carlos recibió la distinción en 1980. El amor que se le ha profesado en estas latitudes va más allá del acatamiento a un modelo de lengua —la lengua de Cervantes—, concepto muy atado al discurso escolar y a un hispanismo impermeable a la dinámica social, cultural y lingüística. Entonces el Quijote abrió nuevas puertas a su propia interpretación y se convirtió en un precursor obligatorio.

www.laraza.com

41 ¿Qué significa? 🔍

Escriba una definición para cada término del recuadro. Siga el modelo.

MODELO madrileño: persona de Madrid

limeño	cervantista	quijotista
cervantino	ecuatoriano	antifranquista
montevideano	pancista	

42 Amplíe su vocabulario 🔍

¿Cuál es la mejor traducción?

1. prensa
   a. press
   b. editorial
   c. journalist
   d. publisher

2. en rigor
   a. ideally
   b. strictly speaking
   c. well organized
   d. hot off the press

3. mero
   a. poor
   b. sophisticated
   c. detailed
   d. simple

4. derogar
   a. to question
   b. to enforce
   c. to abolish
   d. to use

5. portadilla
   a. title page
   b. front cover
   c. footnote
   d. appendix

6. entrega
   a. chapter
   b. installment
   c. section
   d. none of these

7. abonar
   a. to abandon
   b. to lend weight to
   c. to avoid
   d. to question

8. enaltecedor
   a. simple
   b. complicated
   c. subtle
   d. exalted

9. ahítos
   a. those who question
   b. those who embrace
   c. those who deny
   d. those who are fed up with

10. cabalmente
    a. awkwardly
    b. simply
    c. completely
    d. partially

11. propicio
    a. extensive
    b. confusing
    c. organized
    d. favorable

12. irrecusable
    a. unchallengeable
    b. irresistible
    c. disrespectful
    d. irrational

13. acatamiento
    a. summary
    b. compliance
    c. exception
    d. none of these

43 ¿Ha comprendido?

1. ¿Por qué se consideraba la publicación de *Don Quijote* un poco rara en las Américas del siglo XVII?
   a. Se había prohibido la publicación de libros en esta época por falta del dinero.
   b. Se había prohibido la publicación de libros en esta época por falta de interés.
   c. Se había prohibido la publicación de este libro en esta época por su contenido.
   d. Ninguna de las respuestas anteriores

2. ¿Cómo se pudo notar la influencia de este libro en las Américas en el siglo XVII?
   a. Se vendieron muchos libros en las librerías peruanas.
   b. Los limeños se disfrazaron de los personajes del libro en 1607.
   c. Se publicó el libro clandestinamente en Perú en 1606.
   d. Las respuestas a y c

3. ¿Por qué se publicó el libro por entregas en Uruguay?
   a. Porque tenía muchas partes ofensivas al público y querían medir la reacción del público antes de publicar más
   b. Porque no pensaban publicar muchos ejemplares de la novela
   c. Porque había poca gente que leía en esa época
   d. Las respuestas a y c

4. ¿Cómo se transformó la popularidad del libro a partir del tercer centenario?
   a. Se disminuyó su popularidad debido al contenido.
   b. Denunciaron el libro.
   c. No se transformó; su popularidad quedó igual.
   d. Se convirtió en mito.

5. ¿Por qué mencionó Perón el libro en un discurso?
   a. Quería distanciarse de España y todo lo que representaba.
   b. Quería rendir homenaje a la grandeza del libro.
   c. Quería ayudar a la venta de los libros en su país.
   d. Quería animar a los escritores argentinos.

6. ¿Qué quiere decir "se convirtió en un precursor obligatorio"?
   a. Implica que los escritores tienen que leer este libro para comprender el género de la novela.
   b. Implica que Cervantes reaccionó a muchas influencias antes de escribir su novela.
   c. Subraya la importancia de este libro en la historia de la novela moderna.
   d. Ninguna de las respuestas anteriores

44 Responda brevemente

¿Cree que la publicación de *Don Quijote* ayudó a la unión lingüística y cultural entre España y las Américas a través de los siglos? ¿Por qué? Si su respuesta es negativa, ¿qué papel tuvo la publicación de este libro en las Américas?

45 Lea, escuche y escriba/presente

Después de leer "El Quijote en las Américas: la llegada y el exilio", escuche la grabación "El Quijote enseña que por dignidad se puede dar la vida" y tome las notas necesarias. Escriba un ensayo o haga una presentación en clase sobre el siguiente tema: "La influencia de Cervantes y de *Don Quijote* en la literatura mundial y en nuestro mundo".

Cita

El recuerdo que deja un libro es más importante que el libro mismo.
—Gustavo Adolfo Bécquer (1836–1870), poeta y prosista español

¿Está de acuerdo con esta cita? Describa los recuerdos que le ha dejado un libro que ha leído. ¿Qué opina de los que hacen análisis literarios? ¿Cuál es el valor de estos análisis? Comparta su opinión con un/a compañero/a.

¡Dato curioso! ¿Sabía que con las ventas de tantos i-Pods se hacen más populares los audiolibros? Un audiolibro es una grabación del contenido de un libro leído en voz alta. Algunos audiolibros tienen versiones completamente dramatizadas del libro impreso, a veces con un grupo de actores, música y efectos sonoros. La mayoría de los títulos nuevos de las editoriales principales están disponibles en formato audiolibro simultáneamente con la publicación de la edición de tapa dura.

Teacher Resources

Activity 45 (CD 5, track 3)

Answers

43 2. b; 3. b; 4. d; 5. b; 6. a

44 Answers will vary.

Instructional Notes

45 You might want to review the following words before students listen to the audio: *huida*, flight; *barracón*, prison cell; *desgraciado*, unfortunate one; *humus*, organic matter; *hurgar*, to stir up; *relanzamiento*, relaunching; *aldeano*, rustic/having to do with villages.

Cita

You might want to see which books have had the most impact on students and ask them to discuss what made these books so memorable.

Direct students to a discussion of the i-Pod and audiobook industry that are mentioned in the *Dato curioso*. Ask them to compare and contrast the advantages and disadvantages of reading a book and listening to it.

Answers

46 1. c; 2. a; 3. b; 4. d; 5. b

47 1. b;

Instructional Notes

46 You might want to review the following words before students listen to the audio: *puja en la casa de subastas londinense*: bid at the London auction house; *pantalla*, screen.

The questions for audio activity 46 appear below.
1. ¿Cuál es un sinónimo de *inglés* cuando se refiere a la nacionalidad?
2. ¿Dónde se vendió esa rara edición?
3. ¿Quién la compró?
4. ¿Por qué tenían que continuar la subasta en otro lugar?
5. ¿Qué esperaba recibir Sotheby's por esta edición?

47 You might want to review the following words before students listen to the audio: *encarnar*, to embody; *espada*, sword; *látigo*, whip.

Question 1 for audio activity 47 appears below.
1. ¿Por qué es Zorro un héroe justiciero?

¡A escuchar!

46 Una edición de Shakespeare

Lea las posibles respuestas primero y después escuche "Venden rara edición de obras de Shakespeare". Escoja la mejor respuesta para la pregunta que escuchará en la grabación.

1. (Pregunta que escuchará en la grabación.)

   a. Londinense
   b. Euro
   c. Británico
   d. Una puja

2. (Pregunta que escuchará en la grabación.)

   a. En una puja
   b. En la casa de un marchante londinense
   c. En el sótano de Sotheby's
   d. En la casa de un maestro de literatura

3. (Pregunta que escuchará en la grabación.)

   a. Una puja
   b. Un marchante londinense
   c. El fundador de Sotheby's
   d. Un maestro de literatura

4. (Pregunta que escuchará en la grabación.)

   a. Porque la edición era tan rara que necesitaban mostrarla en un lugar especial
   b. Porque había solamente unos pocos invitados a la subasta
   c. Porque el público se portaba mal en la sala donde se vendía esta edición
   d. Porque el público no cabía donde se vendía esta edición

5. (Pregunta que escuchará en la grabación.)

   a. 20 chelines
   b. 3,5 millones de libras
   c. Más de 15 millones de euros
   d. 10 mil dólares

47 Isabel Allende

Lea las posibles respuestas primero y después escuche la grabación "Isabel Allende presenta su nuevo libro en Madrid". Escoja la mejor respuesta para la pregunta que escuchará en la grabación.

1. (Pregunta que escuchará en la grabación.)

   a. Lucha por los ricos.
   b. Lucha por mejorar el mundo.
   c. Lucha por mejorar la política.
   d. Los pobres necesitan dinero y Zorro les regala mucho.

2. (Pregunta que escuchará en la grabación.)

   a. En la política
   b. En los negocios
   c. En las escuelas
   d. En la política y en los negocios

3. (Pregunta que escuchará en la grabación.)

   a. Sí, hay muchos.
   b. No, porque dice que es imposible encarnar los valores hoy en día.
   c. No personalmente, pero dice que debería existir.
   d. Sí, pero hay muy pocos.

4. (Pregunta que escuchará en la grabación.)

   a. En Barcelona
   b. En el sur de California
   c. En Chile
   d. En Barcelona y en el sur de California

5. (Pregunta que escuchará en la grabación.)

   a. Les planta una "Z" en su vestimenta.
   b. Los mata.
   c. Los hace sufrir en público.
   d. Los lleva a la policía para que los arresten.

6. (Pregunta que escuchará en la grabación.)

   a. El mito de Che Guevara
   b. El mito de la Revolución Francesa
   c. El mito de Peter Pan
   d. El mito de Robin Hood

48 Participe en una conversación

Ud. va a participar en una conversación. Primero lea la descripción de la conversación y piense en algunas palabras o expresiones que le serían útiles. Organice sus ideas, haciendo predicciones sobre lo que se le pueda preguntar o comentar. Una descripción de lo que va a escuchar aparece abajo en color. Participe en la conversación grabando las respuestas o escribiéndolas en su cuaderno.

Escena: Ud. está hablando con su amigo Rubén de una tarea para la clase de literatura.

Rubén:	Le pregunta sobre la tarea.
Ud.:	• Contéstele.
Rubén:	Le hace unas preguntas.
Ud.:	• Contéstele.
Rubén:	Sigue la conversación con más preguntas sobre la tarea.
Ud.:	• Reaccione a sus preguntas. Sugiera que usen el audiolibro.
Rubén:	Sigue la conversación con otras preguntas.
Ud.:	• Conteste sus preguntas.
Rubén:	Sigue la conversación, hace otras preguntas y se despide.
Ud.:	• Contéstele. Haga un comentario y despídase.

 Activity 48 (CD 5, track 6)

 Activity 26

Answers

47 2. a; 3. c; 4. d; 5. a; 6. b

Instructional Notes

Questions 2–6 for audio activity 47 appear below.

2. Según la autora, ¿dónde se necesita este tipo de héroe hoy en día?
3. ¿Conoce la escritora a alguien que encarne los valores de Zorro hoy en día?
4. ¿Dónde tiene lugar la historia del libro?
5. ¿Cómo humilla Zorro a sus adversarios?
6. En el libro de Isabel Allende, ¿qué mito *no* usa la autora?

Audioscript Activity 48

Rubén: ¡Hola! ¿Qué tal? ¿Puedes creer que tenemos que leer este libro de 600 páginas? ¡Y en dos semanas! ¡Increíble! ¿Qué podemos hacer?
[STUDENT RESPONSE]

Rubén: ¿Sabes si hay una versión abreviada del libro? ¿Hay un audiolibro? ¿Cómo podemos con todo esto en dos semanas?
[STUDENT RESPONSE]

Rubén: ¿Te gustaría usar el audiolibro? ¿Tienes un i-Pod? ¿Podemos bajar una versión abreviada de la Red? ¿Cómo dividimos el trabajo?
[STUDENT RESPONSE]

Rubén: Pero, ¿vamos a perder detalles del libro si solamente lo escuchamos? ¿Cómo podemos sacar una buena nota en la prueba sobre el libro?
[STUDENT RESPONSE]

Rubén: Vale, de acuerdo. Estoy ocupadísimo. ¿Puedes comprar el audiolibro? Tengo que irme. ¿Cuándo vamos a empezar?
[STUDENT RESPONSE]

¡A escribir!

49 Texto informal: cómo se adapta un libro al cine

Escriba en un blog. Hable sobre cómo se adapta un libro para hacer una película. Escoja un libro que ha leído y que ha sido adaptado al cine. Incluye lo siguiente:

- La popularidad del libro.
- La popularidad de la película.
- La fidelidad al contenido del libro.
- La fidelidad a los personajes del libro.

50 Texto informal: cómo mejorar el vocabulario

En un foro alguien pide consejos sobre cómo podría mejorar su vocabulario (en inglés o en español). Dele consejos a esta persona.

- Dele razones para mejorar su vocabulario.
- Diséñele un plan para ir mejorando su vocabulario cada día.
- Háblele de los beneficios de leer para mejorar su vocabulario.

51 Ensayo: una carrera en letras

Escriba un ensayo contestando la pregunta, "¿Cuáles son los beneficios y los obstáculos de seguir una carrera en letras?"

52 Ensayo: los libros

Escriba un ensayo en el que hable de los beneficios y los retos de leer un libro en el formato tradicional en papel. Compare esta experiencia con la que se tendría con un audiolibro, una versión abreviada o una película.

53 En parejas

Intercambie sus ensayos con un/a compañero/a. Exprésele su opinión sobre el contenido y el uso del idioma.

Consejo

Antes de empezar, lea las pautas para escribir textos informales en la pág. 480 del Apéndice. Mientras escribe el texto tenga presente los objetivos. Cuando termine, verifique que ha cumplido con todo lo que se describe en la lista y reflexione sobre su trabajo.

Consejo

Antes de empezar, lea las pautas para escribir ensayos en la pág. 480 del Apéndice. Mientras escribe el ensayo tenga presente los objetivos, y no se olvide de ponerle un título original. Cuando termine, verifique que ha cumplido con todo lo que se describe en la lista y reflexione sobre su trabajo.

¡A hablar!

54 Charlemos en el café

Ud. va a debatir los siguientes temas con un/a compañero/a. Uno estará a favor de lo que se ha dicho y otro en contra. El debate durará varios minutos. El/La estudiante que esté de acuerdo comenzará el debate y hablará por unos diez segundos. Cuando el/la profesor/a lo indique, el/la otro/a estudiante tomará la palabra y expresará su opinión por otros diez segundos, y así sucesivamente.

1. El trabajo de los literatos contribuye poco a la vida práctica de los seres humanos.
2. La literatura de los Estados Unidos no es tan rica ni tan variada como la literatura española o latinoamericana.
3. Es necesario que alguien controle las nuevas palabras que entran en un idioma.
4. En mi opinión, el mejor periódico de los Estados Unidos es... porque....
5. Es bueno y necesario censurar los libros en las escuelas.

55 ¿Qué opinan?

Converse con un/a compañero/a sobre estas situaciones o preguntas.

1. Si Ud. pudiera hablar con cualquier escritor (actual o del pasado), ¿con quién le gustaría hablar y por qué? ¿De qué hablarían Uds.?
2. ¿Cree que la literatura refleja bien la cultura de un país? ¿Por qué? ¿Cómo lo hace?
3. Piense en las versiones múltiples de la leyenda de El Zorro. ¿Cree que vale la pena escribir una nueva versión sobre el mismo tema? ¿Qué podría ofrecer una nueva versión?

56 Presentemos en público

Conteste una de las siguientes preguntas o haga una presentación oral sobre uno de los temas durante varios minutos en clase. Organice sus ideas antes de hacer la presentación, busque las palabras necesarias y, después de practicar, presente en clase sin mirar las notas.

1. Hable de un movimiento literario que conozca bien o que quiera investigar. ¿Cómo se desarrolló este movimiento? ¿Es una escuela o un movimiento? ¿Cuál es la diferencia entre los dos?
2. Si pudiera recomendar a un autor o autora a sus compañeros, ¿a quién les recomendaría? ¿Por qué?
3. Ud. es un gran experto de un género literario y de un autor hispano (por ejemplo, la poesía del nicaragüense Rubén Darío, o las obras de teatro del español García Lorca). Presente la información a sus compañeros. Hable de la época en que escribió y de lo que ocurría política, histórica y artísticamente durante ese tiempo. Hable del impacto que tuvo el escritor y de otros escritores que ejercieron influencia sobre él (o ella). Cite al menos tres de sus obras y coméntelas.
4. Piense en un autor cuyas obras han afectado seriamente a nuestro mundo. Hable del impacto que ha tenido este autor y su obra en la vida cotidiana y en la vida literaria; por ejemplo, podría citar a Dan Brown y *El código Da Vinci*; J.K. Rowling y la serie sobre Harry Potter; John Grisham y su serie de libros sobre el crimen como *Tiempo de matar*; o Salman Rushdie y *Los versos satánicos*.

Consejo
Antes de empezar, lea las pautas para presentaciones formales en la pág. 481 del Apéndice. Mientras formula su presentación tenga presente los objetivos. Cuando termine la presentación, verifique que ha cumplido con todo lo que se describe en la lista y reflexione sobre el trabajo que hizo.

Instructional Notes

54 Because all students will speak, allow them time to prepare this activity. Be sure to tell students which issue and which side of the issue they will be debating, so that they can do some research and practice before their debate.
After students have debated these issues with a partner, you might want them to continue the debate in small groups, or even have a discussion with the whole class on one or two of these topics.
You might want to show a word bank on an overhead transparency to make sure that students use the new vocabulary.

55 Encourage students to review the vocabulary at the end of the lesson in order to enhance their discussions. They need to pay attention to the grammar, pronunciation, and intonation, and use appropriate vocabulary to contradict or agree with their partner's comments. After students discuss these questions with a partner, you could hold a whole-class discussion.

56 Review the *Pautas para presentaciones formales* on p. 481, and refer students to their copies of the guidelines given to them in *Lección 1A* (*Antes y durante una presentación*). (See p. 27 of this Annotated Edition.) Assign these presentations as homework so students have more time to prepare.

Additional Activities

Las noticias de hoy
See p. TE28.

57 Before students start their projects, go over the questions from *Lección 1A*, p. 28. Students should have a copy of these questions for each project.
Remind them that after they complete their project, they will self-assess their work as a team using the grading system 1–5 (5 being the highest, and 1 the lowest) and write a grade next to each question. After they turn in their work or make their presentation to the class, you will review their project and write your comments and evaluation next to theirs.

Proyectos

57 ¡Manos a la obra!

Trabaje en un grupo de cuatro o cinco estudiantes para llevar a cabo uno de los siguientes proyectos y presentarlo en clase.

- Les han encargado que diseñen una nueva revista literaria en su escuela o universidad. Esta revista tiene que captar el interés de los estudiantes y la comunidad. Decidan el formato y el contenido de la revista, las veces que se publicará y cómo van a solicitar artículos y encontrar autores. Expliquen también los criterios que Uds. van a seguir para aceptar o no estos artículos.

- Van a presentar una lista de los diez autores favoritos de un grupo de compañeros. Hablen de cómo se llegó a establecer la lista, por qué aparecen algunos autores en la lista y otros no. Hablen de las obras de los autores favoritos y coméntenlas.

- Hagan un anuncio para promover un nuevo club de lectores en su escuela o universidad. Decidan si va a ser un anuncio gráfico, de radio o de televisión. No se olviden de incluir las ventajas de ser miembro de este club.

- Imaginen que en su escuela o universidad han censurado un libro que Uds. iban a leer en la clase de literatura. Piensen en el título del libro y su contenido controversial (puede ser real o ficticio). Presenten una petición a la administración de la escuela, pidiéndoles que revoquen la censura. Hay que tener una buena estrategia para convencerles.

Vocabulario

Verbos

acrecentar (ie)	to increase
alzarse	to rise up
anotar	to annotate, note
apuntar	to point out
apuñalar	to stab
derogar	to abolish
derrotar	to defeat
donar	to donate
estrenar	to perform for the first time
fallecer	to die
mantener	to maintain
recluir	to confine
rehusar	to refuse
resarcir	to repay, compensate
rumorear	to rumor
saquear	to loot, plunder, ransack

Verbos con preposición

verbo + a:

aferrarse a	to cling to
unirse a	to join

verbo + con:

convivir con	to live together with
experimentar con	to experiment with
toparse con	to bump into

verbo + de:

servir (i) de	to serve as

verbo + en:

envolverse (ue) en	to become involved in

Sustantivos

el	acatamiento	compliance
la	actualidad	the present (time), nowadays
el	alzado	rebellious one
la	comedia	comedy
el	contenido	contents
la	crítica	criticism, critique
el	cuento	short story
el	decorado	set, scenery
el	derecho	law
el	desafuero	outrage
el	descubrimiento	discovery
el	diario	(daily) newspaper
la	elegía	elegy
el/la	ensayista	essayist
el	ensayo	essay
el	escenario	setting
el/la	escritor(a)	writer
el	guión	script
el	hallazgo	discovery
la	hazaña	exploit

la	incidencia	effect, impact; incidence
el	inicio	start
las	letras	Letters (*literature*)
el/la	literato/a	writer, person of letters
el	más allá	the other world
la	muestra	sample
la	oda	ode
la	Oratoria	Oratory
el	periodismo	journalism
el/la	periodista	journalist
el	poema	poem
la	portada	cover (*of a book*)
la	portadilla	title page
la	prensa	press
el	promedio	average
la	prosa	prose
la	rencilla	quarrel
la	reseña	critique, review
el/la	sabio/a	scholar, learned/wise man/woman
la	sátira	satire
el	seudónimo	pseudonym, pen name
el	sinfín	great many
el	temor	fear
la	ternura	tenderness
la	tragedia	tragedy
la	vinculación	connection, link

Adjetivos

andaluz(a)	Andalusian
autodestructivo, -a	self-destructive
contemporáneo, -a	contemporary
desamparado, -a	deserted
desgarrador(a)	heartbreaking
disparatado, -a	absurd
eminente	prominent, distinguished
fantástico, -a	fantastic, imaginary
fructífero, -a	productive, fruitful
híbrido, -a	hybrid
inverosímil	unlikely, improbable
irrecusable	unchallengeable
laureado, -a	laureate, awarded a prize
mendaz	lying, untruthful
mero, -a	mere, simple
propicio, -a	favorable
realista	realistic
vanguardista	modernist, avant-garde
vinculado, -a	connected, linked

Adverbios

apenas	hardly, scarcely
cabalmente	completely
sumamente	extremely

Teacher Resources

 Activities 30–34

 Visite la página Web de *¡A toda vela!* en www.emcp.com

Additional Activities

Juegos

To practice vocabulary and grammar from the lesson, ask students to play any of the following: *Dibuje, defina o gesticule, Relevos,* or *Historias en cadena.* See pp. TE24 and TE25.

Ask students to do any of the following activities to practice and strengthen the vocabulary or grammar presented in this lesson: *¿Cuáles son las diferencias?, Hablen sobre esta foto, ¡Post-it!,* or *Repaso Expreso.* See pp. TE26–TE28.

Ask students to do one or both of the following activities to practice the culture topics presented in this lesson: *Gráfico sobre un tema* or *Encuesta.* See p. TE27.

See ExamView for assessment options.

Expresiones

la ciencia ficción	science fiction
de tapa dura	hardcover
en rigor	strictly speaking
el género literario	literary genre
la obra de teatro	play
las obras literarias	literary works
el poema épico	epic poem
por entregas	in installments
el Premio Nobel de Literatura	Nobel Prize in Literature
el realismo mágico	magical realism
tras	after, behind

A tener en cuenta
Acentos

En todas las palabras de más de una sílaba hay una sílaba que se pronuncia con más fuerza que las demás. Las palabras con una sílaba acentuada se llaman *tónicas* y reciben los siguientes nombres según el puesto que ocupe la sílaba acentuada.

Las palabras *agudas* son las que tienen el acento en la última sílaba; llevan tilde (acento escrito) si terminan en vocal, *n* o *s*:

actualidad   derrotar   mendaz   temor   allá   guión   café   sinfín   jamás

Las palabras *llanas* o *graves* son las que tienen el acento en la penúltima sílaba; llevan tilde (acento escrito) si no terminan en vocal, *n* o *s*:

ensayo   hazaña   orden   hablamos   mariposas   débil   símil   líder

Las *esdrújulas* son las que tienen el acento en la antepenúltima sílaba; todas han de llevar tilde:

épico   exámenes   crítica   híbrido   sátira   seudónimo   fantástico   periodístico

Las *sobresdrújulas* son las que tienen el acento en la sílaba antes de la antepenúltima; todas han de llevar tilde:

envuélvamelo   anóteselos   manténganmelas

Las palabras sin sílaba acentuada se llaman *átonas*; ejemplos incluyen los artículos *el, la, los, las, lo*; algunas preposiciones como *a, de, con* y *por*, y algunos pronombres. A veces el acento escrito cambia el sentido de estas palabras:

el	the	él	he	
mi	my	mí	me	
tu	your	tú	you	
te	you, yourself	té	tea	
se	him/her/one/yourself	sé	I know; be (*imperativo informal*)	
si	if	sí	yes; oneself	
mas	but	más	more	
de	of, from	dé	give (*imperativo formal*)	

Lección B

Objetivos

Comunicación
- Hablar de poesía
- Identificar editoriales
- Comprender la importancia de escribir bien
- Hablar de la lengua española
- Comprender cómo aprendemos

Gramática
- Estrategias de escritura: palabras y vocabulario
- Repaso de los tiempos verbales

"Tapitas" gramaticales
- *y / e*
- otros usos de *se* con verbos
- sinónimos
- *hay*
- frases en aposición
- la falta de artículos
- pronombres de objeto directo
- verbos con cambio de raíz en el presente
- verbos seguidos de preposición
- usos de *alguno, cuyo, ya* y *eso*

Cultura
- Las técnicas poéticas
- Los nuevos diccionarios
- Los editoriales
- La grafología
- La tradición de escribir cartas
- La riqueza de la lengua española
- Cómo aprendemos
- El éxito académico

Visite la página Web de
¡A toda vela! en
www.emcp.com

Lección 5B   267

Nota cultural

Los periódicos que se ven en la foto son de varias regiones geográficas de España. *Regió7, El Punt, Segre, Diari de Terrassa* y *Diari de Sabadell* son catalanes. *Gara*, que significa *Somos* en vascuence, es un periódico bilingüe en vascuence y castellano que se publica en San Sebastián, Guipúzcoa. *Marca* (se ve sólo la "M" de la portada) es un periódico nacional que trata sólo los deportes.

Answers

1 Answers will vary.

2 Dialogues will vary.

Instructional Notes

After students discuss the *Cita* with their partners, ask them if they know any literary works that have provoked violent reactions on publication. Help them create a list and ask students to do a Web search of these works and compare and contrast what they found.

Additional Activities

Composición

Once students have practiced their dialogues, ask them to prepare a short composition on one of the communication objectives on p. 267.

---

1 Conteste las preguntas 👥

Piense en las respuestas a las siguientes preguntas. Ud. puede tomar notas si lo considera necesario. Cuando termine, compare sus respuestas —pero sin mirar sus notas— con las de un/a compañero/a.

1. ¿Les escribe Ud. mucho a sus amigos o familiares? ¿Qué suele escribir y cuándo lo hace?
2. Cuando tiene que escribir algo para una clase, ¿qué prefiere escribir: informes u obras de algún género literario? Explique por qué tiene esta preferencia.
3. Describa los géneros literarios en los que ha tenido que escribir para sus clases. ¿Cuáles prefiere escribir? ¿Por qué?
4. ¿Cree que estamos perdiendo la costumbre de escribir cartas a mano? ¿Piensa que el correo electrónico ha mejorado la comunicación o que la ha dañado? Explique por qué.
5. ¿Qué opina sobre el arte de escribir? ¿Cree que es un arte o una profesión como otra cualquiera? Defienda su punto de vista con ejemplos concretos.
6. Nombre a algunos escritores contemporáneos que se han hecho famosos por su género literario. Describa sus obras y su estilo.
7. ¿Qué opina del teatro contemporáneo? ¿Le parece una actividad puramente social o es un vehículo literario para provocar los pensamientos del público?
8. Nombre algunas carreras en las que es importante saber escribir bien.
9. ¿Qué nos puede decir la forma de escribir sobre el carácter de una persona?
10. ¿Qué importancia tiene una carta de recomendación bien escrita para la universidad o un posible trabajo? ¿Se puede conocer a la persona descrita por lo que dice el/la escritor(a)?

2 Mini-diálogos 👥

Ud. va a crear un mini-diálogo con un/a compañero/a. Lea la descripción de la conversación antes de empezar. Puede tomar notas para organizar sus ideas, pero no las mire mientras conversa.

Escena: Un/a amigo/a le pide consejos a otro/a para escribir una composición para la clase de español.

A: Pregúntele cuáles son los elementos necesarios para escribir una buena composición y pídale consejos sobre los posibles temas.

B: Explíquele qué son estos elementos y mencione algunos temas.

A: Pregúntele qué detalles debe incluir y por qué es necesario hacer un esbozo.

B: Contéstele y dígale que debe citar fuentes en su composición.

A: Reaccione y pídale cómo citar una fuente.

B: Explíqueselo y despídase.

A: Dele las gracias y despídase cordialmente.

Cita

La pluma puede llegar a ser más cruel que la espada.
—Robert Burton (1577–1640), erudito inglés

👥 ¿Bajo qué circunstancias puede ser más cruel, o más poderosa, la pluma que la espada? Comparta sus opiniones con un/a compañero/a.

●Dato ¡curioso!

En 1975, dos años después del golpe militar en Chile, Isabel Allende se refugió en Caracas, donde empezó a escribir *La casa de los espíritus*, novela que cuenta la vida de una familia envuelta en los cambios políticos y económicos en Latinoamérica. La novela fue un éxito, y en ella hay elementos de realismo mágico, que consiste en mezclar lo real con lo sobrenatural. El creador de este género literario es el colombiano y Premio Nobel, Gabriel García Márquez.

3 Un foro

Túrnese con un/a compañero/a para leer los comentarios que dos personas han escrito en un foro sobre la poesía. Fíjese en las palabras que aparecen en azul (relacionadas con el vocabulario) y en rojo (relacionadas con la gramática), ya que en las siguientes actividades se le harán preguntas sobre ellas.

Dirección	Q

Archivo Edición Ver Favoritos Herramientas Ayuda

La poesía
ROSARIO, CATEDRÁTICA DE POESÍA CASTELLANA

La poesía es un arte bello con muchas normas y tradiciones. La poesía es una forma de articular emociones, sentimientos e ideas y se usan características estéticas del lenguaje, como la cadencia del sonido, o del sentido semántico y sintáctico de las palabras. Asimismo se expresan cuestiones sentimentales como filosóficas, metafísicas y sociales en la poesía. La principal herramienta de la poesía
⁵es la metáfora. La metáfora es una comparación entre términos sin usar la palabra *como*. Si se recurre a la palabra *como*, decimos que es un símil. La versificación también es intrínseca a la poesía. Es imprescindible tener en cuenta
¹⁰la acentuación interna de las palabras y la organización en estrofas. Hay estrofas de dos, cuatro, cinco y hasta ocho versos. El soneto, una de las formas clásicas más difíciles, se compone de catorce versos, generalmente
¹⁵endecasílabos divididos en dos cuartetos y dos tercetos con distintas formas de alternar las rimas. La alternancia de sílabas tónicas y átonas contribuye mucho al ritmo de la poesía.

Los versos
TOMÁS, CATEDRÁTICO DE POESÍA LATINOAMERICANA

El número de sílabas en un verso y la rima de las estrofas refuerzan la musicalidad del poema. Muchos poetas escrutan las palabras con el fin de localizar la rima perfecta. Pero igualmente prevalece el verso libre, sin ritmo aparente. Algunos eligen llamarlo prosa poética. De la misma manera
⁵se brota el verso blanco, que es un tipo de composición poética que se caracteriza por tener una métrica regular y carecer de rima. En inglés, normalmente se emplea el pentámetro yámbico en el verso blanco. William Shakespeare ha logrado los mejores resultados con el verso blanco inglés en sus dramas. Los japoneses colaboran en el mundo poético con el haikú
¹⁰que se compone de tres versos de 5, 7 y 5 sílabas y sin rima. El haikú tiene algunas reglas preestablecidas, pero muchos poetas optan por romperlas.

Additional Activities

Comunicación

As a homework assignment, and after students read these articles, ask them to select a short piece of poetry to read aloud the next day to the class.

Answers

4 *Sustantivos:* las normas, los sentimientos, el lenguaje, la cadencia, el sonido, la herramienta, la metáfora, el símil, la versificación, la acentuación, la estrofa, el soneto, los cuartetos, los tercetos, la rima, el ritmo, la composición, la métrica, el haiku, el pentámetro yámbico; *Adjetivos:* bello, estéticas, semántico, sintáctico, metafísicas, intrínseco, imprescindible, clásicas, indecasílabos, tónicas, átonas, poética, preestablecida; *Verbos:* articular, expresarse, recurrirse a, componerse, carecer de, alternar, reforzar, escrutar, localizar, brotar, caracterizarse; *Expresiones:* el verso libre, la prosa poética, el verso blanco

5 1. *E* se usa en vez de *y* cuando la próxima palabra empieza con *i* o *hi*. 2. *Se usan, se expresan, se compone* y *se emplea* funcionan como voz pasiva; *se recurre* tiene el sentido impersonal de "uno"; *se brota* y *se caracteriza* son verbos reflexivos. 3. asimismo, igualmente, de la misma manera; 4. Es un verbo impersonal que tiene el sentido de *existir* y se usa en la tercera persona del singular, aunque le sigan sustantivos plurales. 5. Es una frase que va en aposición o sea, describe el sustantivo *soneto*. 6. *in order to find the perfect rhyme*; 7. No se usa el artículo definido después de *en* cuando le sigue un idioma. 8. Se usa el presente perfecto porque la acción ocurrió en el pasado y perdura en el presente. Es indicativo porque se refiere a algo que pasó en realidad; no es una hipótesis.

6 1. Todos los usos de *se* se han anotado en la segunda respuesta de la actividad 5. 2. Ejemplos con *articular:* exponer, pronunciar, expresar; ejemplos con *se usa:* se emplea, se recurre, se practica; 3. Ejemplos: Hay varias normas para escribir un haiku. Hay un símil en el quinto verso. 4. No se usa el artículo definido con idiomas después de los verbos *saber, aprender, enseñar* y *hablar* y con las preposiciones *en* y *de*. No se lo usa con un sustantivo en aposición y tampoco con los números ordinales cuando se refiere a los reyes o los papas. Generalmente no se usa en proverbios o delante de sustantivos partitivos. Las oraciones variarán.

7 1. En "Algunos eligen llamarlo" *lo* se refiere al *ritmo*. En "muchos poetas optan por romperlas", *las* se refiere a *las reglas*. 2. refuerza (reforzar) y eligen (elegir); 3. Ejemplos: recurrir a, tener en (cuenta), componerse de, contribuir a, caracterizarse por, carecer de, colaborar en, optar por; Las oraciones variarán. 4. En "Algunos eligen llamarlo" *algunos* es sustantivo y se refiere a *poetas*. En "El haiku tiene algunas reglas", *algunas* es adjetivo y modifica *reglas*.

---

4 Amplíe su vocabulario 🔍

Clasifique las palabras que aparecen en azul y rojo en las lecturas anteriores según sean sustantivos, adjetivos, verbos o expresiones relacionados con la poesía.

5 Repaso 🔍

Conteste estas preguntas basadas en las lecturas de la Actividad 3.

1. Explique el uso de la palabra *e* en la frase *sentimientos e ideas*.
2. Busque los verbos con *se* (por ejemplo, *se usan*) y explique el uso de *se* con estos verbos.
3. Busque tres sinónimos de *también*.
4. Explique el uso de *hay* en la lectura.
5. Explique el uso de la frase "una de las formas clásicas más difíciles" en la oración "El soneto, una de las formas clásicas más difíciles, se compone de catorce versos...".
6. Traduzca la frase "con el fin de localizar la rima perfecta".
7. Explique la falta del artículo definido en la frase *en inglés*.
8. Explique el uso del presente perfecto en la oración "William Shakespeare ha logrado los mejores resultados...". ¿Por qué es indicativo y no subjuntivo?

6 "Tapitas" gramaticales 👥

Haga las siguientes actividades con un/a compañero/a.

1. Hagan una lista de los otros usos de *se* con verbos. Escriban algunos ejemplos relacionados con la poesía.
2. Den tres sinónimos de *articular* y tres de *se usa*.
3. Escriban dos oraciones relacionadas con la poesía para mostrar los usos de la palabra *hay*.
4. Expliquen otros casos donde no es necesario usar el artículo definido. Para cada caso, escriban una oración relacionada con la poesía.

7 "Tapitas" gramaticales 🔍

Conteste estas preguntas basadas en las lecturas de la Actividad 3.

1. Busque dos ejemplos del pronombre de objeto directo y explique la referencia.
2. Busque dos verbos con cambio de raíz en el presente.
3. Busque dos verbos seguidos de una preposición. Escriba una oración con estos verbos.
4. Busque ejemplos de *alguno* y explique su uso en las lecturas.

8 ¿Qué opina? 👥✒️

Reaccione a lo que cada persona ha escrito en el foro de la Actividad 3 y comparta sus opiniones con un/a compañero/a. Luego escriba un poema o analice su poema favorito. Incluya palabras del vocabulario nuevo que aparecen en azul y subráyelas. Intercambie su poema o análisis del poema con un/a compañero/a para que comente sobre el trabajo que hizo.

9 Nuevo diccionario de español 📖

Lea el siguiente artículo, prestando atención a las palabras en azul y rojo, ya que se le harán preguntas sobre ellas.

Instructional Notes

8 Ask some students to read their poems aloud.

9 Before students begin to read the article, ask them: *¿Cuál es el propósito principal de un diccionario? ¿Sería práctico hacer ediciones anuales para incluir nuevas palabras? ¿Por qué? ¿Quién tiene la última palabra en decidir qué palabras se incluyen o no en un diccionario? ¿La editorial? ¿Un comité? Si es un comité, ¿de quiénes debe estar compuesto? ¿Qué tipo de palabras extranjeras se deben incluir?*

Additional Activities

Juego
Ask students to play *Relevos*. See p. TE25.

La Real Academia publica un *Diccionario del estudiante* con más de 40.000 palabras

El volumen recoge definiciones de nuevo cuño que se adaptan al uso escolar

Carmen Morán

La Real Academia Española (RAE) ha sacado el *Diccionario del estudiante*, un volumen que recoge más de 40.000 palabras cuyo significado se ha redactado de nuevo y al que
5 se han añadido usos, ejemplos, frases y voces del español en América. Está elaborado para facilitar el manejo del texto a alumnos de 12 a 18 años que hablan castellano a un lado y otro del Atlántico. Un equipo de nueve filólogos ha
10 trabajado en el volumen durante seis años bajo el asesoramiento del académico Manuel Seco. El diccionario lo ha editado Santillana y cuenta con la colaboración de la Fundación Rafael del Pino. Los estudiantes de enseñanzas
15 medias podrán, por fin, encontrar la palabra *internet* en el diccionario que la Real Academia Española ha redactado de nuevo cuño para ellos. El equipo, capitaneado por la filóloga Elena Zamora, ha incluido las entradas que ya
20 recoge el diccionario para adultos, pero también aquellas que el lenguaje vivo pone en posición de salida para cuando se redacte el próximo. Se ha incluido un importante capítulo para las palabras americanas y se ha hecho una labor de
25 cotejo con los programas de las asignaturas de los niveles medios de enseñanza. La Editorial Santillana ha tirado 150.000 ejemplares de esta obra, que responde al mandato estatutario de la RAE: atender los niveles educativos. El director
30 de la RAE, Víctor García de la Concha, explicó ayer, horas antes de que los príncipes de Asturias presentaran oficialmente el diccionario, que esta obra tiene su origen en el diagnóstico generalizado de la "pobreza léxica de nuestros
35 jóvenes, no sólo en el idioma español". "Vivimos", añadió García de la Concha, "en un mundo de predominio audiovisual que facilita poco tiempo para la lectura, la principal fuente de enriquecimiento del idioma". El director de
40 la RAE calificó la situación española en este

sentido de "grave". "El diccionario no va a mejorar eso, pero sin él se operaría peor". Este volumen, en el que ha colaborado la Fundación Rafael del Pino, ha costado más de dos millones
45 de euros. El presidente del Grupo Santillana, Emiliano Martínez, ofreció otros datos: de 12 a 18 años hay 28 millones de alumnos hispanohablantes y 350.000 profesores que les atienden en sus clases de Lengua. El
50 diccionario cuesta 20,90 euros y a principios de 2006 se presentará en América.

El académico Manuel Seco relató las alegrías y sinsabores que la "agotadora" tarea de hacer un diccionario han proporcionado al equipo que
55 él mismo ha asesorado. Destacó el "rigor" y la "coherencia" que caracterizan este trabajo a pesar de lo indomable del lenguaje: "Lo más que se puede hacer con el idioma es aproximarse a él; es refractario a los moldes", añadió. Con
60 esas advertencias que ya conocen los del oficio, el equipo encargado de este diccionario inició la empresa por la letra *n*, "más inofensiva" que la *a* y con menos intríngulis que los verbos y las conjunciones.

www.elpais.es

Lección 5B **271**

271

Answers

10 1. r; 2. l; 3. t; 4. m; 5. j; 6. s; 7. p; 8. h; 9. c; 10. o; 11. n; 12. b; 13. i; 14. g; 15. k; 16. d; 17. e; 18. f; 19. a; 20. q

11 Lists will vary.

12 1.–2. *presente*—publica, recoge, se adaptan, hablan, etc.: la acción ocurre en este momento; *presente para indicar el futuro*—va a mejorar: expresa una acción que va a ocurrir en el futuro muy próximo; *presente perfecto*—ha sacado, se ha redactado, se han añadido, etc.: expresa una acción realizada en el pasado y que perdura en el presente; *futuro*—podrán, se presentará: expresa una acción futura en relación al momento presente; *pretérito*—explicó, relató, etc.: expresa una acción realizada y acabada en el pasado sin relación con el presente; *condicional*—se operaría: expresa una acción futura o posible; *presente del subjuntivo*—se redacte: expresa una acción que puede ocurrir en el futuro; *imperfecto del subjuntivo*—presentaran: expresa una acción hipotética en el pasado

13 1. adaptarse a, contar con, poner en, responder a, ir a, presentarse en, aproximarse a; 2. Se usa *de* delante de cualquier número aunque sea una comparación. 3. *Cuyo* es un pronombre relativo; se refiere al significado de las más de 40.000 palabras. 4. *Ya* en la frase "que ya recoge el diccionario para adultos" significa *en la actualidad*. En "Con esas advertencias que ya conocen", *ya* indica que lo conocen desde un tiempo pasado. 5. Se refiere a la situación grave del enriquecimiento del idioma de las oraciones anteriores. 6. *al que* (l. 4) se refiere al volumen; *aquellas* (l. 21) se refiere a las entradas; *sin él* (l. 42), al diccionario; *en el que* (l. 43), al volumen; *a él* (l. 59), al idioma; *Los del oficio* son los académicos y otras personas que trabajan en el diccionario.

Additional Activities

Juego

Ask students to play *Lo tengo en la punta de la lengua*. See p. TE25.

---

10 Amplíe su vocabulario

Según el contexto del artículo anterior, ¿cuál es la mejor traducción de cada palabra de la primera columna?

1. cuño	a.	resistant, unmanageable
2. recoger	b.	statutory
3. redactar	c.	headed
4. de nuevo	d.	troubles
5. manejo	e.	to advise
6. filólogo	f.	invincible
7. asesoramiento	g.	related to words or language
8. editar	h.	to edit
9. capitaneado	i.	to pay attention to
10. cotejo	j.	handling
11. tirar	k.	enrichment
12. estatutario	l.	to gather together
13. atender	m.	again
14. léxico	n.	to print
15. enriquecimiento	o.	comparison
16. sinsabores	p.	advice
17. asesorar	q.	difficulty
18. indomable	r.	stamp, mark
19. refractario	s.	one who studies language and/or literature
20. intríngulis	t.	to write

11 La tarea de escribir un nuevo diccionario

Con un/a compañero/a haga una lista de las palabras o expresiones que conozcan relacionadas con diccionarios. Piensen en otras palabras o expresiones relacionadas que les gustaría saber y búsquenlas en el diccionario.

12 Los tiempos verbales

Conteste estas preguntas basadas en "La Real Academia publica un *Diccionario del estudiante* con más de 40.000 palabras".

1. Haga una lista de los tiempos verbales que aparecen en el texto.
2. Explique el uso de cada tiempo verbal del artículo citando ejemplos.

13 "Tapitas" gramaticales

Conteste estas preguntas basadas en la lectura de la Actividad 9.

1. Haga una lista de los verbos seguidos de una preposición.
2. ¿Por qué se dice "más de 40.000 palabras" y no "más que 40.000 palabras"?
3. Explique el uso de *cuyo* en la frase "cuyo significado se ha redactado".
4. Explique el uso de *ya* en las frases "que ya recoge el diccionario para adultos" y "Con esas advertencias que ya conocen".
5. ¿A qué se refiere *eso* en la frase "El diccionario no va a mejorar eso"?
6. Busque y explique las referencias hechas con artículos o pronombres al diccionario o al idioma en la lectura. ¿A qué se refiere *los* en la frase "los del oficio"?

14 Escriba ✒

En un correo electrónico explíquele a un/a amigo/a que Ud. piensa comprar el nuevo diccionario de la Real Academia. Háblele de las ventajas de tenerlo para redactar mejor las composiciones y sugiera otros beneficios para convencerle de que lo compre también.

15 Un editorial 📖

Échele una ojeada al siguiente artículo para ver de qué se trata, prestando atención a las palabras en azul, ya que se le harán preguntas sobre ellas. Luego lea el artículo y decida qué forma de las palabras entre paréntesis es la correcta y escríbala. No se olvide de escribir y acentuar las palabras correctamente.

Editorial
El adiós al Papa Juan Pablo II

El Papa Juan Pablo II fue un hombre fundamental en la historia del siglo XX. Su figura __1.__ (*participar*) en los cambios políticos más grandes de las últimas décadas, desde __2.__ (*alentar*) ⁵el derrumbe soviético hasta la condena a la invasión de Irak. Al mismo tiempo, brindó una espiritualidad libre de barreras religiosas a la era de un materialismo globalizado. Fue un ardiente defensor de la justicia, los inmigrantes y los ¹⁰trabajadores. Su anticomunismo y una visión tradicionalista de la Iglesia lo __3.__ (*hacer*) desconfiar de los movimientos __4.__ (*progresista*), como la Teología de la Liberación; no obstante, fue un apóstol de la condición humana ante la ¹⁵impiedad neoliberalista. El recuerdo imborrable del carisma y amor que Juan Pablo II llevó por más de 115 naciones, es un testimonio de la grandeza de este Santo Padre. El cardenal polaco Karol Wojtyla fue la gran sorpresa de ²⁰1978 al __5.__ (*convertirse*) en el primer Papa "extranjero" (que no era italiano), desde el siglo XVI. Su gestión fue revolucionaria al abrir la participación laica en la Iglesia, reconciliarla con épocas espinosas de su pasado e __6.__ ²⁵(*inaugurar*) relaciones con diferentes credos. Estas aperturas institucionales no le __7.__ (*impedir*) mantenerse como un férreo defensor de la tradición teológica. Juan Pablo II dejó un legado basado en los valores de la comprensión, ³⁰reconciliación y la universalidad de la fe a través de su acercamiento a otras religiones. El Sumo Pontífice también fue una conciencia mundial durante 26 años al levantar incesantemente la voz a favor de la paz, la justicia y la vida. El Papa ³⁵peregrino, como también era conocido, recorrió

literalmente el mundo llegando a un promedio de un viaje cada tres meses. En cada parada __8.__ (*haber*) encuentros multitudinarios con los fieles, homenajes de su Santidad a las culturas ⁴⁰locales y un infaltable mensaje de esperanza para la juventud. En las cinco visitas que realizó a México, Juan Pablo II compartió humildemente su devoción a la Virgen de Guadalupe, creando una comunión de sentimiento con este pueblo ⁴⁵que lo amó tanto. Estas escenas de festividad y regocijo se vivieron en toda América en las numerosas visitas del pastor a su rebaño. El Papa __9.__ (*mantener*) un dinámico apostolado pese a que en los últimos años su salud fue ⁵⁰__10.__ (*deteriorarse*) con rapidez. Era un hombre de fe inquebrantable, que inspiró a millones con su ejemplo al enfrentar a la muerte con pasión. No mostró durante toda su enfermedad un solo momento de frustración, aun con el terrible ⁵⁵padecimiento del mal de Parkinson. Enfrentó esta adversidad con un digno testimonio de sufrimiento y voluntad, dando un ejemplo como lo hizo toda su vida. Es por eso que el mundo entero se declaró de luto porque perdió a un ⁶⁰__11.__ (*grande*) líder.

www.laraza.com

Investigue palabras clave: Juan Pablo II, el Vaticano, Virgen de Guadalupe

Teacher Resources

 Activity 2

Answers

16 1. a; 2. c; 3. d; 4. c; 5. b; 6. c; 7. d; 8. a; 9. b; 10. d; 11. b; 12. c; 13. d; 14. c; 15. b; 16. a; 17. b

17 *Ejemplos:*

1. Un editorial expresa la opinión del editor y/o del periódico. Un editorial parte de unos hechos, pero incluye las opiniones personales sobre ellos o sobre los resultados de los hechos. "El adiós al Papa Juan Pablo II" alaba las acciones del Papa con muchos ejemplos. **2.** Un editorial expresa la opinión personal del escritor; un artículo periodístico narra o describe los hechos desde un punto de vista objetivo.

Additional Activities

De periodistas
See p. TE26.

---

16 Amplíe su vocabulario

Según el contexto del artículo anterior, ¿cuál es la mejor traducción de cada palabra?

1. derrumbe
   a. take down b. invasion
   c. spy activity d. none of these answers
2. no obstante
   a. without exception b. unless
   c. nevertheless d. although
3. impiedad
   a. pity b. impropriety
   c. lack of pity d. lack of piety
4. imborrable
   a. forgettable b. impenetrable
   c. unforgettable d. fleeting
5. laico
   a. religious b. lay
   c. sectarian d. credible
6. espinoso
   a. spy b. secret
   c. thorny d. simple
7. credo
   a. creed b. believer
   c. belief d. a and c
8. férreo
   a. strong b. weak
   c. fearful d. bold
9. legado
   a. arrival b. legacy
   c. legitimacy d. league
10. peregrino
    a. eternal b. migratory
    c. wandering d. b and c
11. multitudinario
    a. with few people b. with many people
    c. with many sides d. with few sides
12. los fieles
    a. the protesters b. the usual crowd
    c. the faithful d. the most popular
13. infaltable
    a. precise b. innovative
    c. not lacking d. inevitable
14. regocijo
    a. pick up b. feast
    c. rejoicing d. repentance
15. rebaño
    a. clergy b. flock
    c. leader d. minister
16. inquebrantable
    a. unbreakable b. breakable
    c. unforgettable d. forgettable
17. de luto
    a. luxury b. in mourning
    c. in despair d. in place

17 Un editorial

Conteste estas preguntas relacionadas con el texto de la Actividad 15.

1. Haga una lista de los elementos que caracterizan "El adiós al Papa Juan Pablo II" como editorial.
2. Explique la diferencia entre un editorial y un artículo periodístico sobre la vida o las acciones de una personalidad.

18 "Tapitas" gramaticales

Conteste estas preguntas basadas en el artículo anterior.

1. Dé algunos ejemplos del vocabulario y de la construcción desarrollada o especial que caracteriza este artículo como editorial.
2. Traduzca la oración "No mostró durante toda su enfermedad un solo momento de frustración, aun con el terrible padecimiento del mal de Parkinson".

Cita

Las novelas no las han escrito más que los que son incapaces de vivirlas.
—Alejandro Casona (1903–1965), dramaturgo español

¿Está de acuerdo con lo que dice Alejandro Casona? ¿Por qué habrá hecho Casona un comentario sobre las novelas siendo dramaturgo? ¿Piensa que los novelistas viven su vida pasivamente, a través de sus personajes fascinantes? Cite una novela o algún autor que cumpla el sentimiento de la cita. Comparta sus opiniones y respuestas con un/a compañero/a.

¡Dato curioso! ¿Sabía que el millonario escandinavo Alfred Nobel nombró en su testamento las cinco categorías que recibirían el Premio Nobel? Una de ellas fue la de Literatura. La Academia Sueca selecciona al galardonado cada año. El Nobel incluye un importante premio económico, actualmente unos 10 millones de coronas suecas (algo más de un millón de euros). De los casi cien Nobel de Literatura del siglo XX, diez fueron hispanohablantes. Solamente dos personas rechazaron este prestigioso premio: Boris Pasternak (ruso) en 1958 y Jean-Paul Sartre (francés) en 1964.

La poeta chilena, Gabriela Mistral, recibe el Premio Nobel del Rey Cristián X de Dinamarca en 1945.

Nota cultural

Los Premios Nobel de Literatura de países hispanohablantes han sido: José Echegaray (España, 1904); Jacinto Benavente (España, 1922); Gabriela Mistral (Chile, 1945); Juan Ramón Jiménez (España, 1956); Miguel Ángel Asturias (Guatemala, 1967); Pablo Neruda (Chile, 1971); Vicente Aleixandre (España, 1977); Gabriel García Márquez (Colombia, 1982); Camilo José Cela (España, 1989); Octavio Paz (México, 1990).

Investigue palabras clave: Gabriela Mistral

Answers

18 1. Hay expresiones como "ardiente defensor de la justicia" (ll. 8 y 9), "recuerdo imborrable del carisma y amor" (ll. 15 y 16), "férreo defensor de la tradición teológica" (ll. 27 y 28), "levantar incesantemente la voz a favor de la paz, la justicia y la vida" (ll. 33 y 34), "infaltable mensaje de esperanza para la juventud" (ll. 40 y 41), "dinámico apostolado" (l. 48), "un hombre de fe inquebrantable" (ll. 50 y 51); Hay riqueza de vocabulario, frases y descripciones optimistas y positivas y construcciones desarrolladas (como en las líneas 10–15). 2. *Throughout his entire illness, he did not show even for a moment any frustration, even though he suffered terribly from Parkinson's disease.*

Instructional Notes

After students discuss the questions in the *Cita* with their partners, you might want to lead them in a classroom discussion of the same, and also ask them to elaborate on the significance of the words *incapaces de vivirlas* and the role the writer's own life plays in his or her literature.

Additional Activities

Trabajo de investigación
Have students research and discuss the Nobel Prize for Literature, including the process of nomination and the nominees who have accepted or rejected the award. They should explain why some have rejected the award, and offer their opinion as to whether the reasons were justified. Have students research some winners, a list of Hispanic winners, and the advantages and possible disadvantages of an award of this kind.

Los premios
See p. TE28.

Juego
Ask students to play *Cadena de palabras* to practice the lesson's vocabulary and/or *¿Verdadero o falso?* to practice the culture topics. See pp. TE24 and TE25.

Answers

19 Verbos
acentuar *to accentuate*
aprender *to learn*
asesorar *to advise*
corregir *to correct*
editar *to edit*
escrutar *to scrutinize*
leer *to read*
X
redactar *to draft/write*
sentir *to feel*

Personas
X
el/la aprendiza(a) *apprentice, trainee*
el/la asesor(a) *adviser*
el/la corrector(a) de pruebas *proofreader*
el/la editor(a) *editor*
X
el/la lector(a) *reader*
el/la poeta *poet*
el/la redactor(a) *person who writes a draft, editor*
el/la sentimentalista *sentimentalist*

Sustantivos
la acentuación, el acento *accentuation, accent*
el aprendizaje *learning/apprenticeship*
el asesoramiento *advice*
la corrección *correction*
el editorial *editorial*
el escrutinio *scrutiny*
la lectura *reading*
el poema, la poesía *poem, poetry*
la redacción *writing/written piece*
el sentimiento *feeling*

20 1. leyendo, poesía, lectora, leer; **2.** editores, corrector de pruebas; **3.** acentuar; **4.** sentimientos; **5.** corrijas; **6.** asesoramiento; **7.** editoriales, edite / haya editado; **8.** redactar, redacciones; **9.** el aprendizaje, aprender; **10.** poesía, poemas; **11.** escrutinio

Additional Activities

Juego
Ask students to play *Voluntario, derecha e izquierda*.
See p. TE25.

Idioma

19 Familia de palabras

Complete la tabla con el verbo, persona u otro sustantivo, y la traducción correspondiente.

Verbos		Personas		Sustantivos	
_____	to accentuate	X		la acentuación, _____	accentuation, accent
asesorar	_____	el/la aprendiz(a)	apprentice, trainee	el aprendizaje	_____
corregir	to correct / to edit	el/la asesor(a)		la corrección	_____
		el/la corrector(a) de pruebas	proofreader		editorial
escrutar	_____	el/la editor(a)		el escrutinio	_____
leer	_____	X	reader	_____	
X	_____	_____	poet	_____, _____	poem, poetry
redactar	_____	_____	person who writes a draft, editor	la redacción	
sentir	_____	_____	sentimentalist	_____	feeling

20 ¿Verbo, persona u otro sustantivo?

Complete las oraciones usando la forma correcta de las palabras que aparecen en la tabla, ya sea verbo, persona u otro sustantivo. En el caso de ser persona u otro sustantivo puede que necesite artículo.

1. De niña, esta novelista pasaba los días ___ (*leer*) libros de ficción y ___ (*poeta*). De buena ___ (*leer*), pasó a ser una magnífica escritora por su afán de ___ (*lector*) tanto.
2. Además de tener un buen equipo de ___ (*editar*), el escritor tuvo la suerte de tener un buenísimo ___ (*corregir*), quien leyó todas las páginas de su libro.
3. Es dificilísimo ___ (*acento*) un poema para escribirlo en pentámetro yámbico.
4. Muchas biografías no transmiten los verdaderos ___ (*sentir*) de la persona cuya vida se expone.
5. Quiero que tú me ___ (*corregir*) todos los errores que cometo en castellano. ¿De acuerdo?
6. La consejera de la escuela ofrece unas pruebas de ___ (*asesor*) individual y confidencial para conocer las habilidades y los fallos de los estudiantes.
7. Los ___ (*editor*) de algunos periódicos locales son muy liberales y no me gusta leerlos. De vez en cuando, parece que nadie los ___ (*editor*).
8. Se nota que a Luisa le cuesta ___ (*redactar*) informes en inglés. Sus ___ (*redactar*) en español son mucho mejores, pues es su lengua materna.
9. Hay varias teorías sobre ___ (*aprender*). Es muy común que los estudiantes sepan cuáles de las inteligencias múltiples de Howard Gardner los ayudan a ___ (*aprender*).
10. La ___ (*poeta*) de Federico García Lorca incluye colecciones de ___ (*poeta*) como *Romancero gitano* y *Poeta en Nueva York*.
11. Pedro, lee cuidadosamente el trabajo antes de entregárselo a la profesora, porque ya sabes que ella somete todo nuestro trabajo a un ___ (*escrutar*) meticuloso.

Cita

Poesía es la unión de dos palabras que uno nunca supuso que pudieran juntarse, y que forman algo así como un misterio.

—Federico García Lorca (1898–1936), poeta y dramaturgo español

 ¿Qué le parece esta definición de poesía? ¿Le gusta? ¿Por qué? Escriba otra definición de poesía. Comparta sus opiniones con un/a compañero/a y hable de un poema cuyos elementos cumplen la definición dada por Lorca (o la suya). Hablen también sobre la originalidad necesaria para crear poesía.

¡Dato curioso! Según José Ortega y Gasset, filósofo y ensayista español, el ensayo es "la ciencia sin la prueba explícita". Se reconoce el ensayo como un género didáctico que se escribe con una perspectiva personal incluyendo citas, proverbios, anécdotas y recuerdos personales en un estilo sencillo dirigido al público en general. Algunos ensayistas latinoamericanos de renombre son: José Martí (Cuba), Mario Benedetti (Uruguay) y Octavio Paz (México).

El escritor uruguayo Mario Benedetti

21 ¿Cómo escribes?

Échele una ojeada al artículo que sigue para ver de qué se trata, prestando atención a las palabras en azul, ya que se le harán preguntas sobre su significado después. Luego lea el artículo y decida cuál de las dos palabras entre paréntesis es la correcta para completar cada oración y escríbala.

Dime cómo escribes y te diré quién eres

ALICIA MORANDI, REDACTORA DE VIDA Y ESTILO

La grafología revela características profundas de nuestra personalidad

Aunque utilizamos __1.__ (*el / la*) mano para escribir, esta acción no es puramente muscular. En realidad, es una expresión de toda nuestra personalidad, ya que el cerebro es quien __2.__ (*guia / guía*) la mano. Desde esta perspectiva, [5] la grafología o análisis de la escritura, funciona como una radiografía mental y emocional del individuo. Aunque la validez de la grafología __3.__ (*ha sido / era*) probada en los últimos 60 años, su origen se remonta __4.__ (*de / a*) épocas muy antiguas, incluso cuando la comunicación escrita se [10] __5.__ (*realizó / realizaba*) no a través de letras sino de signos y figuras. Para explorar más a fondo el mensaje que encierra nuestra escritura, *La Opinión* entrevistó a Ariel Kochane, grafólogo argentino de extensa trayectoria, __6.__ (*cuyos / con*) estudios en Sudamérica y también en [15] Estados Unidos —en la Universidad de California en Los Ángeles— y egresado de la Sociedad Internacional de Grafoanálisis. "Al igual que los sueños, la escritura es también una expresión del subconsciente, __7.__ (*pero / sino*) contrario a la naturaleza efímera del sueño, los símbolos [20] de la escritura permanecen en el papel, permitiendo al grafólogo descifrar las emociones ocultas", dijo el experto, que recordó __8.__ (*sentir / sintiendo*) fascinación a una

temprana edad al notar que cada persona escribía de una manera diferente. Desde entonces la grafología se instaló [25] en su vida. Según Kochane, más que una técnica esta disciplina es una ciencia, no sólo porque pone en evidencia los rasgos de la personalidad y los cambios por los que atraviesa, __9.__ (*pero / sino*) que ayuda a reconocer aptitudes y __10.__ (*redactar / corregir*) factores que obstaculizan el [30] desarrollo personal. "Mi objetivo es dar una solución al problema de la persona que acude a __11.__ (*mi / mí*) y, si es posible, ayudarla a crecer". Y prosiguió: "La grafología puede acelerar el descubrimiento de un conflicto interno que está presente desde hace muchos años, y la grafoterapia [35] se puede usar entonces para orientar a la persona a hallar respuestas. Incluso, __12.__ (*sí / si*) se combina con una terapia psicológica pueden obtenerse mejores resultados".

• De lo superficial a lo profundo

Según Kochane, por medio de la grafología se pueden realizar análisis precisos, desde verificación [40] de documentos en un proceso judicial, hasta asuntos personales y psicológicos. "Cuando escribimos, el cerebro transmite ondas que llegan a la mano y produce una energía que manifiesta aspectos de la personalidad, desde los superficiales hasta los más íntimos. Para __13.__ (*eso / [45] esa*) necesitamos hacer un análisis grafológico profundo, basado en una cierta cantidad de letra manuscrita. El estado de ánimo, el medio ambiente y la época en que se vive influyen en los resultados", aclaró. La firma, a pesar

continúa

Teacher Resources

📝 Activity 4

Answers

21 1. la; 2. guía; 3. ha sido; 4. a; 5. realizaba; 6. con; 7. pero; 8. sentir; 9. sino; 10. corregir; 11. mí; 12. si; 13. eso;

Instructional Notes

After students discuss the *Cita*, encourage a discussion about poetry in general or about a favorite poem, or the poetic techniques students are familiar with. Then have students apply the quote by Lorca to their favorite poem or one that they know well.

Lead students in a discussion on the following terms from the *Dato curioso*: *la ciencia sin la prueba explícita*, *didáctico*, *proverbios*, and *anécdotas*.

21 Before students start reading, ask them: *¿Qué es la grafología? (Es el estudio del carácter y psicología de una persona a través de los rasgos de su escritura.) ¿Para qué profesiones sería importante hacer este tipo de análisis? ¿Qué puede revelar la escritura sobre el carácter y la psicología de una persona?*

Additional Activities

Trabajo de investigación

Have students research the essays of Ortega y Gasset, Martí, Benedetti, and Paz. Ask them if they know any American essayists and, if so, to compare their work with that of the writers mentioned in the *Dato curioso*.

Answers

21 14. frente; 15. ocupaba; 16. la; 17. como; 18. por; 19. está; 20. es; 21. a; 22. desee; 23. efectuar/ efectuado; 24. ahorra; 25. realizo; 26. e; 27. o; 28. para

22 1. b; 2. c;

---

de que la cambiamos a menudo, es muy significativa en el aspecto psicológico porque básicamente es la identidad de la persona __14.__ (*frente / enfrente*) al mundo. "La firma del ex presidente Richard Nixon es notable. Si se compara su firma cuando __15.__ (*ocupaba / ocupó*) la presidencia y luego cuando es forzado a renunciar al cargo, son completamente diferentes; la última parece una línea recta como __16.__ (*el / la*) que se registra cuando una persona muere de un infarto", puntualizó Kochane.

• *Descifrando mensajes ocultos*

Según el grafólogo, la letra es como una huella digital, y la edad para realizar su análisis es a partir de la adolescencia en adelante. "Analizar la letra es __17.__ (*como / cómo*) observar una pintura", manifestó Kochane. "Se miran en conjunto los trazos, presión, ritmo y velocidad con que se escribe, relacionando la letra anterior con la que le sigue y la unión entre ellas. Por ejemplo, en el caso de 'Jack el Destripador', la unión de las palabras en su escritura refleja una personalidad explosiva que puede cometer atrocidades, y esto es común en otros asesinos en serie". Todas las letras del abecedario manifiestan mensajes __18.__ (*por / para*) igual, pero la forma en que se dibujan es lo que ofrece las pistas. De acuerdo a Kochane, la *t* es una de las letras más reveladoras. "La barra de la *t* que atraviesa a la más larga tiene que ver con la voluntad y energía de la persona dependiendo de su largo. Para ver si la persona es idealista o realista hay que fijarse si la barra __19.__ (*es / está*) ubicada arriba o más abajo, pero también hay que mirar la presión y si tiene el mismo espesor que el resto; por lo general, si es más fina refleja menos voluntad", explicó. Por otra parte, el grafólogo indicó que la inclinación de las letras es un indicador importante. "Si la letra es vertical, la persona es más bien tranquila; si la letra se empieza a inclinar hacia adelante, es una persona voluntariosa, pero si el ángulo es realmente inclinado, este individuo puede perder el control fácilmente, y si la letra va hacia la izquierda, es una persona introvertida". Según el experto, la letra sigue un patrón porque el cerebro tiene una manera de hacerla y si alguien quiere copiarla, tiene que escribir muy lentamente, perdiendo fluidez y dejando una línea temblorosa. "El grafólogo que examina un documento legal está todo el tiempo comparando la presión y los trazos, y básicamente es así cómo se descubre si el documento __20.__ (*sea / es*) falso.

Pero en este caso no está analizando la personalidad del ejecutante".

• *Cómo funciona*

El interesado en analizar su letra, debe escribir __21.__ (*a / al*) mano una página con bastante texto, en una hoja sin líneas. Finalmente debe firmar el papel, y si tiene firmas de años anteriores es importante incluirlas. Asimismo, debe formular la pregunta que __22.__ (*desea / desee*) sobre el área de su interés, tal como vocación, compatibilidad de caracteres, etc. En caso de compatibilidad amorosa, se necesita la letra y firma de ambas partes. Si se quiere explorar un problema de la infancia, es mejor presentar también letra de esa época. Después de __23.__ (*efectuar / efectuado*) el análisis, se concreta otra cita con el grafólogo por si existen preguntas o dudas. Cada caso es totalmente individual y confidencial. "La grafología no reemplaza a una terapia, pero __24.__ (*ahora / ahorra*) mucho tiempo porque ofrece pistas al psicólogo", dijo Kochane. "Muchos de los trabajos que __25.__ (*me doy cuenta / realizo*) son para psicólogos que me dan la letra de su paciente para analizar y así pueden agilizar las sesiones. Con la grafología se llega más rápido al problema y de ahí ya es cuestión de buscar la solución".

Usos de la grafología

• Orientación vocacional. Evaluación de aptitudes __26.__ (*y / e*) intereses para la elección de carreras, negocios __27.__ (*o / u*) empleos. Detectar la vocación es una inquietud común entre los adolescentes.

• Compatibilidad de caracteres. Al comparar la letra de una pareja, puede descubrirse si existe compatibilidad o si se prevén dificultades. Asimismo, la letra puede revelar infidelidad o averiguar si conviene asociarse con ciertas personas para establecer un negocio.

• Salud. Hay estudios que indican que la grafología puede detectar problemas de salud.

• Informes de negocios. Selección de personal __28.__ (*por / para*) un puesto. Crédito. Asesoramiento.

• Informes legales. Examen de firmas o documentos sospechosos de falsedad. Es común su uso en los tribunales por sospechas en casos de testamentos.

• Informes criminales. Por ejemplo, si hay sospecha de crimen en un caso de suicidio y hay una carta, al analizarla se detecta si en realidad fue o no suicidio.

www.laopinion.com

---

22 Amplíe su vocabulario 🔍

Según el contexto del artículo que acaba de leer, ¿cuál es la mejor definición o sinónimo de cada palabra?

1. grafología
   a. interpretación de la fuente
   b. análisis de escritura
   c. escritura a mano
   d. escritura con lápiz

2. radiografía
   a. estudios por medio de la radio
   b. fotos por medio de una cámara digital
   c. fotos por medio de los rayos X
   d. ninguna de las respuestas anteriores

3. letra
   a. elemento de escritura
   b. personaje
   c. símbolo matemático
   d. carta

4. encerrar
   a. confinar
   b. recluir
   c. internar
   d. todas las respuestas anteriores

5. egresado
   a. asistido
   b. graduado
   c. aprendido
   d. todas las respuestas anteriores

6. efímero
   a. natural
   b. de corta duración
   c. de larga duración
   d. amplio

7. descifrar
   a. interpretar
   b. conocer
   c. captar
   d. todas las respuestas anteriores

8. obstaculizar
   a. ayudar
   b. parar
   c. incluir
   d. destruir

9. manuscrito
   a. legal
   b. escrito a mano
   c. documentado
   d. firmado

10. renunciar al cargo
    a. dejar el puesto
    b. terminar su mandato
    c. continuar en su segundo mandato
    d. aceptar un nuevo mandato

11. recto
    a. ondulado
    b. arbitrario
    c. sin curvas
    d. todas las respuestas anteriores

12. infarto
    a. fiebre
    b. catarro
    c. obstrucción del hígado
    d. problema médico del corazón

13. huella digital
    a. impresión de una cámara
    b. impresión de un dedo
    c. impresión de la televisión
    d. impresión de la mente

14. trazo
    a. letra
    b. línea
    c. barra
    d. signo

15. abecedario
    a. números
    b. escritura
    c. alfabeto
    d. todas las respuestas anteriores

16. espesor
    a. fluidez
    b. flojedad
    c. anchura
    d. ninguna de las respuestas anteriores

17. patrón
    a. modelo
    b. dueño
    c. favor
    d. apoyo

18. ejecutante
    a. poeta
    b. dramaturgo
    c. escritor
    d. ninguna de las respuestas anteriores

19. compatibilidad
    a. batalla
    b. coexistencia
    c. negatividad
    d. contrariedad

20. pista
    a. huella
    b. indicio
    c. signo
    d. todas las respuestas anteriores

21. agilizar
    a. parar
    b. transformar
    c. facilitar
    d. abandonar

22. informe
    a. reportaje
    b. hecho
    c. dato
    d. b y c

23. testamento
    a. documento oficial de impuestos
    b. documento de herencia
    c. discurso sobre la muerte de alguien
    d. discurso público sobre la escritura

Answers

22 3. a; 4. d; 5. b; 6. b; 7. d; 8. b; 9. b; 10. a; 11. c; 12. d; 13. b; 14. b; 15. c; 16. c; 17. a; 18. c; 19. b; 20. d; 21. c; 22. a; 23. b

Additional Activities

Composición

Ask students to write a short paragraph and submit it to a partner for a graphology analysis. Each partner needs to make remarks with respect to the other's personality and character, based on the handwriting sample. Encourage students to be creative (and kind!), since this will not be based on actual graphology.

El desafío del minuto

See p. TE27.

Activity 6

Answers

23 1. por; 2. caes; 3. una; 4. gusta; 5. cualquier; 6. el;
7. al cabo; 8. ser; 9. cuanto; 10. aún; 11. escribieran o
leyeran; 12. contestación; 13. ante; 14. Quisiera;
15. cuánta; 16. fuera; 17. pedacitos; 18. siguen; 19. en;
20. seguirá

Instructional Notes

23 Find out what students know about the Mexican
writer Juan Rulfo and his work. Also encourage a
discussion about letter writing and ask students if they
think it is a dying art.

Additional Activities

Gramática

23 Ask students why the subjunctive mood is correct
for answer 11. (Es implícito la expresión *para que*,
aunque sólo se expresa aquí con *que*.)

Composición

Ask students to write a letter to a friend or family
member in which they describe their thoughts and
feelings about a topic or situation.

Amnesia and/or **¡Post-it!**
See pp. TE26 and TE28.

---

23 Juan Rulfo

Échele una ojeada al artículo que sigue para ver de qué se trata, prestando atención a las
palabras en azul, ya que se le harán preguntas sobre ellas. Luego lea el artículo y decida
cuál de las dos palabras entre paréntesis es la correcta para completar cada oración y
escríbala.

Dirección www.laopinion.com

Archivo   Edición   Ver   Favoritos   Herramientas   Ayuda

Escribir cartas: una tradición en peligro

*La aparición del libro de 81 cartas de Juan Rulfo pone
de relieve la importancia de documentar la vida familiar*
__1.__ (*por / para*) *escrito*

El 26 de mayo de 1947, el escritor Juan Rulfo decía:
"Querida chachinita: ¿Nunca te he contado el cuento
de que me __2.__ (*cae / caes*) bien? Pues si ése ya lo
sabes te voy a contar otro". El autor de cuentos como
"Macario", "El llano en llamas" y "La cuesta de las
comadres" escribía cartas con la misma naturalidad
de sus cuentos. Ochenta y __3.__ (*uno / una*) de ellas
serán publicadas en los próximos días por la casa
editora Plaza y Janés. En ésta, enviada a su novia
Claris, además de referirse a un tipo que soñaba
mucho, reflexiona sobre su propio quehacer: "A todos
los que les __4.__ (*gusta / gustan*) leer mucho, de tanto
estar sentados, les da flojera hacer __5.__ (*cualquier /
cualquiera*) otra cosa. Y tú sabes que __6.__ (*el / él*)
estar sentado y quieto le llena a uno la cabeza de
pensamientos. Y esos pensamientos viven y toman
formas extrañas y se enredan de tal modo que, __7.__
(*a cabo / al cabo*) del tiempo, a la gente que eso le
ocurre se vuelve loca. Aquí tienes un ejemplo: yo". La
publicación de este conjunto de cartas escritas a mano
por Rulfo pone de relieve nuevamente la importancia
de documentar los espacios íntimos. De no __8.__ (*sea /
ser*) por las cartas, no sabríamos mucho de los aspectos
psicológicos que hay detrás de la vida de grandes
personajes: motivaciones, frustraciones, vacilaciones.
También, muchas tesis de pensadores como Sigmund
Freud, Karl Marx, Albert Einstein, no serían conocidas
porque fueron expresadas como una idea entre amigos.
En __9.__ (*cuando / cuanto*) a nosotros, para las familias
crecidas con la inmigración las cartas fueron el vehículo
original para alimentar la esperanza. Aunque el teléfono
fue introducido en 1876, tardó 70 años para estar en la
mitad de los hogares en Estados Unidos, y mucho más
tiempo en la mayoría de los pueblos de Latinoamérica.
La carta por correo aéreo fue hasta la década de 1970
el medio privilegiado de comunicación. En Zacapu,

Michoacán, hace unos 30 años recuerdo __10.__ (*aun /
aún*) aquellas personas que iban a que les __11.__
(*escribieron o leyeron / escribieran o leyeran*) cartas
de y para sus parientes del "Norte". Conceptos como
"entrega inmediata", "correo aéreo", "registrada", "con
acuse de recibo", eran aprendidos muy precozmente.
Enviar una carta implicaba un momento de reflexión,
una visita a la papelería y al correo... y una espera de
la __12.__ (*contestación / interrogación*). "Cuando recibas
esta carta sin razón... Uuuufemia, ya sabrás que entre
nosotros todo terminó", cantaba Pedro Infante. Con
hijos y padres separados, con novios __13.__ (*antes /
ante*) un posible matrimonio... los inmigrantes se
contaban sus ansiedades por cartas, de la misma
forma que Rulfo le hablaba a su noviecita. "Maye: Yo
creía que este destierro en que vivo no iba a ser tan
difícil. __14.__ (*Querría / Quisiera*) encontrar las palabras
para explicarte __15.__ (*cuán / cuánta*) falta me haces
y cómo quisiera que se acortaran los días para que
pueda estar junto a ti. No, nunca creí que el amor que te
__16.__ (*iba / fuera*) a tener me atormentara tanto. Ahora
me conformo con tus cartas, con esos __17.__ (*ideas /
pedacitos*) de tu pensamiento, y beso tu nombre y las
palabras allí escritas con tus manos tan dulcemente
queridas". Hoy se __18.__ (*siguen / sigan*) escribiendo
cartas, pero en una proporción mucho menor. El
teléfono primero, y más recientemente la Internet,
están pintando de nostalgia la tradición epistolar. La
comunicación "__19.__ (*a / en*) vivo" tiene una mayor
"emotividad". Pero como valor documentativo de la
historia familiar, la carta __20.__ (*continúe / seguirá*)
teniendo el mismo valor que una vez tuvo en la relación
entre los abuelos a quienes separó temporalmente la
inmigración. Además, la carta tiene la ventaja de que
puede ser releída, puesta en un cuadro, llevada a la
cama, echada en una bolsa, guardada como amuleto,
perfumada... y dejada de herencia para provocar las
lágrimas de los nietos.

www.laopinion.com

Nota cultural

Juan Rulfo (1918–1986) es el autor de
sólo dos libros: la novela *Pedro Páramo*,
considerada una obra maestra de la literatura
en español, y una colección de cuentos,
El llano en llamas. A pesar de su escasa
producción literaria, es uno de los escritores
más destacados de la literatura mexicana
e hispanoamericana. Su obra es la voz y
conciencia del pueblo mexicano y sus obras
reflejan la angustia, el remordimiento, la
pobreza y la violencia que se achacan al
ser humano. Recibió el Premio Príncipe de
Asturias en Letras en 1983.

**Investigue
palabras clave:**
Juan Rulfo, Premio
Príncipe de Asturias

24 Amplíe su vocabulario

Mire las palabras de la primera columna, que aparecen en la lectura anterior, y busque su definición o sinónimo en la segunda.

1. poner de relieve
2. quehacer
3. flojera
4. enredarse
5. vacilación
6. con acuse de recibo
7. precozmente
8. papelería
9. nostalgia
10. epistolar
11. amuleto

a. mezclarse
b. temprano y prematuro
c. reliquia
d. relativo a las cartas
e. donde se venden productos para escribir cartas
f. elevar la importancia
g. debilidad
h. recuerdos del pasado
i. deber
j. certificado
k. indecisión

25 Lea, escuche y escriba/presente 👣

Vuelva a leer "Escribir cartas: una tradición en peligro". Luego escuche la grabación "Escritores y niños" y tome las notas necesarias. Escriba un ensayo o haga una presentación en clase sobre la necesidad de escribir —ya sean cartas o novelas de fantasía y terror. No se olvide de citar las fuentes debidamente.

Cita

Los jóvenes de hoy no parecen tener respeto alguno por el pasado ni esperanza alguna por el porvenir.
—Hipócrates (460–377 a. de J. C.), médico griego, llamado "el padre de la medicina moderna"

👥 ¿Piensa que los adultos siempre han opinado igual de los jóvenes? ¿Cree que tienen razón? ¿Piensa que cuando eran jóvenes actuaban de forma diferente? ¿A qué se debe? Comparta su opinión con un/a compañero/a.

¡Dato curioso!

¿Sabía que las cartas formales, en particular las cartas comerciales, contienen un encabezamiento (el nombre y la dirección de la empresa a quien se dirige la carta), la fecha, el saludo, la exposición del asunto, la despedida con fórmulas fijadas por la costumbre y la firma? Las cartas informales no son tan estructuradas ni populares porque la gente piensa que es más fácil e inmediato enviar un correo electrónico o un mensaje instantáneo en los salones de chat de la Red.

Teacher Resources

 Activity 25 (CD 5, track 7)

Answers

24 1. f; 2. i; 3. g; 4. a; 5. k; 6. j; 7. b; 8. e; 9. h; 10. d; 11. c

Instructional Notes

25 You might want to review the following words before students listen to the audio: *animar*, to encourage; *respaldar*, to support; *avispero*, wasps' nest; *picotear*, to sting; *hiedra venenosa*, poison ivy; *hinchado*, swollen; *encajar*, to insert; *aguja*, needle; *pozo*, pit.

Lead students in a discussion about the elements of a formal letter that are mentioned in the *Dato curioso*, as well as its purpose, audience, and techniques.

Additional Activities

Composición
Ask students to write a formal letter in Spanish and then work with a partner to discuss the common elements in their letters. Ask them to talk about the differences between a formal letter and an e-mail or instant messaging in chat rooms.

Juegos
Ask students to play *Cada uno una*. See p. TE24.

¿Cuáles son las diferencias?
See p. TE26.

Answers

26 1. nuestro; 2. dando; 3. empezó; 4. aquel;
5. llegara; 6. ellas; 7. Se convierte; 8. la patrocinadora;
9. ochocientas; 10. se comprometieron

Instructional Notes

26 Ask students: *¿Es útil y práctico tener varias versiones de un diccionario de español como, por ejemplo, un diccionario de mexicanismos o de chilenismos? ¿Por qué? ¿Quiénes deben establecer las nuevas entradas en un diccionario? ¿Cuál les parece mejor: un diccionario bilingüe o uno monolingüe? ¿Por qué?*

Additional Activities

Gramática

26 Ask students why the subjunctive form of the verb is appropriate in answer 5. (*Es una hipótesis; depende de la frase parecía muy complicado.*)

---

26 El futuro de la lengua española

Échele una ojeada al artículo que sigue para ver de qué se trata, prestando atención a las palabras en azul, ya que se le harán preguntas sobre ellas. Luego lea el artículo y decida qué forma de las palabras entre paréntesis es la correcta para completar cada oración y escríbala. No se olvide de escribir y acentuar las palabras correctamente.

El futuro del español empieza ahora

No ha sido una espera corta, pero sí ha valido la pena. El *Diccionario Panhispánico de Dudas* ha sido presentado recientemente como norma uniformadora de __1.__ (*nuestro*) idioma. Las Academias de la Lengua [5] de Latinoamérica, incluida la de Estados Unidos, la de España y la de Filipinas (un total de 22) han terminado los trabajos preparatorios __2.__ (*dar*) como resultado la mayor y más completa obra en español donde se ponen remedio a las dudas de expresión y escritura de [10] más de cuatrocientos millones de personas que utilizan este idioma diariamente. Así, la correcta utilización del idioma común será teóricamente más fácil. El objetivo final siempre ha estado marcado por la búsqueda de la cohesión y el mantenimiento de la unidad del idioma, [15] pero dentro de la variedad. El proyecto ha tenido una duración de seis años. La idea __3.__ (*empezar*) a tomar cuerpo durante el primer congreso del español en Zacatecas (México) en 1999. La propuesta en __4.__ (*aquello*) entonces fue realizada por las Academias [20] Hispanoamericanas, más concretamente, corrió a cargo de Alfredo Matus, director de la Academia de Chile. En ese momento, parecía muy complicado que la idea __5.__ (*llegar*) a un final feliz. Sin embargo, todos los representantes de las entidades lingüísticas de los [25] distintos países pusieron en marcha un trabajo serio y productivo, que ha dado como resultado final una obra admirable. Una gran novedad, que se puede apreciar en el resultado final, es su carácter panhispánico. Hecho que queda reflejado con la participación de las veintidós [30] Academias de la Lengua. El consenso entre __6.__ (*él*) ha significado el triunfo de todas. Un trabajo en equipo que abre el camino al futuro. El dogmatismo a ultranza no tiene cabida y ha dado paso a un reconocimiento de la variedad y de la riqueza del idioma. No se trata de [35] imponer sino, por encima de las diferencias existentes en las distintas regiones o países, extraer la forma mayoritaria para su generalización. __7.__ (*Convertirse*) en una herramienta de uso para el ciudadano de la calle y para las Academias. No sólo se explica si algo [40] es correcto o no. También nos encontramos por qué puede surgir el error, además de explicarnos la regla que hay que utilizar en cada caso y por qué es así. El componente práctico emana en cada una de las 7.250 entradas que componen el trabajo. La empresa [45] Telefónica, dedicada a la telefonía en América del Sur, Caribe y España ha sido __8.__ (*el patrocinador*) del proyecto. Por otra parte, la editorial Santillana es la encargada de la publicación de la obra, que consta de más de __9.__ (*ochocientos*) páginas. La presentación de [50] esta "biblia" del español tuvo lugar en la sede de la Real Academia de la Lengua Española en Madrid, dándose cita allí gran cantidad de representantes de los medios de comunicación (prensa, radio y televisión) de los países hispanoparlantes. Estos __10.__ (*comprometerse*) [55] a adoptar en sus medios la nueva normativa sacada a la luz. La responsabilidad que ahora tienen los periódicos y emisoras de radio y televisión en la apropiada difusión del idioma es muy grande pero será bien llevada. Así sea.

www.laraza.com

27 Amplíe su vocabulario

Según el contexto del artículo que acaba de leer, ¿cuál es la mejor traducción?

1. valer la pena
   a. to be worth the wait
   b. to cause pain
   c. to be worth the trouble
   d. to cause others to notice

2. ponerse remedio
   a. to repair
   b. to give help
   c. to offer solutions
   d. to cause doubts

3. objetivo
   a. goal
   b. reason
   c. strategy
   d. all of these

4. tomar cuerpo
   a. to embody
   b. to be financed
   c. to take off
   d. to take shape

5. propuesta
   a. budget
   b. outline
   c. proposal
   d. final product

6. correr a cargo de
   a. to be overrun by
   b. to run to the ground by
   c. to be headed by
   d. to be financed by

7. poner en marcha
   a. to put into gear
   b. to run with
   c. to honor
   d. to accelerate

8. novedad
   a. new aspect
   b. novelty
   c. originality
   d. all of these

9. dogmatismo a ultranza
   a. practical advice
   b. extreme assertiveness
   c. simple teaching
   d. detailed example

10. cabida
    a. room
    b. cause
    c. explanation
    d. doubt

11. mayoritario
    a. majority
    b. minority
    c. most basic
    d. most respected

12. emanar
    a. to define
    b. to help
    c. to come from
    d. to stop

13. sede
    a. branch office
    b. headquarters
    c. new director
    d. none of these

14. sacar a la luz
    a. to enlighten
    b. to dim
    c. to translate
    d. to publish

28 Lea, escuche y escriba/presente

Vuelva a leer el texto completo de "El futuro del español empieza ahora" y luego escuche la grabación "Nueva enciclopedia en la Red y en español". Tome notas de las dos fuentes y escriba un ensayo o haga una presentación en clase sobre cómo los diccionarios y los libros disponibles en la Red facilitan escribir español correctamente. No se olvide de citar las fuentes debidamente.

Investigue
palabras clave:
Enciclopedia
Universal Micronet
(EUM)

Teacher Resources

Activity 28 (CD 5, track 8)

Answers

27 1. c; 2. b; 3. a; 4. d; 5. c; 6. c; 7. a; 8. d; 9. b; 10. a; 11. a; 12. c; 13. b; 14. d

Instructional Notes

28 You might want to review the following words before students listen to the audio: *enlace*, link; *entrada*, entry; *nutrido*, large; *merecedor de*, deserving of; *manejo*, management.

Additional Activities

¡Pongámonos de acuerdo!
See p. TE28.

Answers

29 1. quieren / desean; 2. en; 3. digan; 4. Por; 5. hace; 6. mejor; 7. escuchar / oír; 8. al; 9. decía; 10. entiendan / comprendan; 11. idea / sugerencia; 12. países / lugares; 13. de; 14. a;

Instructional Notes

29 Ask students: *¿Qué se puede hacer para enriquecer el vocabulario, tanto en español como en inglés? ¿Qué papel tiene la lectura en mejorar el vocabulario de uno?*

Additional Activities

Encuesta
See p. TE27.

---

29 El enriquecimiento del español

Échele una ojeada al artículo que sigue para ver de qué se trata, prestando atención a las palabras en azul, ya que se le harán preguntas sobre ellas. Luego lea el artículo y decida cuáles son las palabras que mejor completan las oraciones y escríbalas. No se olvide de escribir y acentuar las palabras correctamente.

¿Cómo puedes enriquecer el idioma?

Gracias a que en Los Ángeles hay niños de todo Hispanoamérica, sin salir de California puedes aprender el mejor español del mundo

Buenos días, ésta es su página infantil, hoy Interneto y Canario tienen el día libre. Empezaremos primero con un trabalenguas para niños que __1.__ mejorar su español: "Tres tristes chamacos, cipotes, pibes
⁵patojos, morros, guachitos, pispiretos y trasterrados trazaron con tiza el *blackboard*".

¿Qué palabras están fuera de lugar? No. Te equivocaste. La única
¹⁰palabra que está fuera de lugar es *blackboard*, porque __2.__ español hay otra que sirve para referirse a la superficie de
¹⁵madera donde se escribe: *pizarrón*. Por lo demás, es posible que en muchas ocasiones, los niños mexicanos __3.__ "gis" y
²⁰no tiza, y que a un niño salvadoreño le digan cipote, y a un mexicano chamaco, y eso es perfectamente válido.

²⁵ • **Palabras malas y buenas** Decía el profesor Antonio Alatorre, mi paisano de Autlán, Jalisco, que el idioma siempre estaba mezclando nuevas palabras, pero que deberíamos saber bien cuándo una nueva palabra es necesaria. __4.__ ejemplo, es una burrada
³⁰decir marqueta en lugar de mercado. Aunque está bien decir tianguis, en lugar de *Swapp Meet*, ya que ese tipo de mercados se parecen a los que tenían __5.__ muchos años los mexicanos. Una nueva palabra es necesaria cuando quieres decir de
³⁵manera más bonita y precisa algo. Y no es tan necesaria, cuando la vas a usar sólo porque ignoras cómo decirlo (para eso están los tumbaburros... quiero decir los diccionarios). El profe Alatorre tenía razón, y déjame decirte que él no es ningún tonto.
⁴⁰Él sabe latín, inglés, francés, griego y español, y estudió en la Universidad de la Sorbona y es maestro en el Colegio de México. En Los Ángeles, todos los niños podrían aprender el __6.__ español del mundo, si tan sólo abrieran las orejas para __7.__
⁴⁵cómo los inmigrantes de distintos países usan el

idioma. Un niño mexicano no debería tener miedo a usar una palabra de un niño salvadoreño, y __8.__ revés.

• **Escucha a tus amigos** Yo tuve un amigo uruguayo
⁵⁰en la ciudad de México. Se llamaba Rafael Romano. Era un viejito "macanudo" que cuando preguntaba por mi hijo decía, "¿Dónde está el guachito?". También tuve muchos amigos salvadoreños que le decían "cipote", aunque su mamá, cuando se
⁵⁵lo comía a besos, le __9.__ de cariño, "venga acá babosada".

• **Lee libros de otros países** Un buen día cayó en mis manos el libro
⁶⁰*Cuentos para Cipotes*, de Salarrué. Las palabras salvadoreñas eran tantas que tuve que usar el diccionario de Pedro
⁶⁵Geoffroy Rivas. Así supe que "pechito" era delgadito, y "cachimbón" es "cool" o sea, "muy bueno para algo". En la
⁷⁰literatura popular de otros países se usan palabras que __10.__ todos los que hablan el español, pero también algunas
⁷⁵que sólo en un lugar las usan. Si tú eres buen lector y buen conversador, pronto aprenderás muchas palabras que sonarán muy bien.

• **Haz tu propia literatura** Si me está leyendo
⁸⁰un profe, aquí le mando una __11.__: si tiene estudiantes de varios orígenes nacionales, ¿por qué no les da la tarea de hacer un texto con palabras de varios __12.__? ¡Vaya pues!... Aquí les va un ejemplo: "La vida es un cachumbambé: hoy estás
⁸⁵arriba, mañana no sé". Según me dijo mi amigo Manuel, en Cuba "cachumbambé" es un sube y baja, esos juegos de los parques donde se trepan los cipotes. Tú podrías usar tu imaginación para combinar palabras de varios orígenes.

⁹⁰ • **Cuídate __13.__ las palabras** El guachito llegó un día a Zacapu a visitar __14.__ su abuelo Fausto. Su mamá, que era salvadoreña, se sorprendió de cómo Don Fausto le llamaba a su esposa desde el jardín. "¡Chuuucha..!", llamaba Don Fausto, "tráeme la

⁹⁵toalla". La mamá del guachito le daba una risilla al escuchar "chucha", y es que no entendía que en México "Chucho" es la forma que le dicen a los Jesús, y como la esposa de Don Fausto era Jesusa, pues le decían "Chucha".

¹⁰⁰ • **Palabras parecidas, significados distintos**
Muchas palabras del inglés se parecen a __15.__ del español. Esto hace más fácil guardarlas en tu cabeza. Pero hay otras que aunque son parecidas, significan cosas diferentes. "Facilities" no significa ¹⁰⁵"facilidades", sino "instalaciones", o sea las cosas que se construyeron en un lugar. Una amiga una vez tenía gripe, y en una reunión muy importante les dijo a todos: discúlpenme de cómo hablo, porque estoy "constipated". Todos se rieron, porque ¹¹⁰*I am constipated* __16.__ "estoy estreñida" o sea que no puede hacer popó. Ella quería decir que traía la nariz tapada, o constipada.

• **Me enseñaron mis amigos** Gracias a Romano supe que "macanudo" es "a todo dar". Gracias a Martha ¹¹⁵supe que "cachimbón" es "fregón". Gracias a Fernando supe que "pana" es decir amigo. Gracias a Gladys supe que "arrecho" es un poco terco. Gracias a Leticia supe que "Che" es decir "compa". Gracias a Pilar supe que "vaina" era asunto. ¿Ves cómo ¹²⁰puedes aprender de tus amigos?

• **Y el diccionario español** Por supuesto que el diccionario de la Real Academia Española de la Lengua te sirve. Es un libro muy pesado que puede servir como pisapapeles... ¡Estoy vacilando! En ¹²⁵realidad, el diccionario te dice lo que significa una palabra en distintos países del continente americano. Sin embargo, algunas veces hay palabras imprecisas. ¿Por qué?... ¡Porque el idioma cambia más rápido que los diccionarios!

www.laopinion.com

30 Amplíe su vocabulario

Según el contexto del artículo que acaba de leer, ¿cuál es la mejor definición o sinónimo?

1. infantil
   a. para los adultos
   b. para los estudiantes mayores
   c. para los estudiantes serios
   d. para los niños

2. trabalenguas
   a. rima de palabras que se parecen
   b. juego de sentido de palabras
   c. experto en idiomas
   d. crucigrama

3. burrada
   a. chiste
   b. barbaridad
   c. rumor
   d. hecho

4. risilla
   a. chiste
   b. pequeña sonrisa
   c. vergüenza
   d. pequeño susto

5. tapado
   a. congestionado
   b. abierto
   c. cubierto
   d. enfermo

6. pisapapeles
   a. documento importante
   b. estatua pesada
   c. objeto que se pone sobre los papeles para que no se muevan
   d. ventilador

7. impreciso
   a. fijo
   b. relevante
   c. concreto
   d. indeterminado

31 Escriba

Haga una tabla de las palabras con distintos sentidos que aparecen en el artículo anterior. Busque su significado en la Red y busque más palabras de este tipo, notando el origen de las variaciones que encuentre.

Cita

Nunca releo mis libros, porque me da miedo.
–Gabriel García Márquez (1927–), escritor colombiano

¿Por qué habrá hecho este comentario García Márquez? ¿Qué cree que pasaría si los autores volvieran a leer sus obras después de publicarlas? Comparta sus opiniones con un/a compañero/a.

Un editorial es un género periodístico que consiste en un texto que explica, valora y juzga un hecho noticioso actual de especial importancia. Los editoriales suelen ser sobre la política, la injusticia y las tendencias de la cultura popular.

Lección 5B **285**

Instructional Notes

29 After students finish reading "¿Cómo puedes enriquecer el idioma?", ask them to comment on the tone of the article. Does its tone make it more or less appealing to them than if it were written, for example, as an article for a pedagogical journal? Why?

After students have discussed the *Cita*, have them discuss the value of editing, the process of editing, and how technology and computers can help to edit, and even publish, one's written work. Engage them in talking about how editing can improve one's work.

Encourage students to look online for some editorials and political cartoons of some of the major Spanish-language newspapers: *El Mercurio* (Chile), *El Universal* (Mexico), and *El Mundo* (Spain). Many allow users to read some articles and view the political cartoons on the editorial page for free. Engage students in a discussion on the differences between an essay and an editorial.

Additional Activities

Vocabulario

29 Ask students to look up the meanings of any words they are not familiar with, and to note which regions use these terms.

Comparación

Ask students to find an editorial on a specific topic in an American paper and a comparable one in the Spanish-language press. Have them compare and contrast the message, tone, and format between the two.

Juego

Ask students to play *Lo tengo en la punta de la lengua.* See p. TE25.

Gráfico sobre un tema

See p. TE27.

Instructional Notes

33 Ask students: *¿Cuál es el rol de la imaginación cuando uno aprende? ¿Les parece lo más importante en el proceso del aprendizaje? ¿Por qué? ¿Piensan que se pierde la capacidad de imaginar a medida que uno va madurando, o que aumenta?*

¡A leer!

32 Antes de leer 👥

Ud. está aprendiendo mucho, ¿pero ha pensado alguna vez en cómo aprende? ¿Recuerda cómo aprendió a leer y escribir? ¿Cómo lo hizo? ¿Qué método le parece el mejor para enseñar a un niño a leer y escribir?

33 El rol de la imaginación

Lea el siguiente artículo atentamente, prestando atención a las palabras en azul, ya que se le harán preguntas sobre ellas.

Para aprender se necesita imaginar

El doctor Allan Paivio explica la teoría que destaca la importancia de las imágenes para la adquisición de habilidades de lectura y escritura

Junto con su colega Mark Sadoski, el doctor Allan Paivio es el autor de un libro de nombre complicado: *A Dual Coding Theory of Reading and Writing*. En español simple, el libro dice [5] sencillamente que el aprendizaje se da por dos vías: las imágenes y las palabras, y que mientras más fuertes son las primeras, más fácilmente se incorporan las segundas. De ahí que sea altamente recomendable no solamente [10] enseñarles a los niños a repetir palabras, sino proporcionarles imágenes y experiencias de aprendizaje. "La inteligencia a través de imágenes es anterior al lenguaje", dice Paivio, en un descanso de una conferencia reciente sobre [15] problemas de aprendizaje realizada en Anaheim. El profesor retirado de la Universidad de Ontario considera que cuando hay una buena cantidad de imágenes almacenadas en la memoria, el aprendizaje del lenguaje es más eficiente. De [20] esta manera, si un estudiante es llevado con frecuencia a museos, galerías, parques, desfiles, conciertos, edificios públicos... el aprendizaje del lenguaje vinculado a esos temas será más marcado. "De niño tuve mucha libertad para [25] aprender", dice Paivio, "no estuve en una escuela muy restringida. Me gustaba dibujar y jugar. Sin embargo, me hubiera gustado tener más experiencias de aprendizaje". En ese tiempo la televisión no estaba muy desarrollada, y los libros [30] no tenían la cantidad y calidad de ilustraciones que ahora tienen. Aun así, Paivio no ve ninguna de las dos cosas como un problema en sí. "Es un problema si sólo obtienen información de la televisión", dice el investigador. "Pero si hay un [35] buen equilibrio con la lectura, pueden reforzar el aprendizaje". En cuanto a los libros para niños, que según algunos expertos mientras menos imágenes tengan mejor, Paivio cree en lo opuesto: "Debe haber imágenes en los libros para [40] niños". (A)

¿Cómo aprendió usted?

El capítulo "*Imagery and Text*", del libro de Sadoski y Paivio, lo dedican a tratar de entender cómo se ha enseñado a leer y escribir en tiempos pasados, para luego proponer cómo se [45] debería hacer. De manera muy resumida éstas son algunas de las formas: griegos y romanos pensaban que la memoria funcionaba mejor si se visualizaban lugares, si se usaba la poesía y el lenguaje hablado para retener datos. En [50] la Edad Media se usaba la meditación y los manuscritos iluminados para hacer la lectura más memorable. En el Renacimiento y la Reforma hubo dos tendencias: una de Dante, para recordar mediante la literatura, y otra la [55] de la tradición protestante, para enfatizar más las representaciones verbales. Posteriormente, pasando por diferentes etapas, hasta nuestros días se ha ensayado el uso de alfabetos, silabarios, cuadernos de escritura, tarjetas de [60] memorización, lectura en silencio, lectura en voz alta, uso de maquetas... ¿Recuerda usted cuando la maestra le pedía que trajera de su casa un pomo con algodón húmedo y una semilla? ¿O cuando pasaba al frente del salón de clases [65] a leer en voz alta...? Bueno, todo esto estaba sustentado en alguna de esas teorías. (B) Ahora bien, lo que pretenden Paivio y Sadoski es integrar todo esto en la llamada "Teoría dual", en la que el aprendizaje sea abundante tanto en imágenes como en palabras. No solamente imágenes reales, sino imágenes descritas en los textos: el payaso traía una nariz de pelota roja y unos zapatos grandísimos... Esto puede servir a maestros y padres de familia por igual.

Lea, vea, pregunte...

Imagínese que usted lleva a su hijo al Museo de Historia Natural. Están ahí, frente al esqueleto de un enorme dinosaurio o de un tigre dientes de sable. Luego, cuando llegan a su casa, mientras comen un buen filete de pescado conversan sobre lo que vieron. Usted le pregunta por qué cree que algunos animales se hicieron más pequeños o cómo se imagina que vivían los lagartos de aquel tiempo. (C) Finalmente, le pide que le escriba a un primo una cartita sobre lo que vio, o que anote en su diario algo de esa experiencia. Con eso, usted habrá usado muchos de los métodos de aprendizaje que se han discutido arriba y facilitará el entendimiento de algunas palabras como *evolución*. Esto es lo que pretende la teoría de Paivio y Sadoski. "Esta teoría puede ser vista como un paso importante para resolver el antiguo pleito entre quienes creen más en el uso ya sea de imágenes o palabras como forma de aprender e integrar el lenguaje. Algo que se ha dado desde la antigüedad", destacan en su libro los investigadores. Para una explicación más profunda, ellos llaman *logogens* a aquellas "unidades" de palabras que "jalan" de la memoria un recuerdo. (D) En cambio, *imagens* son las "representaciones no verbales" que hacen lo mismo. Usted no tiene que romperse la cabeza tratando de entender a fondo esto. Baste un ejemplo: una luz roja indica peligro (*imagens*) lo mismo que la palabra "peligro" (*logogens*).

Ejercicios que le servirán

La forma de crear imágenes para apoyar la adquisición del lenguaje es diversa. Va desde una visita a un museo hasta la apreciación de una película o una lectura ayudada con una conversación.

Estas son algunas ideas que usted podría poner en práctica con sus hijos:

- Llévelos a conocer lugares nuevos de la ciudad y luego pregúnteles qué fue lo que más les impresionó, qué les gustó, por qué, qué cosas hubieran hecho diferente...

Cualquier momento es bueno para hablar de lo que han observado sus hijos a lo largo del día.

- Después de la lectura de un libro o un texto de una revista, pregúnteles cómo eran los personajes de la historia, de qué se trata, cómo se imaginan ellos qué ocurrió.

- Converse en cualquier momento sobre las cosas cotidianas que les suceden, poniendo mayor atención en las cualidades (color, tamaño, forma...).

- Muéstrele fotografías y material audiovisual de cosas que luego podrían estudiar en la escuela.

- Además de dar consejos, usted póngase de ejemplo. Ofrézcales imágenes de alguien que lee libros cotidianamente. Platíqueles de lo que está leyendo.

- Desde muy pequeños, ponga en las manos de sus hijos libros con ilustraciones, aunque no sepan leer.

- Sintonice canales que le ofrezcan diversidad de imágenes del mundo y de actividades humanas, antes que de violencia y destrucción.

- Estimule la escritura de diarios personales (las vacaciones son una buena oportunidad).

www.laopinion.com

Lección 5B **287**

Additional Activities
¡Que no es así!
See p. TE28.

34 Amplíe su vocabulario

Empareje cada palabra de las dos primeras columnas con su definición o sinónimo.

1. aprendizaje	9. payaso	a. modelo	i. mantenido
2. almacenado	10. lagarto	b. limitado	j. acumulado
3. restringido	11. pleito	c. actor cómico	k. charlar
4. proponer	12. tratarse	d. controversia	l. recordar hechos
5. retener datos	13. cotidiano	e. proyectar	m. especie de reptil
6. maqueta	14. platicar	f. de cada día	n. referirse
7. pomo	15. sintonizar	g. escoger	o. vaso
8. sustentado		h. acto de aprender	

35 ¿Ha comprendido?

1. Según los autores Sadoski y Paivio, ¿cuáles son dos actividades que se benefician de usar su imaginación?
   a. Conversar y leer
   b. Conversar y escribir
   c. Leer y escribir
   d. Conversar y aprender

2. ¿De dónde vienen esas imágenes de las cuales hablan los autores?
   a. De las visitas a los museos
   b. De los festejos
   c. De las funciones musicales
   d. Todas las respuestas anteriores

3. Según Paivio, ¿por qué puede ser la televisión un obstáculo a este proceso?
   a. Es problema si es la única fuente de imágenes.
   b. Es problema porque es una actividad muy pasiva.
   c. No es problema para algunos niños.
   d. Es problema porque hay demasiadas imágenes.

4. Explique lo siguiente: "En cuanto a los libros para niños, que según algunos expertos mientras menos imágenes tengan mejor, Paivio cree en lo opuesto: 'Debe haber imágenes en los libros para niños'".
   a. Paivio no cree en el valor de las imágenes; algunos expertos creen que los libros deben tener una gran cantidad de imágenes.
   b. Algunos expertos no creen en el valor de las imágenes; Paivio cree que los libros deben tener una gran cantidad de imágenes.
   c. Paivio cree en el valor de las imágenes; algunos expertos creen que los libros no deben tener una gran cantidad de imágenes.
   d. Las respuestas b y c

5. ¿A quién se le atribuye esta teoría de aprendizaje: fijar las imágenes después de reflexionar y leer los documentos con muchas ilustraciones religiosas?
   a. A los griegos y los romanos
   b. A los sabios del Renacimiento y de la Reforma
   c. A los sabios de la Edad Media
   d. A los sabios contemporáneos

6. ¿A quién se le atribuye esta teoría de aprendizaje: estimular su capacidad de recordar con poemas y con la conversación?
   a. A los griegos y los romanos
   b. A los sabios del Renacimiento y de la Reforma
   c. A los sabios de la Edad Media
   d. A los sabios contemporáneos

7. ¿A quién se le atribuye esta teoría de aprendizaje: aprender el abecedario, leer en clase, leer enfrente de los demás y usar muchos modelos?
   a. A los griegos y los romanos
   b. A los sabios del Renacimiento y de la Reforma
   c. A los sabios de la Edad Media
   d. A los sabios contemporáneos

8. ¿Para qué usó el autor el ejemplo de la visita al Museo de Historia Natural?
   a. Para ilustrar los defectos de la teoría de los sabios contemporáneos
   b. Para ilustrar su teoría dual
   c. Para dar un ejemplo práctico de los defectos de la teoría de los sabios contemporáneos
   d. Las respuestas b y c

9. Según el autor, ¿de qué deben hablar los adultos y los niños en sus conversaciones?
   a. De los detalles de un libro que ha leído el niño
   b. De los libros que ha leído el adulto
   c. De los eventos del día
   d. Todas las respuestas anteriores

10. ¿Cuál es un sinónimo de *dar consejos*?
   a. Asesorar
   b. Avisar
   c. Recomendar
   d. Todas las respuestas anteriores

36 ¿Cuál es la pregunta?

Según el artículo que acaba de leer, escriba una pregunta lógica para estas respuestas.

1. El aprendizaje se da por dos vías: las imágenes y las palabras.
2. Repetir palabras y proporcionarles imágenes y experiencias de aprendizaje
3. El aprendizaje del lenguaje es más eficiente.
4. Silabarios
5. Un diario
6. Integrar el lenguaje
7. Son el color, el tamaño, y la forma.

37 ¿Qué piensa Ud.?

¿Qué opina de la influencia de la televisión sobre el aprendizaje del lenguaje? Cite ejemplos de la buena y la mala influencia de la televisión en el aprendizaje de la escritura y de la lectura.

38 ¿Dónde va?

La siguiente oración ha sido extraída de la lectura anterior: *Así, le hace pensar en lo que ha visto hoy durante la visita.* **¿Dónde encajaría mejor esta oración?**

1. Posición A, línea 40
2. Posición B, línea 66
3. Posición C, línea 83
4. Posición D, línea 99

Cita

El escritor original no es aquel que no imita a nadie, sino aquel a quien nadie puede imitar.
—François-René de Chateaubriand (1768–1848), escritor, político y diplomático francés

¿Qué opina de lo que nos dice Chateaubriand? ¿Conoce a un escritor original que cumpla las características de Chateaubriand? Escriba una definición personal de la originalidad y diga qué cosas no se pueden imitar. Comparta sus opiniones con un/a compañero/a.

Dato curioso

¿Sabía que en Argentina existe la Biblioteca Braille Circulante con más de 3.000 libros transcritos al sistema Braille, en su mayor parte por copistas voluntarios? Los copistas usan la última tecnología para producir libros a través de las modernas impresoras Braille. Sus materiales se distribuyen a todo el país de forma gratuita. También tiene libros parlantes que son una alternativa a la lectura por el sistema Braille. Las grabaciones son de la mejor calidad y hechas por locutores voluntarios. La Biblioteca tiene más de 1.000 libros parlantes.

Investigue palabras clave: Biblioteca Braille Circulante

---

39 Brainstorm with students some tips for academic success.

40 Ask students for a synonym for *tender la cama* (ll. 52 y 53) (*hacer la cama*).

39 Antes de leer 👥

¿Piensa que la lectura y el saber escribir un ensayo organizado afectan su éxito académico? ¿Cómo? Dé ejemplos.

40 El éxito académico 📖

Lea el siguiente texto con atención, fijándose en las palabras en azul y las expresiones en rojo, ya que se le harán preguntas sobre ellas.

Tu hijo y el éxito académico

Todo padre desea que su hijo sea un alumno de éxito, pero no todos saben cómo fomentarlo. La clave reside en lo que hacen los padres cuando sus hijos no están en la escuela. Hay que dar varios pasos en casa para garantizar el triunfo en el aula

1 Crear en casa una "cultura de lectura". La lectura es la base de todas las destrezas que se aprenden en la escuela.
5 El amor a la misma ayuda a los estudiantes con su vocabulario y sus habilidades de resolver problemas. Por lo tanto, los
10 padres deben comenzar desde temprano a inculcar en los niños el hábito de lectura. Primeramente, asegúrate de que el niño advierta que valoras la lectura. Muéstrale que lees
15 por placer, y que la lectura es necesaria para numerosas actividades cotidianas. Léele recetas, orientaciones para llegar a un sitio y periódicos en alta voz cuando estés realizando alguna tarea hogareña.
20 Cuando el niño tenga edad de comenzar a leer, pídele que sea él o ella quien te los lea. El Departamento de Educación de los EE.UU. recomienda que los niños vean televisión menos de dos horas al día. Enséñales a tus hijos que la lectura puede ser tan divertida como
25 la televisión. Asegúrate de que en casa tengan a mano libros y revistas apropiados a la edad de los niños, y exhórtalos a leer libros en vez de encender el televisor. El Departamento de Educación cuenta con una guía de actividades divertidas para estimular a que los niños
30 lean en su sitio Web www.ed.gov. Mientras más lea el niño durante la enseñanza elemental, más fácil será la lectura en niveles superiores.

2 Estimula a tus hijos a que resuelvan problemas por sí mismos. Si los padres están listos para resolver el más
35 mínimo problema que puedan confrontar sus hijos

—desde atarse los zapatos hasta limpiar el jugo que derramaron— los chicos no querrán realizar proyectos en la escuela. En vez de precipitarte a ayudarlos, elógialos cuando resuelvan la dificultad por su cuenta
40 (sin embargo, el elogio debe venir sólo si tiene éxito en la solución de una tarea difícil. El encomio por cada logro no los estimulará a enfrentar nuevos retos). Si no pueden resolver un problema de matemáticas, no les muestres
45 la respuesta, sino impúlsalos a probar un método diferente para solucionar la ecuación. Enséñale a tu hijo a dividir grandes tareas en pequeños pasos. Un estudiante que pueda separar
50 la limpieza de su dormitorio en la separación de la ropa para lavar, tender la cama y pasar el plumero, podrá llevar
55 a cabo posteriormente proyectos importantes, como reportes de libros y carteles para la feria de Ciencias en clase. No te olvides de premiar al niño por
60 comenzar temprano un proyecto y organizar el tiempo debidamente, comprándole un libro nuevo o llevándolo a tomar un helado. La adquisición de esa habilidad ¡impedirá que tenga que estar despierto hasta altas horas de la noche para terminar
65 una composición o ensayo en el Bachillerato y la Universidad!

Finalmente, deja que el niño asuma la responsabilidad de sus propios errores. Si el maestro te dice que tu "angelito" habla demasiado en clase, o no entregó
70 a tiempo la tarea, no trates de defenderlo. Pídele a tu hijo que te cuente su versión de la historia y, si es cierto lo que dijo el maestro, déjalo que acepte las consecuencias de sus actos, lo cual le ayudará a actuar más responsablemente en el futuro.

75 3 La escuela, una prioridad. Los padres que desean hijos con alto rendimiento académico, deben

Nombre: Carmen Rivera

Literatura	A
Ciencias	A
Matemáticas	A
Geografía	A
Historia	A
Lengua española	A
Educación física	A

enseñarles la gran importancia que reviste la escuela. La mejor manera de inculcarles esta idea es trabajar con el maestro. El primer día de clases, infórmate [80] acerca de las normativas del distrito, y el curso de estudio. Entérate de lo que el niño debe ser capaz de hacer al final del curso, y ayúdalo a alcanzar esos objetivos. Envíale mensajes electrónicos al maestro periódicamente, para saber cómo marcha el niño, y [85] que éste sepa que hay contacto constante entre tú y el maestro. También asegúrate de que el niño tenga un "espacio para hacer tareas" en casa. Debe consistir en una superficie para escribir, ubicada en una zona tranquila de la casa, alejada de cualquier distracción. [90] El niño necesitará bolígrafos y lápices, hojas rayadas y lisas, una calculadora y un diccionario. Su espacio de estudio debe estar alejado del televisor y el teléfono, pero cerca de ti, en caso de que necesite ayuda. Deja que el niño decore este espacio especial a su gusto. [95] Luego, decide la cantidad de tiempo que debe reservar para hacer la tarea cada noche. El establecimiento de un horario regular le ayudará a crear una rutina. Incluso si no tiene tarea en una noche determinada, estimúlalo a que use el tiempo disponible para leer [100] o terminar problemas adicionales. Mientras más se acostumbre a trabajar cada noche, más fácil le será terminar sus tareas. Finalmente, asegúrate de concentrarse en lo que el niño aprende, en vez de estar tan pendiente de las calificaciones. Si bien [105] estas últimas pueden ser una medida del éxito, es más importante que el niño adquiera buenos hábitos de estudio y nuevas destrezas. Y concentrarte en las calificaciones puede inclinarte a la tentación de "ayudar" demasiado al niño en sus tareas y proyectos. [110] Hazle saber que estás orgulloso de sus progresos, y con toda seguridad llegarán las buenas calificaciones. En breve, ¡tu hijo será un alumno estrella!

www.laraza.com

41 ¿Qué significa?

Escriba una definición en sus propias palabras de cada una de las expresiones que aparecen en rojo en el artículo anterior.

42 Amplíe su vocabulario

¿Cuál es la mejor traducción?

1. fomentar
   a. to encourage
   b. to form
   c. to teach
   d. to help

2. destreza
   a. report
   b. school subject
   c. class
   d. skill

3. inculcar
   a. to prevent
   b. to help
   c. to instill
   d. to develop

4. por placer
   a. outside of class
   b. sophisticated
   c. for pleasure
   d. required

5. hogareño
   a. required
   b. home
   c. for pleasure
   d. timed

6. exhortar
   a. to urge
   b. to form
   c. to require
   d. to develop

7. derramar
   a. to use
   b. to pour
   c. to mix
   d. none of these

8. encomio
   a. gift
   b. ideal
   c. entirety
   d. praise

continúa

Answers

41 *Ejemplos:*

1. un alumno de éxito: un estudiante con buenas notas; **2.** garantizar el triunfo en el aula: tener éxito en las clases y tener buenas notas; **3.** cultura de lectura: valorar la lectura; **4.** el hábito de lectura: la práctica de leer regularmente; **5.** leer libros en vez de encender el televisor: disfrutar de la lectura (leer) en vez de mirar los programas de la tele; **6.** que resuelvan problemas por sí mismos: solucionar problemas por su cuenta (solos); **7.** el elogio debe venir sólo si tiene éxito: celebrar sólo cuando hay triunfos; **8.** premiar al niño por comenzar temprano un proyecto: alabar al chico que empieza su tarea antes de que sea necesario; **9.** que tenga que estar despierto hasta altas horas de la noche para terminar una composición o ensayo: que trabaje hasta muy tarde en la madrugada para completar las tareas; **10.** entérate de lo que el niño debe ser capaz de hacer al final del curso: reconocer las expectativas a la conclusión de las clases; **11.** alejada de cualquier distracción: lejos de la posibilidad de distraerse; **12.** el establecimiento de un horario regular le ayudará a crear una rutina: crear horas fijas para que haga su tarea a la misma hora le ofrecerá apoyo; **13.** en vez de estar tan pendiente de las calificaciones: no fijarse tanto en las notas; **14.** un alumno estrella: un buenísimo alumno / un estudiante fantástico

42 1. a; 2. d; 3. c; 4. c; 5. b; 6. a; 7. d; 8. d;

Instructional Notes

42 Encourage students to define these words in Spanish or with a synonym.

Additional Activities

Lea, escriba y páselo
See p. TE27.

9. reto
   a. challenge
   b. difficulty
   c. reward
   d. skill

10. plumero
    a. vacuum cleaner
    b. broom
    c. duster
    d. none of these

11. rendimiento
    a. skill
    b. performance
    c. success
    d. report

12. medida
    a. measure
    b. goal
    c. exception
    d. summary

43 ¿Ha comprendido?

1. Según el artículo, ¿cómo ayuda la lectura en el éxito académico?
   a. Ayuda en las clases donde es necesario leer en voz alta.
   b. Ayuda en las clases donde es necesario discutir la tarea.
   c. Las respuestas a y b
   d. Ninguna de las respuestas anteriores

2. ¿Qué se recomienda ante todo?
   a. Se recomienda que el niño tenga buen vocabulario.
   b. Se recomienda que al niño le guste leer.
   c. Se recomienda que el adulto sea buen ejemplo para el niño con respecto a la lectura.
   d. Las respuestas a y b

3. ¿Qué recomienda el Departamento de Educación en cuanto a la televisión?
   a. Se recomienda que el niño no mire la televisión por más de ciento veinte minutos al día.
   b. Se recomienda que el niño no mire la televisión durante la semana, solamente durante los fines de semana.
   c. Se recomienda que el niño mire programas educativos de televisión.
   d. Las respuestas a y c

4. ¿Qué indica la actitud de un niño que no resuelve el más mínimo problema?
   a. Indica que va a fracasar en la escuela.
   b. Indica que va a tener dificultades en realizar proyectos en la escuela.
   c. Indica que va a tener dificultades en colaborar en proyectos en la escuela.
   d. Indica que ha leído mucho en su niñez.

5. ¿Por qué mencionó el autor el ejemplo de "la separación de la ropa para lavar, tender la cama y pasar el plumero"?
   a. Quería ilustrar cómo se puede leer poco a poco un texto.
   b. Quería relacionar los quehaceres con los pasos de un proyecto.
   c. Quería ilustrar cómo se puede hacer su tarea paso a paso.
   d. Quería relacionar la lectura difícil con unos quehaceres básicos.

6. ¿Cuál es una característica del espacio para leer y hacer su tarea que *no* está mencionada?
   a. No debe tener ni radio ni computadora.
   b. El niño debe decorarlo.
   c. El espacio debe tener muchos materiales para ayudar al estudiante.
   d. Dos de las tres respuestas anteriores

44 Responda brevemente

¿Hay muchos obstáculos a las sugerencias del artículo "Tu hijo y el éxito académico"? ¿Cuáles son? ¿Cómo se puede tener éxito académico a pesar de estos obstáculos?

45 Lea, escuche y escriba/presente

Después de leer "Tu hijo y el éxito académico", escuche "Cómo criar niños lectores" y tome las notas necesarias. Escriba un ensayo o haga una presentación en clase sobre la importancia de leer desde la niñez. No se olvide de citar las fuentes debidamente.

Cita

La mejor receta para la novela policíaca: el detective no debe saber nunca más que el lector.
—Agatha Christie (1890–1976), autora inglesa de novelas y obras de teatro policíacas

 ¿Está de acuerdo con lo que dice Agatha Christie? Escoja una novela policíaca que haya leído y describa las acciones del detective y su interés en solucionar el crimen. Hable de los aficionados a los autores de novelas policíacas como Agatha Christie. ¿Por qué cree que siguen leyendo todas las obras de estos autores? Comparta su opinión con un/a compañero/a.

Dato curioso

¿Sabía que existe un sitio Web muy popular que se llama Wikipedia, una enciclopedia gratis en la Red? Wikipedia fue iniciada en 2001. Ahora tiene más de 100.000 artículos en diez idiomas como el inglés, el español y el japonés, y 10.000 artículos en casi cuarenta idiomas menos hablados como el esperanto, el griego y el estonio. El público escribe los artículos; algunos expertos los revisan; se publica casi todo. El público también puede mejorar estos artículos porque sabrán más que los expertos en el tema, porque querrán corregir un error o porque querrán ampliar un esbozo.

Activity 45 (CD 5, track 9)

Answers

44 *Ejemplos:*
Los obstáculos pueden ser: no inculcarles a sus hijos el hábito de leer; resolverles todos los problemas; no valorar la escuela. Se puede tener éxito académico si el estudiante desarrolla el hábito de leer y mira menos televisión; debe dividir grandes tareas en pequeños pasos, organizando su tiempo. Ud. debe trabajar con los maestros cuando sea necesario y debe crear un espacio y ambiente apropiados para que su hijo pueda hacer su tarea.

Instructional Notes

45 You might want to review the following words before students listen to the audio: *tapa*, cover; *recalcar*, to stress; *esmerarse*, to take great pains; *entorno*, environment; *SIDA*, AIDS; *platicar*, to chat.

Encourage a discussion on the popularity of the literary genre of the detective novel, and why some people consider it an escape from reality and an opportunity to solve crimes like the hero or detective of these novels.

Have students discuss the Web site Wikipedia and its popularity. Ask them to do a search on the Spanish version of the Wikipedia page, and to look for potential errors, and correct them if appropriate. Have students do the same search in another language and compare the two entries.

Additional Activities

¿Cuáles son las diferencias?
See p. TE26.

Teacher Resources

 Activity 46 (CD 5, track 10)
Activity 47 (CD 5, track 11)

 Activities 14–15

Answers

46 1. Sí, la familia es muy importante; la consideran "el padrino" de tres familias que viven en tres casas que quedan a una o dos cuadras de distancia, a minutos caminando. 2. Es raro para ella pero todo el mundo la acomoda, porque se ayudan mutuamente. 3. Ella piensa que tiene una vida muy rica, muy feliz. Ha tenido éxito; ha tenido fracasos, dolor y alegría. Ha tenido mucho amor siempre. 4. Habría tratado de ir a la universidad y estudiar una carrera, habría tratado de casarse un poco más tarde y empezar a escribir más temprano. 5. John Gertz vino a su casa en agosto de 2003 y le dijo que habían hecho de todo con El Zorro menos una obra literaria, y le preguntó si ella quería hacerla. 6. Ella tenía toda la libertad del mundo, con las limitaciones de no salirse de las características básicas: El Zorro se viste de negro, tiene máscara, usa látigo y espada, y defiende la justicia. 7. Es más flexible, pero ahora ella cuestiona mucho más. 8. Los acontecimientos tienen mucho en común. Aparte de que ambos días fueron un martes 11 de septiembre, casi a la misma hora de la mañana, en las dos ocasiones se trató de un atentado terrorista contra una democracia. En los dos sitios murieron muchos inocentes. 9. Ella tiene una vida bien privada. Todo lo que tiene que ver con las novelas pasa en un círculo externo en el que ella está cuando sale, cuando viaja para la promoción. Pero su vida es simple. Y la familia la mantiene humilde.

47 1. c; 2. b; 3. d; 4. a;

Instructional Notes

46 You might want to review the following words before students listen to the audio: *mellizas*, twins; *padrino*, godfather; *guardaespaldas*, bodyguard; *de encargo*, commissioned; *descabellado*, crazy/mindless; *liviano*, fickle; *aliado*, ally; *enmendar*, to correct; *meter la pata*, to put one's foot in one's mouth; *rendir cuentas*, to be accountable; *con impunidad*, without punishment; *soberbia*, pride; *perenne*, everlasting; *sueldo*, salary.

47 You might want to review the following words before students listen to the audio: *escaparate*, showcase; *desfasado*, outdated; *herramienta*, tool; *hallazgo fortuito*, fortunate discovery; *heredado*, inherited; *provisoriamente*, temporarily; *trazo*, stroke.

¡A escuchar!

46 La felicidad de escribir

Primero lea las preguntas y observaciones que siguen y después escuche "La felicidad de escribir". Luego haga un resumen de las respuestas que hace Isabel Allende a estas preguntas y observaciones.

1. Para usted la familia es fundamental.
2. Qué contraste en una sociedad como la estadounidense, en la que la familia no es precisamente una estructura fuerte.
3. ¿Cómo ve su fortuna en la vida?
4. ¿Qué cosas haría diferente si volviera a empezar?
5. *El Zorro* es una novela de encargo, ¿no?
6. ¿Qué le pidieron al encargarle el libro?
7. ¿Es más flexible ahora que hace 20 ó 30 años?
8. Usted vivió el golpe de Estado que depuso a su tío, Salvador Allende, el 11 de septiembre de 1973 en Chile, y vivió aquí, en Estados Unidos, los atentados del 11 de septiembre de 2001. ¿Tienen cosas en común esos días?
9. Usted es la escritora latinoamericana más leída del mundo. Pero aquí abre la puerta de su oficina, conduce su coche, hace la comida para su familia...

La escritora chilena Isabel Allende

47 No somos más ricos por tener más letras

Primero lea las posibles respuestas y después escuche "No somos más ricos por tener más letras". Escoja la mejor respuesta para la pregunta que escuchará en la grabación.

1. (Pregunta que escuchará en la grabación.)

   a. 26
   b. 27
   c. 29
   d. Ninguna de las respuestas anteriores

2. (Pregunta que escuchará en la grabación.)

   a. Sí
   b. No
   c. Puede ser.
   d. No se menciona en el artículo.

3. (Pregunta que escuchará en la grabación.)

   a. La activación de imágenes neurofónicas
   b. La incorporación de las vocales a la escritura
   c. La identificación de las palabras
   d. Las respuestas a y b

4. (Pregunta que escuchará en la grabación.)

   a. Los semitas
   b. Los griegos
   c. Las respuestas a y b
   d. Ninguna de las respuestas anteriores

Questions 1–4 from audio activity 47 appear below.

1. ¿Cuántas letras había en el alfabeto español antiguo de 1803?
2. ¿Es una letra un sonido?
3. ¿Qué se les atribuye a los griegos?
4. ¿Quiénes escribieron de derecha a izquierda?

Nota cultural

La Moneda que se menciona en la entrevista con Isabel Allende, es la residencia presidencial en Santiago, Chile.

**Investigue
palabra clave:**
El Zorro

5. (Pregunta que escuchará en la grabación.)

    a. La *k*
    b. La *w*
    c. Las respuestas a y b
    d. Ninguna de las respuestas anteriores

6. (Pregunta que escuchará en la grabación.)

    a. La *k*
    b. La *w*
    c. No hay letra que se puede dejar.
    d. Ninguna de las respuestas anteriores

7. (Pregunta que escuchará en la grabación.)

    a. 25
    b. 26
    c. 27
    d. 29

48 Participe en una conversación

Ud. va a participar en una conversación. Primero lea la descripción de la conversación y piense en algunas palabras o expresiones que le serían útiles. Organice sus ideas, haciendo predicciones sobre lo que se le pueda preguntar o comentar. Una descripción de lo que va a escuchar aparece abajo en color. Participe en la conversación grabando las respuestas o escribiéndolas en su cuaderno.

Escena: Ud. y una compañera de clase, María Eugenia, tienen que preparar una tarea para la clase de literatura española.

María Eugenia:	Le pregunta sobre la tarea.
Ud.:	• Contéstele.
María Eugenia:	Le hace un comentario sobre la tarea y le hace una pregunta sobre un género literario.
Ud.:	• Contéstele, dándole detalles sobre este género literario.
María Eugenia:	Sigue la conversación y le hace otras preguntas sobre ciertas características de este género literario.
Ud.:	• Explíquele lo que Ud. sabe de esto.
María Eugenia:	Sigue la conversación y lee algo en voz alta. Le pregunta quién es el autor.
Ud.:	• Haga un comentario sobre lo que acaba de leer y dígale quién es el autor.
María Eugenia:	Sigue la conversación con unos datos sobre el autor.
Ud.:	• Despídase.

Teacher Resources

 Activity 48 (CD 5, track 12)

Answers

47 5. b; 6. a; 7. a

Instructional Notes

Questions 5–7 from audio activity 47 appear below.

  5. ¿Qué letra sólo existe en palabras extranjeras, en particular palabras inglesas?
  6. ¿Qué letra sería el primer candidato en abandonar el alfabeto español?
  7. Entonces, ¿cuántas letras existen en el alfabeto español que son verdaderamente "españolas"?

Audioscript Activity 48

María Eugenia: ¿Puedes ayudarme con la tarea para la clase de español? Tú sabes, la tarea en que tenemos que identificar el género literario y el autor de esta selección. ¿La tienes?
[STUDENT RESPONSE]

María Eugenia: Pienso que debe ser un poema pero no estoy segura. ¿Qué sabes de la estructura de un poema?
[STUDENT RESPONSE]

María Eugenia: Sí, parece que tiene estos elementos, pero ¿qué sabes de la rima y del verso libre?
[STUDENT RESPONSE]

María Eugenia: Parece que tiene algunas de estas características de que hablas. Mira, te voy a leer lo que tengo:

> Verde que te quiero verde.
> Verde viento. Verdes ramas.
> El barco sobre la mar
> y el caballo en la montaña.
> Con la sombra en la cintura
> ella sueña en su baranda
> verde carne, pelo verde,
> con ojos de fría plata.
> Verde que te quiero verde.
> Bajo la luna gitana,
> las cosas la están mirando
> y ella no puede mirarlas

Pero de quién es? Haz una búsqueda en la Red y escribe "Verde que te quiero verde".
[STUDENT RESPONSE]

María Eugenia: Sí, debe ser Federico García Lorca, el poeta español de mayor influencia y popularidad de la literatura española del siglo XX. Gracias por tu ayuda.
[STUDENT RESPONSE]

Instructional Notes

49–52 Remind students to go over the expectations outlined in the *Pautas* on p. 480 before they begin writing.

53 You might want to have students work in small groups rather than with a partner to critique one another's work.

Additional Activities

Responda a esta situación and/or **A escribir por quince minutos**
See pp. TE26 and TE28.

¡A escribir!

49 Texto informal: composiciones

Escriba en un blog. Hable sobre el proceso de cómo se debe escribir una composición organizada y detallada. Escoja un tema real o imaginario e incluya lo siguiente:

- La organización de la composición.
- Cómo incluir los detalles de la composición.
- Dónde incluir los hechos en la composición.
- Dónde incluir su opinión en la composición.

50 Texto informal: cómo redactar composiciones

En un foro, alguien pide consejos sobre cómo podría mejorar sus habilidades para redactar composiciones en una clase.

- Dele consejos para enriquecer y variar el vocabulario de su composición.
- Dele consejos para mejorar la estructura de su composición.
- Háblele de los beneficios de usar un diccionario para comprobar la ortografía.
- Háblele de los beneficios de citar fuentes para mejorar su composición.

51 Ensayo: las experiencias personales

Escriba un ensayo contestando la pregunta, "¿Cuáles son los beneficios y obstáculos de usar experiencias personales cuando uno escribe una composición para la clase de inglés o para la clase de español?"

52 Ensayo: los bosquejos

Escriba un ensayo en el que compare los beneficios y obstáculos de preparar varios bosquejos para un trabajo antes de entregarlo.

53 En parejas

Intercambie sus ensayos con los de un/a compañero/a. Exprésele su opinión sobre el contenido y el uso del idioma.

Consejo

Antes de empezar, lea las pautas para escribir textos informales en la pág. 480 del Apéndice. Mientras escribe el texto tenga presente los objetivos. Cuando termine, verifique que ha cumplido con todo lo que se describe en la lista y reflexione sobre su trabajo.

Consejo

Antes de de empezar, lea las pautas para escribir ensayos en la pág. 480 del Apéndice. Mientras escribe el ensayo tenga presente los objetivos y no se olvide de ponerle un título original. Cuando termine, verifique que ha cumplido con todo lo que se describe en la lista y reflexione sobre su trabajo.

¡A hablar!

54 Charlemos en el café

Ud. va a debatir los siguientes temas con un/a compañero/a. Uno estará a favor de lo que se ha dicho y otro en contra. El debate durará varios minutos. El/La estudiante que esté de acuerdo comenzará el debate y hablará por unos diez segundos. Cuando el/la profesor/a lo indique, el/la otro/a estudiante tomará la palabra y expresará su opinión por otros diez segundos, y así sucesivamente.

1. El arte de escribir es una tradición que se está perdiendo en nuestra sociedad.
2. En nuestra sociedad tecnológica, ser poeta no tiene sentido porque los únicos que leen poesía son los estudiantes.
3. Es necesario que redactemos y escribamos más en nuestras clases.
4. En mi opinión, el teatro es sólo un arte para la elite.
5. Es sumamente importante guardar un diario personal.

55 ¿Qué opinan?

Converse con un/a compañero/a sobre estas situaciones o preguntas.

1. Si Ud. pudiera cambiar y revitalizar cómo se enseña a escribir en nuestras escuelas, ¿qué le gustaría cambiar y por qué? ¿Es posible revitalizar el sistema? ¿Cómo lo haría?
2. ¿Cree que nuestro lenguaje es rico por el hecho de tener muchos refranes? ¿Cómo y por qué? Dé algunos ejemplos de refranes populares y explique su significado.
3. Piense en sus clases de la escuela primaria. ¿Valía la pena pasar tanto tiempo escribiendo cada letra cuando se enseñaba la ortografía y aprender el alfabeto letra por letra? ¿Le hubiera gustado cambiar este sistema? ¿Por qué? ¿Cómo lo hubiera hecho?

Consejo

Antes de empezar, lea las pautas para presentaciones formales en la pág. 481 del Apéndice. Mientras formula su presentación tenga presente los objetivos. Cuando termine la presentación, verifique que ha cumplido con todo lo que se describe en la lista y reflexione sobre el trabajo que hizo.

56 Presentemos en público

Conteste una de las siguientes preguntas o haga una presentación oral sobre uno de los temas durante varios minutos en clase. Organice sus ideas antes de hacer la presentación, busque las palabras necesarias y, después de practicar, presente en clase sin mirar las notas.

1. Piense en su género literario favorito. ¿Cómo cree que un/a autor/a puede tener éxito escribiendo este género? Si Ud. fuera escritor/a, ¿a quién pediría ayuda para desarrollar este género? (Puede ser alguien que conoce o algún famoso.)
2. Si pudiera trabajar como actor o dramaturgo, ¿con quién trabajaría? ¿Por qué? ¿Qué papeles le gustaría interpretar? ¿Por qué? Describa una obra que le gustaría llevar al cine o al teatro.
3. Ud. es un gran experto de los géneros literarios y de una obra famosísima. Escoja un texto y hable de las características que lo hicieron famoso. Luego, preséntelo a sus compañeros. Hable del lenguaje y de la estructura. Algunas sugerencias de los textos son: el discurso de Gettysburg por Abraham Lincoln, cualquier cuento de Gabriel García Márquez, una obra de teatro de Federico García Lorca, los refranes de los Presidentes John Fitzgerald Kennedy o Franklin Delano Roosevelt, cualquier poema de Pablo Neruda o de Rubén Darío, un editorial de un periódico.
4. Piense en un libro que fue adaptado para el teatro o cine. Hable del impacto que ha tenido el libro, por qué y cómo se convirtió en una obra de teatro o película. ¿Qué versión es la mejor? ¿Por qué? (Por ejemplo: las obras de teatro de Shakespeare, *Don Quijote*, *El Rey León*, *My Fair Lady*, *Matar a un ruiseñor*.)

Teacher Resources

Activities 17–19

Instructional Notes

54 Because all students will speak, allow them time to prepare this activity. Be sure to tell students which issue and which side of the issue they will be debating, so that they can do some research and practice before their debate.
After students have debated these issues with a partner, you might want them to continue the debate in small groups, or even have a discussion with the whole class on one or two of these topics. Remind students to use as much of the new vocabulary from this lesson as they can.

55 Encourage students to use the words that express agreement and disagreement in the *A tener en cuenta* section on p. 300 here and in subsequent dialogues, discussions, and conversations.

56 Review the *Pautas para presentaciones formales* on p. 481, and refer students to their copies of the guidelines given to them in *Lección 1A* (*Antes y durante una presentación*). (See p. 27 of this Annotated Edition.) Remind them that while they are presenting they should not read from their notes.

Additional Activities

La noticia del día
See p. TE28.

Instructional Notes

57 Before students start their projects, go over the questions from *Lección 1A*, p. 28. Students should have a copy of these questions for each project. Remind them that after they complete their project, they will self-assess their work as a team using the grading system 1–5 (5 being the highest, and 1 the lowest) and write a grade next to each question. After they turn in their work or make their presentation to the class, you will review their project and write your comments and evaluation next to theirs.

298

Proyectos

57 ¡Manos a la obra!

Trabaje en un grupo de cuatro o cinco estudiantes para llevar a cabo uno de los siguientes proyectos y presentarlo en clase.

- Les han encargado que planeen un nuevo Centro de Escritura en su escuela o universidad para promover el arte de escribir entre los estudiantes y la comunidad. Por lo tanto, este Centro tiene que captar el interés de los estudiantes y la comunidad. Decidan sobre cómo va a funcionar el Centro, quiénes trabajarán allí, cómo van a entrenar a los que trabajan allí, cómo van a atraer clientes y cómo juzgarán el éxito del Centro.

- Hagan un anuncio para promover el nuevo Centro de Escritura de su escuela o universidad. Decidan si va a ser un anuncio gráfico, de radio o de televisión.

- Presenten una lista de los dos mejores ejemplos de varios géneros literarios. Escojan dos poemas, dos cuentos, dos novelas, dos obras de teatro, dos editoriales y dos ensayos. Hablen de cómo se llegó a establecer la lista, quiénes son los autores y qué calidades tienen estas obras que hacen que sean las mejores.

- Imaginen que recibieron una carta en la cual una universidad los aceptó para el próximo año. Escriban o representen esta carta en cuatro géneros literarios: como editorial, como cuento, como obra de teatro y como poema. Usen la misma información en los cuatro géneros y preséntenlos en clase. Hablen de las ventajas y desventajas de presentar la carta con estos géneros literarios.

Vocabulario

Verbos

alternar	to alternate
articular	to articulate
asesorar	to advise
brotar	to put forth
capitanear	to lead
corregir	to correct
descifrar	to decode
editar	to edit
emanar	to come from
escrutar	to scrutinize
exhortar	to urge
fomentar	to encourage
inculcar	to instill
llevar a cabo	to carry out
localizar	to localize
prevalecer	to prevail
recoger	to gather, pick up
redactar	to draft; to write
reforzar (ue)	to strengthen

Verbos con preposición

verbo + a:

ayudar a	to help
contribuir a	to contribute to
exhortar a	to urge (someone) to
instar a	to urge
recurrir a	to turn to, resort to
referirse (ie) a	to refer to
remontarse a	to go back to

verbo + con:

enredarse con	to get tangled in

verbo + de:

carecer de	to be lacking
componerse de	to be composed of
constar de	to consist of
enterarse de	to find out about

verbo + por:

caracterizarse por	to be characterized by
empezar (ie) por	to start by

Sustantivos

la	burrada	nonsense, stupidity
el	cuño	stamp, mark
la	destreza	skill
la	elegía	elegy
el	elogio	praise
el	encomio	praise
el	enriquecimiento	enrichment
el	esbozo	outline
la	estrofa	stanza
el/la	filólogo/a	philologist
la	grafología	graphology

el	haikú	haiku
la	herramienta	tool
el	informe	report
el	intríngulis	difficulty
el	lenguaje	language
la	letra	letter (*of the alphabet*)
el	manejo	handling, management
el	manuscrito	manuscript
la	maqueta	model
la	medida	measure, measurement
la	metáfora	metaphor
la	métrica	meter
la	norma	standard, rule
la	papelería	stationery store
el	patrón	pattern
el	pentámetro yámbico	iambic pentameter
el	pisapapeles	paperweight
la	prosa poética	poetic prose
el	quehacer	duty
el	rendimiento	performance
el	reto	challenge
la	rima	rhyme
el	ritmo	rhythm
el	sentimiento	feeling
el	símil	simile
el	sinónimo	synonym
los	sinsabores	trouble
el	soneto	sonnet
el	sonido	sound
el	terceto	stanza with 3 verses
el	trabalenguas	tongue twister
la	versificación	versification
el	verso blanco	blank verse
el	verso libre	free verse

Adjetivos

átono, -a	unstressed
bello, -a	beautiful, lovely
cotidiano, -a	daily
efímero, -a	ephemeral, of short duration
endecasílabo, -a	with 11 syllables
epistolar	epistolary, relating to letters/correspondence
estético, -a	aesthetic
hogareño, -a	home-loving, domestic
imborrable	unforgettable
impreciso, -a	vague, imprecise
imprescindible	essential
indomable	invincible
infaltable	inevitable
intrínseco, -a	intrinsic, inherent
léxico, -a	lexical, relating to words or vocabulary
metafísico, -a	metaphysical

Teacher Resources

 Activities 20–24

 Visite la página Web de *¡A toda vela!* en
www.emcp.com

Additional Activities

Juegos

To practice and reinforce the lesson's vocabulary, have students play either one or both of these games: *Cadena de palabras, Historias en cadena.* See pp. TE24 and TE25.

Juego

To practice the culture, grammar, or vocabulary presented in the lesson, ask students to play *¿Verdadero o falso?* See pp. TE25.

Ask students to do any of the following activities to practice and strengthen the vocabulary presented in this lesson: *Hablen sobre esta foto, El desafío del minuto, Repaso Expreso, Imágenes que cuentan.* See pp. TE27 and TE28.

multitudinario, -a	heavily attended
precoz	precocious; early
preestablecido, -a	preestablished
recto, -a	straight
refractario, -a	resistant, unmanageable
restringido, -a	restricted, limited
semántico, -a	semantic
sintáctico, -a	related to syntax
tónico, -a	accentuated

Expresiones

una burrada de gente	loads of people
con acuse de recibo	(with) acknowledgment of receipt
correr a cargo de	to be headed by
de la misma manera	in the same way
enredarse de tal modo	to get mixed up in something in such a way
estar constipado, -a	to have a cold
no obstante	nevertheless
poner de relieve	to highlight
poner en marcha	to start
ponerse remedio	to remedy
por placer	for pleasure
retener datos	to retain data
sacar a la luz	to bring something to light
tirar ejemplares	to print copies
tomar cuerpo	to embody
valer la pena	to be worth the trouble

A tener en cuenta

Palabras que expresan acuerdo o desacuerdo

Acuerdo:
¡Vale!
¡Eso es!
¡De acuerdo!
Estoy de acuerdo contigo/con Ud.
Opino igual/como tú/como Ud.
En eso coincidimos.
Somos de la misma opinión.
Pensamos igual.
Lo mismo digo yo.
Conforme.

Desacuerdo:
De ningún modo.
Esto es mentira. Es falso.
¡En absoluto!
¡Ni hablar!
¡Que va!
No estoy de acuerdo (en absoluto).
Pero, ¿qué (me) dices?
¡Qué disparates dices!
Eso sí que no.
De eso, nada.
¡Claro que no!
¡Calla, hombre (mujer), calla!

Capítulo 6

Temas

- Los deportes
- Los atletas
- Los Juegos Olímpicos

Puro deporte

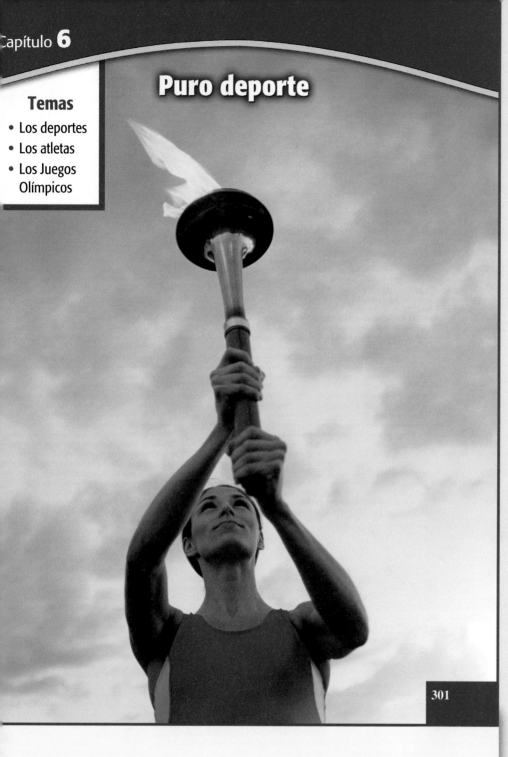

301

Overview of chapter 6

This chapter focuses on sports: their importance in maintaining physical fitness and good health, their history, the impact of soccer in world sports, and the Olympics. Students will read about and be able to talk about the history of some sports as well as of the Olympics, the ancient origins of some ball games, and the role women have played in sports.

To discuss some of the topics for this lesson ask students: *¿Qué es un deporte? ¿Qué deportes conocen? ¿En cuáles participan? ¿Quiénes son algunos atletas famosos de esos deportes? ¿Cuáles son hispanos? ¿Qué saben del fútbol? ¿Cómo se diferencia el fútbol del fútbol americano? ¿Qué equipos o futbolistas famosos conocen? ¿Qué saben de los Juegos Olímpicos Antiguos? ¿Y de los Modernos? ¿En qué ciudades y en qué año tuvieron lugar los últimos Juegos Olímpicos de Verano y de Invierno? Y los próximos: ¿cuándo y dónde van a tener lugar?*

The photos on the page depict (from top to bottom) the closing ceremonies at the Summer Olympics in Sydney, Australia (2000), players from a Spanish soccer team, and the eternal flame of the Olympics.

Lección A

Objetivos

Comunicación
- Hablar de los deportes
- Comprender cómo se organizan los Juegos Olímpicos
- Discutir la pasión por el fútbol
- Entender los juegos de pelota antiguos

Gramática
- El género de los sustantivos
- El infinitivo, indicativo y subjuntivo

"Tapitas" gramaticales
- expresiones impersonales con *se*
- el progresivo
- *llegar a ser, ponerse, hacerse, volverse*
- *al* + infinitivo
- verbos con preposiciones
- adverbios
- *pero* y *sino*

Cultura
- Los atletas
- Los Juegos Olímpicos
- La popularidad del fútbol
- Deportes en la Edad Media
- Juegos de pelota

Visite la página Web de *¡A toda vela!* en www.emcp.com

Para empezar

1 Conteste las preguntas 👥

Piense en las respuestas a las siguientes preguntas. Ud. puede tomar notas si lo considera necesario. Cuando termine, compare sus respuestas —pero sin mirar sus notas— con las de un/a compañero/a.

1. ¿Le gustan los deportes? ¿Prefiere practicarlos o mirarlos? ¿Con qué frecuencia los practica o los mira?
2. ¿Prefiere los deportes de equipo, por pareja o individuales? ¿Por qué? Nombre un deporte de cada una de estas categorías.
3. ¿Ha asistido a algún partido profesional o amateur a nivel universitario o secundario? Describa la experiencia. Si no, describa el mejor momento deportivo que ha visto en la televisión.
4. ¿Prefiere los deportes profesionales o amateur, de nivel universitario o secundario, de hombres, de mujeres o de ambos sexos? ¿Por qué? 👥
5. ¿Qué beneficios aporta hacer un deporte?
6. ¿Qué opina de los Juegos Olímpicos?
7. ¿Le gustaría ir a los Juegos Olímpicos o participar en ellos? ¿Por qué? ¿Qué deporte olímpico le gustaría ver o practicar? ¿Por qué?
8. ¿Qué países hispanos han organizado los Juegos Olímpicos? ¿Dónde y cuándo tuvieron lugar las Olimpiadas en estos países?
9. ¿Cuál es el deporte más popular del mundo? ¿Cómo se llama su campeonato? ¿Qué sabe de las reglas y los equipos de este deporte?
10. ¿Piensa que el deporte ha existido desde hace mucho tiempo o que es un fenómeno relativamente moderno? ¿Piensa que hay globalización en los deportes? ¿En cuáles y cómo los afecta?

Cita

El deporte delega en el cuerpo algunas de las virtudes más fuertes del alma: la energía, la audacia, la paciencia.

—Jean Giradoux (1882–1944), dramaturgo francés

Dé ejemplos de cómo el deporte promueve las tres virtudes citadas. Si no está de acuerdo con esta cita, explique por qué. ¿Qué aspecto de los deportes le parece más importante: el ejercicio o la competición? ¿Por qué? Comparta sus opiniones con un/a compañero/a.

2 Mini-diálogos 👥

Va a crear un mini-diálogo con un/a compañero/a. Lea la descripción de la conversación que va a mantener. Puede tomar notas para organizar sus ideas, pero no las mire mientras conversa. Le pueden servir algunas expresiones del recuadro.

el portero / el arquero	el delantero	el medio
la defensa	el equipo contrario	el marcador
un pase de gol	el árbitro	marcar un gol

¡Dato curioso!

El 50 por ciento o más de los menores de edad preescolar y escolar no realizan ninguna actividad física sistemática en su tiempo libre, y esto es más marcado en las niñas que en los niños. Muchos niños pasan 30 horas o más cada semana sentados delante de la televisión o del video.

Escena: En la calle un/a amigo/a le saluda mientras Ud. está caminando al parque para jugar un partido de fútbol con sus amigos.

A: Salúdele y pregúntele si quiere jugar con Uds.

B: Conteste afirmativamente, pero pregúntele qué tipo de jugador(a) necesita el equipo.

A: Conteste con dos opciones.

B: Reaccione negativamente a las dos opciones y explique por qué.

A: Convénzale de que debe jugar.

B: Reaccione cordialmente pero rechace la invitación.

A: Haga un comentario sobre su reacción. Despídase cordialmente.

B: Despídase cordialmente.

Answers

1 Answers will vary.

2 Dialogues will vary.

Instructional Notes

Encourage students to discuss the benefits of playing a sport and have them consider the virtues of sports that are mentioned in the *Cita: la energía, la audacia, la paciencia*. Ask students which element they think is the most important, and whether the importance of these elements depends on the sport.

Dato curioso

Ask students to talk about the disadvantages of not participating in sports or not doing any physical exercise, and what effects this might have on children. You might also ask them to talk about the impact of watching too much TV or playing too many video games has on people of all ages.

Additional Activities

Ask students to do *¡Pongámonos de acuerdo!* to practice the words in the word bank. See p. TE28.

Instructional Notes

3 After students read both articles, you might do an informal survey to see if they identify more with Sergio or Catalina.

Vocabulario y gramática en contexto

3 Un foro

Túrnese con un/a compañero/a para leer los comentarios que dos personas han escrito en un foro sobre el ejercicio físico. Fíjese en las palabras que aparecen en azul (relacionadas con el vocabulario) y en rojo (relacionadas con la gramática), ya que en las siguientes actividades se le harán preguntas sobre ellas.

¿Hacer o no hacer deporte?

He oído que su salud le agradecerá un mínimo de ejercicio físico practicado regularmente. Pero ¿qué deporte? No hay ningún deporte que me convenza. Soy tan inepto; no me gusta el ejercicio físico. ¿Correr? Ni pensarlo. ¿El baloncesto? No
5 soy alto y el precio de las zapatillas es escandaloso. ¿El tenis? Sí, es verdad que los tenistas profesionales ganan mucho dinero pero tienen que viajar tanto. Y hay tantas pistas: la tierra batida (la arcilla), la hierba o el pasto, o el cemento. ¡Tantas opciones! ¿El béisbol? ¡Ay! ¡Qué lata! Oí una vez
10 que un batazo de un jonrón con dos corredores en base despertó al jardinero derecho porque estaba dormido durante el partido. El béisbol es tan lento como el golf. ¿El fútbol americano? De ninguna manera. Es tan brutal y violento como el hockey sobre hielo. ¡Quizás el fútbol! Es emocionante y popular mundialmente, pero muchas chicas te dicen que el fútbol es aburrido. Mejor ver el programa ESPN Deportes para decidir.

—Sergio

Hacer deporte es sanísimo

Para mí el deporte es una actividad saludable. El deporte es para el cuerpo como la lluvia para la tierra. Debemos tener en cuenta estas bebidas energéticas para hidratar el cuerpo que se venden ahora. El deporte reduce la ansiedad y el estrés y disminuye la depresión. Por otra parte,
5 el deporte tiene dos objetivos: competir como aficionado y competir profesionalmente. En mi caso, inicialmente hice deporte en la escuela y después las circunstancias me fueron llevando a convertirme en deportista profesional. Son necesarios muchos sacrificios: tu tiempo libre, las horas de entrenamiento, las horas de viaje a las competiciones y, también, la
10 preparación mental que se exige. Así y todo, el atleta profesional corre el riesgo de aislarse y de competir contra sí mismo hasta llegar a ser campeón y el mejor de su disciplina.

—Catalina

4 Amplíe su vocabulario

Traduzca las palabras o expresiones que aparecen en azul en las lecturas anteriores, o escriba un sinónimo o expresión similar para cada una en español. Luego haga una lista de las expresiones idiomáticas que aparecen en el texto en rojo. ¿Por qué son expresiones idiomáticas? Tradúzcalas al inglés.

5 El género de los sustantivos

Conteste estas preguntas relacionadas con las lecturas de la Actividad 3.

1. ¿Cuáles son algunas reglas para determinar el género de los sustantivos? Use estos ejemplos: *la salud, la opción* y *el programa.* ¿Qué otras reglas hay?
2. ¿Qué pasa si el sustantivo viene directamente del inglés? Use el ejemplo de *hockey.* Escriba otros tres ejemplos, dos de los cuales deben ser del mundo de los deportes.

6 "Tapitas" gramaticales

Conteste estas preguntas basadas en las lecturas de la Actividad 3.

1. Explique el uso del subjuntivo en la oración: "No hay ningún deporte que me convenza".
2. Explique la construcción *¡Qué lata!*
3. Busque las formas del adverbio *tanto* en los foros. ¿Qué palabras modifican? ¿Que otras funciones gramaticales tiene *tanto?*
4. Busque la construcción *se venden.* ¿Por qué no se dice *se vende?* Escriba otros dos ejemplos con *se,* usando el vocabulario de las lecturas.
5. Explique el significado de *me fueron llevando.* ¿Qué es esta construcción verbal? ¿Por qué se usa en la lectura?
6. ¿Qué forma del verbo se usa después de la expresión *correr el riesgo de?* Busque otros dos ejemplos de verbos con preposiciones en las lecturas y escríbalas.
7. ¿Qué significa *llegar a ser?* Explique la diferencia entre estos verbos: *llegar a ser, ponerse, hacerse* y *volverse.*

7 ¿Qué opina?

Reaccione a lo que cada persona ha escrito en el foro y comparta su opinión con un/a compañero/a. Use palabras de las lecturas que aparecen en azul.

Los jugadores del equipo paraguayo Olimpia celebran una gran victoria.

5. Es el pretérito del progresivo e indica que la acción ocurría durante un período de tiempo en el pasado, pero que ahora se considera la acción terminada.
6. el infinitivo; ejemplos: convertirme en, competir contra, llegar a; 7. Significa convertirse o transformarse en lo que se aspira ser. Todos significan *to become* en inglés; *llegar a ser* indica el resultado de un cambio lento y, a veces, difícil (*Marcos llegó a ser presidente*); *ponerse* indica un cambio de humor, condición física o aspecto físico (*ponerse contento/enfermo*); *hacerse* implica un cambio voluntario y generalmente se usa para indicar cambios religiosos, profesionales o políticos (*Se hizo católico/médico/socialista.*); *volverse* indica un

cambio mental o psicológico involuntario (*Te has vuelto muy orgullosa. El pobre se volvió loco.*).

7 Reactions will vary.

Instructional Notes

6 To expand question 3, ask students to find examples of *tantas* used as an adjective in the reading and identify the words it modifies (*pistas* [l. 7], *opciones* [l. 9] in the first article).

Additional Activities

Juego
Ask students to play *Cada uno una.*
See p. TE24.

Teacher Resources

Activity 1

Answers

4 *Synoyms and expressions in Spanish will vary; translations follow:* agradecerá, *will thank;* ejercicio físico, *physical exercise;* inepto, *inept;* baloncesto, *basketball;* zapatillas, *gym shoes/sneakers;* escandaloso, *scandalous;* tenistas, *tennis players;* pistas, *surfaces;* tierra batida/arcilla, *clay;* hierba/pasto, *grass;* cemento, *cement;* béisbol, *baseball;* batazo, *hit (with a bat);* jonrón, *home run;* corredores en base, *base runners;* jardinero derecho, *right fielder;* partido, *game;* fútbol americano, *football;* hockey sobre hielo, *ice hockey;* fútbol, *soccer;* emocionante, *exciting;* mundialmente, *worldwide;* bebidas energéticas, *energy drinks;* hidratar, *to hydrate;* ansiedad, *anxiety;* estrés, *stress;* aficionado, *fan;* deportista, *sportsperson;* tiempo libre, *free time;* entrenamiento, *training;* competiciones, *competitions;* atleta, *athlete;* aislarse, *to isolate oneself;* campeón, *champion;* disciplina, *discipline.* **Expresiones idiomáticas:** ¡Qué lata!, *What a bore!;* tener en cuenta, *to keep in mind;* por otra parte, *on the other hand;* hice deporte, *I played sports;* así y todo, *in spite of it all;* corre el riesgo, *runs the risk;* llegar a ser, *to become;* Son expresiones idiomáticas porque no se traducen palabra por palabra.

5 1. Los sustantivos que terminan en *-ud* y en *-ción* (*la salud, la virtud, la opción, la acción*) son casi siempre de género femenino. Algunos sustantivos que provienen de griego y que terminan en *-a* (*el programa, el tema*) son de género masculino. **Otras reglas:** No siempre los sustantivos acabados en *-a* son femeninos y los acabados en *-o* son masculinos (*el día, la mano*). Otros sustantivos pueden ser masculinos o femeninos, según la persona a quien se refieren (*el/la estudiante, el/la atleta, el/la deportista*). Los terminados en *-dad,* (*verdad*), *-tad* (*libertad*), *-sión* (*decisión*), *-zón* (*razón*) son femeninos, así como las letras del alfabeto. Los que terminan en *-aje* (*viaje*), *-ambre* (*alambre*), *-or* (*calor*), los días de la semana, los meses del año, los ríos, los mares, los océanos son de género masculino. 2. Generalmente es de género masculino. Ejemplos: *jonrón, golf, jazz*

6 1. Se usa el subjuntivo porque el verbo principal (*no hay*) expresa una percepción negativa e influye sobre el verbo subordinado. 2. Es una expresión idiomática y una exclamación que expresa fastidio. 3. *Tan* modifica *inepto, lento, brutal* y *violento; tanto* modifica *viajar.* Puede ser adjetivo o pronombre. 4. *Vende* no concuerda con el número del sujeto *bebidas.* Ejemplos: se reducen la ansiedad y el estrés; se exige preparación mental.
continues at the bottom of the page

8 El fútbol americano

Lea atentamente el siguiente artículo, prestando atención a las palabras en azul, ya que se le harán preguntas sobre ellas.

Dirección www.laraza.com

Archivo   Edición   Ver   Favoritos   Herramientas   Ayuda

Los dueños no quieren que sus equipos jueguen fuera del país

La fiebre del fenómeno de la globalización de los deportes profesionales estadounidenses parece que ha entrado en recesión dentro de la Liga Nacional de Fútbol Americano (NFL), después de que en la reunión anual de los dueños de los equipos éstos dieran un "no" rotundo a jugar partidos
[5] fuera del país. Cuando todo parecía que la NFL se iba a aprovechar del gran éxito de asistencia que han tenido los partidos disputados por los equipos en sus salidas a México y Europa, los dueños consideran que, al menos en 2006, no repetirán ese tipo de experiencia. El último partido que disputaron equipos de la NFL fuera de Estados Unidos fue en México entre
[10] los Cardenales de Arizona y los 49ers de San Francisco. El comisionado de la NFL, Paul Tagliabue, fue tajante al descartar por completo la posibilidad de que la liga juegue un partido fuera de los Estados Unidos este año. En 2005, los Cardenales se enfrentaron como locales a los 49ers en el estadio Azteca de la Ciudad de México, y lograron reunir a una
[15] asistencia de 103.467 espectadores, que vieron cómo el primer equipo ganó el partido por 31–14.

El propio Tagliabue definió lo sucedido en el partido como "un elemento de legitimación" para que se siguiesen realizando este tipo de competiciones. Pero los propietarios no tienen el mismo criterio y votaron mayoritariamente para que la competición de liga no salga fuera de las fronteras de los
[20] Estados Unidos la temporada 2006, y se concentre en el desarrollo del mercado nacional...

El comisionado de la NFL también está preocupado por conseguir que los Santos de Nueva Orleáns no dejen la ciudad que fue gravemente afectada por el huracán Katrina. La NFL en el calendario para la próxima temporada ha programado para la tercera semana de competición, el 24 de septiembre, el primer partido de los Santos como locales en el Louisiana Superdome, que fue utilizado por miles
[25] de damnificados que sufrieron los desastres del huracán Katrina el pasado mes de agosto. Tanto el comisionado Tagliabue como fuentes cercanas al equipo de los Santos confirmaron que su dueño, Tom Benson, ha trabajado muy duro para conseguir que el equipo vuelva a Nueva Orleáns.

www.laraza.com

9 Amplíe su vocabulario

Mire las palabras de las dos primeras columnas, que aparecen en la lectura anterior, y busque su definición o sinónimo en las dos últimas.

1. dueño	8. disputar	a. en el extranjero	i. época en la que se juega un deporte
2. fuera del país	9. comisionado	b. triunfo	
3. fiebre	10. descartar	c. tajante	j. entusiasmo
4. globalización	11. locales	d. funcionario más importante de una liga deportiva	k. equipo que recibe al equipo contrario
5. rotundo	12. espectadores		l. público
6. aprovechar	13. temporada	e. proyectar	m. luchar
7. gran éxito	14. programar	f. integralmente en el mundo	n. beneficiar
		g. propietario	
		h. rechazar	

10 Soluciones 👥

Con un/a compañero/a, explique cuáles son las opiniones del comisionado y de los dueños de los equipos sobre la globalización del fútbol americano. Juntos, ofrezcan algunas soluciones al problema.

11 Los sustantivos 🔍

Conteste estas preguntas basadas en la lectura de la Actividad 8.

1. Busque los nombres de los equipos de fútbol americano en la lectura. ¿Cómo se determina el género de estos equipos? Explique la regla en general.
2. ¿Cuál es el género de *globalización*? Cite otras tres palabras que terminen en *-ión*.

12 El indicativo y el subjuntivo 🔍

Conteste estas preguntas basadas en la lectura de la Actividad 8.

1. Haga dos listas de los verbos en indicativo que aparecen en el texto; una debe indicar los verbos en presente, y la otra, en el pasado. Explique su uso en cada caso.
2. Haga dos listas de los verbos en subjuntivo que aparecen en el texto; una debe indicar los verbos en presente, y la otra, en el pasado. Explique su uso en cada caso.
3. Busque las dos oraciones con *conseguir*. ¿Por qué es necesario usar el subjuntivo en las dos oraciones?

13 "Tapitas" gramaticales 🔍

Conteste estas preguntas basadas en la lectura de la Actividad 8.

1. ¿Por qué decimos *al descartar*? ¿Cuál es el significado en inglés?
2. ¿Qué palabra se usa después de *enfrentarse*? ¿Qué quiere decir la frase de la lectura con este verbo? ¿Es posible usar la preposición *con* después de este verbo? ¿Cómo cambia el significado con esta palabra?
3. ¿Qué tiempo verbal es *se siguiesen*? ¿Cuál es la diferencia entre *se siguiesen* y *se siguieran*? Conjugue otros tres verbos de la lectura en las dos formas de este mismo tiempo verbal y en la tercera persona plural.
4. Busque la palabra *mayoritariamente*. ¿Es adjetivo, adverbio o conjunción? ¿Cuál es su significado en la oración?
5. Busque *aprovechar*, *se concentre* y *está preocupado*. ¿Qué preposición sigue a cada uno de estos verbos? Escriba otros dos verbos con cada una de estas preposiciones.

14 Escriba ✒️

Escriba un correo electrónico a su periódico local, explicando las ventajas o desventajas de la globalización de los deportes en general. Hable de la influencia de la televisión en los deportes y de la fiebre mundial por competir y ganar.

Additional Activities

Comunicación
After students have made known their opinions about globalization of sports in their e-mails, you could have teams debate both sides of this issue.

Teacher Resources

 Activities 2–3

Answers

10 Answers will vary.

11 1. los Cardenales de Arizona, los 49ers de San Francisco y los Santos de Nueva Orleáns; Las palabras que los definen —cardenales, santos y los del año 49— son de género masculino y los miembros de los equipos son todos hombres. En general, son masculinos los sustantivos terminados en *-o, -aje, -ambre, -or*; los nombres de ríos, lagos, océanos, mares; los sustantivos que corresponden a una persona de sexo masculino (*el cura*); los colores; palabras de origen griego (*el dilema*). 2. femenino; ejemplos: recesión, reunión, legitimación, competición

12 1. *Presente:* quieren, parece, consideran, tienen, está; La acción sucede en el momento actual. *Pasado—Pretérito:* disputaron, fue; se enfrentaron, lograron, vieron, ganó, definió, votaron, sufrieron, confirmaron; Expresan acciones realizadas y acabadas en el pasado sin tener relación con el presente. *Imperfecto:* parecía, iba; Expresan acciones pasadas sin precisar el principio ni el final de la acción. *Presente perfecto:* ha entrado, han tenido, ha programado, ha trabajado; Expresan acciones realizadas en el pasado y que perduran en el presente. 2. *Presente del subjuntivo:* jueguen, juegue, salga, se concentre, dejen, vuelva; Expresan voluntad (*jueguen, se concentre, vuelva*), incertidumbre (*dejen*) y/o posibilidad (*juegue*) de realizarse en el momento actual; *salga* va precedido de la locución *para que*. *Imperfecto del subjuntivo:* dieran, se siguiesen; se usa en oraciones temporales introducidas por la conjunción *después de que* (*dieran*); se usa después de para que (*se siguiesen*). 3. *El comisionado de la NFL también está...* (ll. 21–22): va precedido por un verbo que expresa una reacción emotiva (*está preocupado*). *Tanto el comisionado Tagliabue...* (ll. 25–27): va precedido por la locución *para que*.

13 1. para expresar que se retira una idea o cosa; *upon rejecting;* 2. como; que los Cardenales jugaban en su estadio contra el otro equipo/*The Cardinals were the home team when they played against the 49ers.* Sí; *enfrentarse con* quiere decir "*to face up to*". 3. El imperfecto del subjuntivo; Son dos variaciones del mismo tiempo. Ejemplos: dieran, diesen; jugaran, jugasen; saliera, saliese; 4. Es adverbio. Quiere decir que la mayoría de los votantes estuvieron a favor de que la liga no saliera fuera de Estados Unidos. 5. de, en, por; ejemplos: alegrarse de, acabar de; confiar en, entrar en; interesarse por, luchar por

14 E-mails will vary.

Instructional Notes

14 Call on some students to read their e-mails aloud.

Teacher Resources

 Activity 4

Answers

15 1. explicó; 2. haya; 3. brinde; 4. se hace;
5. presentó; 6. aparecerá / aparece; 7. añadió; 8. saca /
está sacando; 9. tener; 10. llevar; 11. se enfocan;
12. aprovechamos; 13. precisó; 14. seguirlo; 15. se
desarrolle; 16. tendrá / va a tener / tiene

Instructional Notes

15 Before students start reading, ask them: *¿Qué saben
de la cadena de televisión y la empresa ESPN? ¿Existe
ESPN en español?*

Additional Activities

Trabajo de investigación
Ask students to research ESPN and ESPN en español on
the Web and then make a brief written or oral
presentation of their findings.

Composición
Ask students to work in small groups and create a new
sports magazine in Spanish. The magazine could center
on sports in general or one sport in particular. Students
will need to design the cover and come up with a table
of contents.

---

15 Los deportes

Échele una ojeada al artículo que sigue para ver de qué se trata, e intente averiguar
el significado de las palabras en azul por el contexto, ya que se le harán preguntas
sobre ellas. Luego lea el artículo y complételo con la forma correcta de los verbos entre
paréntesis.

Dirección www.laraza.com

Archivo   Edición   Ver   Favoritos   Herramientas   Ayuda

La revista *ESPN Deportes* ahora en español

La publicación mensual viene a ser una opción de información en el mundo deportivo para el lector latino.

Entrevistas a destacados jugadores, deportes
extremos e imágenes de acción, son tan sólo
una parte de lo que ofrece desde agosto *ESPN
Deportes La Revista*. Lino García, gerente
⁵ general del canal ESPN Deportes,
__1.__ (*explicar*) que ya es tiempo de que
__2.__ (*haber*) una revista impresa en español
que le __3.__ (*brindar*) a los fanáticos
deportivos una variedad de deportes al igual
¹⁰ que __4.__ (*hacerse*) por la televisión. La
publicación __5.__ (*presentar*) en su primera
portada de agosto al basquetbolista argentino
Manú Ginóbili, con el tema central de "Los 101
ídolos con poder latino", y para este mes de
¹⁵ septiembre la portada es doble: el delantero del
América, Cuauhtémoc Blanco, __6.__ (*aparecer*)
en la costa oeste, y el primera base de los
Cardenales de San Luis, Albert Pujols, en la
región del este, "una táctica que se usará de
²⁰ vez en cuando", __7.__ (*añadir*) el gerente
general de ESPN Deportes. *ESPN Deportes* __8.__
(*sacar*) provecho de todo su equipo editorial
para __9.__ (*tener*) acceso a las mejores
coberturas y __10.__ (*llevar*) la información
²⁵ de primera mano. "Ha habido otras revistas
que __11.__ (*enfocarse*) en diferentes deportes,
pero no tienen la variedad de fuentes
de información y acceso que tenemos
nosotros porque __12.__ (*aprovechar*) nuestra
³⁰ infraestructura, encapsulándola en una revista

de distribución mensual", __13.__ (*precisar*)
Lino García. En cuanto al mercado mexicano,
Lino destacó la importancia de __14.__
(*seguirlo*) de cerca, ya que tienen una
³⁵ conexión profunda debido a que se produce
bastante información desde México, y la
prueba es la portada de "Temo" Blanco. Pero
no sólo abunda la información en ese país,
sino en toda América Latina donde __15.__
⁴⁰ (*desarrollarse*) un deporte como el béisbol
en la República Dominicana, o los grandes
futbolistas brasileños.
"De esta forma el lector latino __16.__ (*tener*)
la oportunidad de seguir el mundo deportivo
⁴⁵ a través de la revista, que es una extensión
del canal de televisión", puntualizó el gerente
general de ESPN Deportes.

www.laraza.com

16 Amplíe su vocabulario

¿Cuál es la mejor traducción según el contexto del artículo?

1. mensual
   a. weekly
   b. biweekly
   c. monthly
   d. yearly
2. destacado
   a. famous
   b. outstanding
   c. unknown
   d. new
3. impresa
   a. company
   b. published
   c. printed
   d. translated
4. fanático
   a. fan
   b. out of control
   c. spirited
   d. trainer
5. portada
   a. door
   b. feature
   c. cover
   d. attraction
6. poder
   a. power
   b. to be able
   c. appeal
   d. follower
7. cobertura
   a. front cover
   b. opening
   c. press
   d. coverage
8. fuente
   a. source
   b. network
   c. bibliography
   d. panel
9. desarrollarse
   a. to develop
   b. to review
   c. to point out
   d. to highlight
10. puntualizar
    a. to underline
    b. to remind
    c. to present
    d. to point out

17 El infinitivo, el indicativo y el subjuntivo

Explique por qué usó cada uno de estos tiempos en las respuestas de la Actividad 15: el infinitivo, el indicativo y el subjuntivo.

18 "Tapitas" gramaticales

Conteste estas preguntas basadas en el artículo de la Actividad 15.

1. Dé una definición de los siguientes jugadores: *el basquetbolista, el delantero, el primera base* y *los futbolistas*. ¿Por qué se usa el artículo *el* o *los* con cada uno? ¿Cómo se llama al atleta que juega al béisbol?
2. ¿Cuál es la traducción de *en cuanto a*? Escriba otra expresión equivalente en español.
3. ¿Por qué se dice *el primera base* si la palabra *base* es femenina? ¿Por qué se dice *el tema* y *de primera mano*?
4. Explique por qué se usa *sino*, y no *pero*, en la frase "...no sólo abunda la información en ese país, sino en toda América Latina".

Cita

El deporte es iniciativa, perseverancia, búsqueda del perfeccionamiento, menosprecio del peligro.

—Pierre de Coubertin (1863–1937), fundador de los Juegos Olímpicos Modernos

 ¿Está de acuerdo con esta definición del deporte? Explique su respuesta con ejemplos que ilustren cada palabra de la definición. Comparta sus opiniones con un/a compañero/a.

¡Dato curioso!

La FIFA (Fédération Internationale de Football Association) gobierna las federaciones de fútbol a nivel internacional, supervisa las reglas del juego y organiza los campeonatos mundiales de fútbol. Se fundó el 21 de mayo de 1904 y hoy forman parte de ella doscientas siete asociaciones o federaciones de fútbol de distintos países.

Investigue
palabras clave:
Pierre de Coubertin

Answers

16 1. c; 2. b; 3. c; 4. a; 5. c; 6. a; 7. d; 8. a; 9. a; 10. d

17 *El infinitivo:* se usa el infinitivo después de una preposición: para tener/llevar, de seguirlo. El infinitivo no expresa por sí mismo número ni persona ni tiempo determinado. *El indicativo:* expresa acciones en el presente, pasado o futuro; expresa la realidad (la certeza y la verdad objetiva): explicó, se hace, presentó, aparece / aparecerá, añadió, saca / está sacando, se enfocan, aprovechamos, precisó, tendrá / va a tener / tiene. *El subjuntivo:* expresa una acción que está concebida como subordinada a otra, como un deseo del sujeto o como una hipótesis; es el modo de la irrealidad: haya, brinde, se desarrolle.

18 1. el basquetbolista, persona que juega baloncesto; el delantero, jugador de fútbol; el primera base, jugador de béisbol de la primera base; los futbolistas, jugadores de fútbol; Se usa *el* o *los* porque se refieren a los jugadores masculinos. El beisbolista; 2. *as far as;* en relación a; 3. Se refiere al *jugador* (palabra de género masculino) que defiende la primera base. *El tema* pertenece al grupo de palabras que provienen del griego y que son de género masculino aunque terminen en *-a. La mano* es una de las excepciones de las palabras que aunque terminan en *-o,* son de género femenino. 4. Se usa *sino* porque la primera parte de la oración es una negación. No se puede usar *pero* cuando hay un antecedente negativo.

Instructional Notes

17 Ask students to rewrite the sentence starting on line 4 in "La revista *ESPN Deportes* ahora en español" (*Lino García, gerente...*) so that the verbs presently in the present subjunctive will be in the imperfect subjunctive. (*Lino García, gerente... había explicado que ya era tiempo de que hubiera una revista impresa en español que le brindara... se hacía por la televisión.*)

Additional Activities

Composición
After students discuss the *Cita*, ask them to create another quote that defines sports.

Trabajo de investigación
Ask students to search the Internet for information on FIFA and then have a classroom discussion on soccer and the role that FIFA plays in the sport.

Juego
Ask students to play *Aplausos o chasquidos* to practice the subjunctive. See p. TE24.

Teacher Resources

 Activity 6

Answers

19 Deportes
el automovilismo *race-car driving*
el baloncesto, el básquetbol *basketball*
el béisbol *baseball*
el boxeo *boxing*
el ciclismo *cycling*
el esquí *skiing*
el fútbol, el balompié *soccer*
la gimnasia *gymnastics*
el golf *golf*
la lucha libre *wrestling*
la natación *swimming*
el patinaje *skating*
el remo *rowing*
el surf *surfing*
el tenis *tennis*

Atletas
el/la piloto de Fórmula 1 *Formula 1 driver*
el/la baloncestista, el/la basquetbolista *basketball player*
el/la beisbolista *baseball player*
el/la boxeador(a) *boxer*
el/la ciclista *cyclist*
el/la esquiador(a) *skier*
el/la futbolista *soccer player*
el/la gimnasta *gymnast*
el/la golfista *golfer*
el/la luchador(a) *wrestler*
el/la nadador(a) *swimmer*
el/la patinador(a) *skater*
el/la remero/a *rower*
el/la surfista *surfer*
el/la tenista *tennis player*

20 1. ciclista, ciclismo; 2. patinaje, patinadores; 3. remo, remeros; 4. tenista, tenis; 5. gimnasia, gimnastas; 6. natación, nadadores; 7. beisbolistas, béisbol; 8. golfista, golf; 9. boxeador, boxeo; 10. futbolistas, Fútbol, balompié;

---

19 Familia de palabras

Complete la tabla con el deporte, la persona que lo juega y la traducción correspondiente.

Deportes		Atletas	
el automovilismo	___	el/la piloto de Fórmula 1	Formula 1 driver
el baloncesto, el básquetbol	___	el/la baloncestista, el/la basquetbolista	___
el béisbol		el/la beisbolista	___
el boxeo	boxing	el/la boxeador(a)	___
el ciclismo		el/la ciclista	___
el esquí	skiing	el/la esquiador(a)	___
el fútbol, el balompié			
la gimnasia	___	___	___
el golf	___		
la lucha libre	___		
		el/la nadador(a)	
el patinaje	___	el/la patinador(a)	___
el remo	rowing	el/la remero/a	___
el surf			
___		el/la tenista	

20 ¿Cuál es el deporte?

Complete las oraciones usando las palabras de la tabla.

1. Miguel Indurain, un ___ español, fue ganador del Tour de Francia durante cinco años consecutivos (1991–1995). El Tour de Francia es una competencia de ___ durante tres semanas en el mes de julio por toda Francia.
2. Hay dos tipos de ___: sobre ruedas y sobre hielo. Los ___ sobre hielo compiten en el hockey.
3. En el deporte del ___, hay un banco fijo en una embarcación y los ___ propulsan la embarcación con el torso y los brazos.
4. Rafael Nadal, un ___ español de Mallorca, ganó el campeonato de ___ en tierra batida en Roland Garros en París en 2005.
5. Se reconoce a los equipos femeninos y masculinos rusos de ___ como los mejores del mundo. Los ___ compiten en barras paralelas, anillos y barra fija.
6. La ___ es un deporte acuático muy popular, y los ___ pueden practicarla sin equipo especial.
7. Sammy Sosa nació en la República Dominicana y se le considera uno de los mejores ___ de las Grandes Ligas de ___. Tanto él como Mark McGwire batieron el récord de cuadrangulares en la temporada de 1998.
8. Severiano "Seve" Ballesteros era un destacado ___ español en las décadas de los ochenta y noventa. Otro jugador de ___ español actual es Sergio García, quien ha jugado contra Tiger Woods en varios torneos mundiales.
9. Teófilo Stevenson era un gran ___ cubano de los pesos pesados, logrando varias medallas de oro olímpicas (Munich en 1972, Montreal en 1976 y Moscú en 1980) y en diversos campeonatos mundiales del ___. Participó en 321 combates de los que ganó 301 y nunca perdió por *knockout*.
10. David Beckham de Inglaterra, Diego Armando Maradona de Argentina y Ronaldinho de Brasil son ___ que han representado a sus países en la Copa Mundial de ___. Ese deporte también se conoce como ___ en algunos países.

El golfista español Sergio García

11. Se dice que la ___ es más bien un tipo de entretenimiento que un deporte. Los ___ participan en peleas simuladas en vez de peleas de verdad.

12. En la temporada 2005, el ___ Fernando Alonso llegó a ser el primer español campeón del mundo y, además, el más joven de toda la historia del ___.

13. El ___ fue inventado en Springfield, Massachussets, en 1891 pero ahora hay ___ que juegan este deporte por todo el mundo. Dos famosos son Michael Jordan y Shaquille O'Neal. ___ es otro nombre de este deporte.

14. Hay muchas competiciones de ___ en Hawai y en Australia, donde las olas grandes retan a los ___.

15. Hay muchos tipos de ___: sobre la nieve, llamado nórdico o de fondo, y sobre el agua, llamado acuático. Los ___ se guían con bastones o con una cuerda detrás de un barco.

Cita

En el nombre de todos los competidores, yo prometo que nosotros participaremos en estos Juegos Olímpicos, respetando y cumpliendo las reglas que lo gobiernan, en el verdadero espíritu deportivo, por la gloria del deporte y el honor de nuestros equipos.

—Del Juramento Olímpico, escrito por el Barón de Coubertin hace más de cien años

 ¿Piensa que los atletas olímpicos modernos siguen respetando los ideales del Barón? Identifique dos o tres incidentes de los Juegos Olímpicos recientes que indiquen que los valores del juramento están en cuestión y hable con un/a compañero/a sobre esto.

¡Dato curioso! En 1988, Barcelona empezó a prepararse para los Juegos Olímpicos de 1992. Construyeron y restauraron estadios, organizaron una serie de eventos para divulgar las culturas catalanas y españolas entre los turistas. Cataluña también exigió que el catalán se incluyera entre las lenguas oficiales de las Olimpiadas. El evento logró batir un récord con la asistencia de 172 delegaciones.

21 Atenas

Échele una ojeada al artículo que sigue para ver de qué se trata, prestando atención a las palabras en azul, ya que se le harán preguntas sobre ellas. Luego lea el artículo y decida qué forma de las palabras entre paréntesis es la correcta para completar cada oración y escríbala.

Dirección www.laraza.com

Archivo Edición Ver Favoritos Herramientas Ayuda

Lamentan que Atenas no haya "copiado" a Barcelona

La ministra **1.** (*griego*) encargada de la preparación de los Juegos Olímpicos de Atenas en 2004, Fanny Palli [5] Pétralia, deploró en la capital griega que Atenas no **2.** (*saber*) "copiar" a Barcelona para prepararse mejor para recibir la justa y aprovechar [10] la oportunidad para una **3.** (*bueno*) urbanización de la ciudad. Atacando nuevamente los atrasos producidos durante el precedente gobierno **4.** [15] (*socialista*), la ministra indicó que "todos los griegos hubiéramos debido trabajar a partir del año 2000 sobre una base de planificación más [20] **5.** (*preciso*)".

"No era necesario inventar, bastaba con el precedente de Barcelona; si **6.** (*copiar*) esa planificación, se habría gastado [25] menos dinero y la ciudad **7.** (*ateniense*), al igual que el resto de Grecia, **8.** (*tener*) un aspecto diferente", agregó.

www.laraza.com

Investigue palabras clave: Juegos Olímpicos 1992, Juegos Olímpicos 2004, Juegos Olímpicos 2008

Answers

22 1. d; 2. g; 3. e; 4. f; 5. a; 6. b; 7. c

24 1. humillada; 2. tercera; 3. ser / haber sido;
4. celebrada; 5. importó; 6. dieron; 7. junto;
8. eliminadas; 9. británica; 10. haberlos organizado /
organizarlos; 11. mantuvo; 12. se olvidaron;
13. protagonizadas

Instructional Notes

23 Encourage students to also use the information
they found while searching the Internet.

24 Have students research and then discuss the 2012
Summer Olympic Games in London, the triumphs and
problems the city might encounter hosting the Games
and the obstacles it has overcome, and some of the
other cities that were runners-up in hosting the 2012
Games.

Additional Activities

Hablen sobre esta foto
See p. TE27.

Juego
Ask students to play *¿Verdadero o falso?* See p. TE25.

---

22 ¿Qué significa?

Empareje las palabras de la primera columna con su definición o sinónimo en la segunda.

1.	encargado	a.	ser suficiente
2.	deplorar	b.	de Atenas
3.	justa	c.	añadir
4.	atraso	d.	a cargo de
5.	bastar	e.	competición
6.	ateniense	f.	lentitud
7.	agregar	g.	lamentar

23 Lea, escriba/presente

Vuelva a leer el Dato curioso sobre Barcelona y el artículo anterior de la Actividad 21.
Luego escriba una tabla en la cual exponga las buenas preparaciones que hicieron
en Barcelona para los Juegos Olímpicos. A continuación, escriba tres oraciones
que empiecen así: "Si yo hubiera sido el/la ministro/a griego/a encargado/a de los
Juegos Olímpicos de Atenas 2004, yo..." Termine las oraciones analizando las buenas
preparaciones barcelonesas que Ud. indicó en la tabla. Por último, presente su trabajo a
sus compañeros de clase.

24 Londres

Échele una ojeada al artículo que sigue para ver de qué se trata, prestando atención a las
palabras en azul, ya que se le harán preguntas sobre ellas. Luego lea el artículo y decida
qué forma de las palabras entre paréntesis es la correcta para completar cada oración
y escríbala.

Dirección www.laraza.com

Archivo   Edición   Ver   Favoritos   Herramientas   Ayuda

Londres arrebata sede olímpica de 2012

París, la cuna del olimpismo moderno, ha sido __1.__
(*humillar*) por __2.__ (*tercero*) vez en 20 años. Los Juegos
Olímpicos de 2012 se disputarán en Londres, después
de __3.__ (*ser*) elegida en la votación de la Asamblea del
⁵Comité Olímpico Internacional (COI), __4.__ (*celebrar*) en el
centro de convenciones Raffles de Singapur. Sin embargo,
el proyecto londinense está muy verde, tanto que aun
debe construir el anillo olímpico y poner en marcha la red
de transportes, pero eso no le __5.__ (*importar*) a los 54
¹⁰miembros del COI que le __6.__ (*dar*) su voto por los 50 de
París en la ronda definitiva. Londres llegó a la votación
final __7.__ (*junto*) a París y antes, y por este orden, fueron
__8.__ (*eliminar*) las ciudades de Moscú, Nueva York y Madrid, que en la tercera ronda quedó por
debajo de Londres y París. La capital __9.__ (*británico*) organizará los Juegos de 2012, después de
¹⁵ __10.__ (*organizarlos*) ya en dos ocasiones anteriores, en 1908 y 1948. La "Gran Manzana" (Nueva
York) __11.__ (*mantener*) una polémica sobre la ubicación del estadio hasta el final y en el COI no
__12.__ (*olvidarse*) los discretos Juegos de Atlanta '96, además de las acusaciones de corrupción
__13.__ (*protagonizar*) por los organizadores de los Juegos de Invierno de Salt Lake City.

www.laraza.com

Los londinenses reaccionan a las buenas
noticias.

25 Amplíe su vocabulario

¿Cuál es la mejor traducción?

1. arrebatar
2. sede
3. cuna
4. humillar
5. disputarse
6. londinense
7. estar muy verde
8. poner en marcha
9. red de transportes
10. polémica
11. protagonizar

a. to humiliate
b. related to London
c. transportation network
d. controversy
e. to seize
f. cradle
g. to take a leading part in
h. headquarters
i. to argue
j. to be far from ready
k. to set into motion

26 Lea, escuche y escriba/presente

Vuelva a leer el texto completo de la Actividad 24. Luego escuche "Beijing ya se alista para las Olimpiadas" y tome las notas necesarias. Escriba un ensayo o haga una presentación en clase sobre "El proceso de organizar los Juegos Olímpicos". No se olvide de citar las fuentes debidamente.

Estrategia

Escribir un ensayo implica presentar su opinión sobre un tema con datos que convencen y que se expresan con claridad y brevedad. Trate de organizar lo que va a decir antes de empezar a escribirlo.

Cita

Si todos los días fueran fiestas deportivas, entonces el deporte sería tan aburrido como el trabajo.
—William Shakespeare (1564–1616), poeta y dramaturgo inglés

 ¿Por qué es importante tener una variedad de actividades en su vida? ¿Qué quiere decir Shakespeare cuando habla de fiestas deportivas? ¿Es el deporte solamente diversión? ¿Qué otras cosas son los deportes? Comparta sus opiniones con un/a compañero/a.

¡Dato curioso!

El maratón es una de las competencias más populares del atletismo. Dicen que en el año 450 a. de J. C. el soldado griego Filípides corrió 50 kilómetros hasta Atenas para anunciar la victoria de Grecia sobre los persas en la Batalla de Maratón. Esto inspiró la creación de una carrera de fondo que se incluyó en los primeros Juegos Olímpicos Modernos en 1896. Hoy el maratón es una de las pruebas más populares del atletismo.

El español Abel Antón ha ganado varios maratones mundiales.

Notas culturales

Según la historia, el soldado Filípides tenía tantas ganas de llegar a su destino, que corrió como un loco y gritó al llegar: "Alegraos atenienses, hemos vencido". Acto seguido, el pobre cayó muerto de agotamiento.

Durante los Juegos Olímpicos de Londres de 1908, se estableció la distancia moderna y oficial del maratón: 42,195 km.

Investigue palabras clave: maratón (historia de), maratones por el mundo

---

Teacher Resources

 Activity 26 (CD 6, track 1)

Answers

25 1. e; 2. h; 3. f; 4. a ; 5. i; 6. b; 7. j; 8. k; 9. c; 10. d; 11. g

Instructional Notes

26 You might want to review the following words with students before they listen to the audio: *mascota*, mascot; *antorcha*, torch; *golondrina*, swallow (bird); *lapicero*, pencil holder; *oscilar*, to vary.

After students discuss the *Cita* with their partners, engage the whole class in a discussion of the role that sports play in their lives.

You might want to point out the various ways that "B.C." and "A.D." are expressed in Spanish: *a. de J. C., a. C., d. J. C., d. C.*

Additional Activities

¡Post-it!
See p. TE28.

Juego
Ask students to play *Hablar hasta por los codos.*
See p. TE24.

Answers

27 1. creyó; 2. derrotado; 3. propuso; 4. gran; 5. por;
6. puestas; 7. basado; 8. mejor; 9. ninguna; 10. el;
11. bien; 12. tienen; 13. representan; 14. los;
15. mantener

28 1. c; 2. i; 3. l; 4. h; 5. b; 6. d; 7. k; 8. j; 9. e; 10. f;
11. a; 12. g

Instructional Notes

27 Before students start reading, ask them: *¿Qué saben
del Barón Pierre de Coubertin y de su papel en la
creación de los Juegos Olímpicos Modernos?*

Additional Activities

De periodistas
See p. TE26.

27 Los Juegos Olímpicos Modernos

Échele una ojeada al artículo que sigue para ver de qué se trata, prestando atención a las palabras en azul. Luego lea el artículo y decida cuál de las dos palabras entre paréntesis es la correcta para completar cada oración y escríbala.

Pensamientos y postulados del Barón Pierre de Coubertin

En doscientos tres países se está celebrando la Semana Olímpica en homenaje al Barón Pierre de Coubertin, restaurador de los Juegos Olímpicos Modernos. Coubertin __1.__ (*creía /creyó*) que
⁵ se mejoraría la formación y rendimiento de los ciudadanos de Francia, su país natal, que había sido __2.__ (*derrotado / derrotados*) en la guerra franco-prusiana. El 23 de junio de 1894, en la Universidad de la Sorbona de París, Coubertin
¹⁰ __3.__ (*proponía / propuso*) el restablecimiento de los Juegos Olímpicos fundamentado en el pasado histórico de los antiguos juegos que se habían celebrado en Grecia. El éxito de estos juegos
¹⁵ se fundamenta en principios y postulados de __4.__ (*grande / gran*) profundidad filosófica que han sido motivo de estudios y análisis __5.__ (*por / para*) mucho tiempo.
²⁰ Coubertin decía que la actividad muscular es productora y generadora de alegría, energía y pureza, que deben ser __6.__ (*puesta / puestas*) también al alcance de los más
²⁵ humildes porque el movimiento olímpico es puro, integral y democrático. "El olimpismo es una filosofía de vida que exalta y combina las cualidades del cuerpo, la voluntad y el espíritu,
³⁰ __7.__ (*basado / basados*) en la alegría del esfuerzo,

el valor educativo del buen ejemplo y el respeto de los principios éticos fundamentales, y tiene como objetivo contribuir a la construcción de un mundo __8.__ (*bueno / mejor*) y más pacífico
³⁵ sin discriminación de __9.__ (*ningún / ninguna*) clase"… Algunos de sus conceptos han quedado obsoletos como __10.__ (*él / el*) que dice: "Lo importante no sólo son los triunfos sino el combate, y lo esencial no es haber vencido sino
⁴⁰ haber luchado __11.__ (*bueno / bien*)". ¿Están fuera de tiempo y de contexto? Yo digo que ahora más que nunca __12.__ (*tienen / tengan*) vigencia. El noble francés fue creador de la bandera
⁴⁵ del Comité Olímpico Internacional, que tiene un fondo blanco con cinco anillos entrelazados que __13.__ (*representa / representan*) la unión de los cinco continentes
⁵⁰ y el encuentro de __14.__ (*los / las*) atletas del mundo, con los colores que se encuentran en las banderas de cada nación. El olimpismo es la escuela de la nobleza y pureza
⁵⁵ moral, que eleva el concepto del honor y respeto. Uno de los últimos mensajes de Coubertin fue: «¡Esforzaos en __15.__ (*manteniendo / mantener*) la llama sagrada!»

www.efdeportes.com

28 ¿Qué significa?

Empareje las palabras de la primera columna con su definición, sinónimo o descripción de la segunda columna.

1. postulado
2. en homenaje
3. restaurador
4. rendimiento
5. derrotar
6. proponer
7. al alcance de
8. olimpismo
9. esfuerzo
10. tener vigencia
11. anillos entrelazados
12. llama sagrada

a. símbolo de los Juegos Olímpicos
b. vencer
c. proposición que se admite sin evidencia
d. hacer una propuesta
e. ánimo, vigor
f. estar al día
g. se apaga después de los Juegos Olímpicos
h. resultado o utilidad
i. en honor a una persona
j. todo lo relacionado con los Juegos Olímpicos
k. disponible a
l. el que restaura

29 Lea y escriba/presente

Vuelva a leer el texto completo anterior. Luego busque más información en Internet, u otras fuentes, sobre el Barón de Coubertin y el papel que jugó en establecer los Juegos Olímpicos Modernos y tome las notas necesarias. Escriba un ensayo o haga una presentación en clase sobre "El espíritu olímpico del Barón de Coubertin: los problemas que confronta la ciudad organizadora de los Juegos Olímpicos hoy en día". No se olvide de citar las fuentes debidamente.

30 Los deportes

Échele una ojeada al artículo que sigue para ver de qué se trata, prestando atención a las palabras en azul. Luego lea el artículo y decida cuál de las palabras entre paréntesis es la correcta para completar cada oración y escríbala.

Significado y alegría en el deporte en América Latina

A través de América Latina —definida como todo lo que hay en el continente americano al sur de Estados Unidos— no hay duda de que el más __1.__ (aburrido / popular) participante y espectador de deportes se queda en el fútbol, aunque el baseball, el cricket, el básquetbol, el rugby, el voleyball, el boxeo, las pruebas atléticas, las carreras de caballos, las carreras de autos y otros apasionan a un __2.__ (pequeño / significativo) número de devotos en diferentes partes de esta área geográfica. Lo que no queda claro son las razones de __3.__ (por qué / porque) ciertos deportes en los últimos tres siglos pasaron a ser tan populares en algunos lugares y el significado que dichos deportes tienen actualmente en sus diferentes dominios... Acá hay una pequeña razón para dudar que el fútbol __4.__ (era / fuera) introducido en la región del Río de la Plata por una mezcla de comerciantes ingleses, ingenieros, maestros y marineros, luego esparcido, primero, entre las elites locales y, casi al __5.__ (algún / mismo) tiempo, entre las clases trabajadoras, a menudo entre la juventud que pateaba __6.__ (balones / pelotas) de trapo en los potreros, áridos espacios en ciudades emergentes como Buenos Aires y Montevideo. Específicamente en Argentina, desde 1880 __7.__ (a / hasta) 1910, el fútbol más manifiesto era dominado por los colegios ingleses y sus graduados, mientras los locales, __8.__ (cuyo / cuya) calidad fue expandida por una siempre creciente ola de inmigrantes, se empeñaron __9.__ (de / en) encontrar suficientes espacios abiertos (potreros) para imitar el juego de los señores ingleses, si no sus valores y significados... La

difusión del juego nacional de América, como el fútbol y otros deportes modernos, a menudo recorrió diferentes caminos __10.__ (por / para) diferentes lugares, y las consecuencias fueron, __11.__ (con / por) frecuencia, también diferentes. El baseball aparentemente llegó a distintas partes de México a través de __12.__ (dos / tres) caminos: hacia el norte directamente desde los Estados Unidos, llevado __13.__ (por / para) los ingenieros, los mineros, los comerciantes y la población local en ambas márgenes del río Grande; y hacia la península de Yucatán, principalmente __14.__ (desde / hacia) Cuba, intensificado por grandes inversiones estadounidenses en la importación de henequén a fines __15.__ (de / por) los años 1800, para pasar a ser, para muchos, "El Rey de los Deportes".

El fútbol argentino, como cualquier fútbol latinoamericano, está manipulado en parte __16.__ (por / para) la FIFA y por los acaudalados clubes europeos.

www.efdeportes.com

Investigue
palabras clave:
fútbol (historia de),
béisbol (historia de)

Teacher Resources

Activity 32 (CD 6, track 2)

Answers

31 1. g; 2. h; 3. b; 4. l; 5. m; 6. c; 7. k; 8. i; 9. a; 10. f; 11. e; 12. d; 13. j

Instructional Notes

32 You might want to review the following words with students before they listen to the audio: *ejemplarizante*, exemplary; *rimar*, to rhyme; *vislumbrar*, to make out/discern; *estatal*, state; *invertir*, to invest; *ramo*, bouquet.

After students discuss the *Cita* with their partners, encourage a classroom discussion on the importance of teamwork and the students' own experiences as team members, whether it be in sports, while volunteering, or while working on a school project.

Additional Activities

Trabajo de investigación
Ask students to work in small groups and search the Web for information on the World Cup and the Copa América in soccer. You could assign different facts for them to research, including the history of these championships, the winners, which countries hosted these games, and how the teams are chosen.

Encuesta
See p. TE27.

Juego
Ask students to play *¿Quién quiere ser millonario?* See p. TE25.

316

---

31 Amplíe su vocabulario

¿Cuál es la mejor traducción?

1.	prueba atlética	a.	growing wave
2.	carrera	b.	fan
3.	devoto	c.	to kick
4.	dominio	d.	a kind of plant
5.	esparcido	e.	both
6.	patear	f.	to go through
7.	de trapo	g.	athletic contest
8.	potrero	h.	race
9.	creciente ola	i.	open field
10.	recorrer	j.	rich
11.	ambos	k.	made of rag
12.	henequén	l.	domain
13.	acaudalado	m.	scattered

32 Lea, escuche y escriba/presente

Vuelva a leer el texto completo anterior, y luego escuche "La historia y la geografía: dos perspectivas para entender mejor el fútbol". Escriba un ensayo o haga una presentación en clase sobre "La pasión por el fútbol en América Latina". No se olvide de citar las fuentes debidamente.

Cita
El éxito de un equipo o de una organización es el resultado de los esfuerzos colectivos de los individuos.
—Vincent Lombardi (1913–1970), jugador y entrenador de fútbol americano

¿Por qué es tan importante el trabajo en equipo? Cite ejemplos de la vida deportiva, de las empresas y de la política que apoyen su opinión. ¿Por qué prestamos tanta atención a las "estrellas" en el mundo de los deportes, y no al trabajo de todo el equipo? ¿Le parece bien? ¿Por qué? Comparta sus opiniones con un/a compañero/a.

Maradona y el equipo nacional de Argentina celebran su victoria en la Copa Mundial.

La primera Copa Mundial de Fútbol se jugó en 1930 en Uruguay porque los uruguayos habían ganado la medalla de oro en fútbol durante los Juegos Olímpicos de 1924 y 1928. Uruguay ganó esta primera Copa y la de 1950, cuando derrotó a Brasil. Brasil ganó la Copa cinco veces (1958, 1962, 1970, 1994 y 2002), e Italia, cuatro: en 1934, 1938, 1982 y 2006. Alemania obtuvo la victoria tres veces, en 1954, 1974 y 1990, y Argentina dos: en 1978 y 1986.

¡A leer!

33 Antes de leer

¿Qué sabe Ud. de los Juegos Olímpicos Antiguos? ¿Cómo serían estos juegos? ¿Dónde y por qué los realizaron? ¿Quiénes los organizaron en los años antes de Cristo (a. de J. C.)?

34 Los juegos

Lea con atención el texto que sigue. Intente averiguar el significado de las palabras en azul por el contexto, ya que se le harán preguntas sobre ellas.

LOS JUEGOS OLÍMPICOS DE LA ANTIGÜEDAD

Lic. Mario Ramírez Alfonso, Lic. Gustavo A. Oliveros Soriano, Fausto Cabrera Martínez, Edel Martín Romo y Carlos Baños Prieto

La práctica del deporte es uno de los mejores medios que existen al alcance de los hombres para mejorar su salud y establecer contacto directo con la naturaleza (A). En los pueblos más primitivos los ejercicios corporales tenían como finalidad principal la del propio sostenimiento y desarrollo de la capacidad defensiva de los hombres (B), pues en las continuas luchas en que éstos se veían involucrados para asegurar su existencia cotidiana y para aumentar su poderío material, estaban obligados a hacer uso de sus potencialidades físicas, para imponerse en los combates que efectuaban. Sin embargo, en la antigua Grecia fue donde los ejercicios atléticos adquirieron una importancia superior, tanto en el orden educativo como en el estético, el moral y el religioso (C). Ésta fue una de las grandes y trascendentales tareas que el pueblo griego se impuso, emprendió y realizó con una eficacia y brillantez hasta entonces desconocida (D). Así surgieron los Juegos Olímpicos Antiguos (J.O.A.). Se plantea la idea que se realizaron por primera vez en el año 776 antes de nuestra era, en homenaje al dios supremo de los griegos, Zeus, y se realizaban en Olimpia.

El origen de estos juegos era místico y divino; muchos afirman que el fundador fue Pelops, pero también se le atribuye la paternidad a Hércules. Los historiadores e investigadores suponen que se realizaban entre los meses de julio, agosto y septiembre. Estos juegos olímpicos se celebraban cada cuatro años y su realización servía a los griegos como base y cómputo de los años; los años que mediaban entre unos juegos y otros se les denominaban Olimpiadas.

Los atletas que iban a tomar parte en los juegos debían inscribirse previamente en las pruebas en las que deseaban participar, después de haber demostrado y solemnemente jurado hallarse en posesión de los requisitos exigidos.

Los árbitros, jueces u oficiales de los juegos eran magistrados; sus funciones eran múltiples y comenzaban diez meses antes de la competencia; tenían que comprobar que los atletas inscritos reunían las condiciones reglamentarias, organizar las relaciones de los competidores en los distintos eventos, velar por el buen estado de la sede y estadios de los juegos, presidir los juegos, los desfiles y los banquetes oficiales, proclamar a los vencedores, otorgar los premios y hacer los sacrificios divinos.

www.efdeportes.com

Nota cultural

Los griegos clásicos consideraban el deporte una manifestación de belleza y fortaleza. Los atletas vencedores eran considerados como unos auténticos héroes. Ser atleta en aquellos tiempos era casi más importante de lo que es ahora, puesto que los deportistas eran de una clase noble. La carrera se consideraba el ejercicio más noble y se practicaba en carro, a caballo o a pie. Las carreras de a pie eran las más populares y los atletas se entrenaban corriendo sobre arena para fortalecer las piernas. Así, cuando tenían que correr sobre la tierra firme de los estadios, les pareció una maravilla.

Teacher Resources

Activities 8–17

Instructional Notes

33 Before students begin reading and discussing these questions, you might want to have volunteers research some facts and history about the Ancient Olympic Games and ask them to share this information with the class.

35 Amplíe su vocabulario

¿Cuál es la mejor traducción?

1. sostenimiento
2. involucrado
3. cotidiano
4. poderío
5. imponerse
6. estético
7. emprender
8. eficacia
9. brillantez
10. realizarse
11. místico
12. cómputo
13. mediar
14. previamente
15. jurar
16. hallarse
17. requisito exigido
18. velar por
19. otorgar

a. brilliance
b. to accomplish
c. demanded requirement
d. to uphold
e. mystic
f. to intervene, come between
g. to grant
h. maintenance
i. involved
j. aesthetics
k. to find oneself
l. power
m. to watch out for
n. to impose
o. effectiveness
p. everyday
q. to undertake
r. calculation
s. previously

Las ruinas del campo de entrenamiento de los Juegos Olímpicos Antiguos en Olimpia, Grecia

36 ¿Ha comprendido?

1. ¿Cuál es una de las mejores maneras de ponerse en contacto con la naturaleza?
   a. Seguir la vida del hombre primitivo
   b. Practicar un deporte
   c. Caminar
   d. Ser espectador de los deportes

2. ¿Para qué hacía el hombre primitivo ejercicios físicos?
   a. Para defenderse
   b. Para proteger a su familia
   c. Para sostenerse
   d. Para mantenerse en forma

3. ¿Por qué luchaba el hombre primitivo?
   a. Para defenderse
   b. Para prepararse para la guerra
   c. Para desarrollar su capacidad mental
   d. Todas las respuestas anteriores

4. ¿Cuál sería un buen resumen del primer párrafo?
   a. La vida rutinaria del hombre primitivo
   b. El hombre primitivo y el deporte
   c. Los orígenes del deporte
   d. La naturaleza y el deporte

5. ¿Qué importancia daban los griegos al ejercicio físico?
   a. Era una actividad religiosa.
   b. Era una actividad educativa.
   c. Era una actividad estética.
   d. Todas las respuestas anteriores

Nota cultural

Como los atletas de hoy, los griegos clásicos se ocupaban de la alimentación. Al principio, no se les permitía tomar carne, y sólo comían queso, nueces e higos secos. En los tiempos de Hipócrates (460–332 a. de J. C.) empezaron a tomar tocino, carne de vaca y pan sin levadura. No había vitaminas en aquellos años, pero los atletas se aprovechaban de los diferentes medicamentos y extractos de plantas para mejorar su rendimiento en las competiciones.

6. ¿Por qué surgieron los Juegos Olímpicos Antiguos?
   a. Los griegos querían unir a todos sus pueblos.
   b. Los griegos querían celebrar el verano con algo especial.
   c. Pelops y Hércules buscaban apoyo político y sugirieron la idea de competir en juegos antiguos.
   d. Los griegos querían reconocer a su dios supremo con las Olimpiadas.

7. ¿Cómo era la participación de los atletas?
   a. Mística y moral
   b. Solemne y honorable
   c. Al azar y sin preparación
   d. Basada en la política del día

8. ¿Cómo era la participación de los árbitros, jueces u oficiales?
   a. Era sencilla, pues no hacían mucho.
   b. Servía para apoyar a sus favoritos.
   c. Era al azar y sin mucha responsabilidad.
   d. Era complicada y con mucha responsabilidad.

9. ¿Cuál es el tema principal del artículo?
   a. Los primeros Juegos Olímpicos Antiguos
   b. Los griegos de 776 a. de J. C.
   c. Homenaje a Zeus
   d. Los griegos y el deporte

10. ¿Cuál sería otro buen título para este artículo?
   a. El desarrollo del hombre primitivo
   b. Los hombres primitivos y el deporte
   c. El origen de los Juegos Olímpicos
   d. Los atletas antiguos

37 ¿Cuál es la pregunta? 🔍

Según el artículo que acaba de leer, escriba una pregunta lógica para estas respuestas.

1. Mejorar su salud
2. Aumentar su poderío material
3. Con eficacia y brillantez
4. En el año 776 antes de nuestra era
5. En Olimpia
6. A Pelops y Hércules
7. Los años que mediaban entre unos juegos y otros
8. Inscribirse previamente
9. Diez meses antes de la competencia
10. Construir un estadio (*¡Cuidado!*)

38 ¿Qué piensa? 👤👤

¿Cuáles eran las siete funciones de los árbitros, jueces u oficiales de los Juegos Olímpicos Antiguos? En su opinión, ¿cuál era la más importante? ¿La menos importante? ¿Por qué? Comparta su opinión con la de un/a compañero/a.

Answers

36 6. d; 7. b; 8. d; 9. d; 10. c

37 *Ejemplos:*
1. ¿Cuál es uno de los beneficios que se obtiene al practicar un deporte? 2. ¿Cuál era el propósito de las luchas continuas de los pueblos primitivos? 3. ¿De qué manera enfrentaron los ejercicios atléticos los griegos? 4. ¿Cuándo realizaron los griegos los primeros Juegos Olímpicos Antiguos? 5. ¿Dónde realizaron los griegos los primeros Juegos Olímpicos Antiguos? 6. ¿A quiénes se les atribuye el origen de los primeros Juegos Olímpicos Antiguos? 7. ¿Qué eran las Olimpiadas? 8. ¿Cuál era un requisito para los atletas que querían participar en los Juegos Olímpicos Antiguos? 9. ¿Cuándo empezaban los árbitros, jueces u oficiales de los juegos sus funciones? 10. Nombre una función de los Juegos Olímpicos Modernos que no era parte de las funciones de los árbitros, jueces u oficiales de los Juegos Olímpicos Antiguos.

38 Comprobar que las personas inscritas reunieran las condiciones reglamentarias; organizar las relaciones de los competidores en los distintos eventos; velar por el buen estado de la sede y estadios; presidir los juegos, desfiles y banquetes oficiales; proclamar a los vencedores; otorgar los premios; hacer los sacrificios divinos. *Answers to other parts of this question will vary.*

Nota cultural

En los juegos públicos, los atletas griegos jugaban prácticamente desnudos. Sólo llevaban una especie de ceñidor y un zapato que les cubría parte del pie y de la pierna. Los que ganaban solían recibir coronas, flores, caballos, vasos de cobre y, a veces, esclavos. Los poetas les dedicaban versos en su honor y los alababan.

39 1. Posición C, línea 17

42 1. f; 2. m; 3. j; 4. k; 5. g; 6. b; 7. o; 8. l; 9. n; 10. c; 11. h; 12. d; 13. a; 14. e; 15. i

Instructional Notes

40 Ask students to research and then discuss the sports and tournaments of the Middle Ages on Spanish-language Web sites, since they may not have the necessary vocabulary to discuss these questions.

41 Tell students that during the Middle Ages (from the end of the Roman Empire in the 500s to the early 1500s), the average person did not live much past 30, and less than 20% of the population ventured more than 16 km (10 miles) from their birthplace. Ask students what impact this might have had on the population's outlook on age and aging, and knowledge of the outside world. Ask: *¿Creen Uds. que una persona de 20 años se consideraba joven o mayor en la Edad Media? Si se consideraba joven, ¿creen que esto contribuiría a que la población tuviera una mentalidad joven durante esta época? ¿Por qué? ¿Cómo imaginan Uds. su vida si nunca viajaran a más de 16 kilómetros de su lugar de nacimiento?*

Additional Activities

For topics related to "Los Juegos Olímpicos de la Antigüedad" ask students to do *Gráfico sobre un tema*. See p. TE27.

---

39 ¿Dónde va?

La siguiente frase se puede añadir al texto anterior: *porque los griegos tenían otra idea de practicar deportes.* ¿Dónde encajaría mejor la frase?

1. Posición A, línea 4
2. Posición B, línea 8
3. Posición C, línea 17
4. Posición D, línea 22

40 Antes de leer

¿Qué sabe de la Edad Media? ¿Piensa que existían deportes durante esta época? ¿Cómo serían? ¿Cómo imagina que era un torneo medieval? ¿Qué era una justa medieval?

41 La Edad Media

Lea el artículo que sigue con atención e intente averiguar el significado de las palabras en azul por el contexto, ya que se le harán preguntas sobre ellas.

Deporte en la Edad Media: reflexiones teóricas

GONZALO RAMÍREZ MACÍAS

Alfonso X el Sabio, en *El libro de los juegos*, tuvo como objetivo el enseñar a sus súbditos a llenar el ocio con actividades. Los torneos y las justas caballerescas son una
5 auténtica manifestación lúcida incorporada a la manera de ser del guerrero medieval. Eran auténticos grandes juegos agonales de las cortes y castillos. Los ejercicios nobles invadieron el mundo de los artesanos y mercaderes,
10 cobrando un aspecto cómico de mascarada.

El juego de la pelota, el lanzamiento de barra y otros, no sólo fueron muy populares, sino que recibieron el favor de los magnates. El deporte fue un elemento importante en la vida
15 medieval, erigiendo una forma cultural propia que se manifestó en las muchas canciones de los juglares, las cuales narran incidencias de estas actividades y enaltecen a los héroes de las mismas.

www.efdeportes.com

---

42 ¿Qué significa?

Empareje las palabras de la primera columna con su definición o sinónimo de la segunda.

1. sabio	a. construir
2. súbdito	b. soldado
3. ocio	c. un deporte
4. justa caballeresca	d. adinerado
5. lúcido	e. poeta-cantante
6. guerrero	f. inteligente
7. agonal	g. claro
8. artesano	h. pieza de metal u otro material
9. mercader	i. alabar
10. juego de la pelota	j. tiempo libre
11. barra	k. combate entre señores
12. magnate	l. artista
13. erigir	m. ciudadano
14. juglar	n. comerciante
15. enaltecer	o. competitivo

Nota cultural

El reinado de Alfonso X el Sabio (1221–1284) brilló por sus empresas culturales. Consiguió reunir en su corte a hombres intelectuales —judíos, musulmanes, castellanos e italianos— que trabajaron juntos en armonía y que hicieron traducciones de obras científicas. Y bajo la dirección del mismo Rey, se redactaron tomos sobre astronomía, historia, jurisprudencia, poesía, música y pintura.

Investigue palabras clave:
Alfonso X, Las Partidas, Las Cantigas

43 ¿Quién es?

Describa con una oración cómo cada una de estas personas podría participar en los deportes de la Edad Media o apoyarlos.

1. Un guerrero
2. Un súbdito de Alfonso X
3. Un magnate
4. Un juglar

44 ¿Cómo termina la oración?

Termine cada una de las siguientes oraciones según el artículo "Deporte en la Edad Media: reflexiones teóricas".

1. Alfonso X el Sabio prefería que sus súbditos...
2. Las justas caballerescas manifestaron...
3. Los artesanos y los mercaderes imitaron a los...
4. Los deportes más populares de la Edad Media eran...
5. El deporte tenía también características culturales...

45 Lea y escriba/presente

Vuelva a leer los dos artículos anteriores. Luego escriba un ensayo o haga una presentación en clase sobre "La evolución de los deportes: desde los griegos hasta la Edad Media".

Cita

El deporte a mis cinco años era un juego, a mis doce, una diversión, y a mis veinte mi pasión.
—Anónimo

¿Se puede aplicar la cita sólo a ciertos deportes como, por ejemplo, el golf, el tenis, la natación, o a los deportes en general? ¿Cree que "Anónimo" se refería a un deporte en particular o a todos? ¿Cómo imagina Ud. que esta persona practicaba el deporte a las edades que menciona? Comparta sus opiniones con un/a compañero/a.

¡Dato curioso!

Solamente los hombres que hablaban griego podían competir en los Juegos Olímpicos Antiguos; las mujeres ni podían participar ni asistir. El estadio olímpico antiguo tenía una capacidad para casi 50.000 espectadores. Los atletas llegaban a Olimpia un mes antes del comienzo oficial de los juegos y pasaban un entrenamiento moral, físico y espiritual bajo la supervisión de los jueces.

Nota cultural

No sólo estaban excluidas las mujeres de los deportes, sino que se les consideraban perjudiciales para los atletas. En las fechas próximas a las competiciones, los atletas debían alejarse de las mujeres y del vino.

Teacher Resources

 Activity 47 (CD 6, track 3)

 Activity 18

Answers

47 1. c; 2. a; 3. c;

Instructional Notes

46 Ask students to research *el juego de la pelota* as played by the Mayans. You might check out the following sites before sharing them with students: http://www.tucuate.com/maquina/pelota.html or http://www.mexicomaxico.org/Tenoch/Tenoch2Tlachtli.htm

47 You might want to review the following words with students before they listen to the audio: *guerreros de la Serpiente Emplumada*, Plumed Serpent warriors; *esculpido*, sculpted; *dañino*, harmful/destructive; *petroquímico*, petrochemical; *tallado*, carved; *imponente*, imposing; *emprender*, to undertake; *legado*, legacy; *barbado*, bearded; *domo*, dome.

The questions from the audio activity appear below.
1. ¿Contra qué plan expresa el pueblo su desacuerdo?
2. ¿Por qué están de acuerdo con el plan algunos arqueólogos?
3. ¿Qué causa el daño?
4. ¿Qué desean los pobladores de Tula?
5. ¿Quién era Quetzalcóatl?
6. Cuando los aztecas vieron a Hernán Cortés por primera vez, ¿por quién lo tomaron?
7. ¿Cuál es uno de los propósitos para solucionar la crisis?

¡A escuchar!

46 Antes de escuchar

Antes de escuchar la grabación de la Actividad 47, lea el artículo que sigue, pero primero repase las palabras del recuadro.

la cancha	*court*	originarse	*to originate*	golpear	*to hit*
el codo	*elbow*	las rodillas	*knees*	las nalgas	*buttocks*
la cadera	*hip*	los hombros	*shoulders*	las fuerzas opuestas	*opposing forces*
la oscuridad	*darkness*				

El juego de pelota en Mesoamérica

El juego de pelota era un deporte, sí, pero con un simbolismo religioso muy profundo. La cancha de juego de pelota tenía una forma de *T* o de *I* mayúscula y se encontraba en todas las ciudades mayas, excepto en las más pequeñas. Se originó hacia el 2500 a. de J. C. El juego de pelota tuvo un papel ritual, político y posiblemente económico. El juego consistía en mantener la pelota en movimiento y podía ser golpeada con los codos, las rodillas, las nalgas, la cadera, los hombros, la espalda y los brazos, pero no con las manos ni con los pies. Se podía usar la mano solamente para servir la pelota. El juego de pelota simbolizaba la lucha entre las fuerzas opuestas del universo; era la lucha entre el bien y el mal o entre la luz y la oscuridad.

www.tucuate.com

47 Guerreros de la Serpiente Emplumada

Lea las posibles respuestas primero y después escuche "Pueblo defiende guerreros de la Serpiente Emplumada". Escoja la mejor respuesta para la pregunta que escuchará en la grabación.

1. (Pregunta que escuchará en la grabación.)

   a. El pueblo no quiere que el gobierno destruya un templo antiguo.
   b. El pueblo quiere usar un templo antiguo para un juego moderno.
   c. Los residentes de Tula no quieren que se muevan algunas columnas con esculturas que formaban parte de un estadio de un antiguo juego de pelota.
   d. Los pobladores de Tula exigen que el gobierno haga copias de columnas con esculturas que formaban parte de un estadio de un antiguo juego de pelota.

2. (Pregunta que escuchará en la grabación.)

   a. Los arqueólogos temen que la contaminación del aire destruya las columnas con esculturas del templo.
   b. Los arqueólogos temen que mucho tráfico de turistas destruya las columnas con esculturas del templo.
   c. Los arqueólogos temen que la antigüedad de las estructuras destruya las columnas con esculturas del templo.
   d. Los arqueólogos dicen que sin esta acción no se puede renovar las columnas con esculturas del templo.

3. (Pregunta que escuchará en la grabación.)

   a. El tráfico de turistas
   b. El tráfico de arqueólogos
   c. La contaminación del aire producida por una fábrica de productos químicos
   d. Las respuestas a y c

4. (Pregunta que escuchará en la grabación.)

    a. Recrear réplicas de las columnas con esculturas del templo
    b. Poner las columnas originales con esculturas del templo en un museo
    c. Dejar las columnas en el pueblo
    d. Las respuestas a y b

5. (Pregunta que escuchará en la grabación.)

    a. El dios del juego de pelota de Mesoamérica
    b. El dios guerrero de Mesoamérica
    c. El dios benevolente de Mesoamérica
    d. La reencarnación de Topiltzin

6. (Pregunta que escuchará en la grabación.)

    a. Por Topiltzin, una reencarnación de Quetzalcóatl
    b. Por Quetzalcóatl
    c. Una reencarnación de una serpiente emplumada
    d. El invasor barbado más feroz de Mesoamérica

7. (Pregunta que escuchará en la grabación.)

    a. Poner un observatorio de donde se pueda ver todo de lejos y no permitir a los turistas cerca de las columnas
    b. Mezclar el pasado con el presente: guardar dos columnas originales y reemplazar dos con copias
    c. Colocar un techo sobre las columnas
    d. Rediseñar el acceso a las columnas con nuevos senderos y nuevos puntos de observación

48 Antes de escuchar

Antes de escuchar la grabación de la Actividad 49, lea el artículo que sigue, pero primero repase las palabras del recuadro.

trasladar	*to transfer*	**el muro**	*wall*	**tirar**	*to throw*
la cesta	*basket*	**atrapar**	*to trap*	**apostar**	*to bet*

La pelota vasca

La pelota vasca tiene su origen en los tiempos de los aztecas. El conquistador español Hernán Cortés descubrió el juego en los templos aztecas hace unos quinientos años y lo trasladó a España. Allí, por muchos años, se conoció por el nombre *jai*
⁵ *alai*, una expresión vasca que quiere decir "festival alegre". Los vascos adaptaron el juego que introdujo Cortés a España según las condiciones del momento en el norte de España. Los vascos usaron los elementos de los aztecas: una pelota muy dura, tres muros muy altos (un frontón) y dos o cuatro
¹⁰ jugadores que tiraban la pelota contra un muro. Pero se tiraban la pelota tan rápidamente que los vascos introdujeron una cesta con una curva para atrapar la pelota y tirarla hacia el muro otra vez. El *jai alai* se conoció como el juego más rápido de todo el mundo por mucho tiempo. El juego llegó a los Estados Unidos pero cambió su objetivo otra vez. En varios estados, el frontón
¹⁵ estadounidense era el lugar de las apuestas en el deporte de los vascos. Debido a muchas dificultades financieras en los últimos veinte años, el frontón está desapareciendo poco a poco, y los únicos lugares para ver "la pelota vasca" son España y ciertos sectores de Europa.

www.elpais.es

Answers

47 4. c; 5. c; 6. a; 7. c

Additional Activities

Trabajo de investigación

After students read "La pelota vasca", ask volunteers to research more information on *jai alai* and prepare a short presentation for the class.

Activity 49 (CD 6, track 4)
Activity 50 (CD 6, track 5)

Answers

49 *Ejemplos:*

1. Ha sido un acontecimiento público, central para el establecimiento de relaciones entre los hombres. 2. Uno de los valores centrales de la pelota es la fuerza; sin esa fuerza no se juega bien. 3. Los cambios tienen que ver con la adecuación a la televisión, a los tiempos y a las exigencias del deporte. 4. Hay mucha gente que no entra en las estadísticas porque juega a la pelota sin licencia federativa y porque no va al frontón como espectador. 5. Forma un núcleo ideológico que hace que los vascos se sitúen de cierta manera frente al mundo con nobleza y con respeto a la autoridad.

Instructional Notes

49 You might want to review the following words with students before they listen to the audio: *vasco*, Basque; *acontecimiento*, happening; *esfera*, sphere; *frontón*, court where *pelota* is played; *Euskadi*, Basque region in Spain; *agónico*, agonizing/dying out.

50 Suggest that students reread the articles on pages 322 and 323 in order to respond appropriately to the questions posed on the audio.

49 La pelota y la televisión

Lea las preguntas primero y después escuche "Los cambios en la pelota tienen mucho que ver con la televisión". Después, haga un resumen de las preguntas que se le hace a la antropóloga Olatz González Abrisketa. Por último, conteste las preguntas.

1. ¿Por qué la pelota es un juego tan masculino?
2. ¿Cómo explica la antropóloga que las mujeres se han ido abriendo hueco en casi todos los deportes menos en la pelota?
3. ¿Qué cambios han sido los más importantes en la pelota durante los últimos años?
4. Según González Abrisketa, ¿cómo anda de salud la pelota?
5. ¿Qué representa la pelota para los vascos?

50 Participe en una conversación

Ud. va a participar en una conversación. Primero lea la descripción de la conversación y piense en algunas palabras o expresiones que le serían útiles. Organice sus ideas, haciendo predicciones sobre lo que se le pueda preguntar o comentar. Una descripción de lo que va a escuchar aparece abajo en color. Participe en la conversación grabando las respuestas o escribiéndolas en su cuaderno.

Escena: Su hermanito tiene que escribir un informe sobre la pelota vasca y el juego de pelota de Mesoamérica y pide su ayuda. Conteste sus preguntas.

Su hermanito:	Plantea el problema y pide su ayuda.
Ud.:	• Dígale que lo ayudará.
Su hermanito:	Le hace unas preguntas.
Ud.:	• Dele detalles sobre lo que le pide.
Su hermanito:	Le hace otras preguntas.
Ud.:	• Dele detalles sobre lo que le pide.
Su hermanito:	Le hace más preguntas.
Ud.:	• Háblele sobre sus preferencias. Explique las razones.
Su hermanito:	Sigue la conversación.
Ud.:	• Haga un comentario usando una expresión nueva de la lección.

Audioscript Activity 50

Su hermanito: ¡Hola! ¿Puedes ayudarme en mi tarea? Tengo que escribir un informe sobre la pelota vasca y el juego de pelota de Mesoamérica.
[STUDENT RESPONSE]

Su hermanito: Bueno, primero sobre la pelota vasca. ¿Dónde se originó este juego? ¿Tenía otro nombre? ¿Cuál? ¿Se juega en los Estados Unidos?
[STUDENT RESPONSE]

Su hermanito: Ahora, sobre el juego de pelota de Mesoamérica. ¿Cómo se jugaba este deporte? ¿Quiénes lo jugaban? ¿Por qué tenía simbolismo religioso?
[STUDENT RESPONSE]

Su hermanito: ¿Cuál de los dos juegos prefieres? ¿Por qué? ¿Has visto fotos o dibujos de estos juegos?
[STUDENT RESPONSE]

Su hermanito: Yo prefiero la pelota vasca. Fui al frontón de Miami con el abuelito y me gustó ver toda la acción. Gracias por tu ayuda. Creo que nos llama mamá. Es hora de cenar.
[STUDENT RESPONSE]

¡A escribir!

51 Texto informal: su deporte favorito

Escriba en un blog. Hable sobre su deporte favorito; puede ser profesional o universitario.

Hinchas ecuatorianos

- Describa el deporte con detalles.
- Mencione cuándo lo practica o cuándo lo mira, cómo se entera de los partidos, el ranking, los entrenamientos, los campeonatos, etc.
- Mencione a sus atletas favoritos de este deporte.
- Termine con una descripción del momento más memorable del deporte.

52 Texto informal: las becas

En un foro, un/a atleta que recibió dos becas para estudios universitarios le pide consejo a Ud. Una beca es académica y ofrece mucha ayuda económica; la otra ofrece menos ayuda económica pero garantiza que el/la becario/a va a participar en uno de los mejores programas deportivos de la universidad. Las dos universidades que le han ofrecido estas becas son de semejante prestigio. Dele consejos a esta persona.

- Dele sugerencias de cómo debe evaluar las dos becas.
- Dele consejos útiles para considerar la beca académica.
- Dele consejos útiles para considerar la beca deportiva.

> **Consejo**
> Antes de empezar, lea las pautas para escribir textos informales en la pág. 480 del Apéndice. Mientras escribe el texto tenga presente los objetivos. Cuando termine, verifique que ha cumplido con todo lo que se describe en la lista y reflexione sobre su trabajo.

53 Ensayo: los deportes

Escriba un ensayo en el que compare las diferencias y semejanzas entre los deportes profesionales y los deportes universitarios.

54 Ensayo: el papel de los deportes

Escriba un ensayo contestando la pregunta, "¿Cómo sería mi vida sin deportes?"

> **Consejo**
> Antes de empezar, lea las pautas para escribir ensayos en la pág. 480 del Apéndice. Mientras escribe tenga presente los objetivos y no se olvide de ponerle un título original a su ensayo. Cuando termine, verifique que ha cumplido con todo lo que se describe en la lista y reflexione sobre su trabajo.

55 En parejas

Intercambie sus ensayos con un/a compañero/a. Exprésele su opinión sobre el contenido y el uso del idioma.

Teacher Resources

Activities 19–21

Instructional Notes

51–54 Make sure students go over the expectations outlined in the *Pautas* on p. 480 before they prepare the writing activities on this page.

55 Monitor students' comments and corrections as they evaluate their classmates' work. If certain errors are being made repeatedly, go over this grammar with the class.

Additional Activities

Corrija una carta, Imágenes que cuentan
See pp. TE26 and TE27.

Instructional Notes

56 Because all students will speak, allow them time to prepare this activity. Be sure to tell students which issue and which side of the issue they will be debating, so that they can do some research and practice before their debate.

After students have debated these issues with a partner, you might want them to continue the debate in small groups, or even have a discussion with the whole class on one or two of these topics.

You might want to provide a word bank to make sure that students use the new vocabulary.

57 Encourage students to review the vocabulary at the end of the lesson in order to enhance their discussions. They need to pay attention to the grammar, pronunciation, and intonation, and use appropriate vocabulary to contradict or agree with their partner's comments. After students discuss these questions with a partner, you could hold a whole-class discussion.

58 Review the *Pautas para presentaciones formales* on p. 481, and refer students to their copies of the guidelines given to them in *Lección 1A* (*Antes y durante una presentación*). (See p. 27 of this Annotated Edition.) You might want to assign these presentations as homework so students have more time to prepare.

Additional Activities

Las noticias de hoy
See p. TE28.

¡A hablar!

56 Charlemos en el café

Ud. va a debatir los siguientes temas con un/a compañero/a. Uno estará a favor de lo que se ha dicho y otro en contra. El debate durará varios minutos. El/La estudiante que esté de acuerdo comenzará el debate y hablará por unos diez segundos. Cuando el/la profesor/a lo indique, el/la otro/a estudiante tomará la palabra y expresará su opinión por otros diez segundos y así sucesivamente.

1. El deporte es una actividad física, nada más. No tiene nada que ver con lo psicológico o espiritual.
2. Los estudiantes de ambos sexos deberían tener los mismos programas deportivos en la escuela o universidad. Por ejemplo, debe existir un programa de fútbol americano para chicas. Y si una chica quiere ser parte del equipo de fútbol americano masculino, tiene derecho a participar.
3. La universidad debe distribuir las becas deportivas en la misma proporción que las becas académicas, y deben ser iguales para hombres y mujeres.
4. El deporte se divide en dos: el fútbol y el resto.

57 ¿Qué opinan?

Converse con un/a compañero/a sobre estas preguntas.

1. ¿Quiénes han sido los diez mejores atletas de la última década y por qué le parecen los mejores?
2. Hable del proceso de llegar a ser atleta profesional. ¿Cree que es cuestión de talento, buenas conexiones con el mundo profesional o debido a otra cosa? ¿Cuál?
3. ¿Piensa que en los Estados Unidos se valora demasiado a los atletas profesionales? ¿Cree que pueden ejercer una influencia positiva o negativa en los jóvenes? ¿Por qué?

58 Presentemos en público

Conteste una de las siguientes preguntas o haga una presentación oral sobre uno de los temas durante varios minutos en clase. Organice sus ideas antes de hacer la presentación, busque las palabras necesarias y, después de practicar, presente en clase sin mirar las notas.

1. ¿Cree que la televisión ha afectado demasiado a los deportes? ¿Cómo? ¿Es difícil emitir un partido entero de fútbol en la televisión norteamericana? ¿A qué se debe?
2. "La gloria no consiste en no caer nunca sino en levantarte cada vez que te caes". Relate las experiencias de un atleta (real o ficticio) que llegó a ser el número uno en su deporte después de enfrentar muchos obstáculos o fracasos.
3. "Ganar no es lo más importante, es lo único". Relate las experiencias de una persona (real o ficticia) relacionada con los deportes, como atleta, entrenador, miembro de la familia de un atleta, etc., que cree que este dicho es verdad.
4. Hable sobre los atletas jóvenes que no terminan sus estudios para dedicarse a practicar un deporte profesionalmente.
5. ¿En qué consiste una leyenda deportiva? ¿Quiénes son algunas leyendas deportivas actuales y del pasado? Descríbalos con detalles.

Consejo

Antes de empezar, lea las pautas para presentaciones formales en la pág. 481 del Apéndice. Mientras formula su presentación tenga presente los objetivos. Cuando termine la presentación, verifique que ha cumplido con todo lo que se describe en la lista y reflexione sobre el trabajo que hizo.

Proyectos

59 ¡Manos a la obra!

Trabaje con un grupo de cuatro o cinco estudiantes para llevar a cabo uno de los siguientes proyectos y presentarlo en clase.

- Van a ser expertos en un deporte. Investíguenlo y luego hablen de su historia, el equipo necesario para jugarlo, las posiciones de los jugadores, y si hay algunas variaciones del deporte. Prepárense para mostrar cómo jugarlo a sus compañeros.

- Piensen en los Juegos Olímpicos de 2020. ¿Cuál sería su plan ideal para organizarlos para ese verano? Hablen del lugar ideal, los deportes que incluirían, las viviendas para los atletas, el transporte, el marketing y publicidad, la seguridad de los atletas y espectadores, la imparcialidad de los jueces, etc. Organicen el plan para ganar la votación del Comité.

- Hagan un anuncio para promover la práctica de un deporte. Decidan si va a ser un anuncio para niños, jóvenes, adultos o la tercera edad. Pueden imaginar que son dueños de un gimnasio, entrenadores personales, entrenadores en un colegio, representantes encargados de la salud de los empleados de una empresa o fábrica, enfermeros en un asilo de ancianos, etc.

Detalles del
estadio antiguo

Las ruinas del estadio antiguo en Olimpia, Grecia

Instructional Notes

59 Before students start their projects, go over the questions from *Lección 1A*, p. 28. Students should have a copy of these questions for each project.

Remind them that after they complete their project, they will self-assess their work as a team using the grading system 1–5 (5 being the highest, and 1 the lowest) and write a grade next to each question. After they turn in their work or make their presentation to the class, you will review their project and write your comments and evaluation next to theirs.

Visite la página Web de
¡A toda vela! en
www.emcp.com

Additional Activities

Juegos

To practice vocabulary and grammar from the lesson, ask students to play one of the following: *Lo tengo en la punta de la lengua* or *El juego de la alarma.*
See p. TE25.

To practice the culture topics presented in this lesson, ask students to play *Trivia.* See p. TE25.

Ask students to do any of the following activities to practice and strengthen the vocabulary or grammar presented in this lesson: *Hablen sobre esta foto, El desafío del minuto con el subjuntivo, ¿Cuáles son las diferencias?, ¡Post-it!,* or *Repaso Expreso.*
See pp. TE26–TE28.

Ask students to do one or both of the following activities to practice the culture topics presented in this lesson: *¿Cuál es la pregunta?* or *¡Que no es así!*
See pp. TE26 and TE28.

Vocabulario

Verbos

agradecer	to thank
apostar (ue)	to bet
arrebatar	to snatch away
bastar	to be enough
deplorar	to lament, deplore
derrotar	to defeat
descartar	to reject
disputarse	to fight, challenge
emprender	to set about, undertake
enaltecer	to praise
encargar	to put in charge of
erigir	to erect, build
golpear	to hit
hidratar	to hydrate
humillar	to humiliate
jurar	to swear (*an oath*)
marcar un gol	to score a goal
mediar	to intervene, come between
otorgar	to grant
patear	to kick
programar	to program
proponer	to propose
protagonizar	to take a leading part in
puntualizar	to point out
realizar	to accomplish, carry out
recorrer	to go through; to travel
sobornar	to bribe
vencer	to defeat

Verbos con preposición

verbo + a:

agregar a	to add to
venir a	to come to

verbo + de:

aislarse de	to isolate oneself from
ser parte de	to be part of
tener la oportunidad de	to have the opportunity to

verbo + en:

concentrarse en	to concentrate on
inscribirse en	to register, enroll in

verbo + por:

velar por	to watch out for

Sustantivos

el	alojamiento	accommodations
el/la	árbitro/a	referee, judge
la	arcilla	clay
el/la	arquero/a	goalie
el/la	atleta	athlete
el	atraso	delay
el	automovilismo	race-car driving

el	balompié	soccer
el/la	baloncestista	basketball player
el	baloncesto	basketball
el	básquetbol	basketball
el/la	basquetbolista	basketball player
la	bebida energética	energy drink
el/la	beisbolista	baseball player
el/la	campeón(a)	champion
el	campeonato	championship
la	carrera	race
el	cemento	cement
el	ciclismo	cycling
el/la	ciclista	cyclist
la	cobertura	coverage
el/la	comisionado/a	commissioner
la	competencia	competition, rivalry
la	competición	competition, contest
el/la	corredor(a) en base	base runner
la	cuna	cradle
la	defensa	defense (defensive player)
el	delantero	forward (player)
el	deporte de equipo	team sport
el	deporte por pareja	two-person sport
el/la	deportista	sportsman/sportswoman
el	dominio	domain
el/la	dueño/a	owner
la	eficacia	effectiveness
el	ejercicio físico	physical exercise
el	entrenamiento	training
el	equipo contrario	opposing team
el/la	espectador(a)	spectator
el/la	fanático/a	fan
la	fuente	source
la	gimnasia	gymnastics
el/la	gimnasta	gymnast
la	hierba	grass
el	hockey sobre hielo	ice hockey
el	jardinero derecho	right fielder
el	jonrón	home run
el	juego de pelota	ball game
el/la	jugador(a)	player
el	local	home team
la	lucha libre	wrestling
el/la	luchador(a)	wrestler
el/la	marcador(a)	goal scorer
el	medio	midfieldman
el/la	nadador(a)	swimmer
la	natación	swimming
el	ocio	leisure, free time
el	pasto	grass
el/la	patinador(a)	skater
el	patinaje	skating

la	pelota vasca	Basque ball game
el/la	piloto de Fórmula 1	Formula 1 race-car driver
la	pista	court
el	poder	power
la	polémica	controversy
la	portada	front page, cover *(of a book)*
el/la	portero/a	goalie
el	postulado	axiom
el/la	propietario/a	owner
el/la	remero/a	rower
el	remo	rowing
el	rendimiento	performance
la	sede	seat, headquarters
el	sostenimiento	maintenance, support
la	temporada	(sports) season
el/la	tenista	tennis player
la	tierra batida	clay
la	zapatilla	sneaker, tennis shoe

Adjetivos y adverbios

acaudalado, -a	wealthy
cotidiano, -a	daily
destacado, -a	outstanding, distinguished
emocionante	exciting

encargado, -a	in charge
esparcido, -a	scattered
impreso, -a	printed
involucrado, -a	involved
mensual	monthly
mundialmente	worldwide
rotundo, -a	categorical, flat (denial, statement, etc.)
súbito, -a	sudden
tajante	definitive *(answer, remark)*

Expresiones

al alcance de	within reach of
correr el riesgo de	to run the risk of
de primera mano	firsthand
en homenaje	in homage
estar muy verde	to be far from ready
fuera del país	outside the country
llegar a ser campeón(a)	to become champion
poner en marcha	to set into motion
tener tiempo libre	to have free time
tener vigencia	to be in effect

Teacher Resources

 See ExamView for assessment options.

Additional Activities

Ask students to compose a letter of application to a school abroad that specializes in Hispanic Studies. Tell them to use suitable phrases from those in the *A tener en cuenta* section.

A tener en cuenta
Expresiones para cartas de negocios y de amistad

Encabezamientos para cartas de negocios

Distinguido/a; Estimado/a	Dear
Estimado/a director(a)	Dear (Esteemed) Director
Muy señor mío (señora mía)	Dear Sir/Madam
Muy estimado/a Señor/Señora (+ apellido)	Dear (Esteemed) Sir/Madam/Mr./Ms (+ last name)

Terminaciones para cartas de negocios

Atentamente/Le saluda atentamente	Sincerely, Yours truly
Respetuosamente suyo/a	Respectfully yours
Cordialmente	Cordially
Su seguro/a servidora(a)	Yours faithfully

Encabezamientos para cartas de amistad

Querido/a + nombre	Dear + name
Mi querido/a + nombre	My dear + name
Hola + nombre	Hello + name
Cariño	Darling

Terminaciones para cartas·de amistad

Un abrazo	A hug
Besos y abrazos	Hugs and kisses
Recibe un abrazo muy fuerte de tu amigo/a + nombre	A big hug from + name
Cariñosos saludos de	Fondly, Fond greetings from
Afectuosamente	Affectionately
Mis recuerdos a tu familia	My regards to your family
Un cordial saludo	Warm greetings

Instructional Notes

Ask students to review the communication and culture objectives of this lesson and ask them which ones interest them the most and why. Find out if they would like to share any information on the topics mentioned, or perhaps they know someone who is an expert in one of these areas, and would be willing to come to class and talk about this in Spanish.

Use the photos on the page to generate the following questions: *¿Qué saben del ciclismo? ¿Saben que hay muchos problemas con el dopaje en el ciclismo profesional? ¿A qué se deberá? ¿Conocen a algunos ciclistas hispanos? ¿A cuáles? ¿Han visto alguna vez un partido de baloncesto en silla de ruedas? ¿Qué les ha parecido? ¿Qué opinan de la corrida de toros? ¿Les parece un deporte, un arte o un espectáculo? ¿Les parece cruel? ¿Por qué? ¿Saben lo que es un rejoneador? ¿Un picador? ¿Un matador?*

The middle photo is from the Paralympics 2004. The bottom photo shows the art of *el rejoneo*, or fighting the bull on horseback; the person who fights this way is called *el rejoneador*. All *rejoneadores* are accomplished horsemen, and commonly own a stable of highly trained and valuable horses.

Share the *Nota cultural* with students and ask them to comment on the trainer's remarks. Do they think that these remarks are applicable to all sports and to all those who participate in them? Why?

Additional Activities

Trabajo de investigación
Encourage students to research the people mentioned in the *Investigue* feature and ask volunteers to make a brief presentation to the class on one of them.

Lección B

Objetivos

Comunicación
- Hablar de la violencia en los deportes
- Hablar de los sobornos y el dopaje
- Expresar opiniones sobre las corridas de toros
- Describir el impacto de la competencia en los deportes

Gramática
- Los verbos con preposiciones
- La voz pasiva
- El presente progresivo

"Tapitas" gramaticales
- expresiones con *lo*
- *solamente, solo* y *sólo*
- verbos usados como sustantivos
- participios pasados usados como adjetivos
- *para* o *por*
- los tiempos verbales
- *aun* y *aún*
- adverbios
- las nacionalidades
- *se lo*
- el orden de las palabras

Cultura
- La mujer y el deporte
- La historia del baloncesto
- Las asociaciones deportivas
- Los deportes en Cuba
- El fútbol en Argentina
- Los toros

Visite la página Web de *¡A toda vela!* en www.emcp.com

Nota cultural

El baloncesto en silla de ruedas se creó en los Estados Unidos en la década de los 40, y en los 70 se organizó una liga en España. La silla de ruedas del baloncesto sólo se usa para jugar y puede tener tres o cuatro ruedas: dos bastante grandes detrás y una o dos pequeñitas por delante. Según un entrenador de este deporte, los jugadores deben tener "un buen comportamiento, entrega, capacidad física, capacidad mental y talento. Un jugador en silla de ruedas (y uno de a pie) debe ser capaz de desarrollarse mentalmente y luego llevar a la práctica las estrategias".

Investigue
palabras clave:
Miguel Indurain, Víctor Hugo Peña (ciclistas), Antonio Cañero, Álvaro Domecq (rejoneadores)

Para empezar

1   Conteste las preguntas 👥

Piense en las respuestas a las siguientes preguntas. Ud. puede tomar notas si lo considera necesario. Cuando termine, compare sus respuestas —pero sin mirar sus notas— con las de un/a compañero/a.

1. ¿Cómo serán los deportes en el futuro? ¿Formarán parte de la vida de cada individuo? ¿Cuál será el papel de la ciencia, de la nutrición, de la tecnología y del ocio en los deportes del futuro?

2. Piense en los lugares públicos donde se puede practicar un deporte en su pueblo, ciudad, estado o región. ¿Tiene fácil acceso a estos lugares todo el público? ¿Se mantienen estos lugares en condición óptima? ¿Qué programas deportivos ofrece su pueblo, ciudad, estado o región? ¿Le parecen suficientes? ¿Cuáles añadiría?

3. En su opinión, ¿hay demasiada violencia en los deportes hoy? ¿Hay violencia solamente en los deportes profesionales o a todos los niveles? ¿Qué opina de la violencia o de la mala conducta de los espectadores que atacan verbal o físicamente a los árbitros? Cite ejemplos de violencia o de mala conducta en un deporte.

4. ¿En qué deportes hay más probabilidad de ser testigo de la violencia o de la mala conducta de los jugadores o de los espectadores? ¿Cómo castigaría los actos de violencia o de mala conducta durante un partido?

5. ¿Qué opina o sabe de los Juegos Olímpicos Especiales (para los atletas minusválidos)?

6. ¿Qué opina de los sobornos (*bribes*) durante los campeonatos? ¿Se debe descalificar a los atletas, al equipo y a los jueces? ¿Se debe jugar el campeonato otra vez? Cite ejemplos de un soborno en un deporte.

7. ¿Qué opina de los atletas que hacen promociones de productos deportivos o de ropa deportiva? ¿Compra estos productos? ¿Está demasiado comercializado el deporte?

8. ¿Cuáles son las ventajas de practicar un deporte? Cite también alguna posible desventaja.

9. ¿Qué sabe de las corridas de toros? ¿Las considera un deporte o un espectáculo? ¿Por qué?

10. ¿Qué piensa de los programas deportivos nacionales patrocinados por el gobierno para el entrenamiento de atletas como en China o Cuba?

Lección 6B   **331**

Answers

1 Answers will vary.

2   Mini-diálogos

Va a crear un mini-diálogo con un/a compañero/a. Lea la descripción de la conversación antes de empezar. Puede tomar notas para organizar sus ideas, pero no las mire mientras conversa. Le pueden servir algunas expresiones del recuadro.

Escena: Está en su casa, mirando un partido de fútbol con su padre. El árbitro acaba de descalificar un gol muy controversial.

la defensa	un pase de gol	marcar un gol
el marcador	usar las manos	fuera del campo del partido
el portero	el equipo contrario	

A: Reaccione positivamente a lo que decidió el árbitro.

B: Reaccione negativamente a lo que decidió el árbitro.

A: Explique por qué reaccionó positivamente.

B: Explique por qué reaccionó negativamente.

A: Reaccione cordialmente pero rechace la razón que le presenta.

B: Explique con más detalles por qué piensa así y por qué el árbitro no tenía razón.

A: Explique por qué cree que el árbitro tenía razón.

B: Después de escuchar los cometarios de la televisión, decida si Ud. está de acuerdo. Haga un comentario sobre el equipo en general y su récord esta temporada.

A: Reaccione cordialmente y dígale que siga mirando el partido con Ud.

Cita

Cuando somos buenos, nadie nos recuerda, cuando somos malos, nadie nos olvida.
—Anónimo

¿Es verdad que se aplica esta cita a todos los deportes, o sólo a algunos? ¿A cuáles? ¿Por qué? Nombre a algunos atletas conocidos por sus acciones violentas o poco apropiadas. Explique por qué tienen esa reputación. ¿Cómo les ha afectado ese comportamiento a su carrera? Comparta sus respuestas con un/a compañero/a.

¡Dato curioso!

Cuando UNICEF preguntó a casi 1.500 jóvenes "¿Crees que practicar deportes ayuda o impide a los estudiantes a tener un buen rendimiento escolar?", el 82.5% dijo que les ayuda y solamente el 17.5% dijo que les impide.

Vocabulario y gramática en contexto

3 Un foro

Túrnese con un/a compañero/a para leer los comentarios que dos personas han escrito en un foro. Fíjese en las palabras que aparecen en azul (relacionadas con el vocabulario) y en rojo (relacionadas con la gramática), ya que en las siguientes actividades se le harán preguntas sobre ellas.

> ◄ ► Dirección
>
> Archivo Edición Ver Favoritos Herramientas Ayuda
>
> ### Cinco razones contra todos los Juegos Olímpicos
> Agustín Larra Gómez
>
> 1. **La competencia.** Los Juegos Olímpicos son competitivos sin duda. Lo más importante es ganar y no participar. Los atletas compiten con el récord; no compiten con los demás.
> 2. **El nacionalismo.** Los Juegos Olímpicos favorecen el nacionalismo. Los atletas, entrenados por el dinero de los gobiernos, solamente quieren el prestigio que lleva una victoria ⁵olímpica. La competición se ha convertido en una competición entre países. Las victorias individuales y por equipos son solamente victorias nacionales; son oportunidades de promocionar el prestigio nacional.
> 3. **El comercialismo.** Solamente las compañías multinacionales se benefician de los Juegos Olímpicos. Reciben muchos beneficios financieros de sus inversiones. Los héroes olímpicos se ¹⁰benefician solamente si pueden promocionar un producto después de ganar una medalla.
> 4. **La violencia.** Los deportes practicados en los Juegos Olímpicos de la Antigua Grecia eran lucha libre, lanzamiento de disco y jabalina, boxeo, carreras de carros, y una lucha violenta, llamada *Pankration*. Actualmente los deportes como el boxeo, el tiro al arco o la jabalina son deportes que evolucionaron de unas prácticas de guerra.
> 5. ¹⁵**La ciencia del cuerpo.** Ahora, en términos científicos, los cuerpos de los atletas son máquinas cuyo único fin es vencer. Las drogas legales o ilegales son parte de estos avances sin tener en cuenta, muchas veces, la salud del atleta.
>
> ### Los deportes
> Verónica López García
>
> Para mí, practicar un deporte es lo más natural que hay. Practicar deportes me ayuda física y mentalmente. Para mí, el deporte alivia el estrés de un día duro de trabajo y disminuye la frustración y la presión que siento en el trabajo y con los deberes familiares. ⁵Todo se convierte en algo manipulable y alcanzable, y así no me preocupo por cosas que no tienen importancia. Tengo suerte de que la empresa donde trabajo nos ayude con esto. Tenemos un gimnasio pequeño en la empresa, que está disponible para todos nosotros cuando queramos. La sala tiene todo tipo de ¹⁰maquinaria para ayudarnos a hacer ejercicio físico cada día. Está abierto aun los fines de semana y puedo llevar a mi familia allí. Llevo a mis dos niños para que participen en las ligas de fútbol y de béisbol. Mi hija de siete años ha aprendido mucho en su equipo de fútbol. Ha aprendido a trabajar en equipo, cooperación, coordinación, y un espíritu de grupo. Mi hijo de diez años ha ¹⁵participado durante algunos años en un equipo de béisbol patrocinado por la empresa. Es obvio que su participación ha tenido un efecto bastante positivo en su salud física y mental.

Instructional Notes

3 After students finish reading both articles, ask them: *¿Se identifican más con Agustín o con Verónica? ¿Por qué?*

Activity 1

Answers

4 *Synonyms and expressions will vary; translations follow:* competencia, *competition*; los demás, *the others/rest*; favorecen, *they favor*; entrenados, *trained*; prestigio, *prestige*; promocionar, *to promote*; comercialismo, *commercialism*; inversiones, *investments*; lanzamiento de disco, *discus (toss)*; jabalina, *javelin*; tiro al arco, *archery*; vencer, *to defeat*; drogas, *drugs*; alivia, *relieves*; manipulable, *manageable*; alcanzable, *attainable*; disponible, *available*; maquinaria, *machinery*; participen en, *take part in*; cooperación, *cooperation*; espíritu de grupo, *group spirit*; patrocinado, *sponsored*.

5 1. No; se debe aprender la preposición con el verbo; a veces sigue la traducción de inglés, a veces no. 2. Ejemplos: *a, con, de, en, por*; asistir a, llegar a, negarse a; amenazar con, casarse con, soñar con; acabar de, despedirse de, equiparse de; entrar en, fijarse en, participar en; empezar por, preocuparse por, tomar por; 3. competir con, *to compete with*; convertirse en, *to become/turn into*; beneficiarse de, *to benefit from*; evolucionar de, *to evolve from*; ser parte de, *to be a part of*; tener en cuenta, *to take into account/keep in mind*; preocuparse por, *to worry about*; ayudar a, *to help*; aprender a, *to learn to*; trabajar en (equipo), *to work on (a team)*; tener un efecto en, *to have an effect on*

6 1. *The most important thing is to win and not to participate. Lo* se refiere a un concepto neutro; otro ejemplo: *lo más natural.* 2. los demás (l. 2); ejemplos: los otros atletas, las otras personas; 3. *Solamente* y *sólo* significan *únicamente; solo* significa sin estar acompañado, o sin estar con otras personas. *Solo* no tendría sentido; se usó *solamente* por preferencia del escritor para significar *únicamente*, pero podría haber usado *sólo.* 4. primer artículo: ganar (*winning*, ll. 2 y 10), participar (*participating*, l. 2), promocionar (*promoting*, l. 7), vencer (*winning*, l. 16), tener en cuenta (*taking into account*, l. 17); segundo artículo: practicar (*practicing*, l. 1); 5. Entrenados, practicados, llamada, abierto, patrocinado; deben concordar en género y número con el sustantivo que describen. 6. porque quiere decir *en mi perspectiva u opinión*; 7. primer artículo: se ha convertido (l. 5); segundo artículo: ha aprendido (l. 13), ha participado (ll. 14 y 15), ha tenido (l. 16); Expresan acciones realizadas en el pasado y que perduran en el presente. 8. a. trabajo (presente del indicativo; la acción tiene lugar en este momento); ayude (presente del subjuntivo; depende del verbo de la clásula principal que expresa una emoción); b. está (disponible) (presente del indicativo; la acción tiene lugar en este momento, pero la disponibilidad cambia regularmente; por eso se usa el verbo *estar*); cuando queramos (presente del subjuntivo; indica

---

4 Amplíe su vocabulario

En su cuaderno, traduzca al inglés las palabras o expresiones que aparecen en azul, o escriba un sinónimo o expresión similar en español para cada una.

5 Los verbos con preposiciones

Con un/a compañero/a, conteste estas preguntas relacionadas con las lecturas anteriores.

1. ¿Hay reglas que determinan qué preposiciones siguen a los verbos? ¿Cómo se aprenden?
2. ¿Cuáles son algunas preposiciones que se usan frecuentemente con los verbos? Escriban dos o tres ejemplos para cada preposición que citaron.
3. Hagan una lista de los verbos (en la forma del infinitivo) con la preposición que los sigue y que aparecen en el texto en rojo. Tradúzcanlas al inglés.

6 "Tapitas" gramaticales

Conteste estas preguntas basadas en las lecturas anteriores.

1. Traduzca "Lo más importante es ganar y no participar". Explique la construcción *lo más importante*. Busque otro ejemplo de *lo* con adjetivo.
2. Busque la expresión *los demás* y dé algún sinónimo.
3. Explique las diferencias entre *solamente, solo* y *sólo*. ¿Por qué se usó *solamente* en la lectura y no *solo* ni *sólo*?
4. Busque ejemplos de verbos usados como sustantivos en los dos foros y tradúzcalos al inglés.
5. Busque ejemplos de participios pasados usados como adjetivos. ¿Qué reglas deben seguir?
6. ¿Por qué se dice *para mí* en la lectura, y no *por mí*?
7. Busque los verbos en el presente perfecto del indicativo y explique sus usos.
8. Explique el uso de los verbos subrayados en las cláusulas subordinadas de las siguientes oraciones:
   a. Tengo suerte de que la empresa donde <u>trabajo</u> nos <u>ayude</u> con esto.
   b. Tenemos un gimnasio pequeño en la empresa, que <u>está</u> disponible para todos nosotros cuando <u>queramos.</u>
   c. Es obvio que su participación <u>ha tenido</u> un efecto bastante positivo en su salud física y mental.
9. ¿Cuál es la diferencia entre *aun* y *aún*?
10. ¿Por qué es un falso cognado *actualmente*?
11. ¿Por qué se dice *física y mentalmente* y no *físicamente y mentalmente*?

7 ¿Qué opina?

Reaccione a lo que cada persona ha escrito en los foros. Hágales un comentario sobre lo que han escrito y dígales si Ud. comparte su opinión. Incluya palabras que aparecen en azul y subráyelas.

---

algún tiempo no cierto en el futuro: *whenever*); c. ha tenido (presente perfecto; expresa una acción realizada en el pasado y que perdura en el presente); 9. *aun* = hasta, también, inclusive; *aún* = todavía; 10. No significa *actually*; significa en este momento, en el presente (*currently*). 11. Cuando hay dos adverbios seguidos que normalmente terminan en -*mente*, sólo el segundo lleva el sufijo -*mente*. El primero lleva la forma singular feminina del adjetivo correspondiente.

7 Reactions will vary.

Instructional Notes

7 You could have teams debate the issues put forth in "Cinco razones contra todos los Juegos Olímpicos".

8 Las atletas

Lea con atención el siguiente artículo, prestando atención a las palabras en azul y rojo, ya que se le harán preguntas sobre ellas.

La argentina Sabatini recibe el premio "Las mujeres y el deporte" 2006

La ex tenista argentina Gabriela Sabatini fue distinguida hoy con el premio mundial "Las mujeres y el deporte" 2006, del Comité Olímpico Internacional (COI) y la Organización Internacional del Trabajo [5](OIT), por su contribución al desarrollo de la participación de las mujeres en las actividades físicas y deportivas. "Es un honor recibir este premio y se lo dedico a toda la gente que me ha acompañado durante mi carrera, desde los [10]comienzos hasta el final, porque son una parte muy importante de mi vida y de mi trayectoria y todavía hoy me siguen dando su cariño y su apoyo", dijo Sabatini en el acto de entrega del galardón en Ginebra. "El tenis para mí es más que [15]un deporte. Me ha dado la posibilidad de conocer el mundo y diferentes culturas y con él he aprendido a manejar los obstáculos de la vida", continuó la ex tenista durante la ceremonia, que se enmarcó en la celebración del Día Internacional de la Mujer [20]en la sede de la OIT. Además del premio mundial otorgado a la argentina, se entregaron asimismo los trofeos continentales en honor al papel de las galardonadas en la promoción del deporte en sus respectivos países. El trofeo africano lo recogió la [25]senegalesa Albertine Barbosa Andrade, la única presidenta de una federación deportiva de Senegal, quien brindó la distinción "a todas las mujeres de África, para que sepan que a través del deporte se pueden desarrollar plenamente". Asimismo, el [30]europeo fue entregado a la francesa Dominique Petit, primera directora técnica de una federación nacional gala de un deporte olímpico, el voleibol, para quien ese trofeo supuso "un reconocimiento a los adelantos de todas las mujeres". La [35]condecoración asiática recayó en la coreana Elisa Lee, conocida como "la reina del ping pong", quien

Gabriela Sabatini

se comprometió a "seguir haciendo todo lo posible para que cada vez sean más las mujeres presentes en el mundo deportivo". La valoración en Oceanía [40]fue a parar a la fiyiana Lorraine Mar, considerada "un modelo para la dedicación de niñas y mujeres en el bádminton", y la americana, por otra parte, a la atleta canadiense Charmaine Brooks, quien afirmó que "cada victoria de una mujer es a la [45]vez una oportunidad para remitir un mensaje de paz y de solidaridad". La trascendencia de esas conquistas sorprendió también a la argentina, quien dijo a EFE que desde que dejó de jugar, en 1996, ha empezado a tomar conciencia de todo lo [50]que consiguió con el tenis. Sabatini figuró entre las diez mejores tenistas del mundo durante diez años consecutivos (1986–1995), se convirtió en la primera argentina en ganar un título del Grand Slam (U.S. Open en 1990) y terminó su carrera con [55]27 torneos individuales y 14 de dobles, entre estos últimos el de Wimbledon en 1988 con la alemana Steffi Graf. "Me inicié en el tenis porque era lo que amaba hacer y aunque siempre traté de ser la mejor nunca tuve como objetivo llegar tan lejos [60]como lo he hecho", declaró.

www.laraza.com

Lección 6B 335

Instructional Notes

8 Ask students: *¿Qué saben de las atletas profesionales? ¿Conocen a algunas? ¿Cuáles? De ellas, ¿cuáles son hispanas? ¿Han oído hablar de Gabriela Sabatini?*

Juego
Ask students to play *Relevos*. See p. TE25.

Investigue palabras clave: Gabriela Sabatini

Teacher Resources

Activities 2–3

Answers

9 1. h; 2. e; 3. k; 4. g; 5. f; 6. b; 7. d; 8. c; 9. a; 10. m; 11. n; 12. i; 13. l; 14. o; 15. j

10 Gabriela Sabatini: tenis; Albertine Barbosa Andrade; Dominque Petit: voleibol; Elisa Lee: ping pong; Lorraine Mar: bádminton; Charmaine Brooks. *Summaries and Sabatini's comments will vary.*

11 1. argentina (argentino), senegalesa (senegalés), francesa (francés), coreana (coreano), fiyiana (fiyiano), americana (americano), canadiense (canadiense), alemana (alemán); 2. fue distinguida (ll. 1 y 2), se distinguió; fue entregado (l. 30), se le entregó; 3. me siguen dando (l. 12); Expresa acciones que continúan hasta el presente.

12 1. dedicarse a, aprender a, comprometerse a, ir a, empezar a; conseguir con; enmarcarse en, recaer en, convertirse en, iniciarse en; dejar de, tratar de; 2. *Paragraphs will vary.* 3. me siguen dando; se pueden desarrollar; fue entregado; seguir haciendo; amaba hacer; Sí; éstos son por lo general verbos auxiliares.

13 1. Si hay un objeto directo y uno indirecto en la misma oración, y si el objeto indirecto se refiere a él, ella, ello o Ud., *le* se convierte en *se* (para evitar decir *le lo*). *Lo* se refiere al premio mundial. 2. Se puede decir "desde el comienzo hasta el final", pero no "desde los comienzos a los finales" porque se debe usar *desde... hasta* o *de... a*.

---

9 Amplíe su vocabulario

Escriba la letra que corresponde a la mejor definición o sinónimo de cada palabra de la primera columna.

1.	premio	a.	conferir
2.	carrera	b.	recompensa
3.	trayectoria	c.	oficina principal
4.	apoyo	d.	tener lugar
5.	entrega	e.	profesión
6.	galardón	f.	otorgamiento
7.	enmarcarse	g.	ayuda, protección
8.	sede	h.	distinción
9.	otorgar	i.	ofrecer
10.	asimismo	j.	importancia
11.	recoger	k.	camino
12.	brindar	l.	progreso
13.	adelanto	m.	también
14.	remitir	n.	coleccionar
15.	trascendencia	o.	enviar

10 Las ganadoras

Con un/a compañero/a, haga una lista de las seis ganadoras del premio "Las mujeres y el deporte" 2006. Incluya el deporte (donde se menciona) que cada ganadora representa y haga un resumen de la importancia de haber recibido este premio. Hable también del efecto que el tenis tuvo en la vida de Gabriela Sabatini.

11 ¿Qué piensa?

Conteste estas preguntas basadas en la lectura de la Actividad 8.

1. Busque las nacionalidades que se mencionan en el artículo en la forma femenina y haga una lista con las formas masculinas correspondientes.
2. Busque dos oraciones en voz pasiva. Vuelva a escribirlas usando la construcción *se*.
3. Busque el verbo en presente progresivo, y explique su uso.

12 Los verbos con preposiciones

Conteste estas preguntas basadas en la lectura de la Actividad 8.

1. Haga una lista de los verbos seguidos de *a*, *con*, *en* y *de* que aparecen en el artículo.
2. Escriba una oración con cada uno de estos verbos de la pregunta anterior que encontró, en un párrafo que se titule "Mi experiencia como futbolista en la escuela primaria" (real o imaginaria). Escríbalo usando los tiempos pasados.
3. Busque en la lectura verbos que no necesitan una preposición cuando van seguidos de otro verbo y haga una lista de ellos. ¿Tienen estos verbos algo en común? ¿Qué es?

13 "Tapitas" gramaticales

Conteste estas preguntas basadas en la lectura de la Actividad 8.

1. Explique la construcción "se lo dedico a toda la gente". ¿Por qué se usa *se*? ¿A qué se refiere *lo*?
2. Explique "desde los comienzos hasta el final". ¿Puede ser "desde el comienzo hasta el final" o "desde los comienzos a los finales"? ¿Por qué?

3. ¿Cuál es la diferencia entre *la única presidenta* y *la presidenta única*? ¿Cuál de los dos se usó en la lectura? ¿Por qué?

4. ¿Qué tiempos verbales se usaron en "para que sepan que a través del deporte se pueden desarrollar plenamente"? Explique el uso de los dos tiempos verbales.

5. Explique el uso de *lo que* en la frase "ha empezado a tomar conciencia de todo lo que consiguió con el tenis" y en la frase "era lo que amaba hacer".

14 Y la ganadora es...

Haga una lista de al menos cuatro atletas mujeres de su escuela, universidad, estado o país que hayan recibido un galardón o premio y explique por qué las escogió.

15 La paridad

Échele una ojeada al artículo que sigue para ver de qué se trata, prestando atención a las palabras en azul, ya que se le harán preguntas sobre ellas. Luego lea el artículo y decida qué preposición es la apropiada para completar cada oración y escríbala.

La mujer y el atletismo: un largo camino hacia la paridad

JUAN IGNACIO SAMPEDRO MARTÍNEZ

Ferenice de Rodas, hija de Diágoras, decidió en el año 396 antes de Cristo vestirse __1.__ hombre para aconsejar a su hijo desde el borde de la ruta. Ese gesto, contrario a la norma que prohibía expresamente a las mujeres asistir como espectadoras a los Juegos masculinos, pudo costarle la vida. Gracias a los consejos de su madre, y por méritos propios, Pisíropodos ganó la corona de laurel y Ferenice se precipitó __2.__ abrazarle. En ese momento se abrió su túnica, dejando al descubierto su condición femenina. Sólo el prestigio de su familia libró a la mujer tan vehemente de la muerte. Las mujeres, no obstante, tenían sus propios Juegos en la Grecia Clásica. Eran en el mes de septiembre, poco tiempo después de los masculinos. Se decidió que las espartanas compitiesen entre sí __3.__ "su rapidez y su fuerza". Su prueba consistía __4.__ una carrera de unos 160 metros. La ganadora recibía una corona de laurel y un trozo de la vaca sacrificada a Hera, la diosa de la fecundidad.

Cuando a finales del siglo XIX el movimiento creado por el Barón de Coubertin puso __5.__ marcha los Juegos de la Era Moderna, a la mitad de la población humana no se le reservaron ni unos Juegos paralelos. La primera campeona olímpica de los Juegos de la Era Moderna fue la tenista británica Charlotte Cooper. Empieza la participación femenina en atletismo, la columna vertebral de los Juegos. De las veinticinco participantes en la carrera de 800 m. varias hubieron __6.__ retirarse agotadas y algunas llegaron en lamentable estado y fueron auxiliadas por los servicios médicos. Ello reavivó el debate sobre la conveniencia de su participación en los Juegos y las agrias polémicas entre feministas y antifeministas. En ellas intervino hasta el Papa Pío XI. El veredicto fue que las mujeres no debieran __7.__ realizar carreras superiores a los 200 m. Y ello fue así hasta 1960, en Roma.

La primera campeona olímpica fue la norteamericana Elizabeth Robinson, que ganó los 100 m. en 12"2; sus dos compañeras hicieron el mismo tiempo. Hay un momento de inflexión, los Juegos de Los Ángeles 1984: el programa femenino dispone __8.__ todas las distancias en carreras tras la incorporación de las pruebas de 400 vallas y el maratón. Los premios para las vencedoras son sensiblemente inferiores a los que reciben los vencedores masculinos. Pocas organizaciones se mueven __9.__ criterios de paridad. Sydney 2000, donde se estrenan los saltos con pértiga y triple, y el lanzamiento de martillo, supone la llegada a la paridad en el programa olímpico. Con estos tres se celebran los mismos ocho concursos que en el programa masculino. Resta la incorporación al Programa Olímpico de los 3.000 metros obstáculos, prueba que lleva celebrándose varios años en torneos de menos nivel hasta que en 2008 se incorpore __10.__ los Juegos Olímpicos. En ese momento se habrá llegado __11.__ cubrir todo el programa para ambos géneros.

www.efdeportes.com

Answers

13 3. *La única presidenta* significa que sólo hay una presidenta; *la presidenta única* significa que la presidenta es singular, original, etc. Se usó *la única presidenta* porque sólo hay una. 4. Presente del subjuntivo (*sepan*): sigue *para que*; presente del indicativo (*se pueden*): expresa una acción que tiene lugar en este momento. 5. *Lo que* se refiere a un concepto descrito anteriormente.

15 1. de; 2. a; 3. por; 4. en; 5. en; 6. de; 7. de; 8. de; 9. con; 10. a; 11. a

Instructional Notes

14 Encourage students to pick four female athletes who are well known for their achievements. Ask students to compare and contrast these athletes based on some common criteria such as the influence, sportsmanship, or talent that they possess.

15 Ask students what they recall about Barón Pierre de Coubertin.

Additional Activities

Trabajo de investigación

15 Before students read the article, assign pairs of students to reaserch the following people or events mentioned in the article: *Ferenice de Rodas, Diágoras, Pisíropodos, Juegos en la Grecia Clásica, Hera, la tenista británica Charlotte Cooper, la corredora norteamericana Elizabeth Robinson.*

Activities 4–6

Answers

16 1. d; 2. a; 3. b; 4. b; 5. c; 6. d; 7. b; 8. a; 9. c; 10. d; 11. a; 12. b; 13. c; 14. a

17 Verbos con *de*: vestirse de (l. 2), libró... de (ll. 16 y 17), hubieron de (l. 37), debieran de (ll. 43 y 44), dispone de (l. 56); verbos con *a*: se precipitó a (ll. 11 y 12), se incorpore a (l. 71), se habrá llegado a (ll. 72 y 73); verbos con *en*: decidió en (ll. 1 y 2), consistía en (l. 23), puso en (l. 28); verbos con *por*: El único ejemplo es *compitiesen entre sí por* (l. 22).

18 1. At that moment her tunic opened and revealed that she was a woman. *Se abrió* indica que la acción ocurrió por sí misma; *su* es un pronombre posesivo. 2. el imperfecto del subjuntivo; Se usa porque el verbo de la cláusula principal (*se decidió*) expresa voluntad. Sí, hay otra forma: *-iera (compitiera)*. 3. el imperfecto del indicativo; Indica una acción pasada sin precisar el principio ni el final de la acción. 4. después de; *Tras* es una preposición; *después* es un adverbio.

Additional Activities

Comunicación

Ask pairs of students to talk about the role mental preparation has in achieving optimal results in sports or other competitions. They should compare and contrast mental preparation with physical training and may even wish to debate which one has more impact on the athlete.

Comunicación

Ask students to think about their most embarrassing moment in sports or other competitions and write a brief description of the incident.

---

16 Amplíe su vocabulario

¿Cuál es la mejor traducción según el contexto del artículo?

1. precipitarse
   a. to scream
   b. to hide
   c. to disguise
   d. to hurry

2. librar
   a. to free
   b. to prevent
   c. to condemn
   d. to force

3. espartana
   a. Spartan slave
   b. Spartan woman
   c. Greek slave
   d. Greek woman

4. carrera
   a. career
   b. race
   c. profession
   d. obstacle course

5. trozo
   a. horn
   b. foot
   c. piece
   d. ear

6. fecundidad
   a. virility
   b. femininity
   c. quickness
   d. fertility

7. agotado
   a. expired
   b. exhausted
   c. energized
   d. animated

8. reavivar
   a. to rekindle
   b. to put to rest
   c. to establish
   d. to relive

9. conveniencia
   a. cohabitation
   b. coexistence
   c. suitability
   d. lack of conformity

10. agria polémica
    a. sweet discussion
    b. difficult problem
    c. great rivalry
    d. bitter controversy

11. disponer
    a. to make available
    b. to discredit
    c. to deny
    d. to encourage

12. valla
    a. pole vault
    b. hurdle
    c. meter
    d. lap

13. paridad
    a. comparison
    b. betting
    c. equality
    d. discrimination

14. pértiga
    a. pole vault
    b. hurdle
    c. obstacle course
    d. lap

17 Los verbos con preposiciones

Haga una lista de verbos seguidos de las preposiciones *de, a, en* y *por* en la lectura anterior y tradúzcalos.

18 "Tapitas" gramaticales

Conteste estas preguntas basadas en la lectura de la Actividad 15.

1. Traduzca la oración "En ese momento se abrió su túnica, dejando al descubierto su condición femenina". Explique los usos de *se abrió* y de *su* en la oración.
2. ¿Qué tiempo verbal es *compitiesen* en la oración "Se decidió que las espartanas compitiesen"? ¿Por qué se usa este tiempo verbal? ¿Hay otra variación de mismo verbo? ¿Cuál es?
3. ¿Qué tiempo verbal es *recibía* en la oración "La ganadora recibía una corona de laurel y un trozo de la vaca"? ¿Qué indica el uso de este tiempo verbal?
4. ¿Qué significa *tras* en la frase "todas las distancias en carreras tras la incorporación de las pruebas de 400 vallas y el maratón"? ¿Cuál es la diferencia entre *tras* y *después*?

Cita

El noventa por ciento del deporte es cincuenta por ciento mental.
—Anónimo

¿Por qué piensa que la preparación mental es tan importante cuando uno juega un deporte? ¿Qué será el otro 10% del deporte? ¿Talento? ¿Habilidad física? ¿Entrenamiento? ¿Piensa que las mujeres pueden competir con los hombres en cualquier deporte? ¿Por qué? Comparta sus opiniones con un/a compañero/a.

 Dato curioso ¿Sabía que Andrés Escobar, colombiano, fue asesinado a causa de una discusión acerca de un autogol? Escobar ganó el cariño y respeto de todos los colombianos. Lastimosamente, en el Mundial de 1994 tuvo mala suerte y metió el balón en su propio arco, haciendo así un autogol. Días después, y en un sitio prestigioso de su ciudad natal de Medellín, Andrés Escobar fue asesinado.

Idioma

19 Familia de palabras

Complete la tabla con el verbo, sustantivo o adjetivo apropiado, y su traducción correspondiente.

Verbos		Sustantivos		Adjetivos	
apostar	to bet	la apuesta	_____	de apuestas	betting
competir	to compete	la competencia; la competición	rivalry; contest	_____	_____
contradecir	_____	la contradicción	contradiction	contradictorio	_____
entrenar(se)	to train; to coach	el entrenamiento; el/la entrenador(a)	_____; coach	de entrenamiento	_____
hacer atletismo	_____	el atletismo; el/la atleta	athletics; athlete		
hacer deportes	_____	_____	_____	deportivo	_____
juzgar	to judge	el/la juez; el/la árbitro/a	_____; _____	X	
participar	_____	la participación; el/la participante	_____; participant	participante; de participación	_____
permanecer	_____	la permanencia	_____	permanente	permanent
seleccionar	to select	_____	_____	selecto	selective
solucionar	_____	la solución	_____	resuelto	_____
torear	to fight bulls	el toro; el toreo; el torero; la corrida de toros	bull; bullfighting; bullfighter; _____	taurino	(related to) bullfighting

20 ¿Verbo, sustantivo o adjetivo?

Complete las oraciones usando la forma correcta de las palabras que aparecen en la tabla, ya sea verbo, sustantivo o adjetivo. En el caso del sustantivo puede que necesite artículo.

1. ¿Hay una agencia ___ (*participar*) que ayude a las personas que quieren inscribirse en la competición este fin de semana? Los ___ (*participar*) van a correr diez kilómetros por un circuito en la ciudad este domingo.
2. ¿A qué atletas van a ___ (*seleccionar*) para representar a este país en la próxima Copa Mundial? ___ (*Seleccionar*) siempre lleva mucha especulación.
3. El Museo ___ (*torear*) de Málaga es dedicado al gran ___ (*torear*) Antonio Ordóñez. En este museo se pueden admirar muchos objetos relacionados con ___ (*torear*).
4. ___ (*Competir*) entre los Mets de Nueva York y los Yankees es feroz. Cada equipo ___ (*competir*) en ligas diferentes. A veces, es interesante cuando hay ___ (*competir*) el mismo día. Muchos aficionados van al Estadio Shea o al Estadio Yankee, y la ciudad de Nueva York se convierte en la capital del béisbol por un día.
5. El *jai alai* es el nombre de la pelota vasca que llegó a los Estados Unidos como juego ___ (*apostar*). Los espectadores ___ (*apostar*) sobre los resultados de cada partido en el frontón mismo o por televisión.

continúa

La atleta mexicana Ana Guevara

---

20 6. entrenamiento, entrenadores, se entrenan;
7. solucionar, La solución, solución; 8. contradictorios,
participen, contradice; 9. permanente, la permanencia,
competitivo; 10. jueces, el entrenamiento, Juzgar

21 Sentences will vary.

Instructional Notes

After students discuss the *Cita*, ask them to cite
other examples in which relentless preparation and
practice might cause fatigue, but ultimately produces
positive results and satisfaction. Student musicians, or
those who participate in debates and other academic
competitions should be encouraged to talk about how
they prepare for these events.

Additional Activities

Proyecto

Assign small groups of students one of the following
to research: the history of the Winter Olympics, the
development of the sports celebrated in these Olympics,
recent and future Winter Olympic sites, some anecdotes
on medal winners, the countries that compete at these
Olympics and their history of victories, the mascots of
these Games, and the most recent Winter Olympic site.
Groups should be prepared to report their finding to the
class.

6. El éxito de un equipo se debe al ___ (*entrenar*) de los atletas. El plan que tienen los ___
   (*entrenar*) y los atletas juntos produce los mejores resultados. Cuando los atletas ___
   (*entrenarse*) con rigor, el espíritu competitivo crece.
7. El Comité Olímpico Internacional tiene que ___ (*solucionar*) el problema del dopaje en
   los Juegos Olímpicos. ___ (*Solucionar*) es delicada y el Comité admite que el asunto no
   tendrá ___ (*solucionar*) antes de los próximos Juegos.
8. Hay muchos mensajes ___ (*contradecir*) sobre el rol de las mujeres en los deportes.
   Algunos deportes permiten que las mujeres ___ (*participar*) en sus competiciones. Otros
   las invitan, pero el espíritu ___ (*contradecir*) el resultado.
9. Algunos países proponen que los Juegos Olímpicos tengan una sede ___ (*permanecer*)
   en Atenas. Otros dicen que la ___ (*permanecer*) de los Juegos Olímpicos en un sitio puede
   destruir el espíritu ___ (*competir*) de los Juegos.
10. Muchas veces los ___ (*juzgar*) deciden los resultados de las competiciones. A
    veces, el talento y ___ (*entrenar*) no figuran en la decisión. ___ (*Juzgar*) un partido
    imparcialmente es muy difícil.

21 Escriba 🖋 👥

Con un/a compañero/a, escriba unas oraciones con las siguientes palabras: *el atletismo,
el atleta, atlético, hacer deportes, deportista, deportivo.*

Cita

*Entrenar duro produce cansancio,
pero a la hora de la verdad da
satisfacción.*
—Anónimo

👥 ¿Quién habrá dicho esto: un
entrenador o un atleta? ¿Está
de acuerdo? ¿Por qué? ¿Conoce
un ejemplo personal o de
un/a amigo/a o de un/a atleta
profesional que ilustre esta cita?
Comparta sus opiniones con un/a
compañero/a.

Dato curioso El Comité
Olímpico Internacional
decidió en 1986 realizar los
Juegos de Invierno los años pares
en que no hubiera Juegos de
Verano. El Comité comenzó con los
Juegos Olímpicos de Lillehammer
(Noruega) en 1994. Los últimos
Juegos Olímpicos de Invierno se
realizaron en Turín, Italia, en febrero
de 2006. La ciudad canadiense de
Vancouver será la anfitriona de los
Juegos en el año 2010.

El esquiador austriaco Hermann Maier ha ganado numerosos
campeonatos mundiales y olímpicos.

22 El baloncesto

Échele una ojeada al artículo que sigue para ver de qué se trata, prestando atención a las palabras en azul, ya que se le harán preguntas sobre ellas. Luego lea el artículo y decida qué forma de las palabras entre paréntesis es la correcta para completar cada oración y escríbala. No se olvide de escribir y acentuar la palabra correctamente.

Historia del baloncesto

Licenciado Luis Felipe Contecha Carrillo

El baloncesto es un deporte con unos orígenes históricos perfectamente __1.__ (claro) y documentados relativamente recientes. La fe de bautismo del baloncesto tiene un padre, un lugar de nacimiento y casi una fecha: el padre, James Naismith, el lugar de nacimiento, Springfield, Massachusetts y la fecha el 17 de diciembre de 1891. El profesor Naismith __2.__ (nacer) en 1861 en Ontario, Canadá. Fue premiado dos __3.__ (vez) como el mejor y más completo deportista por sus proezas en rugby, atletismo, fútbol americano, gimnasia y lacrosse (juego de pelota). En la Navidad de 1891 los estudiantes de Springfield difundieron localmente el nuevo deporte y decidieron promocionarlo por todo el mundo. El __4.__ (primero) equipo se conformó con nueve jugadores, alumnos de Naismith. En 1893 se aceptó que podían jugar en canchas pequeñas cinco contra cinco, y en las canchas grandes nueve contra nueve. En 1897, el número de jugadores en los equipos se __5.__ (fijar) en cinco personas. La altura del cesto no ha cambiado: 3,05 metros ó 10 pies. En las reglas primitivas una cesta __6.__ (valer) tres puntos, y el tiro libre un punto; éste se producía después de una falta cometida por uno de los dos equipos. En 1894 la primitiva línea de tiro libre situada a 6 metros __7.__ (ser) colocada a 4,5 metros, y un año después la canasta recibió el valor de dos puntos. En esta primera época el baloncesto fue considerado un deporte

demasiado violento, ya que por la carencia de reglas y la lógica posesión del balón __8.__ (dar) pie para grandes batallas en las que valía todo y el castigo era solamente un tiro libre. De aquí surgieron las primeras ideas de eliminar al jugador que __9.__ (cometer) 4 faltas. En 1943, se aumentó a 5 faltas. Todas estas reglas promulgadas antes de la Primera Guerra Mundial, cuando el baloncesto comenzó a ser introducido en latitudes diferentes a las norteamericanas. En Francia, por ejemplo, ya era conocido en 1893. Se admite que el baloncesto sólo empezó a desarrollarse a partir de la Primera Guerra Mundial, cuando los soldados americanos lo __10.__ (introducir) en diversos países europeos. El origen del profesionalismo se debe a la creación de la Liga Nacional de Baloncesto en 1898, en la cual figuran seis equipos, tres de Filadelfia, uno de Trenton y otro de Millville, New Jersey, y el último de Camden, New Jersey. Esta liga sólo __11.__ (durar) un año, pues los apostadores y sobornadores provocaron su rápida desaparición. En 1895 un grupo de estudiantes __12.__ (crear) el equipo de los Buffalo Germans, dirigido por un entrenador de fútbol llamado Amos Alonso Stagg, pero la edad y los problemas internos hicieron que __13.__ (cambiarse) casi toda la nómina y perduraran por muchos años. Ellos ganaron 761 partidos y __14.__ (perder) 85 hasta el año 1929, cuando desaparecieron definitivamente. Los Buffalo Germans llegaron a congregar a más de cinco mil espectadores y __15.__ (convertirse) en auténticos propagadores del baloncesto.

En el campo aficionado, fue el año 1905 el que marcó el inicio y promulgación de las primeras reglas y normas oficiales. Para ese entonces ya existían varias ligas, la primera de las cuales se formó en 1901, y en __16.__ (él) intervenían las universidades. La modernización del juego había traído __17.__ (consigo) bastantes e importantes variantes táctico-técnicas, donde el entrenador tenía un __18.__ (grande) porcentaje de responsabilidad. El principal introductor de estas modalidades fue el doctor Joseph Raicroft, entrenador de la Universidad de Chicago; él fue el creador del contra ataque rápido. En 1922 se fundó el equipo de los New York Rens. Estos jugadores comenzaron a practicar un baloncesto de __19.__ (alto) fantasía y acrobacia, y __20.__ (convertir) el baloncesto en un espectáculo. Posteriormente, con el éxito obtenido cambiaron el nombre del equipo por el de Harlem Globetrotters. Era un baloncesto sin competición pero que __21.__ (servir) para popularizar este deporte.

www.efdeportes.com

Answers

22 1. claros; 2. nació; 3. veces; 4. primer; 5. fijó; 6. valía; 7. fue; 8. dio; 9. cometiera; 10. introdujeron; 11. duró; 12. creó; 13. se cambiara; 14. perdieron; 15. se convirtieron; 16. ella; 17. consigo; 18. gran; 19. alta; 20. convirtieron; 21. sirvió

Instructional Notes

22 Encourage a classroom discussion about professional and high school/college basketball, the NBA, the WNBA, and basketball at the Olympics. Before they start reading this article, ask students if they know something about the history of basketball and, if so, to share this information with the class.

Additional Activities

Trabajo de investigación

Ask some students to research the history of other sports that are of interest to them and present this information to the class.

Teacher Resources

 Activity 24 (CD 6, track 6)

Answers

23 1. j; 2. e; 3. i; 4. l; 5. n; 6. k; 7. h; 8. c; 9. a; 10. f; 11. b; 12. d; 13. g; 14. m; 15. o; 16. p

25 1. protegen; 2. Llegué; 3. jugando; 4. instalarme; 5. Pasé; 6. tarde; 7. sean; 8. los; 9. algún; 10. está

Instructional Notes

24 You might want to review the following words with students before they listen to the audio: *propuesta*, proposal; *canastero*, related to a basket; *modalidad*, way.

25 Before students start reading the article ask them: *¿Qué piensan de la "caza" de atletas muy jóvenes por parte de ligas y agentes? ¿Les parece una práctica bastante común? ¿Qué consejos ofrecerían a un joven de quince años si éste tuviera la oportunidad de jugar a un deporte, aunque tuviera que salir de su país y dejar a su familia?*

Additional Activities

Encuesta
See p. TE27.

Juego
Ask students to play *Hablar hasta por los codos*. See p. TE24.

---

23 ¿Qué significa?

Según el contexto del artículo anterior, ¿cuál es la mejor traducción de cada palabra?

1.	fe de bautismo	a. punishment
2.	proeza	b. person who bets, bettor
3.	difundir	c. to produce
4.	conformarse	d. person who bribes, briber
5.	fijar	e. feat, exploit
6.	valer	f. proclaimed, announced
7.	carencia	g. payroll
8.	dar pie	h. lack
9.	castigo	i. to spread, diffuse
10.	promulgado	j. certificate of baptism
11.	apostador	k. to be worth
12.	sobornador	l. to be formed
13.	nómina	m. to endure
14.	perdurar	n. to fix, establish
15.	propagador	o. promoter
16.	modalidad	p. rule, mode

24 Lea, escuche y escriba/presente

Vuelva a leer el texto completo de "Historia del baloncesto" y luego escuche "El básquet también se juega sobre ruedas" y tome notas. Mire también la página Web sobre la WNBA, Asociación Nacional de Baloncesto de Mujeres. Escriba un informe o haga una presentación en clase sobre "El baloncesto: un deporte para todos". No se olvide de citar las fuentes.

Estrategia
Escribir un ensayo implica presentar su opinión sobre un tema con datos que convencen y que se expresan con claridad y brevedad. Trate de organizar lo que va a decir antes de empezar a escribirlo.

25 Los atletas

Échele una ojeada al artículo que sigue para ver de qué se trata, prestando atención a las palabras en azul, ya que se le harán preguntas sobre ellas. Luego lea el artículo y decida qué forma de las palabras entre paréntesis es la correcta para completar cada oración y escríbala. No se olvide de escribir y acentuar la palabra correctamente.

Atletas cautivos

En algunos países africanos existen asociaciones que __1.__ (*proteger*) a los niños que quieren ser futbolistas... Una de ellas denuncia el tráfico masivo de niños futbolistas —hasta 2.000 en un solo año entre la costa atlántica africana y Europa. Durante su participación en la Copa Africana disputada en El Cairo, un joven relataba a un diario francés su propia experiencia: "__2.__ (*Llegar*) a Francia con 14 años, como casi todos los jóvenes africanos que emigran a Europa sin papeles, sin nada. Estuve __3.__ (*jugar*) un tiempo en el Avignon antes de __4.__ (*instalarse*) en París, en casa de mi hermana. Como no tenía papeles, no podía ir a la escuela ni jugar al fútbol. No podía hacer nada, ni moverme. __5.__ (*Pasar*) todo el tiempo en casa. Decidí volver a Camerún. Meses más __6.__

(*tarde*) conseguí una prueba en Le Havre y me encontré con papeles en regla y un contrato con el Real Madrid." Otros no han tenido tanta suerte... El trasiego de deportistas alcanza a casi todas las disciplinas, aunque no __7.__ (*ser*) millonarias. En __8.__ (*el*) ochenta, el deporte rey de los Juegos Olímpicos, el atletismo, se profesionalizó hasta tal punto que la búsqueda de grandes talentos se hizo rentable... La supervivencia de __9.__ (*alguno*) deporte en los países ricos __10.__ (*estar*) en manos de inmigrantes o de sus descendientes. Los jóvenes de los países más prósperos, por su estilo de vida y por el sacrificio que supone la práctica de algunas especialidades, renuncian a implicarse más a fondo en ellas.

El Periódico de Catalunya (Barcelona)

26 Amplíe su vocabulario

Empareje las palabras de la primera columna con su definición o sinónimo en la segunda.

1. disputar
2. emigrar
3. con papeles en regla
4. trasiego
5. alcanzar
6. renunciar

a. transporte
b. ceder
c. lograr
d. documentado
e. contender
f. expatriarse

27 Lea, escuche y escriba/presente

Vuelva a leer el texto completo anterior y luego escuche la grabación "Arantxa Sánchez Vicario: a las tenistas les falta carisma". Escriba un ensayo o haga una presentación en clase sobre el tema "Ser atleta es más que tener talento". No se olvide de citar las fuentes.

Cita

Sólo al conocer el dolor de la derrota podemos aprender a dominar la frustración de un fracaso en la vida diaria.
—Anónimo

¿Qué opina de esta cita? ¿Qué les habrán enseñado las derrotas a los atletas? Dé ejemplos concretos. Comparta sus opiniones con un/a compañero/a.

¡Dato curioso! Los aficionados violentos y los que entraron a los estadios durante la Copa Mundial 2006 en Alemania con la intención de promover disturbios, recibieron sanciones. Los extranjeros estuvieron expuestos a la extradición inmediata, los locales recibieron multas muy fuertes, y los que se negaron a seguir los mandatos no podían volver a entrar en ningún estadio durante el Mundial.

 Activity 27 (CD 6, track 7)

Answers

26 1. e; 2. f; 3. d; 4. a; 5. c; 6. b

Instructional Notes

27 You might want to review the following words with students before they listen to the audio: *palmarés*, list of achievements; *plano*, flat/even; *cima*, top.

Additional Activities

Comunicación
After students have discussed the *Cita* with their partners, ask them to describe how defeat in sports has helped them or someone they know cope with any obstacles they might have faced.

Composición
Ask students to imagine that they are the Ministers of Sports and Fitness in a Spanish-speaking country. As such, they need to come up with a *decreto* and describe how they would eliminate violence in sports in their country. Ask students to write a few paragraphs, explaining how they would go about accomplishing this, and what they would do to those who do not comply.

28 La competición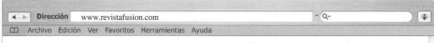

Échele una ojeada al artículo que sigue para ver de qué se trata, prestando atención a las palabras en azul, ya que se le harán preguntas sobre ellas. Luego lea el artículo y decida cuál de las dos preposiciones entre paréntesis es la correcta para completar cada oración y escríbala.

| ◄ ► | Dirección | www.revistafusion.com | ⌃ Q▾ | ✦ |

▢ Archivo Edición Ver Favoritos Herramientas Ayuda

¿ **1.** *(Con / En)* qué se ha convertido el deporte de competición?

Dicen los antropólogos que la afición del hombre por el deporte está escrita en los genes. Tiene su origen en el ⁵instinto cazador, guerrero, competitivo y aventurero que está vivo **2.** *(dentro / en)* el ser humano desde el principio de los tiempos. Desde ¹⁰entonces, en todas las culturas ha estado presente la práctica del deporte. Ha llegado **3.** *(a / en)* convertirse en un auténtico fenómeno de masas ¹⁵que no sólo atrae al público en general, sino a intereses políticos y económicos. Si en el pasado se hizo célebre la frase de "Lo importante no es ²⁰ganar sino participar", hoy en el deporte de alta competición una décima de segundo o un centímetro es lo que separa el éxito del fracaso, y el deportista no se conforma sino ²⁵*por)* ganar a cualquier precio. **4.** *(con /*

Después del esquí, el ciclismo y el atletismo, el fútbol será el cuarto deporte que someta a sus jugadores a controles antidoping, como recientemente ha señalado el presidente de ³⁰la Comisión Médica de la FIFA. Es que los contratos millonarios, las cláusulas de rescisión, las inversiones televisivas espectaculares, Internet y la publicidad de las grandes marcas comerciales, han multiplicado los ingresos de ³⁵los clubes y han convertido a los deportistas en auténticos iconos rentables que están obligados **5.** *(a / en)* ofrecer un espectáculo acorde con los millones invertidos.

En el ciclismo, una diferencia de unos pocos ⁴⁰segundos, aunque sea después de cientos de kilómetros de dura competición, marca la

La gimnasta rumana Nadia Comaneci

diferencia de unos cuantos millones más o menos en el contrato. "Mantener un ⁴⁵rendimiento máximo durante 21 días en una prueba como el Tour de Francia o cualquier otra por etapas, es un objetivo que se consigue **6.** *(a / ⁵⁰en)* ocasiones con el uso de sustancias que están situadas al borde de lo permitido", asegura el médico José Antonio de Paz, especialista en medicina ⁵⁵deportiva. "Los ciclistas son víctimas de la hipocresía de la gente —asegura el doctor de Paz— que no sólo les solicita que recorran cerca de tres mil ⁶⁰kilómetros a lo largo de tres semanas, sino que, además, les exige que ganen la carrera".

El esquí y el atletismo no se libran **7.** *(de / por)* esta presión. "El deporte de alta ⁶⁵competición —asegura el doctor Berral de la Rosa, profesor de Medicina Deportiva en la Universidad de Córdoba— está provocando que el cuerpo humano esté llegando a unos límites insostenibles y que el deportista de élite se ⁷⁰convierta en un enfermo potencial que tendrá graves problemas en un futuro". La famosa Nadia Comaneci, por ejemplo, hoy sufre graves problemas en la columna vertebral. Carl Lewis padece grandes dolores a causa de una artrosis ⁷⁵progresiva, y a todos nos sorprendió la noticia de la muerte súbita de Florence Griffith (se achaca su fallecimiento al dopaje), la mujer más rápida de la historia del atletismo, después de haber conseguido tres medallas de oro en las ⁸⁰Olimpiadas de Seúl.

El Comité Olímpico Internacional elaboró una lista de sustancias prohibidas que se

va actualizando cada año a medida que se descubren otras nuevas. Pueden ser elementos
[85] químicos de muchos tipos o el denominado dopaje sanguíneo, que consiste **8.** (con / en) utilizar fracciones de sangre para mejorar el rendimiento.

La responsable de todo esto es la sociedad
[90] competitiva en la que vivimos, que exige permanentemente marcas, esfuerzos, sacrificios y éxitos. Después está el dinero que se mueve **9.** (en / por) el deporte, donde se ganan millones y triunfos. Y por último, están

[95] los protagonistas, que son los que mandan. Si juegan tantos partidos —en el caso de los futbolistas—, es porque ellos quieren. ¿Quién les enseñará a los jóvenes **10.** (a / con) soñar sin límite y a no esclavizarse por ello? Padres,
[100] profesores y entrenadores tienen aquí una parte muy importante. Pero también el espectador, el periodista, el empresario, el político, el socio de un club, el deportista, los directivos, la publicidad...

vwww.revistafusion.com

29 ¿Qué significa? 🔍

Según el contexto del artículo anterior, empareje las palabras de la primera columna con su definición, sinónimo o descripción en la segunda.

1.	afición	a.	ruina
2.	cazador	b.	aprisionarse
3.	masas	c.	compañía
4.	fracaso	d.	tendencia
5.	someter	e.	muerte
6.	señalar	f.	perseguidor
7.	rescisión	g.	conforme a
8.	inversión	h.	mientras
9.	marca	i.	idealizar
10.	ingresos	j.	que no se puede mantener
11.	rentable	k.	rápido
12.	acorde con	l.	imponer
13.	marcar	m.	beneficioso
14.	rendimiento	n.	especificar
15.	insostenible	o.	el público, la muchedumbre
16.	columna vertebral	p.	problemas con las articulaciones
17.	artrosis	q.	cancelación
18.	súbito	r.	drogas o sustancias ilegales en la sangre
19.	achacar	s.	productividad
20.	fallecimiento	t.	transacción de dinero
21.	a medida	u.	sueldo, rentas
22.	dopaje sanguíneo	v.	los huesos espinales
23.	soñar sin límite	w.	dirigente
24.	esclavizarse	x.	indicar
25.	directivo	y.	atribuir

30 Lea y escriba/presente 👥

Vuelva a leer el texto completo del artículo anterior y escriba un artículo o haga una presentación en clase sobre "Reflexiones acerca del efecto de la competición en el deporte hoy en día".

Answers

28 8. en; 9. en; 10. a

29 1. d; 2. f; 3. o; 4. a; 5. l; 6. x; 7. q; 8. t; 9. c; 10. u; 11. m; 12. g; 13. n; 14. s; 15. j; 16. v; 17. p; 18. k; 19. y; 20. e; 21. h; 22. r; 23. i; 24. b; 25. w

Instructional Notes

30 Remind students to use their notes from activity 28.

Additional Activities

Amnesia
See p. TE26.

Juego
Ask students to play *Lo tengo en la punta de la lengua*. See p. TE25.

346

Answers

31 1. en; 2. del; 3. las; 4. atletas; 5. de; 6. para;
7. educación; 8. de; 9. le; 10. en; 11. de; 12. cualquier;
13. le; 14. para

Instructional Notes

31 Because there are no prompts for this activity,
students should reread the passages if necessary in
order to determine which word is the most logical to
complete each sentence. You might remind them that
the words can be from any part of speech, and that they
should try to figure out which part of speech is the most
appropriate.

Additional Activities

Comunicación

Lead the class in a discussion on the pros and cons of
the nationalization of sports in countries like Cuba and
state-sponsored athletes in these countries.

---

31 Los deportes en Cuba

Échele una ojeada al artículo que sigue para ver de qué se trata, prestando atención a las palabras en azul, ya que se le harán preguntas sobre ellas. Luego lea el artículo y decida cuál es la palabra que mejor completa cada oración y escríbala. No se olvide de escribir y acentuar las palabras correctamente.

Selección de talentos para el deporte, 27 años de experiencia en Cuba

DR. HERMENEGILDO PILA HERNÁNDEZ

El proceso de detección y selección de prospectos para la iniciación __1.__ el entrenamiento deportivo contemporáneo no se puede ver aislado del proceso que inicia el ⁵desarrollo de habilidades y destrezas motrices. En la segunda mitad __2.__ siglo pasado evolucionaron muchas tendencias y formas para lograr una buena selección, altos índices y resultados en la competición de élite, un ¹⁰denominador común que se observa en todas __3.__ referencias al describir *modelo de atleta* o *atleta ideal*, pero ninguno se refiere a cómo eran estos __4.__ modelos cuando tenían 8, 10 ó 12 años. ¿Cuáles eran sus características modelos? ¹⁵Elaboramos, con las experiencias que desde 1976 hemos realizado en Cuba, el presente Sistema de Selección Masiva de Talentos para la Iniciación Deportiva, con el deseo __5.__ trabajar todos, profesores de educación ²⁰física y entrenadores deportivos, unidos en el empeño de lograr altos resultados en el deporte. Actualmente existen tres formas reconocidas __6.__ seleccionar talentos; son formas que se aplican a diario por los entrenadores y ²⁵profesores de __7.__ física de una manera empírica. Estas formas son:

El beisbolista cubano, José Contreras, juega para las Medias Blancas de Chicago.

1. La que se produce cuando los entrenadores deportivos asisten a las competencias que se desarrollan en el ámbito escolar; ³⁰en ellas observan los rendimientos o la participación destacada de los competidores y eligen, __8.__ esta manera, los elementos que integran la selección para sus grupos de trabajo.
2. ³⁵Esta forma tiene en cuenta la opinión del profesor de educación física, cuando el entrenador de un deporte se __9.__ acerca a preguntar si posee algún alumno que reúna ciertas y determinadas ⁴⁰características requeridas para su deporte __10.__ cuestión y el profesor

de educación física, que conoce el desarrollo en capacidades y habilidades de la matrícula que atiende, le señala ⁴⁵particularmente aquéllos que se acercan a los requerimientos planteados.
3. Se trata __11.__ la más empírica de las formas. Es aquélla en la que el entrenador deportivo, simplemente en __12.__ lugar, ⁵⁰en la calle, un parque o una actividad social, observa en un niño o adolescente alguna disposición o aptitud que __13.__ hace determinar un posible desarrollo en su deporte.

⁵⁵Éstas son las tres formas que actualmente se aplican en cualquier latitud, todas empíricas y carentes de rigor en valoraciones con carácter científico de evaluación, que permita una consideración en proyecciones y perspectivas ⁶⁰sobre bases sólidas __14.__ establecer un diagnóstico adecuado.

www.efdeportes.com

Investigue palabras clave: atletas cubanos

32 Amplíe su vocabulario

¿Cuál es la mejor traducción?

1. destreza motriz
   a. manual ability
   b. motor reflex
   c. manual movement
   d. motor skill
2. empeño
   a. job
   b. goal
   c. determination
   d. pain
3. empírico
   a. sophisticated
   b. organized
   c. practical
   d. easy
4. ámbito
   a. curriculum
   b. setting
   c. extracurricular
   d. classroom
5. matrícula
   a. enrollment
   b. team
   c. unity
   d. individuality
6. requerimiento planteado
   a. planned registration
   b. presented obligation
   c. requisite put forth
   d. news put forth
7. latitud
   a. longitude
   b. limit
   c. area, part
   d. source
8. carente
   a. expensive
   b. lacking
   c. organized
   d. filled

33 Lea, escuche y escriba/presente

Vuelva a leer los textos completos de las Actividades 28 y 31. Luego escuche la grabación "El doping como resultado de las presiones en los deportistas, y su relación con las adicciones". Escriba un ensayo o haga una presentación en clase sobre "Las tensiones de ser atleta profesional". No se olvide de citar las fuentes debidamente.

Cita

En esta vida no te perdonan si te dejas ganar y te odian si ganas siempre.
—Anónimo

¿Está de acuerdo con esta cita? ¿Conoce algunos equipos o a algunos atletas que ilustren este refrán? ¿Quiénes son? Comparta sus opiniones con un/a compañero/a.

¡Dato curioso!

La FIFA y UNICEF inauguraron el 16 de mayo de 2006 su campaña conjunta para la Copa Mundial de la FIFA Alemania 2006 bajo el lema "Únete por la niñez, únete por la paz". Esta campaña pone de manifiesto el potencial del fútbol como medio para fomentar la paz y la tolerancia tanto en el ámbito nacional como internacional, al igual que en las comunidades y entre los individuos.

Teacher Resources

Activity 33 (CD 6, track 8)

Answers

32 1. d; 2. c; 3. c; 4. b; 5. a; 6. c; 7. c; 8. b

Instructional Notes

33 You might want to review the following words with students before they listen to the audio: *preponderante*, dominant; *rendimiento*, performance; *involucrar*, to involve; *acudir*, to turn to; *ajeno a*, alien to/that doesn't belong; *arduo*, difficult; *milagroso*, miraculous.

Additional Activities

Comunicación

Ask students to answer the following question with a partner: *En tu vida profesional, si tuvieras que elegir entre los dos, ¿a qué te dedicarías: a los deportes o a la vida académica? ¿Por qué?*

Composición

Ask students to think about the concept of fostering world peace through sports. They should reasearch the campaign of FIFA and UNICEF that is mentioned in the *Dato curioso*. After they have gathered some information on the topic, ask them to write a few paragraphs describing this campaign and anything else they might suggest for achieving these goals.

Repaso Expreso
See p. TE28.

Instructional Notes

34 Before students read "Boca y River", ask them to do some research on the Web in order to find out more about soccer in Argentina, especially the two teams that are mentioned here: Boca Juniors and River Plate, as well as the soccer stadium, la Bombonera. Then have volunteers make an oral presentation before the class.

¡A leer!

34 Antes de leer

¿Qué sabe del fútbol en Argentina? ¿Conoce algunos equipos famosos de Buenos Aires, como Boca Juniors o River Plate? ¿Ha oído hablar de Diego Armando Maradona? ¿Para qué equipo jugó?

35 El fútbol 📖

Lea con atención el artículo que sigue e intente averiguar el significado de las palabras en azul por el contexto, ya que se le harán preguntas sobre ellas.

Boca y River
Amor, muerte y aventura en la Ciudad del Fútbol
Parte 1
Tulio Guterman y Chris Gaffney

Sexta fecha del campeonato de fútbol en Argentina. Juegan Boca y River en la Bombonera. (A) Todo señala que no es sólo un partido de fútbol. Todo el país —y más allá— está atento al espectáculo y su entorno. Es en el barrio de La Boca, que la geografía señala como uno de los más característicos de los sectores populares en la Ciudad del Fútbol. (B) Una competencia programada en una Argentina con un visible aumento de la violencia: muertos y heridos… Es el partido entre Boca y River, el domingo 11 de marzo de 2002. Este artículo se trata de dos miradas reflexivas y diversas sobre el fenómeno, la de un norteamericano visitante en Buenos Aires, y la de un porteño, nacido en Buenos Aires. Entendemos al fútbol como un fenómeno esencialmente complejo, sobredeterminado por las condiciones sociales, culturales, económicas, geográficas, históricas y políticas. Hay partidos de fútbol en todos lados, prácticamente todos los días del año. Pero Boca y River invitan a un evento único y en un lugar único: la Bombonera. La experiencia comienza mucho antes de llegar. A varias cuadras ya hay puestos de venta callejera de banderas, parrillas al paso donde se cocinan chorizos, y a la distancia ya se escuchan las canciones del estadio. La aventura se inicia. (C) La sensación es emocionante, aumentan las pulsaciones y se avanza más rápido porque se tiene la sensación de que se está por participar en un acontecimiento histórico. El espectáculo está a su vez *disneylandizado* por los medios, tanto por la prensa escrita, la radio y la televisión, que ofrecen una mirada parcializada, ideal e incompleta. Sin el público no hay partido. Y no es cualquier público. Toda la gente ha tenido la experiencia del estadio, aprendida desde muy chico. Esto significa saber los códigos del lugar, saber comportarse y relacionarse, para mejor o para peor. Saber cuándo entrar, gritar, cantar, sentarse, estar de pie y salir. Ésta es una experiencia común en el mundo, pero en Argentina la experiencia del estadio y lo que pasa adentro y en los alrededores significa mucho más que un pasatiempo o un objeto de consumo. (D) Constituye una parte integral de la cultura local, que abarca desde el presidente hasta los que duermen en la calle.

Continuará…

www.efdeportes.com

Investigue palabras clave: Diego Maradona

36 Amplíe su vocabulario 🔍

¿Cuál es la mejor traducción?

1.	entorno	a.	resident of Buenos Aires
2.	porteño	b.	overly preset
3.	sobredeterminado	c.	to include
4.	cuadra	d.	grill
5.	callejero	e.	environment
6.	parrilla	f.	street
7.	abarcar	g.	block

37 ¿Ha comprendido?

1. ¿Cómo se llama el barrio donde tuvo lugar el partido?
   a. La Bombonera
   b. La Boca
   c. River
   d. Ninguna de las respuestas anteriores

2. ¿Cómo es la Argentina de 2002?
   a. Fuerte económicamente
   b. Desorganizada
   c. Violenta
   d. Programada

3. ¿Qué condiciones determinan el fútbol en Argentina?
   a. Sociales, económicas y lingüísticas
   b. Sociales, culturales e históricas
   c. Geográficas, económicas y políticas
   d. Las respuestas b y c

4. ¿Qué hay en las calles antes de llegar al estadio?
   a. Hay comida y vendedores de banderas.
   b. Hay comida, canciones y vendedores de banderas.
   c. Hay canciones, comida y vendedores de entradas.
   d. Hay vendedores de entradas.

5. ¿Qué quiere decir *disneylandizado*?
   a. Todo está programado.
   b. Hay mucha atención de los medios de comunicación.
   c. Hay mucha actividad y espectáculo en el estadio.
   d. Todas las respuestas anteriores

6. ¿Cómo se podría describir al público en el estadio?
   a. Es agresivo.
   b. Está emocionado.
   c. Está programado por la cultura del deporte.
   d. Está tenso por la actividad en el campo.

7. ¿Por qué es diferente asistir a un partido de fútbol en Argentina?
   a. Es únicamente un pasatiempo.
   b. Es únicamente objeto de consumo.
   c. Es un pasatiempo y objeto de consumo.
   d. Es una parte integral de la cultura.

38 ¿Cuál es la pregunta? 🔍

Según lo que acaba de leer, escriba una pregunta lógica para estas respuestas.

1. Boca y River
2. En el entorno
3. Un norteamericano y un porteño
4. La Bombonera
5. Un acontecimiento histórico
6. Desde el presidente hasta los que duermen en la calle

39 ¿Qué piensa? 👥

¿Quién cree que escribió la mayor parte del artículo: el norteamericano o el porteño? ¿Por qué? En su opinión, ¿lo escribieron con mucha atención a los detalles? ¿Qué detalles se destacan? Comparta su opinión con un/a compañero/a.

Answers

36 1. e; 2. a; 3. b; 4. g; 5. f; 6. d; 7. c

37 1. b; 2. c; 3. d; 4. b; 5. d; 6. c; 7. d

38 *Ejemplos:*
1. ¿Cuáles son los dos equipos argentinos de fútbol que juegan en el campeonato en Buenos Aires?
2. Además del partido del fútbol, ¿en qué más se fijan los espectadores?
3. ¿Quiénes nos cuentan sobre el campeonato?
4. ¿Cómo se llama el estadio de Boca Juniors en Buenos Aires?
5. ¿Cómo caracterizan los autores del artículo este campeonato?
6. ¿Quiénes participan en este acontecimiento histórico?

Instructional Notes

39 Have students reread the article and underline phrases or words which seem more typical from an American perspective and those that are more typical from an Argentine or Latin American point of view.

Instructional Notes

41 Ask students to compare the rituals of going to one of their favorites stadiums (or to the one at your school) to those at la Bombonera. Ask: *¿En qué se parecen? ¿En qué se diferencian? ¿Les gustaría asistir a un partido en la Bombonera? ¿Por qué?*

42 Engage students in a conversation about *hinchas* and what common characteristics they have, as well as some past behavior of *hinchas* worldwide.

40 ¿Dónde va?

La siguiente oración se puede añadir al texto anterior: *Es el estadio de CABJ, el Club Atlético de Boca Junior*s. ¿Dónde encajaría mejor la oración?

1. Posición A, línea 3
2. Posición B, línea 8
3. Posición C, línea 28
4. Posición D, línea 47

41 Antes de leer 👥

¿Qué aprendió de los rituales de ir a un partido de fútbol en la Bombonera? Compare este ambiente con el que Ud. observa antes de un partido de su deporte favorito.

42 Los hinchas 📖

Lea con atención el artículo que sigue e intente averiguar el significado de las palabras en azul por el contexto, ya que se le harán preguntas sobre ellas.

Boca y River
Amor, muerte y aventura en la Ciudad del Fútbol
Parte 2
Tulio Guterman y Chris Gaffney

En el fútbol argentino no hay espectadores, cada persona es protagonista esencial del espectáculo. Sus acciones en el colectivo determinan el acontecer final. La experiencia
5 en las tribunas significa que cada persona debe integrar su propio cuerpo en un cuerpo colectivo, el de la hinchada. Es absurdo gritar cualquier cosa en la popular. Hay que poner la voz al unísono con todo lo demás, hay que pensar en la misma
10 cosa, hay que unificarse detrás de los símbolos (verbales, gestuales, colores y banderas) de la muchedumbre. La experiencia del estadio, y de las tribunas populares en particular, es algo que nos puede informar sobre la cultura del país y sobre
15 la vida de los argentinos. En la tribuna popular todos los hinchas están parados, apretados codo con codo. Llegan dos horas antes del partido y se retiran media hora después. Son casi cinco horas saltando y gritando. El fútbol representa
20 aquí entonces la lucha por la ocupación del espacio, que se constituye con los colores propios, las canciones y por supuesto los goles y los triunfos deportivos. Los hinchas de un equipo se ubican todos en un sector contenido, protegido,
25 delimitado, separado, del cual no se puede salir ni entrar. Además, también está predeterminado el espacio de acceso de cada divisa. Este territorio (las calles, los colectivos, las estaciones de tren)

está demarcado por la presencia de la policía,
30 que a su vez ocupa su propio territorio. Los colores se extienden a los cuerpos, las caras y las cabezas de los hinchas. La hinchada se viste con la camiseta de un jugador favorito, o de una época pasada, para identificar su cuerpo, su
35 propio *Yo*, junto con el resto del grupo. Desde hace algunos años en Argentina, cada vez más las camisetas constituyen una parte integral de los gastos de los hinchas. Hay que lucir el último modelo que se renueva cada seis meses, y por
40 el cual se pagan 60 dólares. Llevar los colores no es algo trivial, es una inversión en el equipo. Antes del inicio del partido, no hay nada para ver en el césped. Todo sucede en las tribunas. No hay show en el campo, no hay porristas,
45 no hay música en los parlantes. El centro de la tribuna es ocupado por la barrabrava, el grupo que lidera el ritmo, la formación y el espectáculo. Son fanáticos, cruzados profesionales, financiados por los dirigentes, jugadores y directores técnicos.
50 Reciben pasajes, entradas, trabajos, viviendas, materiales, información y dinero. Son los que se enfrentan con los hinchas rivales y, en algunos casos, la policía, en el cuerpo a cuerpo, tanto a golpes de puño, o utilizando palos, armas blancas
55 y armas de fuego. Los barrabrava provienen de todos los sectores sociales y no son ajenos al club. Muchos figuran a veces como empleados, o son funcionarios de bajo rango en la administración pública del distrito, de la provincia o de la nación.
60 Lo que pasa dentro del estadio es mucho más que lo que leemos en los diarios o lo que nos muestran por televisión.

www.efdeportes.com

43 Amplíe su vocabulario

Según el contexto del artículo anterior, empareje cada palabra de la primera columna con su definición o sinónimo de la segunda.

1.	acontecer	a.	sector
2.	integrar	b.	autobús
3.	hinchada	c.	fanático
4.	muchedumbre	d.	pegar con la mano
5.	hincha	e.	hacer parte
6.	divisa	f.	soldado
7.	colectivo	g.	extraño
8.	porrista	h.	animador(a)
9.	barrabrava	i.	grupo de fanáticos
10.	cruzado	j.	muchas personas
11.	vivienda	k.	suceder
12.	a golpes de puño	l.	los líderes de la hinchada
13.	ajeno	m.	domicilio

44 Complete

Complete las oraciones según la segunda parte de "Boca y River. Amor, muerte y aventura en la Ciudad del Fútbol".

1. Nadie grita solo en el estadio...
2. El espacio de acceso al estadio de cada grupo está determinado por... porque...
3. La experiencia típica de un espectador dura casi cinco horas porque...
4. Llevar una camiseta del equipo al estadio es importante porque...
5. No hay show en el campo, no hay porristas, no hay música en los parlantes antes del inicio del partido pero...

45 Lea, escuche y escriba/presente ⬡

Vuelva a leer las dos partes del artículo sobre el fútbol en la Bombonera y luego escuche "Las contradicciones del fútbol brasileño" y tome notas. Escriba un ensayo o haga una presentación en clase sobre el nacionalismo en el fútbol. No se olvide de citar las fuentes.

Cita

En el básquetbol, lo importante de un jugador no es lo alto que sea, sino lo alto que juegue.
—Anónimo

¿Está de acuerdo con la cita? ¿Se puede aplicar a otros deportes? Escriba la cita refiriéndose a otros dos o tres deportes. Comparta sus opiniones con un/a compañero/a.

¡Dato curioso!

En Argentina existe un programa que se llama Pasión sin Violencia. Su objetivo es crear un espacio abierto de reflexión sobre la violencia en el deporte y en el fútbol específicamente. Busca la participación de todos: niños, jóvenes y adultos en prevenir los actos violentos en los espacios deportivos. Dicen que el fútbol, los otros deportes y los encuentros en las canchas son espacios para disfrutar con fiestas populares que promueven la amistad, el encuentro, el intercambio, la sana competencia y la pasión por la camiseta.

Nota cultural

En la Copa América 2007, los dos equipos rivales —Brasil y Argentina— se enfrentaron para el campeonato en Maracaibo, Venezuela. Los brasileños ganaron 3–0, pero sólo marcaron dos goles; el tercero fue un auto gol que marcó equivocadamente un jugador argentino.

Investigue
palabras clave:
Copa América, Copa Mundial, Pasión sin Violencia

Teacher Resources

 Activity 46 (CD 6, track 10)

 Activity 18

Answers

46 1. d; 2. a; 3. b; 4. d; 5. a; 6. b

Instructional Notes

46 Before listening to the audio, you might want to review the following words with students: *fármacos*, medicine; *desempeño*, performance; *creatina*, creatine (performance-enhancing drug); *culturista*, bodybuilder; *ingerir*, to consume; *esquí de fondo*, cross-country skiing; *dopaje sanguíneo*, injection of performance-enhancing drugs in the blood; *restringido*, restricted.

The questions from the audio activity appear below.
1. Según el artículo, ¿por qué hace el hombre ejercicio físico?
2. ¿Dónde hay mucha desinformación en esta área?
3. ¿Cuál es el mejor método de usar esos fármacos?
4. ¿Qué es la creatina?
5. ¿Quién usa el dopaje sanguíneo para obtener ventajas a los démas?
6. ¿Cuál es la definición del dopaje según el Comité Olímpico Internacional?

Additional Activities

¿Cuál es la pregunta?
See p. TE26.

¡A escuchar!

46 Los fármacos

¿Qué sabe del dopaje, o doping, en los deportes? Lea las posibles respuestas primero y después escuche "Un doble enfoque de la utilización de los fármacos: ¿dopaje o salud?" Escoja la mejor respuesta para la pregunta que escuchará en la grabación.

1. (Pregunta que escuchará en la grabación.)
   a. Para mejorar su cuerpo
   b. Para transformar los buenos hombres en los mejores
   c. Para transformar los hombres normales en muy buenos y los discapacitados en personas capaces
   d. Todas las respuestas anteriores

2. (Pregunta que escuchará en la grabación.)
   a. Hay mucha desinformación entre los que usan productos naturales y productos artificiales.
   b. Hay mucha desinformación entre los atletas y las empresas.
   c. Hay mucha desinformación entre los entrenadores y los atletas.
   d. Hay mucha desinformación en toda la industria farmacéutica.

3. (Pregunta que escuchará en la grabación.)
   a. Bajo la supervisión de un entrenador
   b. Bajo la supervisión de un doctor
   c. Sin supervisión
   d. Las respuestas a y b

4. (Pregunta que escuchará en la grabación.)
   a. Es un producto natural con el que se obtienen resultados.
   b. Es un producto que ayuda en los deportes de resistencia.
   c. Es un producto que ayuda en el transporte de oxígeno hasta el músculo.
   d. Las respuestas b y c

5. (Pregunta que escuchará en la grabación.)
   a. Los aficionados, los deportistas profesionales y los deportistas jóvenes
   b. Los atletas del ciclismo profesional y esquí de fondo
   c. Los culturistas y levantadores de pesas
   d. Ningún grupo específico

6. (Pregunta que escuchará en la grabación.)
   a. Obtener una ventaja sobre los demás
   b. Aumentar el desempeño del atleta en una competición
   c. Obtener ayuda para competir mejor
   d. Todas las respuestas anteriores

47 La UNESCO

¿Qué sabe de la UNESCO (la Organización de las Naciones Unidas para la Educación, la Ciencia y la Cultura)? ¿Piensa que esta organización tiene mucho poder en el mundo deportivo? Escuche la grabación "UNESCO se dispone a adoptar primer texto vinculante contra dopaje" y luego conteste las siguientes preguntas.

1. ¿Cuándo votará La Conferencia General de la UNESCO un Convenio? ¿De qué se trata el Convenio?
2. ¿Cómo va a entrar en vigor el Convenio?
3. ¿Cuál es la única excepción que admite el Convenio para contar con sustancias prohibidas?
4. ¿Qué acciones propone el Convenio para prevenir el uso de sustancias prohibidas?
5. ¿Qué sugerencias ofrece el Convenio para persuadir que no se usen las sustancias prohibidas?

48 Un resumen

Vuelva a escuchar la grabación anterior y escriba un resumen de ella.

49 Participe en una conversación

Ud. va a participar en una conversación. Primero lea la descripción de la conversación y piense en algunas palabras o expresiones que le serían útiles. Organice sus ideas, haciendo predicciones sobre lo que se le pueda preguntar o comentar. Una descripción de lo que va a escuchar aparece abajo en color. Participe en la conversación grabando las respuestas o escribiéndolas en su cuaderno.

Escena: Se ha anunciado un nuevo programa de antidopaje en el lugar donde estudia. Ud. es deportista y no usa fármacos, pero está preocupado/a porque una amiga —que también es deportista—, le pide su opinión.

Su amiga:	Su amiga plantea el problema.
Ud.:	• Dígale lo que piensa del nuevo programa.
Su amiga:	Sigue la conversación y le pide su opinión.
Ud.:	• Dele su opinión.
Su amiga:	Le hace una pregunta y un comentario.
Ud.:	• Contéstele.
Su amiga:	Sigue la conversación y le pide un consejo.
Ud.:	• Dele su opinión. Explique las razones.
Su amiga:	Sigue la conversación y le hace otra pregunta.
Ud.:	• Contéstele y despídase.

Teacher Resources

Activity 47 (CD 6, track 11)
Activity 48 (CD 6, track 11)
Activity 49 (CD 6, track 12)

Answers

47 1. Mañana; Luchar contra el dopaje; 2. Después de ser ratificado por 30 países; 3. Si se usan para fines médicos legítimos; 4. Propone que los países financien programas de control de dopaje y que haya más sanciones. 5. La creación de programas de educación y formación; más investigación para luchar contra el dopaje

48 Summaries will vary.

Instructional Notes

47 Before listening to the audio, you might want to review the following words with students: *vinculante*, binding; *el visto bueno*, approval; *entrar en vigor*, to come into effect; *respaldo*, endorsement; *partir de*, to start from the premise; *desempeñar un papel*, to play a part; *recurrir a*, to resort to; *prever*, to foresee; *erradicar*, to eliminate.

48 You might ask some students to share their summaries with the rest of the class.

Audioscript Activity 49

Su amiga: ¡Hola! ¿Has oído del nuevo programa que van a empezar con el equipo de baloncesto? Van a empezar un programa antidopaje antes del próximo partido.
[STUDENT RESPONSE]
Su amiga: Es tan importante nuestra preparación mental para ganar cada partido. ¿Piensas que el nuevo programa va a afectarnos, y cómo?
[STUDENT RESPONSE]
Su amiga: ¿Piensas que van a descubrir algo? Yo tengo mis dudas.
[STUDENT RESPONSE]

Su amiga: Conozco a alguien en el equipo que usa una sustancia ilegal. ¿Debo decir algo al entrenador?
[STUDENT RESPONSE]
Su amiga: Gracias. Voy a pensarlo. Nos vemos. ¿A qué hora tenemos que estar en el gimnasio el viernes?
[STUDENT RESPONSE]

Teacher Resources

Activity 19

Instructional Notes

50–52 Remind students to go over the expectations outlined in the *Pautas* on p. 480 before they begin writing.

52 Encourage students to research more information on *los toros*.

Additional Activities

A escribir por quince minutos and/or **Responda a esta situación**
See pp. TE26 and TE28.

¡A escribir!

50 Texto informal: los deportes del futuro

Escriba en un blog, hablando del deporte en el siglo XXI.

- Mencione cómo imagina que será el deporte a finales de este siglo.
- Mencione dos o tres aspectos que Ud. espera que cambien en el deporte.
- Mencione cómo el dopaje, la violencia y el nacionalismo van a figurar en el mundo deportivo.
- Termine con el momento más memorable de un deporte.

51 Texto informal: la violencia en los deportes

En un foro editorial del periódico de su escuela o universidad, describa un incidente de violencia durante un partido de básquetbol (real o imaginario) durante el fin de semana.

- Plantee el incidente y las causas.
- Exprese su opinión.
- Ofrezca sugerencias para disminuir la posibilidad de otro incidente similar en el futuro.

52 Ensayo: los toros

Lea el artículo sobre los toros a continuación y piense en la siguiente cita: *Si la tauromaquia es arte, el canibalismo es gastronomía.* **Luego escriba un ensayo que explique si la corrida de toros es un deporte o no.**

El arte de torear

El arte de torear está arraigado en España desde hace muchos siglos. Ya en las prehistóricas pinturas rupestres se pueden observar dibujos de toros. Desde estos
⁵ primeros contactos con el toro, se fue desarrollando poco a poco el arte de torear, hasta llegar a lo que hoy en día conocemos como *la lidia del toro bravo*. De esta manera se ha convertido al toro bravo español en
¹⁰ una raza única y presente tan sólo en la Península Ibérica, en el sur de Francia y en Hispanoamérica... El toreo como hoy lo conocemos se remonta a finales del siglo XVII y principios del XVIII, evolucionando desde distintas escuelas, entre las que destacaron la Sevillana y la de Navarra. Este espectáculo
¹⁵ sin igual en el mundo, donde el hombre arriesga su vida y desata pasiones en el ritual del arte y la muerte, ha formado parte de la cultura universal, siendo base importantísima de otras manifestaciones culturales como la literatura, la pintura, la escultura, la música, el cine, etc. Destacados artistas de los últimos siglos se han fijado en la tauromaquia a la hora de desarrollar su actividad: Goya, José Ortega y Gasset, Pablo Picasso, Ernest Hemingway y
²⁰ Orson Welles son una buena muestra de ello.

Consejo

Antes de empezar, lea las pautas para escribir textos informales en la pág. 480 del Apéndice. Mientras escribe el texto tenga presente los objetivos. Cuando termine, verifique que ha cumplido con todo lo que se describe en la lista y reflexione sobre el trabajo que hizo.

53 Ensayo: los deportes

Escriba un ensayo que explique lo que se aprende de los deportes.

54 Ensayo: los atletas

Escriba un ensayo que explique los obstáculos y los beneficios de ser un/a atleta profesional o universitario/a.

55 En parejas

Intercambie sus ensayos con los de un/a compañero/a. Exprésele su opinión sobre el contenido y el uso del idioma.

> **Consejo**
>
> Antes de empezar, lea las pautas para escribir ensayos en la pág. 480 del Apéndice. Mientras escribe el ensayo tenga presente los objetivos y no se olvide de ponerle un título original. Cuando termine, verifique que ha cumplido con todo lo que se describe en la lista y reflexione sobre su trabajo.

¡A hablar!

56 Charlemos en el café

Ud. va a debatir los siguientes temas con un/a compañero/a. Uno estará a favor de lo que se ha dicho y otro en contra. El debate durará varios minutos. El/La estudiante que esté de acuerdo comenzará el debate y hablará por unos diez segundos. Cuando el/la profesor/a lo indique, el/la otro/a estudiante tomará la palabra y expresará su opinión por otros diez segundos y así sucesivamente.

1. Los atletas profesionales y/o famosos merecen el prestigio que tienen y el dinero que ganan.
2. El tráfico de niños atletas es positivo en los países desarrollados, porque en estos países los jóvenes no quieren ser atletas profesionales.
3. Los porristas juegan un papel muy importante en una competición deportiva.
4. El número y el apoyo de los espectadores siempre le da la ventaja al equipo que juega en su propio estadio.
5. Los gobiernos deben financiar todos los gastos de los atletas en las competiciones como los Juegos Olímpicos.

57 ¿Qué opinan?

Converse con un/a compañero/a sobre estas situaciones o preguntas.

1. Ud. es universitario/a y también atleta. Si le ofrecieran la oportunidad de hacerse atleta profesional pero con la condición de abandonar los estudios, ¿lo haría? Explique por qué.
2. ¿Existe discriminación en los deportes? ¿Piensa que hay paridad de acceso a todos los deportes entre hombres y mujeres? ¿Y entre jóvenes y mayores?
3. Se dice que los sobornadores y los apostadores fijan los resultados de la mayoría de las competiciones deportivas profesionales. ¿Es verdad? ¿Qué haría Ud. si supiera que había una competición fijada por un soborno?

Teacher Resources

 Activity 20

Instructional Notes

53–54 Ask students to go over the *Pautas* on p. 480 before they start writing their essays.

55 You might want to have students work in small groups rather than with a partner to critique one another's work.

56 Because all students will speak, allow them time to prepare this activity. Be sure to tell students which issue and which side of the issue they will be debating, so that they can do some research and practice before their debate.
After students have debated these issues with a partner, you might want them to continue the debate in small groups, or even have a discussion with the whole class on one or two of these topics. Remind students to use as much of the new vocabulary from this lesson as they can.

57 Encourage students to use some of the verbs from the *A tener en cuenta* section on p. 358 here.

Additional Activities

Corrija una carta and **Las noticias de hoy**
See pp. TE26 and TE28.

58 Review the *Pautas para presentaciones formales* on p. 481, and refer students to their copies of the guidelines given to them in *Lección 1A* (*Antes y durante una presentación*). (See p. 27 of this Annotated Edition.) Remind them that while they are presenting they should not read from their notes.

59 Before students start their projects, go over the questions from *Lección 1A*, p. 28. Students should have a copy of these questions for each project.
Remind them that after they complete their project, they will self-assess their work as a team using the grading system 1–5 (5 being the highest, and 1 the lowest) and write a grade next to each question. After they turn in their work or make their presentation to the class, you will review their project and write your comments and evaluation next to theirs.

Additional Activities

La noticia del día
See p. TE28.

---

58 Presentemos en público

Conteste una de las siguientes preguntas o haga una presentación oral sobre uno de los temas durante varios minutos en clase. Organice sus ideas antes de hacer la presentación, busque las palabras necesarias, y después de practicar, presente en clase sin mirar las notas.

1. ¿Cree que la globalización de los deportes los ha afectado demasiado? ¿Qué haría Ud. para promocionar la idea de que el deporte es una competición deportiva y no un negocio?
2. ¿Qué deporte profesional es el más exigente? ¿Por qué? Hable de los aspectos físicos (entrenamiento, talento, nivel de competencia) y la preparación mental. Mencione los sacrificios y los obstáculos (viajar y estar lejos de la familia, el dopaje, la presión por ser el número uno, los sobornos, etc.).
3. Opine sobre los contratos que reciben los atletas para promocionar productos. No se olvide de mencionar si los atletas los merecen, sobre todo el dinero que reciben para promocionar estos productos.
4. Su hermanita participa en un equipo de fútbol, pero el entrenador ha renunciado y el equipo está buscando a otro/a. Explique por qué Ud. sería (o no) el/la candidato/a ideal.

Consejo

Antes de empezar, lea las pautas para presentaciones formales en la pág. 481 del Apéndice. Mientras formula su presentación tenga presente los objetivos. Cuando termine la presentación, verifique que ha cumplido con todo lo que se describe en la lista y reflexione sobre el trabajo que hizo.

Proyectos

59 ¡Manos a la obra!

Trabaje en un grupo de cuatro o cinco estudiantes para llevar a cabo uno de los siguientes proyectos y presentarlo a la clase.

- Muchos dicen que ni las corridas de toros ni la lucha libre son deportes. Entonces, ¿en qué consiste un deporte? Establezcan unos criterios y aplíquenlos a un deporte. Después usen el ejemplo de la lucha libre o las corridas de toros y expliquen por qué no son deportes.

- ¿Recuerdan las siguientes citas de la lección?: *Cuando somos buenos, nadie nos recuerda, cuando somos malos, nadie nos olvida. En esta vida no te perdonan si te dejas ganar y te odian si ganas siempre.* Piensen en un atleta o equipo que tenga mala fama o reputación. Organicen un plan de marketing para mejorar su imagen.

- Hagan un anuncio para promover la práctica de un deporte sin violencia. Decidan qué deporte será, qué deportistas profesionales van a aparecer en el anuncio y a quiénes van a dirigir el anuncio.

Vocabulario

Verbos

aliviar	to relieve
apostar (ue)	to bet
brindar	to offer
contradecir	to contradict
descalificar	to disqualify
destacarse	to stand out
disminuir	to lessen
emigrar	to emigrate
empatar	to tie (a score)
enmarcar	to frame, form the backdrop
entrenar	to train, coach
estar entrenándose	to be in training
favorecer	to favor
hacer atletismo	to practice track and field
hacer competencia	to have a rivalry
hacer deporte(s)	to do/practice sports
juzgar	to judge
patrocinar	to sponsor
perdurar	to last, endure
permanecer	to stay
promocionar	to promote
reavivar	to rekindle; to revive
remitir	to send
seleccionar	to select
señalar	to point out
sobornar	to bribe
solucionar	to (re)solve
torear	to fight bulls

Verbos con preposición

verbo + a:

acercarse a	to approach, get close to
precipitarse a	to hurry to

verbo + con:

competir (i) con	to compete with

verbo + de:

evolucionar de	to evolve from

verbo + en:

enmarcarse en	to be in line with
fijarse en	to pay attention to, notice
iniciarse en	to begin
recaer en	to go to (prize, award)
tener un efecto en	to have an effect on

Sustantivos

el	ámbito	atmosphere
el/la	apostador(a)	bettor (person who bets)
el	apoyo	support
la	apuesta	bet
el	atletismo	track and field
el	cansancio	tiredness
la	carrera	race; career
el	castigo	punishment
la	corrida de toros	bullfight
el/la	culturista	bodybuilder
los/las	demás	the rest, others
el/la	discapacitado/a	handicapped person
el	dopaje sanguíneo	blood enhancement
el	empate	tie (score)
el	empeño	determination, effort
el/la	entrenador(a)	trainer
el	fármaco	medication
el	fracaso	failure
el	galardón	award, prize
el/la	galardonado/a	prizewinner
el/la	hincha	fan, supporter
la	inversión	investment
la	jabalina	javelin
el	lanzamiento de disco	discus throwing
el/la	levantador(a) de pesas	weight lifter
la	marca	brand name
la	minusvalía	handicap, disability
el/la	minusválido/a	handicapped person
el	ocio	leisure time
la	paridad	equality
la	permanencia	stay; continuance
la	pértiga	pole vault
la	polémica	controversy
el/la	porrista	cheerleader
el	premio	prize, award
el	prestigio	prestige
el/la	propagador(a)	promoter
la	receta	prescription
el	respaldo	endorsement
el/la	sobornador(a)	person who bribes
el	soborno	bribe
el/la	testigo	witness
el	tiro al arco	archery
el	toreo	(art of) bullfighting
el/la	torero/a	bullfighter
la	trayectoria	path, trajectory
la	valla	hurdle

Adjetivos

alcanzable	reachable
disponible	available
empírico, -a	empirical (from experience)
motriz	motor
taurino, -a	related to bullfighting

Expresiones

asimismo	also
ciudad organizadora	organizing (host) city
dar pie a	to take hold, allow
entrar en vigor	to go into effect

Lección 6B 357

Activities 21–24

Visite la página Web de
¡A toda vela! en
www.emcp.com

Additional Activities

Juegos

To practice and reinforce the lesson's vocabulary, have students play either one or both of these games: *Cadena de palabras, Lo tengo en la punta de la lengua.* See pp. TE24 and TE25.

Juego

To practice the culture, grammar, or vocabulary presented in the lesson, ask students to play *¿Quién quiere ser millonario?* See p. TE25.

Ask students to do any of the following activities to practice and strengthen the vocabulary and grammar presented in this lesson: *¿Cómo están relacionados?, La definición interminable, Repaso Expreso, De periodistas.* See pp. TE26–TE28.

See ExamView for
assessment options.

Instructional Notes

Ask students to come up with more expressions with
the verbs mentioned in the *A tener en cuenta* section.

A tener en cuenta
Palabras problemáticas

to ask		**time**	
to ask for something	pedir	**a period or**	tiempo
to ask a question	preguntar, hacer una	**duration of time**	
	pregunta	**once, one time**	una vez
to ask for someone	preguntar por	**all the time (constantly)**	constantemente
to wonder	preguntarse	**each time**	cada vez
		once again	otra vez
to fail		**at times**	a veces
to fail a course	suspender, reprobar	**time of day**	hora
	(a alguien)	**a short time, a while**	un rato
to be unsuccessful	fracasar	**time during a season,**	época
to stop doing something	dejar de	**historical time**	
to miss; to be lacking	faltar (a)	**to have a good time**	divertirse, pasarlo bien
		to buy time	ganar tiempo
to leave		**to have time**	sobrarle tiempo
to leave behind, abandon	dejar	**on one's hands**	
to go out, depart,	salir	**against time**	contra reloj
leave (a place)		**in time**	a tiempo
to go away	irse, marcharse	**to have a hard time**	costarle muchísimo
		convincing someone	convencerlo/la
to take		**(to arrive) anytime now**	(llegar) en cualquier
to take an exam	examinarse		momento
to take a course	seguir una asignatura	**it's about time (you**	ya es hora (de que
to take out	sacar	**practiced a sport)**	practiques un
to take place	tener lugar		deporte)
to take away	quitar		
to take time	tardar, demorar(se)		
to take something	tomárselo mal,		
the wrong way	interpretarlo mal		

Capítulo **7**

Temas

- Inventos y tecnología
- Idiomas
- Ecología

¡Conéctese a su mundo!

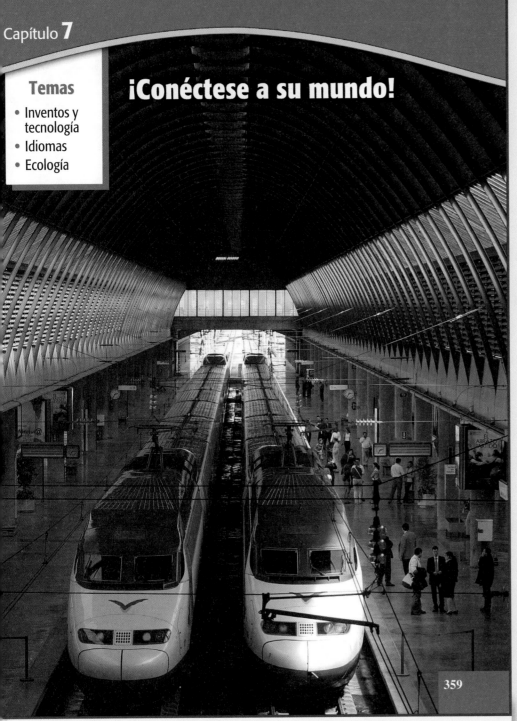

359

Overview of chapter 7

This chapter deals with topics that will connect students to the world through technology, languages, or the environment. Students will read and discuss how inventions and technology have impacted their lives; the key role language studies play and the danger of extinction that some indigenous languages face; the pernicious effects of pollution on our environment, especially with respect to our water supply and our oceans.

Instructional Notes

Engage students in a discussion of the chapter's topics by asking: *¿Cómo están interrelacionados los temas de inventos/tecnología, idiomas y ecología? Hablen de esta interrelación.*

Nota cultural

Los dos trenes que se ven en la foto están en la estación de Santa Justa, Sevilla (España), y son los más modernos y veloces del país. Se les conocen como AVE, que es la sigla de Alta Velocidad Española, una división de una empresa de ferrocarriles que fue creada en 1992 (año en que se celebró la Expo '92 en Sevilla) para operar con trenes de alta velocidad entre Madrid y Sevilla. Los servicios de AVE comenzaron con seis trenes diarios entre la capital y Sevilla. Como estos trenes tuvieron gran éxito —el viaje se cortó así por un poco más de dos horas— se establecieron rutas a distintas ciudades españolas. Ahora estos trenes alcanzan velocidades de algo más de 300 kilómetros por hora.

Instructional Notes

You might want to ask students some of the following questions: *¿Qué invento del siglo XX o del XXI ha tenido más impacto en su vida? ¿En qué sentido les ha afectado? ¿Qué podrían decir del papel e importancia del idioma español en el mundo actual? ¿Creen que va a tener más o menos importancia hablar español u otros idiomas extranjeros en el futuro? ¿Por qué? ¿Cuáles son algunos problemas ecológicos en su comunidad o región? ¿Cómo se han resuelto, or cómo proponen los ciudadanos resolverlos?*

Lección A

Objetivos

Comunicación
- Hablar del impacto de la tecnología
- Hablar de la importancia de los idiomas
- Describir los problemas ecológicos

Gramática
- Repaso de los tiempos verbales
- El comparativo y el superlativo
- *Por* y *para*
- El género de los sustantivos
- Los pronombres personales y los adjetivos posesivos
- El subjuntivo

"Tapitas" gramaticales
- pronombres relativos
- la terminación *-quiera*
- reconocer ciertos tiempos verbales
- formas apócopes
- *ambos*

Cultura
- Western Union
- Los teléfonos celulares
- Estudio del español
- Estudio del chino
- Los bosques
- La Amazonia

Visite la página Web de
¡A toda vela! en
www.emcp.com

Para empezar

1 Conteste las preguntas

Piense en las respuestas a las siguientes preguntas. Ud. puede tomar notas si lo considera
necesario. Cuando termine, compare sus respuestas —pero sin mirar sus notas— con las
de un/a compañero/a.

1. ¿Cómo ha cambiado nuestro mundo desde principios del siglo XX hasta principios del
   siglo XXI?
2. Haga una lista de los inventos más importantes del siglo XX. Incluya algún invento de
   este siglo.
3. ¿Tiene un teléfono celular? ¿Cuándo lo usa? ¿Por qué? ¿Cree que mucha gente abusa de
   los celulares? ¿Por qué?
4. ¿Qué opina en general de la educación en los Estados Unidos, en su región, estado,
   escuela o universidad?
5. ¿Qué opina de la necesidad de
   aprender español en nuestra
   sociedad?
6. En las carreras del futuro, ¿será
   importante hablar español? ¿Por
   qué?
7. ¿Estaría interesado/a en una
   carrera donde tuviera que hablar
   español? ¿En cuál? ¿Por qué está
   interesado/a en esta carrera?
8. Nombre cinco problemas
   ecológicos que afectan nuestro
   mundo actual.
9. ¿Qué piensa de los cambios
   meteorológicos que están
   afectando el clima en los últimos
   veinte años?
10. ¿Qué desastres naturales han
    ocurrido en nuestro mundo en
    los últimos años?

Un invento fundamental del siglo XX: la computadora portátil

2 Mini-diálogos

Ud. va a crear un mini-diálogo con un/a compañero/a. Lea la descripción de la
conversación en la página siguiente antes de empezar. Puede tomar notas para organizar
sus ideas, pero no las mire mientras conversa. Le pueden servir algunas de las palabras
del recuadro.

la oferta	hacer un convenio
el plan de llamadas	el número de minutos permitidos
sin cargo móvil a móvil	minutos al mes
el programa de mensajes	el cobro de servicio de navegación en la red inalámbrica
el ciberespacio	la Red Mundial (WWW)
la Red	el programa buscador
la factura	poner atención a las letras pequeñas del contrato

continúa

Answers

2 Dialogues will vary.

Instructional Notes

Before students respond to the *Proverbio*, ask them if they know the meaning of *molinos* (windmills). Encourage a discussion about the relationship between people and nature, or people and technology.

Additional Activities

Trabajo de investigación
Ask student volunteers to research the inventions or procedures mentioned in the *Dato curioso* and present their findings to the class.

¿Vale más una imagen que mil palabras?
See p. TE28.

Escena: Dos amigos/as están mirando anuncios en el periódico para teléfonos celulares porque uno/a de ellos ("B") quiere comprar uno nuevo. El/La otro/a ("A") le ayuda a decidir cuál debe comprar.

A: Entable una conversación sobre los teléfonos celulares. Pregúntele a su compañero/a sobre las características que él/ella busca en su nuevo teléfono.

B: Hable sobre las características.

A: Después de mirar un anuncio del periódico, hable de las características de este teléfono y el precio.

B: Haga unos comentarios sobre este teléfono y hágale preguntas sobre otro anuncio.

A: Conteste las preguntas con información adicional de los anuncios.

B: Reaccione y pídale que mire otro anuncio.

A: Haga un comentario sobre el tercer anuncio.

B: Tome una decisión e invítelo/la a acompañarlo/la a la tienda donde se venden teléfonos celulares.

A: Reaccione a la decisión y a la invitación.

¿Qué características busca Ud. en un teléfono celular?

Proverbio

No puede impedirse el viento. Pero pueden construirse molinos.
—Proverbio holandés

 ¿Cómo aplicaría este proverbio a la naturaleza? ¿Y a otros ámbitos de la vida cotidiana? Comparta su opinión con un/a compañero/a.

¡Dato curioso!

Aunque hay inventos que son bastante recientes, como el taladro dental inventado por un mecánico estadounidense, esto no impidió a odontólogos como el egipcio Hesi-Re en el año 3000 a. de J. C. arreglar los dientes de los faraones, o a un médico cordobés en operar de cataratas a sus pacientes alrededor del año 800 en España. Hay muchos inventos a los que no les damos importancia; no obstante, su reciente uso ha mejorado la calidad de vida de muchas personas, como también es el caso de los pañales o el plástico entre muchos otros.

Vocabulario y gramática en contexto

3 Un foro

Túrnese con un/a compañero/a para leer los comentarios que dos personas han escrito en un foro sobre los inventos y la tecnología. Fíjese en las palabras que aparecen en azul (relacionadas con el vocabulario) y en rojo (relacionadas con la gramática), ya que en las siguientes actividades se le harán preguntas sobre ellas.

Dirección | Archivo Edición Ver Favoritos Herramientas Ayuda

Los inventos

Una maqueta del Sputnik 1

El ENIAC, el primer ordenador electrónico

Acabo de leer un artículo sobre algunos inventos del siglo XX. Aquí están en orden cronológico. La lavadora eléctrica y la aspiradora aparecieron en 1901. En 1907 Henry Ford empezó a fabricar tractores en serie con
5 piezas de automóviles y en 1908 introdujo el modelo T. En 1912 se perfeccionó la cremallera o el cierre; hoy existe una infinidad de modelos sobre todo para la industria textil. En 1931 se construyó el primer radar para enviar impulsos de radio detectores de barcos.
10 En 1934 se empezó a utilizar el filamento doblemente enrollado que dio origen a las bombillas actuales, de las cuales existen muchísimos modelos y formas. En 1935 una empresa inventó una banda plástica cubierta de una película magnética y nació la primera
15 grabadora. En 1937 se inició la comercialización de los calentadores de aire. El bolígrafo moderno, práctico, desechable y de poco costo, fue inventado en 1940. En 1945 se patentó un aparato que luego se convertiría en

el horno de microondas. En 1946 quedaba concluida
20 la construcción del ENIAC, el que se considera el primer ordenador electrónico de la historia. La primera grabación en video se realizó en 1951. En 1957 la ex Unión Soviética lanzó con un cohete el primer satélite artificial, el Sputnik 1. En 1974 se inauguró en
25 Japón la línea del Nuevo Tokaido con sus trenes que alcanzaban una velocidad de 200 kilómetros por hora. En 1979 dos empresas, Philips y Sony, desarrollaron discos compactos. Hacia 1980 las compañías RCA, Sharp y Xerox se lanzaron a la tarea de perfeccionar
30 el fax. En 1982 al dentista jubilado, Barney Clark, se le implantó un órgano mecánico hecho de plástico y metal para sustituir su corazón. En 1983 se fabricaron los primeros teléfonos móviles. ¿Cómo sería nuestro mundo sin estos inventos? No sé si podría vivir sin
35 muchos de ellos.

—Susana

Lección 7A **363**

Instructional Notes

3 After students finish reading both articles, encourage them to research other inventions of the 20th and 21st centuries.

La tecnología

Yo reconozco que la tecnología ha proporcionado numerosas ventajas y beneficios; entre otros, ha proporcionado mejores condiciones de vida al permitir a
[5] los seres humanos ser más independientes de la naturaleza, poder sobrevivir en ambientes hostiles y disponer de alimentos. La tecnología también ha mejorado las comunicaciones. La medicina ha
[10] prolongado la esperanza de vida para muchos; los avances arquitectónicos y tecnológicos nos han ayudado a vivir en los desiertos, en las zonas antárticas o en la selva; la comida deshidratada y la congelada
[15] nos ayuda a alimentarnos dondequiera. Nuestro mundo es muy cómodo para muchos. Por otra parte, la utilización inadecuada de la tecnología ha provocado la

Las plataformas petrolíferas han invadido los mares.

aparición de numerosos problemas:
[20] el deterioro del medio ambiente; la sobreexplotación de recursos naturales como la madera, el petróleo y aun el agua; y la aparición de nuevas enfermedades como el SIDA y las grandes
[25] diferencias económicas que dan lugar a problemas sociales, en algunos casos, de consecuencias imprevisibles. ¿Hasta dónde se aprovechará la tecnología? Unas organizaciones ecológicas y humanitarias
[30] como Greenpeace y algunos comités de las Naciones Unidas luchan por el bienestar del ser humano en armonía con la tecnología y la naturaleza.

—Gonzalo

La deforestación contribuye al deterioro del medio ambiente.

4 Amplíe su vocabulario

Clasifique las palabras que aparecen en azul y rojo en las lecturas anteriores según sean sustantivos, adjetivos, verbos o expresiones relacionados con inventos y tecnología.

5 Repaso

Conteste estas preguntas basadas en las lecturas de la Actividad 3.

1. Haga una lista de todos los verbos en el pretérito.
2. Explique el uso de *se* con los verbos del pretérito en los artículos y cite todos los ejemplos.
3. Busque los dos verbos en el imperfecto. Contraste el uso del imperfecto con el pretérito de la lectura.
4. Busque los tres verbos en el condicional y explique su uso en la lectura.
5. Explique el cambio que sufren en el presente los verbos que terminan en *-cer.* Cite un ejemplo de la lectura.
6. ¿Cuándo se usa el presente perfecto?
7. ¿Qué adjetivo tiene una forma irregular en el comparativo y en el superlativo? Escriba estas dos formas del adjetivo.
8. Busque tres usos diferentes del infinitivo en los comentarios del foro y cítelos.
9. Explique los usos de *por* y *para* en los comentarios del foro.
10. En los comentarios, ¿qué sustantivo femenino lleva artículo masculino? ¿Por qué?
11. ¿Qué verbo se usa en el futuro? ¿Hay otra manera de expresar lo mismo con distinto tiempo o expresión verbal? ¿Cuál?

6 Más repaso 👥 🔍

Con un/a compañero/a haga las siguientes actividades.

1. Hagan una lista de los verbos seguidos de una preposición en los foros de la Actividad 3.
2. Ya han identificado en la Actividad 5 un adjetivo con formas irregulares en el comparativo y superlativo. Hagan una lista de las formas irregulares de otros adjetivos en el comparativo y superlativo. (No tienen por qué estar en los foros.)
3. Expliquen los usos del futuro.

7 "Tapitas" gramaticales 🔍

Conteste estas preguntas basadas en las lecturas de la Actividad 3.

1. ¿Qué significa en inglés *las cuales* en la frase "dio origen a las bombillas actuales, de las cuales existen muchísimos modelos y formas"? Explique el uso del pronombre relativo *cual.*
2. Explique la construcción verbal *fue inventado.* ¿Hay otra manera de escribir la oración "El bolígrafo moderno, práctico, desechable y de poco costo, fue inventado en 1940"? ¿Cuál es?
3. ¿Qué significa *al permitir*? ¿Tiene otro significado? ¿Cuál es?
4. ¿Qué significa *dondequiera* en inglés? Explique la terminación *-quiera.*

8 ¿Qué opina? 👥

Reaccione a lo que cada persona ha escrito en el foro de la Actividad 3 y comparta su opinión con un/a compañero/a. Incluya palabras del vocabulario nuevo que aparecen en azul.

(*el próximo año se inventará*); probabilidad en el presente (*no sé cuándo se iniciará*); una acción que en un momento del futuro ya se habrá realizado (*el próximo año se podrán ver mejores inventos*); sustituye al presente perfecto para indicar falta de seguridad (*habrá aprovechado la tecnología para hacer su invento*).

7 1. las cuales = *which*; Varía en género y número y tiene neutro (el/la cual, los/las cuales, lo cual), se refiere a personas y cosas; después de una preposición se usa igual que *el que*; se usa *el cual* cuando va precedido de un adverbio y una preposición (*encima de la cual*); cuando va precedido de un nombre que define una parte o un grupo

del antecedente (*los inventos, la mayoría de los cuales...*); cuando el antecedente está muy alejado del pronombre y para evitar ambigüedades (*Fui a la casa de mis parientes chilenos, la cual está en el centro.*) 2. Es la voz pasiva en el pasado. Sí; En 1940 se inventó el bolígrafo moderno, práctico... 3. *by allowing*; sí: *upon allowing, when you allow*; 4. Significa *wherever*; *-quiera = ever.* Por ejemplo: cuandoquiera = *whenever*, quienquiera = *whoever*.

Instructional Notes

8 Ask some students to share their opinions with the entire class.

---

9 Ask students: *¿Por qué estudian español? ¿Piensan usarlo en su futura carrera? ¿Qué carrera piensan seguir? ¿Qué otros idiomas extranjeros ofrecen en su escuela o universidad? ¿Piensan estudiar uno de ellos? ¿Cuál? ¿Por qué?*

Additional Activities

Trabajo de investigación
Ask volunteers to research some of the buildings and other structures designed by Calatrava or other outstanding Hispanic architects and make a brief presentation to the class.

Comparación
After you have shared the information in the *Nota cultural*, ask students to compare the characteristics of Calatrava's proposed Chicago Spire with some of the world's tallest buildings. For example, the world's tallest is now the Burj Dubai in Dubai, United Arab Emirates, still under construction at 1,680 feet; it is scheduled to be completed at the end of 2008 and will measure 2,275 feet. The Taipei 101 (Taipei, Taiwan) is now second at 1,667 feet and 101 stories; it is followed by the two Petronas Towers (Kuala Lampur, Malaysia), at 1,483 feet and with 88 stories; the Sears Tower is the world's fifth tallest: 1,450 feet and 110 stories.

Juego
Ask students to play *Trivia*. See p. TE25.

---

9 Por qué estudiar español

Lea con atención el siguiente artículo, prestando atención a las palabras en azul, ya que se le harán preguntas sobre ellas.

Por qué estudiar español

El Palacio de las Artes Reina Sofía (Valencia), de Santiago Calatrava

Hablar español te permite comunicarte con casi 500 millones de personas mundialmente. ¡Sueña con todas ⁵las oportunidades profesionales que eso pueda regalarte! Saber un poquito de español va a facilitar tu visita si quieres viajar a España o Latinoamérica. ¹⁰Después del chino mandarín y del inglés, el español es el tercer idioma más hablado del mundo. Hoy hay casi 500 millones de personas que lo hablan; a finales del siglo XIX había sólo 60 millones.

¹⁵Hay unos 350 millones de hispanohablantes en 21 países. En México hay 98 millones; en España, 39 millones; en Estados Unidos, 39 millones; en Argentina, 35 millones; en Colombia, 36 millones; en Venezuela, 22 millones; en Perú, 20 millones. El español es el segundo idioma más utilizado en la comunicación internacional y es lengua oficial de la ONU y de sus organizaciones. Según un ²⁰informe, el mundo es cada día más multilingüe, como lo demuestra la gran demanda de idiomas como el español y el árabe, ambos idiomas clave para el futuro. El dominio de las lenguas extranjeras es una ventaja significativa para quienes buscan empleo, ya que cada vez más empresas realizan negocios internacionales. La oficina del Censo de EE.UU. informa que la población hispana ²⁵del país pasará de 38.2 millones a 49.3 millones en el año 2015. El crecimiento de este grupo ha aumentado la demanda de medios de comunicación en español: radio, televisión, periódicos y revistas. Los países latinoamericanos están experimentando un fuerte crecimiento económico y se han convertido en poderosos vínculos comerciales en el mundo. Por otro lado, la cultura latina ³⁰sigue teniendo una influencia mundial en la arquitectura, con arquitectos como el español Santiago Calatrava, constructor del recinto olímpico de Atenas 2004 y la nueva sede del World Trade Center en Nueva York; en el arte con los artistas hispanos Picasso, Botero y Dalí entre otros, y en la literatura con los autores hispanos tales como Gabriel García Márquez e Isabel Allende. Para mí, ³⁵lo más importante será hacer una carrera donde pueda usar mis conocimientos de español al mismo tiempo que trato otras culturas.

Nota cultural

Santiago Calatrava es uno de los arquitectos más ilustres de los últimos décadas. Además de ser arquitecto, es ingeniero y escultor. Nació cerca de Valencia (España) en 1951, cursando estudios superiores en España y Suiza, país de su residencia actual. Ha sido galardonado con prestigiosos premios y es Doctor Honoris Causa por numerosas universidades. Entre sus proyectos más recientes figuran el Pabellón de Exposiciones Zuspa (en Suiza), el Museo de Arte de Milwaukee y las instalaciones para los Juegos Olímpicos Atenas (2004). Actualmente tiene programado construir un edificio en forma espiral ("Chicago Spire") al lado del lago Michigan, en Chicago. Si consigue construirlo, será el edificio más alto del mundo (o el segundo, según la altura final del Burj Dubai), de unos 2.000 pies de altura y con 150 pisos.

Investigue palabras clave: Santiago Calatrava, Palacio de las Artes Reina Sofía

10 Amplíe su vocabulario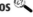

Empareje cada palabra de la primera columna con su correspondiente definición o sinónimo de la segunda.

1. mundialmente	a. con muchas lenguas
2. soñar con	b. Naciones Unidas
3. regalar	c. profesión
4. facilitar	d. reportaje
5. ONU	e. centro
6. informe	f. registro de población
7. multilingüe	g. en todo el mundo
8. dominio	h. progresión
9. ventaja	i. local
10. empleo	j. beneficio
11. realizar	k. conocimiento
12. censo	l. pensar en
13. crecimiento	m. puesto
14. vínculo	n. ofrecer
15. recinto	o. ayudar
16. sede	p. aliado
17. carrera	q. ejecutar

11 El español y otras lenguas 👥

Con un/a compañero/a haga una lista de las palabras o expresiones que conozcan relacionadas con el aprendizaje de lenguas. Piensen en otras palabras o expresiones relacionadas que les gustaría saber y búsquenlas en el diccionario.

12 Los pronombres personales y los adjetivos posesivos

Conteste estas preguntas relacionadas con el artículo "Por qué estudiar español".

1. Haga una lista de los pronombres personales y de los adjetivos posesivos que aparecen en el texto.
2. Explique el uso de los pronombres personales en el artículo y en general.
3. Explique el uso de los adjetivos posesivos en el artículo y en general.

13 "Tapitas" gramaticales

Conteste estas preguntas relacionadas con el artículo anterior.

1. ¿Por qué decimos *pueda* y no *puedo* en la oración "¡Sueña con todas las oportunidades profesionales que eso pueda regalarte!"?
2. ¿Por qué se dice *el tercer idioma* y no *el tercero idioma*?
3. ¿Cómo se transforma un verbo en adjetivo (por ejemplo, de *hablar* a *hablado*)? Busque otro ejemplo en el texto. ¿Y cómo se forma el comparativo de estos adjetivos?
4. ¿Cuál es el uso de la palabra *ambos* en la frase "ambos idiomas clave para el futuro"?
5. Explique el uso de la palabra *clave* en la frase "ambos idiomas clave para el futuro".
6. ¿Qué tiempo verbal es *están experimentando*? ¿Y *sigue teniendo*? ¿Se podría sustituir el presente del indicativo en las dos oraciones donde aparecen estas frases en la lectura? ¿Qué matiz aporta a la oración este tiempo verbal que no hace el presente del indicativo?

Answers

10 1. g; 2. l; 3. n; 4. o; 5. b; 6. d; 7. a; 8. k; 9. j; 10. m; 11. q; 12. f; 13. h; 14. p; 15. i; 16. e; 17. c

11 Words and expressions will vary.

12 1. Pronombres personales: *te, lo, se* y *mí*; adjetivos posesivos: *tu, sus, mis*; 2. *Te* se usa como objeto indirecto y como reflexivo (comunicarte); *lo* como objeto directo; *se* como reflexivo; *mí* es objeto de la preposición *para*. Además de los usados citados, también se usan como sujeto, sobre todo en casos de ambigüedad: *Él pintaba mientras ella cantaba.* Se usa para dar más fuerza al sujeto (uso enfático): *La profesora soy yo.* 3. *Tu* modifica *visita*; *sus* modifica *organizaciones*; *mis* modifica *conocimientos*. Los adjetivos posesivos concuerdan en número y (en las formas *nuestro/vuestro*) en género con el objeto poseído.

13 1. Usamos el presente del subjuntivo porque indica que la acción es una posibilidad, y no un hecho. 2. Porque *tercer* es la apócope de *tercero*; se usa cuando va delante del sustantivo masculino que modifica (*idioma*). 3. Se elimina el final del infinitivo (-*ar*, -*er* o -*ir*) y se añade -*ado* o -*ido* si el verbo tienen un participio regular. Otro ejemplo: *utilizado*; El comparativo se forma con la palabra *más* y el adjetivo; ejemplo: el idioma más utilizado. 4. Es un adjetivo (significa *both*). 5. La palabra *clave* es un sustantivo usado como adjetivo; siempre se usa en singular y significa *esencial*. 6. El presente progresivo; sí; el presente progresivo aporta el sentido de lo inmediato y del momento actual que se pierden cuando se usa el presente del indicativo.

Instructional Notes

13 For question 4, tell students that *ambos* is also used as a pronoun and means *los dos*: No sé qué idioma es más practico. Voy a estudiar ambos.

Additional Activities

Composición
Ask students to write a short essay explaining why they are studying Spanish and how they plan to use it when they complete their studies.

El desafío del minuto
See p. TE27.

Activity 4

Answers

15 1. tengan / tendrán; 2. se olviden; 3. hagan;
4. sufren; 5. pierden; 6. completen; 7. se presenten;
8. obligue; 9. ayuden; 10. establezcan; 11. sepan;
12. logren; 13. matriculen; 14. enriquezca; 15. acelere;
16. muestran; 17. contraten; 18. puede; 19. quiera;
20. busquen; 21. sea

Instructional Notes

14 Before students write this e-mail, you might ask them to interview classmates or other students at school who are studying Spanish or another language in order to find out why they are studying a foreign language.

15 Ask students to cite some rules for using the subjunctive. They could add these rules to their notebooks.

Additional Activities

El desafío del minuto con el subjuntivo
See p. TE27.

14 Un correo electrónico ✍

En un correo electrónico explíquele a un/a amigo/a que Ud. está considerando tomar otros cursos avanzados de español. Háblele de las ventajas de estudiar español y anímele a que continúe sus estudios de este idioma también.

15 Indicativo o subjuntivo 📖

Échele una ojeada a la lectura que sigue, prestando atención a las palabras en azul, ya que se le harán preguntas sobre ellas. Luego lea el artículo y complételo con el presente del indicativo o subjuntivo de los verbos entre paréntesis.

A leer y practicar matemáticas en verano

El verano es la época para descansar de la escuela, pero los expertos advierten que los estudiantes __1.__ (tener) que leer y practicar matemáticas porque temen que ellos __2.__
⁵(olvidarse) mucho de lo aprendido durante el año. Es aconsejable que todos los alumnos __3.__ (hacer) caso de estudiar, pero especialmente aquéllos cuyo idioma principal no es el inglés. Se supone que todos los jóvenes __4.__ (sufrir)
¹⁰un retroceso de uno a tres meses de aprendizaje durante el verano. Algunos expertos dicen que muchos estudiantes __5.__ (perder) más conocimientos en matemáticas que en lectura. Es corriente que muchos estudiantes en las escuelas
¹⁵públicas de EE.UU. __6.__ (completar) la lectura de un libro asignado en el verano. Los profesores de inglés les piden que __7.__ (presentarse) a un examen sobre el texto, durante la primera semana que regresan a la escuela en agosto o
²⁰en septiembre. Entonces, los expertos insinúan que este ejercicio los __8.__ (obligar) a leer por lo menos un libro durante el verano. Es imprescindible que los padres __9.__ (ayudar) a los hijos a mantener sus conocimientos
²⁵académicos, y los expertos exigen que los padres __10.__ (establecer) unas reglas desde el principio. Deben dejar claro que sus hijos tienen que leer y practicar matemáticas durante el verano. Los padres necesitan que sus hijos __11.__ (saber) que
³⁰deben hacerlo a menos que ellos __12.__ (lograr) mucho durante el curso escolar anterior. En el caso de estudiantes cuyo primer idioma no es inglés, ojalá que los padres __13.__ (matricular) a los niños en la escuela de verano para darle
³⁵continuidad al inglés. Es preciso que la escuela

¿Qué estudiarán estos chicos en el verano?

de verano les __14.__ (enriquecer) y que les __15.__ (acelerar) el aprendizaje en áreas donde los jóvenes __16.__ (mostrar) especial interés. Si tienen recursos financieros, algunos expertos
⁴⁰proponen que los padres __17.__ (contratar) a un tutor para trabajar con su hijo. Esta persona __18.__ (poder) ser un estudiante universitario, un profesional, un maestro que __19.__ (querer) trabajar durante el verano o una persona
⁴⁵retirada. En el caso de estudiantes que quieran reforzar el aprendizaje de una segunda lengua, se recomienda que los padres __20.__ (buscar) algunos programas educativos en la televisión para acostumbrar el oído al idioma y escuchar
⁵⁰la buena pronunciación. Lo importante es que la educación continuada durante el verano __21.__ (ser) enriquecedora y abundante pero, sobre todo, divertida.

www.laopinion.com

16 Amplíe su vocabulario 🔍

Según el contexto del artículo anterior, ¿cuál es la mejor traducción de cada palabra?

1. época
   a. epic
   b. time
   c. season
   d. opportunity

2. lo aprendido
   a. what was learned
   b. knowledge
   c. learning
   d. what was taught

3. retroceso
   a. process
   b. delay
   c. difficulty
   d. backward step

4. aprendizaje
   a. what was learned
   b. knowledge
   c. learning
   d. what was taught

5. corriente
   a. current
   b. running
   c. common
   d. advisable

6. imprescindible
   a. obvious
   b. true
   c. essential
   d. advisable

7. exigir
   a. to exhibit
   b. to require
   c. to expect
   d. to advise

8. desde el principio
   a. from the start
   b. with principles
   c. with principals
   d. from the principle

9. a menos que
   a. in spite of
   b. on the condition that
   c. unless
   d. although

10. ojalá
    a. oh my God
    b. thank goodness
    c. if it is so
    d. it is hoped

11. preciso
    a. evident
    b. challenging
    c. necessary
    d. true

12. proponer
    a. to warn
    b. to fear
    c. to demand
    d. to propose

13. oído
    a. tone
    b. vowel
    c. ear
    d. sound

14. enriquecedor
    a. enriching
    b. fruitful
    c. beneficial
    d. rich

17 El subjuntivo 🔍

Conteste estas preguntas basadas en el texto de la Actividad 15.

1. Haga una lista de los verbos y las expresiones que exigen el uso del subjuntivo.
2. Haga una lista con los casos en los que se usó el subjuntivo y explique por qué se usó. ¿Qué tendría que hacer para convertir estos verbos en el imperfecto del subjuntivo? Haga los cambios necesarios y escriba tres de estas oraciones usando el imperfecto del subjuntivo.

18 "Tapitas" gramaticales 🔍

Conteste estas preguntas basadas en el texto de la Actividad 15.

1. Traduzca la frase "especialmente aquéllos cuyo idioma principal no es el inglés". Explique el uso de *aquéllos* y *cuyo* en la frase y hable sobre el género de la palabra *idioma*.
2. Traduzca la frase, *deben dejar claro.*

Cita

Si no conozco una cosa, la investigaré.
—Louis Pasteur (1822–1895), químico y microbiólogo francés

👥 ¿Cómo describiría a una persona que hace un comentario así? ¿Qué cosas son importantes para un investigador? ¿Tiene Ud. una reacción similar cuando desconoce algo? ¿Cómo suele reaccionar? Comparta sus opiniones con un/a compañero/a.

¡Dato curioso!

Algunos habitantes de la isla española de La Gomera se comunican con... ¡silbidos! La intensidad de los sonidos producidos facilita la comunicación en los lugares remotos. Aunque hoy se usa relativamente poco, hasta mediados del siglo XX se usaba diariamente. Era la forma ideal de comunicación entre los pastores para averiguar si alguien había visto una cabra u oveja perdida.

Answers

16 1. b; 2. a; 3. d; 4. c; 5. c; 6. c; 7. b; 8. a; 9. c; 10. d; 11. c; 12. d; 13. c; 14. a

17 1. advierten, temen, es aconsejable, es corriente, piden, insinúan, es imprescindible, exigen, necesitan, a menos que, ojalá, es preciso, proponen, se recomienda, lo importante es que; **2.** tengan, se olviden, se presenten, obligue, establezcan, sepan, contraten, busquen (dependen del verbo en la cláusula principal que expresa emoción, deseo o voluntad); logren, matriculen (siguen la expresión *a menos que* o *ojalá que*); hagan, completen, ayuden, enriquezca, acelere, sea (siguen una expresión impersonal); quiera, quieran (el antecedente no es una persona específica); Los verbos de las cláusulas principales tendrían que ser de algún tiempo pasado. Ejemplos: Temieron que ellos se olvidaran; Fue aconsejable que todos los alumnos hicieran caso de estudiar; Fue corriente que muchos estudiantes... completaran la lectura; Los profesores de inglés les pidieron que se presentaran; Fue imprescindible que los padres ayudaran... los expertos exigieron que los padres establecieran una reglas; se recomendó que los padres buscaran

18 1. *especially those whose main language is not English; Aquéllos* es el pronombre demostrativo que reemplaza al sustantivo (alumnos que no tienen el español como idioma principal). *Cuyo* es un adjetivo relativo que indica posesión; va siempre delante del sustantivo, con el cual concuerda en género y número. *Idioma* es una palabra de género masculino. **2.** *They should make (it) clear.*

Instructional Notes

18 Tell students that if two nouns follow *cuyo*, it agrees in gender with the first noun: *El chico, cuyas manos y brazos le dolían...*

Additional Activities

Juego
Ask students to play *Lo tengo en la punta de la lengua.* See p. TE25.

La definición interminable
See p. TE27.

Answers

19 **Verbos**
aprender *to learn*
computar *to calculate*
educar *to educate*
estudiar *to study*
enseñar *to teach*
hablar *to speak*
inventar *to invent*
usar *to use*

Sustantivos
el aprendizaje *learning*
la computadora/el ordenador *computer*
el/la educador(a) *educator*
el/la estudiante *student*
la enseñanza *teaching*
el/la hablante *speaker*
el invento, la invención *invention*
el uso, el/la usuario/a *use; user*

Adjetivos
aprendido *learned*
computado *computed*
educado *educated*
estudioso *studious*
enseñado *taught*
hablado *spoken*
inventado *invented*
usado *used*

20 1. educado; 2. hablantes; 3. la enseñanza; 4. un invento; 5. computadoras; 6. hubiera estudiado; 7. usuarios; 8. El aprendizaje; 9. Enseña; 10. estudian, estudiosos

Instructional Notes

After students have discussd the *Cita* with their partners, ask them if they think that computers have replaced television as a form of entertainment. You might want to take an informal survey to see how many hours students spend watching TV and how many they spend in front of their computers that are not related to schoolwork.

Additional Activities

Trabajo de investigación
Ask students to work with a partner and to think about an everyday object, such as an alarm clock, and research its history (make sure that pairs of students research different objects). Later, students could make brief presentations to the class.

Juego
Ask students to play *Voluntario, derecha e izquierda*. See p. TE25.

Tengo memoria de mosquito
See p. TE28.

Idioma

19 Familia de palabras

Complete la tabla con el verbo, sustantivo o adjetivo apropiado, y la traducción correspondiente.

Verbos		Sustantivos		Adjetivos	
_____	*to learn*		*computer*	_____	*computed*
computar		el/la educador(a)			
educar					*studious*
_____	*to study*				*taught*
	to teach				
hablar		*speaker*			
	to invent	el invento, _____	*invention*		*invented*
usar		el uso; el/la usuario/a	_____ : _____		*used*

20 ¿Verbo, sustantivo o adjetivo?

Complete las oraciones usando la forma correcta de las palabras que aparecen en la tabla, ya sea verbo, sustantivo o adjetivo. En el caso del sustantivo puede que necesite artículo.

1. En enero de 2006, Michele Bachelet ganó la presidencia de Chile en unas elecciones contra Sebastián Piñera, un multimillonario ____ (*educar*) en la Universidad de Harvard en los Estados Unidos.
2. El quechua era la lengua del Imperio Inca y hoy día hay más de 10 millones de ____ (*hablar*).
3. Con el incremento de la globalización, ____ (*enseñar*) de lenguas extranjeras se hace más importante.
4. Se puede conceder protección legal a ____ (*inventar*) por medio de una patente.
5. Las primeras ____ (*computar*) digitales eran de gran tamaño y se utilizaban principalmente para hacer cálculos científicos.
6. Si ____ (*estudiar*) más, ella habría salido mejor en el examen.
7. El número de ____ (*usar*) de teléfonos celulares aumenta a un ritmo increíble.
8. ____ (*Aprender*) de una lengua no es obligatorio, pero es sumamente importante en nuestro mundo.
9. ¿____ (*Enseñar*) su profesor exclusivamente en español en su clase?
10. Como ellos ____ (*estudiar*) día y noche, sus amigos les llaman ____ (*estudiar*).

Cita

Recurrimos a la televisión para apagar el cerebro, y a la computadora para encenderlo.
—Steve Jobs, CEO de Apple Computer

 ¿Está de acuerdo con lo que dice el autor de esta cita? ¿Por qué? Hable sobre las ventajas y desventajas de la televisión y de la computadora. Comparta sus opiniones con un/a compañero/a.

¡Dato curioso!

El prototipo más antiguo del despertador fue inventado por los griegos en torno a 250 a. de J. C. Construyeron uno que funcionaba con la marea: cuando el nivel del agua llegaba a un determinado nivel, hacía sonar un pájaro mecánico. Tal y como lo conocemos hoy, lo inventó un relojero, Levi Hutchins, en 1787. Entonces, la gente confiaba en el sol para despertarse, pero a las 4 de la mañana, la hora en que se levantaba Hutchins, no había sol. Así que el relojero colocó una palanca en el número 4 de un reloj, que a su vez hacía sonar una campana cuando la manecilla llegaba a la hora.
www.quo.es

21 El último telegrama 📖

Échele una ojeada al artículo que sigue para ver de qué se trata, prestando atención a las palabras en azul, ya que se le harán preguntas sobre ellas. Luego lea el artículo y decida cuál de las dos palabras entre paréntesis es la correcta para completar cada oración y escríbala.

El último telegrama

CARLOS CHIRINOS DE BBC MUNDO, WASHINGTON

Western Union abandona el negocio que __1.__ (*era / fue*) su razón de existir __2.__ (*de / desde*) hace siglo y medio: el envío de mensajes __3.__ (*por / para*) telégrafo o telegramas. El telegrama tuvo
5 su apogeo durante las décadas 20 y 30. "Envíe un mensaje que diga más que palabras" fue la promesa publicitaria de Western Union por __4.__ (*más que / más de*) 150 años, cuando empezó el negocio de enviar telegramas, el primer medio de comunicación
10 instantánea. Hoy hay muchas otras y, sobre todo, mucho más baratas. Por eso la empresa __5.__ (*decidía / decidió*) eliminar el servicio que monopolizaba en el territorio estadounidense. La noticia pasó desapercibida. Un sencillo anuncio en la página web
15 de Western Union advierte __6.__ (*al fin / el fin*) de una era y agradece a los clientes por su fidelidad. Es irónico que __7.__ (*es / sea*) en la Web que se anuncie la muerte de los telegramas en EE.UU. Al fin y __8.__ (*al cabo / el cabo*) en gran parte su desaparición es
20 culpa de la internet y el correo electrónico. Pero no fue el único verdugo. El telegrama no pudo con el bajo costo de las llamadas telefónicas, la expansión de los teléfonos celulares y con ellos __9.__ (*el / la*) sistema de envío de textos y hasta con el fax, por
25 cierto otra tecnología en decadencia. Los telegramas registraron momentos históricos.

En los últimos tiempos enviar un telegrama resultaba caro. Según Western Union, se pagaba US$10 por textos cortos de no más de 20 palabras. En 2005 se
30 enviaron 55 telegramas diarios en promedio, __10.__ (*comparando / comparado*) con los más de medio millón que se manejaban diariamente en los años 30, cuando el servicio vivió sus tiempos de gloria. De ahí __11.__ (*por adelante / en adelante*) todo fue declive.
35 Incluso técnicamente el telégrafo, con sus kilómetros de tendidos entre ciudades, __12.__ (*dejaba / dejó*) de existir en los años 60, cuando los mensajes empezaron a ser enviados por microondas o satélites. Western Union no sufre por el cierre de esa división.
40 Sólo completa una transición que desde los años 60 la __13.__ (*llevó a / llevó de*) ser una empresa de servicios de comunicaciones a ser una de servicios financieros. Millones de personas mandan remesas a sus países de origen a través de la compañía, que tiene una
45 fuerte presencia en América Latina.

Aunque Western Union recibió el __14.__ (*primer / primero*) mensaje en 1844, el negocio tuvo un

Esperando fuera de Western Union en Miacatitilán (Morelos), México

repunte durante la Segunda Guerra Mundial (1939–1945) cuando el gobierno contrató a la
50 empresa para informar a las familias de la suerte de sus familiares que combatían en los varios frentes abiertos en el extranjero. Para decenas de miles de familias en EE.UU. la llegada de un mensaje de Western Union __15.__ (*anunció / anunciaba*) un
55 momento doloroso. Es una imagen algo manida por el cine. En una apartada granja se ve llegar un vehículo oficial. De él se baja un militar impecable que sin mediar palabra entrega un sobre a la madre quien, inconsolable, __16.__ (*se deja / se deja de*) caer
60 en el umbral de la casa. En el sobre iba el telegrama de Western Union.

En sus inicios, algunos veían la "corrupción del lenguaje" como un mal asociado al telegrama. Como cada letra costaba, había que decir lo más
65 con las menos posibles. __17.__ (*Ese / Eso*) llevó a abreviaciones que a algunos puristas parecían injustificables ni por la economía, ni en aras de la inmediatez de la comunicación. Desaparecido el telegrama no desaparece el problema. Porque el
70 espíritu del telegrama seguirá vivo en la manera sintética en que se redactan los mensajes de textos telefónicos que millones de personas envían cada día __18.__ (*por / desde*) sus celulares.

www.paginadigital.com

Answers

21 1. fue; 2. desde; 3. por; 4. más de; 5. decidió; 6. el fin; 7. sea; 8. al cabo; 9. el; 10. comparado; 11. en adelante; 12. dejó; 13. llevó a; 14. primer; 15. anunciaba; 16. se deja; 17. Eso; 18. desde

Instructional Notes

21 Before they start reading, ask students: *Definan un telegrama. ¿Alguna vez han recibido uno? ¿Cómo es el proceso de enviar telegramas? ¿Aún existen los telegramas? ¿Cuáles son las otras maneras de enviar la misma información?*

22 ¿Qué significa?

Empareje las palabras de la primera columna con su traducción correspondiente de la segunda columna.

1. apogeo	a. for the sake of
2. desapercibido	b. remittance
3. fidelidad	c. hackneyed
4. culpa	d. threshold
5. verdugo	e. solitary farm
6. resultar caro	f. cable laid
7. declive	g. to write
8. tendido	h. without saying a word
9. cierre	i. executioner
10. remesa	j. zenith, peak
11. tener un repunte	k. loyalty
12. frente	l. to have a rally
13. manido	m. decline
14. apartada granja	n. unnoticed
15. sin mediar palabra	o. blame
16. umbral	p. to turn out to be expensive
17. en aras de	q. front
18. redactar	r. closing

23 Lanzan teléfono móvil con iTunes

Échele una ojeada al artículo que sigue para ver de qué se trata, prestando atención a las palabras en azul, ya que se le harán preguntas sobre ellas. Luego lea el artículo y decida qué forma de las palabras entre paréntesis es la correcta para completar cada oración y escríbala. No se olvide de escribir y acentuar las palabras correctamente.

Lanzan teléfono móvil con iTunes

Apple, Motorola, Inc. y Cingular Wireless anunciaron el lanzamiento del primer teléfono móvil a nivel mundial en **1.** (ofrecer) iTunes. Dicho teléfono permitirá a los amantes ⁵de la música transferir hasta 100 de sus canciones favoritas del jukebox de iTunes instalado en su Mac o PC a su teléfono móvil ROKR E1. El primer teléfono móvil con iTunes tiene menús fáciles de usar, navegación y ¹⁰reproducción **2.** (sencillo), y la posibilidad de pasar fácilmente del teléfono a la música y viceversa, simplemente **3.** (presionar) un botón. El nuevo ROKR E1 se encuentra disponible en www.cingular.com y se vende ¹⁵en las tiendas de Cingular. "Hemos trabajado estrechamente con Motorola para proporcionar la mejor experiencia en **4.** (cuanto) a música en un teléfono móvil", afirmó Steve Jobs, CEO de Apple. "Asimismo, nos complace ²⁰enormemente trabajar con Cingular, el mayor

¡Bárbaro! ¡Mi teléfono y mi música juntos!

portador de servicios inalámbricos de los Estados Unidos, para lanzar al mercado este teléfono de avanzada".

"El ROKR E1 causará sensación en **5.** (este) ²⁵fiestas", afirmó Ed Zander, Presidente y CEO de Motorola. "El ROKR E1 musicaliza el teléfono celular de una manera en **6.** (el) que ninguno otro lo hace, con la insuperable facilidad de uso que se ha convertido en una característica [30]distintiva de iTunes".

"Nos complace enormemente ser el primer portador de servicios inalámbricos a nivel mundial en ofrecer el primer teléfono con iTunes a nuestros clientes de todo el país", afirmó Ralph [35]de la Vega, Vicepresidente de Operaciones de Cingular Wireless. "A todos nos __7.__ (*encantar*) la música y vemos al ROKR E1 como un complemento perfecto de __8.__ (*nuestro*) gama de ofertas innovadoras".

[40]El nuevo ROKR E1 posee una pantalla a color en la que se puede apreciar el diseño gráfico de la portada del álbum. Tiene parlantes estéreo integrados, así como auriculares estéreo que __9.__ (*servir*) también como audífonos móviles [45]con micrófono incluido. Los amantes de la música pueden llenar el teléfono móvil con sus canciones __10.__ (*favorito*), libros de audio y Podcasts desde su biblioteca iTunes, en forma automática y aleatoria, o manual, por medio [50]de una conexión USB. El ROKR E1 detiene la música de forma automática cuando los usuarios aceptan una llamada y les ofrece la posibilidad de escuchar música mientras revisan su correo electrónico o sacan una foto... El nuevo ROKR E1

[55]con iTunes preinstalado se encuentra disponible en todas las tiendas de Cingular a nivel nacional al precio de $249.99 con un contrato de dos años, __11.__ (*y*) incluye auriculares estéreo y un cable USB. El iTunes para Mac y Windows [60]incluye la Tienda de Música iTunes y puede descargarse gratuitamente en www.apple.com/itunes. La compra y descarga de canciones desde la Tienda de Música iTunes para Mac o Windows __12.__ (*requerir*) una tarjeta de crédito [65]válida con una dirección de facturación en el país en el que se efectúa la compra. Apple inició la revolución de las computadoras personales en la década de los setenta con la Apple II y reinventó la computadora personal en la década [70]de los ochenta con la Macintosh. Hoy en día, Apple __13.__ (*continuar*) a la cabeza de la industria en innovación con sus computadoras de escritorio y portátiles, sistema operativo OS X, iLife y aplicaciones profesionales galardonadas. [75]Apple se encuentra, además, a la cabeza de la revolución de la música digital con sus reproductores de música __14.__ (*portátil*) iPod y la Tienda de Música en línea iTunes.

www.laraza.com

24 ¿Qué significa?

Empareje las palabras de la primera columna con su traducción correspondiente de la segunda columna, según el contexto del artículo.

1. lanzamiento	a. billing address
2. dicho	b. to download
3. estrechamente	c. stereo headset
4. proporcionar	d. range
5. complacer	e. to carry out
6. inalámbrico	f. stereo speaker
7. insuperable	g. desktop
8. gama	h. such a
9. parlante estéreo	i. at random
10. auricular estéreo	j. laptop
11. aleatorio	k. to please
12. descargarse	l. wireless
13. dirección de facturación	m. award-winning
14. efectuarse	n. launch
15. de escritorio	o. closely
16. portátil	p. unbeatable
17. galardonado	q. to provide

Lección 7A **373**

Activity 25 (CD 7, track 1)

 Activity 7

Answers

26 1. para; 2. con; 3. por; 4. Fue; 5. la elegida;
6. la cual; 7. esa; 8. se duplique;

Instructional Notes

25 You might want to review the following words before students listen to the audio: *burlar el código*, to trick the code; *fichero*, file; *informático*, computer technician; *descargar*, to download; *internauta*, related to the Internet; *entorno*, program/environment; *absuelto*, acquitted; *fallar*, to pronounce sentence on; *descifrar*, decipher/decode.

Remind students to review all the articles and discussions about technology to date when organizing their essays.

26 Before students start reading, ask them: *¿Por qué piensan que hay tantos estudiantes de español en los Estados Unidos?*

Additional Activities

Comunicación

Ask those students who might know bilingual professionals—especially in those professions mentioned in the *Dato curioso*—to talk to these men and women and ask them what role knowing two (or even more) languages has had in their careers. They should share this information with the class.

---

25 Lea, escuche y escriba/presente

Vuelva a leer los textos completos de las Actividades 21 y 23, y luego escuche "Hacker noruego descubre manera de piratear protección de Apple" y tome las notas necesarias. Escriba un ensayo o haga una presentación en clase contestando la pregunta, "¿Cómo ha revolucionado la tecnología a nuestro mundo?" No se olvide de citar las fuentes.

Cita

El progreso consiste en el cambio.
—Miguel de Unamuno (1864–1936), escritor y filósofo español

 ¿Está de acuerdo con esta cita? ¿Por qué? ¿A qué situaciones se puede aplicar? ¿Qué opina de los cambios recientes en nuestro mundo? ¿Siempre son positivos o a veces son negativos? Dé ejemplos tanto de cambios positivos como negativos. Comparta sus respuestas con un/a compañero/a.

¡Dato curioso! Una revista hispana dice que las profesiones más populares entre personas bilingües en los Estados Unidos son (en orden de popularidad): 1. Comunicación, 2. Traducciones, 3. Política, 4. Cuidado de la salud, 5. Discurso profesional, 6. Leyes y abogacía, 7. Bienes raíces, 8. Préstamos y Finanzas, 9. Educación, 10. Ventas.

26 El español en EE.UU.

Échele una ojeada al artículo que sigue para ver de qué se trata, prestando atención a las palabras en azul, ya que se le harán preguntas sobre ellas. Luego lea el artículo y decida cuál de las dos palabras entre paréntesis es la correcta para completar cada oración y escríbala.

Buscan expansión del español en EE.UU.
MANUEL E. AVENDAÑO

Casi la mitad de la población de los Estados Unidos será capaz de hablar y entenderse en español __1.__ (*por / para*) el año 2050, de acuerdo __2.__ (*de / con*) una proyección anunciada __3.__ (*por / para*) el presidente de la comunidad de Castilla y León en España, Juan Vicente Herrera, revelando un plan para intensificar la enseñanza del español en coordinación con la asociación que agrupa a los profesores de esta lengua en la Unión Americana. __4.__ (*Era / Fue*) precisamente la ciudad española de Salamanca, en Castilla y León, __5.__ (*el elegido / la elegida*) por la Asociación Americana de Profesores de Español y Portugués (AATSP) para realizar su reciente Conferencia Anual, en __6.__ (*el cual / la cual*) se delinearon los

La ciudad de Salamanca

detalles para incrementar la enseñanza del español a ciudadanos estadounidenses. Herrera indicó que hoy en día se tiene a 30,000 estudiantes extranjeros que llegan a __7.__ (*esa / ese*) región española para estudiar el idioma de Cervantes. Sin embargo, la meta es ambiciosa y se espera que para el año 2010 esa cifra __8.__ (*se duplica / se duplique*), según explicó. "En

Investigue palabras clave: Salamanca, AATSP (Asociación Americana de Profesores de Español y Portugúes)

este plan tenemos tres avales: la relación directa de Castilla y León con el nacimiento
[30] del español (que nació castellano); un sistema pujante comprometido con la lengua; y un plan iniciado sólo hace __9.__ (*año / un año*) y medio para lograr los 60,000 estudiantes para el 2010, ofreciendo dentro
[35] de nuestra 'oferta turística' la enseñanza del español", dijo Herrera Campos. "La conferencia __10.__ (*contaba / contó*) con los principales representantes de la institución que agrupa a 700 profesores titulares y un
[40] total de 12,000 profesores asociados. __11.__ (*Era / Ha sido*) un encuentro muy importante porque __12.__ (*había tenido / tendrá*) repercusiones", dijo Herrera al comentar la reunión de profesores en la
[45] histórica ciudad de Salamanca. "Primero, en la relación directa con la asociación más importante de profesores en Estados Unidos y, segundo, por la relación con todos los estudiantes de español que ya sabrán que
[50] el lugar más adecuado para perfeccionar el idioma que están aprendiendo es __13.__ (*viajar y realizar / viajando y realizando*) ese turismo cultural, idiomático, a Salamanca y al conjunto de Castilla y León", agregó. Herrera
[55] dijo que el español es __14.__ (*lengua / una lengua*) "que hoy te permite perfectamente __15.__ (*desenvolverse / desenvolverte*) en todos los ámbitos de la vida, desde los científicos, financieros, culturales,
[60] a los ámbitos más cotidianos del desenvolvimiento turístico, sin necesidad de dominar el inglés, como __16.__ (*es / está*) mi caso". Indicó a continuación que "este hecho da a entender la extraordinaria

[65] presencia del español en Estados Unidos: 44 millones de hispanos censados. Pero, sobre todo, la comprensión de un mundo práctico, de un mundo inteligente —como es el mundo anglosajón— que ha entendido
[70] que hoy el español es una clave, no __17.__ (*sola / solamente*) para el mercado interno de los EE.UU., __18.__ (*pero / sino*) una clave en el ámbito mundial, con esos 400 ó 600 millones de seres humanos que ya lo
[75] hablamos." El presidente de Castilla y León enfatizó que actualmente "Estados Unidos __19.__ (*abre / abren*) inmensas posibilidades para la expansión del idioma español, con __20.__ (*el / los*) 60% de los estudiantes
[80] universitarios que han escogido este idioma en el desarrollo de su carrera. El español es, sin duda, una realidad cultural en el mundo. Actualmente, debe considerarse que sólo ocho idiomas en todo el mundo
[85] superan los 100 millones de habitantes y entre ellos figura el español". E indicó seguidamente que "Estos datos __21.__ (*les / nos*) demuestran que nos encontramos ante un fenómeno social y cultural, con
[90] el aprendizaje de un español realmente dinámico y de importante crecimiento. El español __22.__ (*crecía / ha crecido*) en un 10% en los últimos ocho años, dando lugar a 32 millones de nuevos hispanohablantes,
[95] sólo __23.__ (*de / desde*) 1998". El señor Herrera finalmente sentenció: "como dicen los expertos, de seguir esta tendencia, a mediados del siglo XXI, la cuarta parte de la población mundial __24.__ (*habla / hablará*)
[100] español".

www.eldiariony.com

27 Amplíe su vocabulario

Empareje las palabras de la primera columna con su traducción correspondiente de la segunda, según el contexto del artículo.

1.	agrupar	a.	backing
2.	delinearse	b.	development
3.	meta	c.	area
4.	aval	d.	having to do with language
5.	pujante	e.	to gather
6.	adecuado	f.	in the middle of
7.	idiomático	g.	to declare
8.	ámbito	h.	to outline
9.	desenvolvimiento	i.	goal
10.	seguidamente	j.	booming
11.	sentenciar	k.	next
12.	a mediados de	l.	suitable

Lección 7A **375**

Teacher Resources

 Activity 28 (CD 7, track 2)

Answers

29 1. Escuela; 2. les; 3. hablantes; 4. está; 5. por;
6. como / unos / sólo; 7. más; 8. hasta; 9. por; 10. sea;
11. del / en; 12. idioma / lengua; 13. vez; 14. de;
15. sin; 16. para; 17. Al; 18. haber; 19. le; 20. están

Instructional Notes

28 You might want to review the following words
before students listen to the audio: *medida*, measure;
cumbre, summit; *urgir*, to be urgent; *carecer*, to lack;
una crasa escasez, a gross shortage; *concurrencia*,
turnout; *dominio*, command; *becario*, scholarship
winner; *encaminado a*, directed toward; *reclutar*, to
recruit; *otorgar*, to grant; *foráneo*, foreign.

29 Encourage a classroom discussion to get students'
opinions on the courses in Chinese that some schools
now offer, by asking: *¿Qué opinan de los nuevos cursos
de chino que ofrecen muchos colegios? ¿Conocen a
alguien que está estudiando chino, o alguien que lo
habla? ¿Piensan que es difícil aprenderlo? ¿Cuál piensan
que es lo más difícil del chino: el alfabeto, la escritura,
la gramática, el vocabulario, la pronunciación, la
entonación u otro aspecto?*

Additional Activities

¿Qué falta?
See p. TE28.

---

28 Lea, escuche y escriba/presente

Vuelva a leer el texto completo de la Actividad 26 y luego escuche "Gobierno promueve
aprendizaje de idiomas". Tome notas de las dos fuentes. Escriba un ensayo o haga una
presentación en clase sobre el futuro de la enseñanza de lenguas extranjeras en los
Estados Unidos. No se olvide de citar las fuentes debidamente.

29 El chino se toma las aulas en EE.UU.

Échele una ojeada al artículo que sigue para ver de qué se trata, prestando atención a
las palabras en azul. Luego lea el artículo y decida cuáles son las palabras que mejor
completan las oraciones y escríbalas. No se olvide de escribir y acentuar las palabras
correctamente.

El chino se toma las aulas en EE.UU.

Veinticuatro niñitos de jardín de infantes en la **1.** Primaria de Woodstock observan con atención mientras la maestra **2.** muestra un círculo rojo de papel para que identifiquen su forma. No es nada difícil para los vivaces alumnos de cinco años, sólo que la maestra Shin Yen espera que se lo digan en chino mandarín. Es el idioma con mayor número de **3.** en el mundo, aunque recién ahora está empezando a enseñarse en aulas en Estados Unidos, especialmente a nivel elemental. "Yuan", responden los niños. Luego les muestra un triángulo y el coro infantil dice "San-Jiao". Y después un cuadrado: "Zheng-fangxing".

La clase de Woodstock **4.** en la vanguardia de un esfuerzo respaldado **5.** el gobierno estadounidense para lograr que haya más estudiantes de mandarín, en reconocimiento al surgimiento de China como superpotencia mundial del siglo XXI. Hasta ahora, el número de estudiantes que recibe clases de mandarín en Estados Unidos es minúsculo, **6.** 24,000, en su mayoría en la secundaria. Esa cifra es insignificante ante los 3 millones que estudian español, el idioma extranjero **7.** popular en la nación, seguido del francés y el alemán. El programa de Oregón es el primero del país que conduce a los estudiantes desde el jardín de infantes **8.** la universidad. El distrito escolar y la Universidad de Oregón ganaron una subvención de 700,000 dólares del Departamento de Defensa por su programa. La idea es que los estudiantes pasen del sistema escolar de Portland a la universidad, donde se ofrecerán becas a los estudiantes que puedan recibir instrucción escolar regular enseñada mayormente en chino. Los estudiantes también pueden optar **9.** pasar un año en el exterior, en la Universidad de Nankín, en China. El objetivo, dicen los organizadores,

es que el programa **10.** un modelo que otras escuelas y universidades puedan duplicar, y que los estudiantes salgan preparados para entrar en la fuerza laboral, con dominio fluido **11.** chino. "Hace ocho años, cuando comenzó el programa de Woodstock, la mayoría de los estudiantes eran de ascendencia asiática", dijo la directora Mary Patterson. "Muchos de ellos eran hijos adoptivos cuyos padres deseaban que tuvieran alguna conexión con su **12.** natal. Ahora el programa tiene una base étnica cada vez más variada", dijo. "Por primera **13.** este año hay una lista de espera. Se sabe que a menor edad, es más fácil introducir a un niño a un segundo idioma", dijo Patterson. En septiembre, la mayoría de los 24 pequeños alumnos de Yen no hablaban una sola palabra de mandarín, uno de los idiomas más difíciles **14.** aprender. Pero tres meses después, los chicos cantaban canciones en mandarín, escribían laboriosamente los caracteres chinos y seguían las instrucciones de la maestra **15.** necesidad de traducción alguna. "La enseñanza empieza lentamente", dijo Yen, "con la repetición de unos 20 a 25 caracteres chinos, puesto que el mandarín no tiene alfabeto, sino 3,500 caracteres básicos que se combinan **16.** formar otras palabras. Cada año los estudiantes aprenden unos 150 mediante constantes repeticiones y memorización", agregó. **17.** llegar a cuarto grado, los estudiantes ya lo hablan. Lily Rappaport, de 9 años, dijo que a veces sueña en mandarín, después de **18.** estado cinco años en el programa. Pero agregó que tenía sus desventajas: que sus padres no **19.** podían ayudar a hacer las tareas. "Soy la única en mi familia que lo habla de verdad", dijo. En los grados más avanzados, los estudiantes de Woodstock no solamente **20.** recibiendo lecciones de idioma, sino también cursos de matemáticas y ciencias enseñados en mandarín.

www.eldiariony.com

30 ¿Qué significa?

Elija la mejor traducción para cada palabra, según el contexto de la lectura anterior.

1. jardín de infantes
   a. children's garden
   b. royal garden
   c. nursery school
   d. kindergarten

2. vivaz
   a. alive
   b. lively
   c. lovely
   d. violent

3. coro
   a. core
   b. choir
   c. course
   d. chorus

4. en la vanguardia
   a. on guard
   b. carefully
   c. in the lead
   d. on the van

5. respaldado
   a. financed
   b. backed up
   c. shouldered
   d. brokered

6. surgimiento
   a. suggestion
   b. emergence
   c. fall
   d. gain

7. superpotencia
   a. superpower
   b. super strength
   c. superpopulated
   d. superstrong

8. subvención
   a. invention
   b. contest
   c. subsidy
   d. subversion

9. optar
   a. to oversee
   b. to choose
   c. to work
   d. to have an opinion

10. fuerza laboral
    a. hard labor
    b. work strength
    c. forced labor
    d. labor force

11. dominio
    a. range
    b. domain
    c. command
    d. ownership

12. ascendencia
    a. descendants
    b. ancestry
    c. offspring
    d. race

13. laboriosamente
    a. working long
    b. painstakingly
    c. carelessly
    d. quickly

14. puesto que
    a. on top of that
    b. since
    c. usually
    d. only

15. mediante
    a. by measure
    b. with the help of
    c. on average
    d. in the middle of

31 El chino

Haga una descripción del programa de estudios de la maestra Shin Yen y las ventajas y desventajas de este programa en chino mandarín. Use una variedad de tiempos verbales e intente usar el vocabulario y algunas de las "tapitas" gramaticales que ha repasado en esta lección.

Cita

La vida es muy peligrosa. No por las personas que hacen el mal, sino por las que se sientan a ver lo que pasa.
—Albert Einstein (1879–1955), científico estadounidense de origen alemán

 ¿Qué responsabilidad tenemos con la sociedad? ¿De qué manera puede uno ayudar? Comparta sus opiniones con un/a compañero/a.

¡Dato curioso! El español avanza fuerte en el mundo real, pero tiene menos pegue en el mundo virtual. Se dice que 550 millones de personas van a hablar español a mediados de este siglo, pero aunque el español ya tiene gran potencial de crecimiento en el mundo digital, el inglés es el idioma que goza de una especie de monopolio en la Red.

Answers

30 1. d; 2. b; 3. d; 4. c; 5. b; 6. b; 7. a; 8. c; 9. b; 10. d; 11. c; 12. b; 13. b; 14. b; 15. b

31 Descriptions will vary.

Instructional Notes

31 You might want students to exchange compositions with a partner who will review and critique their work.

After students discuss the *Cita* with their partners, encourage a classroom discussion on the dangers of passivity.

Additional Activities

Comparación
Have students research some articles in Spanish or English on the Web and then look at their translations in English or Spanish. Ask them to compare both texts and evaluate the quality of the translations.

Juego
Ask students to play *Cada uno una*. See p. TE24.

377

Instructional Notes

32 Ask students: *¿Qué aportan los árboles al mundo? ¿Están protegidos los bosques en el mundo, o piensan que están en peligro?*

33 After students finish reading this article, ask them to look for clues that confirm this was written by someone from Panama (line 52: *en nuestro país*).

Additional Activities

Trabajo de investigación
Ask students to look for information on the Kyoto Protocol, including the member nations that have signed it, and those that have not.

Juego
Ask students to play *¿Verdadero o falso?* See p. TE25.

¡A leer!

32 Antes de leer 👥

¿Piensa que es importante conservar la biodiversidad terrestre? ¿Por qué? ¿Qué sabe de la deforestación? ¿Qué podemos o debemos hacer para reducirla?

33 Los bosques

Lea con atención el siguiente artículo e intente averiguar el significado de las palabras en azul por el contexto, ya que se le harán preguntas sobre ellas.

Árboles para la Tierra

Los bosques, tanto primarios como secundarios, ofrecen a la humanidad toda una serie de beneficios insuficientemente valorados y pueden ser grandes aliados en la batalla contra el cambio climático y el
⁵ calentamiento del planeta; siempre que la sociedad en su conjunto comience a plantarlos y cuidarlos y que deje de destruirlos. Los árboles y otras plantas verdes, que utilizan únicamente la luz solar como fuente de energía, absorben de la atmósfera el dióxido
¹⁰ de carbono, causante del cambio climático; liberan oxígeno, fuente de vida, y almacenan el carbono —el efecto invernadero— de forma segura y útil, mientras armonizan y mejoran la calidad de vida de los habitantes de las ciudades y ofrecen las condiciones
¹⁵ ideales para el ecoturismo (A) y la apreciación de la naturaleza en zonas apartadas. La deforestación, fenómeno que se registra con intensidad y descaro en Panamá y en todo el mundo (B), tiene un efecto doblemente nocivo: reduce el número de árboles que
²⁰ pueden recuperar el dióxido de carbono producido por las actividades humanas, y libera en la atmósfera el carbono contenido en los árboles que se talan, aumentando el calentamiento global sin obviar la reducción inmediata de flora y fauna. El valor de
²⁵ los árboles como fuente de madera y leña, y el de la tierra que ocupan y que puede utilizarse para viviendas o actividades agrícolas, suele ser de corta duración e insostenibles en el tiempo. De hecho, estos beneficios suelen ser una cuestión de supervivencia
³⁰ en algunas regiones y de acaparamiento por parte de algunos "empresarios" inescrupulosos. El valor de los bosques para impedir el calentamiento atmosférico, producir agua, conservar la biodiversidad terrestre y dar sosiego a los ciudadanos, por el contrario, son
³⁵ actividades a largo plazo, y favorecen a todos; mejor dicho, es un comportamiento humano sustentable. Tenemos que buscar el medio de conseguir que la expansión y cuidado de los bosques resulten atractivos y eficaces en función de los costos para
⁴⁰ las poblaciones locales que normalmente deciden su destino y el desarrollo económico del país en su

conjunto. No importa que un bosque se encuentre en un lugar o en otro muy distante. Ello puede hacer posibles algunos mecanismos prácticos y soluciones
⁴⁵ eficientes. En el marco del Protocolo de Kyoto, los países industrializados (C) que no tienen espacio ni opciones rentables para ampliar los bosques en sus propios territorios, pueden compensar parcialmente sus emisiones de gases de efecto invernadero pagando
⁵⁰ los gastos correspondientes al establecimiento y mantenimiento de las áreas verdes protegidas o "sumideros" en nuestro país. El término poco glorioso "sumidero" es el utilizado por los climatólogos para las grandes extensiones de árboles y otras formas de
⁵⁵ vegetación verde que "eliminan" el gas del efecto invernadero más dominante. Por todo lo anterior, el mejor regalo que podemos hacerle a la Madre Tierra es el llenarla nuevamente de árboles, bosques y sumideros, protegiendo la integridad de nuestros
⁶⁰ parques nacionales y áreas protegidas. Promover la conservación de los bosques urbanos y los árboles que aun se encuentran en nuestras casas, calles y avenidas; aumentar nuestras áreas recreativas con nuevos parques, como el Eco Parque Panamá, en la cuenca
⁶⁵ oeste del canal de Panamá; promover, mediante la cultura y la ley, programas masivos de reforestación (D) dentro de nuestro sistema de áreas protegidas y detener de una vez por todas la deforestación del Darién, para así lograr un desarrollo que sea sostenible y que
⁷⁰ aumente nuestra calidad de vida en la casa de todos, el Planeta Tierra.

www.paginadigital.com

Investigue palabras clave:
deforestación,
efecto invernadero,
calentamiento global

34 ¿Qué significa?

Empareje las palabras de la primera columna con su traducción correspondiente de la segunda.

1. calentamiento	a. basin		
2. dióxido de carbono	b. long run		
3. almacenar	c. harmful		
4. efecto invernadero	d. carbon dioxide		
5. apartado	e. stockpiling		
6. descaro	f. to cut down		
7. nocivo	g. to give peace		
8. talarse	h. audacity		
9. leña	i. isolated		
10. insostenible	j. warming		
11. supervivencia	k. tenable		
12. acaparamiento	l. framework		
13. dar sosiego	m. drain		
14. a largo plazo	n. greenhouse effect		
15. sustentable	o. firewood		
16. marco	p. to store		
17. sumidero	q. survival		
18. cuenca	r. untenable		

35 ¿Ha comprendido?

1. ¿Cómo puede la sociedad recibir los beneficios de los bosques?
   a. Cuando comience a plantar árboles
   b. Cuando comience a cuidar los ríos
   c. Cuando comience a impedir la destrucción del clima amazónico
   d. Todas las respuestas anteriores

2. ¿Cómo ayudan los árboles al ciclo atmosférico?
   a. Armonizan y mejoran la calidad de vida de los habitantes de las ciudades.
   b. Ofrecen las condiciones ideales para el ecoturismo.
   c. Absorben de la atmósfera el dióxido de carbono y liberan oxígeno.
   d. Todas las respuestas anteriores

3. ¿Qué doble efecto tiene la deforestación?
   a. Libera carbono en la atmósfera e impide el calentamiento atmosférico.
   b. Reduce el número de árboles e impide el ecoturismo.
   c. Libera carbono en la atmósfera e impide el ecoturismo.
   d. Reduce el número de árboles y libera carbono en la atmósfera.

4. ¿Cuál *no* es un valor de los bosques?
   a. El bosque genera agua.
   b. El bosque exaspera a los ciudadanos.
   c. El bosque mantiene la biodiversidad terrestre.
   d. El bosque interrumpe la posibilidad del calentamiento atmosférico.

5. ¿Qué solución puede ayudar a los programas de reforestación de los bosques?
   a. Se debe encontrar una manera eficaz que no cueste mucho dinero.
   b. Se debe proponer una solución que incluya todos los puntos políticos de los ciudadanos.
   c. Se debe prometer usar métodos ecológicamente compatibles con el conjunto.
   d. Se debe poner en práctica toda la tecnología disponible de las empresas multinacionales.

6. ¿Qué tipo de solución *no* está mencionado en el artículo?
   a. Una solución cultural
   b. Una solución ambiental
   c. Una solución histórica
   d. Una solución natural

Answers

36 *Ejemplos:*
1. ¿En qué batalla está involucrado el bosque?
2. ¿Qué usan los árboles como fuente de energía?
3. Después de absorber el dióxido de carbono en la atmósfera, ¿qué liberan los árboles?
4. ¿Cómo es el efecto de la deforestación?
5. ¿Por qué tienen valor los bosques?
6. ¿Qué acuerdo les permite a los países industrializados establecer áreas verdes en Panamá para así compensar sus emisiones de gases de efecto invernadero?
7. ¿Cómo se puede caracterizar el acto de llenar la Tierra con árboles, bosques y sumideros?
8. ¿Cómo se llama la nueva área recreativa con nuevos parques en Centroamérica?
9. ¿Cómo promueve el Eco Parque Panamá la reforestación?
10. ¿Cómo caracteriza el artículo al Planeta Tierra?

37 *Ejemplo:* conseguir que se lleve a cabo algo que se mantenga o que dure. Las sugerencias variarán.

38 2. Posición B, línea 18

Instructional Notes

Ask students to imagine what our planet would be like as described in the *Cita*: without trees, with polluted rivers, and a contaminated food supply. Why do they think that the indigenous are so close to nature? What role does nature have in the students' lives?

Additional Activities

Trabajo de investigación
Ask students to look for other quotes, such as the one of the *Cita*, that reflect a sense of awe and respect for the Earth.

Proyecto
Have students work in small groups and create a poster to promote recycling in the community. They should also come up with a catchy slogan.

---

36 ¿Cuál es la pregunta?

Según el artículo que acaba de leer, escriba una pregunta lógica para estas respuestas.

1. El cambio climático y el calentamiento del planeta
2. La luz solar
3. Oxígeno
4. Un efecto doblemente nocivo
5. Impiden el calentamiento atmosférico, producen agua, conservan la biodiversidad terrestre y dan sosiego a los ciudadanos.
6. El Protocolo de Kyoto
7. El mejor regalo
8. El Eco Parque Panamá
9. Mediante la cultura y la ley
10. Es la casa de todos.

37 ¿Qué piensa Ud.?

¿Qué cree que significa la expresión "lograr un desarrollo que sea sostenible"? Dé sugerencias para este tipo de desarrollo.

38 ¿Dónde va?

La siguiente frase se puede añadir al texto anterior: *como en los Estados Unidos y en muchos países de Europa.* **¿Dónde encajaría mejor la frase?**

1. Posición A, línea 15
2. Posición B, línea 18
3. Posición C, línea 46
4. Posición D, línea 66

Cita

Sólo cuando el último árbol esté muerto, el último río envenenado, y el último pez atrapado, te darás cuenta de que no puedes comer dinero.
—Sabiduría indo-americana

¿Está de acuerdo con esta cita? ¿Por qué? ¿Cree que los seres humanos se dan cuenta o no del mundo de la naturaleza que les rodea y de su importancia? ¿Qué evidencia tiene Ud. de esto? Comparta su opinión con un/a compañero/a.

Reciclar protege nuestro planeta.

Dato curioso
El Día de la Tierra se celebró por primera vez en 1970 en los Estados Unidos y desde entonces se busca llamar la atención sobre temas que afectan al medio ambiente. Uno de estos temas es el calentamiento global y los cambios atmosféricos que son consecuencia del descongelamiento de la capa de hielo en los polos. Este fenómeno, a su vez, puede determinar el alza del nivel de los océanos.

Investigue palabras clave: el Día de la Tierra

39 Antes de leer 👥

¿Qué sabe de la selva amazónica y su importancia? ¿Qué sabe de la soja? ¿Qué opina de la biodiversidad y de la deforestación?

40 La Amazonia 📖

Lea con atención el siguiente artículo, fijándose en las palabras en azul.

Arrasando la Amazonia en nombre del progreso (de las multinacionales)

Hernán L. Giardini

Destrucción de la selva amazónica por el avance del monocultivo de soja

La selva amazónica es la mayor extensión de Bosque Primario del planeta y en ella viven el 50% de las especies vegetales y animales conocidas, y 220.000 indígenas de 180 pueblos diferentes. Pero está [5] desapareciendo a un ritmo alarmante. Todas las medidas que se han tomado para atajar esta situación se están revelando inútiles, ya que la tasa de deforestación continúa aumentando. Este aumento se debe, en buena parte, a un nuevo agente de deforestación, que se suma a la actividad [10] maderera ilegal, y que se ha agravado durante los últimos años: la plantación de soja transgénica en zonas de selva previamente deforestadas.

El viaje en avión desde Manaus hacia Santarém fue de lo más revelador: pude comprobar la inmensidad [15] de la Amazonia y deslumbrarme con el imponente río Amazonas y sus brazos; pero también pude observar con mis propios ojos la destrucción de miles de hectáreas de bosque. La vastísima y [20] compleja red fluvial que configura el río Amazonas y sus innumerables afluentes es el mayor reducto de biodiversidad intacta que queda en el mundo [25] y su reducción es un problema de escala global. Cubriendo el 5% de la superficie terrestre, la Amazonia se extiende por aproximadamente 7,8 millones

[30] de kilómetros cuadrados en nueve países (Brasil, Bolivia, Colombia, Ecuador, Guayana, Perú, Surinam, Guayana Francesa y Venezuela). Del total, más de 5 millones de km² se concentran en Brasil. La región amazónica posee 25 mil kilómetros de ríos navegables y contiene cerca del [35] 20% del agua dulce del planeta, y se estima que allí viven el 50% de las especies vegetales y animales conocidas:

- 350 especies de mamíferos, siendo 62 sólo de primates.
- 1.000 especies de pájaros.
- 60.000 especies de plantas, siendo 5.000 sólo de árboles.
[40] - 3.000 especies de peces.
- 100 variedades de anfibios.
- 30 millones de especies de insectos.
- Millones de invertebrados.

En las profundidades de la selva amazónica habitan [45] unos 180 pueblos originarios diferentes (unas 220.000 personas) que, junto con muchas más comunidades tradicionales, dependen del bosque que les proporciona todo lo que necesitan, desde alimento y cobijo hasta herramientas y medicinas, y que juega un papel crucial en [50] su vida espiritual.

La soja, nueva amenaza

El cultivo de soja se ha convertido en uno de los principales agentes de la destrucción de la selva amazónica brasileña. Se calcula que, hasta el momento, 1,2 millones de hectáreas de selva han sido arrasadas [55] para cultivar soja. La expansión del monocultivo de soja en la Amazonia implica la pérdida de biodiversidad y en muchos casos la contaminación del agua de las reservas indígenas. Entre agosto de 2003 y agosto de 2004 se han perdido en un solo año 27.200 km² de selva amazónica, un [60] área del tamaño de Bélgica, y tres cuartas partes de dicha destrucción fueron ilegales. Se calcula que se pierden más de 3 km² por hora.

En 2004 y 2005 se plantaron más de un millón de hectáreas de soja [65] dentro del bioma amazónico. Soja que, por su alto valor proteico, se utiliza principalmente para producir el alimento del ganado que comen en Europa. Lo cierto [70] es que empresas multinacionales están devorando la Amazonia para plantar soja. Y la carne alimentada con esta soja (pollos, cerdos y vacas) termina en los [75] estantes de los supermercados europeos y en los mostradores de empresas de comida rápida como Kentucky Fried Chicken y McDonald's. El gigante agroalimentario Cargill es la mayor firma privada de los Estados Unidos, con unos ingresos cercanos a los [80] 63.000 millones de dólares en 2003. Es el rey indiscutible del comercio mundial de grano. Compra, vende, transporta, mezcla, muele, moltura, refina y distribuye por todo el planeta. La deforestación de la Amazonia por el avance de la frontera agrícola debe ser imperiosamente [85] detenida, tanto por lo que implica la importante pérdida de biodiversidad como por su influencia en las condiciones meteorológicas de la región y sobre el cambio climático global, dada la capacidad de los árboles de fijar el dióxido de carbono y producir oxígeno. Además, la quema [90] de la selva, como paso previo a la plantación de soja transgénica, produce el 75% de las emisiones de efecto invernadero de Brasil.

www.eldiariony.com

Instructional Notes

39 Before students begin reading, have them research and then discuss some of the multinational corporations and their powerful influence in international politics and in the Amazon.

40 Suggest that students take notes since they will need information from this article to complete activity 45.

Answers

Additional Activities

Juego

Ask students to play *¿Quién quiere ser millonario?*
See p. TE25.

---

41 Amplíe su vocabulario

Mire las palabras que aparecen en la primera columna y busque su correspondiente sinónimo o definición entre las palabras de la segunda.

1. atajar
2. tasa
3. transgénico
4. imponente
5. afluente
6. agua dulce
7. mamífero
8. anfibio
9. cobijo
10. arrasado
11. monocultivo
12. bioma
13. agroalimentario
14. molturar
15. imperiosamente

a. pulverizar, moler
b. contener
c. tributario
d. dominadoramente
e. relacionado con la comida y la agricultura
f. ámbito
g. talado
h. refugio
i. agua que llena la mayoría de los ríos y lagos mundiales
j. grandioso
k. ritmo
l. animal que puede vivir en tierra o sumergido en el agua
m. modificado genéticamente
n. animal vertebrado cuyos críos se alimentan con leche
o. cultivo único o predominante de una especie vegetal

42 ¿Ha comprendido?

1. ¿Por qué no han tenido éxito en detener la deforestación de la selva amazónica?
   a. Se ha hecho todo a un ritmo alarmante.
   b. Han hecho cosas inútiles.
   c. Se ha hecho todo lo posible, pero no es suficiente.
   d. Han hecho poco porque hay mucha oposición.

2. ¿Qué ha aumentado la deforestación de la selva amazónica?
   a. Se ha plantado soja.
   b. Se ha talado más árboles.
   c. Se ha inundado el río Amazonas.
   d. Las respuestas a y c

3. ¿Por qué se puede decir que la Amazonia es una región enriquecida?
   a. Porque tiene muchos brazos del río Amazonas, mucha vegetación y mucha soja
   b. Porque tiene la quinta parte mundial del agua dulce, y mucha flora y fauna
   c. Porque tiene muchos minerales y recursos naturales mundiales
   d. Las respuestas b y c

4. ¿Qué proporciona la Amazonia a la gente que vive allí?
   a. Comida, refugio y medicina
   b. Conexión al mundo exterior
   c. Fuente de soja para la mayoría de ellos
   d. Todas las respuestas anteriores

5. ¿Por qué la soja es la nueva amenaza para la región amazónica?
   a. Se pierde la biodiversidad con la plantación de la soja.
   b. Se contamina el agua con la plantación de la soja.
   c. Se promueve la soja como sustituto a la alimentación para el ganado.
   d. Las respuestas a y b

6. ¿Qué propone el autor?
   a. Detener el avance del frente agrícola
   b. Dar multas a las empresas multinacionales para financiar programas de reforestación
   c. Investigar métodos para mejorar las condiciones meteorológicas de la región e invertir el cambio climático global
   d. Aumentar la quema de la selva

43 Responda brevemente

¿Cree que el cultivo de la soja justifica la deforestación de la Amazonia? Si su respuesta es afirmativa, ¿por qué? Si su respuesta es negativa, ¿hay algo que justifique la deforestación? ¿Qué es? ¿Por qué opina así?

44 Se titula...

Piense en otro título para esta lectura. ¿Por qué lo ha escogido?

45 Lea, escuche y escriba/presente

Vuelva a leer "Arrasando la Amazonia en nombre del progreso (de las multinacionales)", y luego escuche "La Tierra no 'crece' más". Luego escriba un ensayo o haga una presentación en clase sobre el siguiente tema: "La Madre Tierra y el ser humano moderno". No se olvide de citar las fuentes debidamente.

Cita

Ningún hombre es una isla, algo completo en sí mismo; todo hombre es un fragmento del continente, una parte de un conjunto.
—John Donne (1572–1631), poeta, prosista y clérigo inglés

¿Cómo cree que sus acciones pueden afectar el mundo que le rodea? ¿Cree que puede hacer algún tipo de cambio en su entorno? ¿De qué modo? Comparta sus opiniones con un/a compañero/a.

¡Dato curioso!

¿Sabía que muchos científicos sostienen que la vida empezó en el mar y que las especies primitivas se aprovecharon de la luz solar para evolucionar en la flora y fauna que existe hoy? Hay muchas zonas climáticas e infinidad de ecosistemas que aun no se han estudiado muy a fondo hasta ahora; un buen ejemplo es la selva tropical, donde hay una gran riqueza de plantas y animales. Se han identificado alrededor de 1.700.000 especies, pero algunos científicos estiman que hay unos cinco millones de especies distintas en la Tierra.

La selva amazónica

Teacher Resources

Activity 45 (CD 7, track 3)

Answers

43 Answers will vary.

44 Titles will vary.

Instructional Notes

43 Encourage a debate between those who have answered affirmatively and those who disagree.

45 Before students listen to the audio, you might want to review the following words: *proclive*, inclined to; *de largo plazo*, in the long run; *hallar*, to find; *sombrío*, dark/somber.

Additional Activities

Comunicación

Ask students to look for more information on biodiversity and discuss their findings with a partner. The following is an excellent Web site from Mexico, designed for younger viewers; you might want to verify that it is still functioning:
http://www.elbalero.gob.mx/bio/html/home.html

Teacher Resources

 Activity 46 (CD 7, track 4)

 Activity 17

Answers

46 1. b; 2. d; 3. d; 4. b; 5. b

Instructional Notes

46 You might want to review the following words before students listen to the audio: *tiritar*, to shiver; *libélula*, dragonfly; *taller*, workshop; *sede*, headquarters; *convocatoria*, announcement; *sonoridad*, sound; *pitaya*, type of cactus; *zampatortas*, hog/glutton; *ñiquiñaque*, worthless thing/person; *vivalavirgen*, carefree person; *clavicordio*, clavichord (type of piano); *resplandor*, brilliance; *desasosiego*, uneasiness; *requisito*, requirement.

The questions from the audio activity appear below.
1. ¿Quién patrocina el concurso?
2. ¿Quién va a elegir la palabra?
3. ¿Cómo se caracterizan las palabras que ya se han enviado?
4. ¿Por qué escogió Ana María Matute la palabra *resplandor*?
5. ¿Qué característica es aceptable para la palabra más bella del castellano?

Additional Activities

Trabajo de investigación
Ask students to go to the Web site of the Escuela de Escritores (www.escueladeescritores.com) and find the *palabra más bella del castellano*.

¡Post-it!
See p. TE28.

¡A escuchar!

46 La palabra más bella del castellano

Lea las posibles respuestas primero y después escuche "Se busca la palabra más bella del castellano". Escoja la mejor respuesta para la pregunta que escuchará en la grabación.

1. (Pregunta que escuchará en la grabación.)
   a. El gobierno de España
   b. La Escuela de Escritores
   c. La Real Academia Española
   d. Los internautas hispanohablantes

2. (Pregunta que escuchará en la grabación.)
   a. El gobierno de España
   b. La Escuela de Escritores
   c. La Real Academia Española
   d. Los internautas hispanohablantes

3. (Pregunta que escuchará en la grabación.)
   a. Por la belleza de su construcción y sonoridad de la palabra
   b. Por el significado de la palabra
   c. Por lo que representa la palabra
   d. Todas las respuestas anteriores

4. (Pregunta que escuchará en la grabación.)
   a. Porque tiene latín, tiene mar, historia, aroma y memoria
   b. Porque es una palabra que en sí misma, sin estar inscrita entre otras, tiene mucha poesía
   c. Porque tiene cuatro sílabas sonoras, cada una terminando en una *a*
   d. Porque es donde siempre he andado y me hace pensar en tomarlo sin tener que imaginar dónde me lleve

5. (Pregunta que escuchará en la grabación.)
   a. Que es un nombre propio
   b. Que es una palabra reconocida en los diccionarios de la lengua española
   c. Que la palabra debe aparecer en la Red
   d. Que es una palabra compuesta

47 Celularmanía

Lea las posibles respuestas primero y después escuche la grabación "Celularmanía".
Escoja la mejor respuesta para la pregunta que escuchará en la grabación.

1. (Pregunta que escuchará en la grabación.)

   a. Los teléfonos celulares
   b. Los planes de teléfonos celulares
   c. Los teléfonos fijos
   d. Los resultados telefónicos

2. (Pregunta que escuchará en la grabación.)

   a. Componer música
   b. Información del tiempo atmosférico
   c. Los resultados deportivos
   d. Los informes de las acciones

3. (Pregunta que escuchará en la grabación.)

   a. 10 millones
   b. 110 millones
   c. Un millón
   d. 500 millones

4. (Pregunta que escuchará en la grabación.)

   a. Verizon
   b. Sprint PCS
   c. AT&T
   d. Todas las respuestas anteriores

5. (Pregunta que escuchará en la grabación.)

   a. El gobierno
   b. Las otras compañías de telecomunicaciones
   c. Los usuarios telefónicos
   d. Las repuestas a y c

48 Participe en una conversación

Ud. va a participar en una conversación. Primero lea la descripción de la conversación y piense en algunas palabras o expresiones que le serían útiles; le pueden servir algunas expresiones del recuadro. Organice sus ideas, haciendo predicciones sobre lo que se le pueda preguntar o comentar. Una descripción de lo que va a escuchar aparece abajo en color. Participe en la conversación grabando las respuestas o escribiéndolas en su cuaderno.

el maremoto	el sismo	el terremoto	de una magnitud de (7) grados
la ola	el pueblo costero	ahogarse	

Escena: Ud. y una amiga suya, Soledad, están hablando de un desastre natural.

Soledad:	Le habla de algún desastre natural que ocurrió y le hace unas preguntas.
Ud.:	• Conteste sus preguntas.
Soledad:	Le hace otra pregunta.
Ud.:	• Contéstela.
Soledad:	Hace un comentario y le hace otra pregunta.
Ud.:	• Reaccione a su comentario y conteste su pregunta.
Soledad:	Sigue la conversación y le pide información.
Ud.:	• Conteste su pregunta y hágale una sugerencia.
Soledad:	Reacciona a su sugerencia.
Ud.:	• Reaccione positivamente.

Lección 7A **385**

Teacher Resources

 Activity 47 (CD 7, track 5)
 Activity 48 (CD 7, track 6)

Answers

47 1. a; 2. a; 3. b; 4. b; 5. a

Instructional Notes

47 You might want to review the following words before students listen to the audio: *inalámbrico*, wireless; *acciones*, stock; *almacenar*, to store; *destacar*, to emphasize; *vanagloriarse*, to boast; *despegue*, takeoff; *subastar*, to auction off.

The questions from the audio activity appear below.

1. ¿Qué son prácticos, convenientes y cada vez más pequeños?
2. ¿Qué función no es parte de las compañías de telecomunicaciones y fabricantes de teléfonos celulares inalámbricos?
3. ¿Cuántas personas usan teléfonos celulares en los Estados Unidos?
4. ¿Qué compañía ofrece un período de 14 días para que los usuarios se decidan por un plan?
5. ¿Quién tendrá que subastar nuevas frecuencias para que Verizon pueda implementar tecnologías más avanzadas?

48 Review the words in the word bank with students and encourage them to use the new vocabulary from the lesson for their conversation with Soledad.

Additional Activities

Las noticias de hoy
See p. TE28.

Audioscript Activity 48

Soledad: Acabo de oír otro tsunami ocurrió en Indonesia. Exactamente, ¿qué es un tsunami? ¿Sabes qué causó éste?
[STUDENT RESPONSE]

Soledad: ¿Qué destrucción causó el tsunami allí?
[STUDENT RESPONSE]

Soledad: Esto es terrible. ¿Dónde pasó la mayoría de la destrucción?
[STUDENT RESPONSE]

Soledad: Yo quiero ayudar. ¿Cómo y dónde podemos enviar ayuda?
[STUDENT RESPONSE]

Soledad: Buena idea. Quiero ayudar también. Vámonos en seguida.
[STUDENT RESPONSE]

Instructional Notes

49–52 Remind students to go over the expectations outlined in the *Pautas* on p. 480 before they begin writing.

52 Encourage students to research more information on new inventions.

53 You might want to have students work in small groups rather than with a partner to critique one another's work.

Additional Activities

Corrija una carta and **A escribir por quince minutos** See p. TE26.

49 Texto informal: un problema ecológico

Ud. está preocupado/a por un problema ecológico en su comunidad y quiere solucionarlo. Escriba en un blog para fomentar interés en la comunidad.

- Identifique el problema.
- Describa cómo este problema puede afectar negativamente a la comunidad.
- Organice alguna reunión o manifestación.
- Pida consejos para solucionar el problema.

50 Texto informal: cómo mejorar su español

En un foro alguien pide consejos sobre cómo mejorar sus conocimientos de español. Dele consejos a esta persona.

- Dele razones para mejorar sus conocimientos de español.
- Dele consejos útiles para mejorar sus conocimientos de español.
- Háblele de los beneficios de hablar perfectamente el español.

51 Ensayo: la importancia de los idiomas

Escriba un ensayo contestando la pregunta, "¿Por qué es importante saber idiomas para tener una buena carrera en el futuro?"

52 Ensayo: los inventos

Escriba un ensayo en el que compare las ventajas y desventajas de algunos inventos nuevos.

53 En parejas

Intercambie sus ensayos con los de un/a compañero/a. Exprésele su opinión sobre el contenido y el uso del idioma.

Consejo

Antes de empezar, lea las pautas para escribir textos informales en la pág. 480 del Apéndice. Mientras escribe el texto tenga presente los objetivos. Cuando termine, verifique que ha cumplido con todo lo que se describe en la lista y reflexione sobre su trabajo.

Consejo

Antes de empezar, lea las pautas para escribir ensayos en la pág. 480 del Apéndice. Mientras escribe el ensayo tenga presente los objetivos, y no se olvide de ponerle un título original. Cuando termine, verifique que ha cumplido con todo lo que se describe en la lista y reflexione sobre su trabajo.

¡A hablar!

54 Charlemos en el café 👥

Ud. va a debatir los siguientes temas con un/a compañero/a. Uno estará a favor de lo que se ha dicho y otro en contra. El debate durará varios minutos. El/La estudiante que esté de acuerdo comenzará el debate y hablará por unos diez segundos. Cuando el/la profesor/a lo indique, el/la otro/a estudiante tomará la palabra y expresará su opinión por otros diez segundos, y así sucesivamente.

1. Los niños tienen que empezar a estudiar idiomas extranjeros a los cinco años.
2. Los estadounidenses deberían hablar más de un idioma; si no, es un atraso.
3. Hay que controlar las nuevas palabras que entran en un idioma.
4. No hay calentamiento global. Es una exageración.
5. Los inventos más necesarios ya han sido inventados. No queda nada por inventar.
6. La tecnología sólo tiene beneficios, nunca tiene desventajas.

55 ¿Qué opinan? 👥

Converse con un/a compañero/a sobre estas preguntas.

1. Si pudiera estudiar cualquier idioma que no fuera ni inglés ni español, ¿cuál estudiaría y por qué?
2. ¿Cree que nuestro sistema de educación prepara a los estudiantes para vivir en nuestro mundo? Explique por qué.

56 Presentemos en público

Conteste una de las siguientes preguntas o haga una presentación sobre uno de los temas durante varios minutos. Organice sus ideas antes de hacer la presentación, busque las palabras necesarias y, después de practicar, presente en clase sin mirar las notas.

Consejo

Antes de empezar, lea las pautas para presentaciones formales en la pág. 481 del Apéndice. Mientras formula su presentación tenga presente los objetivos. Cuando termine la presentación, verifique que ha cumplido con todo lo que se describe en la lista y reflexione sobre el trabajo que hizo.

1. Ud. está convencido/a de que cada estudiante debe empezar a estudiar otro idioma en la escuela primaria. Describa un programa ideal (puede ser real o imaginario) de idiomas extranjeros que le gustaría introducir en las escuelas primarias de su ciudad.
2. Ud. acaba de hacer el invento del siglo. ¿Qué inventó? ¿Cómo se le ocurrió la idea? ¿Cómo lo hizo? ¿Cómo funciona? ¿Cómo va a ayudar a la humanidad?
3. Ud. es un gran experto en ecología y presenta un programa sobre el tema. Hable de su organización, su plataforma, los miembros que tiene, los proyectos que ha hecho y los que piensa hacer.
4. Piense en un problema ecológico que afecta gravemente a nuestro mundo. Hable del impacto que ha tenido este problema en la vida cotidiana y en el futuro del planeta.

Teacher Resources

📝 Activity 18

Instructional Notes

54 Because all students will speak, allow them time to prepare this activity. Be sure to tell students which issue and which side of the issue they will be debating, so that they can do some research and practice before their debate.

After students have debated these issues with a partner, you might want them to continue the debate in small groups, or even have a discussion with the whole class on one or two of these topics. Remind students to use as much of the new vocabulary from this lesson as they can.

55 After students discuss these issues with their partners, you might want to have a classroom discussion on either one or both questions.

56 Review the *Pautas para presentaciones formales* on p. 481, and refer students to their copies of the guidelines given to them in *Lección 1A* (*Antes y durante una presentación*). (See p. 27 of this Annotated Edition.) Remind them that while they are presenting they should not read from their notes.

Additional Activities

La noticia del día
See p. TE28.

57 Before students start their projects, go over the questions from *Lección 1A*, p. 28. Students should have a copy of these questions for each project.

Remind them that after they complete their project, they will self-assess their work as a team using the grading system 1–5 (5 being the highest, and 1 the lowest) and write a grade next to each question. After they turn in their work or make their presentation to the class, you will review their project and write your comments and evaluation next to theirs.

Additional Activities

Gráfico sobre un tema
See p. TE27.

---

57 ¡Manos a la obra!

Trabaje en un grupo de cuatro o cinco estudiantes para llevar a cabo uno de los siguientes proyectos y presentarlo en clase.

- Les han encargado que desarrollen un nuevo plan de estudios en su escuela o universidad. Decidan los diferentes temas; por ejemplo, el horario, las asignaturas y la metodología que deberían usar los profesores. No se olviden de incluir idiomas extranjeros en su plan.

- Hagan un anuncio para promover el Día de la Tierra en su comunidad. Decidan si va a ser un anuncio gráfico, de radio o de televisión.

- Presenten un plan para disminuir la contaminación del aire en su comunidad, ciudad, región o estado. Hablen de las causas de la contaminación del aire ahora y dé soluciones para disminuirla en los próximos cinco años.

- Hagan un cartel con los diez inventos de los últimos cincuenta años que han tenido más impacto en nuestras vidas. No se olviden de explicar un poco la historia y la importancia de cada invento.

El corazón artificial Jarvik-7, uno de los inventos clave de los últimos años

Vocabulario

Verbos

acoger	to welcome
atajar	to stop
complacer	to please
descargar	to unload, download
exigir	to require; to demand
moler (ue)	to grind
proponer	to propose
proporcionar	to provide, supply
realizar	to achieve, fulfill
redactar	to write, draft
regalar	to give away
respaldar	to back up
sentenciar	to give one's opinion
sobrevivir	to survive
talar	to cut down, to fell (*trees*)

Verbos con preposición

verbo + con:

acabar con	to eliminate
conectarse con	to connect with, relate to

verbo + de:

disponer de	to have smthng at one's disposal
manifestarse (ie) en contra de	to speak out against

Sustantivos

el	acaparamiento	monopolizing, cornering the market
el	apogeo	peak
el	aprendizaje	apprenticeship, learning
la	armonía	harmony
el	bienestar	well-being
el	cargo	charge
el	cobijo	shelter
el	cobro	charge
el	código	code
el	cohete	rocket
la	computadora (el **computador**)	computer
el	convenio	agreement
la	cremallera (el **cierre**)	zipper
la	cuenca	basin
el	descaro	shamelessness
el	deterioro	damage, deterioration
la	época	time period
la	factura	bill
la	gama	range
la	ganancia	profit
la	grabadora	tape recorder
el	informe	report
la	Internet	Internet
el	invento	invention
el	maremoto	tidal wave
el	medio ambiente	environment
la	oferta	offer
el	oído	hearing; ear
el	ordenador	computer
el	retroceso	backward step
la	sede	headquarters
el	sismo	earthquake
la	sobreexplotación	overexploitation
el	sosiego	peace, tranquillity
la	supervivencia	survival
el	terremoto	earthquake
la	ventaja	advantage

Adjetivos

aleatorio, -a	random
arquitectónico, -a	architectural
congelado, -a	frozen
corriente	common, usual
costero, -a	coastal
desapercibido, -a	unnoticed
desechable	disposable
deshidratado, -a	dehydrated, dried
enriquecedor(a)	enriching
galardonado, -a	rewarded
imponente	imposing
imprescindible	essential
imprevisible	unforeseeable
insuperable	unbeatable
jubilado, -a	retired
nocivo, -a	harmful
preciso, -a	necessary
pujante	strong, vigorous
respaldado, -a	endorsing
tecnológico, -a	technological
transgénico, -a	genetically modified
vivaz	lively

Adverbios

imperiosamente	urgently
laboriosamente	laboriously
mundialmente	worldwide, throughout the world
seguidamente	next

Expresiones

a largo plazo	in the long run
a mediados de	in the middle of
el agua dulce	fresh water
el calentador de aire	fan heater
el calentamiento global	global warming
el/la computador(a) de escritorio	desktop computer

Teacher Resources

Activities 19–23

Visite la página Web de *¡A toda vela!* en www.emcp.com

Additional Activities

Juegos

To practice and reinforce the lesson's vocabulary, have students play either one or both of these games: *Cadena de palabras, Lo tengo en la punta de la lengua.* See pp. TE24 and TE25.

Juego

To practice the culture, grammar, or vocabulary presented in the lesson, ask students to play *¿Quién quiere ser millonario?* See p. TE25.

Ask students to do any of the following activities to practice and strengthen the vocabulary presented in this lesson: *¿Cómo están relacionados?, La definición interminable, Repaso Expreso, De periodistas.* See pp. TE26–TE28.

Instructional Notes

Remind students that they should adhere to the punctuation outlined in the *A tener en cuenta* section in all their compositions.

el/la computador(a) portátil	laptop computer
dar lugar a	to provoke, give rise to
dar origen a	to give birth to (*an idea*)
el dominio de lenguas	command of languages
el efecto invernadero	greenhouse effect
la esperanza de vida	life expectancy
la fuerza laboral	labor force
el jardín de infantes	kindergarten
mediante	by means of
minutos perdidos	allowed minutes
no poder con	to be unable to cope with
el orden cronológico	chronological order
la película magnética	magnetic film (tape)
poner atención a las letras pequeñas del contrato	to pay attention to the small print of the contract
el programa buscador	search engine
los recursos naturales	natural resources
la red inalámbrica	wireless network
la Red Mundial	WWW
el teléfono celular, teléfono móvil	cell phone
el teléfono fijo	landline phone

A tener en cuenta
La puntuación

el punto [.]	se usa al final de una oración y después de algunas abreviaturas Decimos *punto seguido* para separar oraciones en un párrafo. Decimos *punto y aparte* para separar dos párrafos distintos. Decimos *punto final* para cerrar el párrafo.
la coma [,]	indica una pausa dentro de una oración separa las palabras de una enumeración, pero no antes de y, e, o, u, ni: Estudio francés, geografía, matemáticas e historia. separa los miembros de una cláusula independiente: Estudié español, preparé los ejercicios, escribí el ensayo. separa el nombre en vocativo: Juan, ven aquí. se usa con una aposición exclamativa: Celia Cruz, gran cantante cubana, murió en 2003.
el punto y coma [;]	se usa para separar los miembros de una oración que ya tienen alguna coma: No fui al café, ni al teatro, ni a la reunión; me quedé en casa leyendo.
dos puntos [:]	preceden una enumeración (Hay dos coches: uno rojo y otro azul.) y las palabras que se citan en una oración (Mari dijo: No hay que temer nada.). También siguen el encabezamiento de una carta (Estimada María:).
los puntos suspensivos [...]	indican una pausa inesperada o cuando se suprime algún texto
la interrogación [¿?]	encierra una oración interrogativa
la exclamación [¡!]	indica una oración o frase cargada de emoción
los paréntesis [( )]	aislan una observación
los corchetes [ ]	se usan como los paréntesis, pero cuando se introducen en una frase que ya va entre paréntesis
la raya [—]	se usa como los paréntesis y para indicar diálogo

Objetivos

Comunicación
- Entender algunos temas ecológicos
- Hablar del proceso de aprender idiomas

Gramática
- El subjuntivo
- El progresivo
- El participio presente y pasado
- Repaso de los tiempos verbales
- El infinitivo

"Tapitas" gramaticales
- verbos seguidos de preposiciones
- *lo* y *lo que*
- *por, por qué, para* y *para que*
- transformar adjetivos en adverbios
- los usos y omisión del artículo definido
- los adjetivos y pronombres demostrativos

Cultura
- Los teléfonos celulares
- Los temas ecológicos
- La insistencia de hablar inglés
- El idioma e Internet
- Las lenguas indígenas
- Las interacciones entre padres e hijos

Visite la página Web de
¡A toda vela! en
www.emcp.com

Lección 7B | 391

Instructional Notes

Ask students to look at the images on the page and ask them to describe what they perceive to be either the major problem or concern in each one.

You could follow up with these questions that have to do with the topics of this lesson: *¿Qué saben u opinan de los grupos ecológicos que se preocupan por la contaminación del aire, el efecto invernadero, el calentamiento global o la calidad del agua de nuestro planeta? ¿Se acuerdan cómo empezaron a hablar su lengua materna? ¿Cómo empezaron a aprender español? ¿Creen que fue el método más eficaz? ¿Por qué? ¿Cómo usan Internet para mejorar sus conocimientos de español? ¿Reemplazarán los teléfonos celulares a los teléfonos fijos en las casas? ¿Qué saben de los grupos e idiomas indígenas en las Américas? ¿Piensan que educar a los hijos es algo innato, o hay que aprenderlo?*

Answers

1 Answers will vary.

2 Dialogues will vary.

Instructional Notes

1 After students answer these questions with their partners, you might have a whole-class discussion after which you could ask some students to take notes of their classmates' opinions and tally the results on a chart.

The robotic functions described in the *Dato curioso* are purely scientific ones, but ask students to think about the kind of robot they would invent and what tasks they would ask it to do.

After you share the *Nota cultural* with students, ask them what they think might be the meaning of the prefix *tele* and what they might observe with a *telescopio*. (*Tele = lejos; un telescopio se usa para observar objetos que están muy lejos, especialmente los cuerpos celestes.*)

Additional Activities

Comunicación

Ask students to work with a partner and talk about how a current news event is being handled by the media.

Para empezar

1 Conteste las preguntas 👥

Piense en las respuestas a las siguientes preguntas. Ud. puede tomar notas si lo considera necesario. Cuando termine, compare sus respuestas —pero sin mirar sus notas— con las de un/a compañero/a.

1. ¿Piensa que todos los inventos y tecnología de los últimos cien años han mejorado nuestro mundo? ¿Por qué? ¿Nos han perjudicado alguna vez? Explique su respuesta.
2. ¿Piensa que en la actualidad es más fácil o difícil inventar algo nuevo? ¿Por qué?
3. ¿Ha mejorado la tecnología nuestra vida o solamente ha acelerado el ritmo de nuestras rutinas diarias? Explique su respuesta.
4. Los teléfonos celulares: ¿han mejorado o han complicado nuestra vida cotidiana? ¿Cómo?
5. ¿Tiene derecho a una educación universitaria todo el mundo? ¿Debe ser gratis o a un costo bajo? ¿Por qué?
6. ¿Qué opina de tener una lengua oficial en los Estados Unidos? ¿Cree que algún día tendremos dos lenguas oficiales? ¿Cuándo y cómo podría ocurrir esto?
7. En el futuro, ¿será imprescindible perfeccionar otras fuentes de energía? ¿Por qué? ¿Con qué otras energías alternativas se está ya experimentando?
8. ¿Dónde vive la mayoría de la gente en nuestro planeta: en las costas, en el interior, en áreas metropolitanas o rurales? ¿Por qué?
9. ¿Qué opina de la sobrepoblación y la hambruna mundial? ¿Qué soluciones hay?
10. ¿Piensa que después de los desastres naturales que han causado tanto daño en los últimos cinco años, estamos más preparados para enfrentarnos a ellos? ¿Por qué?

2 Mini-diálogos 👥

Ud. va a crear un mini-diálogo con un/a compañero/a. Lea la descripción de la conversación antes de empezar. Puede tomar notas para organizar sus ideas, pero no las mire mientras conversa.

Escena: Dos amigos/as hablan del futuro mientras miran el noticiero en la televisión. Uno/a tiene una actitud pesimista, y ve un futuro muy negro.

A:	Entable una conversación sobre una noticia (real) de la que están hablando estos días en los medios de comunicación. Haga un comentario pesimista.
B:	Haga unos comentarios sobre la misma noticia.
A:	Hable sobre otra noticia actual, y vuelva a hacer otro comentario donde muestra su pesimismo.
B:	Hable sobre la misma noticia, pero búsquele el lado positivo a la situación.
A:	Muestre que no le interesa lo que le está diciendo. Continúe mostrando su pesimismo al respecto.
B:	Dele ejemplos para convencerle que está equivocado/a.
A:	Reaccione a sus comentarios positivamente. Muestre respeto y admiración.
B:	Despídase cordialmente y con un comentario positivo.

Cita

Cuando la vida te presente razones para llorar, demuéstrale que tienes mil y una razones para reír.
—Anónimo

 ¿Cómo reacciona cuando ve una noticia triste? ¿Se deprime? ¿Piensa que los noticieros muestran la realidad de nuestro entorno o, por el contrario, buscan el sensacionalismo? Comparta su opinión y experiencias con un/a compañero/a.

¡Dato curioso!

La fabricación de micro-robots para, por ejemplo, explorar el cuerpo humano, es uno de los desafíos actuales de la tecnología. Entre los problemas a resolver se encuentra el desarrollo de una fuente de energía que funcione a nivel microscópico e incluso nanoscópico.

www.quo.es

Nota cultural

Las palabras *microscópico* y *nanoscópico* que aparecen en el *Dato curioso* son de origen griego. *Microscópico* se deriva de *mikrós* (pequeño). El prefijo *nano* se deriva de *nánnos* (enano) y, por lo tanto, significa muy pequeño. *Scopio* viene de *scopeo* (observar, examinar). Decimos que algo es microscópico si sólo se observa con un microscopio; lo nanoscópico se refiere a lo que es la milmillonésima parte de una unidad. La nanotecnología es la ciencia de manipular materiales a una escala atómica o molecular en la construcción de aparatos microscópicos.

Vocabulario y gramática en contexto

3 Un foro 👥 📖

Túrnese con un/a compañero/a para leer los comentarios que dos personas han escrito en un foro sobre los teléfonos celulares y la contaminación. Fíjese en las palabras que aparecen en azul (relacionadas con el vocabulario) y en rojo (relacionadas con la gramática), ya que en las siguientes actividades se le harán preguntas sobre ellas.

◄ ► Dirección _____ Q
▢ Archivo Edición Ver Favoritos Herramientas Ayuda

Los celulares

Me enoja que la gente siga desobedeciendo las advertencias de que tengan que apagar su celular. Con el incremento del uso de teléfonos celulares, esta forma de comunicación requiere cierta educación. Ese aparato conecta, rescata, reconforta y reporta, ⁵pero también puede convertirse fácilmente en algo que aísla, amenaza y fastidia.

¿Existe un código de cortesía o no, hoy en día? Se han hecho algunas advertencias de lo peligroso que es manejar y hablar por teléfono al mismo tiempo. Pero hasta ahora, no ¹⁰hay ninguna educación universal sobre la cortesía. Todos los celulares tienen diferentes tipos de timbres —para colmo, la mayoría de los timbres suele ser molesta. Algunas personas comparten mi opinión de que la tecnología deshumaniza a las personas. Cuando se usa un móvil, yo recomiendo tres medidas generales: no hable y maneje, baje el volumen y mire a su alrededor. Muchos usuarios prefieren los celulares por la rapidez con que ¹⁵se obtiene una respuesta. Muchos encuentran la gratificación instantánea con su teléfono celular. Es sumamente importante recordar una cosa: si Ud. está en el cine o en misa, apague su celular, por favor.

—Gabriela

La contaminación

Aconsejo que se busquen métodos para detener la contaminación del aire que provocan las plantas generadoras de electricidad y refinerías lo más pronto ⁵posible. Es fundamental reducir las emisiones de gases que producen el efecto invernadero porque tenemos que pensar en lo que vamos a dejar a nuestros niños, y a los hijos de nuestros hijos. Toda la ¹⁰contaminación es una amenaza a la calidad del aire y la salud pública. Debemos crear una agencia gubernamental y eficaz que expida un informe oficial que limite las emisiones y que establezca un sistema de seguimiento que vigile el cumplimiento de los niveles permitidos para que éstas no contribuyan más al calentamiento global. Las refinerías, plantas termoeléctricas y otras industrias liberan productos químicos que producen ¹⁵contaminación en el aire que respiramos y también promueven el aumento de las temperaturas. El calentamiento global continúa amenazando las reservas de agua, la salud pública, y algunas de las industrias como la agricultura y el turismo. A mi juicio, esto es el tema de más relieve que hay en nuestro tiempo.

—Rafael

Instructional Notes

3 Ask students who they think are the most abusive cell-phone users, and which industries in their community or region produce the most pollution.

Teacher Resources

 Activities 1–2

Answers

4 *Answers might vary; some expressions could be part of nouns or adjectives.*

Los celulares
Sustantivos: advertencias, incremento, cortesía, tipos, medidas, usuarios; *Adjetivos:* diferentes, molesta; *Verbos:* me enoja, siga desobedeciendo, apagar, rescata, reconforta, aísla, amenaza, fastidia, manejar, hablar, deshumaniza, se usa, no hable, maneje, baje, mire

La contaminación
Sustantivos: refinerías, amenaza, informe, seguimiento, cumplimiento; *Adjetivos:* generadoras, gubernamental, eficaz; *Verbos:* detener, reducir, crear, expida, establezca, vigile, contribuyan, liberan, promueven, continúa amenazando; *Expresiones:* efecto invernadero, calidad del aire, salud pública, calentamiento global, plantas termoeléctricas, reservas de agua, de más relieve

5 1. siga, tengan: el verbo principal (*me enoja*) expresa una reacción emotiva; hable, maneje, baje, mire: el verbo principal (*recomiendo*) expresa voluntad/orden y también son mandatos; apague: es mandato; busquen: el verbo principal (*aconsejo*) expresa voluntad u orden; expida, limite, establezca, vigile: describe lo que es indefinido o hipotético; contribuyan: va precedido de una locución final (*para que*); 2. Se han hecho algunas advertencias, se busquen métodos: funciona como voz pasiva; se usa un móvil, se obtiene una respuesta: es la *se* impersonal; en el caso de *convertirse*, *se* funciona como reflexivo. 3. Los mandatos son: no hable y maneje, baje, mire, apague; tienen la misma forma que el presente del subjuntivo. 4. siga obedeciendo, continúa amenazando; Indica que la acción sigue pasando en la actualidad; el presente progresivo se forma con un verbo auxiliar (*estar, continuar, seguir*) más el participio presente del verbo principal (*obedecer, amenazar*). 5. El infinitivo va precedido de ciertos verbos o expresiones verbales como *tener que* (tengan que apagar, tenemos que pensar); *poder* (puede convertirse); *soler* (suele ser); *ir a* (vamos a dejar); *deber* (debemos crear); también se usa como sustantivo (lo peligroso que es manejar y hablar); cuando va precedido de una preposición (para detener); y cuando va precedido de una expresión impersonal sin cambio de sujeto (es importante recordar, es fundamental reducir).

6 1. convertirse en, hablar por, deshumaniza a, mire a, está en, pensar en, vamos a, dejar a; 2. *Lo* es artículo determinado del género neutro, se utiliza solamente acompañado de adjetivos, adverbios o preposiciones; *lo* más un adjetivo masculino singular forma un sustantivo (*de lo peligroso* = *del peligro*); funciona como intensificador del adverbio que le sigue: *lo más*

---

4 Amplíe su vocabulario

Clasifique las palabras que aparecen en azul y rojo en las lecturas anteriores según sean sustantivos, adjetivos, verbos o expresiones, y relacionadas con teléfonos celulares o la contaminación del aire.

5 Repaso

Conteste estas preguntas basadas en las lecturas de la Actividad 3.

1. Haga una lista de todos los verbos del subjuntivo en los comentarios del foro y explique su uso.
2. Busque los verbos con *se* (por ejemplo, *convertirse*) y explique el uso de *se* con estos verbos.
3. Busque los mandatos y compare su uso con el del subjuntivo en los comentarios.
4. Explique el uso de los verbos del presente progresivo en los comentarios.
5. Busque los usos diferentes del infinitivo en los comentarios del foro y diga cuáles son, citando ejemplos de los comentarios.

6 Más repaso

Con un/a compañero/a haga las siguientes actividades.

1. Hagan una lista de los verbos seguidos de una preposición en las lecturas anteriores.
2. Expliquen el uso de *lo* según los ejemplos de las lecturas.
3. Traduzcan la oración "Si Ud. está en el cine o en misa, apague su celular, por favor." Escriban la oración primero usando *estuviera* y luego *hubiera estado*. Hagan los otros cambios necesarios.
4. Traduzcan la oración "Es fundamental reducir las emisiones de gases" y vuelvan a escribirla usando el subjuntivo.

7 "Tapitas" gramaticales

Conteste estas preguntas basadas en las lecturas de la Actividad 3.

1. Haga una lista de las expresiones que exigen el uso del subjuntivo.
2. Explique el uso del verbo *soler* en la frase "la mayoría de los timbres suele ser molesta".
3. Explique por qué se usa el artículo *el* con la palabra *sistema*.

8 ¿Qué opina?

Reaccione a lo que cada persona ha escrito en el foro de la Actividad 3 y comparta su opinión con un/a compañero/a. Incluya palabras del vocabulario nuevo que aparecen en azul.

---

pronto posible. *Lo que* es un pronombre relativo que se refiere a una frase o idea y, como tal, es neutro (pensar en *lo que* vamos a hacer). Ejemplo con preposición: *He leído lo del subjuntivo*. 3. *If you're at the movies or at Mass, turn off your cell phone, please.* Si usted estuviera en el cine o en misa, se le pediría/le pedirían que por favor apagara su celular. Si usted hubiera estado en el cine o en misa se le habría pedido/le habrían pedido que por favor apagara su celular. 4. *It is essential to reduce gas emissions.* Es fundamental que reduzcan las emisiones de gases.

7 1. enojarse, recomendar, aconsejar, para que; 2. *Suele ser* significa que los timbres frecuentemente son molestos.

Soler imparte la idea de "generalmente" o "acostumbraba"; no se usa en el futuro, condicional o pretérito. 3. *Sistema* es de origen griego y generalmente estos sustantivos son masculinos.

8 Reactions will vary.

Instructional Notes

8 Encourage a classroom discussion based on students' reactions.

Additional Activities

Hablen sobre esta foto
See p. TE27.

9 Aprender inglés

Lea con atención el siguiente artículo e intente averiguar el significado de las palabras en azul por el contexto, ya que se le harán preguntas sobre ellas.

Aprender inglés toma más tiempo de lo que se cree

El proceso de adquisición de un nuevo idioma toma tiempo: se requieren de tres a cinco años para adquirir fluidez oral en inglés y de cuatro a siete años para
⁵alcanzar la capacidad lingüística necesaria para desempeñarse bien académicamente. Algunos investigadores indican que tiene más sentido pensar en los años de educación primaria e intermedia como un
¹⁰tiempo razonable para que los estudiantes se vuelvan competentes en inglés. El estudio recomienda que se tenga una perspectiva y un grupo de expectativas a largo plazo sobre el aprendizaje. Apuntan que posiblemente es necesario iniciar programas especiales de verano y después del horario regular de clases para ayudar a que los estudiantes que están aprendiendo inglés
¹⁵lleguen al nivel de los angloparlantes. Por eso, es importante también, afirman los investigadores, que las escuelas proporcionen un plan de estudios balanceado que satisfaga las necesidades académicas de los estudiantes. Esto podría lograrse a través de la educación bilingüe; a falta de ésta, los educadores deben esforzarse por encontrar el mejor método para alcanzar esta meta. Se halló que, al igual que en otras áreas académicas, los estudiantes en escuelas y distritos escolares más
²⁰ricos tienen un mejor rendimiento escolar y aprenden inglés mejor que los alumnos de escuelas más pobres. ¿Por qué tiene que ser tan complicado?

www.laopinion.com

10 Amplíe su vocabulario

Escriba la letra que corresponda a la mejor definición de cada palabra de la primera columna.

1. fluidez	a. anotar
2. alcanzar	b. productividad
3. desempeñar	c. sin
4. tener sentido	d. lograr
5. expectativa	e. por
6. a largo plazo	f. después de mucho tiempo
7. apuntar	g. persona que habla inglés
8. iniciar	h. cumplir
9. angloparlante	i. facilidad
10. a través de	j. ser lógico
11. a falta de	k. esperanza de conseguir algo
12. rendimiento	l. comenzar

11 El aprendizaje de lenguas

Con un/a compañero/a haga una lista de las palabras o expresiones que conozcan relacionadas con el aprendizaje de lenguas. Piensen en otras palabras o expresiones relacionadas que les gustaría saber y búsquenlas en el diccionario.

Answers

10 1. i; 2. d; 3. h; 4. j; 5. k; 6. f; 7. a; 8. l; 9. g; 10. e; 11. c; 12. b

11 Lists will vary.

Instructional Notes

9 Before students begin reading, ask them: *¿Cuáles son algunos problemas que los estudiantes de idiomas extranjeros enfrentan? En particular, ¿qué dificultades hay para los que quieren aprender inglés? ¿Les parece a Uds. que la pronunciación del inglés resulta difícil para muchos? ¿Por qué? ¿Es la edad del estudiante un factor en el aprendizaje? ¿Les parece más fácil aprender idiomas cuando uno es muy joven? ¿Por qué?*

11 Pairs of students could share their lists with the rest of the class.

Additional Activities

Juego
Ask students to play *Historias en cadena*. See p. TE25.

Answers

12 1. *Por eso* es preposición más pronombre demostrativo neutro e indica consecuencia; *por encontrar* es preposición más infinitivo e indica perspectiva futura o necesidad y también sigue al verbo *esforzarse*. *Para adquirir, para alcanzar, para desempeñarse, para ayudar, para alcanzar* son preposiciones más el infinitivo e indican finalidad o destino de una acción. *Por qué* es interrogativo e indica una pregunta. *Para que* es preposición más conjunción e indica propósito. 2. Se añade -*mente* a la forma femenina en singular (académica = académicamente). 3. Generalmente cuando el nombre de un idioma va precedido de los verbos *aprender, hablar, saber, entender* o *enseñar*, o la preposición *en*, se omite el artículo. A veces se omite el artículo después de la palabra *de*; sin embargo, se dice: traducir *del* español al inglés; una palabra *del* griego. 4. Para que los estudiantes se vuelvan competentes: sigue la expresión *para que*; que se tenga una perspectiva: depende del verbo *recomendar* en la cláusula principal; que lleguen al nivel: depende de la expresión verbal *para ayudar* en la cláusula principal e indica posibilidad; que las escuelas proporcionen: sigue la expresión impersonal *es importante*; que satisfaga las necesidades: se usa en cláusulas que describen lo que es indefinido o hipotético.

13 1. *esto*, pronombre demostrativo neutro; *ésta*, pronombre demostrativo femenino; *esta*, adjetivo demostrativo femenino; 2. *Tan* es la apócope de *tanto*; se usa delante de un adjetivo masculino singular o un adverbio (tan alto, tan pronto). Expresa también comparación o cuantificación del adjetivo, equivalente a *so* en inglés. 3. Es adverbio.

14 Study plans will vary.

15 1. prestado; 2. tiene / tendrá; 3. un; 4. llegó; 5. pagando; 6. dijeron; 7. iguales; 8. tenía; 9. sea; 10. podía; 11. cientos;

Instructional Notes

14 Ask students to interview their classmates or other students at school who are studying Spanish or another foreign language (including English). They should be prepared to ask them about their study habits and which techniques have been successful, how long they have been studying the language, the reasons they are pursuing this language, and any other pertinent information that could ultimately be included in their proposed plan of studies.

---

12 Repaso

Conteste estas preguntas basadas en el artículo anterior.

1. Explique el uso de *por, para, por qué* y *para que* que aparecen en el texto.
2. Explique cómo se transforma un adjetivo en adverbio.
3. Explique el uso y la falta del artículo en expresiones como *aprender inglés, en inglés* y *aprendiendo inglés*.
4. Haga una lista de todos los verbos del subjuntivo y explique su uso en la lectura.

13 "Tapitas" gramaticales

Conteste estas preguntas basadas en el artículo anterior.

1. Explique las diferencias gramaticales entre *esto, ésta* y *esta* en la lectura.
2. Explique el uso de *tan* en la expresión *tan complicado*.
3. ¿Qué función gramatical tiene la palabra *mejor* en la frase *aprenden inglés mejor*?

14 Escriba

Invente un plan de estudios que ayude a los que estudian inglés o español a mejorar sus conocimientos de ese idioma. Describa las asignaturas, los horarios y los profesores. Describa detalladamente las actividades culturales y los viajes que pueden hacer, y mencione también las tareas que tendrán que cumplir.

15 El fraude

Échele una ojeada al artículo que sigue, prestando atención a las palabras en azul, ya que se le harán preguntas sobre ellas. Luego lea el artículo y decida qué forma de las palabras entre paréntesis es la correcta para completar cada oración y escríbala.

Fraudes en teléfonos celulares

Lo que pensaba que en un momento le podría salvar la vida a ella o a su familia en caso de una emergencia, le ha costado a Martha Ramírez dolores de cabeza, corajes y cuentas ⁵que ni pidiendo __1.__ (*prestar*) ha podido pagar. Ahora el servicio de teléfono celular le ha sido suspendido y para restaurarlo o cancelarlo definitivamente __2.__ (*tener*) que pagar más. Ramírez hizo un convenio en marzo por tres ¹⁰teléfonos celulares con mil minutos al mes, sin cargo móvil a móvil y con __3.__ (*uno*) programa de 200 mensajes para su hija de 17 años, todo por 89 dólares. Parecía perfecto para la familia, hasta que le __4.__ (*llegar*) la primera factura ¹⁵en abril de 2005. El cobro fue de 300 dólares y luego de semanas de tratar de encontrar respuestas con los representantes de la compañía proveedora, ella terminó __5.__ (*pagar*) el total del dinero. Nadie le ayudó, ni le aclaró ²⁰nada, sólo le __6.__ (*decir*) que su hija había recibido esos mensajes. Los siguientes meses continuaron __7.__ (*igual*). Su hija afirmaba que sólo recibía dos mensajes diarios y Ramírez pagaba cantidades similares a los 300 dólares. ²⁵Lo peor es que había hecho un contrato por dos años y si cancelaba el servicio __8.__ (*tener*) que pagar 175 dólares por línea cancelada, o __9.__ (*ser*) 525 dólares. Finalmente Ramírez ya no __10.__ (*poder*) pagar y la compañía le suspendió ³⁰el servicio. Ahora tendrá que pagar 25 dólares para restaurarlo. En cinco meses habrá pagado cerca de 1.500 dólares y todavía debe más de 200. Elizabeth Yaeger, coordinadora de la oficina de fraude a los consumidores del Centro ³⁵de Recursos Centroamericanos (CARECEN) indicó que este caso no es aislado y que en tres años tiene __11.__ (*ciento*) de quejas de personas que reportan abusos en cobros, particularmente entre la comunidad latina. De ⁴⁰acuerdo con información de AT&T, cada año los

---

15 To see how students might handle mistaken or fraudulent charges, you could ask them: *Normalmente, si no están de acuerdo con una factura, ¿cómo reaccionan? ¿Qué hacen? Generalmente, ¿obtienen buenos resultados?*

consumidores pagan cerca de 4.000 millones de dólares en cargos fraudulentos. Además, los latinos pagan hasta un 25% más por factura que el promedio [45] nacional. "Mientras que el teléfono celular ya es una necesidad más que un lujo, principalmente en tiempos de crisis y emergencias, más y más consumidores continúan __12.__ (firmar) contratos en [50] inglés que no entienden", dijo Yaeger. "Y lo malo es que el no poner atención a las letras más pequeñas del contrato puede llevar a pagar mensualidades estratosféricas". El Departamento del Consumidor del [55] Condado de Los Ángeles (DCA) indicó que algunas de las quejas más comunes son malos entendidos entre lo que se promete verbalmente y lo que __13.__ (decir) el contrato como servicios de llamadas [60] internacionales, número de minutos permitidos y cobro de servicio de navegación en la red inalámbrica. Pero agregó que, últimamente, con los servicios de Internet, el problema se ha extendido a [65] números de mensajes, juegos y otro tipo de servicios que en la mayoría de los casos la gente no sabe que tiene y un error al marcar __14.__ (poder) significar un cobro extra. "Si el convenio se explica verbalmente en [70] español, se puede exigir que el contrato escrito también se __15.__ (dar) en español", dijo Rigoberto Reyes, supervisor de DCA. "El cliente tiene el derecho a que le __16.__ (explicar) en forma clara los servicios [75] que está adquiriendo, pero si lo engañan, entonces se comete un fraude y aunque __17.__ (firmar), el cliente puede reclamar y posiblemente recuperar su dinero". El investigador instó a la gente a quejarse y [80] denunciar todo tipo de abuso ya sea por servicios que no autorizaron o si __18.__ (sentirse) engañados a la hora de hacer el contrato, y ahora les cobran servicios que no solicitaron. Uno de los aspectos [85] importantes de los convenios es que cualquier contrato puede terminarse al año, sin importar que __19.__ (ser) firmado por dos o tres años. "La ley los protege; la gente puede cancelar durante un período de 30 [90] días antes de terminar su primer año de servicio y sin cargos extras". La Comisión de Servicios Públicos del estado, encargada de regular las compañías de teléfono celular, indicó que el mayor número de [95] quejas es por confusión en los contratos y los cargos por rompimiento del convenio. Esta entidad subrayó que sólo se encarga de regular los términos y las condiciones del convenio, pero que si los clientes se quejan [100] y hay forma de verificar que las llamadas o el servicio no lo __20.__ (hacer) ellos, entonces la ley los apoya. Mark Siagel, portavoz de Cingular, una de las compañías acusadas, expresó que no podía comentar al [105] respecto, sólo si veía casos específicos, pero __21.__ (enfatizar) que la compañía siempre busca la satisfacción del cliente, particularmente de la comunidad latina. Indicó no saber si la empresa __22.__ (poder) [110] proveer contratos en español. Yaeger agregó que en los tres años ha investigado cientos de casos, algunos de hasta por 1.500 dólares, y es por eso que recomendó a la gente denunciar cualquier tipo de abuso. [115] Ella no especificó el nombre de cierta compañía, pero subrayó que __23.__ (todo) son parte del problema de fraude que existe en todo el país donde más de 180 millones de personas tienen un celular y un 31% de [120] los latinos lo utilizan como su única fuente de comunicación.

Es bueno saber:

- Todo contrato se puede cancelar durante los 30 días previos al término del primer año, aunque el convenio [125] __24.__ (ser) de dos años.
- Si el convenio es verbal en español, Ud. puede exigir un contrato en el mismo idioma; si se siente engañado, no dude en denunciarlo.
- [130] Muchos de los puestos en centros comerciales no trabajan para la empresa, sino que son negocios que venden el contrato a las compañías celulares y resulta más difícil arreglar [135] problemas con ellos.
- Siempre que hable para quejarse, __25.__ (pedir) el nombre completo de la persona con la que habló y su número de identificación como representante.
- [140] Todo lo que se le prometa pídalo por escrito.

www.laraza.com

Answers

15 12. firmando; 13. dice; 14. podría; 15. dé; 16. expliquen; 17. firme; 18. se sintieron; 19. sea / haya sido; 20. hicieron / han hecho; 21. enfatizó; 22. podía / puede; 23. todas; 24. sea; 25. pida

Additional Activities

El desafío del minuto con el subjuntivo
See p. TE27.

Answers

16 1. b; 2. c; 3. a; 4. d; 5. b; 6. a; 7. b; 8. d; 9. d; 10. c; 11. a; 12. b; 13. c; 14. b; 15. b

17 1. *Participio presente:* pidiendo, pagando, firmando, adquiriendo; *Participio pasado:* costado, prestado, podido, sido, suspendido, recibido, hecho, pagado, extendido, sido (es una opción en las respuestas), firmado, hecho (es una opción en las respuestas), investigado; *Participios usados como adjetivos:* aislado, permitidos, escrito, engañados, encargada, acusadas, engañado, escrito; 2. *Pretérito:* hizo, llegó, fue, terminó, ayudó, aclaró, dijeron, continuaron, suspendió, indicó, dijo, indicó, agregó, instó, autorizaron, se sintieron, solicitaron, indicó, subrayó, hicieron, expresó, enfatizó, indicó, agregó, recomendó, especificó, subrayó, habló; Expresa acciones realizadas en el pasado sin tener relación con el presente. *Imperfecto:* pensaba, parecía, había, afirmaba, recibía, pagaba, había, cancelaba, tenía, podía, podía, veía, podía (opción); Expresa acciones pasadas sin precisar el principio ni el final de la acción. 3. *sea:* en ciertas frases hechas como *o sea; dé:* depende del verbo *exigir* en la cláusula principal; *expliquen:* depende de la expresión verbal *tiene el derecho a que* en la cláusula principal; *firme:* sigue la conjunción *aunque* que expresa duda; *sea / haya sido:* sigue la expresión *sin importar; sea:* sigue la conjunción *aunque* que expresa duda; *pida:* es mandato y los mandatos se expresan con el subjuntivo.

18 1. Con la preposición **con** indica lo que contiene: *con mil minutos;* con **de** indica posesión o pertenencia: *de 200 mensajes;* indica edad, fechas y tiempo: *de 17 años, de 2005, de 30 días, de dos años;* indica contenido: *de 300 dólares;* con **cerca de** indica proximidad: *cerca de 1.500 dólares, cerca de 4.000 millones;* con **más de** indica comparación: *más de 200, más de 180 millones;* con **por** indica trueque o cambio: *todo por 89 dólares, por tres teléfonos;* y duración: *por dos años, por dos o tres años;* con **a** indica comparación: *a los 300 dólares;* con **en** indica tiempo durante el cual tiene lugar algo: *en cinco meses, en tres años;* con **hasta** indica el punto límite: *hasta un 25%;* con **durante** indica tiempo: *durante los 30 días;* con **hasta por** indica límite y precio: *hasta por 1,500 dólares;* **sin preposición:** cuando la cantidad va precedida de un verbo: *pagar 175 dólares, o sea 525 dólares, pagar 25 dólares;* con el artículo indefinido **un** indica proximidad y porcentaje: *un 25% y un 31%;* 2. Los adjetivos son palabras que modifican a los sustantivos para designar una cualidad, determinar o limitar extensión, relación u origen; su género y número depende del sustantivo al que describen. Algunos adjetivos, como *nacional y celular*, no tienen género, pero

tienen número. Los adjetivos del artículo son: *celulares, celular, perfecto, primera, proveedora, esos, siguientes, iguales, diarios, similares, cancelada, Centroamericanos, aislado, latina, fraudulentos, nacional, pequeñas, estratosféricas, comunes, malos, internacionales, permitidos, inalámbrica, otro, extra, escrito, clara, todo, engañados, importantes, cualquier, primer, extras, Públicos, encargada, celular, mayor, acusadas, específicos, latina, cualquier, cierta, única, bueno, todo, previos, primer, verbal, mismo, engañado, muchos, comerciales, celulares, difícil, completo.* 3. *Lo que* es un pronombre relativo que se refiere a una frase o idea y, como tal, es neutro: *lo que pensaba; entre lo que se promete*

verbalmente y lo que dice el contrato; todo lo que; *lo* es pronombre complemento directo: *para restaurarlo o cancelarlo; restaurarlo; pero si lo engañan; el servicio no lo hicieron/han hecho; la ley los apoya; los latinos lo utilizan; denunciarlo; pídalo; lo* más un adjetivo forma un sustantivo, similar a "thing" en inglés: lo peor ("the worst thing"), lo malo ("the bad thing").

Additional Activities

¡Pongámonos de acuerdo!
See p. TE28.

---

16 Amplíe su vocabulario

Según el contexto del artículo anterior, ¿cuál es la mejor traducción de cada palabra?

1. coraje
   a. courage
   b. anger
   c. moment of despair
   d. moment of frustration

2. convenio
   a. promise
   b. convention
   c. agreement
   d. offer

3. sin cargo
   a. without charge
   b. without a contract
   c. without extras
   d. without debit

4. aclarar
   a. to declare
   b. to offer
   c. to order
   d. to explain

5. lo peor
   a. the poor thing
   b. the worst thing
   c. the bad thing
   d. the evil thing

6. deber
   a. to owe
   b. to have to
   c. to be in debt
   d. must

7. de acuerdo
   a. from the agreement
   b. in agreement
   c. in order
   d. from the order

8. lujo
   a. gift
   b. feature
   c. part of the contract
   d. luxury

9. al marcar
   a. when they turn on the phone
   b. when they text-message
   c. when they use the Internet
   d. when they dial

10. instar
    a. to explain
    b. to challenge
    c. to urge
    d. to demand

11. denunciar
    a. to report
    b. to protect
    c. to reject
    d. to trick

12. solicitar
    a. to accept
    b. to request
    c. to use
    d. to propose

13. al respecto
    a. respectfully
    b. with no relation
    c. in the matter
    d. about any aspect

14. 30 días previos
    a. the same 30 days
    b. the previous 30 days
    c. the first 30 days
    d. the next 30 days

15. puesto
    a. employee
    b. booth
    c. company
    d. contract

17 Un pequeño repaso

Conteste estas preguntas basadas en el texto de la Actividad 15.

1. ¿Qué participios presentes y pasados se han usado en el texto con un tiempo verbal? Haga una lista de ellos. Haga otra lista de los participios pasados usados como adjetivos.
2. Haga una lista de los verbos en el pretérito e imperfecto. ¿Qué expresan estos dos tiempos verbales?
3. Haga una lista de los verbos que aparecen en el subjuntivo en las respuestas de la Actividad 15 y explique su uso.

18 "Tapitas" gramaticales

Conteste estas preguntas basadas en el texto de la Actividad 15.

1. Explique el uso de preposiciones delante de números. Cite los casos en que los números no van precedidos por preposiciones.
2. Explique la función general de los adjetivos y cómo se determinan su género y número. Cite por lo menos quince adjetivos que se usaron en el artículo de la Actividad 15.
3. Explique los usos de la palabra *lo* y cite ejemplos del artículo.

Cita

No progresas mejorando lo que ya está hecho, sino esforzándote por lograr lo que aún queda por hacer.
—Kahlil Gibran (1883–1931), escritor y pintor libanés

¿Piensa que siempre es mejor progresar, o quedarse satisfecho con lo que hay ahora en el mundo? ¿Cómo interpreta "lo que aún queda por hacer"?

Dato curioso

En junio de 2006, China tenía 420 millones de usuarios de teléfonos móviles. Es el país con más aparatos celulares del mundo. Hace sólo diez años, en China era rarísimo ver un teléfono móvil, pero ahora hay sesenta y cinco fabricantes que producen teléfonos móviles en el país.

Idioma

19 Familia de palabras

Complete la tabla con el verbo, sustantivo o adjetivo apropiado, y la traducción correspondiente.

Verbos		Sustantivos		Adjetivos	
advertir				advertido	
	to threaten		threat		threatened
		el aumento			increased
			warming	calentado	
conectar			connection		connected
	to pollute		pollution	contaminado	
generar		el generador		generado	
	to oblige			obligado	
			provocation		

20 ¿Verbo, sustantivo o adjetivo?

Complete las oraciones usando la forma correcta de las palabras que aparecen en la tabla, ya sea verbo, sustantivo o adjetivo. En el caso del sustantivo puede que necesite artículo.

1. Los problemas ___ (generar) por la contaminación del medio ambiente son graves.
2. Uno de los problemas de mayor importancia es ___ (contaminar) del aire.
3. Otro gran problema es ___ (calentar) global que afecta el clima en muchas partes del planeta.
4. Hace mucho tiempo que la deforestación ___ (amenazar) la selva amazónica.
5. Si ella fuera menor, sus padres le ___ (obligar) a ir acompañada.
6. Me encanta usar mi computadora inalámbrica, pero me fastidia cuando ___ (conectar) no funciona bien.
7. ¡Ojalá que sus comentarios no ___ (provocar) tal reacción!
8. ___ (Advertir): ¡Apague su celular!
9. Los chicos no pueden comprar un nuevo celular con cámara porque ___ (aumentar) el precio.
10. Hay que buscar nuevos ___ (generar) de energía para reemplazar la electricidad y nuestra dependencia del petróleo.

Cita

Produce una inmensa tristeza pensar que la naturaleza habla mientras el género humano no escucha.
—Víctor Hugo (1802–1885), escritor francés

👥 Explique la cita. ¿Cómo reaccionaría el escritor con la situación de la contaminación en el siglo XXI? ¿Por qué? Comparta su opinión con un/a compañero/a.

¡Dato curioso! Hacer trabajos voluntarios en su comunidad suena para muchos estudiantes como un verdadero sacrificio, pero los que se acostumbran a hacerlo opinan todo lo contrario. Aparte de la satisfacción de hacer un bien para alguien en su comunidad sin esperar nada a cambio, las personas que llevan a cabo esta labor experimentan vivencias únicas que recuerdan toda la vida.

Investigue palabra clave: Greenpeace

Teacher Resources

📝 Activities 7–8

Answers

19 Verbos
advertir *to warn*
amenazar *to threaten*
aumentar *to increase*
calentar *to warm*
conectar *to connect*
contaminar *to pollute*
generar *to generate*
obligar *to oblige*
provocar *to provoke*

Sustantivos
la advertencia *warning*
la amenaza *threat*
el aumento *increase*
el calentamiento *warming*
la conexión *connection*
la contaminación *pollution*
el generador *generator*
la obligación *obligation*
la provocación *provocation*

Adjetivos
advertido *warned*
amenazado *threatened*
aumentado *increased*
calentado *warmed*
conectado *connected*
contaminado *polluted*
generado *generated*
obligado *obligated*
provocado *provoked*

20 1. generados; 2. la contaminación; 3. el calentamiento; 4. amenaza; 5. obligarían; 6. la conexión; 7. provoquen; 8. Advertencia; 9. aumentaron / han aumentado; 10. generadores

Instructional Notes

19 Tell students to use as many of these words as possible in a brief essay on the threats that pollution has on our environment.

Additional Activities

Juego
Ask students to play *Voluntario, derecha e izquierda*. See p. TE25.

Trabajo de investigación
Ask volunteers to research some ecology programs (even some early ones from before the 20th century) and analyze their effectiveness. They should also propose new programs to protect the planet. They could write a short report or make a brief presentation to the class.

Comunicación
Have students debate whether or not community service should be a requirement for high school or college graduation.

Answers

21 1. dentro; 2. El; 3. hacia; 4. hablar; 5. para; 6. bajo el; 7. está; 8. sobre; 9. advirtiendo; 10. pueda; 11. esto; 12. hablan; 13. la cual; 14. darle; 15. obliguen; 16. hayan puesto

Instructional Notes

21 Before students start reading, encourage a discussion about language or cultural discrimination and prejudice. Ask them: *¿Qué es la xenofobia? ¿Por qué creen que algunas personas reaccionan tan negativamente a todo lo que no sea de su cultura? ¿Será debido al odio, al miedo o a una combinación de las dos emociones? ¿O a otra cosa?*

Additional Activities

Comunicación

Ask small groups of students to role-play in front of the class a similar situation to that described in the article they have just read. But this time, the foreigner will be an English speaker and the driver, the police, and any witnesses should be from a Spanish-speaking country. Encourage creativity.

---

21 Un taxista

Échele una ojeada al artículo que sigue para ver de qué se trata, prestando atención a las palabras en azul, ya que se le harán preguntas sobre ellas. Luego lea el artículo y decida cuál de las dos palabras entre paréntesis es la correcta para completar cada oración y escríbala.

Por hablar español taxista expulsa a pasajero

En represalia por hablar español __1.__ (*adentro / dentro*) de su taxi, un conductor expulsó de su vehículo a un hombre de negocios colombiano procedente del Aeropuerto Internacional George [5] Bush. __2.__ (*El / La*) taxista Tony Mitchell interrumpió el viaje de su pasajero __3.__ (*hacia / hacía*) el Hotel Adams Mark cuando escuchó al colombiano Mauricio Camargo __4.__ (*hablar / hablando*) en español por su teléfono celular. Luego orilló su taxi fuera de la [10] carretera, sacó el portafolio del pasajero de la cajuela y utilizó la fuerza física __5.__ (*por / para*) desalojar a Camargo del automóvil. Ambos hombres llamaron a la policía, y los alguaciles del Condado de Harris que se presentaron en el lugar del incidente multaron al [15] taxista, __6.__ (*bajo el / bajo del*) cargo menor de asalto; otro taxi de la misma compañía llevó a Camargo a su hotel. Las autoridades dijeron que las acciones del taxista no violan ningún reglamento de la ciudad y que no __7.__ (*es / está*) claro si sus acciones, que [20] incluyeron la remoción del portafolio de Camargo de la cajuela, representan una violación de las leyes federales sobre los derechos civiles. "El taxista estaba haciendo declaraciones sin sentido __8.__ (*cerca de / sobre*) terroristas", dijo el capitán M.H. [25] Talton, perteneciente al Departamento de Alguaciles. Dentro del taxi, el conductor llevaba un letrero __9.__ (*advertencia / advirtiendo*): "Inglés Solamente". Citado por el *Houston Chronicle*, Camargo dijo tener "una mala impresión sobre la ciudad", adonde se [30] dirigió para acudir a una conferencia de negocios. "Es completamente absurdo que en una ciudad como Houston, tan cercana a México, una persona no __10.__ (*puede / pueda*) hablar español en un taxi. Si la ciudad está tratando de atraer negocios, __11.__ [35] (*este / esto*) no es un aliciente", dijo Camargo. No es usual en Houston que los taxistas, que en su mayoría operan como contratistas independientes para compañías que son dueñas de los vehículos, discriminen contra personas que __12.__ (*hablan /* [40] *hablen*) un idioma extranjero, pues para cerca de un tercio de la población el inglés no es su idioma materno. Mientras que el taxista no ha declarado ante los medios, la compañía para __13.__ (*el cual / la cual*) trabaja, Liberty Cab Co., finalizó su contrato [45] basándose en la violación de un reglamento municipal que prohíbe a un conductor abandonar a un pasajero en la carretera. De acuerdo con el *Chronicle*, Camargo acudió a Houston para la conferencia de la Asociación Nacional de Organizaciones Estadounidenses de [50] Colombia. Luego de __14.__ (*darse / darle*) una tarjeta con la dirección del hotel al taxista, recibió dos llamadas por su celular, una de ellas de su esposa, quien pertenece al servicio exterior colombiano en Washington, y otra de su jefe en Bogotá. Fue entonces [55] que el conductor usó la fuerza física para sacarle del taxi. La legislación federal sobre derechos civiles prohíbe que empleadores __15.__ (*oblijen / obliguen*) a sus trabajadores a hablar inglés en el trabajo, al tiempo que hace ilegal que un hotel, por ejemplo, se niegue a [60] prestar servicios debido al idioma que se habla. Hasta ahora no se han presentado casos semejantes que __16.__ (*han puesto / hayan puesto*) en tela de juicio la legalidad de acciones como la del taxista, dijeron abogados especializados en derechos civiles citados [65] por el *Chronicle*.

www.laraza.com

Nota cultural

La palabra *xenofobia* se deriva del griego *xeno-* (extraño, extranjero) y *phobeomai* (temer). *Fobia* se define como aversión apasionada, temor morboso.

22 ¿Qué significa?

Según el contexto del artículo anterior, empareje cada palabra de la primera columna con su definición o sinónimo en la segunda.

1. represalia
2. procedente de
3. orillar
4. cajuela
5. desalojar
6. alguacil
7. multar
8. violar
9. remoción
10. acudir
11. aliciente
12. contratista
13. debido a
14. en tela de juicio

a. expulsar
b. a causa de
c. parar a un lado y terminar el viaje
d. desobedecer
e. estímulo
f. maletero de un automóvil
g. imponer una penalidad
h. venganza
i. funcionario del gobierno local
j. expulsión
k. asistir
l. en duda
m. proveniente de
n. empresario

23 El idioma

Échele una ojeada al artículo que sigue para ver de qué se trata, prestando atención a las palabras en azul, ya que se le harán preguntas sobre ellas. Luego lea el artículo y decida qué forma de las palabras entre paréntesis es la correcta para completar cada oración y escríbala. No se olvide de escribir y acentuar la palabra correctamente.

El idioma en la era del móvil y de Internet

JORGE PLANELLÓ

En su libro *Defensa apasionada del idioma español*, Alex Grijelmo se refiere a la pobreza de un idioma que __1.__ (*evolucionar*) desde el deterioro. Carteles de aviso, subtítulos en películas y artículos de prensa son ejemplos del poco cuidado que en ocasiones se __2.__ (*prestar*)
⁵ a la ortografía. En los programas de televisión infantiles, el empeño por usar expresiones modernas reduce a una sola palabra todos los __3.__ (*matiz*). Al utilizar los jóvenes las nuevas tecnologías como teléfonos móviles o Internet, el deseo de comunicar prevalece sobre las reglas gramaticales. Es interesante cómo compensan
¹⁰ mediante el lenguaje la impersonalidad de una conversación en un chat o con mensajes telefónicos. Más que empobrecer el idioma lo adaptan a las nuevas circunstancias. Dos personas frente a frente se comunican además de con la palabra, con los gestos y los cambios de tono. __4.__ (*Mediante*) onomatopeyas, abreviaturas o la supresión de __5.__ (*el*) vocales,
¹⁵ los jóvenes pretenden ganar inmediatez __6.__ (*y*) intensidad en su mensaje. Se trata de decir lo máximo en el menor espacio posible. Nada sucede si se concibe esta forma de expresión como algo independiente de la lengua común. "El problema no es la tecnología, sino la ignorancia", ha dicho el escritor y académico de la lengua Antonio Muñoz Molina. Los diferentes medios tecnológicos pueden coexistir. Ni la televisión ha desplazado a la radio, ni los soportes electrónicos al libro.
²⁰ Tampoco una conversación por chat o a través de mensajes __7.__ (*poder*) competir con aquélla en la que las dos personas de cualquier edad se hallan presentes porque son formas de interacción __8.__ (*complementario*). Por ello el riesgo para la riqueza del idioma no es este uso lingüístico. Más bien que se utilice sin distinción, como cuando un alumno escribe en un examen igual que en un

continúa

Lección 7B **401**

Nota cultural

El académico Fernando Lázaro Carreter trata varios temas sobre el uso del idioma en *El dardo en la palabra* (Galaxia Gutenberg, Círculo de Lectores, 1998). El libro es una compilación de artículos escritos por él sobre el lenguaje que habían aparecido en periódicos españoles y latinoamericanos. Es, por lo tanto, un compendio que refleja tanto la evolución del idioma español y de la sociedad española durante los años 1975–1996.

Answers

22 1. h; 2. m; 3. c; 4. f; 5. a; 6. i; 7. g; 8. d; 9. j; 10. k; 11. e; 12. n; 13. b; 14. l

23 1. evoluciona; 2. prestan; 3. matices; 4. Mediante; 5. las; 6. e; 7. puede; 8. complementarias;

Instructional Notes

23 Because this article deals with the state of the Spanish language, you could ask students: *¿Cómo afectan los medios de comunicación y las últimas tecnologías (por ejemplo, los teléfonos celulares e Internet) al idioma escrito y hablado? ¿Sería conveniente tener una organzación, como la Real Academia, que se ocupara del idioma inglés? ¿Por qué?*

Additional Activities

Juego
Ask students to play *El juego de la alarma*. See p. TE25.

23 9. u; 10. las propias; 11. ha; 12. suprimieran / suprimiesen

24 1. e; 2. j; 3. h; 4. l; 5. f; 6. n; 7. a; 8. c; 9. d; 10. i; 11. p; 12. b; 13. g; 14. m; 15. o; 16. k

Instructional Notes

23 Ask students why the subjunctive is used in question 12. (*Es una oración condicional improbable.*)

Additional Activities

La definición interminable
See p. TE27.

---

mensaje de móvil, lo que pone de manifiesto una carencia educativa. En España más de la
²⁵ mitad de los hogares tienen menos de 100 libros, 3 de cada 10 personas de entre 14 y 24 años
no leen y todavía menos, 6 de cada 10, entre los alumnos de primaria. Ante este panorama, la
responsabilidad del idioma se delega en gran medida a los medios de comunicación. De una
manera **9.** (*o*) otra los jóvenes siempre han buscado registros propios para diferenciarse
de los más mayores. Lázaro Carreter se refería a "la sensación de vejez que rodea a ciertas
³⁰ palabras, y la necesidad que sienten las generaciones jóvenes de sustituirlas por otras de faz
más moderna". "Los idiomas cambian, inventando voces, introduciéndolas de otros idiomas
o modificando **10.** (*el propio*)", escribía. Con las nuevas tecnologías se precisan diferentes
formas de utilizar el lenguaje. Igual que nadie escribe como habla, tampoco es adecuado
escribir para los internautas como en el papel o mantener el estilo de una carta en un correo
³⁵ electrónico o un mensaje por el móvil. Pero los jóvenes no son el único motor de cambio del
lenguaje. La comunicación no es privilegio de unos pocos. Para Lázaro Carreter "se requiere
la máxima unidad en los cambios". Así, se **11.** (*haber*) de facilitar el acceso a las nuevas
tecnologías a personas de todas las edades. En el cuarto centenario de la genial obra de Miguel
de Cervantes, el lenguaje aparece como algo vivo. Somos capaces de padecer las fatigas de
⁴⁰ Don Quijote y gozar de sus andanzas, aunque el estilo del texto de Cervantes resulta lejano.
Esta evolución es un síntoma de salud, en la medida en que se adapta el idioma a los últimos
avances tecnológicos y a las necesidades. Pero ha de progresar con la aportación de sus
hablantes, no con el deterioro. Perderíamos el vínculo cultural si se **12.** (*suprimir*),
por ejemplo, las vocales. "Las mismas letras", dice Grijelmo, "sobre las que han descansado
⁴⁵ sus ojos millones de personas en cinco continentes, en Guinea, en Filipinas, en El Salvador
o en Miami".

www.paginadigital.com

24 ¿Qué significa?

Empareje las palabras de la primera columna con su traducción correspondiente de la segunda, según el contexto del artículo.

1. cartel de aviso	a. to find
2. ortografía	b. to suffer
3. empeño	c. lack
4. prevalecer	d. level, register
5. empobrecer	e. warning poster
6. desplazar	f. to impoverish
7. hallar	g. weariness
8. carencia	h. persistence
9. registro	i. aspect
10. faz	j. spelling
11. internauta	k. damage
12. padecer	l. to prevail
13. fatiga	m. adventures
14. andanzas	n. to displace
15. aportación	o. contribution
16. deterioro	p. Instant Messenger and e-mail users

25 Lea, escuche y escriba/presente

Después de leer los textos completos de las Actividades 21 y 23, escuche "Más de 1,5 millones de palabras del quechua en Windows y Office" y tome las notas necesarias. Escriba un ensayo sobre el mundo multilingüe en que vivimos. No se olvide de citar las fuentes debidamente.

Cita

Vivimos bajo el mismo techo, pero no tenemos el mismo horizonte.
—Konrad Adenauer (1876–1967), político alemán

 ¿Qué es lo más importante en el mundo que le rodea? ¿En qué se diferencia de los retos, los sueños y los miedos de otras comunidades en países menos desarrollados? Comparta sus opiniones con un/a compañero/a.

Dato curioso
¿Sabía que un sismo que registró una magnitud de 7,2 grados causó un tsunami el 26 de diciembre de 2004, durante el cual murieron más de 220.000 personas? Un sismo que sube el nivel del mar también se llama maremoto.

26 ¡No critique a sus hijos!

Échele una ojeada al artículo que sigue para ver de qué se trata, prestando atención a las palabras en azul, ya que se le harán preguntas sobre ellas. Luego lea el artículo y decida cuál de las dos palabras entre paréntesis es la correcta para completar cada oración y escríbala.

¡No critique a sus hijos!

Son las ocho de la mañana. Su hija tiene que estar en la escuela en quince minutos y usted tiene que estar en su trabajo en veinte. Pero esta mañana, ella ha decidido peinarse __1.__ (*sólo / sola*) y ponerse una cinta en el
⁵pelo que __2.__ (*le / se*) toma un siglo. "¿Quieres que te __3.__ (*ayuda / ayude*)?", usted le pregunta mirando el reloj y lista para agarrar el cepillo y peinarla. "No, mami, yo puedo sola", la niña contesta. Y usted comenta, "pero avanza, porque vamos a llegar tarde
¹⁰otra vez", sin pensar que con __4.__ (*estas / éstas*) palabras está afectando a su niña. Porque en vez de elogiar el hecho de que ya la niña se puede peinar solita, está criticando cuando __5.__ (*le / se*) tarda en hacerlo. Una crítica, según Jane Nelson, autora de
¹⁵una serie de libros titulada *Disciplina positiva*, es algo que hace que un niño __6.__ (*se sienta / se siente*) menos que otros o no suficientemente capaz, o inadecuado o incompetente. Cuántas veces, quizás, sin __7.__ (*darnos / darse*) cuenta, hacemos sentir de
²⁰esta manera a nuestros niños __8.__ (*para / por*) la forma en la cual respondemos a sus esfuerzos. Como cuando su hijo es responsable por hacer su cama todos los días y al entrar a su cuarto lo que usted encuentra

es un desastre de almohadas y sábanas debajo del
²⁵colchón. Y en vez de sacar el tiempo para enseñarle cómo arreglarlo y hacerlo bien, lo que hacemos es enojarnos y __9.__ (*criticarlo / criticarnos*). Según la revista *Parents*, cuando algunas veces criticamos a nuestros niños conscientemente, __10.__ (*es / sea*)
³⁰porque esperamos que nuestras palabras alteren su comportamiento o simplemente porque estamos molestos con lo que han hecho. Otras veces, ni tan siquiera nos damos cuenta de que los estamos criticando o corrigiendo. Por eso es importante que
³⁵nos pongamos en el lugar del niño y nos imaginemos __11.__ (*cuán / cuánto*) mal nos sentiríamos si alguien, digamos nuestro jefe, __12.__ (*criticará / criticara*) la mitad de las cosas que hacemos en un día. Las críticas constantes hacen que los niños se sientan
⁴⁰malhumorados y hostiles hacia los padres o hacia la persona que los critica. Además, las críticas contribuyen a que el niño se sienta mal __13.__ (*consigo / con ellos*) mismo, ineficaz y despreciado. Y, según los expertos, estos sentimientos pueden, en cambio, alterar
⁴⁵(bajar) __14.__ (*el / la*) autoestima del niño y ocasionar problemas de comportamiento más serios.

www.eldiariony.com

Answers

26 1. sola; 2. le; 3. ayude; 4. estas; 5. se; 6. se sienta; 7. darnos; 8. por; 9. criticarlo; 10. es; 11. cuán; 12. criticara; 13. consigo; 14. la

Instructional Notes

25 You might want to review the following words before students listen to the audio: *ingresar*, to enter; *congreso*, conference; *analfabetismo*, illiteracy.

Ask students to change a word or two in the *Cita*, but without altering its message. Then ask them to share their new quote with their classmates and compare its effectiveness and message to the original.

26 Explain that the following article deals with advice for parents, so students will have to imagine that they are parents of a young child. Ask them: *¿Cuál es la relación ideal entre padres e hijos? ¿Cómo cambia esta relación a medida que van creciendo los hijos?*

Additional Activities

Trabajo de investigación
Have students research and then talk about the tsunami that hit Indonesia, Thailand, and Sri Lanka on December 26, 2004. They should be prepared to dicusss the atmospheric conditions that caused it, the destruction in its wake, and how the world responded to its many victims.

Activity 28 (CD 7, track 8)

Answers

27 1. c; 2. f; 3. h; 4. b; 5. d; 6. g; 7. a; 8. e

29 1. América; 2. de; 3. por; 4. de; 5. lo;

Instructional Notes

28 You might want to review the following words before students listen to the audio: *aula*, classroom; *abanico*, range; *entrevistado*, interviewed; *fuga*, flight; *desenganche*, disinvolvement; *conjunto*, totality/whole.

29 Ask students: *¿Qué grupos indígenas conocen en las Américas? ¿Dónde viven estas personas y qué idiomas hablan? ¿Qué pasos tomarían Uds. si su propio idioma fuera en peligro de desaparecer?*

---

27 ¿Qué significa?

Según el contexto del artículo anterior, empareje cada palabra de la primera columna con su definición o sinónimo en la segunda.

1. agarrar	a. inepto
2. elogiar	b. conducta
3. colchón	c. coger
4. comportamiento	d. fastidiado
5. molesto	e. producir
6. tan siquiera	f. celebrar
7. ineficaz	g. por lo menos
8. ocasionar	h. pieza que se pone sobre la cama para dormir en ella

28 Lea, escuche y escriba/presente

Después de leer el texto completo de la Actividad 26, escuche "Falta de motivación causa deserción escolar". Tome notas de las dos fuentes y escriba un ensayo o haga una presentación en clase sobre "El mundo del estudiante y su falta de motivación". No se olvide de citar las fuentes debidamente.

29 Lenguas indígenas

Échele una ojeada al artículo que sigue para ver de qué se trata, prestando atención a las palabras en azul, ya que se le harán preguntas sobre ellas. Luego lea el artículo y decida cuáles son las palabras que mejor completan las oraciones y escríbalas. No se olvide de escribir y acentuarlas correctamente.

Lenguas indígenas en agonía

DIEGO CEVALLOS

Cientos de lenguas desaparecieron en **1.** Latina y el Caribe en los últimos 500 años, y varias de las más de 600 que aún sobreviven podrían correr la misma suerte dentro **2.** poco. Agencias de la Organización de las Naciones Unidas (ONU) y algunos expertos sostienen que se trata de una tragedia evitable, pero hay quienes lo ven como un destino consustancial a toda lengua. Enfrentadas a la cultura occidental y a la presencia dominante del castellano, portugués e inglés, lenguas indígenas como el kiliwua en México, el ona y el puelche en Argentina, el amanayé en Brasil, el záparo en Ecuador y el mashco-piro en Perú, apenas sobreviven **3.** el uso que hacen de ellas pequeños grupos de personas, en su mayoría ancianos. Pero también hay otras como

el quechua, aymará, guaraní, maya y náhuatl, cuyo futuro parece más halagüeño, pues en conjunto las hablan más **4.** 10 millones de personas, y muchos gobiernos apadrinan su existencia con distintos programas educativos, culturales y sociales. En el mundo hay alrededor de siete mil lenguas en uso y cada año desaparecen veinte. Además, la mitad de las existentes están bajo amenaza de extinción, según la Organización de las Naciones Unidas para la Educación y la Cultura (UNESCO).

Esta agencia, que promueve la preservación y diversidad de las lenguas en el mundo, sostiene que la desaparición de un idioma es una tragedia, pues con ella se esfuma una cosmovisión y una cultura particulares. Pero no todos **5.** ven así. "La extinción de lenguas es un fenómeno consustancial con la existencia misma de ellas, y ha venido sucediendo desde que el hombre emitió su primer sonido con valor lingüístico",

⁴⁵dijo a Tierramérica José Luis Moure, filólogo de la Universidad de Buenos Aires y miembro de la Academia Argentina de Letras. __6.__ contraste, Gustavo Solís, lingüista peruano experto en lenguas vernáculas y autor de estudios sobre el tema en la ⁵⁰Amazonia, afirma que "no hay nada en las lenguas que diga que deba desaparecer una y mantenerse otra. Toda desaparición de lengua y cultura es una tragedia mayor de la humanidad. Cuando ocurre, se extingue una experiencia humana única e irrepetible", declaró ⁵⁵Solís a Tierramérica. Según __7.__ especialista, hay experiencias que indican que es posible planificar la revitalización de lenguas para que no __8.__, pero con los esfuerzos que se hacen al respecto en América Latina y el Caribe son aun pequeños. Cuando ⁶⁰llegaron los europeos a América, en el __9.__ XV, había entre 600 y 800 lenguas sólo en América del Sur, pero con el proceso colonizador "la inmensa mayoría desapareció y en este mismo momento, hay lenguas en proceso de extinción por el contacto ⁶⁵desigual entre la sociedad occidental y algunas sociedades indígenas", expresó. Fernando Nava, director del gubernamental Instituto Nacional de Lenguas Indígenas de México (INALI), señaló a Tierramérica que las lenguas desaparecen por ⁷⁰evolución natural, lo que es entendible, o por la presión cultural y por la "discriminación" que sufren sus hablantes. Es contra la segunda causa que muchos gobiernos, agencias internacionales y académicos enfocan sus esfuerzos, pues se trata __10.__ algo ⁷⁵inaceptable, declaró.

"En este campo, en América Latina y el Caribe estamos apenas transitando por una etapa de 'sensibilización'", opinó. Según la Unesco, la mitad de las lenguas existentes en el mundo podría ⁸⁰perderse dentro de "pocas generaciones", debido a su marginación de Internet, presiones culturales y económicas y el desarrollo de nuevas tecnologías que favorecen la homogeneización. El organismo difundirá __11.__ mayo un amplio estudio sobre las ⁸⁵lenguas en la Amazonia, varias de __12.__ habladas por muy pocos individuos, con lo que aspiran a llamar la atención sobre el fenómeno. En las selvas amazónicas sobreviven pueblos indígenas aislados, que se niegan __13.__ tener contacto con el mundo ⁹⁰occidental y su "progreso". Suman unas cinco mil personas pertenecientes a varias etnias, entre ellas, los tagaeri en Ecuador, los ayoreo en Paraguay, los

korubo en Brasil y los mashco-piros y ashaninkas en Perú. De acuerdo __14.__ Rodolfo Stavenhagen, ⁹⁵relator especial de la ONU sobre Derechos Humanos y Libertades Fundamentales de los Indígenas, esos nativos enfrentan un "verdadero genocidio cultural". "Me temo que en las circunstancias actuales es muy difícil que sobrevivan muchos años más, pues el ¹⁰⁰llamado desarrollo niega el derecho de esos pueblos a seguir __15.__ pueblos", ha dicho. Aunque el universo de idiomas y dialectos en uso en el mundo es alto, la gran mayoría de la población habla apenas un puñado de ellos, como el inglés o el español. Para ¹⁰⁵garantizar que la diversidad lingüística se mantenga, la comunidad internacional acordó en los últimos años una batería de instrumentos internacionales, y expertos organizan periódicas citas donde analizan el tema. Una de esas últimas reuniones se celebró ¹¹⁰del 31 de marzo __16.__ 2 de abril en el central estado estadounidense de Utah, donde funcionarios y estudiosos del tema de toda América debatieron sobre cómo evitar la desaparición de docenas de lenguas en la región. Desde 1999 y por iniciativa de la Unesco, ¹¹⁵cada 21 de febrero se __17.__ el Día Internacional de la Lengua Materna. Además, existen acuerdos en el sistema de la ONU, como la Declaración Universal sobre la Diversidad Cultural y su Plan de Acción, de 2001, y la Convención para la Salvaguardia del ¹²⁰Patrimonio Cultural Inmaterial, de 2003. También está la Recomendación sobre la Promoción y el Uso del Plurilingüismo y el Acceso Universal al Ciberespacio, de 2003, y la Convención sobre la Protección y Promoción de la Diversidad de las ¹²⁵Expresiones Culturales, de 2005. Según el argentino Moure, es importante __18.__ por la preservación de las lenguas, aunque el número de sus usuarios __19.__ pequeño, pues "son marcas de identidad que merecen el máximo respeto y atención científica". ¹³⁰Pero "no estoy tan seguro de que la muerte de una lengua implique necesariamente la desaparición de la cosmovisión que conlleva, porque sus hablantes nunca dejan __20.__ hablar (a menos que los extermine una enfermedad o un genocidio) sino que, después ¹³⁵de un período de bilingüismo, adoptan otra lengua que les resulta más útil por su mayor inserción en el mundo", apuntó. "Esto es un hecho de la realidad, y creo que debe admitírselo sin apelar a excesivas teorías conspirativas", añadió.

www.paginadigital.com

Lección 7B **405**

Nota cultural

Hace unos diez años unos funcionarios de la Fundación Nacional del Indio de Brasil encontraron al único sobreviviente de una étnia que fue eliminada por los dueños de las tierras ahora dedicadas al ganado. Los funcionarios lo llamaron "el indio del agujero" porque en medio de las chozas que hacía siempre había un enorme agujero de unos tres metros de profundidad (pero se desconoce para qué sirve). No han podido establecer contacto con él: le ofrecieron comida, herramientas e intentaron hacer rituales de cura para obtener su confianza, pero él contestó con flechas. Ahora el objetivo de la Fundación no es ponerse en

contacto con él, sino protegerlo, hacerle la vida menos traumática.

Investigue palabras clave: el Día Internacional de la Lengua Materna

Instructional Notes

31 After students have completed this writing assignment, encourage a classroom discussion based on the ideas described in their proposals.

Additional Activities

Trabajo de investigación

Ask students to find data on illiteracy in Latin America and the United States. Students should note some statistics as well as programs that have been developed or are in development to combat illiteracy, and their success or failure. Then students can work in small groups to compare their research.

30 ¿Qué significa?

¿Cuál es la mejor traducción para cada palabra, según el contexto de la lectura anterior?

1. sostener
   a. to deny
   b. to maintain
   c. to keep
   d. to protect

2. consustancial
   a. innate
   b. circumstantial
   c. relevant
   d. occasional

3. halagüeño
   a. defeating
   b. hopeless
   c. flattering
   d. distant

4. apadrinar
   a. to reject
   b. to question
   c. to finance
   d. to sponsor

5. esfumarse
   a. to vanish
   b. to resolve
   c. to smoke
   d. to shade

6. cosmovisión
   a. vision of the stars
   b. galaxy
   c. vision of the world
   d. hereafter

7. vernáculo
   a. foreign language
   b. language of the Indians
   c. new language
   d. native language

8. irrepetible
   a. mentionable
   b. unrepeatable
   c. undeniable
   d. repeating often

9. lengua materna
   a. mother earth
   b. mother tongue
   c. maternal league
   d. maternal care

10. salvaguardia
    a. glory
    b. salvage
    c. safeguard
    d. promotion

11. conllevar
    a. to entail
    b. to exclude
    c. to take along
    d. to start

31 Escriba

Según el artículo anterior, "en el mundo hay alrededor de siete mil lenguas en uso y cada año desaparecen veinte". Proponga un plan para evitar la desaparición de tantos idiomas cada año. Defienda el programa y sugiera la financiación del mismo. Use una variedad de tiempos verbales e intente usar algunas de las "tapitas" gramaticales y vocabulario que ha repasado en esta lección.

Cita

En el corazón de todos los inviernos vive una primavera palpitante, y detrás de cada noche, viene una aurora sonriente.
—Kahlil Gibran (1883–1931), escritor y pintor libanés

¿Qué piensa de esta cita? ¿Cree que los indígenas miran al futuro con esta misma actitud? Comparta su opinion con un/a compañero/a.

¡Dato curioso!

Iberoamérica quiere estar libre de analfabetos en el año 2015. Muchos gobiernos hispanos expresaron que la educación y la cultura son el cemento para la base de sociedades más productivas, más equilibradas y más justas.

Investigue palabras clave: Kahlil Gibran

¡A leer!

32 Antes de leer 👥

¿Piensa Ud. que el acceso al agua potable es un tema mundial importante? ¿Por qué? ¿Qué sabe de la purificación del agua?

33 El agua

Lea con atención el artículo que sigue e intente averiguar el significado de las palabras en azul por el contexto, ya que se le harán preguntas sobre ellas.

El agua, tema central de análisis internacional

KARLA WUCUAN OCHOA

La sequía, la calidad y seguridad del agua, y el uso de la tecnología para el desarrollo de infraestructura que permita su administración y abastecimiento adecuado frente a los desafíos legislativos en torno a este vital
5 líquido, fueron los temas que dominaron la convención anual de la Asociación Estadounidense de Obras Hidráulicas (AWWA).

Andrew Hudson, jefe de relaciones públicas de la AWWA, señaló que desde los ataques terroristas del
10 11 de septiembre de 2001 la seguridad del agua se ha vuelto una prioridad.

"Antes de los ataques sólo nos preocupábamos por las personas que echaban algún químico en el agua —como pintura—, pero ahora tenemos que vigilar más
15 en caso de que los terroristas quieran verter alguna sustancia dañina en el agua", dijo Hudson. Más de 500 compañías relacionadas con el agua exhibieron sus productos y avances tecnológicos para garantizar la calidad del vital líquido que llega a los hogares.

20 "La convención estuvo abierta al público; sin embargo, la mayoría de los asistentes eran miembros de la organización AWWA, que son personas que están muy involucradas en la industria del agua (A), como empresarios o personas que trabajan para el gobierno",
25 señaló Sabrina McKenzie, portavoz de la AWWA.

Virgilio Martínez, gerente internacional de Leopold Underdrain para América Latina, uno de los expositores más grandes en la convención, comentó que es importante dar a conocer los equipos de
30 tratamiento de agua que se usan en las ciudades para la seguridad de sus habitantes. "Nosotros estamos en el mercado desde 1924, y año tras año mejoramos nuestros productos", dijo el gerente. "Este año trajimos un equipo que cuenta con un material de filtración,
35 como cama de soporte, grava y arena, y cuando se introduce el agua se purifica automáticamente".

Este año más de 32 países visitaron la conferencia de la AWWA, entre los cuales se encontraban Brasil, Puerto Rico, Colombia y México. "Es la

40 primera vez que asisto a este tipo de eventos y creo que es muy importante que todas las personas participen y se preocupen por el medio ambiente" (B), dijo Juan Felipe Serrato, de la Comisión Estatal de Servicios Públicos de Mexicali. "Además", continuó Serrato,
45 "busco la mejor tecnología que ofrezca un buen proceso de filtración y limpieza de agua".

La conferencia anual del tratado de agua, que incluía más de 70 sesiones y 13 talleres con diferentes expertos del tratado del agua, fue inaugurada el 15 de
50 junio y concluyó el 19 del mismo mes en el Centro de Convenciones de Anaheim. Hudson agregó que aparte de informar a las personas que están dentro de la industria del agua, también están tratando de alcanzar a todos los latinos y cambiar su cultura sobre
55 el agua de la llave (C). Según un estudio publicado por la AWWA, los latinos son los más propensos a comparar la calidad del agua de la llave que hay en Estados Unidos con la de sus países de origen. "Los latinos por lo general no consumen el agua de la llave
60 que hay aquí, pues temen que sea igual a la de sus países de origen, cuando la calidad del agua de aquí es muy buena y puede ser bebida sin ningún problema", comentó Hudson. Casi la mitad de los latinos toman sólo agua embotellada (D) y como grupo están
65 dispuestos a pagar más por agua de alta calidad, según el estudio de la AWWA. Serrato agregó que espera que en el futuro se le haga más difusión a este tipo de eventos, pues en México se necesita concienciar más a la ciudadanía y al gobierno sobre la importancia de
70 tener un buen sistema de purificación.

www.laopinion.com

Teacher Resources

📝 Activities 9–17

Instructional Notes

32 Ask volunteers to research some facts about the world's water supply.

33 Ask students: *¿Prefieren beber agua embotellada o del grifo (de la llave)? ¿Por qué?*

34 ¿Qué significa? 🔍

Según el contexto del artículo anterior, ¿cuál es la mejor traducción para cada palabra de la primera columna?

1. sequía	a. tap water
2. abastecimiento	b. to pour
3. verter	c. inclined to
4. dañino	d. drought
5. agua de la llave	e. supply
6. propenso	f. bottled water
7. agua embotellada	g. to make aware
8. concienciar	h. harmful

35 ¿Ha comprendido?

1. ¿Cuáles fueron los temas que dominaron la convención anual de la Asociación Estadounidense de Obras Hidráulicas?
   a. La sequía y la calidad y seguridad del agua
   b. La sequía, la calidad y seguridad del agua y un plan de aprovisionamiento de agua por el gobierno federal
   c. La sequía, la calidad y seguridad del agua y un plan para aprovisionar el agua según las leyes que existen
   d. La sequía, la calidad y seguridad del agua y sugerencias de cómo transformar el agua salada en agua dulce

2. Según el artículo, ¿cuáles son dos tipos de ataques al agua que temen las autoridades?
   a. Verterle al agua algún producto químico o pintura
   b. El ataque al agua por parte de terroristas y por productos químicos
   c. Los ataques a la calidad del agua en las grandes ciudades y a nivel internacional
   d. Ninguna de las respuestas anteriores

3. ¿Qué exhibieron 500 compañías relacionadas con el agua?
   a. Productos para transformar el agua salada en agua dulce
   b. Productos para garantizar la seguridad del agua
   c. Productos para garantizar la calidad del agua
   d. Productos contra la sequía

4. ¿Qué producto ayuda a purificar el agua automáticamente?
   a. Una cama de soporte, grava y arena
   b. No hay ningún producto eficaz y no se lo menciona en el artículo.
   c. Existen algunos productos, pero son muy costosos y no se los mencionan en el artículo.
   d. Un producto que se usa también en las ciudades para la seguridad de sus habitantes

5. ¿Qué buscaba uno de los oficiales mexicanos durante la conferencia?
   a. La ayuda de otros países latinos para solucionar los problemas con el agua
   b. La ayuda de otros países latinos para purificar el agua
   c. La mejor tecnología que ofrezca un buen proceso para la seguridad del agua
   d. La mejor tecnología que ofrezca un buen proceso de filtración y limpieza del agua

6. ¿Cuál era uno de los propósitos de la conferencia?
   a. Proponer más uso del agua embotellada en las culturas latinas
   b. Proponer más uso del agua de la llave en las culturas latinas
   c. Proponer a todos los países latinos un mejor sistema de purificación del agua
   d. Ninguna de las respuestas anteriores

36 ¿Cuál es la pregunta?

Según el artículo que acaba de leer, escriba una pregunta lógica para estas respuestas.

1. Un tema central de análisis internacional
2. En la convención anual de AWWA
3. El 11 de septiembre de 2001
4. Personas que están muy involucradas en la industria del agua
5. Leopold Underdrain para América Latina
6. Brasil, Puerto Rico, Colombia y México
7. En Anaheim
8. El agua de la llave
9. El agua embotellada
10. Agua de alta calidad

37 ¿Qué piensa Ud.?

¿Cuáles son al menos cinco sinónimos, que se usan en el artículo, de *personas* en general? ¿Puede pensar en otras? Escríbalas.

38 ¿Dónde va?

La siguiente frase se puede añadir al texto anterior: *en general y por el tema de la convención del agua.* ¿Dónde encajaría mejor la frase?

1. Posición A, línea 23
2. Posición B, línea 42
3. Posición C, línea 55
4. Posición D, línea 64

Cita

Tres facultades hay en el hombre: la razón que esclarece y domina; el coraje o ánimo que actúa; y los sentidos, que obedecen.
—Platón (427–347 a. de J. C.), filósofo griego

¿Está de acuerdo con la cita? ¿En qué situaciones ha podido observar esto? ¿Qué facultades dominan al ser humano que se preocupa por el medio ambiente? Comparta sus opiniones con un/a compañero/a.

Dato curioso

Las Naciones Unidas recuerda todos los años, desde 1993, que el agua es un elemento tan valioso como escaso. Más de 1.100 millones de personas no disponen de agua potable y 2.600 millones carecen de sistemas de saneamiento adecuados. Según la ONU, el agua en malas condiciones provoca la muerte cada año de unos dos millones y medio de personas.
www.quo.es

Instructional Notes

39 Ask students if they have followed any story in the news regarding our oceans, seas, or lakes, or regarding commercial fishing, and to summarize what they have read.

40 Before students begin reading, ask them: *¿Por qué creen que la mayoría de la gente no se ocupa de los océanos?*
After students read the article, ask them if they can identify the fish that are mentioned in it: *tiburón*, shark; *atún*, tuna fish; *albacora*, albacore tuna.

39 Antes de leer 👥

¿Qué sabe de los océanos? ¿Qué opina de la sobreexplotación de las especies que habitan los océanos? ¿Qué sabe de los tiburones? ¿Qué son el atún, la albacora y la merluza?

40 Los océanos 📖

Lea con atención el artículo que sigue e intente averiguar el significado de las palabras en azul por el contexto, ya que se le harán preguntas sobre ellas.

Los océanos y el planeta en peligro

RICARDO NATALICHIO

Una gran cantidad de las diferentes especies que habitan los océanos del planeta se encuentran en una situación de alerta roja. La fundación Oceana calcula que el 75% de las [5] que el hombre consume están sobreexplotadas, o siendo explotadas al límite de su capacidad, y que el 90% de la población de los peces grandes (tiburones, atunes, albacoras, etc.) ha desaparecido de los océanos desde el [10] surgimiento de la pesca industrial. Quinientas toneladas de tiburón se requieren para obtener unas 12 toneladas de aletas, las cuales son vendidas como afrodisíaco principalmente en Asia. Estos animales se cazan, se mutilan [15] y se devuelven vivos al mar, donde mueren ahogados y desangrados. Por cada merluza pescada, dos son devueltas al mar por no alcanzar la talla mínima para ser vendida. Muchas veces los peces han muerto antes de [20] ser devueltos. Si este ritmo de sobreexplotación continúa, la FAO prevé que en cuatro años se vivirá un colapso global de las pesquerías, afectando a más de 2 mil 500 millones de personas, que obtienen del mar su principal [25] fuente de proteínas. La sobreexplotación pesquera está acabando con la pesca a nivel planetario, poniendo en riesgo la supervivencia de los ecosistemas, las especies, y la viabilidad del propio sector pesquero. Greenpeace [30] estima que cada cuatro segundos, un área marina del tamaño de 10 campos de fútbol es barrida por buques de arrastre. En el transcurso del Día Mundial de los Océanos una flota de unos 300 arrastreros que faenan [35] en aguas internacionales habrá barrido con

sus pesadas redes unos 1.500 km² de fondos marinos profundos, en uno de los hábitats más diversos y más frágiles del planeta. De ahí que sea tan importante una moratoria sobre [40] la pesca de arrastre en alta mar para detener la destrucción de estos ecosistemas únicos. La inmensidad de los océanos muchas veces provoca que perdamos de vista la fragilidad de sus ecosistemas, y la velocidad con la que los [45] estamos degradando es una muestra más de la forma insostenible y destructiva con la que nos estamos manejando con respecto a los recursos del planeta. La importancia de mantener saludables a los ecosistemas oceánicos es tal [50] que posiblemente su degradación llevaría a la extinción misma del ser humano entre otras especies, o al menos causaría graves efectos en varios miles de millones de personas en todo el planeta. La semana que viene Naciones Unidas [55] se reúne en Nueva York para discutir medidas urgentes de protección de las profundidades marinas. Por el momento, en el Día de los Océanos, no tenemos nada que festejar.

www.paginadigital.com

Nota cultural

Se calcula que para el año 2050, el 90% de todas las especies de peces del mundo habrá desaparecido.

Investigue palabras clave:
Día Mundial de los Océanos, Oceana, FAO (Organización de las Naciones Unidas para la Agricultura y la Alimentación)

41 Amplíe su vocabulario 🔍

Mire las palabras de la primera columna y busque su correspondiente sinónimo o definición entre las palabras de la segunda.

1. sobreexplotado
2. surgimiento
3. aleta
4. ecosistema
5. pesquero
6. barrer
7. arrastre
8. faenar
9. festejar

a. comunidad de seres vivos interrelacionados por el medio ambiente
b. celebrar
c. relacionado con los peces
d. acción de tirar
e. limpiar el suelo con una escoba
f. pescar en el mar
g. extraído demasiado
h. aparición
i. apéndice que se utiliza para moverse en el agua

42 ¿Ha comprendido?

1. Según el artículo, ¿qué está en una situación de alerta roja?
   a. Los peces grandes
   b. La calidad y la seguridad del agua
   c. Muchas especies marinas
   d. Las repuestas a y c

2. ¿Qué ha desaparecido desde el surgimiento de la pesca industrial?
   a. El 25% de las especies de peces
   b. El 10% de las especies de los peces grandes
   c. El 75% de las especies de peces
   d. El 90% de las especies de los peces grandes

3. ¿En cuántos años se calcula que habrá un colapso global de las pesquerías?
   a. En doce
   b. En cuatro
   c. A finales de este siglo
   d. Ninguna de las respuestas anteriores

4. ¿Por qué no se vende la mayoría de las merluzas pescadas?
   a. No hay ningún mercado que apoye toda la merluza pescada.
   b. Su popularidad ha disminuido.
   c. Son demasiado pequeñas.
   d. Todas las respuestas anteriores

5. ¿Qué hicieron los 300 arrastreros el Día Mundial de los Océanos?
   a. Celebraron ese día en el mar.
   b. Soltaron todos los peces que habían pescado ese día.
   c. Protestaron esa celebración.
   d. Trabajaron en los océanos como siempre.

6. ¿Por qué no es tan obvia la fragilidad del ecosistema marino?
   a. Porque los océanos son muy grandes
   b. Porque la mayoría de la gente del planeta no vive cerca de un océano
   c. Porque no hay mucha información disponible sobre el tema
   d. Porque, hasta ahora, no había ninguna plataforma internacional para discutir el asunto

Answers

41 1. g; 2. h; 3. i; 4. a; 5. c; 6. e; 7. d; 8. f; 9. b

42 1. d; 2. d; 3. b; 4. c; 5. d; 6. a

Instructional Notes

43 You might want to have some students follow up with the most recent developments in the ecology initiatives and programs of the United Nations that have to do with the world's oceans and share them with their classmates.

44 Have students discuss why they chose their titles.

45 You might want to review the following words before students listen to the audio: *escaso*, scarce; *inversión*, investment; *rentable*, profitable; *condado*, county; *abastecimiento*, supply; *agua potable*, drinking water; *desembocar*, to culminate; *plebiscito*, plebiscite; *de lucro*, for profit; *desalentar*, to discourage; *ahorro*, saving; *capas de nieve montañosas*, mountainous snow caps; *sequía*, drought; *nevada*, snowfall; *inalcanzable*, unreachable.

Cita
Ask students to provide definitions for *Universo*.

Additional Activities

Proyecto
Ask students to work with a partner and plan an ecotour through a Spanish-speaking country. They should be prepared to describe the flora and fauna of the places they will travel to, as well as any other points of interest from an ecological point of view. Encourage them to prepare a poster or some brochures.

---

43 Responda brevemente

¿Cree que las reuniones en las Naciones Unidas pueden establecer medidas urgentes de protección de las profundidades marinas? ¿Por qué? ¿Tiene Ud. algunas sugerencias que hacer para mejorar la situación? ¿Cuáles son? ¿Por qué es importante proteger el ecosistema marino?

44 Se titula...

Piense en otro título para esta lectura. ¿Por qué lo ha escogido?

45 Lea, escuche y escriba/presente

Después de leer "El agua, tema central de análisis internacional" y "Los océanos y el planeta en peligro" escuche "El verdadero valor del agua" y tome las notas necesarias de las fuentes. Escriba un ensayo o haga una presentación en clase sobre el tema, "La calidad del agua, los océanos y la industria pesquera: crisis del siglo XXI". No se olvide de citar las fuentes debidamente.

Cita
Si viéramos realmente el Universo, tal vez lo entenderíamos.
—Jorge Luis Borges (1899–1986), escritor argentino

¿Por qué escribió Borges *Universo* con mayúscula? Explique lo que quiere decir Borges. ¿Está de acuerdo con él? ¿Por qué piensa que pudo haber hecho este comentario? Comparta sus opiniones con un/a compañero/a.

Las Torres de Paine, Chile

El ecoturismo consiste en viajar por áreas naturales sin perturbarlas, con el fin de disfrutar, apreciar y estudiar sus atracciones naturales: los paisajes, la flora y la fauna y las manifestaciones culturales que se puedan encontrar allí. Hay muchos países latinoamericanos donde este tipo de turismo es muy popular.

¡A escuchar!

46 No existe relación entre celulares y tumores cerebrales

Lea las posibles respuestas primero y después escuche la grabación "No existe relación entre celulares y tumores cerebrales". Escoja la mejor respuesta para la pregunta que escuchará en la grabación.

1. (Pregunta que escuchará en la grabación.)

    a. De Dinamarca
    b. De los Estados Unidos
    c. De Finlandia
    d. De Holanda

2. (Pregunta que escuchará en la grabación.)

    a. 427 personas
    b. 822 personas
    c. Más de mil personas
    d. Casi dos mil personas

3. (Pregunta que escuchará en la grabación.)

    a. Ningún cambio importante en el número de tumores cerebrales vinculado a la frecuencia del uso de celulares
    b. Ningún aumento en el número de tumores cerebrales vinculado a la frecuencia del uso de celulares
    c. Ninguna reducción importante en el número de tumores cerebrales vinculado a la frecuencia del uso de celulares
    d. Ninguna de las respuestas anteriores

4. (Pregunta que escuchará en la grabación.)

    a. Uno de Suiza
    b. Uno de los Estados Unidos
    c. Uno de Suecia
    d. Uno de Austria

5. (Pregunta que escuchará en la grabación.)

    a. Sí, con las personas que usaron su celular muy frecuentemente
    b. No, porque la mayoría de las personas entrevistadas no usaron su celular frecuentemente
    c. Sí, pero no podían atribuir la aparición de los tumores debido al uso del celular
    d. No, porque hay otros factores que podían explicar la aparición de los tumores

---

Teacher Resources

 Activity 46 (CD 7, track 10)

 Activity 18

Answers

46 1. a; 2. c; 3. b; 4. c; 5. d

Instructional Notes

46 You might want to review the following words before students listen to the audio: *danés*, Danish; *facultativo*, doctor; *vinculado*, connected; *sueco*, Swedish; *riesgo*, risk.

The questions for the audio activity appear below.

1. ¿De qué país eran los médicos que hicieron este estudio?
2. ¿Cuántas personas en total entrevistaron para este estudio?
3. ¿Qué resultado señalaron los doctores?
4. ¿Qué otro estudio cita el artículo?
5. ¿Encontraron los médicos algunos tumores causados por el uso del celular?

Additional Activities

La noticia del día
See p. TE28.

Teacher Resources

 Activity 47 (CD 7, track 11)
Activity 48 (CD 7, track 12)

Answers

47

1. Oficina Nacional para la Seguridad en las Carreteras
2. Para evitar accidentes relacionados con los celulares
3. Para poder conducir y no marcar, sostener y colgar el celular
4. Ejemplos: un empleo más eficiente del tiempo destinado al transporte, la capacidad de recibir ayuda de emergencia y la posibilidad de mantener mayor comunicación con la familia, los negocios y la comunidad
5. Ahorros en lesiones personales y daño a la propiedad, y costos causados por las demoras en el tráfico a causa de accidentes

Instructional Notes

47 You might want to review the following words before students listen to the audio: *restringir*, to restrict; *medida*, measure; *comportamiento*, behavior; *propuesta*, proposal; *sostener el aparato*, to hold the apparatus/machine; *marcar*, to dial; *colgar*, to hang up; *mitigar*, to alleviate; *invertir*, to invest; *lesión*, injury; *demora*, delay.

47 Pros y contras de restringir el uso del celular

Escuche la grabación "Pros y contras de restringir el uso del celular" y conteste las siguientes preguntas.

1. ¿Qué significa la sigla NHTSA en español?
2. ¿Por qué recomienda la NHTSA que no se conduzca mientras se usa el celular?
3. ¿Por qué se recomienda que los conductores dejen las manos libres mientras manejan?
4. ¿Cuál es un beneficio del uso sin restricciones del celular mientras se conduce?
5. ¿Cuáles son dos beneficios potenciales de la legislación con respecto al uso del celular?

48 Participe en una conversación

Ud. va a participar en una conversación. Primero lea la descripción de la conversación y piense en algunas palabras o expresiones que le serían útiles. Organice sus ideas, haciendo predicciones sobre lo que se le pueda preguntar o comentar. Una descripción de lo que va a escuchar aparece abajo en color. Participe en la conversación grabando las respuestas o escribiéndolas en su cuaderno.

Escena: Ud. y otros estudiantes están planeando un programa ecológico en su colegio o universidad. Un día, Ud. entra en la oficina del director para hablar de este asunto.

El director:	Le saluda y le pide algo.
Ud.:	• Conteste.
El director:	Le pregunta sobre el programa.
Ud.:	• Conteste su pregunta.
El director:	Le hace otra pregunta.
Ud.:	• Conteste su pregunta afirmativamente.
El director:	Le hace otra pregunta.
Ud.:	• Contéstele y dele detalles sobre lo que le pide.
El director:	Le hace más preguntas sobre el programa.
Ud.:	• Háblele sobre sus preferencias para este programa. Explique las razones.
El director:	Sigue la conversación y luego se despide.
Ud.:	• Haga un comentario y despídase.

Audioscript Activity 48

El director: ¡Hola, y buenas tardes! Siéntate y explícame por qué estás aquí esta tarde.
[STUDENT RESPONSE]

El director: ¿Cuántas personas quieren participar en este tipo de programa?
[STUDENT RESPONSE]

El director: ¿El colegio tendrá que pagar algo?
[STUDENT RESPONSE]

El director: ¿Cuánto dinero, aproximadamente? ¿Y para qué es?
[STUDENT RESPONSE]

El director: ¿Tienen los estudiantes el apoyo de los adultos de nuestra comunidad? ¿Por qué quieres empezar el programa en este momento?
[STUDENT RESPONSE]

El director: Parece que tienes ideas muy buenas. Voy a hablar con la administración de la escuela y contestarte dentro de una semana. Hasta pronto entonces.
[STUDENT RESPONSE]

¡A escribir!

49 Texto informal: los teléfonos celulares

Escriba en un blog. Escriba un aviso detallando cómo se deben usar los teléfonos celulares mientras está en su colegio o universidad. Incluya lo siguiente:

- Las horas del uso de los celulares.
- Las restricciones sobre el uso de los celulares.
- Las sanciones contra los estudiantes que no sigan las reglas sobre el uso de los celulares.
- Unas frases o expresiones que se puedan usar en los carteles u otros anuncios para describir esta política.

> **Consejo**
>
> Antes de empezar, lea las pautas para escribir textos informales en la pág. 480 del Apéndice. Mientras escribe el texto tenga presente los objetivos. Cuando termine, verifique que ha cumplido con todo lo que se describe en la lista y reflexione sobre su trabajo.

50 Texto informal: las lenguas indígenas

En un foro alguien pide consejos para aprender una lengua indígena. Contéstele e incluya lo siguiente:

- Háblele de la importancia de hablar una lengua indígena.
- Sugiérale centros donde se puede aprender una de estas lenguas.
- Enumere los beneficios de aprender una lengua indígena.
- Mencione la posibilidad de vivir entre los indígenas para aprender dicha lengua.

51 Ensayo: la importancia de hablar español

Escriba un ensayo sobre la importancia social, cultural y política de mejorar su conocimiento de español.

> **Consejo**
>
> Antes de empezar, lea las pautas para escribir ensayos en la pág. 480 del Apéndice. Mientras escribe el ensayo tenga presente los objetivos y no se olvide de ponerle un título original. Cuando termine, verifique que ha cumplido con todo lo que se describe en la lista y reflexione sobre su trabajo.

52 Ensayo: la ecología

Escriba un ensayo en el que describa la importancia de la ecología.

53 En parejas 👥

Intercambie sus ensayos con los de un/a compañero/a. Exprésele su opinión sobre el contenido y el uso del idioma.

Los coches híbridos como éste son más ecológicamente correctos, puesto que gastan menos petróleo.

Activity 19

Instructional Notes

49–52 Remind students to go over the expectations outlined in the *Pautas* on p. 480 before they begin writing.

53 You might want to have students work in small groups rather than with a partner to critique one another's work.

Additional Activities

Corrija una carta
See p. TE26.

A escribir por quince minutos and/or **Lea, escriba y pásolo**
See pp. TE26 and TE27.

Instructional Notes

54 Because all students will speak, allow them time to prepare this activity. Be sure to tell students which issue and which side of the issue they will be debating, so that they can do some research and practice before their debate.
After students have debated these issues with a partner, you might want them to continue the debate in small groups, or even have a discussion with the whole class on one or two of these topics. Remind students to use as much of the new vocabulary from this lesson as they can.

55 After students discuss these issues with their partners, you might want to have a classroom discussion on either one or both questions.

56 Review the *Pautas para presentaciones formales* on p. 481, and refer students to their copies of the guidelines given to them in *Lección 1A* (*Antes y durante una presentación*). (See p. 27 of this Annotated Edition.) Remind them that while they are presenting they should not read from their notes.

Additional Activities

Responda a esta situación
See p. TE28.

¡A hablar!

54 Charlemos en el café

Ud. va a debatir los siguientes temas con un/a compañero/a. Uno estará a favor de lo que se ha dicho y otro en contra. El debate durará varios minutos. El/La estudiante que esté de acuerdo comenzará el debate y hablará por unos diez segundos. Cuando el/la profesor/a lo indique, el/la otro/a estudiante tomará la palabra y expresará su opinión por otros diez segundos, y así sucesivamente.

1. Tenemos obligación de elevar la conciencia ecológica del mundo.
2. Los políticos deberían prestar más atención a los programas ecológicos que protegen el planeta.
3. Debe haber más restricciones sobre el uso de los teléfonos celulares en todos los lugares públicos.
4. El mejor ciudadano es el ciudadano que hable varios idiomas.
5. Es necesario buscar nuevas formas de energía.

55 ¿Qué opinan?

Converse con un/a compañero/a sobre estas preguntas.

1. Si pudiera inventar cualquier cosa para mejorar nuestra ecología, ¿qué le gustaría inventar y por qué?
2. ¿Cree que la educación primaria debe incluir la enseñanza de idiomas extranjeros? ¿Por qué? Si Ud. fuera director(a) de una escuela primaria, ¿qué idiomas se enseñarían en la escuela? ¿Por qué?

56 Presentemos en público

Conteste una de las siguientes preguntas o haga una presentación sobre uno de los temas durante varios minutos. Organice sus ideas antes de hacer la presentación, busque las palabras necesarias y, después de practicar, presente en clase sin mirar las notas.

1. ¿Cree que la tecnología (las computadoras, el mensajero instantáneo, los mensajes por teléfono celular, etc.) ayuda o impide la comunicación escrita formal?
2. Si pudiera cambiar un aspecto de nuestra rutina diaria y eliminar un elemento de contaminación en nuestro mundo, ¿cuáles le gustaría cambiar o eliminar? ¿Por qué? ¿Cómo lo haría?
3. Ud. es un gran experto sobre los nuevos carros híbridos. Presente una lista de los carros híbridos que existen ahora a la clase. Hable de su eficacia, los beneficios y las desventajas de estos carros.
4. Piense en un problema ecológico que afecta a su comunidad y presente un plan eficaz para solucionar el problema.

Consejo

Antes de empezar, lea las pautas para presentaciones formales en la pág. 481 del Apéndice. Mientras formula su presentación tenga presente los objetivos. Cuando termine la presentación, verifique que ha cumplido con todo lo que se describe en la lista y reflexione sobre el trabajo que hizo.

Proyectos

57 ¡Manos a la obra!

Trabaje en un grupo de cuatro o cinco estudiantes para llevar a cabo uno de los siguientes proyectos y presentarlo a la clase.

- Les han encargado que inventen un nuevo teléfono celular que no moleste al público cuando lo use. Decidan qué características de los celulares actuales molestan al público y reemplácenlas con una nueva tecnología.

- Hagan un anuncio para promover la discusión sobre el problema de la sobreexplotación de los peces y de los océanos. Decidan si van a hacer un anuncio gráfico, de radio o de televisión.

- Van a diseñar un programa que promueva la apreciación de la diversidad cultural y lingüística de su colegio o universidad, comunidad, ciudad, región o estado. Piensen en una buena estrategia para convencer al público (sus compañeros) y preséntenselo.

- Imaginen que en su escuela o universidad no se puede llevar teléfonos celulares. Si lo/la ven con uno, se lo quitan en seguida. Presenten a la administración una petición para poder usar teléfonos celulares durante el día escolar. Deben pensar en una buena estrategia para convencer a la administración y las consecuencias para los estudiantes que no sigan los reglamentos de la petición.

Vocabulario

Verbos

aclarar	to clarify, explain
acoger	to welcome
agarrar	to seize
aislar	to isolate
alcanzar	to reach
amenazar	to threaten
apadrinar	to sponsor
concienciar	to make aware
dejar	to leave behind
desalojar	to vacate
desempeñarse	to fulfill, make out
detener	to stop
elogiar	to praise
esfumarse	to vanish, fade away
faenar	to fish
fastidiar	to bother
festejar	to celebrate
hallar	to find
iniciar	to begin
instar	to urge
liberar	to free
manejar	to drive; to manage
multar	to fine
ocasionar	to cause, bring about
padecer	to suffer
prevalecer	to prevail
rechazar	to reject
reconfortar	to comfort
rescatar	to rescue
sobreexplotar	to overexploit

solicitar	to request
sostener	to support
verter (ie)	to pour, spill

Verbos con preposición

verbo + a:

conllevar a	to entail

verbo + por:

esforzarse (ue) por	to make an effort to

Sustantivos

el	abastecimiento	supply
la	advertencia	warning
la	albacora	albacore tuna
la	aleta	fin
el	alguacil	sheriff
el	aliciente	incentive
el	alrededor	surrounding area
la	amenaza	threat
las	andanzas	adventures
la	aportación	contribution
el	arrastre	trawling
el	atún	tuna fish
la	carencia	deficiency
el/la	contratista	contractor
el	convenio	agreement
la	cortesía	courtesy
el	cumplimiento	fulfillment
el	empeño	persistence
la	expectativa	expectation
la	fluidez	fluency

Teacher Resources

 Activities 21–25

 Visite la página Web de *¡A toda vela!* en www.emcp.com

Instructional Notes

57 Before students start their projects, go over the questions from *Lección 1A*, p. 28. Students should have a copy of these questions for each project.
Remind them that after they complete their project, they will self-assess their work as a team using the grading system 1–5 (5 being the highest, and 1 the lowest) and write a grade next to each question. After they turn in their work or make their presentation to the class, you will review their project and write your comments and evaluation next to theirs.

Additional Activities

Juegos

To practice and reinforce the lesson's vocabulary, have students play either one or both of these games: *Cadena de palabras, Lo tengo en la punta de la lengua.*
See pp. TE24 and TE25.

See ExamView for assessment options.

Additional Activities

Juego

To practice some of the grammar presented in the lesson, ask students to play *Aplausos o chasquidos*. See p. TE24.

To practice the culture presented in the lesson, ask students to play one or more of the following: *¿Verdadero o falso? ¿Quién quiere ser millonario?*, *Trivia*. See p. TE25.

Ask students to do any of the following activities to practice and strengthen the vocabulary, grammar, or culture presented in this lesson: *Hablen sobre esta foto, ¿Cuáles son las diferencias?, Repaso Expreso, Imágenes que cuentan*. See pp. TE26–TE28.

Instructional Notes

Refer students to the *A tener en cuenta* section and ask them to come up with more expressions that use the verb *hacer*.

el	**incremento**	increase
el/la	**internauta**	Internet user
el	**juicio**	judgment
el	**lujo**	luxury
la	**medida**	measure
la	**merluza**	hake (whitefish)
la	**ortografía**	spelling
la	**refinería**	refinery
la	**remoción**	removal
el	**rendimiento**	performance
la	**represalia**	retaliation
la	**salvaguardia**	safeguard
el	**seguimiento**	tracking, monitoring
la	**sequía**	drought
el	**surgimiento**	emergence
el	**tiburón**	shark
el/la	**usuario/a**	user

Adjetivos

dañino, -a	harmful
eficaz	efficient
halagüeño, -a	flattering
ineficaz	inefficient
insostenible	unsustainable
irrepetible	unrepeatable
lejano, -a	distant

molesto, -a	bothersome
oportuno, -a	opportune, timely
propenso, -a	prone

Expresiones

a falta de	for want of
el agua de la llave	tap water
el agua embotellada	bottled water
al límite de su capacidad	to the limit of their capacity
al respecto	in the matter
la calidad del aire	air quality
el cartel de aviso	warning poster
de ahí que (*+ subjuntivo*)	that is why
denunciar (*un abuso*)	to report (*abuse*)
en alta mar	on the high seas
la lengua materna	mother tongue
la planta termoeléctrica	thermoelectrical plant
poner en tela de juicio	to put something in doubt
ponerse en el lugar (*de alguien*)	to put yourself in someone's place
procedente de	coming from
la salud pública	public health
si tan siquiera	if only

A tener en cuenta
Expresiones con *hacer/hacerse*

hacer buenas/malas migas con alguien	to hit it off well/badly with someone
hacer cargo	to take charge
hacer caso	to pay attention
hacer daño	to hurt; (*of food*) to disagree with
hacer época	to be sensational, mark a new era
hacer escala	to make a stopover
hacer las paces	to make up with someone
hacer el tonto	to play the fool
hacer la vista gorda	to turn a blind eye, pretend not to notice
hacerse + me/te/le/etc.	to get the feeling (*Se nos hace que no están aquí.* We get the feeling that they're not here.)
hacerse a algo	to get used to (*No me hago al frío.* I can't get used to the cold.)
hacerse llamar	to go by the name (*Se hacía llamar María.* She went by the name of María.)

Capítulo 8

Temas

- El arte
- El baile
- La música
- El cine, la radio y la televisión

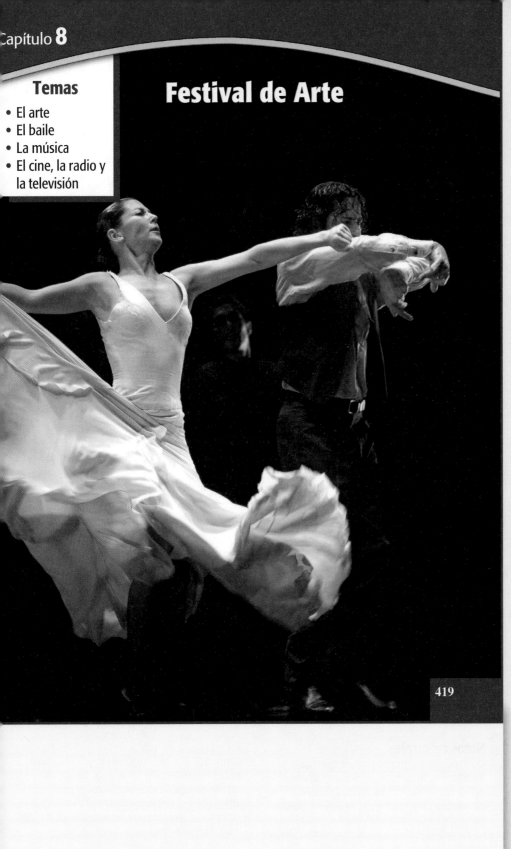

Festival de Arte

419

Overview of chapter 8

In this chapter students will have the opportunity to explore the world of the arts in many of its forms: painting, sculpture, architecture, music, dance, and film, as well as television and radio, while examining the impact several artists and entertainment personalities have had on world culture. Students will also read about and discuss the legacy of art that was left by the Aztec Empire.

Instructional Notes

You might ask the following questions related to the chapter topics: *¿Cómo definirían el arte? ¿Cuáles son los elementos fundamentales del baile? ¿Qué es la coreografía? ¿Qué tipo de música les gusta? ¿Por qué piensan que los seres humanos han creado el arte, el baile y la música? ¿Qué tipo de películas les gustan? ¿Han visto películas en español? ¿Cuáles? ¿A qué actores hispanos conocen? ¿Escuchan programas en español por la radio o los miran por televisión? ¿Cuáles les gustan? ¿Cómo son?*

Instructional Notes

The photos on this page lend themselves to further research of their subjects. Ask students to look for information about Picasso's *Guernica*, which depicts the horrors of war. In their research, they should also include some facts about the Spanish Civil War and an interpretation of the characters and objects in the painting. Other students could research the origins and popularity of the tango, and others could look for the history and some facts on the mariachi.

Lección A

Objetivos

Comunicación
- Hablar de las bellas artes
- Comprender el arte de varios artistas hispanos
- Entender el impacto de la población hispana en la televisión norteamericana

Gramática
- El condicional
- *Ser* y *estar*
- Los participios
- Los tiempos del pasado del indicativo
- El futuro
- El imperfecto y el presente perfecto del subjuntivo

"Tapitas" gramaticales
- el género de los sustantivos
- las preposiciones
- los artículos
- los números ordinales
- la posición de los adjetivos
- los sustantivos compuestos

Cultura
- El Museo Guggenheim Bilbao
- Fernando Botero
- La televisión hispana en Estados Unidos
- Pablo Picasso
- Frida Kahlo

 Visite la página Web de *¡A toda vela!* en www.emcp.com

420 Capítulo 8 • Festival de Arte

Notas culturales

Guernica es un pueblo vasco que fue bombardeado por los alemanes, aliados del General Franco durante la Guerra Civil española (1936–1939). El brutal ataque ocurrió el 26 de abril de 1937 y fue la primera vez en la historia que se atacaba por el aire a una ciudad.

Aunque todo el mundo asocia el tango con el baile argentino, no fue así al principio. En 1889 la palabra significaba "fiesta y baile de la gente de pueblo en América". Otros dicen que la palabra *tango* se deriva de una lengua africana en la que significa "lugar cerrado".

En un grupo de *mariachi* puede haber hasta ocho violines, dos trompetas y una guitarra, todos instrumentos europeos. Luego hay instrumentos de origen europeo, pero adaptados al estilo mexicano: la vihuela y el guitarrón, ambos unas especies de guitarras, y un harpa mexicana. A veces hay un acordeón, como se ve en la foto.

Para empezar

1 Conteste las preguntas 👥

Piense en las respuestas a las siguientes preguntas. Puede tomar notas si lo considera necesario. Cuando termine, compare sus respuestas —pero sin mirar sus notas— con las de un/a compañero/a. Busque información en Internet si lo considera necesario.

1. ¿Qué son *el arte, las artes* y *las bellas artes*? Trate de dar un ejemplo de cada uno. ¿Le gusta el arte? ¿Las bellas artes? ¿Con qué frecuencia va a un museo de arte?

2. ¿Quién es su artista favorito? ¿Le gusta el arte tradicional o el moderno? ¿Le gusta la escultura? ¿Por qué? Nombre a algunos artistas o escultores hispanos. ¿Cuáles son algunos de sus cuadros o esculturas famosos?

3. ¿Qué sabe de lo siguiente: el arte clásico, el arte del Renacimiento, el arte moderno, el arte abstracto, el realismo, el surrealismo y el arte impresionista? Nombre a algunos pintores o cuadros asociados con cada período o estilo de arte.

4. Cuando visita un museo, ¿generalmente va solo/a, con amigos o con un grupo? ¿Le gustan las visitas guiadas en los museos? ¿Piensa que los guías del museo le ayudan a uno/a a apreciar el arte, o prefiere apreciar y mirar el arte por su cuenta?

5. En un museo, ¿ha visto a algunas personas pintando copias de cuadros famosos? ¿Por qué los pintarán? ¿Qué aprenden esas personas del artista y de la pintura en general? ¿Le gustaría copiar un cuadro famoso? ¿Cuál? ¿Por qué?

6. ¿Qué tipo de música le gusta? ¿Qué opina de la música hispana? Nombre a algunos cantantes hispanos y algunas de sus canciones.

7. Algunos músicos o actores cambian su nombre; por ejemplo, el puertorriqueño Raymond Ayala es mejor conocido como Daddy Yankee. Otros artistas usan su nombre verdadero como el dominicano Juan Luis Guerra. ¿Por qué será? ¿Cuáles son las ventajas y las desventajas de usar su propio nombre cuando uno es famoso?

8. ¿Qué sabe del baile profesional, del ballet clásico o del ballet folclórico? Algunos dicen que la actividad física de los bailarines es más exigente que la de los atletas profesionales. ¿Qué opina?

9. ¿Ha visto muchas películas extranjeras? ¿Y en español? ¿A qué actores o directores de cine hispanos conoce? ¿De dónde son ellos?

10. ¿Qué cadenas de televisión hispanas conoce? ¿Conoce algunos programas o actores en estas cadenas? ¿Cuáles?

2 Mini-diálogos 👥

Va a crear un mini-diálogo con un/a compañero/a. Lea la descripción de la conversación antes de empezar. Puede tomar notas para organizar sus ideas, pero no las mire mientras conversa. Le pueden servir los artistas en el recuadro de la página siguiente, pero hay muchos más. Búsquelos en Internet e investigue algo sobre su arte.

Escena: En la clase de español, la profesora acaba de anunciar que tienen que hacer una presentación sobre un artista hispano. Ud. y un/a compañero/a de clase hablan de los artistas hispanos que conocen.

continúa

Answers

1 Answers will vary.

Instructional Notes

1 Before students start answering these questions, ask some to research and define the following terms and share them with the class: *el arte clásico, el arte del Renacimiento, el arte moderno, el arte abstracto, el realismo, el surrealismo, el arte impresionista.*

Additional Activities

After students answer the questions on the page, you might take a poll to know their responses. Suggest that students add definitions or explanations for the terms in the first and third questions to their notebooks.

Answers

2 Dialogues will vary.

Instructional Notes

After students discuss the *Cita* with their partners, you might have a whole-class discussion on the definitions of art and the fine arts.

Additional Activities

Trabajo de investigación

Ask students to research the life and work of Botero and try to discover why he depicts the figures the way he does. After they have gathered the information, lead a classroom discussion on the artist and his work.

Juego

Ask students to play *¿Verdadero o falso?* See p. TE25.

De España:
El Greco, Velázquez, Goya, Zurbarán, Murillo, Gaudí, Sorolla, Picasso, Miró, Gris, Dalí

De las Américas:
Botero (colombiano), Roberto Matta (chileno), Francisco Zúñiga (costarricense), Wilfredo Lam (cubano), José Guadalupe Posada (mexicano), Diego Rivera (mexicano), Frida Kahlo (mexicana), José Clemente Orozco (mexicano), David Alfaro Siqueiros (mexicano), Rufino Tamayo (mexicano), María Izquierdo (mexicana), Gil de Castro (peruano), Joaquín Torres-García (uruguayo), Juan Carlos Castagnino (argentino), Prilidiano Pueyrredón (argentino)

A: Salúdelo/la y pregúntele qué tipo de arte le gusta.

B: Contéstele, y pídale que le sugiera un par de artistas.

A: Dele el nombre de dos artistas muy conocidos y hable brevemente sobre ellos.

B: Reaccione negativamente a sus sugerencias. Muestre interés por uno menos conocido.

A: Reaccione con sorpresa. Intente convencerle de lo contrario.

B: Reaccione cordialmente, pero rechace la sugerencia y decida qué artista va a escoger.

A: Haga un comentario sobre su reacción. Despídase un poco ofendido/a.

B: Despídase cordialmente.

Cita

El arte es "la manifestación de la actividad humana mediante la cual se expresa una visión personal y desinteresada que interpreta lo real o imaginado con recursos plásticos, lingüísticos o sonoros". Y las bellas artes son "cada una de las artes que tienen por objeto expresar la belleza, y especialmente la pintura, la escultura, la arquitectura y la música".

    —Diccionario de la Real Academia Española

 ¿Clasificaría toda pintura, escultura, arquitectura y música como bellas artes? Mucha gente no puede comprender ni quiere apreciar la pintura moderna, ni la música punk, rap o hip-hop como bellas artes. ¿Qué opina de todo esto? Comparta su opinión con un/a compañero/a.

¡Dato curioso!

¿Sabía que el pintor y escultor colombiano Fernando Botero es considerado un icono de la cultura latinoamericana? Botero nació en 1932 en Medellín, Colombia, y se conoce su obra por las figuras grandes y gordas. A partir de 1983, Botero comenzó una serie de exposiciones a nivel mundial, y en las avenidas y plazas más famosas de muchas ciudades ya se ven sus populares figuras.

Botero: *Una pareja*

Nota cultural

La exposición de 1983 que se menciona en el *Dato curioso* pasó por Londres, Roma, San Francisco, Filadelfia, Boston, Chicago, San Juan de Puerto Rico, Berlín, Munich, Francfort, Tokio, Milano, Nápoles, París, Montecarlo, Madrid, Moscú, Viena, Ciudad de México y Caracas, entre muchas otras ciudades. El Museo de Antioquia en Medellín contiene la colección más grande de pinturas y esculturas de Botero.

Investigue palabras clave:
Fernando Botero

Vocabulario y gramática en contexto

3 Las bellas artes 👥 📖

Túrnese con un/a compañero/a para leer los comentarios que dos personas han escrito en un blog sobre sus intereses en el arte y la danza. Fíjese en las palabras que aparecen en azul (relacionadas con el vocabulario) y en rojo (relacionadas con la gramática), ya que en las siguientes actividades se le harán preguntas sobre ellas.

Las artes
RAMÓN

En la historia de la humanidad, muchos fueron los que se destacaron en el mundo de las artes. Sería imposible incluir aquí a todos los grandes genios de la pintura, la escultura, la arquitectura o la música, pero entre ellos hay
⁵ muchos hispanos que ampliaron la expresión artística del ser humano a través de los siglos. Las danzas españolas e hispanas folclóricas y la gran variedad de música hispana han mejorado la vida de muchos. Actualmente, la música no está identificada ni por regiones ni por países. La
¹⁰ globalización de los cantantes y de los ritmos, la tecnología de los instrumentos musicales y un mundo abierto a las diversas letras de las canciones han creado una música sin fronteras. Shakira Isabel Mebarak Ripoll, más conocida como Shakira, es un buen ejemplo del fenómeno musical.

Goya: *Los fusilamientos de la Moncloa*
(Madrid, Museo del Prado)

¹⁵ Ella nació en 1977 en Barranquilla, Colombia, de padre de ascendencia libanesa, y de madre colombiana. Shakira canta en español, en inglés y en árabe y tiene éxito en casi todo el mundo. Muchos de los grandes pintores, escultores y arquitectos internacionales han sido y son hispanos. Hay tres maestros españoles: Diego Rodríguez de Silva y de Velázquez (1599–1660), El Greco, cuyo nombre verdadero fue Domenikos Theotokopoulos (1541–1614) y Francisco José de Goya y Lucientes
²⁰ (1746–1828). También hay influencias del muralista y pintor mexicano Diego Rivera (1886–1957), del pintor y escultor colombiano Fernando Botero (1932–), del impresionista español Joaquín Sorolla y Bastida (1863–1923) y del gran arquitecto barcelonés Antonio Gaudí (1852–1926), entre muchos más que han pasado por nuestro planeta. El arte es la expresión máxima del alma y muchos artistas hispanos nos han inspirado y nos seguirán inspirando. Las bellas artes embellecen nuestras vidas.

El baile
FRANCESCA

Soy estudiante de danza y quiero hacerme bailarina profesional. Desde la antigüedad, el ser humano ha bailado. Me siento conectada a la humanidad cuando bailo. El baile siempre ha sido un signo representativo del grado de cultura o civilización de un pueblo. Me siento más culta cuando bailo. A través de sus danzas, los hombres y
⁵ mujeres han expresado sus sentimientos religiosos, sus costumbres sociales y políticas, sus afanes agrícolas y guerreros, sus amores y pasiones, sus emociones nobles y felices. Tres de mis danzas hispanas favoritas son la salsa, el tango y el flamenco. La música salsa es música caribeña latinoamericana que mezcla ritmos tradicionales latinos con elementos del jazz según el ejemplo del mambo y del chachachá. La música del tango
¹⁰ se interpretaba en locales de Buenos Aires y Montevideo, en las dos últimas décadas del siglo XIX, con violín, flauta y guitarra, pero a comienzos del siglo XX se extendió por muchos rincones del mundo. Un argentino, Carlos Gardel, fue cantante y compositor de tangos, y es considerado el más importante tanguero de la primera mitad del siglo XX. El flamenco nació y se desarrolló en la región española de Andalucía durante el período
¹⁵ que va desde el siglo XVIII hasta el siglo XX. El flamenco es una mezcla de varios estilos musicales populares con influencia judía, morisca, gitana, castellana y africana. Además del baile, el flamenco se expresa a través del cante y las palmas.

4 Amplíe su vocabulario 🔍

Clasifique las palabras que aparecen en azul y rojo en las lecturas anteriores según sean sustantivos, adjetivos, verbos o expresiones, y relacionadas con las artes o la danza.

Nota cultural

El 2 de mayo de 1808, los españoles se levantaron contra las tropas francesas que habían invadido el país. Como represalia por el levantamiento, el general encargado de los soldados mandó hacer ejecuciones masivas. Goya fue testigo de la violencia durante esta etapa de la historia española. Pintó *Los fusilamientos de la Moncloa* entre los años 1814 y 1815.

Investigue palabras clave:
Goya, Velázquez, El Greco, Diego Rivera, Sorolla, Gaudí

Answers

4 *Sustantivos:* artes, genios, pintura, escultura, arquitectura, música, danzas, globalización, cantantes, ritmos, letras, fenómeno, pintores, escultores, arquitectos, maestros, muralista, impresionista, arte, bellas artes, danza, costumbres, afanes, salsa, tango, flamenco, mambo, chachachá, cantante, compositor, tanguero, cante, palmas; *Adjetivos:* artística, folclóricas, culta, caribeña, judía, morisca, gitana, castellana, africana; *Verbos:* se destacaron, han mejorado, han creado, han inspirado, ha bailado, han expresado, se interpretaba, se desarrolló; *Expresiones:* tiene éxito, del alma, hacerme bailarina

Instructional Notes

3 You might want to call on several students to read passages aloud.

Additional Activities

Trabajo de investigación
Ask students to choose one of the artists, singers, or dance styles that are mentioned in the two articles and find some interesting facts or anecdotal information about them. After they complete their research, ask them to share this information with the rest of the class.

Comunicación
Encourage students of history in the class to look into the Napoleonic invasion of Spain and summarize the events leading up to it in a brief presentation to the class.

Activities 1–2

Answers

5 **1.** Expresa probabilidad (es el equivalente de *would*); otros usos: expresa el deseo, la cortesía, el consejo (Tú serías el jefe del departamento. ¿Podrías prestarme el libro? Yo no lo haría.). En oraciones subordinadas tiene valor de futuro (Me dijo que vendría a la fiesta.); en ciertas oraciones subordinadas adverbiales (*contrary to fact*) (Si yo fuera él, estudiaría mucho más.). **2.** Se usa *estar* porque describe un estado que resulta de una acción, mientras que *ser* denota una acción (Esa música fue identificada por los expertos.). Se usa *identificada* para concordar con el sustantivo femenino, *música*. *Ser* expresa características esenciales y se usa con la voz pasiva; ejemplos (primer artículo): muchos fueron los que (l. 1), sería imposible (l. 2), es un buen ejemplo (l. 14), han sido y son hispanos (ll. 17 y 18), fue (l. 19), el arte es la expresión (l. 23); (segundo artículo): Soy (l. 1), ha sido un signo (l. 3), son la salsa, ... (l. 7), salsa es música caribeña (l. 8), fue cantante (l. 12), es considerado (l. 13), el flamenco es una mezcla (l. 15). *Estar* es un verbo de situación y de estado y, por lo tanto, indica las circunstancias y sitúa en el espacio y en el tiempo (Estoy en Madrid y estoy muy ocupada.). **3.** *Known as*; se usa el participio pasado como adjetivo y como tal debe concordar con el sustantivo *Shakira*, que es femenino. **4.** ***Presente perfecto***—han mejorado, han creado, han sido, han pasado, han inspirado, ha bailado, ha sido, han expresado: expresan acciones realizadas en el pasado y que perduran en el presente; ***Imperfecto***—se interpretaba: expresa una acción pasada sin indicar el principio ni el final de la acción; estas acciones suelen ser habituales o repetitivas; ***Pretérito***—nació, se desarrolló: expresan acciones realizadas y acabadas en el pasado sin tener relación con el presente. Los tres tiempos en los blogs expresan los objetivos de estos tres tiempos del pasado.

6 **1.** Los sustantivos terminados en -*a* son generalmente de género femenino y los terminados en -*o* son de género masculino (*arquitecto/arquitecta*); sin embargo, las palabras que provienen del griego son por lo general de género masculino aunque terminen en -*a* (*planeta*); las palabras que se derivan del inglés generalmente son de género masculino, (*jazz*). Generalmente son masculinos los nombres de mares, ríos, océanos y lagos; los sustantivos que terminan en -*aje, -an, -or* (hay excepciones: la flor, la coliflor); los colores. Generalmente son femeninos los sustantivos que terminan en -*d, -z, -ción, -sión, -zón* (hay excepciones: el corazón, el juez, el pez); los que terminan en -*eza, -ie, -nza, -cia, -ncia, -umbre*; ciertos sustantivos que terminana en -*o* porque corresponden a una persona de sexo femenino (la soprano, la modelo, la piloto). Algunos sustantivos pueden ser de los dos géneros,

---

5 Un repaso

Conteste estas preguntas basadas en los artículos anteriores.

1. Explique el uso del condicional en la oración "Sería imposible incluir aquí a todos los grandes genios de la pintura, la escultura, la arquitectura o la música…" Hable sobre los diferentes usos del condicional.
2. Explique la construcción *la música no está identificada*. ¿Por qué se usa el verbo *estar* y no *ser*? ¿Por qué se dice *identificada* y no *identificado*? Explique los usos de *ser* y *estar* y cite otros ejemplos de los artículos que usan estos verbos.
3. ¿Qué significa *conocida como*? Explique el uso del participio pasado en este caso.
4. Explique el uso de los distintos tiempos del pasado usados en los blogs anteriores. Busque *han mejorado, han creado, han sido, han pasado, han inspirado, ha bailado, ha sido, han expresado, se interpretaba, nació* y *se desarrolló*. ¿Qué tres construcciones del pasado aparecen en la lista? ¿Por qué se usa cada una en los blogs?

6 "Tapitas" gramaticales

Conteste estas preguntas basadas en los artículos anteriores.

1. ¿Cuáles son algunas reglas que determinan el género de los sustantivos? Use estos ejemplos: *planeta* y *jazz*. ¿Qué otras reglas hay?
2. Busque dos preposiciones y un adverbio que aparecen en los artículos en azul y tradúzcalas al inglés. Escriba una oración relacionada con el arte con cada palabra.
3. ¿Cuándo se omite el artículo? Use el ejemplo *en español, en inglés* y *en árabe*. Piense en otras reglas y dé ejemplos.

7 ¿Qué opina?

Reaccione a lo que cada persona ha escrito en los blogs de la Actividad 3 y comparta su opinión con un/a compañero/a. Incluya palabras del vocabulario nuevo que aparecen en azul.

8 El Guggenheim

Lea el artículo que sigue, prestando atención a las palabras en azul y rojo, ya que se le harán preguntas sobre ellas.

El Guggenheim celebra con dos días de entrada libre su octavo aniversario

El Museo Guggenheim Bilbao no cobrará la entrada durante este fin de semana para celebrar con sus visitantes el octavo aniversario de su inauguración. El Guggenheim cumplió ocho años de vida el pasado 19 de octubre, pero
⁵la celebración del aniversario se retrasó hasta este fin de semana a la espera de que estuviese abierta al público la exposición más importante del otoño, "Arquiescultura". Los visitantes también podrán disfrutar de la muestra "Informalismo y expresionismo abstracto" en las
¹⁰colecciones Guggenheim, que finaliza el domingo, y de "La materia del tiempo", el montaje de ocho gigantescas esculturas de acero de Richard Serra, que ocupan la sala más grande. Desde su apertura en 1997, el Guggenheim ha recibido cerca de ocho millones de visitantes. En este tiempo, su oferta ha alcanzado las 80 exposiciones, entre muestras temporales y presentaciones de obras de su colección. En la actualidad, cuenta con el apoyo de 139
¹⁵empresas e instituciones en sus programas de miembros corporativos y casi 14.500 personas forman parte del colectivo de Amigos del Museo.
www.elpais.es

El Museo Guggenheim Bilbao

---

según el sexo: el artista, la artista. **2.** a través de = *through* (l. 6 del primer artículo); actualmente = *currently* (l. 8 del primer artículo); desde = *since* (l. 1 del segundo artículo). *Example sentences will vary.* **3.** Se omite el artículo definido cuando se refiere a idiomas después de *en* y generalmente después de *saber, aprender, hablar* y *enseñar*. Ejemplos: una película en español, ¿sabes latín?, quiero aprender árabe, hablan francés perfectamente, David enseña portugués. Pero no se omite cuando un adverbio modifica el verbo y precede al idioma (Hablo muy bien el español; Hablo español muy bien.). El uso del artículo es opcional después de *entender, escribir* y *estudiar*. Se usa después de *de* (si se refiere al idioma entero) y otras preposiciones (traducir del inglés al español; comparado con el chino escribir español es fácil); no se usa el artículo después de *de*, si se refiere sólo a ciertos aspectos del idioma (clases de español). Se usa después de *traducir* o *dominar* (Domino el español.). Si se cualifica el idioma, se usa el artículo (el español de Argentina).

7 Reactions will vary.

Instructional Notes

6 For item 1, point out the difference in meaning between some nouns according to their gender: *el frente* (the front part of something, battlefront), *la frente* (forehead); *el capital* (money), *la capital* (city that is the

9 Amplíe su vocabulario

Mire las palabras de la primera columna, que aparecen en el artículo anterior, y busque su definición o sinónimo en la segunda.

1.	entrada libre	a.	en expectativa de
2.	cobrar	b.	acto de abrir
3.	inauguración	c.	terminar
4.	retrasarse	d.	coordinación de los elementos
5.	a la espera de	e.	ayuda
6.	público	f.	metal
7.	disfrutar	g.	compañía
8.	muestra	h.	llegar tarde
9.	finalizar	i.	personas reunidas en determinado lugar
10.	montaje	j.	exposición
11.	acero	k.	recibir dinero
12.	apertura	l.	gozar
13.	actualidad	m.	grupo unido por intereses comunes
14.	apoyo	n.	tiempo presente
15.	empresa	o.	estreno
16.	colectivo	p.	permiso de entrar gratis

10 El Museo Guggenheim Bilbao 👥

Trabaje con un/a compañero/a y hablen de las personas que formarán parte del colectivo del Museo Guggenheim Bilbao o de cualquier otro museo. Hablen también de los beneficios de ofrecer entradas libres al público para visitar los museos.

11 El futuro y el imperfecto del subjuntivo 🔍

Conteste estas preguntas basadas en el artículo anterior.

1. Busque la oración "Los visitantes también podrán disfrutar de la muestra 'Informalismo y expresionismo abstracto' en las colecciones Guggenheim" y explique el uso del futuro.
2. Busque el verbo en el imperfecto del subjuntivo y explique el uso de este tiempo verbal. ¿En qué otra variación aceptable se podría conjugar este verbo? Explique la diferencia entre las dos conjugaciones.

12 El pasado 🔍 👥

Trabaje con un/a compañero/a y haga estas actividades relacionadas con el artículo anterior.

1. Busquen los verbos en el pasado del indicativo y expliquen por qué usó cada uno.
2. Expliquen también las reglas en general para el uso de los tiempos verbales que indicaron en el ejercicio anterior.
3. Piensen en cómo se usan el imperfecto y el pluscuamperfecto. Escriban dos oraciones originales usando el imperfecto y una usando el pluscuamperfecto, e incorpórenlas a la lectura.
4. Expliquen el uso del presente perfecto del subjuntivo. Den varios ejemplos.

📝 Activities 3–4

Answers

9 1. p; 2. k; 3. o; 4. h; 5. a; 6. i; 7. l; 8. j; 9. c; 10. d; 11. f; 12. b; 13. n; 14. e; 15. g; 16. m

10 Conversations will vary.

11 1. Indica posibilidad o probabilidad. 2. estuviese (l. 6); expresa posibilidad o probabilidad (dependiente de la expresión *a la espera de que* en la oración principal); *estuviera*; Son dos formas distintas de expresar el mismo tiempo.

12 1. *Pretérito*—cumplió ocho años de vida, se retrasó: Expresa hechos y acciones que ocurrieron en un tiempo anterior al tiempo en que se encuentra el hablante, son hechos terminados. *Presente perfecto*—ha recibido, ha alcanzado: se refiere a hechos pasados pero que tienen relación con el presente. 2. *Pretérito*—expresa acciones realizadas y acabadas en el pasado sin tener relación con el presente; *Presente perfecto*—expresa acciones llevadas a cabo en el pasado y que perduran en el presente. 3. *Imperfecto*—expresa acciones pasadas sin precisar el principio ni el final de la acción. Ejemplos: El público *estaba* ansioso por ver las gigantescas esculturas. Las esculturas *estaban* en el patio del museo cuando pasé por allí. *Pluscuamperfecto*—expresa acciones pasadas y acabadas con relación a otras acciones pasadas. Ejemplo: Decidieron no cobrar porque el público *había esperado* pacientemente. 4. Se usa el presente prefecto del subjuntivo cuando las reglas de gramática exigen que el presente perfecto sea del modo subjuntivo. Ejemplos: No creo que el profesor haya venido hoy. Es imposible que lo hayan leído. ¿Niegas que tu amigo haya mentido?

Additional Activities

Comunicación

After students complete activity 10, you could have teams of students debate the topic of offering free days to museum visitors.

---

seat of government); *el cometa* (celestial body), *la cometa* (kite); *el pez* (fish), *la pez* (tar); *el cura* (priest), *la cura* (cure). Mention, too, that *el arte* is the form used in the singular, but *las artes* is used in the plural. Some animals only have one form (*el ratón*); to specify male or female, one must indicate: *el ratón macho, el ratón hembra*. Other nouns use different words to distinguish between male and female: *el hombre, la mujer; el yerno, la nuera; el caballo, la yegua; el carnero, la oveja.*

8 You might want to tell students that there are five Guggenheim Museums; they are in New York, Las Vegas (Guggenheim Hermitage), Venice, Italy (Peggy Guggenheim Collection), Berlin (Deutsche Guggenheim), and Bilbao.

Additional Activities

Comunicación

Assign one of the five Guggenheim Museums to small groups of students and ask them to find information about it. Students should then make an oral presentation in class, and after all the presentations, the entire class could compare and contrast these museums.

Answers

13 1. *Octavo* es el ordinal del número 8; como adjetivo concuerda en número y género del sustantivo que modifica (*aniversario*). Los ordinales indican orden o sucesión; también pueden sustantivarse: *el octavo*. Los diez primeros son: primero, segundo, tercero, cuarto, quinto, sexto, séptimo, octavo, noveno, décimo; las apócopes *primer* y *tercer* se usan delante de un sustantivo masculino singular. 2. *con*; El Museo Guggenheim dispone o está respaldado por todas las instituciones y personas que forman parte de empresas, instituciones y del colectivo Amigos del Museo. 3. *de*; Las personas constituyen el colectivo que le da apoyo al museo. 4. *Desde* es una preposición; denota el principio o momento en que el museo se abrió al público. Ejemplo: Desde 1977, el Guggenheim ha estado abierto al público.

14 Postcards will vary.

15 1. de; 2. del; 3. al; 4. por; 5. lo; 6. de; 7. de; 8. en; 9. el; 10. un; 11. Los; 12. de; 13. la; 14. de; 15. por; 16. el; 17. en

Instructional Notes

14 Suggest that students go online to find more images of the museum and some descriptions of past and present exhibitions held there.

15 Before students read this article, ask them to review the information they previously gathered on Botero and his work.

---

13 "Tapitas" gramaticales

Conteste estas preguntas basadas en el artículo anterior.

1. ¿Por qué decimos *octavo aniversario*? ¿Cuáles son los diez primeros ordinales? Hable sobre las formas que pueden tener y las apócopes de algunos.
2. ¿Qué preposición se usa después de *cuenta*? ¿Qué significa la oración donde aparece este verbo?
3. ¿Qué preposición se usa después de *forman parte*? ¿Qué significa la oración donde aparece este verbo?
4. Busque la palabra *desde*. ¿Es adjetivo, adverbio o preposición? ¿Cuál es su significado en la frase "desde su apertura en 1997"? Escriba la frase de otra manera empezándola, "Desde 1997, el Guggenheim..."

14 Escriba 🖋

Escríbale una tarjeta postal a un/a amigo/a describiendo su visita al Museo Guggenheim de Bilbao. Hable del edificio, de las obras que vio y de su impresión general del arte moderno. Compare este museo con uno que conoce mejor.

15 Fernando Botero 📖

Échele una ojeada al siguiente artículo para ver de qué se trata, prestando atención a las palabras en azul y rojo, ya que se le harán preguntas sobre ellas. Luego lea el artículo y decida qué artículo o preposición completa de mejor manera cada oración y escríbala.

Botero tendrá su propio museo

La "Ciudad Botero", un museo con 14 esculturas monumentales y más __1.__ 100 cuadros de las famosas figuras gordas de Fernando Botero, será abierta el 15 de octubre en Medellín, la ciudad natal __2.__ célebre artista. Ya están en Medellín 75 obras y __3.__ puerto de Cartagena llegaron cuatro esculturas gigantes procedentes de Italia y donadas __4.__ el pintor. "Para Medellín, esto es __5.__ más grande que le ha pasado, porque aparte __6.__ la belleza y el valor de las obras donadas por Botero, esto es un proyecto de ciudad", dijo hoy Pilar Velilla, directora del Museo de Antioquia. "Estamos saliendo __7.__ ser la ciudad del cartel de Medellín (el epicentro del mayor cartel de la cocaína en la década de los años 80) a ser una ciudad de cultura y creación", agregó Velilla __8.__ entrevista telefónica. Como recuerdo de aquella época de terror cuando Medellín era el epicentro de carros-bomba, asesinatos y secuestros ordenados por Pablo Escobar, __9.__ finado líder del cartel de la droga, Botero envió dos cuadros: *Escobar muriendo en un tejado ante las balas de la ley* y *La explosión de* __10.__ *carro-bomba*. Botero es el artista colombiano más conocido internacionalmente.

Sus esculturas han sido expuestas en las ciudades más importantes del orbe. __11.__ parisinos las vieron en los Campos Elíseos, estuvieron en Park Avenue en Nueva York, así como en Florencia y Tokio, entre otras famosas plazas artísticas. La donación de sus obras y su colección personal de otros artistas está avaluada en más __12.__ 60 millones de dólares y será __13.__ más grande del artista en el mundo. Bogotá también recibirá más __14.__ 100 cuadros y 17 esculturas de Botero, conocido __15.__ sus figuras rollizas. Botero dirigirá personalmente __16.__ montaje de sus obras tanto en Bogotá como __17.__ Medellín.

www.eldiariohoy.com

Botero: *La Venus de Broadgate*

16 Amplíe su vocabulario

Según el contexto del artículo anterior, ¿cuál es la mejor traducción de cada palabra?

1. cuadro
   a. square   b. frame
   c. painting   d. scene
2. natal
   a. native   b. seaside
   c. new   d. famous
3. donado
   a. chosen   b. handmade
   c. donated   d. sold
4. belleza
   a. artistic merit   b. value
   c. richness   d. beauty
5. valor
   a. artistic merit   b. value
   c. richness   d. beauty

6. recuerdo
   a. souvenir   b. historical fact
   c. tribute   d. remembrance
7. tejado
   a. office   b. roof
   c. basement   d. tenement house
8. orbe
   a. world   b. country
   c. sphere of influence   d. art world
9. parisino
   a. neighbor   b. Parisian
   c. Parisian art critic   d. Francophile
10. rollizo
    a. sickly   b. rolled
    c. stocky, chubby   d. dramatic

17 Ser y estar

Explique por qué se usan las siguientes palabras en "Botero tendrá su propio museo".

1. *Ser* en "La 'Ciudad Botero'... será abierta"
2. *Estar* en "Estamos saliendo..."
3. *Ser* en "cuando Medellín era el epicentro..."
4. *Estar* en "La donación... está avaluada..."

18 "Tapitas" gramaticales

Conteste estas preguntas relacionadas con el artículo sobre Botero.

1. ¿Por qué se usa *célebre artista* y no *artista célebre*? ¿Qué diferencia hay?
2. ¿Por qué se usa *para* y no *por* en la frase "Para Medellín, esto es"? ¿Qué quiere decir *esto* en este caso?
3. Hable sobre la formación de las palabras como *el carro-bomba*. ¿Cómo se determina el género de los sustantivos compuestos? ¿Cuál sería el plural de esta palabra? ¿Hay una regla en general? Explíquela.

Cita

Los espejos sirven para verse la cara, el arte para verse el alma.
—Frida Kahlo (1907–1954), pintora mexicana

Frida empezó a pintar durante una larga convalecencia después de sufrir un trágico accidente. Pintaba imágenes de su cuerpo destrozado con expresiones alucinantes, y a veces brutales. ¿Qué revela esto del alma de Frida? Busque sus obras en Internet y úselas para contestar la pregunta. Comparta su opinión con un/a compañero/a.

¡Dato curioso!

¿Sabía que la película *El código Da Vinci* fue un éxito taquillero? Ganó 224 millones de dólares en todo el mundo durante los tres primeros días a pesar de una fuerte polémica en torno a la película. La película ha despertado la ira de la Iglesia Católica por decir que Jesucristo tuvo descendencia con María Magdalena. El código es el segundo éxito taquillero más grande de la historia, después de la película *Star Wars*. El libro de Dan Brown también fue un éxito, con más de 40 millones de copias vendidas en todo el mundo desde su publicación en 2003.

Nota cultural

Star Wars (*La guerra de las galaxias*) ganó 253 millones de dólares cuando salió en 1977.

Additional Activities

Comunicación
Ask students to talk about the characteristics of popular movies and what some of the box-office hits have in common.

Juego
Ask students to play *Trivia*. See p. TE25.

Teacher Resources

📝 Activity 6

Answers

16 1. c; 2. a; 3. c; 4. d; 5. b; 6. d; 7. b; 8. a; 9. b; 10. c

17 1. *Ser* porque se usa con la voz pasiva; 2. *Estar* porque se usa con el gerundio para expresar el tiempo progresivo; 3. *Ser* porque describe una característica esencial de la ciudad; 4. *Estar* porque se usa con un adjetivo para describir el resultado de la acción de avaluar

18 1. Generalmente, si el adjetivo indica una cualidad objetiva, sigue al sustantivo (*artista célebre*); pero si el adjetivo precede al sustantivo (*célebre artista*), expresa una evaluación subjetiva. 2. Aquí, *para* indica reacción; *por* expresaría una implicación personal. *Esto* es pronombre demostrativo neutro; se refiere a lo que se acaba de mencionar: la ciudad museo es lo más grande que le ha pasado a Medellín. 3. Son palabras compuestas, en este caso por dos sustantivos; aquí, el segundo es un sustantivo adjetivado (*bomba*) que modifica al primero (*carro*) que, a su vez, determina el género. El primer sustantivo también determina el plural: *los carros-bomba*. Las palabras compuestas también se pueden formar por sustantivos y adjetivos, verbos y sustantivos, dos verbos, adverbios y verbos, dos adverbios y por otras funciones gramaticales.

Instructional Notes

17 Review the differences in meaning of the following, depending on their use with *ser* or *estar*: *ser listo = inteligente, estar listo = preparado; ser vivo = avispado, estar vivo = no muerto; ser joven = tener pocos años, estar joven = parecer joven; ser decidido = de carácter, estar decidido = estar dispuesto a; ser nuevo = recientemente hecho, estar nuevo = parecer nuevo; ser difícil = no ser fácil, estar difícil = resultar complicado; ser bueno = de carácter, estar bueno = de salud, de aspecto (comida).*

18 Point out that the following adjectives only appear before the nouns they modify: *ambos, llamado, mero, mucho, otro, pleno, presunto, poco, pretendido, sendos, tanto.* You might want to have students write example sentences with these words.

Ask students to review *las palabras compuestas* in the *A tener en cuenta* section on p. 449.

Cita
Bring some art books to class that show and describe Kahlo's paintings and invite students to look through them.

Answers

19 **Arte**
   la arquitectura *architecture*
   el baile, la danza *dance*
   la canción *song*
   el dibujo *drawing*
   la escultura *sculpture*
   la película; la cinematografía; el guión *film, movie; cinematography; script*
   el mural *mural*
   la música *music*
   la pintura, el cuadro *painting*
   la obra de teatro *play*

Persona
   el/la arquitecto/a *architect*
   el/la bailarín(a) *dancer*
   el/la cantante *singer*
   el/la dibujante *illustrator*
   el/la escultor(a) *sculptor*
   el/la director(a); el/la productor(a); el/la cinematógrafo/a;
      el/la guionista *director; producer; cinematographer; screenwriter*
   el/la muralista *muralist*
   el/la músico/a *musician*
   el/la pintor(a) *painter*
   el actor/la actriz *actor, actress*

Verbos
   construir, edificar; diseñar *to construct, build; to design*
   bailar *to dance*
   cantar *to sing*
   dibujar *to draw/sketch*
   esculpir *to sculpt*
   filmar, rodar una película *to film*
   pintar *to paint*
   tocar *to play*
   pintar *to paint*
   hacer/interpretar un papel *to play a part*

20 1. los guionistas; 2. dibujos, dibujante; 3. la cantante; 4. cine; 5. arquitecto; 6. el pintor, escultor, esculpir

Additional Activities

Juego
Ask students to play *Voluntario, derecha e izquierda.* See p. TE25.

Idioma

19 Familia de palabras

Complete la tabla con el arte, la persona que lo hace, el verbo asociado, y la traducción correspondiente.

Arte		Persona		Verbos	
la arquitectura	_____	el/la arquitecto/a	_____	construir, edificar; diseñar	*to construct, build;*
el baile, la danza	_____	el/la bailarín (a)	_____		_____
_____	*song*	el/la cantante	_____		_____
el dibujo	_____	el/la dibujante	_____		
la escultura	_____	el/la escultor (a)	_____	esculpir	_____
la película;	*film, movie;*	el/la director (a);	_____;	filmar, rodar una película	
la cinematografía;		el/la productor (a);	_____;		
el guión	_____	el/la cinematógrafo/a;	_____;		
el mural	_____	el/la guionista	_____		
la música	_____	el/la muralista	_____		
la pintura, el cuadro	*painting*		*musician*		_____
la obra de teatro			*painter*		_____
			actor, actress	hacer/interpretar un papel	_____

20 ¿Verbo, sustantivo o adjetivo?

Complete las oraciones usando la forma correcta de las palabras que aparecen en la tabla, ya sea verbo, sustantivo o adjetivo. En el caso del sustantivo puede que necesite artículo.

1. Dan Brown, el autor de *El código Da Vinci*, también fue uno de ___ (*guión*) de la película basada en la novela que tuvo gran fama por todo el mundo.
2. Había una muestra en el Prado de Madrid de unos cincuenta ___ (*dibujar*) hechos por Goya durante sus últimos años de vida. Francisco de Goya era un gran pintor y ___ (*dibujo*).
3. ¿Sabía que ___ (*cantar*) cubana-americana, Gloria Estefan, se ha recuperado de un accidente que casi le cuesta la vida en 1990 y que le produjo graves lesiones en la espalda?
4. Muchos aficionados del ___ (*cine*) asistieron al festival de cine de Cantinflas, actor y cómico mexicano.
5. El ___ (*arquitectura*) español Antonio Gaudí nunca terminó su obra cumbre, la Catedral de la Sagrada Familia en Barcelona. Trabajó en ella hasta su muerte en 1926.
6. Sería muy interesante hablar con Fernando Botero, ___ (*pintar*) y ___ (*esculpir*) colombiano, antes de que él empezara a ___ (*escultura*) una de sus creaciones gigantescas.

7. Los bailarines del Ballet Folclórico de México presentarán ___ (*bailar*) típicos del pueblo mexicano antes de la toma de posesión del nuevo presidente mexicano.
8. ___ (*Pintar*) mexicana Frida Kahlo se casó dos veces con Diego Rivera, ___ (*mural*) mexicano: en 1932 y 1940.
9. Con películas en tres idiomas como *Volver* del director español Pedro Almodóvar, *Vanilla Sky* con Tom Cruise y *Belle Epoque*, ___ (*actor*) Penélope Cruz ha hecho diversos ___ (*actor*) que muestran su gran talento.
10. En 1997, la película y la música de *Buena Vista Social Club* mostró las vidas y las carreras de algunos ___ (*música*) cubanos de los años 40 en Cuba.

Cita

Hija de una isla rica, esclava de una sonrisa, soy calle y soy carnaval, calle, corazón y tierra, mi sangre es de azúcar negra, es amor y es música. ¡Azúcar!

—Letra de la canción "Azúcar negra" de Celia Cruz (1929–2003), cantante cubana, Reina de la Salsa

 ¿Conoce a Celia Cruz, su famoso grito de "¡Azúcar!" y su música? ¿Conoce a otros músicos con expresiones peculiares? ¿Quiénes son, y qué dicen? ¿En qué consiste ser "reina" o "rey" de la música? ¿Quiénes son otros reyes o reinas de la música? Comparta sus respuestas con un/a compañero/a.

Dato curioso!

¿Sabía que Diego de Silva y Velázquez, pintor español (1599–1660), pintaba retratos de la corte del rey Felipe IV para ganarse la vida? En la vida artística de este gran pintor hay tres nombres clave: El Greco, que tenía ya 70 años cuando el joven Velázquez lo visitó en su estudio de Toledo; el pintor italiano Caravaggio (1573–1610); y Pedro Pablo Rubens, pintor flamenco (1577–1640). De todos aprendió técnicas importantes.

Celia Cruz

Nota cultural

Celia Cruz nació en La Habana, Cuba. En 1960, dejó su tierra natal y se mudó a los Estados Unidos. Ella grabó varias canciones con el maestro Tito Puente, el Rey de los Timbales y músico de salsa y de jazz latino. Juntos despertaron en el público norteamericano y europeo un gran interés por la música salsa. Miles de compatriotas cubanos desfilaron, en Miami y Nueva York, ante los restos de Celia después de que falleciese el 16 de julio de 2003, a los setenta y ocho años de edad. La reina de la salsa recibió sepultura en el cementerio Woodlawn en el Bronx, Nueva York.

Answers

20 7. bailes; 8. La pintora, muralista; 9. la actriz, papeles; 10. músicos

Instructional Notes

After students discuss the *Cita* with their partners, take a survey to see which singers they considered to be *reyes* and *reinas* of music.

You might want to bring in some art books that have representative works by the artists mentioned in the *Dato curioso* and ask the students to compare the styles among these painters.

Additional Activities

Canción
See p. TE26.

Answers

21 1. presupuestarios; 2. equivaldrá; 3. sobrepasó;
4. desarrolló; 5. salió; 6. fue; 7. exitosos; 8. jóvenes;
9. ininterrumpida; 10. suena; 11. seguidos;

Instructional Notes

21 Call on some students to read passages aloud.

21 La televisión

Échele una ojeada al pasaje que sigue, prestando atención a las palabras en azul, ya que se le harán preguntas sobre ellas. Luego lea el artículo y decida qué forma de las palabras entre paréntesis es la correcta para completar cada oración y escríbala. No se olvide de escribir y acentuar las palabras correctamente.

Cadenas de televisión pugnan por acaparar público bilingüe

Las cadenas de televisión de Estados Unidos hacen cada vez más esfuerzos, incluso **1.** (*presupuestario*), para atraer la audiencia hispana, en su mayoría bilingüe. No es una
5 sorpresa, ya que los hispanos superan los 42 millones de personas en EE.UU. y son la minoría de mayor y más rápido crecimiento del país, de acuerdo con cifras del Censo. De hecho, se calcula que dentro de 14 años la comunidad de
10 origen latinoamericano **2.** (*equivaler*) al 17 por ciento de toda la población estadounidense. Y las encuestas de audiencia respaldan estas cifras. El año pasado, durante el verano, Univisión —la principal cadena de televisión en español
15 de EE.UU.— **3.** (*sobrepasar*) a sus rivales angloparlantes más importantes, como ABC, NBC y Fox, para liderar el horario estelar con una telenovela, según Nielsen Media Research. Ante esta realidad,
20 Telemundo, el competidor directo de Univisión, **4.** (*desarrollar*) estrategias que incluyen producciones hechas en casa, o sea, en sus estudios de Miami. Las telenovelas han sido el proyecto
25 piloto para esta empresa, junto a "reality shows" como "Protagonistas de novela" y "Protagonistas de la música". Ahora la cadena Azteca América TV intenta ganarse el mercado hispanohablante
30 de EE.UU. y tomar posiciones como contrincante directo de Telemundo y Univisión. Azteca América **5.** (*salir*) al aire por primera vez en julio de 2001. Entonces su objetivo **6.** (*ser*) el mercado hispano en Los Ángeles. Cinco
35 años más tarde posee filiales en 39 ciudades de Estados Unidos. Por el momento, su difusión alcanza al 81 por ciento de los hogares donde se habla español. Entre la programación que

ofrece figuran telenovelas, noticias, programas
40 de variedades y deportes, eventos especiales en el mundo del espectáculo, películas latinas y foros de opinión. La retransmisión de algunas de las series o dramas que han sido **7.** (*exitoso*) en la televisión estadounidense en inglés, como
45 *Desperate Housewives, Sex and the City* y *The Simpsons*, garantizan la atención de los más **8.** (*joven*). A pesar de que es una cadena joven, comparada con los años de transmisión **9.** (*ininterrumpido*) de Univisión y Telemundo,
50 Azteca América intenta atender las necesidades y complacer los gustos de una audiencia mixta, pero muy latina. Su nombre, estratégicamente pensado, **10.** (*sonar*) atractivo para la comunidad hispana más grande en EE.UU. y,
55 por tanto, el blanco perfecto para atacar: los

mexicanos, que representan el 67 por ciento de ese sector de población y en su mayoría son descendientes directos. Los centroamericanos ocupan el segundo puesto, con el 14,3 por
60 ciento; **11.** (*seguido*) por sudamericanos, puertorriqueños y cubanos, según datos del Censo. Todas estas cifras confirman que las nuevas generaciones de hispanos en Estados

Unidos ven televisión con frecuencia y
[65]representan __12.__ (*uno*) gran parte del público
al que van dirigidas las nuevas propuestas
televisivas. Por lo pronto, la cadena líder en
audiencia es Univisión, que __13.__ (*contar*) con
[70]un contrato con el emporio mexicano Televisa
para retransmitir las telenovelas producidas en
México, históricamente las favoritas del público.
Telemundo le sigue los pasos y, de hecho, la
incursión de figuras como María Antonieta
Collins y María Celeste Arrarás — __14.__ (*quien*)
[75]desarrollaron sus carreras en EE.UU. en

Univisión— ha atraído a sus seguidores para
incrementar los números en las encuestas. Su
afiliación con NBC, que la adquirió en 2001
por 2.680 millones de dólares, __15.__ (*aportar*)
[80]solidez a la empresa, aunque sigue en segundo
lugar de preferencia entre la audiencia. Mientras
tanto, Azteca América TV intenta cambiar la
tabla de posiciones con una propuesta que incluye
talento joven y producciones variadas.

www.laraza.com

22 Amplíe su vocabulario 🔍

Según el contexto del artículo anterior, ¿cuál es la mejor traducción de cada palabra de la primera columna?

1. acaparar	a. subsidiary
2. presupuestario	b. empire
3. superar	c. survey
4. cifra	d. to sound
5. equivaler	e. to surpass
6. encuesta	f. number
7. respaldar	g. to corner the market
8. liderar	h. to amount to
9. horario estelar	i. uninterrupted
10. contrincante	j. to acquire
11. filial	k. to back up
12. ininterrumpido	l. budgetary
13. sonar	m. to lead
14. blanco	n. prime time
15. emporio	o. raid
16. incursión	p. to bring
17. adquirir	q. competitor
18. aportar	r. target

23 Lea, escriba/presente 👥

Vuelva a leer el artículo anterior completo y haga una tabla en la cual exponga las tres cadenas hispanas de televisión y su programación. Mencione los programas, series y actores más representativos. Luego proponga unas estrategias para captar una mayor audiencia bilingüe en los Estados Unidos.

21 12. una; 13. cuenta; 14. quienes; 15. aporta

22 1. g; 2. l; 3. e; 4. f; 5. h; 6. c; 7. k; 8. m; 9. n; 10. q; 11. a; 12. i; 13. d; 14. r; 15. b; 16. o; 17. j; 18. p

Instructional Notes

23 Ask students to discuss the various strategies their classmates proposed for gaining more viewers and decide which ones are the most effective, and why.

Additional Activities

Juego
Ask students to play *Hablar hasta por los codos*.
See p. TE24.

¿Vale más una imagen que mil palabras?
See p. TE28.

24 Las cadenas en español

Échele una ojeada al pasaje que sigue para ver de qué se trata, prestando atención a las palabras en azul, ya que se le harán preguntas sobre ellas. Luego lea el artículo y decida qué forma de las palabras entre paréntesis es la correcta para completar cada oración y escríbala. No se olvide de escribir y acentuar las palabras correctamente.

Televisión hispana busca captar más audiencia con nueva programación

Las grandes cadenas de televisión en español de Estados Unidos presentaron esta semana una nueva programación para la próxima temporada, con __1.__ (*el*) que esperan aumentar su audiencia y, sobre todo, sus ingresos publicitarios. Los primeros en hacerlo fueron TV Azteca y Telemundo, y hoy le __2.__ (*tocar*) el turno a Univisión, que durante su presentación —para __3.__ (*el*) cual contó con varias de sus principales figuras—, inició con un musical tipo Broadway, e insistió a los representantes de agencias de publicidad que ellos son la mejor alternativa para colocar sus anuncios. Los principales ejecutivos de Univisión, desde su presidente Ray Rodríguez, destacaron las estadísticas que la colocan como la primera cadena en español y __4.__ (*el quinto*) en EE.UU. en __5.__ (*ambos*) idiomas, con 2,2 millones de televidentes entre los 18 y 49 años. En ese sentido, la empresa destacó además que en 146 de las 231 noches de esta temporada hasta la fecha, Univisión superó a ABC, CBS, NBC o Fox, captando la audiencia adulta entre los 18 y 34 años. Aunque las cadenas no comentan sobre el tema, analistas __6.__ (*consultado*) por el *Wall Street Journal* aseguran que con la presentación de hoy, Univisión busca generar hasta mil millones de dólares en publicidad, __7.__ (*sobrepasar*) la cifra de 850 millones del año pasado. Para la nueva temporada, __8.__ (*cuyo*) fecha de inicio no indicaron, la cadena anunció en primer lugar su programación deportiva, en particular el Mundial del Fútbol en Alemania, aunque no será hasta el verano del 2006, con una audiencia que se espera alcance los 45 millones de espectadores. También lo que ha sido su fórmula __9.__ (*ganador*), los melodramas, y para ello continuarán su relación con Televisa —socia fundadora de Univisión— pese a la disputa que involucra a ambas compañías y que incluye renuncias y una demanda en la corte federal de Nueva York por regalías. Rodríguez recordó, en conferencia de prensa al __10.__ (*culminar*) la presentación, que el contrato con Televisa __11.__ (*seguir*) vigente hasta el 2017, "por lo que seguiremos transmitiendo novelas" producidas por esa empresa. Televisa, el mayor productor de contenido para la televisión hispana, suple el 70 por ciento de la programación del horario estelar de Univisión, empresa en la que además tiene una participación cerca del 10,9 por ciento. Rodríguez aseguró que las renuncias de ejecutivos de Televisa a la junta de directores de Univisión (molestos por el nombramiento de Rodríguez) no afectará la programación que ofrecen a la comunidad latina. Los melodramas en horario estelar __12.__ (*incluir*) "El amor no tiene precio", producida en EE.UU., "Contra viento y marea", realizada en México y Latinoamérica, "Alborada", desarrollada en el México de los 1800, y "Piel de Otoño", con filmaciones en España. Mientras Univisión, empresa que además incluye Galavisión y TeleFutura, presentó una programación que no produce en su totalidad, Telemundo __13.__ (*basar*) su estrategia publicitaria en destacar precisamente sus propias producciones. Telemundo enfatizó en su presentación, también en Nueva York y un día antes que Univisión, que producirá o coproducirá los cuatro culebrones que formarán parte de su nuevo bloque en horario estelar. También producirá __14.__ (*el*) serie "Pedro Navaja", basada en la canción del cantautor panameño Rubén Blades. Alicia Falcón, gerente de Operaciones de Univisión, dijo que la cadena produce varios programas, entre __15.__ (*el*) destacó "Despierta América" y otros que presentan las cadenas hermanas. "Punto de encuentro", un programa de discusión y análisis que se transmite los domingos a cargo del periodista Jorge Ramos, "¡Ay qué noche!", con entrevistas exclusivas a personalidades, y los especiales "En exclusiva con Myrka Dellanos" y "Soñando contigo", que conducirá Cristina Saralegui, forman parte de lo nuevo de Univisión. También los premios Grammy Latino, el próximo 3 de noviembre, cuyo contrato de exclusividad __16.__ (*ser*) firmado hace dos semanas, y que antes presentó CBS. En cuanto a TeleFutura, __17.__ (*el*) nuevo incluye el espacio noticioso "En vivo y en directo", películas premiadas con un Oscar, la novela infantil "Sueños y caramelos" y deportes, mientras que en Galavisión debutarán el programa interactivo "Acceso máximo", "En profundidad", de análisis de noticias, y "El rastro del crimen". El evento de Univisión culminó con la presentación de David Bisbal y contó además con la ganadora de Objetivo Fama, Anaís Martínez.

www.laraza.com

25 ¿Qué significa?

Según el contexto del artículo anterior, empareje las palabras de la primera columna con su traducción correspondiente en la segunda.

1. temporada	a. long and melodramatic soap opera
2. ingresos publicitarios	b. to put or place
3. tocar el turno	c. sister channels
4. colocar	d. come hell or high water
5. sobrepasar	e. to continue to be in force
6. pese a	f. singer-songwriter
7. involucrar	g. to surpass
8. renuncia	h. profits from ads
9. regalía	i. to emphasize
10. seguir vigente	j. led by
11. contra viento y marea	k. dawn
12. alborada	l. news slot
13. enfatizar	m. season
14. culebrón	n. in spite of
15. cantautor	o. royalty
16. cadenas hermanas	p. resignation
17. a cargo de	q. to be next
18. espacio noticioso	r. to involve

26 Lea, escuche y escriba/presente

Vuelva a leer los textos completos de las Actividades 21 y 24. Luego escuche "Radio hispana: un negocio que nadie se quiere perder" y tome las notas necesarias. Escriba un ensayo o haga una presentación en clase sobre "El público hispano: mercado abierto en la televisión y en la radio". No se olvide de citar las fuentes debidamente.

Cita

Un pintor es un hombre que pinta lo que vende. Un artista, en cambio, es un hombre que vende lo que pinta. Yo pinto las cosas no como las veo, sino como las pienso.

—Pablo Picasso (1881–1973), pintor español

¿Qué diferencia hay entre pintar lo que uno ve y pintar lo que uno piensa? Comparta opiniones con un/a compañero/a.

¡Dato curioso!

¿Sabía que después del gran éxito de *American Idol*, Sony Entertainment presenta *Latin American Idol* y así esperan unir a países latinos a través de la música? Se anticipa que toda Latinoamérica estará unida con un solo propósito: ver nacer al próximo ídolo de la canción en español. La música borra las fronteras y éste será un claro ejemplo de ello. El programa se estrenó en julio de 2006, en Buenos Aires, Argentina.

Teacher Resources

 Activity 26 (CD 8, track 1)

Answers

25 1. m; 2. h; 3. q; 4. b; 5. g; 6. n; 7. r; 8. p; 9. o; 10. e; 11. d; 12. k; 13. i; 14. a; 15. f; 16. c; 17. j; 18. l

Instructional Notes

26 Before students listen to the audio, you might want to review the following words with them: *radial*, related to the radio; *a corto y largo plazo*, in the short and long run; *flujo*, flow; *cadena*, chain; *ramo*, branch.

Cita

Ask students if they are familiar with the work of Picasso and encourage them to look for more information about his life, work, and the major events that took place during his lifetime. Urge them to take notes and keep this information available for the next two articles in this lesson.

Additional Activities

Composición

After students research Picasso's life and work, ask them to briefly explain why he is considered one of the most prominent artists of the twentieth century and why they think his style of painting changed through the years.

Trabajo de investigación

Ask some students to look for more information on *Latin American Idol* and make a brief presentation to the class. If they are familiar with *American Idol*, they should compare the two programs.

Juego

Ask students to play *El juego de la alarma*. See p. TE25.

Answers

27 1. adquirió; 2. sale; 3. por; 4. pintado; 5. fue; 6. francesa; 7. la; 8. explicaron; 9. es; 10. ha salido; 11. despierte; 12. sobre; 13. los; 14. estilo anterior

28 1. f; 2. c; 3. j; 4. b; 5. g; 6. d; 7. i; 8. k; 9. a; 10. e; 11. h

Instructional Notes

27 Before students start reading, ask them: *¿Han estado alguna vez en una subasta? Expliquen cómo se llevó a cabo. ¿Qué saben de las subastas de arte? ¿Quiénes comprarán el arte que se saca a subasta? En estas subastas, ¿qué saben Uds. de los precios de las obras de artistas muy famosos?*

Additional Activities

Juego

Ask students to play *Lo tengo en la punta de la lengua*. See p. TE25.

---

27 Picasso

Échele una ojeada al pasaje que sigue, prestando atención a las palabras en azul, ya que se le harán preguntas sobre ellas. Luego lea el artículo y decida cuál de las dos palabras entre paréntesis es la correcta para completar las oraciones y escríbala.

Un Picasso recuperado de los nazis, en subasta de arte moderno

Un retrato del período neoclásico del pintor español Pablo Picasso, robado por los nazis y luego restituido al coleccionista que lo __1.__ (*adquiría / adquirió*), es el plato fuerte de la temporada de subastas de arte ⁵moderno que se inicia esta semana en Nueva York. *Tête et Main de Femme* (1921), un "ejemplo supremo" del llamado período neoclásico del maestro español, que __2.__ (*sale / salga*) a subasta el 4 de mayo, no tiene un precio de venta estimado __3.__ (*por / para*) los expertos ¹⁰de Christie's, pero éstos creen que podría venderse por entre 13 y 15 millones de dólares. Este retrato de una mujer de enormes manos y mirada baja, __4.__ (*pintado / pintada*) con tonos ocres, __5.__ (*era / fue*) adquirido por el coleccionista francés Alphonse Kann en la Galerie ¹⁵Simon de París, en 1923, y robado de su casa por los nazis en 1940, durante la ocupación de la capital __6.__ (*francés / francesa*). La obra pasó por otras manos hasta que fue restituida a la familia Kann en 2003, año en que __7.__ (*el / la*) vendieron a un coleccionista privado ²⁰que ahora la pone a la venta, __8.__ (*explicó / explicaron*) los especialistas de Christie's en una presentación a la prensa. Sotheby's también pondrá a la venta una obra de Picasso, titulada *Les Femmes d'Alger* (1955), que __9.__ (*está / es*) parte de la serie homónima integrada ²⁵por quince lienzos que plasman harenes de mujeres del Norte de África. La obra, con un precio estimado por los expertos de entre 15 y 20 millones de dólares, fue adquirida por los coleccionistas neoyorquinos John A. Cook y su esposa en 1962, y desde entonces ³⁰no __10.__ (*salió / ha salido*) a subasta, por lo que se espera que __11.__ (*despierta / despierte*) especial interés en el mercado. La pintura es una de las representaciones más detalladas de la serie de Picasso __12.__ (*sobre / en*) las mujeres de Argelia; en 1956 la ³⁵serie fue adquirida en su totalidad por __13.__ (*los / las*) coleccionistas Víctor y Sally Ganz por 212.000 dólares. En la venta de Christie's también destaca el óleo de Cézanne, *Les grands arbres au Jas de Bouffan*, un paisaje con valor estimado de entre 12 y ⁴⁰16 millones de dólares y que representa una ruptura con el __14.__ (*estilo anterior / anterior estilo*) de este máximo exponente del Impresionismo.

www.laraza.com

---

28 Amplíe su vocabulario

Según el contexto del artículo que acaba de leer, empareje las palabras de la primera columna con su traducción correspondiente.

1. recuperar
2. subasta
3. restituir
4. tonos ocres
5. poner a la venta
6. lienzo
7. plasmar
8. harén
9. óleo
10. ruptura
11. máximo exponente

a. oil
b. earthy tones
c. auction
d. canvas
e. break
f. to recover, retrieve
g. to put up for sale
h. major exponent
i. to give expression to
j. to restore
k. harem

Nota cultural

En mayo de 2004 se vendió el cuadro más caro de Picasso en una subasta: *Garçon à la pipe* (*Niño con pipa*). El precio fue $93 millones, y con las comisiones salió por $104.1 millones. Generalmente la casa de subastas cobra el 20% de los primeros $200.000, y a partir de esta cifra cobran el 12%. Fue todo un récord para un Picasso, superando el precio de $55 millones en 2000 por otro cuadro suyo.

29 Lea y escriba/presente 👥

Vuelva a leer el artículo completo anterior. Luego escriba un ensayo o haga una presentación en clase sobre el tema "El valor del arte en las subastas de obras de arte".

30 Picasso 📖

Échele una ojeada al pasaje que sigue para ver de qué se trata, prestando atención a las palabras en azul, ya que se le harán preguntas sobre ellas. Luego lea el artículo y decida cuáles son las palabras que mejor completan las oraciones y escríbalas. No se olvide de escribir y acentuar las palabras correctamente.

Picasso y sus toros

Los toros son un elemento recurrente en las obras de Pablo Picasso. Es __1.__ de las figuras sobresalientes en *Guernica* (1937), magna obra de este pintor español, destacándose una cabeza y una pata de este animal en __2.__ parte superior izquierda del cuadro. Aunque el artista nunca explicó __3.__ que significaba cada una de las imágenes que incluyó en esta composición —"No __4.__ toca al artista definir los símbolos. De otra manera sería mejor para ellos decirlo __5.__ palabras"—, el toro ocupa un lugar prominente en la monumental pintura, testimonio ferviente de la bestialidad de la guerra, realizada durante los turbulentos __6.__ de la Guerra Civil española. En obras posteriores, Picasso no ocultó su fascinación __7.__ la tauromaquia, y exploró su diseño en varios medios, tal y como lo muestra *Picasso's Toros*, la exposición que montó el museo Norton Simon de Pasadena y que se extenderá __8.__ el 18 de julio. Las imágenes representan 11 estados de una serie de litografías ejecutadas por el artista __9.__ diciembre de 1945 y enero de 1946, en las que el toro es __10.__ tema central. Aproximadamente 15 trabajos en papel son expuestos, poniendo __11.__ evidencia la atracción que tenía para el pintor la simbología, la mitología y las líneas de la figura del animal, así __12.__ las diversas maneras que tenía de percibirlas. Las litografías que componen la exposición __13.__ seleccionadas por Gloria Williams. *Picasso's Toros* __14.__ delimitada a las fechas antes mencionadas debido a que el artista, en el invierno de 1945, se embarcó __15.__ una exploración sin precedentes en la

Picasso: *Después de la corrida*

litografía como medio artístico y por la capacidad expresiva que tiene este recurso técnico. Y Picasso, un creador sin límites, aprovechó todas las posibilidades que le ofrecía la litografía como medio porque __16.__ permitía hacer mejoras progresivas a la imagen mediante la sucesión de adiciones, borrados y modificaciones. Los dibujos representan a los toros tanto con el __17.__ puro estilo cubista del pintor como en las formas más simplificadas, como el caso de *El Toro*, que realizó en 1946 y que muestra con pocas y sencillas líneas curvas, reducidas al punto de la abstracción, __18.__ imponente masa del animal. También están incluidas en la exposición algunas impresiones que documentan la fuerte atracción de Picasso hacia esta imagen y su simbolismo.

www.laopinion.com

Investigue palabras clave:
Pablo Picasso, Guernica, Guerra Civil española, Picasso y los toros

Answers

30 1. una; 2. la; 3. lo; 4. le; 5. con; 6. días / años; 7. con; 8. hasta; 9. en / entre; 10. el; 11. en; 12. como; 13. fueron; 14. está; 15. en; 16. le; 17. más; 18. la

Instructional Notes

30 Have the students refer to their notes on Picasso and, if appropriate, ask them to do more research on his painting *Guernica*, the Spanish civil war, and his fascination with depicting *la corrida*.

Additional Activities

Inserte una frase
See p. TE27.

31 Amplíe su vocabulario 🔍

Según el contexto del artículo anterior, ¿cuál es la mejor definición o sinónimo de cada palabra?

1. recurrente
   - a. actual
   - b. moderno
   - c. repetido
   - d. profundo

2. magna obra
   - a. libro muy grande
   - b. cuadro extraordinario
   - c. empresa espaciosa
   - d. función ilustre

3. pata
   - a. pie y pierna de un animal
   - b. nariz de un animal
   - c. forma femenina de pato
   - d. pierna pequeña

4. ocupar un lugar prominente
   - a. estimar
   - b. señalar sutilmente
   - c. tener fama
   - d. destacarse

5. testimonio ferviente
   - a. confirmación apasionada
   - b. justificación débil
   - c. prueba sin pasión
   - d. explicación ridícula

6. bestialidad
   - a. amistad
   - b. crueldad
   - c. sensibilidad
   - d. suavidad

7. ocultar
   - a. aparecer
   - b. mostrar
   - c. descubrir
   - d. esconder

8. tauromaquia
   - a. relacionado con las máquinas
   - b. relacionado con los toros
   - c. expresión artística
   - d. ninguna de las respuestas anteriores

9. medio
   - a. forma
   - b. condición artística
   - c. artista
   - d. bosquejo

10. montar
    - a. pagar
    - b. alquilar
    - c. recoger
    - d. organizar

11. litografía
    - a. óleo
    - b. acuarela
    - c. dibujo
    - d. arte de reproducir dibujos

12. expuesto
    - a. protegido
    - b. exhibido
    - c. escondido
    - d. omitido

13. simbología
    - a. uso de perspectivas diferentes
    - b. uso de lienzos diferentes
    - c. uso de símbolos
    - d. uso de colores para expresar emociones

14. percibir
    - a. ignorar
    - b. oler
    - c. sentir
    - d. distinguir

15. aprovechar
    a. emplear
    c. disminuir
    b. perder
    d. dañar

16. mediante
    a. para
    c. desde
    b. por
    d. hacia

17. borrado
    a. producto final
    c. tachado
    b. óleo
    d. raya

18. imponente masa
    a. conjunto minúsculo
    c. unidad imperceptible
    b. conjunto grandioso
    d. totalidad mediana

32 Lea, escuche y escriba/presente

Vuelva a leer los dos artículos completos sobre Picasso, y luego escuche "Moma restaura *Las señoritas de Aviñón*" y tome las notas necesarias. Escriba un ensayo o haga una presentación en clase sobre "Pablo Picasso: maestro del siglo XX". Si quiere, busque más información sobre el arte de Picasso en Internet. No se olvide de citar las fuentes debidamente.

Cita

La única diferencia entre un loco y yo, es que el loco cree que no lo está, mientras yo sé que lo estoy.
—Salvador Dalí (1904–1989),
pintor surrealista español

¿Conoce Ud. el arte de Dalí? Si no, busque muestras de su arte en Internet. ¿Es difícil de interpretar su arte? ¿Por qué? ¿Cree que Dalí estaba loco o, por el contrario, fue un valiente por actuar y pintar de la forma en que lo hizo? Comparta su opinión con un/a compañero/a.

¡Dato curioso!

¿Sabía que Goya, además de ser pintor y dibujante, revolucionó la industria de los tapices, pintando escenas de la vida cotidiana en ellos? También fue un gran amante de las corridas de toros y en su vejez hizo una serie de grabados sobre la tauromaquia. Las figuras de estos grabados —hechas de memoria— son de un realismo increíble. Goya admiraba el peligro que afrontaba el torero y sentía cierta atracción hacia el riesgo.

Goya: *La corrida*

Teacher Resources

 Activity 32 (CD 8, track 2)

Answers

31 15. a; 16. b; 17. c; 18. b

Instructional Notes

31 You might ask students to define (in Spanish) some of the answer choices that did not correspond to the key word.

32 Before students listen to the audio, you might want to review the following words with them: *emprender*, to undertake; *polvo*, dust; *cera*, wax; *barniz*, varnish; *retoque*, touch-up; *remoción*, removal; *capa*, layer; *lienzo*, canvas.

After students discuss the *Cita* with their partners, you could lead a classroom discussion to get their reactions to Dalí's work.

Additional Activities

Comunicación

Encourage students to work in small groups and look for more anecdotal information on Goya's long life and career as well as his interest in bullfighting. Ask them to share this information and talk about it with the group.

Composición

Students have read and perhaps gathered information about Picasso and *los toros*. Now, in the *Dato curioso*, they have read about Goya's fascination with *la corrida*. Ask students to consider this information and to write a short composition explaining why they think these two legends of art felt this attraction to *las corridas*.

Juego

Ask students to play *¿Quién quiere ser millonario?*
See p. TE25.

Teacher Resources

Activities 8–16

Instructional Notes

34 Ask students to interpret the painting shown. Ask: *¿Qué elementos de surrealismo hay?*

¡A leer!

33 Antes de leer 👥

¿Qué sabe del arte de la pintora mexicana Frida Kahlo? Frida tuvo una vida muy difícil. ¿Qué impacto tendría esto en su arte? ¿Qué otros genios de las bellas artes conoce que han tenido grandes obstáculos en la vida?

34 Frida 📖

Lea el siguiente artículo con atención, fijándose en las palabras en azul, ya que se le harán preguntas sobre ellas.

Los mundos de Frida Kahlo

Kahlo: *Raíces*

Con un enfoque único de la obra de una de las artistas más representativas del siglo XX, el Museo de Arte de Ponce, Puerto Rico, (MAP), presenta la muestra "Frida
⁵ Kahlo y sus mundos". Más de 250 objetos presentes en esta exhibición evidencian la gran influencia que ejerció el trabajo de la mexicana en el arte popular. (A) Las 21 pinturas sobre tela, metal, madera y papel,
¹⁰ 16 dibujos, diez bocetos y dos grabados y acuarelas elaboradas por Kahlo desde 1925 integran esta muestra, además de la obra de otros artistas como Diego Rivera, Rufino Tamayo, Abraham Ángel, Hemernegildo Bustos,
¹⁵ José María Velasco, Guillermo Kahlo, entre otros. (B) "El positivismo, una enseñanza popular", "El estudio fotográfico y el retrato" y "La educación cultural y artística" son los títulos de tres de las cinco secciones que conforman la exposición. Cada una
²⁰ de ellas refleja las influencias y la evolución del arte de Kahlo. La primera presenta cómo el desarrollo del sistema educativo post revolucionario mexicano predominó en el trabajo de la artista. Dentro de las obras destacadas en esta sección se encuentran los
²⁵ bocetos de José María Velasco, que hacen alusión al desarrollo evolutivo de las especies basado en la teoría "darwiniana". (C) En "Diego Rivera, Frida Kahlo y el arte popular", otra de las secciones presentes, se muestran objetos de arte folklórico, trajes indígenas
³⁰ tradicionales y joyería y cerámica precolombina, que eran coleccionados por Kahlo y Rivera para posteriormente representarlos en sus trabajos. (D) También se pueden apreciar obras como *Autorretrato en la frontera de México y Estados Unidos* y *Allí*
³⁵ *cuelga mi vestido* realizados por la mexicana durante el período que acompañara a su esposo en sus viajes a Estados Unidos para pintar murales. Las dos últimas secciones están conformadas por fotografías de primera clase de Kahlo en su reconocida Casa Azul,
⁴⁰ que se convirtiera en museo después de su muerte.

www.eldiariony.com

Investigue palabras clave:
Frida Kahlo

35 Amplíe su vocabulario 🔍

¿Cuál es la mejor traducción de cada palabra de la primera columna?

1. enfoque	a.	native dress
2. ejercer	b.	self-portrait
3. tela	c.	to exert
4. boceto	d.	later
5. grabado	e.	sketch
6. acuarela	f.	to make up
7. conformar	g.	completed
8. obra destacada	h.	focus
9. traje indígena	i.	cloth
10. posteriormente	j.	engraving
11. autorretrato	k.	noteworthy work
12. realizado	l.	watercolor

36 ¿Ha comprendido?

1. ¿Por qué escogió el Museo de Arte de Ponce, Puerto Rico, la obra de Frida Kahlo?
   a. Ya tiene una gran colección de su obra en el museo y era lógico escogerla.
   b. Hay mucha variedad en la obra de Frida Kahlo.
   c. La obra de Frida Kahlo es muy exclusiva, según el museo, y quería presentar a un solo artista.
   d. La obra de Frida Kahlo influyó mucho en el arte popular.

2. ¿Cuántas secciones en total hay en la muestra?
   a. Dos
   b. Tres
   c. Cuatro
   d. Cinco

3. ¿Cuál es el tema de la primera sección de la obra de Frida Kahlo?
   a. La enseñanza como influencia sobre Frida
   b. Recuerdos de su casa donde creció
   c. La revolución mexicana
   d. El darwinismo

4. ¿Cuál es el tema de otra sección de la obra de Frida Kahlo?
   a. Los autorretratos
   b. El arte folklórico
   c. El darwinismo
   d. Todas las respuestas anteriores

5. ¿Cuántos mundos de Frida Kahlo están presentes en la muestra?
   a. Dos
   b. Tres
   c. Cinco
   d. No se precisa.

37 ¿Cuál es la pregunta? 🔍

Según el artículo que acaba de leer, escriba una pregunta lógica para estas respuestas.

1. Una de las artistas más representativas del siglo XX
2. Sobre tela, metal, madera y papel
3. Refleja las influencias y la evolución del arte de Kahlo.
4. Los bocetos de José María Velasco
5. El período que acompañara a su esposo en sus viajes a Estados Unidos
6. Para pintar murales
7. Se convirtió en museo después de su muerte.

Answers

35 1. h; 2. c; 3. i; 4. e; 5. j; 6. l; 7. f; 8. k; 9. a; 10. d; 11. b; 12. g

36 1. d; 2. d; 3. a; 4. b; 5. d

37 *Ejemplos:*
1. ¿Quién era Frida Kahlo?
2. ¿Sobre qué tipo de materiales son las 21 pinturas en la muestra de Frida Kahlo?
3. ¿Qué refleja esta exposición?
4. ¿De quién son los bocetos que hacen alusión a la teoría "darwiniana"?
5. ¿Cuándo pintó Kahlo *Autorretrato en la frontera de México y Estados Unidos* y *Allí cuelga mi vestido*?
6. ¿Por qué se fue Diego Rivera a Estados Unidos?
7. ¿Qué pasó con la Casa Azul de Frida Kahlo?

Additional Activities

Juego
Ask students to play *Lo tengo en la punta de la lengua.* See p. TE25.

38 ¿Qué piensan?

¿Por qué se puede decir que Frida Kahlo era una de las artistas más representativas del siglo XX? ¿Qué aspecto de su obra la lanzó a la fama? Comparta su opinión con un/a compañero/a.

39 Dónde va?

La siguiente oración ha sido extraída del texto anterior: *Los usaron para incluir más cultura mexicana en sus cuadros y en sus obras.* ¿Dónde encajaría mejor esta oración?

1. Posición A, línea 8
2. Posición B, línea 16
3. Posición C, línea 27
4. Posición D, línea 32

40 Antes de leer

¿Cómo cree que alcanzan la fama los artistas? ¿Se debe sólo al talento, o influyen también los contactos que tienen en el mundo del arte, el apoyo de la familia o la época en qué pintan? ¿Qué importancia tiene el papel de los críticos en el éxito de los artistas?

41 Frida Kahlo

Lea el artículo que sigue e intente averiguar el significado de las palabras en azul por el contexto o por ser cognados, ya que se le harán preguntas sobre ellas.

Crítica de arte reprueba comercialización de Frida Kahlo

La crítica de arte mexicana Raquel Tibol, quien conoció de cerca los últimos años de vida de la artista mexicana Frida Kahlo, reprobó la comercialización de que ha sido objeto la pintora en los últimos tiempos. En una entrevista, la escritora de origen argentino lamentó el uso que los familiares de Kahlo, en particular su sobrina nieta Mara de Anda, han hecho de los derechos que tienen sobre el nombre de "Frida", transformado en una marca. Tibol considera que la reciente comercialización de una muñeca con ese nombre es un ejemplo más de los múltiples negocios que está impulsando de forma "vulgar" y "oportunista" la familia. "Hay muchas maneras de sobrevivir sin hacer negocios tan abyectos", dijo Tibol, quien lamentó que además de tequilas y muñecas marca "Frida" se estén vendiendo incluso "calzones" (ropa interior femenina). Tibol cuenta que conoció a Frida en 1953, poco antes de que a la artista le amputaran la pierna en agosto de ese año, cuando la escritora comenzó a colaborar con Diego Rivera, esposo de la pintora, como secretaria. La de entonces "era una Frida muy dolida, que se drogaba en exceso. Sin embargo, tenía un encanto y una posibilidad de embelesar a todos a su alrededor", confesó. Para el centenario del natalicio de la pintora, Tibol está preparando una nueva edición de *Las escrituras de Frida Kahlo*, uno de sus libros. Explicó que la primera edición de ese libro se basó en 150 documentos de Frida, que luego aumentó en nuevas

ediciones y que ahora ascienden a 300. "Los
35 documentos ya están en manos de la editorial
para integrarlos a la nueva edición", dijo. "Hay
muchas sorpresas, pero prefiero no adelantar
nada. Hay que esperar a que esté el libro",
aseguró. Anoche, dentro de las actividades de
40 la Feria del Libro que se celebra en el Palacio
de Minería de la capital mexicana, conversó
con el público mexicano sobre otro de los que
ha escrito, *Frida Kahlo en su luz más íntima*
(Lumen, 2005), una reedición de *Frida Kahlo:*
45 *una vida abierta* (Oasis, 1983).

Frida Kahlo (1907-1954) nació y murió en
el barrio de Coyoacán, al sur del Distrito
Federal. Su verdadero nombre era Magdalena
Carmen Frida Kahlo Calderón y empezó a
50 pintar durante una larga convalecencia del
accidente que sufrió cuando era adolescente.

Como artista, primero fue realista y pintó
retratos de amigos y familiares, flores y
otros temas. Luego, a causa del dolor y los
55 nuevos sentimientos que vivió con un cuerpo
destrozado por un accidente de tránsito que la
dejó semi-inválida, pintó más y más su propia
imagen combinada con expresiones oníricas
a veces brutales. Así, se transformó en una
60 pintora surrealista, cuya obra estaba centrada
en los sentimientos femeninos más íntimos
y en el dolor. En 1938 montó su primera
exposición individual en la Julien Levy Gallery
de Nueva York. En la actualidad, instituciones
65 de la importancia del Museo de Arte Moderno
de Nueva York y el Georges Pompidou de París
alojan obras suyas.

www.laraza.com

42 Amplíe su vocabulario

Según el contexto del artículo anterior, empareje las palabras de la primera columna con
su correspondiente sinónimo o definición entre las palabras de la segunda.

1. crítica
2. reprobar
3. lamentar
4. sobrina nieta
5. marca
6. muñeca
7. vulgar
8. oportunista
9. abyecto
10. dolido
11. embelesar
12. natalicio
13. destrozado
14. tránsito
15. alojar

a. grosero
b. juguete
c. relativo al día de nacimiento
d. familiar
e. persona que sabe aprovechar
f. albergar
g. atormentado
h. condenar
i. que juzga las cualidades de una obra
j. circulación
k. quejarse
l. despreciable
m. cautivar
n. fragmentado
o. algo de uso exclusivo

43 ¿Qué son?

Trabaje con un/a compañero/a y escriban oraciones completas que expliquen cada una
de las siguientes ideas en el contexto del artículo.

1. La comercialización
2. Una marca
3. Oportunista
4. Una larga convalecencia
5. Artista realista
6. Pintora surrealista

Answers

44 1. d; 2. b; 3. d; 4. d; 5. b; 6. c

Instructional Notes

45 Before students listen to the audio, you might want to review the following words with them: *gallego*, Galician (region of Spain); *poliomielitis*, polio; *cojo*, lame; *cadera*, hip; *matriz*, uterus/womb; *postrado*, laid up; *fallecer*, to die; *destacar*, to emphasize; *franquista*, related to General Francisco Franco, dictator of Spain, 1939–1975; *reforzar*, to reinforce.

Additional Activities

Los premios
See p. TE28.

---

44 ¿Ha comprendido?

1. ¿Cuándo conoció la crítica de arte a Frida Kahlo?
   a. Cuando eran niñas
   b. Cuando se casó con Diego Rivera
   c. En una muestra de su arte
   d. Poco antes de su muerte

2. ¿Qué productos comerciales llevan el nombre de Frida?
   a. Juguetes y alcohol
   b. Alcohol, juguetes y ropa
   c. Cuadros, juguetes y ropa
   d. Cuadros, juguetes, ropa y alcohol

3. ¿Quiénes se oponen a la comercialización del nombre de Frida?
   a. Los familiares
   b. Los críticos de arte
   c. Los artistas
   d. Ninguna de las respuestas anteriores

4. ¿Por qué le amputaron una pierna a Frida?
   a. Le dolía demasiado.
   b. Tenía cáncer.
   c. Usaba muchas drogas en esta época.
   d. No se precisa.

5. ¿Por qué pintó Frida escenas tan brutales?
   a. Quería mostrar cosas desagradables en sus cuadros.
   b. Quería representar su realidad en sus cuadros.
   c. Tenía el cuerpo semi-inválido y no podía pintar de otra manera.
   d. Todas las respuestas anteriores

6. ¿Qué muestran sus obras surrealistas?
   a. Sentimientos públicos
   b. Miedo
   c. Dolor
   d. Fantasía

45 Lea, escuche y escriba/presente

Vuelva a leer los dos artículos anteriores sobre Frida Kahlo. Luego escuche "Inaugurada mayor exposición en España de obras de Frida Kahlo" y tome las notas necesarias. Luego escriba un ensayo o haga una presentación en clase sobre "El arte y la vida de Frida Kahlo". Si lo desea, busque más información en Internet sobre la vida y el arte de esta artista mexicana. No se olvide de citar las fuentes debidamente.

Cita

El cine latinoamericano es de los mejores que se hacen en el mundo, pues tiene contenido y calidad, aunque no cuenta con grandes presupuestos.
— Edward James Olmos (1947–), actor estadounidense de origen mexicano

 ¿Conoce algunas de las películas de Olmos, como *American Me* (1992), *My Family* (1995) y *Selena* (1997)? ¿Conoce alguna otra película latinoamericana? ¿Y española? ¿Puede nombrarlas? ¿Está de acuerdo con lo que dice Olmos? Comparta su opinión con un/a compañero/a.

Dato curioso

Pocos imaginaron que el reggaetón, un género musical nacido en Panamá en 1989 como una versión en español del reggae jamaiquino, iba a terminar convirtiéndose en todo un fenómeno de ventas para la industria musical latina. Hoy día, el reggaetón tiene fama internacional debido a estrellas puertorriqueñas como el actor y productor Daddy Yankee.

Investigue palabras clave: cine latinoamericano, reggaetón

46 Cristina Saralegui

Lea las posibles respuestas primero y después escuche "Cristina Saralegui premiada como humanitaria". Escoja la mejor respuesta para cada pregunta que escuchará en la grabación.

1. (Pregunta que escuchará en la grabación.)

   a. Por su labor humanitaria y su visión mundial
   b. Por su programa para los hispanohablantes
   c. Por su organización Mujeres en el Cine y la Televisión Internacional
   d. Por su promoción del cine y la televisión latinoamericana

2. (Pregunta que escuchará en la grabación.)

   a. Un programa de televisión
   b. Una fiesta y una ceremonia
   c. Una película
   d. Todas las respuestas anteriores

3. (Pregunta que escuchará en la grabación.)

   a. Una película de la televisión hispana
   b. Un concurso de cine
   c. Una competencia hispana en la televisión
   d. Ninguna de las respuestas anteriores

4. (Pregunta que escuchará en la grabación.)

   a. Afanes del cine
   b. Invitados importantes
   c. Deportistas
   d. Las respuestas a y b

5. (Pregunta que escuchará en la grabación.)

   a. Es neozelandesa.
   b. Es hispana.
   c. Es española.
   d. No se precisa.

6. (Pregunta que escuchará en la grabación.)

   a. Cristina Saralegui
   b. Fiona Milburn
   c. Las dos señoras
   d. Ninguna de estas señoras

Teacher Resources

Activity 46 (CD 8, track 4)

Activity 18

Answers

46 1. a; 2. b; 3. d; 4. b; 5. a; 6. a

Instructional Notes

46 Before students listen to the audio, you might want to review the following words with them: *presentadora*, talk-show hostess; *cineasta*, filmmaker; *estelar*, star.

The questions from the audio activity apppear below.
1. ¿Por qué recibió Cristina Saralegui este premio?
2. ¿Qué es Celebración Latina?
3. ¿Qué forma parte de la Celebración Latina?
4. ¿Quiénes estarán presentes durante la Celebración Latina?
5. ¿De qué nacionalidad es la presentadora del premio?
6. ¿Quién es activista social y luchadora en contra del SIDA?

Additional Activities

Las noticias de hoy
See p. TE28.

Teacher Resources

Activity 47 (CD 8, track 5)
Activity 48 (CD 8, track 6)

Answers

47 *Ejemplos:*

1. Es un popular y veterano presentador chileno mejor conocido como "Don Francisco".
2. Recibió el homenaje por sus veinte años de presencia en la televisión hispana de Estados Unidos.
3. En Univisión y por 20 años
4. Él cierra la brecha entre la cultura latinoamericana y estadounidense.
5. Los 20 primeros en la Corporación de Televisión de la Universidad Católica de Chile y los otros en los Estados Unidos
6. Quiere decir que sólo el físico, la salud, la capacidad intelectual o la cuota de pantalla obligan a uno a jubilarse, pero si uno logra entretener, informar y orientar, va a seguir adelante.
7. Agradece a los esfuerzos de los congresistas, la comunidad hispana y Univisión. También agradece a sus compañeros detrás de las cámaras y al público fiel.

47 "Don Francisco"

Antes de escuchar "'Don Francisco' recibe homenaje de congresistas" repase las palabras del recuadro. Luego conteste las siguientes preguntas con oraciones completas.

la escalinata *step*	**emitir** *to broadcast*	**el compromiso** *pledge, commitment*
cerrar la brecha *to close the gap*	**merecedor** *deserving*	**entretener** *to entertain*
tras *after*	**fiel** *loyal*	

1. ¿Quién es Mario Kreutzberger?
2. ¿Por qué recibió un homenaje de los congresistas estadounidenses?
3. ¿Dónde y por cuántos años ha aparecido su programa *Sábado gigante*?
4. Según la congresista de la Florida, ¿qué brecha cierra "Don Francisco" con su programa?
5. ¿Dónde ha pasado "Don Francisco" sus 44 años en la televisión?
6. Explique la oración de "Don Francisco": "Nadie se retira".
7. ¿A qué dos grupos agradece "Don Francisco"?

48 Participe en una conversación

Ud. va a participar en una conversación. Primero lea la descripción de la conversación y piense en algunas palabras o expresiones que le serían útiles. Organice sus ideas, haciendo predicciones sobre lo que se le pueda preguntar o comentar. Una descripción de lo que va a escuchar aparece abajo en color. Participe en la conversación grabando las respuestas o escribiéndolas en su cuaderno.

Escena: Su tía, quien tiene unos cincuenta años, le habla de los cambios en la música contemporánea. Conteste sus preguntas.

Su tía:	Empieza la conversación y le hace una pregunta.
Ud.:	• Conteste negativamente.
Su tía:	Le hace un comentario sobre la música y le hace otra pregunta.
Ud.:	• Dele detalles sobre lo que le pregunta.
Su tía:	Le pregunta sobre sus gustos en la música.
Ud.:	• Dele detalles sobre lo que le pide.
Su tía:	Hace un comentario y le hace una pregunta.
Ud.:	• Conteste y háblele sobre sus preferencias. Explique las razones.
Su tía:	Se lo agradece y se despide.
Ud.:	• Despídase. Haga un comentario o use una expresión nueva de la lección.

Audioscript Activity 48

Tía: ¡Hola! Acabo de comprar el nuevo CD de Julio Iglesias. ¿Quieres escucharlo conmigo?
[STUDENT RESPONSE]

Tía: Su nuevo CD tiene muchos tipos de canciones de cuando era niña. ¿Te gusta la música tradicional como la canta él?
[STUDENT RESPONSE]

Tía: Ah, comprendo. Pero toda esta música nueva, ¿te gusta? ¿Todo? ¿Cuáles son tus músicos favoritos hoy en día?
[STUDENT RESPONSE]

Tía: Mmmm, bien interesante. Pero no me gusta para nada. Ni puedo escuchar esas canciones en la radio. Tengo que cambiar la estación. ¿Las escuchas, de veras, en la radio?
[STUDENT RESPONSE]

Tía: De acuerdo y gracias, mi amor. Ahora sé lo que puedo comprarte para tu cumpleaños. Adiós y hasta pronto.
[STUDENT RESPONSE]

49 Texto informal: las bellas artes

Escriba un comentario en un blog sobre las bellas artes. Describa lo que más le atrae (la pintura, la música, el baile, etc.). Incluya lo siguiente:

- Describa lo que más le gusta, con detalles.
- Mencione cómo lo disfruta y lo aprecia.
- Mencione a sus artistas favoritos de estas bellas artes.
- Termine con una recomendación para que los que no conozcan esta forma de arte la puedan llegar a conocer.

Consejo

Antes de empezar, lea las pautas para escribir textos informales en la pág. 480 del Apéndice. Mientras escribe el texto tenga presente los objetivos. Cuando termine, verifique que ha cumplido con todo lo que se describe en la lista y reflexione sobre su trabajo.

50 Texto informal: ganarse la vida como artista

En un foro alguien pide consejos sobre cómo ganarse la vida como artista —ya sea como pintor, escultor, músico o bailarín. Escoja una de estas carreras y dele consejos a la persona.

- Hable de los retos de quien escoge una carrera en este campo.
- Dele sugerencias de cómo puede estudiar una carrera en las artes (escuelas, academias, etc.).
- Dele consejos útiles sobre los beneficios de una vida artística.
- Explique los posibles obstáculos en una vida artística.

51 Ensayo: el arte muralista

Escriba un ensayo en el que hable del arte muralista mexicano y su impacto social.

Consejo

Antes de empezar, lea las pautas para escribir ensayos en la pág. 480 del Apéndice. Mientras escribe el ensayo tenga presente los objetivos y no se olvide de ponerle un título original. Cuando termine, verifique que ha cumplido con todo lo que se describe en la lista y reflexione sobre su trabajo.

52 Ensayo: mi vida sin arte

Escriba un ensayo contestando la pregunta, "¿Cómo sería mi vida sin arte?"

53 En parejas 👥

Intercambie sus ensayos con los de un/a compañero/a. Exprésele su opinión sobre el contenido y el uso del idioma.

Teacher Resources

📝 Activity 19

Instructional Notes

49–52 Make sure students go over the expectations outlined in the *Pautas* on p. 480 before they prepare the writing activities on this page.

53 Monitor students' comments and corrections as they evaluate their classmates' work. If certain errors are being made repeatedly, go over this grammar with the class.

Additional Activities

Corrija una carta
See p. TE26.

Activity 20

Instructional Notes

54 Because all students will speak, allow them time to prepare this activity. Be sure to tell students which issue and which side of the issue they will be debating, so that they can do some research and practice before their debate.

After students have debated these issues with a partner, you might want them to continue the debate in small groups, or even have a discussion with the whole class on one or two of these topics.

55 Encourage students to review the vocabulary at the end of the lesson in order to enhance their discussions. They need to pay attention to the grammar, pronunciation, and intonation, and use appropriate vocabulary to contradict or agree with their partner's comments. After students discuss these questions with a partner, you could hold a whole-class discussion on some of these topics.

56 Review the *Pautas para presentaciones formales* on p. 481, and refer students to their copies of the guidelines given to them in *Lección 1A* (*Antes y durante una presentación*). (See p. 27 of this Annotated Edition.) You might want to assign these presentations as homework so students have more time to prepare.

Additional Activities

La noticia del día
See p. TE28.

¡A hablar!

54 Charlemos en el café 🧍🧍

Ud. va a debatir los siguientes temas con un/a compañero/a. Uno estará a favor de lo que se ha dicho y otro en contra. El debate durará varios minutos. El/La estudiante que esté de acuerdo comenzará el debate y hablará por unos diez segundos. Cuando el/la profesor/a lo indique, el/la otro/a estudiante tomará la palabra y expresará su opinión por otros diez segundos y así sucesivamente.

1. No todos tienen el don para poder apreciar el arte.
2. Todos deberían estudiar arte de manera obligatoria hasta que se gradúen de la universidad.
3. Albert Einstein tenía razon: "los bailarines son los atletas de Dios".
4. Estoy totalmente de acuerdo con Oscar Wilde cuando dijo: "Ningún artista ve las cosas como son en realidad; si lo hiciera, dejaría de ser artista".
5. El requisito para la grandeza de un artista es su propia muerte.

55 ¿Qué opinan? 🧍🧍

En parejas conversen sobre estas situaciones o preguntas.

1. Si pudiera conocer personalmente a cualquier artista, ¿a quién le gustaría conocer y por qué? ¿Cuáles son algunas preguntas que le gustaría hacerle?
2. ¿Qué opina del ballet clásico como forma artística? ¿Le parece que es solamente para la elite o estudiantes del ballet, o es algo que todos pueden disfrutar? ¿Por qué?
3. ¿Qué opina de las películas y los programas de televisión que llevan subtítulos? ¿Es buena idea colocar subtítulos o es mejor doblar las voces? ¿Por qué?
4. ¿Qué opina del cine latinoamericano o el cine de España? ¿Quiénes son algunos actores y actrices de origen hispano? ¿Cree que serían más famosos si interpretaran papeles en inglés en el cine estadounidense? ¿Por qué?

56 Presentemos en público 🎤

Haga una presentación oral sobre uno de los temas durante varios minutos en clase. Organice sus ideas antes de hacer la presentación, busque las palabras necesarias y, después de practicar, presente en clase sin mirar las notas.

1. El arte es como un naranjo, que precisa un suelo y un clima adecuados para florecer y dar fruto. Relate sus experiencias con el arte y use este símil para hacerlo.
2. "La música no se hace, ni debe hacerse jamás, para que se comprenda, sino para que se sienta": Manuel de Falla, compositor español (1876–1946). Escoja un tipo de música; preséntelo y explíquelo según la cita de Falla.
3. Hable sobre las cinco obras de arte que Ud. más valora del mundo.
4. Hable sobre la canción más bonita que se ha escrito jamás.
5. Haga una presentación de PowerPoint sobre la obra del arquitecto Santiago Calatrava.

> **Consejo**
> Antes de empezar, lea las pautas para presentaciones formales en la pág. 481 del Apéndice. Mientras formula su presentación tenga presente los objetivos. Cuando termine la presentación, verifique que ha cumplido con todo lo que se describe en la lista y reflexione sobre el trabajo que hizo.

> **Investigue palabras clave:**
> Manuel de Falla

Proyectos

57 ¡Manos a la obra!

Trabaje en un grupo de cuatro o cinco estudiantes para llevar a cabo uno de los siguientes proyectos y presentarlo en clase.

- Uds. son grandes expertos de la vida y obras de un artista hispano. Presenten al artista, o a la artista, a sus compañeros de clase. Hablen de su vida, el arte que ha producido y su impacto en el mundo artístico.

- Uds. son grandes expertos de la vida y obras de un músico hispano. Presenten al músico, o a la música, a sus compañeros de clase. Hablen de su vida, la música que ha producido y su impacto en el mundo musical.

- Hagan un anuncio para promover las artes en su comunidad. Decidan qué medios van a usar para hacer la publicidad, y a qué grupos ésta va dirigida: a los niños, los jóvenes, los adultos, los jubilados o a todo el mundo.

- Van a crear un museo de bellas artes en su escuela o universidad. Decidan cuál de las bellas artes quieren representar y por qué, qué tipo de exposiciones piensan tener, cómo van a recaudar fondos para financiar los costos y quiénes van a exponer sus obras allí. No se olviden de ponerle un nombre al museo.

El Palacio de Bellas Artes, México, D.F.

Lección 8A   447

Visite la página Web de
¡A toda vela! en
www.emcp.com

Additional Activities

Juegos

To practice vocabulary from the lesson, ask students to play one of the following: *Cadena de palabras* or *Lo tengo en la punta de la lengua*. See pp. TE24 and TE25.

To practice the vocabulary, grammar, or culture topics presented in this lesson, ask students to play *Trivia*. See p. TE25.

Ask students to do any of the following activities to practice and strengthen the vocabulary or grammar presented in this lesson: *¿Cuáles son las diferencias?*, *El desafío del minuto con el subjuntivo*, *Gráfico sobre un tema* or *Repaso Expreso*, See pp. TE26–TE28.

Ask students to do one or both of the following activities to practice the culture topics presented in this lesson: *Encuesta* or *Los premios*. See pp. TE27 and TE28.

Vocabulario

Verbos

abarcar	to embrace; to include
acaparar	to corner the market
agradecer	to thank
aportar	to contribute
construir	to build
destacarse	to stand out
dibujar	to draw
diseñar	to design
doblar	to dub
donar	to donate
edificar	to build
entretener	to entertain
equivaler	to be equivalent
esculpir	to sculpt
filmar	to film
involucrar	to involve
lograr	to attain, achieve
otorgar	to grant, give
pintar	to paint
plasmar	to create, shape
recuperar	to recover
respaldar	to endorse
restituir	to restore
retirarse	to retire
retrasar	to delay
sonar	to sound
superar	to excel

Verbos con preposición

verbo + a:

asistir a	to attend

verbo + en:

confiar en	to trust

Sustantivos

el	acero	steel
las	actualidades	current events
la	acuarela	watercolor
el	afán	zeal, eagerness
la	apertura	opening
el/la	arquitecto/a	architect
la	arquitectura	architecture
el	arte	art
las	artes	the arts
el	autorretrato	self-portrait
el/la	bailarín/bailarina	dancer
las	bellas artes	fine arts
la	belleza	beauty
el	boceto	sketch

el/la	cantante	singer
el/la	cantautor(a)	singer-songwriter
el	cante	singing, popular song
el/la	compositor(a)	composer
la	contraseña	sign, logo
el	contrincante	competitor, rival
la	crítica	critique, criticism
el/la	crítico/a	critic
el	cuadro	painting
la	danza	dance
la	encuesta	survey
el	enfoque	focus
el/la	escultor(a)	sculptor
la	escultura	sculpture
el	fenómeno	phenomenon
la	filial	subsidiary
el	foro	forum
el	genio	genius
la	globalización	globalization
el	grabado	engraving
el	lienzo	canvas
la	litografía	lithograph
el	local	site, local establishment
el/la	maestro/a	master
la	marca	brand name
el	marco	frame (*of a painting*)
el	medio	medium
el	montaje	assembly, show
la	muestra	show, sample
el/la	muralista	muralist
la	música	music
el/la	músico/a	musician
el	óleo	oil painting
el/la	pintor(a)	painter
la	pintura	painting; paint
el	premio	prize, award
el	presupuesto	budget
la	regalía	royalty
la	renuncia	resignation
el	ritmo	rhythm
la	ruptura	break
la	subasta	auction
el	subtítulo	subtitle
el/la	tanguero/a	tango singer or dancer
la	tela	cloth, fabric
la	telenovela	soap opera
la	temporada	season
el	toque	touch, beat

Adjetivos

artístico, -a	artistic
caribeño, -a	Caribbean
castellano, -a	Castilian, Spanish
culto, -a	cultured, refined
fiel	faithful, loyal
folclórico, -a	folkloric
gitano, -a	Gypsy
judío, -a	Jewish
morisco, -a	Moorish
noticioso, -a	informative
rollizo, -a	stocky, plump

Expresiones

la cadena de televisión	TV station
la entrada libre	free admittance
escribir un guión	to write a script
el éxito taquillero	box-office hit
hacer un papel	to act, play a part
el horario estelar	prime time
poner a la venta	to put up for sale
rodar una película	to film a movie
seguir vigente	to continue to be valid
sin fronteras	without limits (borders)

A tener en cuenta
Palabras compuestas

Las palabras compuestas se forman de varias maneras:

sustantivo + sustantivo:

el aguafiestas	party pooper, wet blanket
la bocacalle	street entrance
el camposanto	cemetery, graveyard
la telaraña	spider's web, cobweb

sustantivo + adjetivo:

boquiabierto	astonished, aghast
caradura	shameless, brazen
pelirrojo	redhead

verbo + sustantivo:

el abrebotellas	bottle opener
el abrecartas	letter opener
el abrelatas	can opener
el bajamar	low tide
el cascanueces	nutcracker
el paraguas	umbrella
el paracaídas	parachute
el pasamano	handrail, banister
el portafolios	briefcase
el portamonedas	pocketbook, coin purse
el portaviones	aircraft carrier
el quitamanchas	stain remover
el quitanieves	snowplow
el quitasol	sunshade, parasol
el rompecabezas	jigsaw puzzle

verbo + verbo:

el duermevela	nap, snooze
el hazmerreír	laughingstock
el vaivén	rocking, swaying motion; *pl.*, ups and downs

adverbio + verbo:

menospreciar	to despise, look down on

adverbio + adverbio:

anteayer	the day before yesterday

de varias funciones gramaticales:

el limpiaparabrisas	windshield wiper
el nomeolvides	forget-me-not
el sabelotodo	know-it-all

Teacher Resources

See ExamView for assessment options.

Additional Activities

Ask students to go over the words in the *A tener en cuenta* section and add some more to this list.

To encourage a discussion of some of the lesson's topics, ask students: *¿Existe el arte sólo en los museos? ¿En qué otros lugares pueden ver arte? Definan la palabra artista. ¿Cómo se aplica esta definición a los músicos, escultores y cantantes? ¿Qué saben de las clasificaciones de películas? ¿Les han privado alguna vez estas clasificaciones de ver una película? Describan las circunstancias. ¿Qué tipo de música les gusta y por qué les gusta escucharla? ¿Debe haber clasificaciones en la música popular, como para las películas? ¿Por qué? Expliquen cómo refleja el arte los valores de una cultura —por ejemplo, ¿qué podemos aprender del imperio azteca a través de su arte?*

You might want to tell students that the photos on the page represent (from top to bottom): The main lobby of the Dalí Museum in Figueres, Spain; Dalí's surrealistic masterpiece *La persistencia de la memoria* (1931); a street vendor of, most likely, pirated CDs.

Additional Activities

Trabajo de investigación
Ask some students to find interpretations of Dalí's *La persistencia de la memoria* and share this information with the class.

Lección B

Objetivos

Comunicación
- Hablar de arte
- Discutir las clasificaciones de películas
- Hablar de varios géneros de música
- Comprender aspectos del imperio azteca

Gramática
- Repaso de los tiempos verbales
- El infinitivo
- Las conjunciones
- Los pronombres relativos

"Tapitas" gramaticales
- la posición de los adjetivos
- las preposiciones
- el uso de *lo*
- los números ordinales
- el género de los sustantivos
- *sino* y *pero*
- la omisión del artículo
- formas apócopes

Cultura
- Pierre-Auguste Renoir
- La Ruta Quetzal
- La ópera
- Ciudadparaciegos
- La música punk
- Salvador Dalí
- La Oreja de Van Gogh
- El imperio azteca

 Visite la página Web de ¡A toda vela! en www.emcp.com

450 **Capítulo 8 • Festival de Arte**

Nota cultural

En *La persistencia de la memoria* se ve la bahía de un puerto catalán al amanecer. El paisaje es muy sencillo: el mar al fondo y, a la derecha, una montaña. Según el artista, se inspiró en un queso camembert cuando pintó los relojes, describiéndolos como "tiernos, extravagantes, solitarios y paranoico-críticos". Dijo Dalí sobre esta obra: "Lo mismo que me sorprende que un oficinista de banco nunca se haya comido un cheque, asimismo me asombra que nunca antes de mí, a ningún otro pintor se le ocurriese pintar un reloj blando".

Investigue palabras clave:
Salvador Dalí
Museo Dalí Figueres,
La persistencia
de la memoria

Para empezar

1 Conteste las preguntas 👥

Piense en las respuestas a las siguientes preguntas. Puede tomar notas si lo considera necesario. Cuando termine, compare sus respuestas —pero sin mirar sus notas— con las de un/a compañero/a.

1. ¿Existe el arte por el arte? ¿Piensa que los artistas esculpen o pintan cuadros para que las masas aprecien la vida y la belleza de nuestro mundo? ¿O piensa que lo hacen sólo para vender su arte, ganar fama y hacerse ricos?

2. ¿Cree que sólo la elite asiste a los espectáculos de las bellas artes como la ópera, conciertos de música clásica, el ballet y el teatro, o que van las masas también?

3. Para ser un artista legítimo, ¿es necesario que uno estudie en una Facultad de Arte? ¿Existe el arte callejero? ¿Son las pintadas (el graffiti) una forma de arte? ¿Por qué?

4. En general, ¿qué prefiere: el arte plástico o la música? ¿Por qué?

5. Si estuviera solo/a en una isla, ¿qué música llevaría? Identifique tres CDs que llevaría y explique por qué.

6. ¿Qué opina de las películas documentales? ¿Ha visto algunos documentales? ¿Cree que el objetivo de ellos es simplemente informar sobre un tema, o sirven de propaganda? Explique por qué piensa así. ¿Por qué no suelen tener mayor distribución?

7. ¿Qué opina de la piratería de los DVDs de películas? ¿Le parece un problema mundial o nacional? ¿Cómo se puede solucionar el problema?

8. ¿Qué opina de la piratería de los CDs de música? ¿Es un gran problema internacional? ¿Cómo se puede solucionarlo?

9. ¿Qué opina de la censura de las letras de los CDs de música? ¿Le parece bien que haya censura? ¿Por qué? ¿Cree que es buena idea incluir una advertencia en las etiquetas de los CDs si hay alguna letra "problemática"? ¿Por qué?

10. ¿Qué opina de la censura de las películas cuando las ponen en la televisión normal y corriente (o sea, no en el cable) o en los aviones? ¿Qué le parece más perjudicial para los chicos de 16 años: la desnudez (no pornográfica) o la violencia? ¿Por qué?

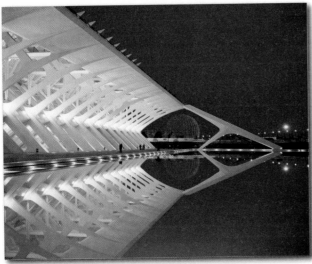

El Palacio de las Artes Reina Sofía, Valencia, España (obra de Santiago Calatrava)

Lección 8B **451**

Nota cultural

El Palacio de las Artes Reina Sofía se inauguró el 8 de octubre de 2005 en la ciudad mediterránea de Valencia. La combinación de acero y cristal en su construcción le da la sensación de ser un barco en movimiento. Está equipado con las tecnologías más modernas para que el público goce de la música, representaciones teatrales y muestras de pintura, escultura y otras manifestaciones artísticas en sus múltiples salas.

Answers

2 Dialogues will vary.

Instructional Notes

Cita

Bring in some art books that show the work of Picasso, Dalí, and Miró so students can see some of their representative pieces and talk about them.

Dato curioso

Ask students why they think some people would pay large sums of money to buy "paintings" done by a chimpanzee.

Additional Activities

Ask students to do *¡Pongámonos de acuerdo!* with the words in the word bank. See p. TE28.

---

2 Mini-diálogos

Ud. va a crear un mini-diálogo con un/a compañero/a. Lea la descripción de la conversación antes de empezar. Puede tomar notas para organizar sus ideas, pero no las mire mientras conversa. Le pueden servir las palabras del recuadro.

el retrato	el autorretrato	el paisaje	la naturaleza muerta
el dibujo	la acuarela	el óleo	colores vivos
colores oscuros	el fondo		

Escena: En un museo de arte moderno, un/a amigo/a ("B") lo/la saluda mientras va caminando por las salas. Los dos tienen que escribir un informe sobre el arte para el próximo lunes.

A: Salude a su amigo/a y pregúntele por qué está en el museo.

B: Conteste, y pregúntele qué tipo de arte le gusta.

A: Conteste con dos ejemplos de cuadros que ha visto en el museo hoy.

B: Reaccione a los dos cuadros y mencione otro que le gusta mucho más y que ha visto en el museo.

A: Intente convencerle de que debe considerar uno de esos dos cuadros que Ud. mencionó.

B: Reaccione cordialmente, pero rechace la sugerencia.

A: Haga un comentario sobre su reacción. Despídase cordialmente.

B: Despídase cordialmente.

Cita

El arte es maravillosamente irracional, no tiene el menor sentido y, a pesar de todo, es necesario.
—Günter Grass (1927–), autor alemán y Premio Nobel de Literatura

¿Es difícil comprender el arte en general o sólo el arte moderno? ¿Le gusta el arte moderno? ¿Por qué? ¿Conoce el arte de Picasso, Dalí o Miró? ¿Le gusta? ¿Por qué? ¿Es imprescindible interpretar el arte de estos grandes maestros para apreciarlo? Comparta sus opiniones con un/a compañero/a.

¡Dato curioso!

¿Sabía que recientemente en Londres unos expertos de una casa de subastas vendieron tres cuadros "pintados" por Congo, un chimpancé, por US$22.000 a un estadounidense entusiasta del arte moderno? Congo produjo cerca de 400 obras a finales de los años 1950, las cuales fueron recibidas por el mundo del arte con una mezcla de burla y escepticismo.

Vocabulario y gramática en contexto

3 Un blog 👥 📖

Túrnese con un/a compañero/a para leer los comentarios que dos estudiantes han escrito en un blog sobre el arte y sobre las clasificaciones de películas. Fíjese en las palabras que aparecen en azul (relacionadas con el vocabulario) y en rojo (relacionadas con la gramática), ya que en las siguientes actividades se le harán preguntas sobre ellas.

Renoir

PAULINA, ESTUDIANTE DE ARTE

Mi pintor favorito es Pierre-Auguste Renoir (1841–1919), el gran pintor impresionista francés. Aquí he anotado unos detalles de su vida y así se puede comprender mejor
5 por qué es mi favorito. Cuando Auguste era joven, la numerosa familia de Renoir se instaló en Paris, en una casa ubicada en el recinto del Louvre, el famoso museo parisino. Renoir ingresó a los trece años
10 como aprendiz en un taller de pintura de porcelana, con la esperanza de entrar algún día en la célebre Manufactura de Sèvres. Fue allí donde Renoir aprendería a pintar con pinceles flexibles, redondos y
15 afilados, y con colores fluidos. Su jornada de trabajo en la fábrica comenzaba a las ocho y tenía un descanso de diez a doce, el cual aprovechaba Renoir para ir al Louvre y

Baile en Le Moulin de la Galette: Renoir, 1876

copiar telas antiguas. Siguió cursos de la Escuela de Bellas Artes de 1862 a 1864; allí conoció a Alfredo
20 Sisley y a Claude Monet, otros artistas impresionistas. A los 21 años, en un taller de otro artista francés, Charles Gleyre, aprendió a pintar. Cuando Gleyre dejó de dar clases a principios de 1864, debido a su avanzada edad, Renoir y sus amigos siguieron trabajando sin que nadie los dirigiera. Con sus nuevos amigos viajaron al bosque de Fontainebleau para hacer juntos unos estudios de la naturaleza. En el verano de 1865, Renoir tomó un bote de vela Sena abajo hasta Le Havre para contemplar allí las regatas
25 que aquellos artistas habrían de convertir años más tarde en el tema favorito de su pintura, y para pintar desde el bote el río y sus orillas. Empezaba la verdadera y ardua lucha por imponer las nuevas ideas artísticas. Los años posteriores a la guerra francoprusiana fueron sorprendentemente de una gran prosperidad económica en Francia. Los precios de los cuadros aumentaron, y hasta en algunos casos se vendieron pinturas impresionistas por grandes sumas de dinero. Los pintores formaron una cooperativa
30 y abrieron su propia exposición. La nueva escuela ya tenía en circulación su mote de impresionistas. En los últimos treinta años de su vida, la fama de Renoir había traspasado las fronteras de Francia. En 1903 en Cannes —en la costa mediterránea francesa—, el artista vivió primero en el edificio de correos, antes de que él hiciera construir una casa en un espeso olivar que se convirtió en el estudio al aire libre de sus últimos años. Pero una grave artritis reumática le causó terribles dolores, y es que los huesos se
35 le encorvaban. Al principio de la Primera Guerra Mundial, sus hijos Jean y Pierre fueron gravemente heridos y su madre los cuidó hasta que ella se murió en 1915. Cuando Renoir tenía 78 años, viajó de nuevo a París, pero tuvieron que llevarlo en una silla de ruedas para ver sus cuadros favoritos del Louvre. Pierre-Auguste Renoir falleció el 3 de diciembre de 1919, recién pasada una fuerte pulmonía, y fue enterrado a los tres días junto a su esposa.

Adaptado de: www.imageandart.com

continúa

Nota cultural

El cuadro *Baile en Le Moulin de la Galette* se vendió en una subasta por $78 millones en 1990.

Instructional Notes

3 Encourage students to name their favorite artist and be prepared to explain why he or she is their favorite.

Answers

4 *Ejemplos:*

Arte—*sustantivos*: aprendiz, pinceles, jornada, telas, exposición, escuela, mote; ***adjetivos***: favorito; ***verbos***: se vendieron; ***expresiones***: taller de pintura, ardua lucha; **Cinematografía—*sustantivos***: cabezazos, videojuego, estrella, armas; ***verbos***: censurar, consolide, autorizarla, imitarlos; ***expresiones***: clasificaciones de películas, versión "light", normas de clasificación, ilustración gráfica, público fanático, versión inédita, versión pirateada

5 1. El pretérito expresa una acción realizada y acabada en el pasado sin tener relación con el presente. El imperfecto expresa acciones pasadas sin precisar el principio ni el final de la acción; generalmente estas acciones son habituales o repetitivas. Irregularidades: siguió, se convirtió (son cambios ortograficos: *e > i*); era (el verbo *ser* es irregular en todas sus formas). 2. Expresa la continuidad de la acción. Se usó para indicar que continuaron los estudios y que éstos se realizaron y acabaron en el pasado sin tener relación con el presente. 3. *Presente perfecto*: he notado, ha tomado; expresa acciones realizadas en el pasado y que perduran en el presente. *Pluscuamperfecto*: había traspasado, había decidido, había causado; expresa acciones pasadas y acabadas con relación a otras acciones pasadas. *Ejemplos*: No creo que nadie haya tomado mejor forma humana de Lara Croft que Angelina Jolie. Si la fama de Renoir no hubiera traspasado las fronteras, el mundo no lo habría conocido. Si la Oficina de Clasificación de Películas no hubiera decidido cortar esas escenas, habría ido al cine con mis amigos. Si esa película hubiera causado dificultades a los cineastas, habrían sugerido otras fuentes de distribución. / Ojalá que esa película no hubiera causado dificultades. 4. El condicional; expresa el futuro en el pasado (más o menos equivalente a "iba a"). Puede expresar una acción futura o posible, equivalente al inglés *would*; condiciones posibles o irrealizables en oraciones introducidas por *si*; un consejo, deseo o cortesía. *Habrían de convertir* es el condicional perfecto (o compuesto). 5. El imperfecto del subjuntivo; se refiere al antecedente ambiguo (*nadie*) y es imperfecto porque el pretérito se usó en la cláusula principal. Presente del subjuntivo: (en el segundo artículo) mantenga, consolide; siguen expresiones impersonales *es increíble, es peor*; apetezca: sigue la expresión *no es que;* muestren: depende del verbo *quiero;* quiera: después de *como* porque se refiere a algo que va a ocurrir en el futuro. Pretérito del subjuntivo: hiciera construir (en el primer artículo) depende de *antes de que*; encontrara (en el segundo artículo) depende del verbo *sugerir* en la cláusula principal.

Clasificaciones de películas FELIPE

¡No puedo creerlo, pero el Consejo Municipal piensa censurar la nueva película de *El Señor de los Anillos* en mi pueblo! Es increíble que la Oficina de Clasificación de Películas mantenga tanto control sobre las clasificaciones de películas y aun peor ⁵que nuestro Consejo Municipal consolide con más rigor las decisiones suyas. Esta discusión me hace recordar la decisión que tomó la Oficina de Clasificación de Películas Británica en 2001 cuando los espectadores británicos tuvieron que conformarse con una versión "light" de *Lara Croft: Tomb* ¹⁰*Raider*, por decisión de la Oficina de Clasificación de Películas que había decidido cortar las escenas más violentas de la cinta de acción, como las que incluyen cabezazos y golpes en la garganta, para poder autorizarla a los mayores de 12 años. En opinión de la Oficina, Lara Croft, la heroína nacida de un ¹⁵videojuego y que ha tomado forma humana en Angelina Jolie, es la estrella de una película para niños, pero con escenas que son demasiado violentas para los espectadores más jóvenes. El público habitual de Lara Croft es de entre 12 y 15 años de edad, pero las normas de clasificación dejan claro que a los 12 ²⁰años, la "glamourización" de las armas, como cuchillos, y la ilustración gráfica de técnicas peligrosas, como los cabezazos o los golpes en la garganta, son inaceptables. Era evidente que la oficina les había causado dificultades a muchos cineastas, pero éstos sugirieron que el público fanático de Lara Craft encontrara manera de ver la versión inédita ²⁵por medio del Internet o por ventas del DVD fuera de Gran Bretaña. Intento imitarlos y comprar una versión pirateada de la nueva película de *El Señor de los Anillos* sin la censura absurda del Consejo Municipal. No es que me apetezca ver más violencia, es que quiero que me muestren las películas con su versión original, tal y como las creó el director. ¡Qué ridículo! Tengo 17 años y soy casi un adulto. Voy a votar el próximo año. ¿Por qué no puedo ver las películas como quiera?

Adaptado de: www.elmundo.es

Angelina Jolie en el papel de Lara Croft

4 Amplíe su vocabulario

Clasifique las palabras que aparecen en azul y rojo en los blogs anteriores según sean sustantivos, adjetivos, verbos o expresiones relacionados con el arte o la cinematografía.

5 Los tiempos verbales

Trabaje con un/a compañero/a y conteste las siguientes preguntas basadas en los blogs de la Actividad 3.

1. Usen los siguientes ejemplos del blog sobre Renoir para describir los usos del pretérito e imperfecto: *era joven, se instaló, comenzaba, siguió, conoció, empezaba, se vendieron, se convirtió* y *encorvaban*. De estos verbos citados, ¿qué construcciones irregulares hay? ¿Cuáles son sus irregularidades?
2. ¿Qué indica la construcción *siguieron trabajando*? ¿Por qué se usó en el blog?
3. Busquen ejemplos del presente perfecto y pluscuamperfecto en los dos blogs y expliquen su uso. Vuelvan a escribir las oraciones donde aparecen estos verbos usando el pretérito, presente perfecto o pluscuamperfecto del subjuntivo.
4. ¿Qué tiempo verbal es *aprendería*? ¿Qué expresa aquí? ¿Qué más puede expresar este tiempo verbal? ¿Y qué tiempo verbal es *habrían de convertir*?
5. ¿Qué tiempo verbal es *dirigiera*? ¿Por qué se usó? Hay otras siete construcciones verbales de este modo en el presente y pasado en los blogs. Búsquenlas y expliquen por qué se usaron. Den más ejemplos de expresiones que dicten el uso de este modo.

Ejemplos de expresiones: no creo que, lamento que, ruego que, dudo que, es una vergüenza que, es necesario que.

6 "Tapitas" gramaticales

Conteste estas preguntas basadas en los blogs de la Actividad 3.

1. Compare el uso de la palabra *favorito* en "mi pintor favorito" y "se puede comprender mejor por qué es mi favorito". ¿Cómo cambió el adjetivo? Explique el uso del adjetivo en *¡Qué ridículo!*
2. Explique el uso de las siguientes locuciones en los blogs: *a principios de, debido a* y *desde (el bote).* ¿Cómo se podría usar *por* o *de* en estas locuciones?
3. ¿Qué significa *no puedo creerlo*? ¿Podría ser *no lo puedo creer*? ¿Por qué? Busque *llevarlo, autorizarla* e *imitarlos.* Explique el uso de los pronombres en cada caso y ofrezca otra variación como, por ejemplo, *no lo puedo creer,* si es posible.
4. Compare los pronombres de objeto directo e indirecto.

7 ¿Qué opina? 👥

Reaccione a lo que cada persona ha escrito en los blogs y comparta su opinión con un/a compañero/a. Incluya palabras de las lecturas que aparecen en azul.

8 La Ruta Quetzal 📖

Lea con atención el artículo que sigue, fijándose en las palabras en azul, ya que se le harán preguntas sobre ellas.

La Ruta Quetzal acaba en el Guggenheim tras 40 días de recorrido por Perú y España

El Museo Guggenhein Bilbao

Trescientos cincuenta jóvenes de 16 y 17 años soltaron ayer su mochila tras haber andado durante 40 días en Perú y España. La 20ª edición de la Ruta Quetzal, el programa que lleva a centenares
[5] de chavales de decenas de países a recorrer tierras americanas y españolas y descubrir ambas civilizaciones, acabó ayer con la entrega de sus diplomas en el museo Guggenheim. Muchos de los participantes no pudieron contener las lágrimas el
[10] penúltimo día que pasaban juntos, antes de ganar Madrid y regresar a sus hogares. La palabra más repetida por los "expedicionarios" a la hora de definir lo que aprendieron era la de "tolerancia". Los jóvenes vienen de 52 países diferentes y han
[15] sabido establecer vínculos transnacionales. Xavier Bernadó, un participante originario de Lleida, explica que lo importante no es el diploma, sino la amistad que ha nacido durante el viaje.

Para Carlos Berzosa, rector de la Universidad
[20] Complutense de Madrid, este diploma es algo más que simbólico, la prueba de una aventura humana que podrán colocar en su currículum. El proyecto que patrocina la BBVA fue creado hace 26 años por sugerencia del Rey y el afán del periodista Miguel
[25] de la Quadra Salcedo.

www.elpais.es

Nota cultural

La Ruta Quetzal es prueba de que el arte no se limita a ver sólo en los museos o escuchar en las salas de conciertos. Los jóvenes que participan en ella pueden vivir el arte a través de una ruta cultural que mezcla la cultura y la aventura. Más de 8.000 jóvenes han tenido la oportunidad de descubrir las dimensiones históricas, geográficas y culturales de diferentes pueblos desde el mediterráneo hasta el precolombino. Los expedicionarios son elegidos entre los mejores estudiantes de cada país participante.

La Ruta Quetzal 2006 ("A las selvas de la serpiente emplumada, las ciudades perdidas de los mayas") recorrió sitios arqueológicos de la civilización maya en México, Guatemala y Belice, y finalizó con una visita a varios lugares de España. La Ruta Quetzal 2007 ("La huella de la Nao de la China en México") coincidió con el Año de España en China y, al seguir la huella de la Nao ("nave" o "barco") de la China en México, fue un recorrido de más de 300 kilómetros de la costa del Pacífico desde Acapulco hasta Playa Azul. El barco que en los siglos XVI, XVII y XVIII tenía como destino el puerto de Acapulco se conocía como "Galeón de Manila", "Nave de la Seda" o "Nao de la China", mientras que cuando regresaba a Oriente se denominaba "Galeón de Acapulco". En Acapulco se vendían las porcelanas chinas de la dinastía Ming, especias, sedas y mantones de Manila, bordados en Cantón y muy apreciados en México.

Teacher Resources

📝 Activities 2–3

Answers

6 1. En el primer caso, *favorito* es adjetivo y modifica al sustantivo *pintor;* en el segundo, es sustantivo masculino singular. *Ridículo* es masculino singular y se refiere a la situación en general. *Qué* más un adjetivo da un matiz cuantificado. 2. *A principios de* significa en los primeros días del período de tiempo que se indica; *debido a* es locución prepositiva que significa "a causa de"; *desde (el bote)* denota punto de procedencia (*desde* es preposición). Sólo se podría sustituir *por* en la frase *debido a su avanzada edad.* 3. *I can't believe it;* Sí; el objeto directo *lo* puede ir antes del verbo conjugado (*puedo*) o después del infinitivo (*creer*); cuando va después, se escribe como una sola palabra. Son objetos directos; lo tuvieron que llevar (lo = a Renoir); para poderla autorizar (la = cinta de acción); los intento imitar (los = los cineastas). 4. Los pronombres de objeto directo (me, te, lo/la, nos, os, los/las) son los que reciben directamente la acción del verbo (¿*Me* ves? ¿Estás escribiendo la carta? Sí, *la* estoy escribiendo.). Los pronombres de objeto indirecto (me, te, le, nos, os, les) indican para quién o para qué se ha llevado a cabo la acción (¿*Le* diste el dinero? *Les* leo un cuento a mis hijos cada noche.).

Instructional Notes

7 You might want to have some students share their opinions with the entire class.

8 Ask students if they think it is possible to mix culture and adventure, and to think of ways to do this. After discussing these possibilities, you could cite the *Ruta Quetzal* as one way to combine *la cultura con la aventura.*

You might point out that the BBVA is the acronym for the Banco de Bilbao y Vizcaya, one of Spain's leading banks.

Additional Activities

La Ruta Quetzal
Ask some students to search for more information about the *Ruta Quetzal* and to prepare a short composition about one of the following: its history, objectives, past excursions, or eyewitness accounts. They should then post or read their compositions for the class.

Comunicación
One of the objectives of the *Ruta Quetzal* is *descubrir quiénes somos a través de la historia.* Ask students to contribute their thoughts on this topic in a whole-class discussion.

Answers

9 1. c; 2. g; 3. a; 4. h; 5. d; 6. l; 7. k; 8. b; 9. e; 10. i; 11. j; 12. f

10 Descriptions will vary.

11 1. Se usa la coma para separar los varios miembros de una cláusula independientes entre sí. También se usó en la lectura para separar las frases incidentales (las que interrumpen la oración): la Ruta Quetzal, el programa que... civilizaciones / Bernadó, un... Lleida, ... / Para Carlos Berzosa, rector... Madrid, ... 2. Ejemplos: Muchos de los participantes no pudieron contener las lágrimas el penúltimo día. Mañana iban a Madrid. / Lo importante no es el diploma. Lo importante es la amistad.

12 1. haber, recorrer, descubrir, contener, ganar, regresar, definir, establecer, colocar; 2. Después de una preposición hay que usar el infinitivo, no una forma conjugada del verbo; ejemplos del artículo: tras haber, a recorrer/descubrir, antes de ganar/regresar, a la hora de definir. Ciertos verbos van seguidos del infinitivo; ejemplos del artículo: pudieron contener, han sabido establecer, podrán colocar.

13 1. la vigésima edición; 2. el; algunos sustantivos que provienen del griego, como *diploma*, aunque terminen en *-a* son de género masculino; el programa; 3. *Many participants could not hold back their tears*; porque se refiere a un hecho que ocurrió y terminó en el pasado sin tener relación con el presente, y sabemos cuándo empezó la acción; el imperfecto no precisa el principio ni el final de una acción. 4. *Lo importante* se refiere al concepto que es la amistad. Se usa *sino* después de una negación. 5. *Para* denota el punto de vista; *podrán* denota el tiempo futuro.

Additional Activities

Juego
Ask students to play *Historias en cadena*. See p. TE25.

---

9 Amplíe su vocabulario

Según el contexto del artículo anterior, empareje las palabras de la primera columna con su definición o sinónimo en la segunda.

1.	soltar	a.	chico
2.	centenar	b.	participante
3.	chaval	c.	dejar
4.	recorrer	d.	distribución
5.	entrega	e.	enlace, unión
6.	penúltimo	f.	deseo fuerte
7.	ganar Madrid	g.	ciento
8.	expedicionario	h.	cruzar una región
9.	vínculo	i.	indicio o señal
10.	prueba	j.	poner
11.	colocar	k.	llegar a Madrid
12.	afán	l.	inmediatamente antes del final

10 La Ruta Quetzal

Con un/a compañero/a, describa cómo sería la Ruta Quetzal que hicieron los jóvenes en Perú y en España. Describan lo que aprendieron estos chicos de las culturas latinoamericanas y de la cultura española.

11 Las comas en las oraciones compuestas

Conteste estas preguntas basadas en la lectura de la Actividad 8.

1. Busque las comas que aparecen en la lectura. Explique la regla general sobre el uso de las comas en las oraciones compuestas.
2. Escoja dos de estas oraciones compuestas y vuelva a escribirlas como oraciones simples.

12 El infinitivo

Conteste estas preguntas basadas en la lectura de la Actividad 8.

1. Haga una lista de los infinitivos que aparecen en el texto.
2. Explique el uso del infinitivo después de una preposición y después de otro verbo.

13 "Tapitas" gramaticales

Conteste estas preguntas basadas en la lectura de la Actividad 8.

1. ¿De qué otra forma podríamos escribir *la 20ª edición*?
2. ¿Qué artículo definido usaríamos con la palabra *diploma*? Explique la regla en general y busque otro ejemplo de esa regla en la lectura.
3. Traduzca la oración "Muchos de los participantes no pudieron contener las lágrimas". ¿Por qué se usa el pretérito y no el imperfecto del verbo *poder*?
4. Explique a qué se refiere *lo importante* y por qué se usa *sino* y no *pero* en la oración "Xavier Bernadó, un participante originario de Lleida, explica que lo importante no es el diploma, sino la amistad que ha nacido durante el viaje".
5. Explique el uso de *para* y *podrán* en la oración "Para Carlos Berzosa,... este diploma es algo más que simbólico, la prueba de una aventura humana que podrán colocar en su currículum".

14 Escriba

Escríbale una tarjeta postal a un/a amigo/a hablando de la Ruta Quetzal como si Ud. fuera participante en ella. Hable de las amistades que hizo y lo que aprendió de la tolerancia.

15 El presente perfecto

Échele una ojeada al artículo que sigue para ver de qué se trata, prestando atención a las palabras en azul y rojo, ya que se le harán preguntas sobre ellas. Luego lea el artículo y decida qué forma del presente perfecto del verbo entre paréntesis es la correcta según el contexto y escríbala. ¡Ojo! Hay un verbo en pretérito.

La ópera

La nómina de cantantes hispanohablantes en la Ópera Metropolitana de Nueva York (Met) se **1.** (*ver*) notablemente incrementada esta temporada, ya que a los célebres habituales
⁵—y ya casi decanos— Plácido Domingo y Joan Pons **2.** (*añadirse*) la presencia del barítono español Carlos Álvarez, que **3.** (*cantar*) ya en las anteriores cuatro
¹⁰temporadas, la mezzo canaria Nancy Fabiola Herrera, el director Jesús López Cobos y la soprano puertorriqueña
¹⁵Ana María Martínez. Domingo, con una agenda muy apretada, interviene en varias óperas, aunque destaca
²⁰su papel en dos: Sansón, en la ópera de Saint-Saëns, y Cyrano de Bergerac, en la reaparición que **4.** (*llevarse*) a cabo de este título del desconocido Franco Alfano. Con una voz fuerte y una disposición dulce, la soprano puertorriqueña
²⁵Ana María Martínez debutó en el Met la semana

pasada y a juzgar por los aplausos, parece tener un futuro prometedor. Martínez, quien interpretó el papel de Micaela en la obra *Carmen* de Bizet, recibió una fuerte ovación por su aria
³⁰del tercer acto y otra más durante los aplausos de despedida. La soprano nació en Puerto Rico pero creció en Nueva York, donde recibió varios títulos de
³⁵Juilliard. Ella ya **5.** (*tener*) presentaciones exitosas como Violetta en *La Traviata* de Verdi con la Ópera
⁴⁰Real de Londres y como la Condesa en *Le Nozze di Figaro* de Mozart en la Gran Ópera de Houston.
⁴⁵Durante algunas de las presentaciones de Martínez como Micaela, coincidirá en el escenario con la mezzo-soprano Nancy Fabiola Herrera, gran amiga suya y ex-compañera en la escuela Juilliard.

Answers

14 Postcards will vary.

15 1. ha visto; 2. se ha añadido; 3. cantó; 4. se ha llevado; 5. ha tenido

Instructional Notes

14 Students could refer to the compositions suggested in *La Ruta Quetzal* on page 455 for more information. Also remind students that the pronoun *ella* (see the instructions to this activity) refers to both "her" and "it" if the object is singular, feminine (*la ruta*).

15 Before students start reading, ask them: *¿Qué les viene a la mente cuando oyen la palabra* ópera? *¿Han ido alguna vez a la ópera? ¿Qué les ha parecido? Si nunca han ido, ¿les gustaría asistir a una? ¿Por qué?*

Additional Activities

Composición
Many operas are based on historical events or works of literature, for example: Verdi's *Un ballo en maschera* (*A Masked Ball*), *Don Carlo*, *Otelo*; Gounod's *Roméo et Juliette*; Mozart's *Don Giovanni* (*Don Juan*). Ask students to image they are composers and have been commissioned to write an opera, based on a historical event or literature. Ask them to name the event, book, play, or poem on which they will base their opera, including any major changes to the event or plot, and explain why they have chosen it.

Trabajo de investigación
You might ask students of music to research the history of the zarzuela as well as some information about the leading composers of this genre. Students could then share this information with the rest of the class and, if possible, bring in a CD with excerpts from zarzuelas.

Hablen sobre esta foto
See p. TE27.

Nota cultural

La zarzuela es un género de música típicamente español, en el que se alternan la canción y la declamación. La inclusión de bastante diálogo y los temas más ligeros la diferencian de la ópera. La primera zarzuela se presentó en el Palacio Real llamado "Zarzuela" (debido a que estaba rodeado de zarzas, una especie de arbusto) del rey Felipe IV en 1648. La obra se basó en una comedia, *El jardín de Falerina*, del gran escritor Pedro Calderón de la Barca; Juan de Hidalgo escribió la música. Sin embargo, la popularidad de la ópera italiana redujo la zarzuela a un espectáculo de bajo orden y no alcanzó gran popularidad hasta mediados del

siglo XIX, la llamada "época de oro" de la zarzuela.

El tenor Plácido Domingo es un gran defensor de este género musical. Como director general de la Ópera de Los Ángeles, en la temporada 2006–2007 puso en escena la zarzuela *Luisa Fernanda* de Federico Moreno Torroba y cantó el papel principal.

Investigue palabras clave:
zarzuela, Calderón de la Barca, Juan de Hidalgo

16 Amplíe su vocabulario

Según el contexto del artículo que acaba de leer, ¿cuál es la mejor traducción de cada palabra?

1. nómina
   a. nomination
   b. cast
   c. list
   d. group

2. decano
   a. decade
   b. dean
   c. upcoming talent
   d. newcomer

3. canaria
   a. alto
   b. soprano
   c. light as a bird
   d. from the Canary Islands

4. apretado
   a. full
   b. out of control
   c. disorganized
   d. empty

5. papel
   a. major theme
   b. role
   c. paper
   d. actress

6. llevar a cabo
   a. to destroy
   b. to carry out
   c. to wear thin
   d. to exemplify

7. juzgar
   a. to hear
   b. to respond
   c. to judge
   d. to react

8. crecer
   a. to grow up
   b. to learn a lot
   c. to study
   d. to travel to

9. coincidir
   a. to coin
   b. to coincide
   c. to coexist
   d. to share

10. gran amiga suya
    a. his old friend
    b. her old friend
    c. his great friend
    d. her very good friend

17 ¿Qué función gramatical tienen?

Explique qué función gramatical tienen las siguientes palabras en el artículo de la Actividad 15, y tradúzcalas.

1. *Ya que* en la línea 4
2. *Que* (cantar) en la línea 8
3. *Aunque* en la línea 19
4. *Que* (llevarse a cabo) en la línea 22
5. *Quien* en la línea 27
6. *Donde* en la línea 33

Cita

La pintura se aprende en los museos.
— Pierre-Auguste Renoir (1841–1919), impresionista francés

¿Está de acuerdo con esta cita, o cree que sólo se aprende la pintura en la escuela o con un maestro? ¿Cree que más personas "aprenderían" arte si las entradas a los museos fueran gratis? ¿Por qué? ¿Cree que es el deber del Estado ofrecer entradas gratis a los museos? Comparta sus opiniones con un/a compañero/a.

18 "Tapitas" gramaticales

Conteste estas preguntas basadas en el artículo de la Actividad 15.

1. ¿Por qué se dice *cantantes hispanohablantes* y no *cantantes en español*?
2. Explique el uso del pretérito en la oración "Martínez, quien interpretó el papel de Micaela en la obra *Carmen* de Bizet, recibió una fuerte ovación por su aria del tercer acto..." Explique también por qué decimos "el tercer acto".
3. ¿Por qué no se usó el subjuntivo en el artículo? Vuelva a escribir dos oraciones con el modo subjuntivo; haga cualquier cambio que sea necesario.

¡Dato curioso! ¿Sabía que el esfuerzo del cantante colombiano Juanes en el concierto "Colombia sin minas" dio sus frutos, al lograr recaudar 350 mil dólares para las víctimas de las minas antipersonales en su país? Todas las colectas están relacionadas con la gala musical y la fundación "Mi sangre" de Juanes. Juanes nació Juan Esteban Aristizábal en Medellín, Colombia. Es cantante, guitarrista, productor y autor de la música y letra de todos los temas que canta. En los últimos cuatro años, Juanes ha ganado nueve Grammy Latinos, cinco Premios MTV y seis Premios Lo Nuestro, entre otros reconocimientos internacionales.

Investigue palabras clave: Pierre-Auguste Renoir, Juanes

Idioma

19 Familia de palabras

Complete la tabla con el verbo, sustantivo o adjetivo apropiado, y la traducción correspondiente.

Verbos		Sustantivos		Adjetivos	
aplaudir	___	la atracción	___	aplaudido	___
___	to attract	el/la creador(a);	___;	creativo	___
crear	___	la creación; la creatividad	___; ___		
donar	___	la donación	___		donated
enloquecer, estar loco/a por	___, ___	el/la loco/a; la locura	crazy person; ___		
imaginar	___				imaginative pirated
piratear	___	el/la pirata; la piratería	___; ___		
quedarse ciego	___	el/la ciego/a, el/la invidente	blind person	ciego	___
saber	___	la sabiduría; el/la sabio/a	wisdom; wise person		
seguir	___	el/la seguidor(a)	___		
ver	___	el/la vidente	clairvoyant	visto	___

20 ¿Verbo, sustantivo o adjetivo?

Complete las oraciones usando la forma correcta de las palabras que aparecen en la tabla, ya sea verbo, sustantivo o adjetivo. En el caso del sustantivo puede que necesite artículo.

1. En muchos países se venden películas ___ (piratear) en la calle.
2. Cada vez que sale un nuevo CD de mi banda favorita, ___ (enloquecer) comprarlo lo más pronto posible.
3. Se ___ (creación) la cueca, el baile nacional de Chile, como recuerdo del heroísmo de los que lucharon por la independencia del país en 1810.
4. El público ___ (aplauso) al cantaor de flamenco cuando terminó su interpretación del cante jondo.
5. El filántropo ___ (donación) muchas obras de arte de su colección personal al Museo de Bellas Artes.
6. A veces las canciones y las películas fracasan a pesar de ___ (sabio) de los expertos.
7. Si la película tiene mucha acción y efectos especiales, ___ (atracción) a muchos para que vayan al cine a verla porque no querrán esperar hasta que llegue en versión DVD.
8. ONCE es la Organización Nacional de ___ (ciego) Españoles.
9. ___ (Ver) de tarot consultan sus tarjetas y la astrología de sus clientes.
10. Algunos ___ (seguir) de George Lucas, el director de *Star Wars*, prefieren la película *Star Wars: Episodio III—La venganza de los Sith*.
11. Me quedé aturdido cuando vi la obra musical *El Rey León* en Broadway. ___ (Imaginar) y ___ (crear) de la directora/productora Julie Taymor son tremendas.

Cita

La calidad de un pintor depende de la cantidad del pasado que lleve consigo.
—Pablo Picasso (1881–1973), pintor español

 ¿Piensa que la obra de un artista es su vida y su historia personal? ¿Cree que los mejores artistas son los mayores, puesto que han tenido más experiencias? Comparta su opinión con un/a compañero/a.

¡Dato curioso!

¿Sabía que se va a intentar "resucitar" al popular grupo juvenil Menudo de los años ochenta? En junio de 2006, la empresa Menudo Entertainment anunció una búsqueda internacional de jóvenes cantantes, tanto en español como en inglés, entre los 14 y 18 años. El nuevo Menudo, cuyo primer álbum será de música hip-hop urbana latina, estará enfocado también para poder tener éxito en el mercado en inglés.

Teacher Resources

📝 Activity 6

Answers

19 **Verbos**
aplaudir *to applaud*
atraer *to attract*
crear *to create*
donar *to donate*
enloquecer, estar loco/a por *to drive crazy, to be crazy about*
imaginar *to imagine*
piratear *to pirate*
quedarse ciego *to become blind*
saber *to know*
seguir *to follow*
ver *to see*

Sustantivos
el aplauso *applause*
la atracción *attraction*
el/la creador(a); la creación; la creatividad *creator; creation; creativity*
la donación *donation*
el/la loco/a; la locura *crazy person; craziness*
la imaginación *imagination*
el/la pirata; la piratería *pirate; piracy*
el/la ciego/a, el/la invidente *blind person*
la sabiduría; el/la sabio/a *wisdom; wise person*
el/la seguidor(a) *follower*
el/la vidente *clairvoyant*

Adjetivos
aplaudido *applauded*
atractivo *attractive*
creativo *creative*
donado ***donated***
loco *crazy*
imaginativo ***imaginative***
pirateado ***pirated***
ciego *blind*
sabio *wise*
seguido *followed*
visto *seen*

20 1. pirateadas; 2. estoy loco/a por; 3. creó; 4. aplaudió; 5. donó; 6. la sabiduría; 7. atraerá; 8. ciegos; 9. Los videntes; 10. seguidores; 11. La imaginación, la creación

Instructional Notes

Cita
You might want to turn this into a whole-class discussion.

Additional Activities

Trabajo de investigación
Ask some students to go online and look for information on the original group Menudo. Then ask them to share this information with the class.

Juego
Ask students to play *Voluntario, derecha e izquierda*. See p. TE25.

Canción
See p. TE26.

Instructional Notes

21 Before they read the article, ask students: *¿Cómo imaginan que sería una exposición de arte para ciegos?*

23 You might suggest that students read an article on blind painters at: http://www.foro.arteenbarcelona. com/cgi-bin/yabb/nph-YaBB.pl?num = 1117742122.

Check to make sure that this Web site is still active and appropriate before recommending it to students.

Additional Activities

Juego

Ask students to play *Lo tengo en la punta de la lengua.* See p. TE25.

---

21 Ciudadparaciegos

Échele una ojeada al artículo que sigue para ver de qué se trata, prestando atención a las palabras en azul, ya que se le harán preguntas sobre ellas. Luego lea el artículo y decida qué forma de las palabras entre paréntesis es la correcta para completar cada oración y escríbala. No se olvide de escribir y acentuar las palabras correctamente.

Pintor cubano dedica una exposición a los ciegos

El pintor cubano Arturo Montoto, fiel a __1.__ (*vincular*) su obra con el entorno urbano, ha dedicado una singular exposición a los invidentes, "Ciudadparaciegos", una mezcla [5] de obra pictórica, vídeo y "performance". El proyecto de Montoto es __2.__ (*el primero*) muestra colateral abierta al público de la IX Bienal de Artes Plásticas de La Habana, que será __3.__ (*inaugurar*) oficialmente mañana con [10] el título de "Dinámicas de la cultura urbana". Muy en sintonía con la temática de la Bienal, que ocupará varios espacios y galerías de la capital cubana durante un mes, el artista __4.__ (*explicar*) que con esta exhibición pretende hacer [15] una llamada de atención sobre los invidentes, "ese sector minoritario de la población que __5.__ (*andar*) en la ciudad y que casi nadie tiene en cuenta".

"__6.__ (*Hacerse*) una exposición de artes visuales [20] y pienso que sería interesante que ellos (los ciegos) aun cuando no __7.__ (*ver*), son los principales invitados a un evento artístico, a ver a su manera, y en el que siempre van a ver por la descripción (a través del sistema braille)", señaló. [25] Montoto apuntó que para "Ciudadparaciegos" __8.__ (*construir*) un recorrido por la ciudad, que "son fragmentos de las obras __9.__ (*mío*), de __10.__ (*alguno*) modo yuxtapuestas, en los que aparecen obstáculos, que pueden hacer daño al [30] ciego".

"Ellos con su tacto van __11.__ (*descubrir*) que hay textos descriptivos que les van __12.__ (*decir*) aquí hay una pared, un obstáculo, aquí hay sombra, luz y ellos, como van __13.__ (*leer*), se van __14.__ [35] (*imaginar*) el paisaje", añadió. En el proyecto —instalado en el Museo de Arte Colonial del centro histórico de La Habana Vieja— __15.__ (*colaborar*) la Asociación Nacional del Ciego (ANCI), entre otras instituciones cubanas, y el [40] Museo Tiflológico de la Organización Nacional de Ciegos Españoles (ONCE).

www.eldiariony.com

22 ¿Qué significa?

Según el contexto del artículo que acaba de leer, empareje las palabras de la primera columna con su traducción correspondiente de la segunda.

1. entorno	a. touch
2. obra pictórica	b. pictorial work
3. en sintonía	c. to colloborate
4. temática	d. to damage
5. recorrido	e. environment
6. hacer daño	f. subject matter
7. tacto	g. in tune
8. colaborar	h. journey

23 Lea, escriba/presente

Vuelva a leer el artículo anterior y piense en cómo contestaría las siguientes preguntas: ¿Cree que el arte es solamente un fenómeno visual? ¿Cómo los ayudó el pintor cubano Arturo Montoto a los ciegos a apreciar el arte? Luego escriba un ensayo o haga una presentación en clase sobre el tema.

24 La música punk

Échele una ojeada al artículo que sigue para ver de qué se trata, prestando atención a las palabras en azul, ya que se le harán preguntas sobre ellas. Luego lea el artículo y decida qué forma de las palabras entre paréntesis es la correcta para completar cada oración y escríbala. No se olvide de escribir y acentuar las palabras correctamente.

El punk se resiste a morir

Black Sabbath, Blondie y Lynyrd Skynyrd ingresan en el Salón de la Fama del Rock&Roll en un acto en Nueva York al que no asistirán __1.__ (otro) de los elegidos, los Sex Pistols, que rechazaron el honor
⁵ en __2.__ (el) mejor tradición punk. No asistirán a la ceremonia formal de ingreso en el Salón, que se celebrará esta noche por todo lo alto en el Waldorf-Astoria, uno de los hoteles más exclusivos de la ciudad. "Tenemos problemas con el Salón de la Fama
¹⁰ desde hace tiempo. Nunca __3.__ (le) importó quienes éramos y tampoco han corregido los errores sobre nuestra leyenda y legado en su museo. Rechazaron __4.__ (nuestro) nominación tres años y ahora nos quieren", señaló Rotten. ... "No tiene nada que ver
¹⁵ con las bandas de música, es sólo una oportunidad de hacer dinero para un grupo de multimillonarios sin escrúpulos", aseguró el viejo rockero. Con su actitud, los Sex Pistols han hecho gala una vez más del carácter que les hizo famosos en __5.__ (el) setenta,
²⁰ durante su corta pero exitosa carrera de poco más de dos años en __6.__ (el) que editaron un álbum y cuatro discos sencillos. Ozzy Osbourne, cantante de Black Sabbath, la banda británica que a __7.__ (final) de los años sesenta acuñó el concepto de heavy
²⁵ metal y cuyo legado se considera crucial en este género, había criticado en el pasado el Salón de la Fama pero, al parecer, ha cambiado de opinión. La inclusión del trompetista de jazz Miles Davis como miembro del "olimpo del rock", ha sido otro de los
³⁰ focos de polémica en la elección de este año. Muchos consideran que Miles supuso una __8.__ (grande) influencia en el rock pero no puede ser considerado estrictamente como una estrella de ese tipo de música, debido a su formación en la música jazz. Un comité
³⁵ de seiscientos expertos, entre __9.__ (el) que figuran músicos, críticos y estudiosos del rock, deciden anualmente las incorporaciones de solistas y bandas al Salón, que se __10.__ (crear) en 1983. La institución tiene su sede en Cleveland (Ohio), donde
⁴⁰ __11.__ (contar) con un museo en el que se __12.__ (mostrar) los recuerdos, vestuario e instrumentos originales de las estrellas de rock a lo largo del medio siglo de vida de ese género de música.

www.laraza.com

25 Amplíe su vocabulario

Según el contexto del artículo que acaba de leer, empareje las palabras de la primera columna con su traducción correspondiente de la segunda.

1. ingresar	a. genre
2. rechazar	b. to give birth to a word
3. todo lo alto	c. due to
4. legado	d. to show off
5. sin escrúpulos	e. sources of controversy
6. hacer gala de	f. in style
7. acuñar	g. to induct
8. género	h. headquarters
9. focos de polémica	i. legacy
10. suponer	j. to reject
11. debido a	k. unscrupulous
12. sede	l. to assume

Investigue palabras clave:
música punk

Answers

24 1. otros; 2. la; 3. les; 4. nuestra; 5. los; 6. la; 7. finales; 8. gran; 9. los; 10. creó; 11. cuenta; 12. muestran

25 1. g; 2. j; 3. f; 4. i; 5. k; 6. d; 7. b; 8. a; 9. e; 10. l; 11. c; 12. h

Instructional Notes

24 Ask students what they know about the Rock and Roll Hall of Fame and Museum. If any have visited this museum, encourage them to describe their visit to the rest of the class.

Additional Activities

Comunicación
Ask students to work in small groups and discuss how certain popular music styles have evolved.

Juego
Ask students to play *Trivia*. See p. TE25.

26 Lea, escuche y escriba/presente

Vuelva a leer los artículos de las Actividades 21 y 24. Luego escuche "Los tres tenores" y tome las notas necesarias. Escriba un ensayo o haga una presentación en clase sobre "El arte accesible a todos: invidentes, videntes, viejos rockeros y aficionados de la música clásica". No se olvide de citar las fuentes debidamente.

Cita

La inspiración existe, pero tiene que encontrarte trabajando.
—Pablo Picasso, (1881–1973), artista español

¿Cómo piensa que los artistas encuentran su inspiración? Mucha gente dice que su inspiración viene cuando uno menos lo piensa —por ejemplo, mientras uno se ducha por la mañana. ¿Esto le pasa a Ud.? ¿Cuál fue su última "inspiración", y cuándo le llegó? ¿Se realizó? Comparta sus opiniones y respuestas con un/a compañero/a.

¡Dato curioso! ¿Sabía que homenajearon a Frida Kahlo en México con una ópera rock en el centenario de su nacimiento? El guión de la ópera combinó música clásica con temas interpretados por roqueros y estaba integrado por distintos pasajes en la vida de Kahlo, desde su nacimiento en 1907 hasta su muerte en 1954.

27 Dalí

Échele una ojeada al artículo que sigue para ver de qué se trata, prestando atención a las palabras en azul, ya que se le harán preguntas sobre ellas. Luego lea el artículo y decida cuál de las dos palabras entre paréntesis es la correcta para completar cada oración y escríbala.

Múltiples conmemoraciones por el centenario de Salvador Dalí

El centenario del nacimiento de Salvador Dalí, quizás el personaje más excéntrico de la historia del arte español, concita **1.** (*este / aquel*) año decenas de exposiciones, ediciones de libros y otras actividades que **2.** (*repasa / repasan*) una vida y una obra surrealistas por excelencia.

Salvador Felipe Jacinto Dalí Domenech **3.** (*nacía / nació*) en Figueras, en la región de Cataluña, en la esquina **4.** (*nororiental / nororientala*) española, el 11 de mayo de 1904, y murió en la misma villa el 23 de enero de 1989, víctima de un paro cardíaco.

5. (*Por / Para*) celebrar el natalicio de Dalí, diversas entidades públicas y privadas han reunido obras y **6.** (*recuperado / recuperados*) textos para satisfacer la gran curiosidad de los seguidores de su trabajo y de los que **7.** (*se acercan / se acerquen*) a él por primera vez. Tal vez la exposición más importante, por su contenido, es la organizada en Barcelona por Caixaforum, "Dalí, cultura de masas", que será inaugurada el 5 de febrero **8.** (*en / con*) unas 400 obras, entre dibujos, fotografías, recortes, portadas de revistas, postales, objetos variopintos, manuscritos y películas. La exposición —que irá después a Madrid y luego a EE.UU. y a Holanda— explora la relación de Dalí con la cultura de masas y **9.** (*como / cómo*) su universo visual reflejó los grandes cambios tecnológicos y económicos del siglo XX, que **10.** (*le / lo*) fascinaron. Fuera de España, una muestra importante será la antológica "Dalí" —con 150 óleos representativos de todas las vertientes creativas del pintor,

⁵⁰especialmente surrealismo y __11.__ (*vanguardista / vanguardia*)—, en el Palazzo Grassi de Venecia, y que será llevada luego al Museo de Arte de Filadelfia, en Estados ⁵⁵Unidos. La Fundación Gala-Salvador Dalí ha organizado la exposición "El Quijote según Salvador Dalí", con los dibujos y acuarelas que utilizó para ilustrar ⁶⁰la obra de Cervantes, y __12.__ (*otro / otra*) de dibujos dalinianos en el Museo Municipal de Cadaqués. En Barcelona, el gobierno regional __13.__ (*promueve / promueva*) ⁶⁵"Dalí. Afinidades electivas", muestra que analizará las influencias literarias y estéticas del pintor. El Centro de Arte Reina Sofía, en Madrid, montará las ⁷⁰exposiciones "La huella de Dalí" — __14.__ (*como / cómo*) modelo seguido por otros artistas—,

"Dalí y la cultura de masas" y "Dalí lector", que hurgará en ⁷⁵las lecturas que el artista tenía en su biblioteca de Figueras. La galería madrileña Blanquerna ha reunido una serie de retratos de Dalí hechos __15.__ (*por / para*) ⁸⁰catorce autores catalanes entre 1951 y 1979 en la exposición "Dalí y el retrato cómplice". El comisario de esta exposición, Balsells, recordó la mitomanía y la ⁸⁵calculada excentricidad del genio que acostumbraba a decir a los fotógrafos: "para fotografiarme esperad a que me __16.__ (*viste / vista*) de Dalí". En el terreno ⁹⁰editorial destaca la publicación de *Rostros ocultos*, la única novela de Dalí, escrita en 1943, que ahora se publica con fragmentos que en su época __17.__ (*eran / ⁹⁵fueron*) censurados. Y hasta

la gastronomía catalana rinde homenaje a Dalí: treinta restaurantes y sendos cocineros regionales recuerdan el interés ¹⁰⁰que manifestó hacia el buen comer y por eso sirven esta __18.__ (*estación / temporada*) menús con ingredientes relacionados con su vida y obra: huevos, crustáceos, ¹⁰⁵ocas, patas de cerdo, caracoles y chocolate. Todas estas y muchas otras actividades previstas, entre ciclos de cine, conciertos, monográficos sobre la obra ¹¹⁰daliniana, contenidos en Internet (www.salvador-dali.org o www.daliphoto.com), __19.__ (*pretenden / pretendan*) satisfacer la gran atracción que ejerce la ¹¹⁵figura de Dalí.

www.eldiariony.com

28 Amplíe su vocabulario 🔍

Según el contexto del artículo que acaba de leer, empareje las palabras de la primera columna con su traducción correspondiente en la segunda.

1. concitar
2. por excelencia
3. paro cardíaco
4. recuperar
5. recorte
6. portada de revista
7. variopinto
8. vertiente
9. vanguardia
10. daliniano
11. promover
12. afinidad
13. huella
14. hurgar
15. madrileño
16. cómplice
17. mitomanía
18. rendir
19. crustáceo
20. oca
21. caracol
22. previsto

a. goose
b. affinity
c. accomplice
d. magazine cover
e. mark
f. from Dalí
g. to generate
h. from Madrid
i. tendency to create myths
j. to pay
k. aspect
l. to rummage
m. par excellence
n. snail
o. clipping
p. anticipated
q. crustacean
r. heart attack
s. movement that is foremost in its field
t. to recover
u. to promote
v. miscellaneous

Answers

30 1. han; 2. por; 3. los; 4. comenzó; 5. Allí; 6. le; 7. pidieron; 8. para; 9. el; 10. con; 11. ante; 12. Durante

Instructional Notes

29 Encourage a classroom discussion on whether all art can and should be for the masses.

30 Before students start reading, ask them: *¿Cómo pueden funcionar los músicos como embajadores de buena voluntad por el mundo? ¿Creen que los jóvenes de muchas partes del mundo tienen gustos similares en cuanto a la música? ¿Por qué?*

Additional Activities

Trabajo de investigación
Ask students to go to the following Web site for La Oreja de Van Gogh (http://www.laorejavangogh.com) to learn more about this group.

Los premios
See p. TE28.

---

29 Lea y escriba/presente

Vuelva a leer el texto completo sobre el centenario de Dalí y, si lo desea, consulte las fuentes citadas en el artículo u otras para aprender más sobre la vida del artista. Luego escriba un ensayo o haga una presentación en clase sobre "Salvador Dalí: el artista de las masas". No se olvide de citar las fuentes debidamente.

30 La Oreja de Van Gogh

Échele una ojeada al artículo que sigue para ver de qué se trata, prestando atención a las palabras en azul, ya que se le harán preguntas sobre ellas. Luego lea el artículo y decida cuál de las dos palabras entre paréntesis es la correcta para completar cada oración y escríbala.

La Oreja de Van Gogh termina su gira de dos años y medio tocando ante más de 140.000 personas

Más de 140.000 personas **_1._** (*ha / han*) asistido a los conciertos que La Oreja de Van Gogh ha ofrecido en su reciente gira **_2._** (*por / para*) Chile, Argentina y Uruguay. Un éxito
5 absoluto ha sido la característica común de estos recitales, en **_3._** (*el / los*) que el grupo donostiarra agotó todas las entradas de sus conciertos. La gira **_4._** (*comenzaba / comenzó*) en Chile, en la 47ª edición del Festival de Viña
10 del Mar. **_5._** (*Aquí / Allí*) La Oreja de Van Gogh llenó el enorme anfiteatro y después del primer bis del concierto, la organización entregó a la banda la Antorcha de Plata. Pero al público no **_6._** (*le / les*) pareció suficiente. Las 20.000
15 personas que abarrotaban el recinto de la Quinta Vergara **_7._** (*pidió / pidieron*) a "grito pelado" la Antorcha de Oro **_8._** (*por / para*) La Oreja de Van Gogh. En un ambiente de enorme emoción, el público exigió durante media hora el regreso
20 de La Oreja de Van Gogh al escenario para recibir el trofeo más preciado del festival: la célebre Gaviota de Plata que se concede por aclamación popular. Es el público **_9._** (*él / el*) que otorga la Gaviota que, a lo largo de 47 años, se ha
25 convertido en el galardón más importante del festival. La retransmisión por televisión del concierto de La Oreja de Van Gogh batió récords, alcanzando un índice de audiencia de 54 puntos. El grupo español también llenó dos días el mítico
30 Luna Park de Buenos Aires, Argentina, **_10._** (*por / con*) 14.000 personas, el mismo número de personas que asistió a la primera presentación de La Oreja de Van Gogh en Montevideo, Uruguay. Más tarde el grupo regresó a Chile para actuar en
35 La Serena, Pucón y Santiago, este último

_11._ (*antes / ante*) más de 30.000 personas remató el éxito de la gira. En este país, el grupo también ganó el Premio de la Popularidad al recibir más de 100.000 votos a través de llamadas
40 telefónicas. Con estos conciertos, La Oreja de Van Gogh cierra la gira internacional del álbum *Lo que te conté mientras te hacías la dormida*. **_12._** (*Desde / Durante*) dos años y medio el grupo ha actuado en 12 países: Estados Unidos,
45 Francia, México, Puerto Rico, El Salvador, Panamá, Ecuador, Colombia, Chile, Argentina, Uruguay y Guatemala.

www.laraza.com

31 ¿Qué significa?

Según el contexto del artículo que acaba de leer, elija la mejor traducción para cada palabra.

1. gira
   a. show
   b. audition
   c. tour
   d. none of these

2. donostiarra
   a. very generous
   b. from San Sebastián
   c. popular
   d. universal

3. agotar
   a. to sell out
   b. to resell
   c. to bring out
   d. to print

4. bis
   a. show
   b. applause
   c. both
   d. encore

5. Antorcha de Plata
   a. Silver Prize
   b. Silver Torch
   c. Silver Medal
   d. Silver Reward

6. abarrotar
   a. to applaud
   b. to shout with approval
   c. to sit
   d. to jam-pack

7. grito pelado
   a. fiery applause
   b. subtle encouragement
   c. wild cheers
   d. angry screams

8. regreso al escenario
   a. return to the audience
   b. return to the stage
   c. return to the scene
   d. exit from the stage

9. conceder
   a. to give up
   b. to oblige
   c. to award
   d. to distribute

10. otorgar
    a. to grant
    b. to permit
    c. to disagree
    d. to choose

11. rematar
    a. to kill
    b. to prevent
    c. to fail
    d. to finish off

32 Lea, escuche y escriba/presente

Vuelva a leer el artículo completo sobre La Oreja de Van Gogh. Luego escuche "Guadalajara se inaugura como capital de la cultura" y tome las notas necesarias. Escriba un ensayo o haga una presentación en clase sobre "La cultura es accesible a las masas". No se olvide de citar las fuentes debidamente.

Cita

Ser director de cine en España es como ser torero en Japón.
—Pedro Almodóvar (1951–), guionista y director de cine español

Las películas de Almodóvar han ganado muchos premios en el Festival de Cannes (Francia), en los Oscar y en los Globos de Oro. Sus películas incluyen *Volver* (2006), *Hable con ella* (2003), *Todo sobre mi madre* (1999) y *Mujeres al borde de un ataque de nervios* (1989). ¿Por qué habrá dicho esto entonces? ¿Ha visto algunas de sus películas? ¿Qué opina de ellas? Comparta su opinión con un/a compañero/a.

¡Dato curioso!

El programa *Objetivo Fama* comenzó hace poco en Univisión Puerto Rico y ahora se transmite a todo Estados Unidos por la cadena Telefutura. Con el fin de atraer al público latino en el país, la producción optó por incluir integrantes de diferentes ciudades estadounidenses en esta competencia de canto. En una reciente edición, Marlon Fernández, un participante cubano criado en Miami, triunfó frente a otros 20 candidatos de 18 ciudades diferentes. Más de dos millones de espectadores en Puerto Rico y Estados Unidos votaron para elegir al ganador.

Nota cultural

La telenovela (en España, el culebrón) es un programa de televisión producido originalmente en América Latina y transmitido en episodios diarios y consecutivos, generalmente de lunes a viernes. Los programas son de alto contenido melodramático. La telenovela latinoamericana tiene un número limitado de episodios —de unos cien— y de una duración de aproximadamente un año. En casos excepcionales su duración se puede extender a dos e incluso tres años. Tiene una importancia económica en países como Argentina, Brasil, Colombia, Chile, México, Perú y Venezuela.

Investigue palabras clave:
Guadalajara, Pedro Almodóvar

Teacher Resources

 Activity 32 (CD 8, track 8)

Answers

31 1. c; 2. b; 3. a; 4. d; 5. b; 6. d; 7. c; 8. b; 9. c; 10. a; 11. d

Instructional Notes

32 You might want to review the following words with students before they listen to the audio: *inversión*, investment; *ayuntamiento*, city hall; *alcalde*, mayor; *realce*, enhancement; *cátedra*, chaired professorship; *charrería*, horsemanship and rodeo riding.

Additional Activities

Juego
Ask students to play *Lo tengo en la punta de la lengua*. See p. TE25.

Activities 8–16

Instructional Notes

34 Before students begin reading, ask small groups to research different aspects of the ancient Aztecs—for example, their art, legends, religious beliefs (including their gods and goddesses), as well as their history, and present this to the rest of the class. You might suggest the following Web sites, but before doing so, verify that they are still active and appropriate:

http://www.clio.rediris.es/fichas/otras_aztecas.htm
http://www.antropos.galeon.com/html/aztecas.htm

¡A leer!

33   Antes de leer 👥

¿Qué sabe de los aztecas y su imperio? ¿Cuándo y dónde vivieron ellos? ¿Cuáles son algunas de sus contribuciones artísticas y culturales?

34 Los aztecas

Lea con atención el artículo que sigue e intente averiguar el significado de las palabras en azul por el contexto, ya que se le harán preguntas sobre ellas.

Dirección www.eldiariony.com

Archivo   Edición   Ver   Favoritos   Herramientas   Ayuda

El poder y la estética del imperio azteca

El poder, la fuerza y la refinada estética del imperio azteca son exhibidos en Roma en una espectacular muestra, que incluye unas 350 piezas, entre esculturas, máscaras y joyas, algunas de
⁵ellas presentadas por primera vez en Europa. (A)
La muestra, titulada "Los tesoros de los aztecas", que permanecerá abierta hasta el 18 de julio, fue inaugurada este jueves en el Palacio Ruspoli por
¹⁰personalidades de ambos países, entre ellos la ministra de Cultura mexicana, Sari Bermúdez. "Creo que hemos logrado combinar para esta
¹⁵muestra el aspecto histórico y temático con el estético, un equilibrio que permitirá a los visitantes ampliar el horizonte sobre la historia de los aztecas
²⁰y al final de cuentas del México actual", afirmó Sergio Arroyo, director del Instituto Nacional de Antropología e Historia de México. Los curadores de la muestra, que ya estuvo
²⁵en Londres y Berlín, en donde superó los 900.000 visitantes, están convencidos de que llegarán a más de un millón de espectadores. Cuarenta piezas, entre ellas piezas de oro, personajes en miniatura y una máscara con mosaicos, halladas en el curso de las
³⁰recientes excavaciones del Templo Mayor, la mayor pirámide azteca descubierta en la antigua capital de Tenochtitlán, hoy Ciudad de México, fueron incorporadas a la exposición romana. (B) El mundo

de los aztecas, repartido en siete salas, aparece desde
³⁵sus orígenes, con toda su cosmogonía, representada en esculturas de dioses y guerreros, estilización de serpientes, águilas y jaguares. Piezas como el dios del viento, realizada en terracota, y que mide un metro y medio, con una máscara con forma de pico
⁴⁰de pájaro, o la célebre serpiente emplumada, prestada por el museo del Vaticano, dan fe de la enorme capacidad artística del imperio azteca, que floreció en la arquitectura, la joyería y la pintura.

⁴⁵Con una escenografía sugestiva, entre paredes oscuras y luces indirectas, la tiránica religión de esa civilización, que dominó del siglo XIV hasta la conquista española en
⁵⁰1519, aparece con toda su crueldad.
(C) Numerosas piedras sacrificiales, estatuas de hombres despellejados como ofrecimiento a los dioses, enormes piedras con labradas
⁵⁵serpientes enroscadas que servían para depositar los corazones arrancados, ilustran los ritos para alabar o aplacar a las divinidades. Organizada en forma didáctica, la muestra resulta un paseo por una brillante civilización, que poseía
⁶⁰dos calendarios, entre ellos uno astronómico y otro adivinatorio, y que con la llegada de los españoles fue desapareciendo, como ilustran dos piezas clave, ejemplo de sincretismo religioso, una cruz y un cubre cáliz, decorados con el clásico estilo de los indios de
⁶⁵Mesoamérica, que cierran el recorrido. (D)

www.eldiariony.com

35 ¿Qué significa?

Según el contexto del artículo que acaba de leer, empareje las palabras de la primera columna con su traducción correspondiente en la segunda.

1. poder	a. eagle
2. curador	b. to praise
3. hallar	c. bird's beak
4. cosmogonía	d. in instructional mode
5. estilización	e. tyrannical religion
6. águila	f. to placate
7. pico de pájaro	g. power
8. serpiente emplumada	h. covered chalice
9. tiránica religión	i. tornout hearts
10. hombres despellejados	j. curator
11. labradas serpientes enroscadas	k. skinned men
12. corazones arrancados	l. plumed serpent
13. alabar	m. intertwined carved serpents
14. aplacar	n. combination of different systems of
15. en forma didáctica	philosophical beliefs
16. adivinatorio	o. being able to foretell the future
17. sincretismo	p. styling
18. cubre cáliz	q. theory of the universe's origin
	r. to find

36 ¿Ha comprendido?

1. ¿Cómo se puede caracterizar el imperio azteca de la muestra?
   a. Fuerte y culto
   b. Poderoso y firme
   c. Fuerte e inculto
   d. Poderoso y fluido

2. ¿Qué han combinado en la muestra?
   a. El arte y la historia
   b. El poder y el arte
   c. La belleza y la historia
   d. Ninguna de las respuestas anteriores

3. ¿Cuáles son algunas de las piezas en la muestra?
   a. Máscaras, figuras en miniatura y libros
   b. Unas adquisiciones de unas excavaciones recién hechas
   c. Piezas de oro, esculturas de dioses, y modelos de reyes y dioses aztecas
   d. Todas las respuestas anteriores

4. ¿Sobre qué teoría se crearon muchas de las piezas?
   a. Sobre el origen de la creación del mundo
   b. Sobre una religión muy bélica
   c. Sobre una estética romana
   d. Sobre el espíritu guerrero del hombre

5. ¿Cómo ayuda la escenografía a apreciar la muestra?
   a. Sugiere el aspecto guerrero de la muestra.
   b. Sugiere el misterio y crueldad de la muestra.
   c. Sugiere la fuerza de la muestra.
   d. Todas las respuestas anteriores

6. ¿Dónde floreció el imperio azteca?
   a. En sus construcciones
   b. En su arte
   c. En sus joyas
   d. Todas las respuestas anteriores

7. ¿Qué muestra la crueldad del imperio azteca?
   a. Las piedras monumentales de las pirámides
   b. Los picos de pájaros y las águilas
   c. Las estatuas de hombres despellejados y las piedras de labradas serpientes enroscadas
   d. Las joyas de los dioses

8. ¿Cómo o por qué se organizó el recorrido?
   a. Para educar
   b. En orden cronológico al revés, empezando con el presente hacia el pasado
   c. En siete salas con un dios azteca como enfoque en cada sala
   d. Para sorprender al visitante

9. Uno de los calendarios se basa en las estrellas, pero ¿en qué se basa el otro?
   a. En el porvenir
   b. En la ciencia
   c. En el homenaje a los dioses
   d. En el alma

10. ¿Cuál sería una buena definición del *sincretismo*?
    a. El desarrollo del hombre primitivo
    b. El estudio del hombre primitivo y su arte
    c. La mezcla de la religión azteca y el cristianismo de los conquistadores
    d. Un sistema filosófico que trata de conciliar doctrinas diferentes

Lección 8B 467

Answers

37 *Ejemplos:*
1. ¿Qué piezas de arte de la cultura azteca fueron exhibidas?
2. ¿Cómo se titula la muestra del arte azteca exhibida en Roma?
3. ¿Quiénes inauguraron la muestra?
4. ¿En qué otras ciudades europeas se exhibió la muestra?
5. ¿Cuántas piezas fueron incorporadas a la muestra y cuál era su procedencia?
6. ¿Cómo se llamaba antiguamente la actual Ciudad de México?
7. ¿Desde qué período comienza la muestra de la civilización azteca?
8. ¿Qué animales están representados en la muestra?
9. ¿Cuál de las piezas está realizada en terracota y mide un metro y medio?
10. ¿Qué organización les prestó la pieza de la serpiente emplumada?
11. ¿Cuáles son las características de la escenografía de la exhibición?
12. ¿Cuál fue el período de dominio de la civilización azteca?
13. ¿Qué ilustran las piedras sacrificiales?
14. ¿Qué representan la cruz y el cubre cáliz?

38 Answers will vary.

39 3. Posición C, línea 51

Instructional Notes

38 You might want to recommend the following Web sites so students can explore several Fine Arts Museums. Before doing so, check out their availability and suitability.
Cuba: http://www.museonacional.cult.cu/
Bilbao, España: http://www.museobilbao.com/
México: http://www.cnca.gob.mx/cnca/buena/inba/palaciobartes/palacioba.html
Medellín, Colombia: http://www.bellasartesmed.edu.co/
Buenos Aires: http://www.aamnba.com.ar/

39 Ask students to explain why the other options are not correct.

40 Before students start reading, refer them to the Web sites mentioned on p. 466 and to the information that they or others presented before reading activity 34.

---

37 ¿Cuál es la pregunta? 🔍

Según el artículo que acaba de leer, escriba una pregunta lógica para estas respuestas.

1. Esculturas, máscaras y joyas
2. "Los tesoros de los aztecas"
3. Personalidades de Italia y México
4. En Londres y Berlín
5. Cuarenta piezas del Templo Mayor
6. Tenochtitlán
7. Desde sus orígenes
8. Serpientes, águilas y jaguares
9. El dios del viento
10. El museo del Vaticano
11. Paredes oscuras y luces indirectas
12. Del siglo XIV hasta la conquista española
13. Ilustran los ritos para alabar o aplacar a las divinidades
14. Objetos religiosos

38 ¿Qué piensan? 👤👤

¿Por qué piensa que había más de 900.000 visitantes en las dos ciudades europeas? ¿Piensa que tuvo el mismo éxito en Roma? ¿Es esta muestra un buen ejemplo de las bellas artes? ¿Por qué? Comparta su opinión con un/a compañero/a.

39 Dónde va? 🔍

La siguiente oración ha sido extraída del artículo: *Todo el período de brutalidad azteca se ve claramente en esta muestra.* ¿Dónde encajaría mejor esta oración?

1. Posición A, línea 5
2. Posición B, línea 33
3. Posición C, línea 51
4. Posición D, línea 65

40 Antes de leer 👤👤

¿Cómo era la vida cotidiana de los aztecas? ¿Cómo era su imperio antes de la llegada de Hernán Cortés y los conquistadores en el siglo XV? ¿Cómo afectó Cortés a los aztecas?

Artifactos aztecas

41 El imperio azteca

Lea con atención el artículo que sigue e intente averiguar el significado de las palabras en azul por el contexto, ya que se le harán preguntas sobre ellas.

Imperio azteca de dioses, bestias y hombres

Las figuras en piedra de los dioses aztecas de la tierra y el fuego —Coatlicue y Xiuhtecuhtli—, junto a una inmensa cabeza de serpiente, capturan de inmediato la atención del visitante que ingresa a la rotonda del Museo
5 Guggenheim de Nueva York. Con sus clásicas paredes blancas transformadas por la innovadora visión del arquitecto Enrique Norten, el edificio diseñado por Frank Lloyd Wright acoge desde el viernes la más ambiciosa exposición sobre la extraordinaria civilización azteca,
10 que floreció en el altiplano central mesoamericano. "*The Aztec Empire*" reúne unas 440 de las figuras más representativas de dicha civilización, incluyendo descubrimientos arqueológicos de la última década que nunca se han visto fuera de México, bajo el trabajo
15 curatorial de Felipe Solís Olguín, director del Museo de Antropología de Ciudad de México y uno de los más reconocidos expertos en el arte y la cultura azteca. "Es un proyecto para una generación", dijo Solís durante el recorrido previo organizado
20 para la prensa, enfatizando la singularidad del proyecto. Con una idea concebida hace más de una década, la exhibición es una muestra enriquecida de
25 "Los aztecas" —que se inició en Londres, pasó a Berlín, luego a Bonn y llega a Nueva York, desde Roma. En Bonn la muestra fue de unas 280 figuras y en Roma de unas 320, explicó
30 el antropólogo físico Juan Alberto Román Berrelleza, director del Museo del Templo Mayor, durante una entrevista en la capital mexicana, previa al inicio de la exhibición. Dividida en diez temáticas y organizada cronológicamente, "*The Aztec Empire*" retrata la vida
35 cotidiana de la civilización azteca, que se extendió de los siglos XIII al XVI. Mientras en una de las secciones se pueden observar la imagen idealizada del hombre común, el macehual, así como la "Venus de Texcoco", un desnudo femenino, junto a otras extraordinarias figuras
40 escultóricas, en otra se aprecian las representaciones del bestiario indígena, cuyo realismo, particularmente en las esculturas de piedra, fue pocas veces igualado en el arte antiguo de las Américas. También en la exhibición se abordan las relaciones que tenían los aztecas con sus
45 vecinos —tarascos y tlaltecas, quienes ayudaron a los españoles a sojuzgar al pueblo mexica, como se llamaban a sí mismos. A la vez, explora la influencia de sus antecesores, como los toltecas y olmecas. El audaz diseño de Norten, una pared serpentina cubierta en tono oscuro,
50 constituye el marco ideal para destacar cada una de las sofisticadas piezas seleccionadas, que incluyen objetos elaborados en alabastro, jade, oro, piedra y madera, entre los que destacan una máscara de un rostro humano de piedra y turquesas, con incrustaciones de obsidiana en los
55 ojos así como ollas policromadas antropomórficas que muestran la cara de un hombre con bandas horizontales pintadas en los pómulos, ojos sobresalientes y dientes puntiagudos, pieza representativa de la civilización huasteca y un colgante del tamaño de la palma de la
60 mano, que representa al dios del fuego, Xiuhtecuhtli, que era reservado para el uso de un gobernante azteca. "Ésta es una de las más extraordinarias exhibiciones que el museo ha tenido", aseguró Thomas Krens, director de la Solomon Guggenheim Foundation y así lo patentiza
65 la enorme figura de Mictlantecuhtli, el dios de la muerte, que constituye, con sus costillas expuestas, su hígado al aire y enormes garras, una de las figuras más importantes de la ambiciosa muestra, junto al guerrero águila, una de dos monumentales esculturas
70 descubiertas en un salón de la Casa de las Águilas en el Templo Mayor, una zona arqueológica descubierta en pleno corazón de la capital mexicana en los años
75 70. A medida que camina por las rampas del museo, el visitante puede entender por qué Hernán Cortés quedó deslumbrado con el pueblo azteca, que para el siglo XV era un vasto
80 imperio sólo superado por el Inca del Perú. Junto a los conquistadores españoles llegaron los representantes de la iglesia católica. La tapa de un cáliz con un diseño que representa la transmisión de la palabra de Dios, es uno de los objetos que dan testimonio de la intensa
85 campaña para convertir al cristianismo a los pueblos indígenas mexicanos. Esta exposición, como afirmó el etnólogo Sergio Raúl Arroyo, director general del Instituto Nacional de Antropología e Historia de México (INAC), da la oportunidad de "mirar con ojos modernos
90 la contundencia de una civilización ya desaparecida". "*The Aztec Empire*"—que rescata el arte y la cultura azteca a través de variopintos trabajos de colecciones públicas y privadas y es organizada por el Guggenheim en colaboración con el Consejo Nacional para la Cultura
95 y las Artes (CONACULTA) y el Instituto Nacional de Antropología e Historia (INAH) de México— permanecerá abierta al público hasta el próximo 13 de febrero. De aquí partirá al Museo Guggenheim de Bilbao.

www.eldiariony.com

Lección 8B **469**

42 Amplíe su vocabulario 🔍

Según el contexto del artículo que acaba de leer, empareje las palabras de la primera columna con su correspondiente definición o sinónimo en la segunda.

1. rotonda	a. empezar
2. acoger	b. hueso de la mejilla
3. dicho	c. hacer evidente
4. curatorial	d. recibir
5. previo	e. atrevido
6. iniciar	f. hueso largo y encorvado
7. bestiario indígena	g. adorno que cuelga
8. sojuzgar	h. muy impresionado
9. audaz	i. órgano
10. incrustaciones de obsidiana	j. anterior
11. ollas policromadas antropomórficas	k. lo que cubre
12. pómulo	l. de forma circular
13. puntiagudo	m. pata de animal de uñas fuertes y agudas
14. colgante	n. mencionado
15. patentizar	o. científico que estudia las costumbres y tradiciones de los pueblos
16. costilla	p. con puntas agudas
17. hígado	q. animales de los indios
18. garra	r. calidad de convincente
19. deslumbrado	s. relacionado con el cuidado de objetos de un museo
20. tapa	t. cosas cubiertas de roca volcánica
21. etnólogo	u. recipientes de muchos colores con atributos humanos
22. contundencia	v. dominar

43 ¿Quién es? 🔍

Identifique con una oración completa cada una de estas personas o grupos que aparecen en el artículo anterior.

1. Coatlicue
2. Xiuhtecuhtli
3. Enrique Norten
4. Frank Lloyd Wright
5. Felipe Solís Olguín
6. Juan Alberto Román Berrelleza
7. El macehual
8. Los tarascos y tlaltecas
9. Los toltecas y olmecas
10. Los huastecas
11. Thomas Krens
12. Mictlantecuhtli
13. Hernán Cortés
14. Los incas
15. Sergio Raúl Arroyo

44 Conteste

Según la lectura anterior, conteste las siguientes preguntas con una oración completa.

1. ¿Qué capta la atención del público al entrar al museo?
2. ¿Qué obras nuevas van a incluir en la muestra?
3. ¿Por qué se puede decir que la muestra es "enriquecida"?
4. Comente sobre la organización de la muestra.
5. Explique cómo son las figuras de los hombres y animales que hay en la muestra.
6. Explique de qué materiales son los objetos que se ven en la colección.
7. Comente sobre las dos piezas más importantes y recién descubiertas en el Templo Mayor.
8. ¿Qué reacción (parecida a la del conquistador español) le espera provocar esta muestra al visitante?
9. Describa la pieza que da testimonio a la influencia del cristianismo en la vida de los aztecas.
10. Según el etnólogo mexicano, ¿qué oportunidad tiene el visitante a la muestra?

45 Lea, escuche y escriba/presente

Después de leer los dos artículos sobre los aztecas, escuche "Divina y humana" y tome las notas necesarias. Luego escriba un ensayo o haga una presentación en clase sobre "El arte y la cultura de las civilizaciones latinoamericanas antes de la conquista española". No se olvide de citar las fuentes debidamente.

Cita

Todo tiene sus límites.
—Quinto Horacio Flaco (65–8 a. de J. C.), poeta latino

¿Qué pensaría si se aplicara esta cita a las películas? Las siguientes clasificaciones se usan en Colombia: "Para todo Público; Apta para mayores de 7 años; Apta para mayores de 12 años; Apta para mayores de 15 años; Apta para mayores de 18 años". Hay dos nuevas categorías para adaptarse mejor a las edades de los niños. ¿Qué opina de este sistema? ¿Y de la clasificación de películas en los Estados Unidos? ¿Debemos tener límites para las películas, o se debe dejarlo en manos de los padres? Comparta su opinión con un/a compañero/a.

¡Dato curioso!

¿Sabía que Ricky Martin graba videos para una campaña educativa a favor de la seguridad en Internet? Son herramientas de prevención para que Internet sea un espacio seguro para los niños. El cantante puertorriqueño quiere educar a los padres, maestros y menores sobre los riesgos y abusos a que los niños están expuestos en la Red. Los videos se van a distribuir a través de Internet en un DVD que será enviado a millones de niños en toda Latinoamérica.

Ricky Martin

Dato curioso
Ask students to talk about the impact that celebrities can have on humanitarian causes.

Additional Activities

Trabajo de investigación
Encourage some students to research the indigenous cultures mentioned in the audio and then give a brief presentation to the class.

Nota cultural
Las clasificaciones que describen en la *Cita* fueron establecidas en 2005 por la Dirección de Cinematografía del Ministerio de Cultura, y son guías o recomendaciones para los padres o responsables de los niños y niñas menores de estas edades.

Teacher Resources

Activity 45 (CD 8, track 9)

Answers

44 *Ejemplos:*

1. Captan la atención las figuras en piedra de los dioses aztecas de la tierra y el fuego, Coatlicue y Xiuhtecuhtli, junto a una inmensa cabeza de serpiente.
2. Van a incluir descubrimientos arqueológicos de la última década que nunca se han visto fuera de México.
3. Es "enriquecida" porque tiene importantes piezas adicionales que no se habían incluido en las muestras anteriores.
4. Está dividida en diez temáticas y organizada cronológicamente; retrata la vida cotidiana de la civilización azteca que se extendió de los siglos XIII al XVI.
5. La figura del hombre común es una imagen idealizada, la "Venus de Texcoco" es un desnudo femenino, y hay muchas representaciones realistas de los animales, sobre todo aquéllas talladas en piedra.
6. Los objetos son de alabastro, jade, oro, piedra, madera, turquesa y obsidiana.
7. Los más importantes son la enorme figura del dios de la muerte, Mictlantecuhtli, y el guerrero águila. El dios de la muerte está retratado con las costillas expuestas, el hígado al aire y con enormes garras.
8. Espera capturar de inmediato la atención para que el visitante quede deslumbrado.
9. La tapa de un cáliz tiene un diseño que representa la transmisión de la palabra de Dios.
10. Según él, el visitante puede "mirar con ojos modernos la contundencia de una civilización ya desaparecida".

Instructional Notes

45 You might want to review the following words before students listen to the audio: *imponente*, imposing; *destacar*, to stand out; *ajuar*, trousseau/wardrobe; *lámina*, sheet; *antropomorfo*, anthropomorphic/human form; *cortadura*, cut; *cicatriz*, scar; *vasija*, vessel; *eje*, axis/part; *cosmogonía*, cosmology/origin of the universe.

You might explain that Virú, Moche, Chancay, Chincha, Paracas, Nazca, and Inca (all mentioned in the audio) were indigenous cultures in Peru before the arrival of the Spanish conquistadors. The zapotecas are a Mexican indigenous group.

Cita
Encourage a whole-class discussion on the topic of movie ratings.

Activity 46 (CD 8, track 10)

 Activity 17

Answers

46 1. a; 2. a; 3. d; 4. a; 5. c; 6. b

Instructional Notes

46 You might want to review these additional words before students listen to the audio: *palomo*, pigeon; *pegar*, to glue; *cueva*, cave; *trata de blancas*, white slave trade; *goma*, glue.

The questions from the audio appear below.

1. ¿Qué cosas le impresionaron a la periodista durante su visita a la República Dominicana?
2. ¿Qué es Boca Chica?
3. ¿Cómo es la familia del joven?
4. ¿Qué comen los niños de la calle?
5. ¿De qué tipo de pegamento se habla en el documental?
6. ¿Qué premio recibió la película?

Additional Activities

Comunicación
Ask students to explain how a documentary might effect some changes in a situation, and to cite examples from documentaries they have seen or read about.

Composición
Ask students to imagine that they are going to film a documentary about a social problem in the world. What will their documentary focus on? They should explain the topic and objective of their film in a few paragraphs.

¡A escuchar!

46 Vida de niños de la calle al cine

Primero, repase las palabras del recuadro porque le ayudarán a entender mejor la grabación. Luego lea las posibles respuestas y después escuche "Vida de niños de la calle al cine". Escoja la mejor respuesta para cada pregunta que escuchará en la grabación.

| el limpiabotas | *shoeshine boy* | lucir | *to seem* | las sobras | *leftovers* |
| el pegamento | *glue* | intercaladas | *interwoven* | | |

1. (Pregunta que escuchará en la grabación.)
   a. La belleza del país, el folklore y la gente
   b. La pobreza del país y la personalidad de un joven
   c. El folklore y la riqueza de personalidades de allí
   d. El folklore y la malnutrición

2. (Pregunta que escuchará en la grabación.)
   a. Un pueblo
   b. El apodo del muchacho
   c. Un mercado
   d. Unos zapatos

3. (Pregunta que escuchará en la grabación.)
   a. Matriarcal con pocos hermanos
   b. Grande sin madre
   c. Patriarcal con muchos hermanos
   d. Grande y sin padre

4. (Pregunta que escuchará en la grabación.)
   a. Lo que pueden encontrar
   b. Las aves
   c. El cemento
   d. Todas las respuestas anteriores

5. (Pregunta que escuchará en la grabación.)
   a. El cemento de las llantas
   b. El cemento de exportación
   c. La goma del zapatero
   d. La goma que se usa para pegar azulejos al suelo

6. (Pregunta que escuchará en la grabación.)
   a. Mejor Drama
   b. Mejor Documental
   c. Mejor Película Cubana del Año
   d. Ninguna de las respuestas anteriores

47 La piratería musical

Primero, repase las palabras del recuadro porque le ayudarán a entender mejor la grabación. Luego escuche "La piratería musical generó 4.600 millones de dólares en 2004" y conteste las preguntas que siguen.

hacer estragos	*to wreak havoc*	**avivar**	*to intensify*
la puesta en marcha	*setting in motion*	**promover**	*to promote*
superar	*to exceed*	**actuación**	*performance*

1. Normalmente se anuncia el Informe Mundial de Piratería Discográfica en Londres. ¿Por qué lo decidieron hacer en Madrid en 2004?
2. ¿Cuál es el problema en Paraguay?
3. ¿Cómo se ha tratado de solucionar el problema en Paraguay?
4. ¿Qué han hecho en Guadalajara, México, para cambiar la situación de la piratería?
5. ¿Qué ha hecho el Gobierno mexicano para cambiar la situación de la piratería?
6. Se mencionan tres efectos de la piratería. Nombre dos.
7. Se mencionan dos tipos de piratería. Una es la piratería musical. ¿Cuál es la otra?

48 Participe en una conversación

Ud. va a participar en una conversación. Primero lea la descripción de la conversación y piense en algunas palabras o expresiones que le serían útiles. Organice sus ideas, haciendo predicciones sobre lo que se le pueda preguntar o comentar. Una descripción de lo que va a escuchar aparece abajo en color. Participe en la conversación grabando las respuestas o escribiéndolas en su cuaderno.

Escena: Se distribuirán los Oscar (o cualquier otro programa de premios) este domingo. Su amiga, Susana, está conversando sobre los que puedan ganar. Ella le pide sus opiniones. Conteste sus preguntas.

Susana:	Plantea el problema y le hace una pregunta.
Ud.:	• Conteste con detalles.
Susana:	Hace un comentario y pregunta sobre una categoría en particular.
Ud.:	• Dele detalles sobre lo que le ha preguntado.
Susana:	Pregunta sobre otra categoría.
Ud.:	• Dele detalles sobre otra nominación en esta categoría.
Susana:	Hace un comentario y le hace otra pregunta.
Ud.:	• Háblele sobre sus preferencias. Explique las razones y conteste su pregunta.
Susana:	Hace un comentario y se despide.
Ud.:	• Despídase. Haga un comentario e intente usar una expresión nueva de la lección.

Teacher Resources

Activity 47 (CD 8, track 11)
Activity 48 (CD 8, track 12)

Answers
47

1. Por el enorme problema de la piratería en España
2. Es el principal punto de tránsito de discos pirateados en Latinoamérica.
3. Han puesto en marcha una unidad policial especializada en piratería.
4. Han convertido las tiendas piratas en puntos de venta legales.
5. Ha promovido cambios legislativos para criminalizarla y también ha mejorado las medidas policiales.
6. *Any two of the following:* Destruye empleo, perjudica la inversión y financia el crimen organizado.
7. La piratería en Internet

Instructional Notes

47 You might want to review these words before students listen to the audio: *hacer estragos*, to wreak havoc; *avivar*, to intensify; *puesta en marcha*, setting in motion; *promover*, to promote; *superar*, to exceed; *actuación*, performance.

Additional Activities

Comunicación

Ask students to work with a partner and create a plan or program that would help eliminate or reduce *la piratería musical*. They could then share their ideas with the rest of the class and decide whose plan or program is the most effective, and why.

Audioscript Activity 48

Susana: ¡Hola! ¿Te has fijado que se van a distribuir los premios por La Mejor Película del Año este domingo? ¿Ya has visto las cinco películas nominadas?
[STUDENT RESPONSE]
Susana: Me encantan las películas románticas. Espero que esa nueva basada en el libro *Mi Amor* gane. Y tú, ¿qué película prefieres? ¿Por qué?
[STUDENT RESPONSE]
Susana: Y se oye toda la música de la película *Mi Amor* en la radio. Seguramente, los cantautores van a recibir un premio también. ¿Qué opinas?
[STUDENT RESPONSE]

Susana: No puedo esperar. El programa empieza a las ocho. ¿Quieres venir a mi casa para mirarlo conmigo y ver si tengo razón en esas dos categorías?
[STUDENT RESPONSE]
Susana: Bueno, nos vemos como a las siete y media con muchas palomitas de maíz. Y el público va a decidir quién gana. Hasta el domingo a las siete.
[STUDENT RESPONSE]

Teacher Resources

 Activities 18–20

Instructional Notes

49–52 Remind students to go over the expectations outlined in the *Pautas* on p. 480 before they begin writing.

53 You might want to have students work in small groups rather than with a partner to critique one another's work.

Additional Activities

Corrija una carta and/or A escribir por quince minutos
See p. TE26.

¡A escribir!

49 Texto informal: mis músicos favoritos

Escriba en un blog. Hable sobre su grupo musical favorito para convencer a los que lean el blog de lo bueno que es el grupo.

- Nombre al grupo con detalles sobre los miembros, la nacionalidad, la fama alcanzada y los premios ganados.
- Mencione qué tipo de música tocan y los nombres de algunos de sus éxitos.
- Explique claramente por qué le gusta su música. Dé detalles.
- Termine con unas recomendaciones para convencer al público de que debe escuchar el grupo.

50 Texto informal: una película apropiada

En un foro alguien le pide consejos sobre qué película debe ir a ver este sábado por la tarde con su hermanito de doce años. Dele consejos a esta persona.

- Dele sugerencias de las películas recién estrenadas.
- Dele consejos útiles para considerar el contenido de esas películas y la clasificación de las mismas.
- Dele consejos útiles para considerar los gustos del niño.

51 Ensayo: el cine y la televisión

Escriba un ensayo en el que compare las diferencias y semejanzas entre el cine y la televisión en los Estados Unidos y el cine y la televisión en los países hispanohablantes. Busque información en Internet antes de empezar el ensayo.

52 Ensayo: los actores hispanos

Escriba un ensayo sobre "El impacto social de los actores hispanos en el cine y en la televisión hoy en día". Busque información en Internet antes de empezar el ensayo.

53 En parejas

Intercambie sus ensayos con los de un/a compañero/a. Exprésele su opinión sobre su contenido y el uso del idioma.

Consejo

Antes de empezar, lea cómo escribir textos informales en la pág. 480 del Apéndice. Mientras escribe el texto tenga presente los objetivos. Cuando termine, verifique que ha cumplido con todo lo que se describe en la lista y reflexione sobre su trabajo.

Consejo

Antes de empezar, lea las pautas para escribir ensayos en la pág. 480 del Apéndice. Mientras escribe el texto tenga presente los objetivos, y no se olvide de ponerle un título original. Cuando termine, verifique que ha cumplido con todo lo que se describe en la lista y reflexione sobre su trabajo.

¡A hablar!

54 Charlemos en el café

Ud. va a debatir los siguientes temas con un/a compañero/a. Uno estará a favor de lo que se ha dicho y otro en contra. El debate durará varios minutos. El/La estudiante que esté de acuerdo comenzará el debate y hablará por unos diez segundos. Cuando el/la profesor/a lo indique, el/la otro/a estudiante tomará la palabra y expresará su opinión por otros diez segundos, y así sucesivamente.

1. El arte sólo existe por el arte; no tiene otro objetivo.
2. Los críticos son los únicos que ayudan a los artistas a conseguir fama.
3. Es mucho mejor ver las películas en el cine, en vez de verlas en casa.
4. Los precios de las entradas para el cine y otros espectáculos son demasiado caros. Tienen que bajar los precios.
5. Los padres deben poner controles en los televisores para que los menores de 18 años no vean programas inapropiados.

55 ¿Qué opinan?

En parejas conversen sobre estas preguntas.

1. Si pudiera rodar un documental, ¿sobre qué tema le gustaría hacerlo? ¿Por qué? ¿Para qué objetivo?
2. ¿Qué opina de "los reality shows"? ¿Por qué tanta gente se siente atraída por este tipo de programa?
3. ¿Qué opina de la calidad y el contenido de la mayoría de las películas hoy en día? Muchos dicen que el público ideal para la gran parte de las películas hechas hoy es un chico joven de 18 años. ¿Está de acuerdo? ¿Por qué?
4. ¿Qué opina de los Oscar? ¿Siempre escogen a los mejores o hay otros factores que influyen en las decisiones? Escoja una película (o actor, actriz o director) que ha ganado un Oscar y justifique si lo ha merecido.

56 Presentemos en público 🎤

Conteste una de las siguientes preguntas durante varios minutos en clase. Organice sus ideas antes de hacer la presentación, busque las palabras necesarias y, después de practicar, presente en clase sin mirar las notas.

1. ¿Cree que la televisión ha afectado demasiado la cultura de la gente? ¿Cómo? ¿Piensa que la cultura y el aprecio por las bellas artes es solamente para la elite o es para todo el mundo?
2. ¿Cree que la música contemporánea ha afectado demasiado a los jóvenes? ¿Cómo? ¿Por qué piensa que la música es tan importante en la vida de muchos jóvenes?
3. Piense en la "Ruta Quetzal" y sus objetivos. ¿Cree que es una buena manera de inculcarles en los jóvenes un interés en el arte y la cultura? Relate su experiencia con las artes y compárela con los jóvenes que hicieron la Ruta Quetzal.

Consejo

Antes de empezar, lea las pautas para presentaciones formales en la pág. 481 del Apéndice. Mientras formula su presentación tenga presente los objetivos. Cuando termine la presentación, verifique que ha cumplido con todo lo que se describe en la lista y reflexione sobre el trabajo que hizo.

Nota cultural

Los carteles que se ven en la foto son de la época de la Segunda República Española (1931-1939). CNT es la sigla del Central Nacional de Trabajadores, un sindicato durante aquellos años. Estos carteles y otros más formaban parte de una exposición que tuvo lugar en Barcelona para conmemorar el 75 aniversario de la Segunda República.

Investigue
palabras clave:
Segunda República Española

Teacher Resources

📝 Activities 21–22

Instructional Notes

54 Because all students will speak, allow them time to prepare this activity. Be sure to tell students which issue and which side of the issue they will be debating, so that they can do some research and practice before their debate.
After students have debated these issues with a partner, you might want them to continue the debate in small groups, or even have a discussion with the whole class on one or two of these topics. Remind students to use as much of the new vocabulary from this lesson as they can.

55 Encourage students to use as much of the vocabulary from all the preceding lessons as they can.

56 Review the *Pautas para presentaciones formales* on p. 481, and refer students to their copies of the guidelines given to them in *Lección 1A* (*Antes y durante una presentación*). (See p. 27 of this Annotated Edition.) Remind them that while they are presenting they should not read from their notes.

Additional Activities

Responda a esta situación
See p. TE28.

Instructional Notes

57 Before students start their projects, go over the questions from *Lección 1A*, p. 28. Students should have a copy of these questions for each project.

Remind them that after they complete their project, they will self-assess their work as a team using the grading system 1–5 (5 being the highest, and 1 the lowest) and write a grade next to each question. After they turn in their work or make their presentation to the class, you will review their project and write your comments and evaluation next to theirs.

Proyectos

57 ¡Manos a la obra!

Trabaje en un grupo de cuatro o cinco estudiantes para llevar a cabo uno de los siguientes proyectos y presentarlo en clase.

- Usando la Ruta Quetzal como modelo, planifiquen una ruta cultural por su región, estado, ciudad o comunidad. Hagan un mapa y tracen el trayectorio. Identifiquen y describan los lugares de interés cultural. Diseñen folletos y otra propaganda para despertar el interés de los ciudadanos.

- Investiguen otro aspecto interesante del imperio azteca y presenten la información. Acompañen los datos con ilustraciones y fotos.

- Diseñen un museo original. Puede ser de cuadros, esculturas o de música, cine o baile, o una combinación de todos. Describan con detalles las muestras que piensan presentar esta temporada. Denle un nombre al museo, nombren a un/a director(a) y establezcan las tarifas de las entradas.

El Museo Nacional de Antropología, México, D.F.

Vocabulario

Verbos

abarrotar	to jam-pack
alabar	to praise
aplacar	to placate
aplaudir	to applaud
avivar	to intensify
censurar	to censor
colaborar	to collaborate
colocar	to put, place
conceder	to award
crear	to create
enloquecer	to become irrational, go crazy
hallar	to find, discover
hurgar	to stir up; to rummage
ingresar	to enter, enroll
instalarse	to settle, establish oneself
patentizar	to make evident, reveal
piratear	to rob, pirate
promover	to promote
rechazar	to reject
recorrer	to travel, cross
recuperar	to recover, retrieve
sojuzgar	to subdue, subjugate, dominate
soltar	to let go of; to untie

Sustantivos

el/la	aprendiz(a)	apprentice
el/la	chaval(a)	boy, girl; kid
el/la	curador(a)	curator
el	entorno	environment
la	entrega	delivery, distribution
la	estrella	star
la	exposición	exposition, show
el	fondo	background
el	galardón	award, prize
la	inversión	investment
la	jornada	the (working) day
el	legado	legacy
la	naturaleza muerta	still life
la	nómina	list
el	paisaje	landscape
el	papel	role
el	pincel	paintbrush
la	piratería	piracy
el	poder	power
la	polémica	controversy
la	prueba	proof, sign, test
el	recorte	clipping
el	retrato	portrait
la	sabiduría	wisdom
el/la	sabio/a	wise person
el/la	seguidor(a)	follower

el	tacto	(sense of) touch
la	tela	cloth, fabric, material
el/la	vidente	clairvoyant
el	videojuego	videogame
el	vínculo	link, bond

Adjetivos

arduo, -a	hard, tough
audaz	bold
deslumbrado, -a	dazzling
intercalado, -a	inserted
penúltimo, -a	next-to-last
sórdido, -a	nasty, mean
variopinto, -a	miscellaneous

Expresiones

al aire libre	outdoors
a grito pelado	wild cheers
apta para mayores de 18 años	suitable for those over 18 years old
el arte por el arte	art for art's sake
las clasificaciones de películas	movie ratings
colores vivos	bright colors
de nuevo	again
ganar Madrid	to reach Madrid
hacer gala	to show off
las normas de clasificación	rating standards
los pros y los contras	the pros and cons
el público fanático	fans
la puesta en marcha	setting in motion
quedarse ciego	to become blind
recién pasado	just passed
la versión inédita	unedited version

Teacher Resources

 Activities 23–27

 Visite la página Web de *¡A toda vela!* en www.emcp.com

Additional Activities

Juegos

To practice and reinforce the lesson's vocabulary and grammar, have students play either one or both of these games: *Cada uno una, Historias en cadena.* See pp. TE24 and TE25.

To practice the culture presented in the lesson, ask students to play *¿Verdadero o falso?* See p. TE25.

Ask students to do any of the following activities to practice and strengthen the vocabulary, grammar, or culture presented in this lesson: *El desafío del minuto, ¿Cómo están relacionados?, Repaso Expreso, De periodistas, Gráfico sobre un tema.* See pp. TE26–TE28.

Teacher Resources

See ExamView for assessment options.

Instructional Notes

Tell students that the abbreviations *EE.UU.*, *JJ.OO.*, and *SS.MM.* that appear in the *A tener en cuenta* section repeat the letters because they refer to plural subjects.

A tener en cuenta
Abreviaturas y siglas

a. de J. C./a. C./a. J. C.	B.C.
Cía.	compañía
C.P.	código postal
D.	don
D.ª	doña
d. J. C./d. C.	A.D.
dcha.	derecha
D.E.P.	descanse en paz
Dr., Dra.	doctor, doctora
EE. UU.	Estados Unidos
ej.	ejemplo, ejemplar
etc.	etcétera
g	gramo/gramos
I.V.A.	impuesto de valor añadido
izq., izqda.	izquierda
JJ. OO.	Juegos Olímpicos
Km, km	kilómetro, kilómetros
l	litro, litros
m	metro, metros
ONU	Organización de las Naciones Unidas
OTAN	Organización del Tratado del Atlántico Norte (NATO)
pág., págs.	página, páginas
p. ej.	por ejemplo
Prof., Prof.ª	profesor, profesora
S.A.	Sociedad Anónima
Sr., Sra.	señor, señora
Sres., Srs.	señores
Srta.	señorita
SS. MM.	Sus Majestades
UE	Unión Europea

Apéndice

Pautas

Antes de empezar

Complete este cuestionario antes de hacer la actividad.

1. ¿Cúal es mi objetivo? ¿Qué pretendo producir?
   a. Un texto escrito informal ☐
   b. Un texto escrito formal (ensayo) ☐
   c. Un diálogo ☐
   d. Una presentación oral informal ☐
   e. Una presentación oral formal ☐

2. ¿Qué necesito tener en cuenta?
   a. _____
   b. _____
   c. _____
   d. _____
   e. _____

3. ¿Cómo organizaré mis ideas: cómo comenzaré, desarrollaré y terminaré? Escriba los temas sobre los que va a escribir o hablar.
   a. _____
   b. _____
   c. _____
   d. _____
   e. _____
   f. _____

4. ¿Qué expresiones conozco que pueden servir en este contexto?
   a. _____
   b. _____
   c. _____
   d. _____

5. ¿Qué palabras o expresiones de la lección que he estudiado puedo usar?
   a. _____
   b. _____
   c. _____
   d. _____
   e. _____
   f. _____

6. ¿Hay elementos culturales presentes o alguno al que pueda referirme? ¿Cuáles son?
   a. _____
   b. _____
   c. _____
   d. _____

Pautas para textos informales

Reflexione sobre su trabajo y marque la casilla correspondiente.

	Estoy muy satisfecho/a	Estoy algo satisfecho/a	Regular	Debo mejorarlo
1. ¿Usé el registro correcto?	❏	❏	❏	❏
2. ¿Cuántas tareas debía completar? ¿Las completé todas?	❏	❏	❏	❏
3. ¿Fue buena mi organización? ¿Organicé mis ideas de forma lógica: con una introducción, oraciones completas que expresan ideas bien conectadas en párrafos coherentes y una conclusión o despedida?	❏	❏	❏	❏
4. ¿Terminé de forma adecuada?	❏	❏	❏	❏
5. Si era un texto entre varias personas, ¿mostré buenas destrezas interpersonales?	❏	❏	❏	❏
6. ¿Integré apropiadamente estructuras simples y de uso común?	❏	❏	❏	❏
7. ¿Usé correctamente algunas estructuras más complejas?	❏	❏	❏	❏
8. ¿Usé expresiones idiomáticas frecuentemente y de manera apropiada?	❏	❏	❏	❏
9. ¿Varié los tiempos verbales? ¿Cuántos usé, más o menos?	❏	❏	❏	❏
10. ¿Usé el vocabulario y la sintaxis apropiadamente?	❏	❏	❏	❏
11. ¿Revisé la ortografía, incluyendo la acentuación y la puntuación?	❏	❏	❏	❏

Pautas para ensayos

Reflexione sobre su trabajo y marque la casilla correspondiente.

	Estoy muy satisfecho/a	Estoy algo satisfecho/a	Regular	Debo mejorarlo
1. ¿Usé el registro correcto?	❏	❏	❏	❏
2. ¿Escribí un buen párrafo introductorio?	❏	❏	❏	❏
3. ¿Desarrollé mis ideas de una forma coherente?	❏	❏	❏	❏
4. ¿Usé los nexos — las palabras que unen ideas — correctamente?	❏	❏	❏	❏
5. ¿Cité todas las fuentes correctamente?	❏	❏	❏	❏
6. ¿Interpreté todas las fuentes adecuadamente: analicé la información, hice predicciones, evalué datos u opiniones y saqué conclusiones?	❏	❏	❏	❏
7. ¿Integré apropiadamente estructuras simples y de uso común?	❏	❏	❏	❏
8. ¿Usé correctamente algunas estructuras más complejas?	❏	❏	❏	❏
9. ¿Varié los tiempos verbales?	❏	❏	❏	❏
10. ¿Usé el vocabulario y la sintaxis apropiadamente?	❏	❏	❏	❏
11. ¿Reconocí elementos culturales?	❏	❏	❏	❏
12. ¿Terminé con una buena conclusión?	❏	❏	❏	❏
13. ¿Revisé la ortografía, incluyendo la acentuación y la puntuación?	❏	❏	❏	❏

Pautas para presentaciones informales

Reflexione sobre su trabajo y marque la casilla correspondiente.

	Estoy muy satisfecho/a	Estoy algo satisfecho/a	Regular	Debo mejorarlo
1. ¿Usé el registro correcto?	❏	❏	❏	❏
2. ¿Usé una buena entonación, evitando un solo tono?	❏	❏	❏	❏
3. ¿Pronuncié las palabras bien, sobre todo las con las letras *s, d, t, v, b* y *p*?	❏	❏	❏	❏
4. ¿Evité las pausas demasiado largas? ¿Uní las palabras apropiadamente para evitar sonar como un "robot"?	❏	❏	❏	❏
5. ¿Le dediqué el tiempo adecuado a cada parte de la presentación?	❏	❏	❏	❏
6. ¿Integré apropiadamente las estructuras simples y de uso común?	❏	❏	❏	❏
7. ¿Usé correctamente algunas estructuras más complejas?	❏	❏	❏	❏
8. ¿Elegí bien el vocabulario?	❏	❏	❏	❏
9. ¿Usé la sintaxis adecuadamente?	❏	❏	❏	❏
10. ¿Usé algunas expresiones nuevas de la lección?	❏	❏	❏	❏
11. ¿Incluí alguna referencia cultural?	❏	❏	❏	❏
12. ¿Mostré de forma adecuada lo que es una conversación entre dos personas —por ejemplo, al hacer las preguntas lógicas y usar expresiones que demuestran que sigo la conversación?	❏	❏	❏	❏
13. ¿Me comprendieron mis compañeros?	❏	❏	❏	❏

Pautas para presentaciones formales

Reflexione sobre su trabajo y marque la casilla correspondiente.

	Estoy muy satisfecho/a	Estoy algo satisfecho/a	Regular	Debo mejorarlo
1. ¿Logré usar el registro correcto?	❏	❏	❏	❏
2. ¿Tuvo mi presentación inicial un impacto positivo?	❏	❏	❏	❏
3. ¿Presenté la información de una manera adecuada para narrar, informar, describir, mostrar acuerdo, persuadir o refutar?	❏	❏	❏	❏
4. ¿Desarrollé mis ideas de una forma coherente?	❏	❏	❏	❏
5. ¿Hice referencia a varias fuentes?	❏	❏	❏	❏
6. ¿Interpreté las fuentes de una manera apropiada: analicé la información, hice predicciones, evalué datos u opiniones y saqué conclusiones?	❏	❏	❏	❏
7. ¿Integré apropiadamente las estructuras simples y de uso común?	❏	❏	❏	❏
8. ¿Usé correctamente algunas estructuras más complejas?	❏	❏	❏	❏
9. ¿Varié los tiempos verbales?	❏	❏	❏	❏
10. ¿Utilicé el vocabulario y la sintaxis apropiadamente?	❏	❏	❏	❏
11. ¿Hice una buena conclusión?	❏	❏	❏	❏
12. ¿Se desarrolló la presentación dentro del tiempo permitido?	❏	❏	❏	❏
13. ¿Logré conectar con la audiencia?	❏	❏	❏	❏

Vocabulario español-inglés

A

a cada rato every five minutes, very often *(4A)*

a falta de for want of *(7B)*

a grito pelado wild cheers *(8B)*

a la perfección perfectly *(4A)*

a la última up-to-date *(3B)*

a largo plazo in the long run, long term *(7A)*

a las afueras de in the outskirts of *(1A)*

a lo largo de along, through *(1A)*

a mediados de in the middle of *(7A)*

a menudo often *(1A)*

a partir de beginning from *(3B)*

a pesar de in spite of *(2A)*

el **abalorio** bead; *(pl.)* adornments *(1B)*

el **abandono** abandonment *(2B)*

el **abanico de posibilidades** range of possibilities *(4A)*

abarcar to embrace; to include *(8A)*

abarrotar to jam-pack, stock full *(8B)*

el **abastecimiento** supply *(7B)*

el **abecedario** alphabet *(5B)*

abordar to approach *(2B)*

abrigarse con to keep warm with *(1A)*

abrir el apetito to whet someone's appetite *(3A)*

abrocharse to fasten *(1A)*

absurdo, -a absurd *(4B)*

aburrir to bore *(1B)*

abusar de to abuse *(2B)*

acabar con to finish off, end *(1B)*; to eliminate *(7A)*

acabar de + infinitivo to have just finished doing something *(1A)*

el **acaparamiento** monopolization, cornering *(of the market) (7A)*

acaparar to corner the market *(8A)*

el **acatamiento** compliance *(5A)*

acaudalado, -a wealthy *(6A)*

el **aceite de oliva** olive oil *(3A)*

el **acento** accent *(5B)*

la **acentuación** accentuation *(5B)*

acercarse a to approach, get close to *(6B)*

el **acero** steel *(8A)*

el **acierto** wise decision/move *(2B)*

aclamado, -a acclaimed *(4B)*

acogedor(a) cozy, welcoming *(3A)*

acoger to welcome *(2B), (7A)*

la **acogida** welcome, reception *(1B)*

acomodarse a sus anchas to make oneself at home *(1A)*

acontecer to happen *(2B)*

el **acontecimiento** event *(2B)*

acordar (ue) to decide *(2B)*

acordarse (ue) de to remember *(3A)*

acostumbrarse a to get accustomed to *(1B)*

acrecentar (ie) to increase *(5A)*

la **actitud** stance, attitude *(2B)*

actual present, current *(4B)*

la **actualidad** present (time), nowadays *(5A)*; *(pl.)* current events *(8A)*

actualizarse to be up-to-date *(3A)*

actuar to act *(4B)*

la **acuarela** watercolor *(8A)*

el **acuerdo de paz** peace treaty *(1B)*

acurrucarse en to curl up in, cuddle *(4B)*

adecuado, -a appropriate *(3A)*

adelgazar to get thin, lose weight *(3B)*

además de besides, apart from *(3A)*

adepto, -a adept, initiated *(2A)*

adinerado, -a rich *(1A)*

adivinar to guess *(4B)*

la **admiración** admiration *(4A)*

admirar to admire *(4A)*

la **advertencia** warning *(7B)*

advertir (ie) to inform *(3A)*; to warn *(3B)*

el **afán** zeal, eagerness *(3B), (8A)*

aferrarse a to cling to *(5A)*

el/la **aficionado/a** fan *(6A)*

afortunado, -a lucky, fortunate *(4B)*

afrontar to face, face up to *(4B)*

agarrar to seize *(7B)*

agradar to please, be pleasing *(1B)*

agradecer to appreciate *(4B)*; to thank *(6A)*

el **agradecimiento** gratitude *(2A)*

agravar to make worse *(2B)*

agregar (a) to add (to) *(2B), (6A)*

el **agua de la llave** tap water *(7B)*

el **agua dulce** fresh water *(7A)*

el **agua embotellada** bottled water *(7B)*

aguantar to tolerate, stand, bear *(4A)*

ahogarse en un vaso de agua to get worked up about nothing *(4A)*

ahorrar to save *(2B)*

aislar to isolate *(7B)*; **-se de** to isolate oneself from *(6A)*

ajustado, -a tight *(2A)*

al + infinitivo on, when + *-ing* form of verb *(1B)*

al aire libre outdoors *(8B)*

al alcance de within reach of *(3A), (6A)*

al fin y al cabo finally *(2A)*

al gusto (de) to order, to individual taste *(3A)*

al igual que like, just like *(1B)*

al límite de su capacidad to the limit of their capacity *(7B)*

al margen de separate from, on the margin (fringes) of *(4B)*

al menos at least *(4A)*

al respecto about/in regard to the matter *(7B)*

al verles la cara on seeing their faces *(4A)*

alabar to praise *(3A), (8B)*

alardear to boast *(3A)*

alarmante alarming *(2B)*

la **albacora** albacore tuna *(7B)*

albergar to house *(1A)*

alcanzable reachable *(6B)*

alcanzar to reach *(1B)*; to catch up with *(3B)*

aleatorio, -a random *(7A)*

alegrarse (de) to be happy (about) *(3B)*

alejarse de to move away from *(1A)*

alérgico, -a allergic *(4A)*

la **aleta** fin *(7B)*

el/la **alguacil(a)** sheriff *(7B)*

el **aliciente** incentive *(7B)*

la **alimentación** nourishment, feeding *(3B)*

alimentario, -a nourishing *(3B)*

alimenticio, -a nutritious *(3B)*

el **alimento** food *(3B)*

aliviar to relieve *(3B), (6B)*

el **alojamiento** accommodations *(1A)*

alojarse en to stay in *(1A)*

alrededor *(prep.)* around *(2A)*

el **alrededor** surrounding area *(7B)*

alternar to alternate *(5B)*

la **altura** height *(4A)*

el/la **alzado/a** insurgent, rebel *(5A)*

alzarse to rise up *(5A)*

amable gracious *(2B)*

amargo, -a bitter *(3A)*

el **ámbito** atmosphere *(6B)*

la **amenaza** threat *(4B)*

amenazador(a) threatening *(3A)*

amenazar con to threaten to/with *(1B), (3B)*

amenizar to make pleasant *(2A)*

ameno, -a enjoyable, pleasant *(4B)*

la **amistad** friendship *(2A)*

amortiguar to lessen, cushion, absorb *(2B)*

amplio, -a wide *(3A)*; complete *(4A)*

añadir (a) to add (to) *(3A)*

el/la **analista** analyst *(8A)*

el/la **anciano/a** elderly man/woman *(2A)*

andaluz(a) Andalusian *(5A)*

las **andanzas** adventures *(7B)*

el/la **anfitrión/anfitriona** host, hostess *(1A)*

anotar to annotate, note *(5A)*

el/la **antepasado/a** ancestor *(4B)*

anticuado, -a old-fashioned, out of style *(4B)*

la **antigüedad** antiquity *(3B)*

antojarse to have a craving for, feel like *(3A)*

el **antojo** craving *(1B)*

el **antónimo** antonym *(5B)*

anual annual *(1B)*

apadrinar to sponsor *(7B)*

apasionado, -a enthusiastic *(1A)*

apasionarse por to become very interested in *(2B)*

apenas barely, hardly, scarcely *(1B), (5A)*

la **apertura** opening *(8A)*

apetecer to feel like *(1A)*; to crave, yearn for *(1B)*

el **apetito** appetite *(3A)*

aplacar to placate *(8B)*

aplaudir to applaud *(8B)*

el **apogeo** peak *(7A)*

la **aportación** contribution *(7B)*

aportar (a) to contribute (to) *(3B), (8A)*

el/la **apostador(a)** bettor (person who bets) *(6B)*

apostar (ue) to bet *(6A)*; — **por** to bet on *(3A)*

apoyar to support *(2B)*; **-se en** to lean/rely on *(2A)*

el **apoyo** support *(6B)*

apreciar to judge; to appreciate in value *(4B)*

aprender a to learn to *(1B)*

el/la **aprendiz(a)** apprentice *(8B)*

el **aprendizaje** apprenticeship, learning *(5B), (7A)*

aprovecharse de to take advantage of *(1B)*

apta para mayores de 18 años suitable for those over 18 years old *(8B)*

la **apuesta** bet *(6B)*

apuesto, -a good-looking *(4B)*

apuñalar to stab *(5A)*

apuntar to point out *(5A)*

el **apuro** jam, fix *(2A)*

el/la **árbitro/a** referee, judge *(6A)*

la **arcilla** clay *(6A)*

arder to burn *(3A)*

arduo, -a hard, tough *(8B)*

la **arena** sand *(1A)*

el **arma** *(f.)* weapon *(2B)*

la **armonía** harmony *(7A)*

el/la **arquero/a** goalie *(6A)*

el/la **arquitecto/a** architect *(8A)*

arquitectónico, -a architectural *(7A)*

la **arquitectura** architecture *(8A)*

arraigado, -a deeply rooted *(2B)*

arraigarse to take root, establish oneself in a place *(1B)*

arrancar to pull up/out, start *(1A)*

arrasar to have success, victory *(4B)*

el **arrastre** trawling *(7B)*

arrebatar to snatch away *(6A)*

arrepentirse (ie) de to repent; to regret *(2B)*

arriesgarse a to risk *(2A)*

arrugar(se) to wrinkle *(1A)*

arruinarse to ruin *(4B)*

el **arte por el arte** art for art's sake *(8B)*

las **artes** the arts *(8A)*

articular to articulate *(5B)*

artístico, -a artistic *(8A)*

el **asa** *(f.)* handle *(3A)*

ascender (ie) to raise *(1A)*

asegurar to guarantee *(1A)*; to assure *(2A), (4A)*

asentir (ie, i) to agree, consent *(1B)*

asesorar to advise *(5B)*

asimismo also *(4B), (6B)*

asistir a to attend *(8A)*

asombroso, -a amazing, astonishing *(1A)*

asumir to assume, take on *(2A)*

atajar to stop *(7A)*

el **atasco** bottleneck *(1A)*

atender to take care of *(4B)*

el **aterrizaje** landing *(1A)*

el/la **atleta** athlete *(6A)*

el **atletismo** track and field *(6B)*

átono, -a unstressed *(5B)*

atraer to attract *(4A)*

el **atraso** delay *(6A)*

atravesar to go through *(2A)*

atreverse a to dare to *(1A)*

atrevido, -a daring *(2A)*

el **atún** tuna fish *(7B)*

la **audacia** audacity, boldness *(4B)*

audaz bold *(8B)*

la **autobiografía** autobiography *(4B)*

autodestructivo, -a self-destructive *(5A)*

la **autoestima** self-esteem *(2A), (3B)*

el **autógrafo** autograph *(4B)*

el **automovilismo** race-car driving *(6A)*

el **autorretrato** self-portrait *(8A)*

el **ave** *(f.)* bird *(4B)*

aventurero, -a adventurous *(1A)*

avergonzado, -a embarrassed *(2B)*

avergonzarse (ue) de to be ashamed of *(2A)*

avivar to intensify *(8B)*

ayudar (a) to assist *(4B)*; to help *(5B)*

el **ayuno** fast, fasting *(3B)*)

azaroso, -a risky *(1B)*

B

el/la **bailarín/bailarina** dancer *(8A)*

el **balazo** shot, blast *(6A)*

el **balompié** soccer *(6A)*

el/la **baloncestista** basketball player *(6A)*

el **baloncesto** basketball *(6A)*

el **barro** clay *(3A)*

el **básquetbol** basketball *(6A)*

el/la **basquetbolista** basketball player *(6A)*

bastante sufficiently, quite *(1B)*

bastar to be enough, suffice *(1B)*, *(6A)*

batir to beat *(3A)*

la **bebida carbónica** carbonated drink *(3B)*

la **bebida energética** energy drink *(6A)*

el/la **beisbolista** baseball player *(6A)*

las **bellas artes** fine arts *(8A)*

la **belleza** beauty *(1A)*, *(8A)*

bello, -a beautiful, lovely *(5B)*

beneficiar de to benefit from *(3B)*

el **beneficio** benefit *(1B)*

bien educado, -a well mannered *(1B)*

el **bienestar** well-being *(2B)*, *(7A)*

la **bienvenida** welcome *(1A)*

el **billete** bill *(of money)* *(1B)*

la **biografía** biography *(4B)*

el/la **bocazas** bigmouth, blabbermouth *(4B)*

el **boceto** sketch *(8A)*

bombardear to bombard *(3B)*

el **bombón** chocolate candy *(4A)*

el **bosquejo** outline *(5B)*

brillante brilliant *(4B)*

brindar to provide *(2B)*; to offer *(6B)*

brotar to put forth *(5B)*

brusco, -a abrupt *(4A)*

el **bullicio** uproar *(2B)*

la **burla** mockery, jest *(4B)*

burlarse de to make fun of *(2A)*

la **burrada** nonsense; **una — de gente** loads of people *(5B)*

C

cabalmente completely *(5A)*

caber to fit *(1A)*

cada cual con sus manías everyone with his/her funny little ways *(4A)*

cada vez que each time that *(4A)*

la **cadena** chain *(4B)*

la **cadena de televisión** TV station *(8A)*

la **cadencia** cadence, rhythm *(5B)*

caer rendido to surrender *(4B)*

caído, -a fallen; hanging, droopy *(2A)*

el **caldo** broth *(3B)*

la **calefacción** heat *(1A)*

el **calentador de aire** fan heater *(7A)*

el **calentamiento global** global warming *(7A)*

la **calidad** quality *(3B)*

la **calidad del aire** air quality *(7B)*

la **calidez** warmth *(4B)*

callado, -a quiet *(2B)*

la **caminata** long walk *(1A)*

la **campaña** campaign *(3B)*, *(4B)*

la **campaña publicitaria** advertising campaign *(4B)*

el/la **campeón/campeona** champion *(6A)*

el **campeonato** championship *(6A)*

el/la **campesino/a** agricultural worker; peasant *(1B)*

la **canela** cinnamon *(3B)*

el **cansancio** tiredness *(6B)*

cansarse de to become tired of *(2A)*

el/la **cantautor(a)** singer-songwriter *(8A)*

el **cante** singing, popular song *(8A)*

la **cantidad** quantity *(3B)*

canturrear to hum *(3A)*

la **capacidad** ability *(4A)*

capacitado, -a qualified, trained *(2A)*

capaz capable *(4A)*

capitanear to lead *(5B)*

caprichoso, -a capricious, impulsive *(3B)*

el **carácter** character *(2A)*; personality *(2B)*

caracterizarse por to be characterized by *(5B)*

carecer de to be lacking *(5B)*

la **carencia** deficiency *(7B)*

el **cargo** position, job *(4B)*; charge *(7A)*

caribeño, -a Caribbean *(8A)*

el **cariño** affection; *in direct speech:* darling *(1A)*

cariñosamente affectionately *(4A)*

cariñoso, -a affectionate *(4A)*

carismático, -a charismatic *(4B)*

cárnico, -a relating to meat *(3B)*

la **carrera** career *(2B)*; *(sports)* race *(6A)*

el **cartel de aviso** warning poster *(7B)*

la **cáscara** rind, (egg)shell *(3A)*

castellano, -a Castilian, Spanish *(8A)*

castigar to punish *(2A)*

el **castigo** punishment *(6B)*

celebérrimo, -a very famous *(3B)*

el **cemento** cement *(6A)*

la **censura** censorship *(1B)*

censurar to censor *(8B)*

el **cerebro** brain *(2B)*

cerrar la brecha to close the gap *(8A)*

cesar to cease, to stop *(2B)*

el/la **chaval(a)** boy, girl; kid *(8B)*

chuparse los dedos to lick one's fingers *(3A)*

el **ciclismo** cycling *(6A)*

el/la **ciclista** cyclist *(6A)*

la **ciencia ficción** science fiction *(5A)*

la **cifra** figure *(1A)*

el **cinturón** seat belt, belt *(1A)*

la **ciudad organizadora** organizing (host) city *(6B)*

el/la **ciudadano/a** citizen *(1B)*

las **clasificaciones de películas** movie ratings *(8B)*

la **clave** key *(solution)* *(2B)*, *(4A)*

la **cobertura** coverage *(6A)*

el **cobijo** shelter *(1B)*, *(7A)*

cobrar to charge *(1B)*

el **cobro** charge *(7A)*

cocer (ue) to cook *(3A)*

el **código** code *(7A)*

el **cohete** rocket *(7A)*

colaborar to collaborate *(8B)*

colgar (ue) to hang (up) *(1A)*

colocar to put, place *(2B)*, *(8B)*

el **color vivo** bright color *(8B)*

la **comedia** comedy *(5A)*

el/la **comediante** comedian *(4B)*

el/la **comensal** table guest, diner *(3A)*

el/la **comentarista** commentator *(4B)*

cometer to commit *(2B)*

la **comida basura (rápida)** junk (fast) food *(3B)*

la **comida exótica** exotic food *(3B)*

la **comida orgánica** organic food *(3B)*

la **comida vegetariana** vegetarian food *(3B)*

el/la **comisionado/a** commissioner *(6A)*

¿Cómo está permitido? How is it allowed? *(2B)*

la **compañía** company, business *(3B)*

compartir to share *(1B)*

compasivo, -a sympathetic *(2B)*

la **compatabilidad** compatibility *(5B)*

el/la **compatriota** compatriot *(4B)*

la **competencia** competition, rivalry *(6A)*

la **competición** competition, contest *(6A)*

competir (i, i) con to compete with *(6B)*

complacer to please *(7A)*

complejo, -a complex *(2A)*, *(4A)*

componerse de to be composed of *(5B)*

el comportamiento behavior *(2A)*, *(4A)*

comportarse to behave *(4B)*

el/la compositor(a) composer *(8A)*

comprensivo, -a sympathetic *(2B)*

comprometerse a to promise to; — en to get involved in *(3B)*

la computadora/el computador computer *(7A)*

el/la computador(a) de escritorio desktop computer *(7A)*

el/la computador(a) portátil laptop computer *(7A)*

la comunicación no verbal non-verbal communication *(4A)*

con acuse de recibo with acknowledgment of receipt *(5B)*

con buena cara with good humor *(4B)*

con retraso delayed *(1A)*

con tal de que provided that *(2B)*

conceder to award *(8B)*

concentrarse en to concentrate on *(6A)*

concienciar to make aware *(7B)*

conducir a/por to drive to/by *(1A)*

la conducta conduct *(4A)*

conectarse con to connect with, relate to *(7A)*

la conferencia lecture *(2B)*

confesar (ie) to confess *(2B)*

la confianza confidence *(4A)*

confiar en to trust *(8A)*

el conflicto armado armed conflict *(2B)*

conformarse con to be satisfied with *(2A)*

congelado, -a frozen *(3A)*, *(7A)*

el congreso conference *(2B)*

la conjetura conjecture *(2A)*

conllevar a to entail *(7B)*

conmemorar to commemorate *(1B)*

la consagración reputation, acclaim *(4B)*

conseguir (i, i) to achieve, obtain *(1B)*

consentido, -a spoiled *(4B)*

conservador(a) conservative *(4B)*

conservar to conserve, keep *(1B)*

consolar (ue) to console, comfort *(2A)*

constar de to consist of *(5B)*

construir to build *(8A)*

el/la consumidor(a) consumer *(3B)*

consumir to consume *(3B)*

el consumo consumption *(3B)*

contar (ue) con to count on *(2B)*

contemporáneo, -a contemporary *(5A)*

el contenido contents *(5A)*

contentarse con to be happy/ satisfied with; to make do with *(2A)*

contradecir to contradict *(6B)*

la contraseña secret sign, password *(8A)*

contratar to contract; to hire *(4A)*

el/la contratista contractor *(7B)*

contribuir a to contribute to *(5B)*

el/la contrincante competitor, rival *(8A)*

contundente convincing, conclusive *(3A)*

convencer to convince *(1A)*

el convenio agreement *(7A)*

convenir (ie) to suit, be convenient, be advisable *(1B)*, *(4A)*

convertir (ie, i) en to turn into *(1A)*

la convivencia coexistence, living together *(2B)*

convivir con to live with *(2A)*, *(5A)*

convocar to convene, call together *(3A)*

copioso, -a abundant *(3A)*

coquetear con to flirt with *(4A)*

el coraje anger, rage *(2B)*

el/la corredor(a) en base base runner *(6A)*

corregir (i, i) to correct *(5B)*

correr a cargo de to be headed by *(5B)*

correr el riesgo de to run the risk of *(6A)*

la corrida de toros bullfight *(6B)*

corriente common, usual *(7A)*

cortar to cut *(3A)*

cortés polite *(1B)*; gracious *(4B)*

la cortesía courtesy *(7B)*

la corteza skin *(of fruit)* *(3A)*

costar (ue) to find difficult; to cost *(4A)*

costero, -a coastal *(7A)*

el cotejo comparison *(5B)*

cotidiano, -a daily *(5B)*

cotizar to value *(4B)*

crear to create *(8B)*

creciente growing *(2B)*

el crecimiento growth *(1B)*

la creencia belief *(2B)*

la cremallera/el cierre zipper *(7A)*

el/la crío/a child *(4A)*

la crisis económica economic crisis *(1B)*

la crítica criticism, critique *(5A)*

el/la crítico/a critic *(8A)*

crudo, -a raw *(3A)*

cuanto antes as soon as possible *(1B)*

el cuarteto quatrain, stanza with 4 verses *(5B)*

el cubierto cover (plate, napkin, etc. set for each *comensal*) *(3A)*

cubierto, -a covered *(3A)*

la cuenca basin *(7A)*

el cuento short story *(5A)*

cuerdo, -a sane *(4B)*

el cuero leather *(2A)*

culpable guilty *(2B)*

el cultivo crop *(3A)*

culto, -a educated *(2B)*; cultured, refined *(8A)*

el/la culturista bodybuilder *(6B)*

el cumplimiento fulfillment *(7B)*

cumplir con to comply with, carry out, do the right thing *(4B)*

la cuna cradle *(6A)*

el cuño stamp, mark *(5B)*

el/la curador(a) curator *(8B)*

curar(se) to get well *(4A)*

curiosamente curiously *(4A)*

la curiosidad curiosity *(4B)*

D

dañar to damage, harm *(3B)*

dañino, -a harmful *(7B)*

el daño pain, damage, harm *(2B)*

la danza dance *(8A)*

danzar to dance *(8A)*

dar hambre to make someone hungry *(3A)*

dar la bienvenida to welcome *(1A)*

dar la vuelta al mundo to go around the world *(4B)*

dar lugar a to provoke, give rise to *(7A)*

dar origen a to give birth to *(an idea)* *(7A)*

dar pánico to get scared by something *(1A)*

dar pie a to take hold, allow *(6B)*

dar saltos to jump *(1A)*

dar sed to make someone thirsty *(3A)*

darle asco not to stand something, make someone sick *(3A)*

darle rabia a alguien to make someone angry *(3A)*

darse cuenta de to realize *(3B)*

datar de to date from *(1A)*

de ahí que (+ *subjuntivo*) that is why *(7B)*

de carne y hueso of flesh and blood; to have feelings *(4A)*

de golpe suddenly *(4B)*

de modo que so that *(1B)*

de nuevo again *(8B)*

de otra forma in another way *(1B)*

de poco presupuesto low budget *(4B)*

de primera mano firsthand *(6A)*

de primeras at first *(1A)*

de pronto suddenly *(2A)*

de talla of considerable stature, standing·*(4B)*

de tapa dura hardcover *(5A)*

de última generación most recent *(2A)*

de verdad really *(2A)*

debidamente properly *(1B)*

débil weak *(4A)*

la **debilidad** weakness *(3A)*

debutar to make one's debut *(8A)*

la **década** decade *(4B)*

el/la **decano/a** (university) dean *(1B)*

decantarse por to be inclined/ leaning toward *(4B)*

la **decena** (*unit of*) ten *(4A)*

la **decepción** disappointment *(2B)*

el **decorado** set, scenery *(5A)*

dedicarse a to devote oneself to *(4B)*

el/la **defensa** defense (defensive player) *(6A)*

la **deficiencia** deficiency *(3B)*

degradar to humiliate, degrade *(4B)*

degustar to taste, sample *(3A)*

dejar to leave behind *(7B)*

dejar de to stop, quit *(2B)*

dejar huella to leave a trace, mark *(1B)*

el/la **delantero/a** forward, offensive (*player*) *(6A)*

la **delincuencia** crime, delinquency *(2B)*

el/la **delincuente** delinquent, criminal *(2B)*

la **demanda** demand *(2B)*

demasiado, -a too much/many; (*adv.*) too *(1A)*

demostrar (ue) to demonstrate, show *(2B)*

denigrar to discredit *(1B)*

denunciar (*un abuso*) to report (*abuse*) *(7B)*

depender de to depend on *(2A)*

deplorar to lament, deplore *(6A)*

el **deporte de equipo** team sport *(6A)*

el **deporte por pareja** two-person sport *(6A)*

el/la **deportista** sportsman/woman *(6A)*

deportivo, -a sports (*before nouns*) *(2A)*

deprimido, -a depressed *(4A)*

el **derecho** law *(5A)*

los **derechos humanos** human rights *(2A)*

derogar to abolish *(5A)*

derrotar to defeat *(5A)*, *(6A)*

desafiante challenging *(1A)*

desafiar to challenge *(1A)*

el **desafuero** outrage *(5A)*

desalojar to vacate *(7B)*

desamparado, -a defenseless, vulnerable *(2B)*; deserted *(5A)*

desanimar to discourage *(2A)*

desapercibido, -a unnoticed *(3A)*, *(7A)*

desarrollar en to develop into *(1A)*

desbancar to replace *(2A)*

descalificar to disqualify *(6B)*

descargar to unload, download *(7A)*

el **descaro** shamelessness, nerve *(7A)*

descartar to eliminate, put aside *(4A)*; to reject *(6A)*

descifrar to decode *(5B)*

desconocido, -a unknown *(4B)*

el **descubrimiento** discovery *(5A)*

desear to wish *(2A);* to want, desire *(4A)*

desechable disposable *(7A)*

desempeñar(se) to carry out, fulfill *(2B)*, *(7B)*; to play, perform *(3B)*

el **desempleo** unemployment *(2A)*

el **desequilibrio** imbalance *(3B)*

desesperado, -a desperate *(1B)*

el **desfile** parade *(1B)*

desgarrador(a) heartbreaking *(5A)*

deshidratado, -a dehydrated, dried *(7A)*

deslumbrado, -a dazzling *(8B)*

desmesurado, -a excessive *(2B)*; vast, enormous *(3B)*

desnivelado, -a uneven *(1A)*

la **desnutrición** malnutrition *(3B)*

despachar to dispatch, wait on (*a customer*) *(3A)*

la **despedida** good-bye *(1A)*

despedir (i) to fire *(4A)*

despedirse (i) de to say good-bye to *(1B)*

el **despegue** takeoff *(1A)*

desplazar to displace, move *(2B)*

desplegarse (ie) to spread out *(1A)*

destacado, -a outstanding, distinguished *(6A)*

destacarse (en) to stand out, distinguish oneself (in) *(4B)*, *(6B)*, *(8A)*

el **destino** destination *(1A)*

la **destreza** skill *(2B)*

desvelar to reveal *(1A)*

la **desventaja** disadvantage *(1B)*

desviarse to deviate *(3B)*

detener to stop *(7B)*

el **deterioro** damage, deterioration *(7A)*

el **diario** (daily) newspaper *(5A)*

diario, -a daily *(1B)*

el **dibujo animado** cartoon *(4B)*

el **diente (de ajo)** clove (of garlic) *(3A)*

difundir to spread *(2B)*

la **dignidad** dignity *(4B)*

el **dilema** dilemma *(1B)*

dimitir to quit *(2B)*

dirigirse a to go to, head toward *(1B)*

el/la **discapacitado/a** handicapped person *(6B)*

discriminado, -a discriminated *(1B)*

discurrir to go by *(1A)*

el **discurso** speech *(1B)*

diseñar to design *(8A)*

el **diseño** design *(2A)*

disfrutar (de) to enjoy (doing something) *(1A)*

disminuir to lessen *(6B)*

disparar to shoot *(2B)*

disparatado, -a absurd *(5A)*

el **disparate** silly/stupid thing or action *(2A)*

disponer to dispose *(2B)*; — **de** to have something at one's disposal *(7A)*

disponible available *(6B)*

dispuesto, -a willing *(1A)*

disputarse to fight, challenge *(6A)*

distinto, -a different *(2B)*

diurno, -a morning *(1B)*

doblar to dub *(8A)*

doler (ue) to hurt *(1B)*

el **dolor** pain *(2B)*

el **domicilio** home address, legal residence *(2B)*

el **dominio** domain, mastery *(6A)*

el **dominio de lenguas** command of languages *(7A)*

donar to donate *(5A)*

el **dopaje sanguíneo** blood enhancement *(6B)*

drástico, -a drastic *(4A)*

el/la **dueño/a** owner *(1A)*

durar to last; to take time *(2A)*

E

echar de menos to miss *(4A)*

la **economía** economy *(1B)*

la **edad adulta** adulthood *(2A)*

la **edificación** building *(1A)*

edificar to build *(8A)*

editar to edit *(5B)*

efectivamente effectively *(2A)*

el **efecto invernadero** greenhouse effect *(7A)*

la **eficacia** effectiveness *(6A)*

eficaz effective, efficient *(3A)*, *(7B)*

efímero, -a ephemeral, of short duration *(5B)*

el/la **ejecutivo/a** executive *(4B)*

el **ejercicio físico** physical exercise *(6A)*

el **ejército** army *(2B)*

el qué dirán what others will say *(4A)*

la **elegía** elegy *(5A)*

elegir (i, i) to choose *(4A)*

elogiar to praise *(7B)*

el **elogio** praise *(5B)*

eludir to elude, avoid *(4A)*

emanar to come from *(5B)*

emanciparse to emancipate, gain independence *(2B)*

embarazada pregnant *(2B)*

embarcar en to embark on something *(1B)*

emigrar to emigrate *(6B)*

eminente prominent, distinguished *(5A)*

emocionante exciting *(6A)*

empatar to tie *(a score)* *(6B)*

el **empate** tie *(score)* *(6B)*

empeñarse en to make an effort to, insist on *(2A)*

el **empeño** determination, effort *(6B)*; persistence *(7B)*

empezar (ie) a to begin to *(3B)*; — **por** to start by *(5B)*

empírico, -a empirical (from experience) *(6B)*

el **empleo** employment *(1B)*

el **emporio** market *(8A)*

emprender to set about, undertake *(3B)*, *(6A)*

la **empresa** business, company *(3B)*

el/la **empresario/a** business owner *(2B)*, *(4B)*

el **empuje** push, drive *(1B)*

en alta mar on the high seas *(7B)*

en auge on the increase *(4B)*

en el fondo deep down *(1B)*

en gran medida in great part *(3B)*

en homenaje in homage *(6A)*

en la mayoría de las ocasiones most of the time *(1B)*

en rigor strictly speaking *(5A)*

en serio seriously *(2A)*

en última instancia ultimately *(2B)*

enaltecer to praise *(6A)*

enamoradizo, -a said of someone who falls in love easily *(4A)*

enamorarse de to fall in love with *(4A)*

encabezar to lead, head *(1A)*

encajar to fit in *(2A)*

encantador(a) charming *(4B)*

encantar to delight, charm *(1B)*

encargado, -a in charge *(6A)*

encargar to put in charge, entrust *(2B)*, *(6A)*

encargarse de to take charge of *(3B)*

encomendarse (ie) a to commend oneself to *(2B)*

el **encomio** praise *(5B)*

la **encuesta** poll, survey *(2B)*

endecasílabo, -a with 11 syllables *(5B)*

el **enfoque** focus *(8A)*

enfrentar to face *(1B)*; **-se con** to face up to *(3B)*

engañar to trick, deceive *(3B)*

el **engaño** deception *(2B)*

engordar to get fat, put on weight *(3B)*

engullir to gulp, gobble *(3A)*

enloquecer to become irrational, go crazy *(8B)*

enmarcar to frame, form the backdrop *(6B)*

enmarcarse en to be in line with *(6B)*

enredarse con to get tangled in *(5B)*

enriquecedor(a) enriching *(7A)*

el **enriquecimiento** enrichment *(5B)*

el/la **ensayista** essayist *(5A)*

el **ensayo** essay *(5A)*

ensuciarse to get dirty *(3A)*

enterarse (de) to find out (about) *(4A)*

la **entereza** integrity *(4B)*

enterrar (ie) to bury *(2B)*

el **entorno** environment, setting *(1A)*, *(8B)*

la **entrada libre** free admission *(8A)*

entrar en to go into *(1B)*

(no) entrar en la cabeza to (not) understand *(3A)*

(no) entrar por los ojos to be easy (hard) on the eyes *(3A)*

entrar en vigor to take effect *(6B)*

entre la vida y la muerte between life and death *(4A)*

la **entrega** delivery, distribution *(8B)*

la **entrega a domicilio** home delivery *(3B)*

el/la **entrenador(a)** trainer *(6B)*

el **entrenamiento** training *(6A)*

entrenar to train, coach *(6B)*

entretener to entertain *(8A)*

entretenerse con to amuse oneself with *(2A)*

la **entrevista** interview *(1B)*

entroncar con to be connected with *(3B)*

entusiasmado, -a excited *(1A)*

enumerar to list *(4A)*

la **envidia** envy *(4A)*

envolverse (ue) en to become involved in *(5A)*

epistolar epistolary, relating to letters/correspondence *(5B)*

la **época** period *(of time)* *(1A)*

el **equilibrio** balance *(3B)*

el **equipaje** luggage *(1A)*

el **equipo contrario** opposing team *(6A)*

equivaler to be equivalent *(8A)*

equivocarse to be wrong, be mistaken *(1B)*

erigir to erect, build *(6A)*

erogar to distribute *(money) (3A)*

¡Es increíble! It's unbelievable! *(2B)*

¡Es una tontería! It's a silly/ stupid thing! *(4A)*

el **esbozo** outline *(5B)*

la **escasez** shortage *(3B)*

el **escenario** setting *(5A)*

escoger to choose *(4B)*

escribir un guión to write a script *(8A)*

el/la **escritor(a)** writer *(5A)*

escrutar to scrutinize *(5B)*

esculpir to sculpt *(8A)*

el/la **escultor(a)** sculptor *(8A)*

la **escultura** sculpture *(8A)*

esforzarse (ue) en to try very hard to *(2A)*

esforzarse (ue) por to make an effort to *(7B)*

el **esfuerzo** effort *(2B)*

esfumarse to vanish, fade away *(7B)*

esmerado, -a careful, meticulous *(3A)*

espantoso, -a horrible *(1A)*

esparcido, -a scattered *(6A)*

espectador(a) spectator *(6A)*

espeluznante horrifying, terrifying *(3A)*

la **esperanza** hope *(2B)*

la **esperanza de vida** life expectancy *(7A)*

espeso, -a thick *(3A)*

la **espontaneidad** spontaneity *(4B)*

estable stable *(2B)*

estar a cargo de to be in charge of *(3A)*

estar a punto de to be about to *(4A)*

estar al alcance de to be reachable, obtainable *(1A)*

estar al tanto de to be up-to-date *(1A)*

estar constipado, -a to have a cold *(5B)*

estar de buen (mal) humor to be in a good (bad) mood *(4A)*

estar dispuesto, -a (a) to be willing (to) *(1A), (4B)*

estar en boga to be in vogue, fashion *(3A)*

estar en las nubes to be absent-minded *(4A)*

estar entrenándose to be in training *(6B)*

estar harto de to be fed up with *(3A)*

estar muerto de cansancio to be dead tired *(1B)*

estar muy verde to be far from ready *(6A)*

estar para chuparse los dedos to be finger-licking good *(3A)*

estar pasado, -a de moda to be out of fashion *(4B)*

la **estatura** height, stature *(4B)*

el **estereotipo** stereotype *(4B)*

la **estética** aesthetics *(8B)*

estético, -a aesthetic *(5B)*

estilizar to characterize *(3B)*

estimular to stimulate *(3B)*

la **estrategia publicitaria/de propaganda** advertising strategy *(3B)*

estrecho, -a narrow *(1A)*

la **estrella** star *(8B)*

estrenar to perform for the first time, premiere *(5A)*

estricto, -a strict *(2B)*

la **estrofa** stanza *(5B)*

estupendo, -a wonderful *(1A)*

la **etapa** stage *(2A)*

eterno, -a eternal *(4A)*

la **etnia** ethnic group *(4B)*

evolucionar de to evolve from *(6B)*

exhortar a to urge (someone) to *(5B)*

exigir to require; to demand *(7A)*

el **éxito** success *(3A)*

el **éxito taquillero** box-office hit *(8A)*

exitoso, -a successful *(4B)*

la **expectativa** expectation *(7B)*

experimentar con to experiment with *(5A)*

explorar to explore *(2B)*

exponerse a to expose oneself to *(2A)*

la **exposición** exposition, show *(8B)*

extraterrestre extraterrestrial, alien *(4B)*

F

el **fabricante** manufacturer *(3B)*

la **facha** appearance *(colloquial) (2A)*

facilitar to make easy/easier; to offer *(2B), (4A)*

la **factura** bill *(3B)*

la **facultad** school *(of a university) (8B)*

faenar to fish *(7B)*

la **falla** fault *(2A)*

fallecer to die *(4B), (5A)*

la **falta (de)** lack (of) *(1A)*

la **falta de ortografía** spelling mistake *(2A)*

faltar to lack *(1B)*

el/la **fanático/a** fan *(6A)*

fantástico, -a fantastic, fantasy *(5A)*

el **fármaco** medicine, medication *(1B), (6B)*

fascinar to fascinate *(1B)*

fastidiar to bother, annoy *(1B), (7B)*

favorecer to favor *(6B)*

el **fenómeno** phenomenon *(8A)*

festejar to celebrate *(7B)*

la **fibra** fiber *(3B)*

fichar to sign up with, sign on *(3B)*

fiel faithful, loyal *(8A)*

la **figura** figure *(4B)*

la **figura icónica** icon, symbol *(3B)*

fijarse en to pay attention to, notice *(6B)*

el/la **filántropo/a** philanthropist *(4B)*

la **filial** subsidiary *(8A)*

filmar to film *(8A)*

el/la **filólogo/a** philologist *(5B)*

el **filón** gold mine *(colloquial) (2A)*

fingir to pretend *(1B), (4A)*

florecer to flourish *(8B)*

la **fluidez** fluency *(7B)*

fluido, -a fluid, smooth *(2A)*

el **fogón** stove *(3A)*

folclórico, -a folkloric *(8A)*

fomentar to encourage *(5B)*

el **fondo** background *(8B)*

el **foro** forum *(8A)*

la **fortuna** fortune *(4B)*

forzado, -a forced *(1A)*

el **fracaso** failure *(6B)*

freír (i) to fry *(3A)*

fresquito, -a really fresh *(3B)*

fructífero, -a productive, fruitful *(5A)*

la **fuente** source *(6A)*

fuera del país outside the country *(6A)*

la **fuerza laboral** labor force *(7A)*

funcionar to work *(1B)*

G

el **galardón** award, prize *(4B)*, *(6B)*
galardonado, -a awarded *(7A)*
el/la **galardonado/a** prizewinner *(6B)*
la **gama** range *(7A)*
la **gamberrada** total lack of manners; hooliganism *(4B)*
la **gana** desire, wish *(4A)*
la **ganancia** profit *(7A)*
ganar Madrid to reach Madrid *(8B)*
el **gasto** expense *(2B)*
la **gaviota** seagull *(3A)*
el **género literario** literary genre *(5A)*
genial wonderful *(3B)*
el **genio** genius *(8A)*
la **gestión** step, action *(4B)*
el **gesto** gesture *(2B)*
la **gimnasia** gymnastics *(6A)* *(6A)*
el/la **gimnasta** gymnast *(6A)*
el/la **gitano/a** Gypsy *(8A)*
la **globalización** globalization *(8A)*
el/la **gobernante** leader *(1B)*
el **gol** (soccer) goal, scored point *(2B)*
goloso, -a having a sweet tooth *(3A)*
el **golpe de estado** coup(d'état) *(1B)*
golpear to hit *(1A)*, *(6A)*; to beat (up) *(2B)*
gozar de to enjoy *(1B)*
el **grabado** engraving *(8A)*
la **grabadora** tape recorder *(7A)*
grabar to record *(4B)*
gracioso, -a funny *(2A)*
la **grafología** graphology *(5B)*
la **grasa** fat *(3A)*
grasiento, -a greasy *(3B)*
grave solemn; serious; seriously ill *(2B)*, *(4A)*
la **gravedad** seriousness *(3B)*
grosero, -a rude *(4B)*
guiar to guide *(1A)*
el **guión** script *(1A)*, *(5A)*

H

la **habilidad** skill *(4A)*
habitar to inhabit *(2B)*
hace un rato a while ago *(3A)*
hacer atletismo to practice track and field *(6B)*
hacer caso a to pay attention to *(4B)*
hacer cola to wait in line *(1A)*
hacer competencia to have a rivalry *(6B)*

hacer deporte(s) to do/practice sports *(6B)*
hacer falta to need *(1B)*
hacer gala de algo to display something, show off *(4B)*, *(8B)*
hacer soñar a alguien to make someone dream *(4B)*
hacer todo lo posible to do whatever is possible *(1B)*
hacer un papel to act, play a part *(8A)*
hacerle gracia a uno to find something funny *(1B)*
hacerse la boca agua to make one's mouth water *(3A)*
el **haikú** haiku *(5B)*
el **halago** praise, flattery *(4A)*
halagüeño, -a flattering *(7B)*
hallar to find, discover *(7B)*, *(8B)*
el **hallazgo** discovery *(5A)*
la **hambruna** hunger, starvation *(3B)*
la **harina** flour *(3A)*
hasta el punto de to the point of *(4B)*
la **hazaña** heroic deed, exploit *(4B)*, *(5A)*
la **herencia** inheritance; heritage *(4A)*
el/la **héroe/heroína** hero, heroine *(4B)*
el **heroísmo** heroism *(4B)*
la **herramienta** tool *(1A)*, *(5B)*
hervir (ie, i) to boil *(3A)*
híbrido, -a hybrid *(5A)*
hidratar to hydrate *(6A)*
la **hierba** grass *(6A)*
el **hierro** iron *(mineral)* *(3B)*
el/la **hincha** fan, supporter *(6B)*
la **hinchada** fans, supporters *(6B)*
hipercalórico, -a with high caloric content *(3B)*
la **hipocresía** hypocrisy *(4B)*
la **hipótesis** hypothesis, unproved theory *(4A)*
el **hockey sobre hielo** ice hockey *(6A)*
el **hogar** home *(1A)*
hogareño, -a home-loving, domestic *(5B)*
la **hora de vuelo** flight time *(1A)*
el **horario** schedule *(1A)*
el **horario estelar** prime time *(8A)*
el **horno (de leña)** (wood-burning) oven *(3A)*
la **huelga de hambre** hunger strike *(4B)*
el **hueso** bone *(3B)*

huir de to run away from *(1B)*
humillar to humiliate *(6A)*
huraño, -a unsociable *(4A)*
hurgar to stir up; to rummage *(8B)*
el **hurto** robbery, theft *(2B)*

I

el **icono** icon *(3B)*
idolatrar to worship, idolize *(4B)*
ignorar to not know, be unaware of *(4B)*
la **igualdad** equality *(1B)*
imborrable unforgettable *(5B)*
impactante powerful, impressive *(4B)*
impedir (i) to impede *(2B)*; to forbid, prevent *(3B)*
impensado, -a unexpected *(3B)*
imperiosamente urgently *(7A)*
imponente imposing *(7A)*
imponer to impose *(4B)*
importar to matter *(1B)*
impreciso, -a vague, imprecise *(5B)*
imprescindible essential *(5B)*, *(7A)*
impreso, -a printed *(6A)*
imprevisible unforeseeable *(7A)*
imprimir carácter to form/build character *(4B)*
la **incidencia** effect, impact; incidence *(5A)*
incluir en to include in/on *(1B)*
inconsciente irresponsible *(4A)*
el **inconveniente** disadvantage *(4B)*
el **incremento** increase *(7B)*
inculcar to instill *(5B)*
inculto, -a uncultured, uneducated *(2A)*
incurrir to incur *(3B)*
indescriptible indescribable *(4A)*
indicar to indicate *(4B)*
indignarse to get angry *(4A)*
indomable invincible *(5B)*
ineficaz inefficient *(7B)*
inesperado, -a unexpected *(4A)*
infaltable inevitable *(5B)*
la **infancia** childhood *(2B)*
infiltrarse to infiltrate *(4B)*
influir (en) to influence, have influence *(1A)*, *(2B)*
influyente influential *(1B)*
el **informe** report *(5B)*
ingerir to ingest *(3B)*
la **ingesta** consumption *(3B)*

ingresar to enter, enroll *(8B)*

el **ingreso** entry *(2A)*

iniciar to begin *(3A)*

el **inicio** start *(5A)*

inmóvil motionless *(2B)*

inoloro, -a odorless *(3B)*

inolvidable unforgettable *(1A)*

la **inquietud** worry, concern *(4A)*

la **insalubridad del agua** unhealthiness of water *(3B)*

inscribirse en to register, enroll in *(6A)*

inseguro, -a unsafe; insecure *(2A)*

insípido, -a tasteless, insipid *(3B)*

insistir en to insist on *(3A)*

insoportable unbearable *(4A)*

insostenible unsustainable, untenable *(7B)*

instalarse to settle, establish oneself *(8B)*

instar a to urge *(5B)*, *(7B)*

insuperable unbeatable *(7A)* ·

integrar to integrate *(8B)*

intentar to try, attempt *(1A)*

intercalado, -a inserted *(8B)*

interesar to interest *(1B)*

interesarse por to take an interest in *(2A)*

el/la **internauta** Internet user *(7B)*

la **Internet** Internet *(7A)*

la **interpretación** acting *(4B)*

interpretar to interpret, perform *(4B)*

íntimo, -a close, intimate *(2B)*

el **intríngulis** difficulty, hidden intention/motive, ticklish problem *(5B)*

intrínseco, -a intrinsic *(5B)*

intuir to sense, intuit *(4A)*

el **invento** invention *(7A)*

inverosímil unlikely, improbable *(5A)*

la **inversión** investment *(6B)*, *(8B)*

investigar to investigate *(4A)*

involucrado, -a involved *(6A)*

involucrar to involve *(8A)*; **-se en** to be involved in *(4A)*

ir a to go to *(1A)*

ir bien/mal to go well/badly *(4B)*

la **ira** anger *(4A)*

irrecusable unchallengeable *(5A)*

irreemplazable irreplaceable *(3B)*

irrepetible unrepeatable *(7B)*

J

la **jabalina** javelin *(6B)*

el **jardín de infantes** kindergarten *(7A)*

el **jardinero derecho** right fielder *(6A)*

la **jerga** slang *(2A)*

el **jonrón** home run *(6A)*

la **jornada** workday *(8B)*

jubilado, -a retired *(7A)*

judío, -a Jewish *(8A)*

el **juego de pelota** ball game *(6A)*

el/la **jugador(a)** player *(6A)*

el **juicio** judgment *(7B)*

jurar to swear *(an oath)* *(6A)*

justificar to justify *(2B)*

la **juventud** youth *(2B)*

juzgar to judge *(6B)*

L

laboriosamente laboriously *(7A)*

lácteo, -a relating to milk, dairy *(3B)*

el **lanzamiento de disco** discus throwing *(6B)*

lanzar to throw *(1A)*

lanzar(se) a la fama to rush to fame *(4B)*

latir to beat *(4A)*

laureado, -a laureate, awarded a prize *(5A)*

el **lazo** link *(2A)*

leal loyal *(2A)*

el **legado** legacy *(8B)*

legendario, -a legendary *(4B)*

lejano, -a distant *(7B)*

el **lema** slogan, motto *(8A)*

la **lengua materna** mother tongue *(7B)*

el **lenguaje** language *(5B)*

la **lentitud** slowness *(1A)*

letal deadly *(4B)*

la **letra** letter *(of the alphabet)* *(5B)*

las **letras** Letters *(literature)* *(5A)*

el **letrero** sign *(1B)*

el/la **levantador(a) de pesas** weight lifter *(6B)*

léxico, -a lexical, relating to words or vocabulary *(5B)*

liberar to free *(7B)*

el **líder** leader *(1B)*

liderar to lead, head *(4B)*

el **lienzo** canvas *(8A)*

el/la **literato/a** writer, person of letters *(5A)*

la **litografía** lithograph *(8A)*

liviano, -a light *(3B)*

llamar la atención to attract attention *(4A)*

llano, -a flat *(3A)*

la **llegada** arrival *(1A)*

llegar a to arrive at *(1A)*

llenarse de to fill up with *(3A)*

lleno, -a full *(3A)*

llevar a cabo to carry out *(5B)*

lo absurdo de la situación the absurdity of the situation *(4A)*

lo primero que the first (thing) that *(1A)*

el **local** premises, site, local establishment *(3B)*, *(8A)*; home team *(6A)*

localizar to locate, localize *(5B)*

lógicamente logically *(1A)*

lograr to achieve, attain, obtain *(1A)*

el **logro** achievement *(4B)*

la **loncha** slice *(of meat)* *(3A)*

el **lonche** lunch *(3B)*

la **lonchería** restaurant for lunch *(3B)*

los/las demás the rest, others *(3A)*, *(6B)*

la **loza** china *(3A)*

la **lucha libre** wrestling *(6A)*

el/la **luchador(a)** wrestler *(6A)*

luchar por to fight for *(1B)*

el **lujo** luxury *(4A)*, *(7B)*

lujoso, -a luxurious *(1A)*

M

la **maca** bruise *(on fruit)* *(3B)*

madrugar to wake up early *(1B)*

madurar to mature *(4A)*

maduro, -a mature *(2A)*

el/la **maestro/a** master *(8A)*

magro, -a lean *(3B)*

la **mala educación** rudeness *(4B)*

la **maldad** evil *(4A)*

maleducado, -a rude *(4B)*

la **maleta** suitcase *(1A)*

maltratar to mistreat, abuse *(4A)*

manchar to spot, soil *(4B)*

el **mando** remote control *(2A)*

mandón/mandona bossy *(4A)*

manejar to handle, manage; to drive *(2A)*, *(4A)*, *(7B)*

el **manejo** handling, management *(5B)*

la **manía** quirk, funny little way *(4A)*

manifestarse (ie) en contra de to speak out against *(7A)*

manipular to manipulate *(2B)*

el **manjar** special dish, delicacy *(3A)*

manos a la obra let's get to work *(3A)*

mantener to maintain *(5A)*

el **manuscrito** manuscript *(5B)*

la **maqueta** model, mock-up *(4B)*, *(5B)*

la **máquina dispensadora** vending machine *(3B)*

la **marca** brand (name) *(2A)*

marcado, -a distinct *(2B)*

el **marcador** goal scorer *(6A)*

marcar un gol to score a goal *(6A)*

marcharse de to leave, go away from *(1A)*

el **marco** frame *(of a painting)* *(8A)*

mareado, -a dizzy *(1A)*

el **maremoto** tidal wave *(7A)*

el **más allá** the other world *(5A)*

la **masa** dough *(3A)*

la **mascota** pet, mascot *(3B)*

masificado, -a overcrowded *(1A)*

máximo, -a ultimate *(4B)*

la **mayor calidad** best quality *(3B)*

la **mayoría de las veces** most of the time *(1B)*

la **mayúscula** capital letter *(2A)*

la **mazorca** corncob *(3A)*

¡Me parece fatal! It seems terrible/awful! *(2B)*

mediante by means of *(7A)*

mediar to intervene, come between *(6A)*

el **medicamento** medicine *(4A)*

la **medida** measure, measurement *(5B)*, *(7B)*

el **medio** midfieldman *(6A)*; medium *(8A)*

el **medio ambiente** environment *(7A)*

los **medios** means *(4B)*

los **medios (de comunicación)** media *(2B)*

la **mejora** improvement *(2B)*

melenudo, -a long-haired *(4B)*

mendaz lying, untruthful *(5A)*

el/la **menor** minor, underage person *(2B)*

menos mal thank goodness *(1B)*

mensual monthly *(1B)*

la **mente** mind *(4A)*

mentiroso, -a lying; *as noun*, liar *(4A)*

merecer la pena to be worth it *(3A)*

la **merluza** hake (whitefish) *(7B)*

mero, -a mere, simple *(5A)*

la **meta** goal *(1B)*

metafísico, -a metaphysical *(5B)*

la **metáfora** metaphor *(5B)*

meter la pata to make a mistake, stick one's foot in one's mouth *(4B)*

meterse en to get in/into *(1B)*

la **métrica** meter *(in poetry)* *(5B)*

la **mezcla** mixture *(3A)*

mezclado, -a mixed *(4B)*

mezclar to mix *(3A)*

la **miga (de pan)** inside part of bread *(3A)*

mimado, -a spoiled *(4A)*

minuciosamente thoroughly *(2B)*

la **minusvalía** handicap, disability *(6B)*

el/la **minusválido/a** handicapped person *(6B)*

los **minutos permitidos** allowed minutes *(7A)*

la **mirada** look *(4A)*

mirar de reojo to look out of the corner of one's eye *(4B)*

el **mito** myth *(4B)*

módico, -a moderate *(1B)*

el **modo** way *(2B)*

mojar to soak, wet *(3A)*

moler (ue) to grind *(7A)*

molestar to bother *(1B)*

molesto, -a bothersome *(7B)*

monoparental relating to a single parent *(3B)*

el **montaje** assembly, show *(8A)*

mordisquear to nibble *(3A)*

morisco, -a Moorish *(8A)*

la **mortalidad** mortality *(2B)*

motriz motor *(6B)*

muchas gracias de antemano to thank beforehand *(1A)*

la **muchedumbre** crowd *(1A)*

la **muestra** sample *(3A)*

multar to fine *(7B)*

la **multitud** crowd *(2B)*

multitudinario, -a heavily attended *(5B)*

mundialmente worldwide, throughout the world *(6A)*, *(7A)*

el/la **muralista** muralist *(8A)*

el **murmullo** murmur *(2B)*

el/la **músico/a** musician *(8A)*

N

nacer to be born *(2B)*

nada de nada nothing at all *(4A)*

el/la **nadador(a)** swimmer *(6A)*

nadie en su sano juicio no one in his/her right mind *(4B)*

la **natación** swimming *(6A)*

la **naturaleza muerta** still life *(8B)*

la **niebla** fog *(1A)*

la **niñez** childhood *(2A)*

ni tan siguiera if only *(7B)*

no dar abasto to not cope *(3B)*

no estar para bromas not to be in a joking mood *(2A)*

¡No faltaba más! Don't mention it! *(4A)*

¡No hay derecho! That's not fair! *(2B)*

¡No me digas! You don't say!, I don't believe it! *(2B)*

¡No me lo puedo creer! I just can't believe it! *(2B)*

no obstante nevertheless *(5B)*

no perder de ojo to not lose sight of *(1A)*

no poder con to be unable to cope with *(7A)*

no poder ni ver algo (o alguien) not to stand something (or someone) *(3A)*

no ser para tanto to not be such a big deal *(2A)*

no tener más remedio to have no other choice *(4B)*

nocivo, -a harmful *(7A)*

nocturno, -a night, nocturnal *(1A)*

la **nómina** list *(of staff)* *(8B)*

la **nominación** nomination *(4B)*

nominar to nominate *(4B)*

la **norma** standard, rule *(5B)*

las **normas de clasificación** rating standards *(8B)*

noticioso, -a informative *(8A)*

la **nube** cloud *(1A)*

el/la **nutricionista** nutritionist *(3B)*

nutritivo, -a nutritious *(3B)*

O

la **obesidad** obesity *(3B)*

obeso, -a obese *(3B)*

el **objetivo** objective *(2B)*

la **obra de teatro** play *(5A)*

las **obras benéficas** charity *(2B)*

las **obras literarias** literary works *(5A)*

obtener to obtain, procure *(4B)*

ocasionar to cause, bring about *(7B)*

el **ocio** leisure (time), free time *(6A)*

la **oda** ode *(5A)*

el **odio** hatred *(4A)*

la **oferta** offer *(7A)*

el **oído** hearing; ear *(7A)*

el **óleo** oil painting *(8A)*

oloroso, -a smelly, fragrant *(3B)* *(4A)*

olvidarse de to forget about *(1B)*

oponerse a to oppose *(2B)*

oportuno, -a opportune, timely *(7B)*

oprimido, -a oppressed *(2B)*

oprimir to oppress *(2B)*

opulento, -a affluent *(1B)*

la **Oratoria** Oratory *(5A)*

el **orbe** world *(8A)*

el **orden cronológico** chronological order *(7A)*

el **ordenador** computer *(7A)*

orgánico, -a organic *(3B)*

la **organización sin ánimos de lucro** nonprofit organization *(2B)*

orgulloso, -a proud *(2A)*

la **orilla** shore, riverbank *(1A)*

la **ortografía** spelling *(7B)*

oscilar to oscillate, sway *(1B)*

otorgar to grant *(2A)*, *(6A)*, *(8A)*

¡oye! hey!, excuse me *(4A)*

P

la **paciencia** patience *(4A)*

el **pacifismo** pacifism *(2A)*

padecer to suffer *(1A)*, *(7B)*

padecer de to suffer from *(3B)*

el **paisaje** landscape, scenery *(1A)*

el **paladar** palate *(3A)*

paladear to savor, relish *(3B)*

la **paloma mensajera** carrier pigeon *(4B)*

el **palomo** (male) pigeon *(4B)*

el **papel** role *(2B)*; *(piece of)* paper *(4B)*

la **papelería** stationery store *(5B)*

para colmo on top of that *(4A)*

para ser sincero to be sincere *(2A)*

para todos los gustos for all tastes *(1A)*

el **parador** roadside inn, state-owned hotel *(3A)*

el **paraíso** paradise *(1A)*

parecer to seem *(1B)*

parecerse (a) to look like *(2A)*

la **paridad** equality *(6B)*

el/la **pariente/a** relative, family member *(1A)*

particular distinct *(2B)*

partirse de risa to laugh one's head off, split one's sides laughing *(4A)*

la **pasa** raisin *(3A)*

pasar a la posteridad to pass on to posterity *(4B)*

pasar de largo to pass by *(1B)*

pasar hambre to endure hunger *(3B)*

pasar por to go by *(ignore)* *(1A)*

pasarse to go too far *(2A)*

pasársele rápido to get over (something) quickly *(4A)*

el **paso** step *(2A)*

la **pastilla** tablet *(3A)*

el **pasto** grass *(6A)*

patear to kick *(6A)*

patentizar to make evident, reveal *(8B)*

el/la **patinador(a)** skater *(6A)*

el **patinaje** skating *(6A)*

la **patria** homeland *(4B)*

el **patrimonio** heritage *(3B)*

patrocinar to sponsor *(6B)*

el **patrón** pattern *(5B)*

la **pauta** guideline *(4A)*

la **pechuga** breast *(of fowl)* *(3A)*

el **pedazo** piece *(3A)*

pegajoso, -a sticky *(3A)*

la **película magnética** magnetic film (tape) *(7A)*

peligroso, -a dangerous *(1A)*

la **pelota vasca** Basque ball game *(6A)*

la **pena** grief *(2B)*

pensar (ie) de *(+ sustantivo)* to think about *(opinion)* *(4A)*

pensar (ie) en to think of *(4A)*

penúltimo, -a next-to-last *(8B)*

la **penumbra** semidarkness, half-light *(1A)*

el **percance** accident, mishap *(1A)*, *(4B)*

la **pérdida** loss *(4B)*

perdurar to last, endure *(6B)*

el **periodismo** journalism *(5A)*

el/la **periodista** journalist *(5A)*

la **peripecia** vicissitude, *(pl.)* ups and downs *(4B)*

permanecer to stay *(6B)*

la **permanencia** stay; continuance *(6B)*

perseguir (i, i) to pursue *(1A)*

la **persona ideal** ideal person *(4A)*

el **personaje** *(literary)* character *(2B)*

pertenecer (a) to belong (to) *(1B)*, *(2A)*

la **pértiga** pole vault *(6B)*

perturbar to disturb *(1B)*

pese a in spite of *(3B)*

el **peso** weight *(2A)*

el **petámetro yámbico** iambic pentameter *(5B)*

picar to chop *(3A)*; to snack *(3B)*

la **piedra** stone *(1A)*

la **piel** skin *(3A)*

el/la **piloto de Fórmula 1** Formula 1 race car driver *(6A)*

el **pincel** paintbrush *(8B)*

la **pinta** appearance *(2A)*

pintar to paint *(8A)*

la **pintura** painting; paint *(8A)*

piratear to rob, pirate *(8B)*

la **piratería** piracy *(8B)*

el **pisapapeles** paperweight *(5B)*

la **pista** court *(6A)*

la **planta termoeléctrica** thermo-electrical plant *(7B)*

plantearse to take into consideration *(2B)*

plasmar to create, shape *(8A)*

pleno, -a full *(2A)*

la **población** town; population *(2B)*

poblado, -a populated *(1A)*

¡Pobrecitos! Poor things! *(2B)*

la **pobreza** poverty *(1B)*

el **poder** power *(6A)*, *(8B)*

el **poder adquisitivo** purchasing power *(3A)*

poderoso, -a powerful *(4B)*

el **poema** poem *(5A)*

el **poema épico** epic poem *(5A)*

la **polémica** controversy *(6A)*, *(8B)*

poner a la venta to put up for sale *(8A)*

poner atención a las letras pequeñas del contrato to pay attention to the small print of the contract *(7A)*

poner de relieve to highlight *(5B)*

poner en marcha to set into motion *(6A)*

poner en tela de juicio to put something in doubt *(7B)*

poner freno to stop, halt *(3B)*

poner mantel/la mesa to set the table *(3A)*

ponerse to become; to place oneself *(2A)*

ponerse a to begin to (4A)

ponerse en el lugar (de alguien) to put youself in someone's place (7B)

ponerse remedio to remedy (5B)

por ciento percent (1B)

por culpa de because of, through the fault of (1B)

por desgracia unfortunately (1B)

por entregas in installments (5A)

por este motivo for this reason, motive (4A)

por lo que by what (1B)

por lo visto apparently (2A)

por más que no matter how hard (2A)

por mucho que no matter how much (4A)

por placer for pleasure (5B)

por poco by little (2A)

por si acaso if by any chance (2A); just in case (4A)

por supuesto of course (2A)

por todas partes everywhere (2A)

por último finally (2A)

el/la **porrista** cheerleader (6B)

la **portada** cover (of a book) (2B), (5A); front page (of a newspaper) (6A)

la **portadilla** title page (5A)

portarse to behave (2A)

el/la **portavoz** spokesperson (1A)

el/la **portero/a** goalie (6A)

el **postulado** axiom (6A)

la **postura** position (4A)

potenciar to promote development (4B)

precipitarse a to hurry to (6B)

preciso, -a necessary (7A)

precoz precocious, early (5B)

preestablecido, -a preestablished (5B)

el **prejuicio** prejudice (4B)

premiar to give an award, award (4B)

el **premio** prize, award (2B)

el **Premio Nobel de Literatura** Nobel Prize in Literature (5A)

la **prensa** press (5A)

preocupante worrisome, worrying (2A)

preocuparse to worry (1B)

preocuparse por to worry about (1B)

el **prestigio** prestige (6B)

prestigioso, -a prestigious, famous (4B)

presumir de to think one is, boast of being (2A)

el **presupuesto** budget (3B), (8A)

pretender to expect; to try (1A)

prevalecer to prevail (5B), (7B)

probar (ue) to taste (3B)

procedente de coming from (7B)

proceder a to proceed (3B); — **de** to originate from (3B)

procurar to try to, endeavor to (3B)

prodigioso, -a marvelous (2A)

el **producto químico** chemical (3B)

la **profundidad** depth (1A)

profundo, -a deep (1A)

el **programa buscador** search engine (7A)

programar to program (6A)

el **promedio** average (1A), (5A)

promocionar to promote (6B)

promover (ue) to promote (3B), (8B)

el/la **propagador(a)** promoter (6B)

propenso, -a prone (7B)

propicio, -a favorable (5A)

el/la **propietario/a** owner (3A), (6A)

propio, -a own (1B)

proponer to propose (6A)

proporcionar to supply, provide (2B), (7A)

los **pros y los contras** the pros and cons (8B)

la **prosa** prose (5A)

la **prosa poética** poetic prose (5B)

el/la **protagonista** protagonist, main character (4A)

protagonizar to take a leading part in (6A)

provechoso, -a profitable, worthwhile (1B)

el/la **proveedora(a)** supplier (3A)

provenir de to come from (3A)

provocado, -a provoked; angered (4A)

provocar to cause (1A)

la **prueba** proof, sign, test (8B)

el **público fanático** fans (8B)

el **puerto** port (3A)

la **puesta en marcha** setting in motion (8B)

el **puesto** stand (3B)

pujante strong, vigorous (7A)

el **puñado** handful, fistful (3A)

el **punto de vista** point of view (2A)

puntualizar to emphasize (6A)

Q

¡Qué barbaridad! How terrible/awful! (2B)

¡Qué cruel! How cruel! (2B)

¡Qué injusticia! What an injustice! (2B)

¡Qué lata! What a bore! (2A)

¡Qué lío! What a mess! (2A)

¡Qué va! No way! (1A)

¡Qué vergüenza! How shameful!, How embarrassing! (4A)

quedar to be left (1B)

quedar bien/mal con to make a good/bad impression on (2A)

quedar con to arrange to meet with (1A)

quedar en + *infinitivo* to agree to do something (1A)

quedar en ver a alguien to agree to see someone (4B)

quedarse to stay (3A)

quedarse ciego to become blind (8B)

quedarse mudo, -a to be speechless (4B)

quedarse para to stay for (3A)

el **quehacer** duty (5B)

quejarse de to complain about (2A)

quemar to burn (3A)

quieto, -a still, calm (2B)

el/la **quinceañero/a** fifteen-year-old (2A)

la **quinua** quinoa (*Bolivian grain*) (3B)

quitar to remove (3A)

R

la **raíz** root (2B)

rara vez rarely, not usually (1A)

raro, -a strange (1B)

el **rasgo** feature (2A); characteristic (4A)

la **raza** race (*ethnicity*) (2B)

el **realismo mágico** magical realism (5A)

realista realistic (2A)

realizar to accomplish, carry out, fulfill, achieve (2B), (6A)

realmente really; actually (4A)

reavivar to rekindle; to revive (6B)

rebajado, -a reduced (1A)

rebajar to lower (1A)

rebelde rebellious (2A)

recaer en to go to (*prize, award*) (6B)

la **receta** prescription *(6B)*

rechazar to reject *(3A)*, *(8B)*

el **rechazo** denial *(1B)*

recién pasado just passed *(8B)*

reciente recent *(1A)*

recluir to confine *(5A)*

recoger to pick up, gather *(1A)*, *(5B)*

reconfortar to comfort *(7B)*

recordar (ue) to remember *(4B)*

recorrer to go through, cross; to travel *(6A)*, *(8B)*

el **recorte** clipping *(8B)*

recto, -a straight *(5B)*

el **recuerdo** memory *(2A)*

recuperar to recover *(8A)*; to retrieve *(8B)*

recurrir a to turn to, resort to *(5B)*

el **recurso natural** natural resource *(7A)*

la **red inalámbrica** wireless network *(7A)*

la **Red Mundial** WWW *(7A)*

la **redacción** written piece, writing *(1B)*

redactar to draft, write *(5B)*, *(7A)*

reducir to reduce *(4A)*

referirse (ie, i) a to refer to *(5B)*

refinado, -a refined *(3A)*

la **refinería** refinery *(7B)*

reforzar (ue) to strengthen *(5B)*

refractorio, -a resistant, unmanageable *(5B)*

regalar to give *(a present)* *(4A)*; to give away *(7A)*

la **regalía** royalty *(8A)*

regañar to scold, rebuke, tell off *(2A)*

regar (ie) to water *(3B)*

el **régimen** diet *(3B)*

el **régimen político** political regime *(1B)*

regresar a to return to; — **de** to return from *(1A)*

rehusar to refuse *(5A)*

reírse (i) de to laugh at *(1A)*

el **relato** tale, story *(1A)*

el/la **remero/a** rower *(6A)*

remitir to send *(6B)*

el **remo** rowing *(6A)*

la **remoción** removal *(7B)*

remontarse a to go back to *(5B)*

el **Renacimiento** Renaissance *(8A)*

la **rencilla** quarrel *(5A)*

el **rendimiento** performance *(5B)*, *(6A)*

reñir (i, i) to quarrel *(1A)*

rentable profitable, worthwhile *(3B)*

la **renuncia** resignation *(8A)*

renunciar (a) to resign, quit, renounce *(1B)*, *(4B)*

el **reparto** cast *(of characters)*; distribution *(3B)*, *(4B)*

repentino, -a sudden *(2B)*

reponer fuerzas to recover *(2A)*

la **represalia** retaliation *(7B)*

el **requisito** requirement *(4B)*

resarcir to repay, compensate *(5A)*

rescatar to rescue *(4A)*, *(7B)*

la **reseña** critque, review *(5A)*

la **reserva de plaza** reservation *(1A)*

residir to live, reside *(1B)*

resistirse a to resist *(2B)*

respaldado, -a endorsing *(7A)*

respaldar to back up, endorse *(7A)*, *(8A)*

el **respaldo** endorsement *(6B)*

respetado, -a respected *(4B)*

restituir to restore *(8A)*

restringido, -a restricted, limited *(5B)*

retar to challenge *(2A)*

retener datos to retain data *(5B)*

retirarse to retire *(8A)*

el **reto** challenge *(1A)*, *(5B)*

retrasar to delay *(8A)*

el **retraso** delay *(4B)*

el **retrato** portrait *(8B)*

el **retroceso** backward step *(7A)*

revoltoso, -a rebellious *(2A)*

rico, -a good, delicious *(3A)*

ridículo, -a ridiculous, absurd *(4B)*

el **riesgo** risk *(1B)*

la **rima** rhyme *(5B)*

el **rincón** corner *(1B)*

el **ritmo** rhythm *(5B)*

rodar (ue) to film *(4B)*; — **una película** to film a movie *(8A)*

rodeado, -a surrounded *(1A)*

rodear(se) to surround, (be surrounded) *(4A)*

rogar (ue) to beg, plead *(3B)*

rollizo, -a stocky, plump *(8A)*

el **rollo** bore *(slang)* *(2A)*

romper con to break up with *(2A)*

el **rostro** face *(1A)*

rotundo, -a categorical, flat *(denial, statement, etc.)* *(6A)*

rudo, -a coarse *(4B)*

la **rueda de prensa** press conference *(4A)*

rumorear to rumor *(5A)*

la **ruptura** break *(8A)*

S

la **sabiduría** wisdom *(1A)*, *(8B)*

sabio, -a wise *(4B)*

el/la **sabio/a** scholar, learned/wise man/person *(5A)*

el **sabor** flavor *(3A)*

sacar a la luz to bring something to light *(5B)*

sacar partido de to profit from *(2A)*

salado, -a salty *(3A)*

la **salida** exit *(4B)*

salir bien to go well, turn out well *(2B)*

el **salón** living room *(1A)*

el **salto a la fama** jump to fame *(4B)*

la **salud pública** public health *(7B)*

saludable healthy *(2B)*

la **salvaguardia** safeguard *(7B)*

salvar to save *(2B)*

sano, -a healthy *(3B)*

saquear to loot, plunder, ransack *(5A)*

la **sátira** satire *(5A)*

la **sazón** flavoring, seasoning *(3A)*

se mire por donde se mire wherever one looks *(2A)*

seco, -a dry *(3A)*

la **sede** seat, headquarters *(6A)*, *(7A)*

sedentario, -a sedentary *(3B)*

seguidamente next *(7A)*

el/la **seguidor(a)** follower *(8B)*

el **seguimiento** tracking, monitoring *(7B)*

seguir vigente to continue to be valid *(8A)*

según according to *(1B)*

seleccionar to select *(6B)*

el **sello** stamp *(1A)*

semántico, -a semantic *(5B)*

sembrado, -a sown, seeded *(4B)*

la **semilla** seed *(3A)*

la **señal** sign, signal *(4A)*

señalar to point (to), indicate, show, point out *(2A)*

sencillo, -a simple *(1A)*; single *(8B)*

sensato, -a sensible *(2B)*

sensible sensitive *(2B)*

sentarse (ie) en to sit down on/in *(1A)*

sentenciar to give one's opinion (7A)

el **sentido del humor** sense of humor (4B)

el **sentimiento** feeling (4A)

la **sequía** drought (7B)

ser indispensable to be indispensable (4A)

ser parte de to be part of (6A)

el **ser querido** loved one (2B)

ser reacio a to be reluctant to (4A)

los **seres de otros mundos** beings from other worlds (4B)

servir (i, i) con to serve with (3A); — **de** to serve as (5A)

el **seudónimo** pseudonym, pen name (5A)

el **siguiente paso** the next step (1A)

silencioso, -a quiet, silent (2B)

la **silla eléctrica** electric chair (4B)

silvestre wild (1A)

el **símil** simile (5B)

sin cesar ceaseless (4A)

sin embargo nevertheless (2A)

sin fronteras without limits (borders) (8A)

sin ninguna duda without (any) doubt (2A)

el **sinfín** great many (5A)

el **sinónimo** synonym (5B)

el **sinsabor** trouble (5B)

sintáctico, -a related to syntax (5B)

el **síntoma** symptom (2A)

el/la **sinvergüenza** shameless person, rascal, scoundrel (4A)

el **sismo** earthquake (7A)

el/la **soberano/a** sovereign (4B)

el/la **sobornador(a)** person who bribes (6B)

sobornar to bribe (6A)

el **soborno** bribe (6B)

sobrar to be more than enough, be too much (1B)

sobrecogerse to be moved, deeply affected (4A)

la **sobreexplotación** overexploitation (7A)

sobreexplotar to overexploit (7B)

el **sobrepeso** excessive weight (3B)

sobrevivir to survive (2B), (7A)

sofreír (i) to sauté, fry lightly (3A)

la **soja** soy, soya; soybean (3B)

sojuzgar to subdue, subjugate, dominate (8B)

la **soledad** loneliness; solitude (1A)

soler (ue) to be in the habit of (1A)

solicitar to ask for, request (2B), (7B)

la **solicitud** application (1B)

solidario, -a in solidarity, supportive (2A)

soltar (ue) to let go of; to untie (8B)

solucionar to (re)solve (4A), (6B)

el/la **sonámbulo/a** sleepwalker (4A)

soñar (ue) con to dream about (1B)

sonar (ue) to sound (8A)

el **sondeo** poll (2A)

el **soneto** sonnet (5B)

el **sonido** sound (5B)

sonrojarse to blush (4B)

soportar to bear, endure (2A)

sórdido, -a nasty, mean (8B)

sorprendente surprising (3A)

sorprender to surprise (1B)

el **sosiego** serenity, peace, tranquility (1A), (7A)

soso, -a bland (3A)

la **sospecha** suspicion (2B)

sostener to support (7B)

el **sostenimiento** maintenance, support (6A)

la **subalimentación** undernourishment (3B)

la **subasta** auction (8A)

súbito, -a sudden (6A)

el **subtítulo** subtitle (8A)

suceder to occur, happen (2A)

el **suceso** event (4B)

sudoroso, -a sweaty (4A)

el **sueldo** salary (2B)

sufrir en su propia carne to suffer in one's own skin (4B)

el **sujeto** subject (person), individual (2B)

sumergirse to be submerged (4A)

superarse to excel (2B), (8A))

la **supervivencia** survival (7A)

el **suplicio** torture (4B)

supremo, -a ultimate (4B)

el **surgimiento** emergence (7B)

surgir to come up (1A)

T

el **tablón de anuncios** bulletin board (1A)

el **tacto** (sense of) touch (8B)

la **tajada** slice (3A)

tajante definitive (answer, remark) (6A)

tajantemente categorically (2B)

talar to cut down, fell (trees) (7A)

talentoso, -a talented (4B)

el **taller** workshop (8B)

el **tamaño** size (2A)

el/la **tanguero/a** tango singer or dancer (8A)

tanto, -a so much; (pl.), so many, as many (1B)

tardar en to take time to (1B)

tarde o temprano sooner or later (2A)

tartamudear to stutter (2A), (4B)

la **tasa** rate (3B)

el **tatuaje** tattoo (2A)

taurino, -a related to bullfighting (6B)

tecnológico, -a technological (7A)

la **tela** cloth, fabric, material (8A)

el **teléfono celular/móvil** cell phone (7A)

el **teléfono fijo** landline phone (7A)

la **telenovela** soap opera (4B)

el/la **televidente** TV viewer (4B)

el **tema** subject (2B)

el **temor** fear (2A), (5A)

la **temporada** season (1A), (6A)

temprano early (1A)

tender a to tend to, incline (3B)

tener el alma en vilo to be worried (2B)

tener buen olfato to have good judgment (4B)

tener buena (mala) pinta to look good (bad) (3A)

tener éxito to succeed, be successful (4B)

tener falta de sueño to be deprived of sleep (1A)

tener ganas de to feel like (2B)

tener la manía to have this quirk/ funny little way (4A)

tener la oportunidad de to have the opportunity to (6A)

tener lugar to take place (2B)

tener mala cara to look bad (1A)

tener motivos para to have reasons for (2A)

tener por to take for, considered (2A)

tener un don to have a special gift (for doing something) (4A)

tener un efecto en to have an effect on (6B)

tener un éxito rotundo to have a resounding success *(4B)*

tener vigencia to be in effect *(6A)*

tenerlo claro to understand (it) *(1B)*

teñido, -a dyed *(2A)*

el/la **tenista** tennis player *(6A)*

tenso, -a tense, stressed *(2B)*

el **terceto** stanza with 3 verses *(5B)*

el **tercio** one-third *(1A)*

terminar por to end up *(2B)*

la **ternura** tenderness *(4B)*, *(5A)*

el **terremoto** earthquake *(7A)*

el **terreno** field *(2A)*

el **tesón** determination, tenacity *(4B)*

el/la **testigo** witness *(6B)*

el **tiburón** shark *(7B)*

el **tiempo** *(verbal)* tense *(of a verb)* *(2B)*

el **tiempo libre** free time *(6A)*

la **tierra batida** clay court *(6A)*

la **timidez** shyness *(4A)*

tímido, -a timid, shy *(4A)*

el **tino** common sense *(2A)*

el **tipo** type, sort, guy *(2A)*

tirar ejemplares to print copies *(5B)*

el **tiro al arco** archery *(6B)*

tolerante tolerant *(2A)*

tolerar to tolerate *(2B)*

tomar cuerpo to embody *(5B)*

tomar en cuenta to take into account *(3B)*

tónico, -a accentuated *(5B)*

la **tontería** silly/stupid thing *(4A)*

toparse con to bump into *(5A)*

el **toque** touch; beat *(1A)*, *(8A)*

torear to fight bulls *(6B)*

el **toreo** *(art of)* bullfighting *(6B)*

el **torero** bullfighter *(6B)*

torpe clumsy *(4B)*

tosco, -a rude *(4B)*

el **trabajo** *(term)* paper *(4B)*

el **trabalenguas** tongue twister *(5B)*

la **tragedia** tragedy *(5A)*

la **trampa** trap *(4A)*

tranquilo, -a calm *(4A)*

transgénico, -a genetically modified *(7A)*

tras after, behind *(5A)*

el **trastorno** disorder *(4A)*

tratar de to try to *(1B)*; **-se de** to be about *(3B)*

el **trato** deal, treatment *(4B)*

la **travesura** prank *(3B)*

la **trayectoria** trajectory, path *(4B)*

trazar to outline, describe *(1B)*

el/la **treintañero/a** thirty-year-old *(2A)*

tremendo, -a terrible, tremendous *(4A)*

tres cuartos de three-quarters of *(1A)*

triunfar to triumph *(2B)*

tropezar (ie) con to bump into *(4B)*

tumbarse to lie down *(2A)*

U

últimamente lately *(2B)*

último, -a last *(1A)*

unirse a to join *(5A)*

el/la **usuario/a** user *(7B)*

V

la **valentía** valor *(4B)*

valer la pena to be worth it, worth the trouble *(3A)*

valiente brave *(4B)*

la **valla** hurdle *(6B)*

el **valor** courage *(2B)*

valorar to value *(1B)*

valorizar to value *(3B)*

vanguardista modernist *(5A)*

variopinto, -a miscellaneous *(8B)*

el **varón** male *(4B)*

vasto, -a vast, immense *(3B)*

el/la **veinteañero/a** twenty-year-old *(2A)*

la **vejez** old age *(2B)*

la **velada** evening (get-together) *(3A)*

velar to watch over *(3B)*

velar por to watch out for *(6A)*

vencer to defeat *(6A)*

¡venga ya! are you kidding/serious? *(4B)*

venidero, -a future *(3B)*

venir a to come to *(6A)*

la **ventaja** advantage *(7A)*

ver todo "color de rosa" to see everything through rose-colored glasses *(4A)*

verdadero, -a actual, true *(4B)*

la **vergüenza** shame, embarrassment *(4A)*

la **versificación** versification *(5B)*

la **versión inédita** unedited version *(8B)*

el **verso blanco** blank verse *(5B)*

el **verso libre** free verse *(5B)*

verter (ie) to pour, spill *(7B)*

viajar por to travel by *(1B)*

el/la **viajero/a** traveler *(1A)*

vibrar to vibrate, quiver *(4A)*

el **vicio** vice *(4A)*

el/la **vidente** clairvoyant *(8B)*

el **videojuego** videogame *(8B)*

vigilar to watch *(3B)*

la **vinculación** connection, link *(5A)*

vinculado, -a connected, linked *(5A)*

vincular to link *(1A)*

el **vínculo** link, bond *(8B)*

el/la **visionario/a** visionary *(4B)*

la **vista** view *(1A)*

la **viuda** widow *(1A)*

vivaz lively *(7A)*

volar (ue) to fly *(1A)*

el **voluntariado** voluntary service *(2A)*

el/la **voluntario/a** volunteer *(2B)*

volver(se) (ue) to go back *(1A)*; to turn into, become *(4A)*

el/la **votante** voter *(4B)*

Y

ya no no longer *(1B)*

ya que since *(4A)*

yacer to lie (recline) *(2B)*

Z

la **zapatilla** sneaker, tennis shoe *(6A)*

English-Spanish Vocabulary

A

abandonment el abandono *(2B)*
ability la capacidad *(4A)*
to abolish derogar *(5A)*
about the matter al respecto *(7B)*
abrupt brusco, -a *(4A)*
to absorb amortiguar *(2B)*
absurd absurdo, -a *(4B)*; disparatado, -a *(5A)*; ridículo, -a *(4B)*
the absurdity of the situation lo absurdo de la situación *(4A)*
abundant copioso, -a *(3A)*
to abuse abusar de *(2B)*; maltratar *(4A)*
accent el acento *(5B)*
accentuated tónico, -a *(5B)*
accentuation la acentuación *(5B)*
accident el percance *(1A)*, *(4B)*
acclaim la consagración *(4B)*
acclaimed aclamado, -a *(4B)*
accommodations el alojamiento *(1A)*
to accomplish realizar *(2B)*, *(6A)*
according to según *(1B)*
to achieve conseguir (i, i) *(1B)*; lograr *(1A)*; realizar *(2B)*, *(6A)*
achievement el logro *(4B)*
acknowledgment of receipt acuse de recibo *(5B)*
to act actuar *(4B)*; hacer un papel *(8A)*
acting la interpretación *(4B)*
action la gestión *(4B)*
actual verdadero, -a *(4B)*
actually realmente *(4A)*
to add (to) agregar (a) *(2B)*, *(6A)*; añadir (a) *(3A)*
adept adepto, -a *(2A)*
admiration la admiración *(4A)*
to admire admirar *(4A)*
adornments los abalorios *(1B)*
adulthood la edad adulta *(2A)*
advantage la ventaja *(7A)*
adventures las andanzas *(7B)*
adventurous aventurero, -a *(1A)*
advertising campaign la campaña publicitaria *(4B)*
advertising strategy la estrategia publicitaria/de propaganda *(3B)*
to advise asesorar *(5B)*
aesthetic estético, -a *(5B)*
aesthetics la estética *(8B)*
affection el cariño *(1A)*

affectionate cariñoso, -a *(4A)*
affectionately cariñosamente *(4A)*
affluent opulento, -a *(1B)*
after tras *(5A)*
again de nuevo *(8B)*
to agree asentir (ie, i) *(1B)*
to agree to do something quedar en + *infinitivo* *(1A)*
to agree to see someone quedar en ver a alguien *(4B)*
agreement el convenio *(7A)*
agricultural worker el/la campesino/a *(1B)*
air quality la calidad del aire *(7B)*
alarming alarmante *(2B)*
alien extraterrestre *(4B)*
allergic alérgico, -a *(4A)*
to allow dar pie a *(6B)*
allowed minutes los minutos permitidos *(7A)*
along a lo largo de *(1A)*
alphabet el abecedario *(5B)*
also asimismo *(4B)*, *(6B)*
to alternate alternar *(5B)*
amazing asombroso, -a *(1A)*
to amuse oneself with entretenerse con *(2A)*
analyst el/la analista *(8A)*
ancestor el/la antepasado/a *(4B)*
Andalusian andaluz(a) *(5A)*
anger la ira *(4A)*; el coraje *(2B)*
angered provocado, -a *(4A)*
to annotate anotar *(5A)*
to annoy fastidiar *(1B)*, *(7B)*
annual anual *(1B)*
antiquity la antigüedad *(3B)*
antonym el antónimo *(5B)*
apart from además de *(3A)*
apparently por lo visto *(2A)*
appearance la facha *(colloquial)* *(2A)*; la pinta *(2A)*
appetite el apetito *(3A)*
to applaud aplaudir *(8B)*
application la solicitud *(1B)*
to appreciate agradecer *(4B)*
to appreciate (in value) apreciar *(4B)*
apprentice el/la aprendiz(a) *(8B)*
apprenticeship el aprendizaje *(5B)*, *(7A)*
to approach abordar *(2B)*; acercarse (a) *(6B)*
appropriate adecuado, -a *(3A)*
archery el tiro al arco *(6B)*

architect el/la arquitecto/a *(8A)*
architectural arquitectónico, -a *(7A)*
architecture la arquitectura *(8A)*
are you kidding/serious? ¡venga ya! *(4B)*
armed conflict el conflicto armado *(2B)*
army el ejército *(2B)*
around *(prep.)* alrededor *(2A)*
to arrange to meet with quedar con *(1A)*
arrival la llegada *(1A)*
to arrive at llegar a *(1A)*
art for art's sake el arte por el arte *(8B)*
to articulate articular *(5B)*
artistic artístico, -a *(8A)*
arts las artes *(8A)*
as soon as possible cuanto antes *(1B)*
to ask for solicitar *(2B)*, *(7B)*
assembly el montaje *(8A)*
to assist ayudar (a) *(4B)*
to assume asumir *(2A)*
to assure asegurar *(2A)*, *(4A)*
astonishing asombroso, -a *(1A)*
at first de primeras *(1A)*
at least al menos *(4A)*
athlete el/la atleta *(6A)*
atmosphere el ámbito *(6B)*
to attain lograr *(1A)*
to attempt intentar *(1A)*
to attend asistir a *(8A)*
attitude la actitud *(2B)*
to attract atraer *(4A)*
to attract attention llamar la atención *(4A)*
auction la subasta *(8A)*
audacity la audacia *(4B)*
autobiography la autobiografía *(4B)*
autograph el autógrafo *(4B)*
available disponible *(6B)*
average el promedio *(1A)*, *(5A)*
to avoid eludir *(4A)*
award el galardón *(4B)*, *(6B)*; el premio *(2B)*
to award conceder *(8B)*; premiar *(4B)*
awarded galardonado, -a *(7A)*; laureado, -a *(5A)*
axiom el postulado *(6A)*

B

to **back up** respaldar *(7A)*, *(8A)*

background el fondo *(8B)*

backward step el retroceso *(7A)*

balance el equilibrio *(3B)*

ball game el juego de pelota *(6A)*

barely apenas *(1B)*, *(5A)*

base runner el/la corredor(a) en base *(6A)*

baseball player el/la beisbolista *(6A)*

basin la cuenca *(7A)*

basketball el básquetbol, el baloncesto *(6A)*

basketball player el/la baloncestista, basquetbolista *(6A)*

Basque ball game la pelota vasca *(6A)*

to **be about** tratarse de *(3B)*

to **be about to** estar a punto de *(4A)*

to **be absent-minded** estar en las nubes *(4A)*

to **be advisable** convenir (ie) *(1B)*, *(4A)*

to **be ashamed of** avergonzarse (ue) de *(2A)*

to **be born** nacer *(2B)*

to **be characterized by** caracterizarse por *(5B)*

to **be composed of** componerse de *(5B)*

to **be connected with** entroncar con *(3B)*

to **be convenient** convenir (ie) *(1B)*, *(4A)*

to **be dead tired** estar muerto de cansancio *(1B)*

to **be deeply affected** sobrecogerse *(4A)*

to **be deprived of sleep** tener falta de sueño *(1A)*

to **be easy (hard) on the eyes** (no) entrar por los ojos *(3A)*

to **be enough** bastar *(1B)*, *(6A)*

to **be equivalent** equivaler *(8A)*

to **be far from ready** estar muy verde *(6A)*

to **be fed up with** estar harto de *(3A)*

to **be finger-licking good** estar para chuparse los dedos *(3A)*

to **be happy (about)** alegrarse (de) *(3B)*

to **be happy/satisfied with** contentarse con *(2A)*

to **be headed by** correr a cargo de *(5B)*

to **be in a good (bad) mood** estar de buen (mal) humor *(4A)*

to **be in charge of** estar a cargo de *(3A)*

to **be in effect** tener vigencia *(6A)*

to **be in fashion/vogue** estar en boga *(3A)*

to **be in line with** enmarcarse en *(6B)*

to **be in the habit of** soler (ue) *(1A)*

to **be in training** estar entrenándose *(6B)*

to **be inclined/leaning toward** decantarse por *(4B)*

to **be indispensable** ser indispensable *(4A)*

to **be lacking** carecer de *(5B)*

to **be left** quedar *(1B)*

to **be mistaken** equivocarse *(1B)*

to **be more than enough** sobrar *(1B)*

to **be moved** sobrecogerse *(4A)*

to **be out of fashion** estar pasado, -a de moda *(4B)*

to **be part of** ser parte de *(6A)*

to **be pleasing** agradar *(1B)*

to **be reachable/obtainable** estar al alcance de *(1A)*

to **be reluctant to** ser reacio a *(4A)*

to **be satisfied with** conformarse con *(2A)*

to **be sincere** para ser sincero *(2A)*

to **be speechless** quedarse mudo, -a *(4B)*

to **be submerged** sumergirse *(4A)*

to **be successful** tener éxito *(4B)*

to **be too much** sobrar *(1B)*

to **be unable to cope with** no poder con *(7A)*

to **be unaware of** ignorar *(4B)*

to **be up-to-date** actualizarse *(3A)*; estar al tanto de *(1A)*

to **be willing (to)** estar dispuesto, -a (a) *(1A)*, *(4B)*

to **be worried** tener el alma en vilo *(2B)*

to **be worth it** merecer la pena *(3A)*; valer la pena *(3A)*

to **be wrong** equivocarse *(1B)*

bead el abalorio *(1B)*

to **bear** aguantar *(4A)*; soportar *(2A)*

beat el toque *(1A)*, *(8A)*

to **beat** batir *(3A)*; latir *(4A)*

to **beat (up)** golpear *(2B)*

beautiful bello, -a *(5B)*

beauty la belleza *(1A)*, *(8A)*

because of por culpa de *(1B)*

to **become** ponerse *(2A)*; volver(se) (ue) *(4A)*

to **become blind** quedarse ciego *(8B)*

to **become involved in** envolverse (ue) en *(5A)*

to **become tired of** cansarse de *(2A)*

to **become very interested in** apasionarse por *(2B)*

to **beg** rogar (ue) *(3B)*

to **begin** iniciar *(3A)*

to **begin to** empezar (ie) a *(3B)*; ponerse a *(4A)*

beginning from a partir de *(3B)*

to **behave** comportarse *(4B)*; portarse *(2A)*

behavior el comportamiento *(2A)*, *(4A)*

behind tras *(5A)*

beings from other worlds los seres de otros mundos *(4B)*

belief la creencia *(2B)*

to **belong (to)** pertenecer (a) *(1B)*, *(2A)*

belt el cinturón *(1A)*

benefit el beneficio *(1B)*

to **benefit from** beneficiar de *(3B)*

besides además de *(3A)*

best quality la mayor calidad *(3B)*

bet la apuesta *(6B)*

to **bet (on)** apostar (ue) (por) *(3A)*, *(6A)*

bettor (person who bets) el/la apostador(a) *(6B)*

between life and death entre la vida y la muerte *(4A)*

bigmouth el/la bocazas *(4B)*

bill (*currency*) el billete *(1B)*; la factura *(3B)*

biography la biografía *(4B)*

bird el ave (f.) *(4B)*

bitter amargo, -a *(3A)*

blabbermouth el/la bocazas *(4B)*

bland soso, -a *(3A)*

blank verse el verso blanco *(5B)*

blood enhancement (doping) el dopaje sanguíneo *(6B)*

to **blush** sonrojarse *(4B)*

to **boast** presumir de *(2A)*; alardear *(3A)*

bodybuilder el/la culturista *(6B)*

to **boil** hervir (ie, i) *(3A)*

bold audaz *(8B)*

boldness la audacia *(4B)*

to **bombard** bombardear *(3B)*

bond el vínculo *(8B)*

bone el hueso *(3B)*

bore el rollo, la lata *(slang) (2A)*;
What a bore! ¡Qué rollo/lata!
(2A)

to **bore** aburrir *(1B)*

bossy mandón/mandona *(4A)*

to **bother** fastidiar *(1B)*, *(7B)*;
molestar *(1B)*

bothersome molesto, -a *(7B)*

bottleneck el atasco *(1A)*

box-office hit el éxito taquillero
(8A)

brain el cerebro *(2B)*

brand (name) la marca *(2A)*

brave valiente *(4B)*

break la ruptura *(8A)*

to **break up with** romper con *(2A)*

breast *(of fowl)* la pechuga *(3A)*

bribe el soborno *(6B)*

to **bribe** sobornar *(6A)*

briber el/la sobornador(a) *(6B)*

bright color el color vivo *(8B)*

brilliant brillante *(4B)*

to **bring about** ocasionar *(7B)*

to **bring something to light** sacar a
la luz *(5B)*

broth el caldo *(3B)*

bruise *(on fruit)* la maca *(3B)*

budget el presupuesto *(3B)*, *(8A)*

to **build** construir *(8A)*; edificar
(8A); erigir *(6A)*

building la edificación *(1A)*

bulletin board el tablón de
anuncios *(1A)*

bullfight la corrida de toros *(6B)*

bullfighter el torero *(6B)*

bullfighting el toreo *(6B)*

bullfighting *(adj.)* taurino, -a
(6B)

to **bump into** toparse con *(5A)*;
tropezar (ie) con *(4B)*

to **burn** arder *(3A)*; quemar *(3A)*

to **bury** enterrar (ie) *(2B)*

business la compañía *(3B)*; la
empresa *(3B)*

business owner el/la
empresario/a *(2B)*, *(4B)*

by little por poco *(2A)*

by means of mediante *(7A)*

by what por lo que *(1B)*

C

cadence la cadencia *(5B)*

to **call together** convocar *(3A)*

calm quieto, -a *(2B)*; tranquilo,
-a *(4A)*

campaign la campaña *(3B)*, *(4B)*

canvas el lienzo *(8A)*

capable capaz *(4A)*

capital letter la mayúscula *(2A)*

capricious caprichoso, -a *(3B)*

career la carrera *(2B)*

careful esmerado, -a *(3A)*

Caribbean caribeño, -a *(8A)*

carrier pigeon la paloma
mensajera *(4B)*

to **carry out** cumplir con *(4B)*;
desempeñar(se) *(2B)*, *(7B)*;
llevar a cabo *(5B)*; realizar
(2B), *(6A)*

cartoon el dibujo animado *(4B)*

cast *(of characters)* el reparto
(3B), *(4B)*

Castilian castellano, -a *(8A)*

to **catch up with** alcanzar *(3B)*

categorical *(denial, statement,
etc.)* rotundo, -a *(6A)*

categorically tajantemente *(2B)*

to **cause** ocasionar *(7B)*; provocar
(1A)

to **cease** cesar *(2B)*

ceaseless sin cesar *(4A)*

to **celebrate** festejar *(7B)*

cell phone el teléfono celular/
móvil *(7A)*

cement el cemento *(6A)*

to **censor** censurar *(8B)*

censorship la censura *(1B)*

chain la cadena *(4B)*

challenge el reto *(1A)*, *(5B)*

to **challenge** desafiar *(1A)*; disputarse *(6A)*; retar *(2A)*

challenging desafiante *(1A)*

champion el/la campeón/
campeona *(6A)*

championship el campeonato
(6A)

character *(personality)* el carácter
(2A); *(literary)* el personaje
(2B)

characteristic el rasgo *(4A)*

to **characterize** estilizar *(3B)*

charge *(accusation)* el cargo
(7A); *(expenses)* cobro *(7A)*

to **charge** cobrar *(1B)*

charismatic carismático, -a *(4B)*

charity las obras benéficas *(2B)*

to **charm** encantar *(1B)*

charming encantador(a) *(4B)*

cheerleader el/la porrista *(6B)*

chemical el producto químico
(3B)

child el/la crío/a *(4A)*

childhood la infancia *(2B)*; la
niñez *(2A)*

china la loza *(3A)*

chocolate candy el bombón *(4A)*

to **choose** elegir (i,i) *(4A)*; escoger
(4B)

to **chop** picar *(3A)*

chronological order el orden
cronológico *(7A)*

cinnamon la canela *(3A)*

citizen el/la ciudadano/a *(1B)*

clairvoyant el/la vidente *(8B)*

clay la arcilla *(6A)*; el barro *(3A)*

clay *(court)* la tierra batida *(6A)*

to **cling to** aferrarse a *(5A)*

clipping el recorte *(8B)*

close íntimo, -a *(2B)*

to **close the gap** cerrar (ie) la brecha
(8A)

cloth la tela *(8A)*

cloud la nube *(1A)*

clove (of garlic) el diente (de ajo)
(3A)

clumsy torpe *(4B)*

to **coach** entrenar *(6B)*

coarse rudo, -a *(4B)*

coastal costero, -a *(7A)*

code el código *(7A)*

coexistence la convivencia *(2B)*

to **collaborate** colaborar *(8B)*

to **come between** mediar *(6A)*

to **come from** emanar *(5B)*; provenir
de *(3A)*

to **come to** venir a *(6A)*

to **come up** surgir *(1A)*

comedian el/la comediante *(4B)*

comedy la comedia *(5A)*

to **comfort** consolar (ue) *(2A)*;
reconfortar *(7B)*

coming from procedente de *(7B)*

command of languages el
dominio de lenguas *(7A)*

to **commemorate** conmemorar *(1B)*

to **commend oneself to**
encomendarse (ie) a *(2B)*

commentator el/la comentarista
(4B)

commissioner el/la comisionado/
a *(6A)*

to **commit** cometer *(2B)*

common corriente *(7A)*

common sense el tino *(2A)*

company la compañía *(3B)*; la
empresa *(3B)*

comparison el cotejo *(5B)*

compatibility la compatabilidad
(5B)

compatriot el/la compatriota *(4B)*

to **compensate** resarcir *(5A)*

to **compete with** competir (i, i) con
(6B)

competition la competencia (6A);
la competición (6A)

competitor el/la contrincante (8A)

to **complain about** quejarse de (2A)

complete amplio, -a (4A)

completely cabalmente (5A)

complex complejo, -a (2A), (4A)

compliance el acatamiento (5A)

to **comply with** cumplir con (4B)

composer el/la compositor(a)
(8A)

computer la computadora, el
computador; el ordenador (7A)

to **concentrate on** concentrarse en
(6A)

concern la inquietud (4A)

conclusive contundente (3A)

conduct la conducta (4A)

conference el congreso (2B)

to **confess** confesar (ie) (2B)

confidence la confianza (4A)

to **confine** recluir (5A)

conjecture la conjetura (2A)

to **connect with** conectarse con
(7A)

connected vinculado, -a (5A)

connection la vinculación (5A)

to **consent** asentir (ie, i) (1B)

conservative conservador(a)
(4B)

to **conserve** conservar (1B)

to **consist of** constar de (5B)

to **console** consolar (ue) (2A)

to **consume** consumir (3B)

consumer el/la consumidor(a)
(3B)

consumption el consumo (3B);
la ingesta (3B)

contemporary contemporáneo, -a
(5A)

contents el contenido (5A)

contest la competición (6A)

continuance la permanencia (6B)

to **continue to be valid** seguir
vigente (8A)

to **contract** contratar (4A)

contractor el/la contratista (7B)

to **contradict** contradecir (6B)

to **contribute (to)** aportar (a) (3B),
(8A); contribuir (a) (5B)

contribution la aportación (7B)

controversy la polémica (6A),
(8B)

to **convene** convocar (3A)

to **convince** convencer (1A)

convincing contundente (3A)

to **cook** cocer (ue) (3A)

corncob la mazorca (3A)

corner el rincón (1B)

to **corner** (the market) acaparar
(8A)

cornering (of the market) el
acaparamiento (7A)

to **correct** corregir (i, i) (5B)

to **cost** costar (ue) (4A)

to **count on** contar (ue) con (2B)

coup(d'état) el golpe de estado
(1B)

courage el valor (2B)

court (sports) la pista (6A)

courtesy la cortesía (7B)

cover (of a book) la portada (2B),
(5A)

cover (plate, napkin, etc. set for
each comensal) el cubierto
(3A)

coverage la cobertura (6A)

covered cubierto, -a (3A)

cozy acogedor(a) (3A)

cradle la cuna (6A)

to **crave** apetecer (1B)

craving el antojo (1B)

to **create** crear (8B); plasmar (8A)

criminal el/la delincuente (2B)

critic el/la crítico/a (8A)

criticism la crítica (5A)

critique la crítica (5A); la reseña
(5A)

crop el cultivo (3A)

to **cross** recorrer (6A), (8B)

crowd la muchedumbre (1A); la
multitud (2B)

cultured culto, -a (8A)

curator el/la curador(a) (8B)

curiosity la curiosidad (4B)

curiously curiosamente (4A)

to **curl up (in)** acurrucarse (en)
(4B)

current actual (4B)

current events las actualidades
(8A)

to **cushion** amortiguar (2B)

to **cut** cortar (3A)

to **cut down** talar (7A)

cycling el ciclismo (6A)

cyclist el/la ciclista (6A)

D

daily cotidiano, -a (5B); diario, -a
(1B)

dairy lácteo, -a (3B)

damage el daño (2B); el deterioro
(7A)

to **damage** dañar (3B)

dance la danza (8A)

to **dance** danzar (8A)

dancer el/la bailarín/bailarina
(8A)

dangerous peligroso, -a (1A)

to **dare to** atreverse a (1A)

daring atrevido, -a (2A)

darling (in direct speech) cariño
(1A)

to **date from** datar de (1A)

dazzling deslumbrado, -a (8B)

deadly letal (4B)

deal el trato (4B)

dean (of a university) el/la
decano/a (1B)

to **debut** debutar (8A)

decade la década (4B)

to **deceive** engañar (3B)

deception el engaño (2B)

to **decide** acordar (ue) (2B)

to **decode** descifrar (5B)

deep profundo, -a (1A)

deep down en el fondo (1B)

deeply rooted arraigado, -a (2B)

to **defeat** derrotar (5A), (6A);
vencer (6A)

defense (defensive player) el/la
defensa (6A)

defenseless desamparado, -a (2B)

deficiency la carencia (7B);
deficiencia (3B)

definitive (answer, remark)
tajante (6A)

to **degrade** degradar (4B)

dehydrated deshidratado, -a (7A)

delay el atraso (6A); el retraso
(4B)

to **delay** retrasar (8A)

delayed con retraso (1A)

delicacy el manjar (3A)

delicious rico, -a (3A)

to **delight** encantar (1B)

delinquency la delincuencia (2B)

delinquent el/la delincuente (2B)

delivery la entrega (8A)

demand la demanda (2B)

to **demand** exigir (7A)

to **demonstrate** demostrar (ue) (2B)

denial el rechazo (1B)

to **depend on** depender de *(2A)*

to **deplore** deplorar *(6A)*

depressed deprimido, -a *(4A)*

depth la profundidad *(1A)*

deserted desamparado, -a *(5A)*

design el diseño *(2A)*

to **design** diseñar *(8A)*

desire la gana *(4A)*

desktop computer el/la computador(a) de escritorio *(7A)*

desperate desesperado, -a *(1B)*

destination el destino *(1A)*

deterioration el deterioro *(7A)*

determination el empeño *(6B)*; el tesón *(4B)*

to **develop into** desarrollar en *(1A)*

to **deviate** desviarse *(3B)*

to **devote oneself to** dedicarse a *(4B)*

to **die** fallecer *(4B)*, *(5A)*

diet el régimen *(3B)*

different distinto, -a *(2B)*

difficulty el intríngulis *(5B)*

dignity la dignidad *(4B)*

dilemma el dilema *(1B)*

diner el/la comensal *(3A)*

disability la minusvalía *(6B)*

disadvantage el inconveniente *(4B)*; la desventaja *(1B)*

disappointment la decepción *(2B)*

to **discourage** desanimar *(2A)*

to **discover** hallar *(7B)*, *(8B)*

discovery el descubrimiento *(5A)*; el hallazgo *(5A)*

to **discredit** denigrar *(1B)*

discriminated discriminado, -a *(1B)*

discus throwing el lanzamiento de disco *(6B)*

disorder el trastorno *(4A)*

to **dispatch** despachar *(3A)*

to **displace** desplazar *(2B)*

disposable desechable *(7A)*

to **dispose** disponer *(2B)*

to **disqualify** descalificar *(6B)*

distant lejano, -a *(7B)*

distinct marcado, -a *(2B)*; particular *(2B)*

to **distinguish oneself (in)** destacarse (en) *(4B)*

distinguished destacado, -a *(6A)*; eminente *(5A)*

to **distribute** (*money*) erogar *(3A)*

distribution la entrega *(8B)*; el reparto *(3B)*, *(4B)*

to **disturb** perturbar *(1B)*

dizzy mareado, -a *(1A)*

to **do the right thing** cumplir con *(4B)*

to **do whatever is possible** hacer todo lo posible *(1B)*

domain el dominio *(6A)*

domestic hogareño, -a *(5B)*

to **dominate** sojuzgar *(8B)*

to **donate** donar *(5A)*

Don't mention it! ¡No faltaba más! *(4A)*

dough la masa *(3A)*

to **download** descargar *(7A)*

to **draft** redactar *(5B)*, *(7A)*

drastic drástico, -a *(4A)*

to **dream about** soñar (ue) con *(1B)*

dried deshidratado, -a *(7A)*

drink: carbonated drink la bebida carbónica *(3B)*

energy drink la bebida energética *(6A)*

drive el empuje *(1B)*

to **drive** manejar *(2A)*, *(7B)*

to **drive to/by** conducir a/por *(1A)*

droopy caído, -a *(2A)*

drought la sequía *(7B)*

dry seco, -a *(3A)*

to **dub** doblar *(8A)*

duty el quehacer *(5B)*

dyed teñido, -a *(2A)*

E

each time that cada vez que *(4A)*

eagerness el afán *(3B)*, *(8A)*

early temprano *(1A)*

earthquake el sismo *(7A)*; el terremoto *(7A)*

economic crisis la crisis económica *(1B)*

economy la economía *(1B)*

to **edit** editar *(5B)*

educated culto, -a *(2B)*

effective eficaz *(3A)*, *(7B)*

effectively efectivamente *(2A)*

effectiveness la eficacia *(6A)*

efficient eficaz *(3A)*, *(7B)*

effort el esfuerzo *(2B)*; el empeño *(6B)*

eggshell la cáscara *(3A)*

elderly man/woman el/la anciano/a *(2A)*

electric chair la silla eléctrica *(4B)*

elegy la elegía *(5A)*

to **eliminate** descartar *(4A)*; acabar con *(7A)*

to **elude** eludir *(4A)*

to **emancipate** emancipar *(2B)*

to **embark (on something)** embarcar en *(1B)*

embarrassed avergonzado, -a *(2B)*

embarrassment la vergüenza *(4A)*

to **embody** tomar cuerpo *(5B)*

to **embrace** abarcar *(8A)*

emergence el surgimiento *(7B)*

to **emigrate** emigrar *(6B)*

to **emphasize** puntualizar *(6A)*

empirical (*from experience*) empírico, -a *(6B)*

employment el empleo *(1B)*

to **encourage** fomentar *(5B)*

to **end** acabar con *(1B)*

to **end up** terminar por *(2B)*

to **endeavor to** procurar *(3B)*

to **endorse** respaldar *(7A)*, *(8A)*

endorsement el respaldo *(6B)*

endorsing respaldado, -a *(7A)*

to **endure** soportar *(2A)*; perdurar *(6B)*

to **endure hunger** pasar hambre *(3B)*

engraving el grabado *(8A)*

to **enjoy** disfrutar (de) *(1A)*; gozar de *(1B)*

enjoyable ameno, -a *(4B)*

enormous desmesurado, -a *(3B)*

enriching enriquecedor(a) *(7A)*

enrichment el enriquecimiento *(5B)*

to **enroll** ingresar *(8B)*

to **enroll in** inscribirse en *(6A)*

to **entail** conllevar a *(7B)*

to **enter** ingresar *(8B)*

to **entertain** entretener *(8A)*

enthusiastic apasionado, -a *(1A)*

to **entrust** encargar *(2B)*, *(6A)*

entry el ingreso *(2A)*

environment el entorno *(1A)*, *(8B)*; el medio ambiente *(7A)*

envy la envidia *(4A)*

ephemeral efímero, -a *(5B)*

epic poem el poema épico *(5A)*

epistolary epistolar *(5B)*

equality la igualdad *(1B)*; la paridad *(6B)*

to **erect** erigir *(6A)*

essay el ensayo *(5A)*

essayist el/la ensayista *(5A)*

essential imprescindible *(5B)*, *(7A)*

to **establish oneself** arraigarse *(1B)*; instalarse *(8B)*

eternal eterno, -a *(4A)*

ethnic group la etnia *(4B)*

evening (get-together) la velada *(3A)*

event el acontecimiento *(2B)*; el suceso *(4B)*

every five minutes a cada rato *(4A)*

everyone with his/her funny little ways cada cual con sus manías *(4A)*

everywhere por todas partes *(2A)*

evil la maldad *(4A)*

to **evolve from** evolucionar de *(6B)*

to **excel** superarse *(2B)*, *(8A)*

excessive desmesurado, -a *(2B)*

excessive weight el sobrepeso *(3B)*

excited entusiasmado, -a *(1A)*

exciting emocionante *(6A)*

excuse me *(to get someone's attention)* oye *(4A)*

executive el/la ejecutivo/a *(4B)*

exercise el ejercicio (físico) *(6A)*

exit la salida *(4B)*

to **expect** pretender *(1A)*

expectation la expectativa *(7B)*

expense el gasto *(2B)*

to **experiment with** experimentar con *(5A)*

exploit la hazaña *(4B)*, *(5A)*

to **explore** explorar *(2B)*

to **expose oneself to** exponerse a *(2A)*

exposition la exposición *(8B)*

extraterrestrial extraterrestre *(4B)*

F

fabric la tela *(8A)*

face el rostro *(1A)*

to **face** afrontar *(4B)*; enfrentar *(1B)*; — **up to** afrontar *(4B)*; enfrentarse con *(3B)*

failure el fracaso *(6B)*

faithful fiel *(8A)*

to **fall in love with** enamorarse de *(4A)*

fallen caído, -a; *(2A)*

family member el/la pariente/a *(1A)*

famous prestigioso, -a *(4B)*

fan el/la aficionado/a *(6A)*; el/la fanático/a *(6A)*; el/la hincha *(6B)*

fan heater el calentador de aire *(7A)*

fans la hinchada *(6B)*; el público fanático *(8B)*

fantastic fantástico, -a *(5A)*

to **fascinate** fascinar *(1B)*

fast, fasting el ayuno *(3B)*

to **fasten** abrocharse *(1A)*

fat la grasa *(3A)*

fault la falla *(2A)*

to **favor** favorecer *(6B)*

favorable propicio, -a *(5A)*

fear el temor *(2A)*, *(5A)*

feature el rasgo *(2A)*

feeding la alimentación *(3B)*

to **feel like** antojarse *(3A)*; apetecer *(1A)*; tener ganas de *(2B)*

feeling el sentimiento *(4A)*

fiber la fibra *(3B)*

field el terreno *(2A)*

fifteen-year-old el/la quinceañero/a *(2A)*

to **fight** disputarse *(6A)*

to **fight bulls** torear *(6B)*

to **fight for** luchar por *(1B)*

figure la cifra *(1A)*; la figura *(4B)*

to **fill up with** llenarse de *(3A)*

to **film** filmar *(8A)*; rodar (ue) *(4B)*

to **film a movie** rodar una película *(8A)*

fin la aleta *(7B)*

finally al fin y al cabo *(2A)*; por último *(2A)*

to **find** hallar *(7B)*, *(8B)*

to **find difficult** costar (ue) *(4A)*

to **find out (about)** enterarse (de) *(4A)*

to **find something funny** hacerle gracia a uno *(1B)*

to **fine** multar *(7B)*

fine arts las bellas artes *(8A)*

to **finish off** acabar con *(1B)*

to **fire** despedir (i) *(4A)*

the first thing that lo primero que *(1A)*

firsthand de primera mano *(6A)*

to **fish** faenar *(7B)*

fistful el puñado *(3A)*

to **fit** caber *(1A)*

to **fit in (belong)** encajar *(2A)*

fix (jam) el apuro *(2A)*

flat llano, -a *(3A)*

flat *(denial, statement, etc.)* rotundo, -a *(6A)*

flattering halagüeño, -a *(7B)*

flattery el halago *(4A)*

flavor el sabor *(3A)*

flavoring la sazón *(3A)*

flight time la hora de vuelo *(1A)*

to **flirt with** coquetear con *(4A)*

flour la harina *(3A)*

to **flourish** florecer *(8B)*

fluency la fluidez *(7B)*

fluid fluido, -a *(2A)*

to **fly** volar (ue) *(1A)*

focus el enfoque *(8A)*

fog la niebla *(1A)*

folkloric folclórico, -a *(8A)*

follower el/la seguidor(a) *(8B)*

food el alimento *(3B)*

exotic food la comida exótica *(3B)*

junk (fast) food la comida basura (rápida) *(3B)*

vegetarian food la comida vegetariana *(3B)*

for all tastes para todos los gustos *(1A)*

for pleasure por placer *(5B)*

for this reason/motive por este motivo *(4A)*

for want of a falta de *(7B)*

to **forbid** impedir (i, i,) *(3B)*

forced forzado, -a *(1A)*

to **forget about** olvidarse de *(1B)*

to **form the backdrop** enmarcar *(6B)*

to **form/build character** imprimir carácter *(4B)*

Formula 1 race-car driver el/la piloto de Fórmula 1 *(6A)*

fortunate afortunado, -a *(4B)*

fortune la fortuna *(4B)*

forum el foro *(8A)*

forward (offensive) el/la delantero/a *(6A)*

fragrant oloroso, -a *(3B)*, *(4A)*

frame *(of a painting)* el marco *(8A)*

to **frame** enmarcar *(6B)*

to **free** liberar *(7B)*

free admission la entrada libre *(8A)*

free time el ocio *(6A)*; el tiempo libre *(6A)*

free verse el verso libre *(5B)*

friendship la amistad *(2A)*

front page *(of a newspaper)* la portada *(6A)*

frozen congelado, -a *(3A)*, *(7A)*

fruitful fructífero, -a *(5A)*

to **fry** freír (i) *(3A)*

to **fulfill** desempeñar(se) *(2B)*, *(7B)*; realizar *(2B)*, *(6A)*

fulfillment el cumplimiento *(7B)*

full lleno, -a *(3A)*; pleno, -a *(2A)*

funny gracioso, -a *(2A)*

future venidero, -a *(3B)*

G

to **gain independence** emanciparse *(2B)*

gap la brecha *(8A)*

to **gather** recoger *(1A)*, *(5B)*

genetically modified transgénico, -a *(7A)*

genius el genio *(8A)*

gesture el gesto *(2B)*

to **get accustomed to** acostumbrarse a *(1B)*

to **get angry** indignarse *(4A)*

to **get close to** acercarse a *(6B)*

to **get dirty** ensuciarse *(3A)*

to **get fat** engordar *(3B)*

to **get in/into** meterse en *(1B)*

to **get involved in** comprometerse en *(3B)*

to **get over (something) quickly** pasársele rápido *(4A)*

to **get scared by something** dar pánico *(1A)*

to **get tangled in** enredarse con *(5B)*

to **get thin** adelgazar *(3B)*

to **get well** curar(se) *(4A)*

to **get worked up about nothing** ahogarse en un vaso de agua *(4A)*

to **give** (*a present*) regalar *(4A)*

to **give an award** premiar *(4B)*

to **give away** regalar *(7A)*

to **give birth to** (*an idea*) dar origen a *(7A)*

to **give one's opinion** sentenciar *(7A)*

global warming el calentamiento global *(7A)*

globalization la globalización *(8A)*

to **go around the world** dar la vuelta al mundo *(4B)*

to **go away from** marcharse de *(1A)*

to **go back** volver(se) (ue) *(1A)*

to **go back to** remontarse a *(5B)*

to **go by** discurrir *(1A)*; pasar por *(1A)*

to **go crazy** enloquecer *(8B)*

to **go into** entrar en *(1B)*

to **go through** atravesar *(2A)*; recorrer *(6A)*, *(8B)*

to **go to** dirigirse a *(1B)*; ir a *(1A)*; (*prize, award*) recaer en *(6B)*

to **go too far** pasarse *(2A)*

to **go well** salir bien *(2B)*

to **go well/badly** ir bien/mal *(4B)*

goal la meta *(1B)*

goal (*sports*) el gol *(2B)*

goal scorer el marcador *(6A)*

goalie el/la arquero/a *(6A)*; el/la portero/a *(6A)*

to **gobble** engullir *(3A)*

gold mine (*colloquial*) el filón *(2A)*

good-bye la despedida *(1A)*

(with) good humor con buena cara *(4B)*

good-looking apuesto, -a *(4B)*

gracious amable *(2B)*; cortés *(4B)*

to **grant** otorgar *(2A)*, *(6A)*, *(8A)*

graphology la grafología *(5B)*

grass la hierba *(6A)*; el pasto *(6A)*

gratitude el agradecimiento *(2A)*

greasy grasiento, -a *(3B)*

great many el sinfín *(5A)*

greenhouse effect el efecto invernadero *(7A)*

grief la pena *(2B)*

to **grind** moler (ue) *(7A)*

growing creciente *(2B)*

growth el crecimiento *(1B)*

to **guarantee** asegurar *(1A)*

to **guess** adivinar *(4B)*

to **guide** guiar *(1A)*

guideline la pauta *(4A)*

guilty culpable *(2B)*

to **gulp** engullir *(3A)*

guy el tipo *(2A)*

gymnast el/la gimnasta *(6A)*

gymnastics la gimnasia *(6A)*

Gypsy el/la gitano/a *(8A)*

H

haiku el haikú *(5B)*

half-light la penumbra *(1A)*

to **halt** poner freno *(3B)*

handful el puñado *(3A)*

handicap la minusvalía *(6B)*

handicapped person discapacitado/a *(6B)*; el/la minusválido/a *(6B)*

handle el asa (f.) *(3A)*

to **handle** manejar *(2A)*, *(4A)*, *(7B)*

handling el manejo *(5B)*

to **hang (up)** colgar (ue) *(1A)*

hanging caído, -a *(2A)*

to **happen** acontecer *(2B)*; suceder *(2A)*

hard arduo, -a *(8B)*

hardcover de tapa dura *(5A)*

hardly apenas *(1B)*, *(5A)*

harm el daño *(2B)*

to **harm** dañar *(3B)*

harmful dañino, -a *(7B)*; nocivo, -a *(7A)*

harmony la armonía *(7A)*

hatred el odio *(4A)*

to **have a cold** estar constipado, -a *(5B)*

to **have a craving for** antojarse *(3A)*

to **have a resounding success** tener un éxito rotundo *(4B)*

to **have a rivalry** hacer competencia *(6B)*

to **have a special gift** (*for doing something*) tener un don *(4A)*

to **have an effect on** tener un efecto en *(6B)*

to **have good judgment** tener buen olfato *(4B)*

to **have just finished doing something** acabar de + *infinitive* *(1A)*

to **have no other choice** no tener más remedio *(4B)*

to **have reasons for** tener motivos para *(2A)*

to **have something at one's disposal** disponerse de *(7A)*

to **have success, victory** arrasar *(4B)*

to **have the opportunity to** tener la oportunidad de *(6A)*

to **have this little quirk/obsession** tener la manía de *(4A)*

to **head** encabezar *(1A)*; liderar *(4B)*

to **head toward** dirigirse a *(1B)*

headquarters la sede *(6A)*, *(7A)*

healthy saludable *(2B)*; sano, -a *(3B)*

hearing el oído *(7A)*

heartbreaking desgarrador(a) *(5A)*

heat la calefacción *(1A)*

heavily attended multitudinario, -a *(5B)*

height la altura *(4A)*; la estatura *(4B)*

to **help** ayudar (a) *(5B)*

heritage la herencia *(4A)*; el patrimonio *(3B)*

hero, heroine el/la héroe/heroína *(4B)*

heroic deed la hazaña *(4B)*, *(5A)*

heroism el heroísmo *(4B)*

hey! ¡oye! *(4A)*

hidden intention/motive el intríngulis *(5B)*

high caloric content hipercalórico, -a *(3B)*

to **highlight** poner de relieve *(5B)*

to **hire** contratar *(4A)*

to **hit** golpear *(1A)*, *(6A)*

home el hogar *(1A)*

home address el domicilio *(2B)*

home delivery la entrega a domicilio *(3B)*

home run el jonrón *(6A)*

home team el local *(6A)*

homeland la patria *(4B)*

home-loving hogareño, -a *(5B)*

hooliganism la gamberrada *(4B)*

hope la esperanza *(2B)*

horrible espantoso, -a *(1A)*

horrifying espeluznante *(3A)*

host city la ciudad organizadora *(6B)*

host, hostess el/la anfitrión/ anfitriona *(1A)*

to **house** albergar *(1A)*

How cruel! ¡Qué cruel! *(2B)*

How embarrassing! ¡Qué vergüenza! *(4A)*

How is it allowed? ¿Cómo está permitido? *(2B)*

How shameful! ¡Qué vergüenza! *(4A)*

How terrible/awful! ¡Qué barbaridad! *(2B)*

to **hum** canturrear *(3A)*

human rights los derechos humanos *(2A)*

to **humiliate** degradar *(4B)*; humillar *(6A)*

hunger strike la huelga de hambre *(4B)*

hurdle la valla *(6B)*

to **hurry to** precipitarse a *(6B)*

to **hurt** doler (ue) *(1B)*

hybrid híbrido, -a *(5A)*

to **hydrate** hidratar *(6A)*

hypocrisy la hipocresía *(4B)*

hypothesis la hipótesis *(4A)*

I

I don't believe it! ¡No me digas! *(2B)*

I just can't believe it! ¡No me lo puedo creer! *(2B)*

iambic pentameter el petámetro yámbico *(5B)*

ice hockey el hockey sobre hielo *(6A)*

icon la figura icónica *(3B)*; el icono *(3B)*

ideal person la persona ideal *(4A)*

to **idolize** idolatrar *(4B)*

if by any chance por si acaso *(2A)*

if only si tan siquiera *(7B)*

imbalance el desequilibrio *(3B)*

immense vasto, -a *(3B)*

to **impede** impedir (i) *(2B)*

to **impose** imponer *(4B)*

imposing imponente *(7A)*

imprecise impreciso, -a *(5B)*

impressive impactante *(4B)*

improbable inverosímil *(5A)*

improvement la mejora *(2B)*

impulsive caprichoso, -a *(3B)*

in another way de otra forma *(1B)*

in charge encargado, -a *(6A)*

in great part en gran medida *(3B)*

in homage en homenaje *(6A)*

in installments por entregas *(5A)*

in regard to the matter al respecto *(7B)*

in solidarity solidario, -a *(2A)*

in spite of a pesar de *(2A)*; pese a *(3B)*

in the long run a largo plazo *(7A)*

in the middle of a mediados de *(7A)*

in the outskirts of a las afueras de *(1A)*

incentive el aliciente *(7B)*

incidence la incidencia *(5A)*

to **incline** tender a *(3B)*

to **include** abarcar *(8A)*

to **include in/on** incluir en *(1B)*

increase el incremento *(7B)*

to **increase** acrecentar (ie) *(5A)*

to **incur** incurrir *(3B)*

indescribable indescriptible *(4A)*

to **indicate** indicar *(4B)*; señalar *(2A)*

individual el sujeto *(2B)*

(to) individual taste al gusto (de) *(3A)*

inefficient ineficaz *(7B)*

inevitable infaltable *(5B)*

to **infiltrate** infiltrarse *(4B)*

to **influence** influir (en) *(1A)*, *(2B)*

influential influyente *(1B)*

to **inform** advertir (ie) *(3A)*

informative noticioso, -a *(8A)*

to **ingest** ingerir *(3B)*

to **inhabit** habitar *(2B)*

inheritance la herencia *(4A)*

initiated adepto, -a *(2A)*

insecure inseguro, -a *(2A)*

inserted intercalado, -a *(8B)*

insipid insípido, -a *(3B)*

to **insist on** empeñarse en *(2A)*; insistir en *(3A)*

to **instill** inculcar *(5B)*

insurgent el/la alzado/a *(5A)*

to **integrate** integrar *(8B)*

integrity la entereza *(4B)*

to **intensify** avivar *(8B)*

to **interest** interesar *(1B)*

Internet la Internet *(7A)*

Internet user el/la internauta *(7B)*

to **interpret** interpretar *(4B)*

to **intervene** mediar *(6A)*

interview la entrevista *(1B)*

intimate íntimo, -a *(2B)*

intrinsic intrínseco, -a *(5B)*

to **intuit** intuir *(4A)*

invention el invento *(7A)*

to **investigate** investigar *(4A)*

investment la inversión *(6B)*, *(8B)*

invincible indomable *(5B)*

to **involve** involucrar *(8A)*; **be involved in** involucrarse en *(4A)*

involved involucrado, -a *(6A)*

iron (*mineral*) el hierro *(3B)*

irreplaceable irreemplazable *(3B)*

irresponsible inconsciente *(4A)*

to **isolate** aislar *(7B)*; — **oneself from** aislarse de *(6A)*

It seems terrible/awful! ¡Me parece fatal! *(2B)*

It's a silly/stupid thing! ¡Es una tontería! *(4A)*

It's unbelievable! ¡Es increíble! *(2B)*

J

jam (fix) el apuro *(2A)*

to **jam-pack** abarrotar *(8B)*

javelin la jabalina *(6B)*

jest la burla *(4B)*

Jewish judío, -a *(8A)*

to **join** unirse a *(5A)*

journalism el periodismo *(5A)*

journalist el/la periodista *(5A)*

to **judge** juzgar *(6B)*

to **judge** (*in value*) apreciar *(4B)*

judgment el juicio *(7B)*

to **jump** dar saltos *(1A)*

jump to fame el salto a la fama *(4B)*

junk (fast) food la comida basura (rápida) *(3B)*

just in case por si acaso *(4A)*

just like al igual que *(1B)*

just passed recién pasado *(8B)*

to **justify** justificar *(2B)*

K

to **keep** conservar *(1B)*

to **keep warm (with)** abrigarse (con) *(1A)*

key (*solution*) la clave *(2B)*, *(4A)*

to **kick** patear *(6A)*

kid (*boy/girl*) el/la chaval(a) *(8B)*

kindergarten el jardín de infantes *(7A)*

L

labor force la fuerza laboral *(7A)*

laboriously laboriosamente *(7A)*

lack (of) la falta (de) *(1A)*

to **lack** faltar *(1B)*

to **lament** deplorar *(6A)*

landing el aterrizaje *(1A)*

landline phone el teléfono fijo *(7A)*

landscape el paisaje *(1A)*

language el lenguaje *(5B)*

laptop computer el/la computador(a) portátil *(7A)*

last último, -a *(1A)*

to **last** durar *(2A)*; perdurar *(6B)*

lately últimamente *(2B)*

to **laugh at** reírse (i) de *(1A)*

to **laugh one's head off** partirse de risa *(4A)*

laureate laureado, -a *(5A)*

law el derecho *(5A)*

to **lead** capitanear *(5B)*; encabezar *(1A)*; liderar *(4B)*

leader el/la gobernante *(1B)*; el líder *(1B)*

lean magro, -a *(3B)*

to **lean on** apoyarse en *(2A)*

to **learn to** aprender a *(1B)*

learned/wise man/person el/la sabio/a *(5A)*

leather el cuero *(2A)*

to **leave** marcharse de *(1A)*

to **leave a trace/mark** dejar huella *(1B)*

to **leave behind** dejar *(7B)*

lecture la conferencia *(2B)*

legacy el legado *(8B)*

legal residence el domicilio *(2B)*

legendary legendario, -a *(4B)*

leisure (time) el ocio *(6A)*

to **lessen** disminuir *(6B)*

to **let go of** soltar (ue) *(8B)*

let's get to work manos a la obra *(3A)*

letter (*of the alphabet*) la letra *(5B)*

   relating to letters or correspondence epistolar (5B)

Letters (*literature*) las letras *(5A)*

lexical léxico, -a *(5B)*

liar el/la mentiroso/a *(4A)*

to **lick one's fingers** chuparse los dedos *(3A)*

to **lie** (*recline*) yacer *(2B)*

to **lie down** tumbarse *(2A)*

life expectancy la esperanza de vida *(7A)*

light liviano, -a *(3B)*

like al igual que *(1B)*

(to the) **limit of their capacity** al límite de su capacidad *(7B)*

limited restringido, -a *(5B)*

link el lazo *(2A)*; la vinculación *(5A)*; el vínculo *(8B)*

to **link** vincular *(1A)*

linked vinculado, -a *(5A)*

list (*of staff*) la nómina *(8B)*

to **list** enumerar *(4A)*

literary genre el género literario *(5A)*

literary works las obras literarias *(5A)*

lithograph la litografía *(8A)*

to **live** residir *(1B)*

to **live with** convivir con *(2A)*, *(5A)*

lively vivaz *(7A)*

living room el salón *(1A)*

loads of people una burrada de gente *(5B)*

local establishment el local *(8A)*

to **localize** localizar *(5B)*

to **locate** localizar *(5B)*

logically lógicamente *(1A)*

loneliness la soledad *1A)*

long term a largo plazo *(7A)*

long walk la caminata *(1A)*

long-haired melenudo, -a *(4B)*

look la mirada *(4A)*

to **look bad** tener mala cara *(1A)*

to **look good** tener buena pinta *(3A)*

to **look like** parecerse (a) *(2A)*

to **look out of the corner of one's eye** mirar de reojo *(4B)*

to **loot** saquear *(5A)*

to **lose weight** adelgazar *(3B)*

loss la pérdida *(4B)*

love: said of someone who falls in love easily enamoradizo, -a *(4A)*

loved one el ser querido *(2B)*

lovely bello, -a *(5B)*

low budget de poco presupuesto *(4B)*

to **lower** rebajar *(1A)*

loyal fiel *(8A)*; leal *(2A)*

lucky afortunado, -a *(4B)*

luggage el equipaje *(1A)*

lunch el lonche *(3B)*

luxurious lujoso, -a *(1A)*

luxury el lujo *(4A)*, *(7B)*

lying mendaz *(5A)*; mentiroso, -a *(4A)*

M

magical realism el realismo mágico *(5A)*

magnetic film (tape) la película magnética *(7A)*

main character el/la protagonista *(4A)*

to **maintain** mantener *(5A)*

maintenance el sostenimiento *(6A)*

to **make an effort to** empeñarse en *(2A)*; esforzarse (ue) por *(7B)*

to **make aware** concienciar *(7B)*

to **make do with** contentarse con *(2A)*

to **make easy/easier** facilitar *(2B)*, *(4A)*

to **make evident** patentizar *(8B)*

to **make fun of** burlarse de *(2A)*

to **make a good/bad impression** quedar bien/mal con *(2A)*

to **make one's debut** debutar *(8A)*

to **make one's mouth water** hacerse la boca agua *(3A)*

to **make oneself at home** acomodarse a sus anchas *(1A)*

to **make pleasant** amenizar *(2A)*

to **make someone angry** darle rabia a alguien *(3A)*

to **make someone dream** hacer soñar a alguien *(4B)*

to make someone hungry dar hambre *(3A)*

to make someone sick darle asco *(3A)*

to make someone thirsty dar sed *(3A)*

to make worse agravar *(2B)*

male el varón *(4B)*

malnutrition la desnutrición *(3B)*

to manage manejar *(2A), (4A), (7B)*

management el manejo *(5B)*

to manipulate manipular *(2B)*

manufacturer el fabricante *(3B)*

manuscript el manuscrito *(5B)*

mark *(stamp)* el cuño *(5B)*

market el emporio *(8A)*

marvelous prodigioso, -a *(2A)*

mascot la mascota *(3B)*

master el/la maestro/a *(8A)*

material la tela *(8A)*

to matter importar *(1B)*

mature maduro, -a *(2A)*

to mature madurar *(4A)*

mean sórdido, -a *(8B)*

means los medios *(4B)*

measure la medida *(5B), (7B)*

measurement la medida *(5B), (7B)*

meat: relating to meat cárnico, -a *(3B)*

media los medios (de comunicación) *(2B)*

medication el fármaco *(1B), (6B)*

medicine el fármaco *(1B), (6B)*; el medicamento *(4A)*

medium el medio *(8A)*

memory el recuerdo *(2A)*

mere mero, -a *(5A)*

mess el lío *(2A)*; **What a mess!** ¡Qué lío! *(2A)*

metaphor la metáfora *(5B)*

metaphysical metafísico, -a *(5B)*

meter *(in poetry)* la métrica *(5B)*

meticulous esmerado, -a *(3A)*

midfieldman el medio *(6A)*

milk: relating to milk lácteo, -a *(3B)*

mind la mente *(4A)*

minor el/la menor *(2B)*

miscellaneous variopinto, -a *(8B)*

mishap el percance *(1A), (4B)*

to miss echar de menos *(4A)*

to mistreat maltratar *(4A)*

to mix mezclar *(3A)*

mixed mezclado, -a *(4B)*

mixture la mezcla *(3A)*

mockery la burla *(4B)*

mock-up la maqueta *(4B), (5B)*

model la maqueta *(4B), (5B)*

moderate módico, -a *(1B)*

modernist vanguardista *(5A)*

monitoring el seguimiento *(7B)*

monopolization el acaparamiento *(7A)*

monthly mensual *(1B)*

Moorish morisco, -a *(8A)*

morning *(adj.)* diurno, -a *(1B)*

mortality la mortalidad *(2B)*

most of the time en la mayoría de las ocasiones *(1B)*; la mayoría de las veces *(1B)*

most recent de última generación *(2A)*

mother tongue la lengua materna *(7B)*

motionless inmóvil *(2B)*

motor *(adj.)* motriz *(6B)*

motto el lema *(8A)*

to move desplazar *(2B)*

to move away from alejarse de *(1A)*

movie ratings las clasificaciones de películas *(8B)*

muralist el/la muralista *(8A)*

murmur el murmullo *(2B)*

musician el/la músico/a *(8A)*

myth el mito *(4B)*

N

narrow estrecho, -a *(1A)*

nasty sórdido, -a *(8B)*

natural resource el recurso natural *(7A)*

necessary preciso, -a *(7A)*

to need hacer falta *(1B)*

nerve el descaro *(7A)*

nevertheless no obstante *(5B)*; sin embargo *(2A)*

newspaper (daily) el diario *(5A)*

next seguidamente *(7A)*

next step el siguiente paso *(1A)*

next-to-last penúltimo, -a *(8B)*

to nibble mordisquear *(3A)*

night nocturno, -a *(1A)*

no longer ya no *(1B)*

no matter how hard por más que *(2A)*

no matter how much por mucho que *(4A)*

no one in his/her right mind nadie en su sano juicio *(4B)*

No way! ¡Qué va! *(1A)*

Nobel Prize in Literature el Premio Nobel de Literatura *(5A)*

nocturnal nocturno, -a *(1A)*

to nominate nominar *(4B)*

nomination la nominación *(4B)*

nonprofit organization la organización sin ánimos de lucro *(2B)*

nonsense la burrada *(5B)*

nonverbal communication la comunicación no verbal *(4A)*

to not be such a big deal no ser para tanto *(2A)*

to not cope no dar abasto *(3B)*

to not know ignorar *(4B)*

to not be in a joking mood no estar para bromas *(2A)*

to not stand something (or someone) no poder ni ver algo (o alguien) *(3A)*

to not stand something darle asco *(3A)*

not usually rara vez *(1A)*

to note anotar *(5A)*

nothing at all nada de nada *(4A)*

to notice fijarse en *(6B)*

nourishing alimentario, -a *(3B)*

nourishment la alimentación *(3B)*

nowadays la actualidad *(5A)*

nutritionist el/la nutricionista *(3B)*

nutritious alimenticio, -a *(3B)*; nutritivo, -a *(3B)*

O

obese obeso, -a *(3B)*

obesity la obesidad *(3B)*

objective el objetivo *(2B)*

obsession la manía *(4A)*

to obtain conseguir (i, i) *(1B)*; lograr *(1A)*; obtener *(4B)*

to occur suceder *(2A)*

ode la oda *(5A)*

odorless inoloro, -a *(3B)*

of course por supuesto *(2A)*

of flesh and blood *(to have feelings)* de carne y hueso *(4A)*

of short duration efímero, -a *(5B)*

offer la oferta *(7A)*

to offer brindar *(6B)*; facilitar *(2B), (4A)*

often a menudo *(1A)*

oil painting el óleo *(8A)*

old age la vejez *(2B)*

old-fashioned anticuado, -a *(4B)*

olive oil el aceite de oliva *(3A)*

on + -ing form of verb al + *infinitivo* (1B)

on seeing their faces al verles la cara (4A)

on the high seas en alta mar (7B)

on the increase en auge (4B)

on the margin (fringes) of al margen de (4B)

on top of that para colmo (4A)

one-third el tercio (1A)

opening la apertura (8A)

opportune oportuno, -a (7B)

to oppose oponerse a (2B)

opposing team el equipo contrario (6A)

to oppress oprimir (2B)

oppressed oprimido, -a (2B)

Oratory la Oratoria (5A)

organic orgánico, -a (3B)

organic food la comida orgánica (3B)

to originate from proceder de (3B)

(the) other world el más allá (5A)

others los/las demás (3A), (6B)

out of style anticuado, -a (4B)

outdoors al aire libre (8B)

outline el bosquejo (5B); el esbozo (5B)

to outline trazar (1B)

outrage el desafuero (5A)

outside the country fuera del país (6A)

outstanding destacado, -a (6A)

(wood-burning) oven el horno (de leña) (3A)

overcrowded masificado, -a (1A)

to overexploit sobreexplotar (7B)

overexploitation la sobreexplotación (7A)

own propio, -a (1B)

owner el/la dueño/a (1A); el/la propietario/a (3A), (6A)

P

pacifism el pacifismo (2A)

pain el daño (2B); el dolor (2B)

paint la pintura (8A)

to paint pintar (8A)

paintbrush el pincel (8B)

painting la pintura (8A)

palate el paladar (3A)

(term) paper el trabajo (4B)

paperweight el pisapapeles (5B)

parade el desfile (1B)

paradise el paraíso (1A)

parent: relating to a single parent monoparental (3B)

to pass by (*ignore*) pasar de largo (1B)

to pass on to posterity pasar a la posteridad (4B)

password la contraseña (8A)

path la trayectoria (4B)

patience la paciencia (4A)

pattern el patrón (5B)

to pay attention to fijarse en (6B); hacer caso a (4B)

to pay attention to the small print of the contract poner atención a las letras pequeñas del contrato (7A)

payroll la nómina (8A)

peace treaty el acuerdo de paz (1B)

peak el apogeo (7A)

peasant el/la campesino/a (1B)

percent por ciento (1B)

perfectly a la perfección (4A)

to perform desempeñar (3B); interpretar (4B)

to perform for the first time estrenar (5A)

performance el rendimiento (5B), (6A)

period (*of time*) la época (1A)

persistence el empeño (7B)

person of letters el/la literato/a (5A)

personality el carácter (2B)

pet la mascota (3B)

phenomenon el fenómeno (8A)

philanthropist el/la filántropo/a (4B)

philologist el/la filólogo/a (5B)

to pick up recoger (1A), (5B)

piece el pedazo (3A)

piracy la piratería (8B)

to pirate piratear (8B)

to placate aplacar (8B)

play la obra de teatro (5A)

to play desempeñar (3B); — a part hacer un papel (8A)

player el/la jugador(a) (6A)

to plead rogar (ue) (3B)

pleasant ameno, -a (4B)

to please agradar (1B); complacer (7A)

plump rollizo, -a (8A)

to plunder saquear (5A)

poem el poema (5A)

poetic prose la prosa poética (5B)

to point (to) señalar (2A)

point of view el punto de vista (2A)

to point out apuntar (5A); señalar (2A)

pole vault la pértiga (6B)

polite cortés (1B)

political regime el régimen político (1B)

poll el sondeo (2A); la encuesta (2B)

Poor things! ¡Pobrecitos! (2B)

popular song el cante (8A)

populated poblado, -a (1A)

population la población (2B)

port el puerto (3A)

portrait el retrato (8B)

position la postura (4A); (*job*) el cargo (4B)

posterity la posteridad (4B)

to pour verter (ie) (7B)

poverty la pobreza (1B)

power el poder (6A), (8B)

powerful poderoso, -a (4B)

to practice track and field hacer atletismo (6B)

to practice/do sports hacer deporte(s) (6B)

praise el elogio (5B); el encomio (5B); el halago (4A)

to praise alabar (3A), (8B); elogiar (7B); enaltecer (6A)

prank la travesura (3B)

precocious precoz (5B)

preestablished preestablecido, -a (5B)

pregnant embarazada (2B)

prejudice el prejuicio (4B)

to premiere estrenar (5A)

premises el local (3B)

prescription la receta (6B)

present actual (4B)

present (time) la actualidad (5A)

press la prensa (5A)

press conference la rueda de prensa (4A)

prestige el prestigio (6B)

prestigious prestigioso, -a (4B)

to pretend fingir (1B), (4A)

to prevail prevalecer (5B), (7B)

to prevent impedir (i, i) (3B)

prime time el horario estelar (8A)

to print copies tirar ejemplares (5B)

printed impreso, -a (6A)

prize el galardón (4B), (6B); el premio (2B)

prizewinner el/la galardonado/a *(6B)*

to **proceed (to)** proceder (a) *(3B)*

to **procure** obtener *(4B)*

productive fructífero, -a *(5A)*

profit la ganancia *(7A)*

to **profit from** sacar partido de *(2A)*

profitable provechoso, -a *(1B)*; rentable *(3B)*

to **program** programar *(6A)*

prominent eminente *(5A)*

to **promise to** comprometerse a *(3B)*

to **promote** promocionar *(6B)*; promover (ue) *(3B)*, *(8B)*

to **promote development** potenciar *(4B)*

promoter el/la propagador(a) *(6B)*

prone propenso, -a *(7B)*

proof la prueba *(8B)*

properly debidamente *(1B)*

to **propose** proponer *(6A)*

pros and cons los pros y los contras *(8B)*

prose la prosa *(5A)*

protagonist el/la protagonista *(4A)*

proud orgulloso, -a *(2A)*

to **provide** brindar *(2B)*; proporcionar *(2B)*, *(7A)*

provided that con tal de que *(2B)*

to **provoke** dar lugar a *(7A)*

provoked provocado, -a *(4A)*

pseudonym el seudónimo *(5A)*

public health la salud pública *(7B)*

to **pull up/out, start** arrancar *(1A)*

to **punish** castigar *(2A)*

punishment el castigo *(6B)*

purchasing power el poder adquisitivo *(3A)*

to **pursue** perseguir (i, i) *(1A)*

push el empuje *(1B)*

to **put (place)** colocar *(2B)*, *(8B)*

to **put aside** descartar *(4A)*

to **put forth** brotar *(5B)*

to **put in charge** encargar *(2B)*, *(6A)*

to **put on weight** engordar *(3B)*

to **put something in doubt** poner en tela de juicio *(7B)*

to **put up for sale** poner a la venta *(8A)*

to **put yourself in someone's place** ponerse en el lugar (de alguien) *(7B)*

Q

qualified capacitado, -a *(2A)*

quality la calidad *(3B)*

quantity la cantidad *(3B)*

quarrel la rencilla *(5A)*

to **quarrel** reñir (i, i) *(1A)*

quatrain (*stanza with 4 verses*) el cuarteto *(5B)*

quiet callado, -a *(2B)*; silencioso, -a *(2B)*

quirk la manía *(4A)*

to **quit** dejar de *(2B)*; dimitir *(2B)*; renunciar (a) *(4B)*

quite bastante *(1B)*

to **quiver** vibrar *(4A)*

R

race (*ethnicity*) la raza *(2B)*

race (*sports*) la carrera *(6A)*

race-car driving el automovilismo *(6A)*

rage el coraje *(2B)*

to **raise** ascender (ie) *(1A)*

raisin la pasa *(3A)*

random aleatorio, -a *(7A)*

range la gama *(7A)*

range of possibilities el abanico de posibilidades *(4A)*

to **ransack** saquear *(5A)*

rarely rara vez *(1A)*

rascal el/la sinvergüenza *(4A)*

rate la tasa *(3B)*

rating standards las normas de clasificación *(8B)*

raw crudo, -a *(3A)*

to **reach** alcanzar *(1B*

reachable alcanzable *(6B)*

to **realize** darse cuenta de *(3B)*

realistic realista *(2A)*

really de verdad *(2A)*; realmente *(4A)*

really fresh fresquito, -a *(3B)*

rebel el/la alzado/a *(5A)*

rebellious rebelde *(2A)*; revoltoso, -a *(2A)*

recent reciente *(1A)*

to **record** grabar *(4B)*

to **recover** recuperar *(8A)*; reponer fuerzas *(2A)*

to **reduce** reducir *(4A)*

reduced rebajado, -a *(1A)*

to **refer to** referirse (ie, i) a *(5B)*

referee el/la árbitro/a *(6A)*

refined culto, -a *(8A)*; refinado, -a *(3A)*

refinery la refinería *(7B)*

to **refuse** rehusar *(5A)*

to **register** inscribirse en *(6A)*

to **regret** arrepentirse (ie) de *(2B)*

to **reject** descartar *(6A)*; rechazar *(3A)*, *(8B)*

to **rekindle** reavivar *(6B)*

to **relate to** conectarse con *(7A)*

relative el/la pariente/a *(1A)*

to **relieve** aliviar *(3B)*, *(6B)*

to **relish** paladear *(3B)*

to **rely on** apoyarse en *(2A)*

to **remedy** ponerse remedio *(5B)*

to **remember** acordarse (ue) de *(3A)*; recordar (ue) *(4B)*

remote control el mando *(2A)*

removal la remoción *(7B)*

to **remove** quitar *(3A)*

Renaissance el Renacimiento *(8A)*

to **renounce** renunciar (a) *(4B)*

to **repay** resarcir *(5A)*

to **repent** arrepentirse (ie) de *(2B)*

to **replace** desbancar *(2A)*

report el informe *(5B)*

to **report** (*abuse*) denunciar (*un abuso*) *(7B)*

reputation la consagración *(4B)*

to **request** solicitar *(2B)*, *(7B)*

to **require** exigir *(7A)*

requirement el requisito *(4B)*

to **rescue** rescatar *(4A)*, *(7B)*

reservation la reserva de plaza *(1A)*

to **reside** residir *(1B)*

to **resign** renunciar (a) *(1B)*

resignation la renuncia *(8A)*

to **resist** resistirse a *(2B)*

resistant refractorio, -a *(5B)*

to **resolve** solucionar *(4A)*, *(6B)*

to **resort to** recurrir a *(5B)*

respected respetado, -a *(4B)*

the rest los/las demás *(3A)*, *(6B)*

restaurant for lunch la lonchería *(3B)*

to **restore** restituir *(8A)*

restricted restringido, -a *(5B)*

to **retain data** retener datos *(5B)*

retaliation la represalia *(7B)*

to **retire** retirarse *(8A)*

retired jubilado, -a *(7A)*

to **retrieve** recuperar *(8B)*

to **return to/from** regresar a/de *(1A)*

to **reveal** desvelar *(1A)*; patentizar *(8B)*

review la reseña *(5A)*

to **revive** reavivar *(6B)*
rhyme la rima *(5B)*
rhythm el ritmo *(5B)*; la cadencia *(5B)*
rich adinerado, -a *(1A)*
ridiculous ridículo, -a *(4B)*
right fielder el jardinero derecho *(6A)*
rind la cáscara *(3A)*
to **rise up** alzarse *(5A)*
risk el riesgo *(1B)*
to **risk** arriesgarse a *(2A)*
risky azaroso, -a *(1B)*
rival el/la contrincante *(8A)*
rivalry la competencia *(6A)*
riverbank la orilla *(1A)*
roadside inn el parador *(3A)*
to **rob** piratear *(8B)*
robbery el hurto *(2B)*
rocket el cohete *(7A)*
role el papel *(2B)*
root la raíz *(2B)*
rower el/la remero/a *(6A)*
rowing el remo *(6A)*
royalty la regalía *(8A)*
rude grosero, -a *(4B)*; maleducado, -a *(4B)*; tosco, -a *(4B)*
rudeness la mala educación *(4B)*
to **ruin** arruinarse *(4B)*
rule la norma *(5B)*
to **rumor** rumorear *(5A)*
to **run away from** huir de *(1B)*
to **run the risk of** correre el riesgo de *(6A)*
to **rush to fame** lanzar(se) a la fama *(4B)*

S

safeguard la salvaguardia *(7B)*
salary el sueldo *(2B)*
salty salado, -a *(3A)*
sample la muestra *(3A)*
to **sample** degustar *(3A)*
sand la arena *(1A)*
sane cuerdo, -a *(4B)*
satire la sátira *(5A)*
to **sauté** sofreír (i) *(3A*
to **save** ahorrar *(2B)*; salvar *(2B)*
to **savor** paladear *(3A)*
to **say good-bye to** despedirse (i) de *(1B)*
scarcely apenas *(1B)*, *(5A)*
scattered esparcido, -a *(6A)*
scenery el paisaje *(1A)*
schedule el horario *(1A)*

scholar el/la sabio/a *(5A)*
school (*of a university*) la facultad *(8B)*
science fiction la ciencia ficción *(5A)*
to **scold** regañar *(2A)*
to **score a goal** marcar un gol *(6A)*
script el guión *(1A)*, *(5A)*
to **scrutinize** escrutar *(5B)*
to **sculpt** esculpir *(8A)*
sculptor el/la escultor(a) *(8A)*
sculpture la escultura *(8A)*
seagull la gaviota *(3A)*
search engine el programa buscador *(7A)*
season la temporada *(1A)*, *(6A)*
seasoning la sazón *(3A)*
seat belt el cinturón *(1A)*
secret sign la contraseña *(8A)*
sedentary sedentario, -a *(3B)*
to **see everything through rose-colored glasses** ver todo "color de rosa" *(4A)*
seed la semilla *(3A)*
seeded sembrado, -a *(4B)*
to **seem** parecer *(1B)*
to **seize** agarrar *(7B)*
to **select** seleccionar *(6B)*
self-destructive autodestructivo, -a *(5A)*
self-esteem la autoestima *(2A)*, *(3B)*
self-portrait el autorretrato *(8A)*
semantic semántico, -a *(5B)*
semidarkness la penumbra *(1A)*
to **send** remitir *(6B)*
sense of humor el sentido del humor *(4B)*
to **sense** intuir *(4A)*
sensible sensato, -a *(2B)*
sensitive sensible *(2B)*
separate from al margen de *(4B)*
serenity el sosiego *(1A)*, *(7A)*
serious grave *(2B)*
seriously en serio *(2A)*
seriously ill grave *(4A)*
seriousness la gravedad *(3B)*
to **serve with** servir (i, i) con *(3A)*; **serve as** servir de *(5A)*
set (*scenery*) el decorado *(5A)*
to **set about** emprender *(3B)*, *(6A)*
to **set in motion** poner en marcha *(6A)*
to **set the table** poner mantel/la mesa *(3A)*

setting el entorno *(1A)*, *(8B)*; el escenario *(5A)*
setting in motion la puesta en marcha *(6B)*
to **settle** instalarse *(8B)*
shame la vergüenza *(4A)*
shameless person el/la sinvergüenza *(4A)*
shamelessness el descaro *(7A)*
to **shape** plasmar *(8A)*
to **share** compartir *(1B)*
shark el tiburón *(7B)*
shelter el cobijo *(1B)*, *(7A)*
sheriff el/la alguacil(a) *(7B)*
to **shoot** disparar *(2B)*
shore la orilla *(1A)*
short story el cuento *(5A)*
shortage la escasez *(3B)*
shot (blast) el balazo *(6A)*
show la exposición *(8B)*; el montaje *(8A)*
to **show** demostrar (ue) *(2B)*; señalar *(2A)*
to **show off** hacer gala de algo *(4B)*, *(8B)*
shy tímido, -a *(4A)*
shyness la timidez *(4A)*
sight: to not lose sight of no perder (ie) de ojo *(1A)*
sign el letrero *(1B)*; la prueba *(8B)*; la señal *(4A)*
to **sign on** fichar *(3B)*
to **sign up with** fichar *(3B)*
signal la señal *(4A)*
silent silencioso, -a *(2B)*
silly/stupid thing or action el disparate *(2A)*; la tontería *(4A)*
simile el símil *(5B)*
simple sencillo, -a *(1A)*
since ya que *(4A)*
singer-songwriter el/la cantautor(a) *(8A)*
singing el cante *(8A)*
single sencillo, -a *(8B)*
to **sit down on/in** sentarse (ie) en *(1A)*
site el local *(8A)*
size el tamaño *(2A)*
skater el/la patinador(a) *(6A)*
skating el patinaje *(6A)*
sketch el boceto *(8A)*
skill la destreza *(2B)*; la habilidad *(4A)*
skin (*of fruit*) la corteza *(3A)*; la piel *(3A)*
slang la jerga *(2A)*

sleepwalker el/la sonámbulo/a *(4A)*

slice *(of meat)* la loncha *(3A)*

slice la tajada *(3A)*

slogan el lema *(8A)*

slowness la lentitud *(1A)*

smelly oloroso, -a *(3B)*, *(4A)*

smooth fluido, -a *(2A)*

to **snack** picar *(3B)*

to **snatch away** arrebatar *(6A)*

sneaker la zapatilla *(6A)*

so many tantos, -as *(1B)*

so much tanto, -a *(1B)*

so that de modo que *(1B)*

to **soak** mojar *(3A)*

soap opera la telenovela *(4B)*

soccer el balompié, el fútbol *(6A)*

solemn grave *(4A)*

solitude la soledad *(1A)*

to **solve** solucionar *(4A)*, *(6B)*

sonnet el soneto *(5B)*

sooner or later tarde o temprano *(2A)*

sort el tipo *(2A)*

sound el sonido *(5B)*

to **sound** sonar (ue) *(8A)*

source la fuente *(6A)*

sovereign el/la soberano/a *(4B)*

sown sembrado, -a *(4B)*

soya la soja *(3B)*

to **speak out against** manifestarse (ie) en contra de *(7A)*

special dish el manjar *(3A)*

spectator el/la espectador(a) *(6A)*

speech el discurso *(1B)*

spelling la ortografía *(7B)*

spelling mistake la falta de ortografía *(2A)*

to **spill** verter (ie) *(7B)*

to **split one's sides laughing** partirse de risa *(4A)*

spoiled consentido, -a *(4B)*; mimado, -a *(4A)*

spokesperson el/la portavoz *(1A)*

to **sponsor** apadrinar *(7B)*; patrocinar *(6B)*

spontaneity la espontaneidad *(4B)*

sports *(adj.)* deportivo, -a *(2A)*

sportsman/woman el/la deportista *(6A)*

to **spot (soil)** manchar *(4B)*

to **spread** difundir *(2B)*

to **spread out** desplegarse (ie) *(1A)*

to **stab** apuñalar *(5A)*

stable estable *(2B)*

stage la etapa *(2A)*

stamp el sello *(1A)*

stance la actitud *(2B)*

stand el puesto *(3B)*

to **stand** aguantar *(4A)*

to **stand out** destacarse (en) *(6B)*, *(8A)*

standard la norma *(5B)*

stanza la estrofa *(5B)*

stanza with 3 verses el terceto *(5B)*

star la estrella *(8B)*

start el inicio *(5A)*

to **start by** empezar (ie) por *(5B)*

starvation la hambruna *(3B)*

state-owned hotel el parador *(3A)*

stationery store la papelería *(5B)*

stature la estatura *(4B)*; *(of considerable)* **stature/ standing** de talla *(4B)*

stay la permanencia *(6B)*

to **stay** permanecer *(6B)*; quedarse *(3A)*

to **stay for** quedarse para *(3A)*

to **stay in** alojarse en *(1A)*

steel el acero *(8A)*

step el paso *(2A)*; la gestión *(4B)*

stereotype el estereotipo *(4B)*

to **stick one's foot in one's mouth** meter la pata *(4B)*

sticky pegajoso, -a *(3A)*

still quieto, -a *(2B)*

still life la naturaleza muerta *(8B)*

to **stimulate** estimular *(3B)*

to **stir up** hurgar *(8B)*

to **stock full** abarrotar *(8B)*

stocky rollizo, -a *(8A)*

stone la piedra *(1A)*

to **stop** atajar *(7A)*; cesar *(2B)*; dejar de *(7B)*; detener *(7B)*; poner freno *(3B)*

story el relato *(1A)*

stove el fogón *(3A)*

straight recto, -a *(5B)*

strange raro, -a *(1B)*

to **strengthen** reforzar (ue) *(5B)*

stressed tenso, -a *(2B)*

strict estricto, -a *(2B)*

strictly speaking en rigor *(5A)*

strong pujante *(7A)*

to **stutter** tartamudear *(2A)*, *(4B)*

to **subdue** sojuzgar *(8B)*

subject el tema *(2B)*

subject *(person)* el sujeto *(2B)*

to **subjugate** sojuzgar *(8B)*

subsidiary la filial *(8A)*

subtitle el subtítulo *(8A)*

to **succeed** tener éxito *(4B)*

success el éxito *(3A)*

successful exitoso, -a *(4B)*

sudden repentino, -a *(2B)*; súbito, -a *(6A)*

suddenly de golpe *(4B)*; de pronto *(2A)*

to **suffer** padecer *(1A)*, *(7B)*

to **suffer from** padecer de *(3B)*

to **suffer in one's own skin** sufrir en su propia carne *(4B)*

to **suffice** bastar *(1B)*, *(6A)*

sufficiently bastante *(1B)*

to **suit** convenir (ie) *(1B)*, *(4A)*

suitable for those over 18 years old apta para mayores de 18 años *(8B)*

suitcase la maleta *(1A)*

supplier el/la proveedora(a) *(3A)*

supply el abastecimiento *(7B)*

to **supply** proporcionar *(2B)*, *(7A)*

support el apoyo *(6B)*; el sostenimiento *(6A)*

to **support** apoyar *(2B)*; sostener *(7B)*

supporter el /la hincha *(6B)* *(pl.)* la hinchada *(6B)*

supportive solidario, -a *(2A)*

to **surprise** sorprender *(1B)*

surprising sorprendente *(3A)*

to **surrender** caer rendido *(4B)*

to **surround/be surrounded** rodear(se) *(4A)*

surrounded rodeado, -a *(1A)*

surrounding area el alrededor *(7B)*

survey la encuesta *(2B)*

survival la supervivencia *(7A)*

to **survive** sobrevivir *(2B)*, *(7A)*

suspicion la sospecha *(2B)*

to **sway** oscilar *(1B)*

to **swear** *(an oath)* jurar *(6A)*

sweaty sudoroso, -a *(4A)*

(having a) **sweet tooth** goloso, -a *(3A)*

swimmer el/la nadador(a) *(6A)*

swimming la natación *(6A)*

syllables; with 11 syllables endecasílabo, -a *(5B)*

symbol la figura icónica *(3B)*

sympathetic compasivo, -a *(2B)*; comprensivo, -a *(2B)*

symptom el síntoma *(2A)*

synonym el sinónimo *(5B)*

(related to) syntax sintáctico, -a *(5B)*

T

table guest el/la comensal *(3A)*

tablet la pastilla *(3A)*

to **take a leading part in** protagonizar *(6A)*

to **take advantage of** aprovecharse de *(1B)*

to **take an interest in** interesarse por *(2A)*

to **take care of** atender *(4B)*

to **take charge of** encargarse de *(3B)*

to **take effect** entrar en vigor *(6B)*

to **take for/considered** tener por *(2A)*

to **take hold** dar pie a *(6B)*

to **take into account** tomar en cuenta *(3B)*

to **take into consideration** plantearse *(2B)*

take off el despegue *(1A)*

to **take on** asumir *(2A)*

to **take place** tener lugar *(2B)*

to **take root** arraigarse *(1B)*

to **take time** durar *(2A)*

to **take time to** tardar en *(1B)*

tale el relato *(1A)*

talented talentoso, -a *(4B)*

tango singer or dancer el/la tanguero/a *(8A)*

tape recorder la grabadora *(7A)*

to **taste** degustar *(3A)*; probar (ue) *(3B)*

tasteless insípido, -a *(3B)*

tattoo el tatuaje *(2A)*

team sport el deporte de equipo *(6A)*

technological tecnológico, -a *(7A)*

to **tell off** regañar *(2A)*

(units of) ten la decena *(4A)*

tenacity el tesón *(4B)*

to **tend to** tender a *(3B)*

tenderness la ternura *(4B)*, *(5A)*

tennis player el/la tenista *(6A)*

tennis shoe la zapatilla *(6A)*

tense tenso, -a *(2B)*

tense *(of a verb)* el tiempo *(verbal)* *(2B)*

terrible tremendo, -a *(4A)*

terrifying espeluznante *(3A)*

test la prueba *(8B)*

thank beforehand muchas gracias de antemano *(1A)*

thank goodness menos mal *(1B)*

to **thank** agradecer *(6A)*

that is why de ahí que (+ *subjuntivo*) *(7B)*

That's not fair! ¡No hay derecho! *(2B)*

theft el hurto *(2B)*

thermoelectrical plant la planta termoeléctrica *(7B)*

thick espeso, -a *(3A)*

to **think about** *(opinion)* pensar (ie) de (+ *sustantivo*) *(4A)*

to **think of** pensar (ie) en *(4A)*

thirty-year-old el/la treintañero/a *(2A)*

thoroughly minuciosamente *(2B)*

threat la amenaza *(4B)*

to **threaten to/with** amenazar con *(1B)*, *(3B)*

threatening amenazador(a) *(3A)*

three-quarters of tres cuartos de *(1A)*

through a lo largo de *(1A)*

through the fault of por culpa de *(1B)*

throughout the world mundialmente *(6A)*, *(7A)*

to **throw** lanzar *(1A)*

tidal wave el maremoto *(7A)*

tie *(said of a score)* el empate *(6B)*

to **tie** *(a score)* empatar *(6B)*

tight ajustado, -a *(2A)*

timely oportuno, -a *(7B)*

timid tímido, -a *(4A)*

tiredness el cansancio *(6B)*

title page la portadilla *(5A)*

to order al gusto (de) *(3A)*

to the point of hasta el punto de *(4B)*

tolerant tolerante *(2A)*

to **tolerate** aguantar *(4A)*; tolerar *(2B)*

tongue twister el trabalenguas *(5B)*

too *(adv.)* demasiado *(1A)*

too much/many demasiado, -a *(1A)*

tool la herramienta *(1A)*, *(5B)*

torture el suplicio *(4B)*

touch el tacto *(8B)*; el toque *(1A)*, *(8A)*

tough arduo, -a *(8B)*

town la población *(2B)*

track and field el atletismo *(6B)*

tracking el seguimiento *(7B)*

tragedy la tragedia *(5A)*

to **train** entrenar *(6B)*

trained capacitado, -a *(2A)*

trainer el/la entrenador(a) *(6B)*

training el entrenamiento *(6A)*

trajectory la trayectoria *(4A)*

tranquility el sosiego *(1A)*, *(7A)*

trap la trampa *(4A)*

to **travel** recorrer *(6A)*, *(8B)*

to **travel by** viajar por *(1B)*

traveler el/la viajero/a *(1A)*

trawling el arrastre *(7B)*

treatment el trato *(4B)*

tremendous tremendo, -a *(4A)*

to **trick** engañar *(3B)*

to **triumph** triunfar *(2B)*

trouble el sinsabor *(5B)*

true verdadero, -a *(4B)*

to **trust** confiar en *(8A)*

to **try** intentar *(1A)*; pretender *(1A)*

to **try to** procurar *(3B)*; tratar de *(1B)*

to **try very hard to** esforzarse (ue) en *(2A)*

tuna fish el atún *(7B)*

to **turn into** convertir (ie, i) en *(1A)*; volver(se) (ue) *(4A)*

to **turn out well** salir bien *(2B)*

to **turn to** recurrir a *(5A)*

TV station la cadena de televisión *(8A)*

TV viewer el/la televidente *(4B)*

twenty-year-old el/la veinteañero/a *(2A)*

two-person sport el deporte por pareja *(6A)*

type el tipo *(2A)*

U

ultimate máximo, -a *(4B)*; supremo, -a *(4B)*

ultimately en última instancia *(2B)*

unbearable insoportable *(4A)*

unbeatable insuperable *(7A)*

unchallengeable irrecusable *(5A)*

uncultured inculto, -a *(2A)*

underage person el/la menor *(2B)*

undernourishment la subalimentación *(3B)*

to **understand (it)** tenerlo claro *(1B)*

(to not) understand (no) entrar en la cabeza *(3A)*

to **undertake** emprender *(3B)*, *(6A)*

unedited version la versión inédita *(8B)*

uneducated inculto, -a *(2A)*

unemployment el desempleo *(2A)*

uneven desnivelado, -a *(1A)*

unexpected impensado, -a *(3B)*; inesperado, -a *(4A)*

unforeseeable imprevisible *(7A)*

unforgettable imborrable *(5B)*; inolvidable *(1A)*

unfortunately por desgracia *(1B)*

unhealthiness of water la insalubridad del agua *(3B)*

unknown desconocido, -a *(4B)*

unlikely inverosímil *(5A)*

to **unload** descargar *(7A)*

unmanageable refractorio, -a *(5B)*

unnoticed desapercibido, -a *(3A)*, *(7A)*

unrepeatable irrepetible *(7B)*

unsafe inseguro, -a *(2A)*

unsociable huraño, -a *(4A)*

unstressed átono, -a *(5B)*

unsustainable insostenible *(7B)*

untenable insostenible *(7B)*

untruthful mendaz *(5A)*

uproar el bullicio *(2B)*

ups and downs las peripecias *(4B)*

up-to-date a la última *(3B)*

to **urge (someone) to** exhortar a *(5B)*; instar a *(5B)*, *(7B)*

urgently imperiosamente *(7A)*

user el/la usuario/a *(7B)*

usual corriente *(7A)*

V

to **vacate** desalojar *(7B)*

vague impreciso, -a *(5B)*

valid vigente *(8A)*

valor la valentía *(4B)*

to **value** cotizar *(4B)*; valorar *(1B)*; valorizar *(3B)*

to **vanish** esfumarse *(7B)*

vast desmesurado, -a *(3B)*; vasto, -a *(3B)*

vegetarian food la comida vegetariana *(3B)*

vending machine la máquina dispensadora *(3B)*

versification la versificación *(5B)*

very famous celebérrimo, -a *(3B)*

very often a cada rato *(4A)*

to **vibrate** vibrar *(4A)*

vice el vicio *(4A)*

vicissitude la peripecia *(4B)*

videogame el videojuego *(8B)*

view la vista *(1A)*

vigorous pujante *(7A)*

visionary el/la visionario/a *(4B)*

voluntary service el voluntariado *(2A)*

volunteer el/la voluntario/a *(2B)*

voter el/la votante *(4B)*

vulnerable desamparado, -a *(2B)*

W

to **wait in line** hacer cola *(1A)*

to **wait on** (*a customer*) despachar *(3A)*

to **wake up early** madrugar *(1B)*

to **want** desear *(4A)*

warmth la calidez *(4B)*

to **warn** advertir (ie) *(3B)*

warning la advertencia *(7B)*

warning poster el cartel de aviso *(7B)*

to **watch** vigilar *(3B)*

to **watch out for** velar por *(6A)*

to **watch over** velar *(3B)*

water: bottled water el agua embotellada *(7B)*; **fresh water** el agua dulce *(7A)*; **tap water** el agua de la llave *(7B)*

to **water** regar (ie) *(3B)*

watercolor la acuarela *(8A)*

way el modo *(2B)*

weak débil *(4A)*

weakness la debilidad *(3A)*

wealthy acaudalado, -a *(6A)*

weapon el arma (*f.*) *(2B)*

weight el peso *(2A)*

weight lifter el/la levantador(a) de pesas *(6B)*

welcome la bienvenida *(1A)*; la acogida *(1B)*

to **welcome** dar la bienvenida *(1A)*; acoger *(2B)*, *(7A)*

welcoming acogedor(a) *(3A)*

well mannered bien educado, -a *(1B)*

well-being el bienestar *(2B)*, *(7A)*

to **wet** mojar *(3A)*

What an injustice! ¡Qué injusticia! *(2B)*

what others will say el qué dirán *(4A)*

when + -ing form of verb al + *infinitivo* *(1B)*

wherever one looks se mire por donde se mire *(2A)*

to **whet someone's appetite** abrir el apetito *(3A)*

(a) while ago hace un rato *(3A)*

wide amplio, -a *(3A)*

widow la viuda *(1A)*

wild silvestre *(1A)*

wild cheers a grito pelado *(8B)*

willing dispuesto, -a *(1A)*

wireless network la red inalámbrica *(7A)*

wisdom la sabiduría *(1A)*, *(8B)*

wise sabio, -a *(4B)*

wise decision el acierto *(2B)*

wise move el acierto *(2B)*

wish la gana *(4A)*

to **wish** desear *(2A)*

with good humor con buena cara *(4B)*

within reach of al alcance de *(3A)*, *(6A)*

without (any) doubt sin (ninguna) duda *(2A)*

without limits (borders) sin fronteras *(8A)*

witness el/la testigo *(6B)*

wonderful estupendo, -a *(1A)*; genial *(3B)*

word: relating to words or vocabulary léxico, -a *(5B)*

to **work** funcionar *(1B)*

workday la jornada *(8B)*

workshop el taller *(8B)*

world el orbe *(8A)*

worldwide mundialmente *(6A)*, *(7A)*

worrisome preocupante *(2A)*

worry la inquietud *(4A)*

to **worry** preocupar *(1B)*

to **worry about** preocuparse por *(1B)*

worrying preocupante *(2A)*

to **worship** (*idolize*) idolatrar *(4B)*

to **be worth the trouble** valer la pena *(3A)*

worthwhile provechoso, -a *(1B)*; rentable *(3B)*

wrestler el/la luchador(a) *(6A)*

wrestling la lucha libre *(6A)*

to **wrinkle** arrugar(se) *(1A)*

to **write** redactar *(5B)*, *(7A)*

to **write a script** escribir un guión *(8A)*

writer el/la escritor(a) *(5A)*; el/la literato/a *(5A)*

writing la redacción *(1B)*

WWW la Red Mundial *(7A)*

Y

to **yearn for** apetecer *(1B)*

You don't say! ¡No me digas!
(2B)

youth la juventud *(2B)*

Z

zeal el afán *(3B)*, *(8A)*

zipper el cierre, la cremallera
(7A)

Verbos

Verbos regulares

Infinitivo Participio presente Participio pasado	Presente		Pretérito		Imperfecto	
hablar hablando hablado	hablo hablas habla	hablamos habláis hablan	hablé hablaste habló	hablamos hablasteis hablaron	hablaba hablabas hablaba	hablábamos hablabais hablaban
comer comiendo comido	como comes come	comemos coméis comen	comí comiste comió	comimos comisteis comieron	comía comías comía	comíamos comíais comían
vivir viviendo vivido	vivo vives vive	vivimos vivís viven	viví viviste vivió	vivimos vivisteis vivieron	vivía vivías vivía	vivíamos vivíais vivían

Tiempos progresivos

Presente		Imperfecto	
estoy estás está estamos estáis están	} hablando comiendo viviendo	estaba estabas estaba estábamos estabais estaban	} hablando comiendo viviendo

Verbos reflexivos

Infinitivo Participio presente	Presente	Pretérito	Subjuntivo
levantarse levantándose	me levanto te levantas se levanta nos levantamos os levantáis se levantan	me levanté te levantaste se levantó nos levantamos os levantasteis se levantaron	me levante te levantes se levante nos levantemos os levantéis se levanten

Verbos regulares *continuación*

Futuro		Condicional		Presente del subjuntivo		Imperfecto del subjuntivo	
hablaré	hablaremos	hablaría	hablaríamos	hable	hablemos	hablara/hablase	habláramos/hablásemos
hablarás	hablaréis	hablarías	hablaríais	hables	habléis	hablaras/hablases	hablarais/hablaseis
hablará	hablarán	hablaría	hablarían	hable	hablen	hablara/hablase	hablaran/hablasen
comeré	comeremos	comería	comeríamos	coma	comamos	comiera/comiese	comiéramos/comiésemos
comerás	comeréis	comerías	comeríais	comas	comáis	comieras/comieses	comierais/comieseis
comerá	comerán	comería	comerían	coma	coman	comiera/comiese	comieran/comiesen
viviré	viviremos	viviría	viviríamos	viva	vivamos	viviera/viviese	viviéramos/viviésemos
vivirás	viviréis	vivirías	viviríais	vivas	viváis	vivieras/vivieses	vivierais/vivieseis
vivirá	vivirán	viviría	vivirían	viva	vivan	viviera/viviese	vivieran/viviesen

Tiempos perfectos

Presente perfecto	Pluscuamperfecto	Futuro perfecto
he has ha hemos habéis han } hablado comido vivido	había habías había habíamos habíais habían } hablado comido vivido	habré habrás habrá habremos habréis habrán } hablado comido vivido
Condicional perfecto	**Presente perfecto del subjuntivo**	**Pluscuamperfecto del subjuntivo**
habría habrías habría habríamos habríais habrían } hablado comido vivido	haya hayas haya hayamos hayáis hayan } hablado comido vivido	hubiera/hubiese hubieras/hubieses hubiera/hubiese hubiéramos/hubiésemos hubierais/hubieseis hubieran/hubiesen } hablado comido vivido

Verbos con cambios en la raíz

Verbos en -ar

Infinitivo	cerrar (e > ie)		contar (o > ue)		jugar (u > ue)	
Presente del indicativo	**cierro**	cerramos	**cuento**	contamos	**juego**	jugamos
	cierras	cerráis	**cuentas**	contáis	**juegas**	jugáis
	cierra	**cierran**	**cuenta**	**cuentan**	**juega**	**juegan**
Presente del subjuntivo	**cierre**	cerremos	**cuente**	contemos	**juegue**	juguemos
	cierres	cerréis	**cuentes**	contéis	**juegues**	juguéis
	cierre	**cierren**	**cuente**	**cuenten**	**juegue**	**jueguen**
Imperativo						
afirmativo	—	cerremos	—	contemos	—	juguemos
	cierra	cerrad	cuenta	contad	juega	jugad
	cierre	cierren	cuente	cuenten	juegue	jueguen
negativo	—	no cerremos	—	no contemos	—	no juguemos
	no cierres	no cerréis	no cuentes	no contéis	no juegues	no juguéis
	no cierre	no cierren	no cuente	no cuenten	no juegue	no jueguen

Semejantes a **cerrar**: acrecentar, apretar, calentar, comenzar, confesar, despertar, empezar, encerrar, encomendarse, enterrar, fregar, manifestarse, merendar, negar, pensar, quebrar, recomendar, regar, sentarse, temblar, tropezar

Semejantes a **contar**: acordar, acostarse, almorzar, apostar, colgar, consolar, costar, demostrar, encontrar, esforzarse, mostrar, probar, recordar, reforzar, rodar, rogar, sonar, soñar, volar

Verbos en -er

Infinitivo	entender (e > ie)		mover (o > ue)	
Presente del indicativo	**entiendo**	entendemos	**muevo**	movemos
	entiendes	entendéis	**mueves**	movís
	entiende	**entienden**	**mueve**	**mueven**
Presente del subjuntivo	**entienda**	entendamos	**mueva**	movamos
	entiendas	entendáis	**muevas**	mováis
	entienda	**entiendan**	**mueva**	**muevan**
Imperativo				
afirmativo	—	entendamos	—	movamos
	entiende	entended	mueve	moved
	entienda	entiendan	mueva	muevan
negativo	—	no entendamos	—	no movamos
	no entiendas	no entendáis	no muevas	no mováis
	no entienda	no entiendan	no mueva	no muevan

Semejantes a **entender**: ascender, defender, descender, encender, extender, perder, tender, verter

Semejantes a **mover**: cocer, devolver (*part. pasado*: **devuelto**), doler, envolver (*part. pasado*: **envuelto**), moler, morder, promover, resolver (*part. pasado*: **resuelto**), soler, torcer, volver (*part. pasado*: **vuelto**)

Verbos en *-ir*

Infinitivo	**pedir** (e > i, i)		**preferir** (e > ie, i)		**dormir** (o > ue, u)	
Presente del indicativo	pido pides pide	pedimos pedís piden	prefiero prefieres prefiere	preferimos preferís prefieren	duermo duermes duerme	dormimos dormís duermen
Presente del subjuntivo	pida pidas pida	pidamos pidáis pidan	prefiera prefieras prefiera	prefiramos prefiráis prefieran	duerma duermas duerma	durmamos durmáis duerman
Imperativo **afirmativo**	— pide pida	pidamos pedid pidan	— prefiere prefiera	prefiramos perferid prefieran	— duerme duerma	durmamos dormid duerman
negativo	— no pidas no pida	no pidamos no pidáis no pidan	— no prefieras no prefiera	no prefiramos no prefiráis no prefieran	— no duermas no duerma	no durmamos no durmáis no duerman
Participio presente	**pidiendo**		**prefiriendo**		**durmiendo**	
Pretérito	pedí pediste **pidió**	pedimos pedisteis **pidieron**	preferí preferiste **prefirió**	preferimos preferisteis **prefirieron**	dormí dormiste **durmió**	dormimos dormisteis **durmieron**
Imperfecto del subjuntivo (-ra)	pidiera pidieras pidiera	pidiéramos pidierais pidieran	prefiriera prefirieras prefiriera	prefiriéramos prefirierais prefirieran	durmiera durmieras durmiera	durmiéramos durmierais durmieran
(-se)	pidiese pidieses pidiese	pidiésemos pidieseis pidiesen	prefiriese prefirieses prefiriese	prefiriésemos prefirieseis prefiriesen	durmiese durmieses durmiese	durmiésemos durmieseis durmiesen

Semejantes a **pedir**:	competir, conseguir, corregir (*g > j*), despedir, elegir (*g > j*), impedir, medir, perseguir, repetir, seguir, servir, vestirse
Semejantes a **preferir**:	advertir, arrepentirse, asentir, convertir, divertirse, herir, hervir, ingerir, invertir, mentir, referir, requerir, sentir, sugerir
Semejantes a **dormir**:	morir (*part. pasado:* **muerto**)

Verbos con formas irregulares

Verbos con cambios ortográficos y de acento

---

1. acercar   **-car**   **c > qu** delante de la *e*

Pretérito	**acerqué**, acercaste, acercó, acercamos, acercasteis, acercaron
Pres. del subj.	**acerque, acerques, acerque, acerquemos, acerquéis, acerquen**
Imperativo	acerca (no **acerques**), **acerque, acerquemos,** acercad (no **acerquéis**), **acerquen**

Semejantes a **acercar**:

abarcar, aparcar, aplacar, arrancar, atacar, buscar, chocar, colocar, complicar, comunicar, convocar, criticar, dedicar, desbancar, desembarcar, destacarse, edificar, embarcar, enmarcar, equivocarse, explicar, inculcar, indicar, justificar, marcar, pescar, picar, platicar, practicar, sacar, salpicar, secar, significar, suplicar, tocar

---

2. agradecer   **-cer**   **c > zc** en la primera persona singular del presente

Presente	**agradezco**, agradeces, agradece, agradecemos, agradecéis, agradecen
Pres. del subj.	**agradezca, agradezcas, agradezca, agradezcamos, agradezcáis, agradezcan**
Imperativo	agradece (no **agradezcas**), **agradezca, agradezcamos,** agradeced (no **agradezcáis**), **agradezcan**

Semejantes a **agradecer**:

acontecer (*sólo en tercera persona*), amanecer, aparecer, apetecer, carecer, complacer, conocer, crecer, desaparecer, enaltecer, entristecerse, establecer, favorecer, merecer, nacer, obedecer, ofrecer, padecer, parecer, permanecer, pertenecer, prevalecer, reconocer

---

3. apagar   **-gar**   **g > gu** delante de la *e*

Pretérito	**apagué**, apagaste, apagó, apagamos, apagasteis, apagaron
Pres. del subj.	**apague, apagues, apague, apaguemos, apaguéis, apaguen**
Imperativo	apaga (no **apagues**), **apague, apaguemos,** apagad (no **apaguéis**), **apaguen**

Semejantes a **apagar**:

agregar, ahogarse, albergar, arriesgar, arrugar, asegurar, cargar, castigar, colgar (ue), conjugar, derogar, descargar, despegar, desplegar, encargarse, entregar, erogar, fregar (ie), hurgar, jugar (ue), llegar, madrugar, navegar, negar (ie), otorgar, pagar, pegar, regar (ie), rogar (ue), sojuzgar, tragar

---

4. averiguar   **-guar**   **gua > güe**

Pretérito	**averigüé**, averiguaste, averiguó, averiguamos, averiguasteis, averiguaron
Pres. del subj.	**averigüe, averigües, averigüe, averigüemos, averigüéis, averigüen**
Imperativo	averigua (no **averigües**), **averigüe, averigüemos,** averiguad (no **averigüéis**), **averigüen**

Semejantes a **averiguar**:

amortiguar, apaciguar

---

5. conseguir   **-guir** (e > i, i)   **gu > g** delante de la *o, a*

Presente	**consigo, consigues, consigue,** conseguimos, conseguís, **consiguen**
Pretérito	conseguí, conseguiste, **consiguió,** conseguimos, conseguisteis, **consiguieron**
Pres. del subj.	**consiga, consigas, consiga, consigamos, consigáis, consigan**
Imperf. del subj.	**consiguiera, consiguieras, consiguiera, consiguiéramos, consiguierais, consiguieran**
	consiguiese, consiguieses, consiguiese, consiguiésimos, consiguieseis, consiguiesen
Imperativo	**consigue** (no **consigas**), **consiga, consigamos,** conseguid (no **consigáis**), **consigan**

Semejantes a **conseguir**:

perseguir, proseguir, seguir

---

6. continuar   **-uar**   **u > ú** en las formas singulares y tercera persona plural del presente

Presente	**continúo, continúas, continúa,** continuamos, continuáis, **continúan**
Pres. del subj.	**continúe, continúes, continúe,** continuemos, continuéis, **continúen**
Imperativo	**continúa** (no **continúes**), **continúe,** continuemos, continuad (no continuéis), **continúen**

Semejantes a **continuar**:

actuar, graduarse, puntuar

Verbos con formas irregulares

Verbos con cambios ortográficos y de acento

---

7. cruzar   **-zar**   **z > c** delante de la *e*

Pretérito	**crucé**, cruzaste, cruzó, cruzamos, cruzasteis, cruzaron
Pres. del subj.	**cruce, cruces, cruce, crucemos, crucéis, crucen**
Imperativo	cruza (no **cruces**), **cruce, crucemos**, cruzad (no **crucéis**), **crucen**

Semejantes a **cruzar**:
abrazar, alcanzar, almorzar (ue), alzar, amenazar, amenizar, analizar, aterrizar, avanzar, avergonzarse (ue), comenzar (ie), concientizar, desplazar, empezar (ie), encabezar, esforzarse, especializarse, forzar, garantizar, gozar, lanzar, localizar, protagonizar, puntualizar, realizar, rechazar, reforzar, rezar, tranquilizar, trazar, tropezar (ie), utilizar, valorizar

---

8. dirigir   **-gir**   **g > j** delante de la *o, a*

Presente	**dirijo**, diriges, dirige, dirigimos, dirigís, dirigen
Pres. del subj.	**dirija, dirijas, dirija, dirijamos, dirijáis, dirijan**
Imperativo	dirige (no **dirijas**), **dirija, dirijamos**, dirigid (no **dirijáis**), **dirijan**

Semejantes a **dirigir**:
afligirse, exigir, fingir, surgir, sumergir

---

9. distinguir   **-guir**   **gu > g** delante de la *o, a*

Presente	**distingo**, distingues, distingue, distinguimos, distinguís, distinguen
Pres. del subj.	**distinga, distingas, distinga, distingamos, distingáis, distingan**
Imperativo	distingue (no **distingas**), **distinga, distingamos**, distinguid (no **distingáis**), **distingan**

---

10. elegir   **-gir** (e > i, i)   **g > j** delante de la *o, a*

Presente	**elijo, eliges, elige**, elegimos, elegís, **eligen**
Pretérito	elegí, elegiste, **eligió**, elegimos, elegisteis, **eligieron**
Pres. del subj.	**elija, elijas, elija, elijamos, elijáis, elijan**
Imperativo	**elige** (no **elijas**), **elija, elijamos**, elegid (no **elijáis**), **elijan**

Semejante a **elegir**:
corregir

---

11. recoger   **-ger**   **g > j** delante de la *o, a*

Presente	**recojo**, recoges, recoge, recogemos, recogéis, recogen
Pres. del subj.	**recoja, recojas, recoja, recojamos, recojáis, recojan**
Imperativo	recoge (no **recojas**), **recoja, recojamos**, recoged (no **recojáis**), **recojan**

Semejantes a **recoger**:
acoger, coger, escoger, proteger

---

12. reñir   **-ñir**   **e > i**

Presente	**riño, riñes, riñe**, reñimos, reñís, **riñen**
Pretérito	reñí, reñiste, **riñó**, reñimos, reñisteis, **riñeron**
Pres. del subj.	**riña, riñas, riña, riñamos, riñáis, riñan**
Imperf. del subj.	**riñera, riñeras, riñera, riñéramos, riñerais, riñeran** **riñese, riñeses, riñese, riñésemos, riñeseis, riñesen**
Imperativo	**riñe** (no **riñas**), **riña, riñamos**, reñid (no **riñáis**), **riñan**
Part. presente	**riñendo**

Semejantes a **reñir**:
ceñir, constreñir, desteñir, estreñir, teñir

Verbos con formas irregulares

Verbos con cambios ortográficos y de acento

13. **variar**	**-iar**	**i > í** en las formas singulares y tercera persona plural del presente

Presente   **varío, varías, varía**, variamos, variáis, **varían**
Pres. del subj.   **varíe, varíes, varíe**, variemos, variéis, **varíen**
Imperativo   **varía** (no **varíes**), **varíe**, variemos, variad (no variéis), **varíen**

Semejantes a **variar**:
    ampliar, confiar, criar, desafiar, desviar, enfriar, enviar, esquiar, fiar, guiar, resfriarse, vaciar

14. **vencer**	**-cer**	**c > z** delante de la *a, o*

Presente   **venzo**, vences, vence, vencemos, vencéis, vencen
Pres. del subj.   **venza, venzas, venza, venzamos, venzáis, venzan**
Imperativo   vence (no **venzas**), **venza, venzamos**, venced (no **venzáis**), **venzan**

Semejantes a **vencer**:
    convencer, esparcir, torcer (ue)

Verbos irregulares

1.	**adquirir**	
	Presente	**adquiero, adquieres, adquiere,** adquirimos, adquirís, **adquieren**
	Pres. del subj.	**adquiera, adquieras, adquiera,** adquiramos, adquiráis, **adquieran**
	Imperativo	**adquiere** (no **adquieras**), **adquiera,** adquiramos, adquirid (no adquiráis), **adquieran**

2.	**andar**	
	Pretérito	**anduve, anduviste, anduvo, anduvimos, anduvisteis, anduvieron**
	Imperf. del subj.	**anduviera, anduvieras, anduviera, anduviéramos, anduvierais, anduvieran**
		anduviese, anduvieses, anduviese, anduviésemos, anduvieseis, anduviesen

3.	**caber**	
	Presente	**quepo,** cabes, cabe, cabemos, cabéis, caben
	Pretérito	**cupe, cupiste, cupo, cupimos, cupisteis, cupieron**
	Futuro	**cabré, cabrás, cabrá, cabremos, cabréis, cabrán**
	Condicional	**cabría, cabrías, cabría, cabríamos, cabríais, cabrían**
	Pres. del subj.	**quepa, quepas, quepa, quepamos, quepáis, quepan**
	Imperf. del subj.	**cupiera, cupieras, cupiera, cupiéramos, cupierais, cupieran**
		cupiese, cupieses, cupiese, cupiésemos, cupieseis, cupiesen
	Imperativo	cabe (no **quepas**), **quepa, quepamos,** cabed (no **quepáis**), **quepan**

4.	**caer**	
	Presente	**caigo,** caes, cae, caemos, caéis, caen
	Pretérito	caí, **caíste, cayó,** caímos, **caísteis, cayeron**
	Pres. del subj.	**caiga, caigas, caiga, caigamos, caigáis, caigan**
	Imperf. del subj.	**cayera, cayeras, cayera, cayéramos, cayerais, cayeran**
		cayese, cayeses, cayese, cayésemos, cayeseis, cayesen
	Part. presente	**cayendo**
	Part. pasado	**caído**
	Imperativo	cae (no **caigas**), **caiga, caigamos,** caed (no **caigáis**), **caigan**

Semejantes a **caer**:
decaer, recaer

5.	**dar**	
	Presente	**doy,** das, da, damos, **dais,** dan
	Pretérito	**di, diste, dio, dimos, disteis, dieron**
	Pres. del subj.	**dé, des, dé, demos, deis, den**
	Imperf. del subj.	**diera, dieras, diera, diéramos, dierais, dieran**
		diese, dieses, diese, diésemos, dieseis, diesen
	Imperativo	da (no **des**), **dé,** demos, dad (no **deis**), **den**

Verbos irregulares

6. decir

Presente	**digo, dices, dice**, decimos, decís, **dicen**
Pretérito	**dije, dijiste, dijo, dijimos, dijisteis, dijeron**
Futuro	**diré, dirás, dirá, diremos, diréis, dirán**
Condicional	**diría, dirías, diría, diríamos, diríais, dirían**
Pres. del subj.	**diga, digas, diga, digamos, digáis, digan**
Imperf. del subj.	**dijera, dijeras, dijera, dijéramos, dijerais, dijeran**
	dijese, dijeses, dijese, dijésemos, dijeseis, dijesen
Part. presente	**diciendo**
Part. pasado	**dicho**
Imperativo	**di** (no **digas**), **diga**, **digamos**, decid (no **digáis**), **digan**

Semejantes a **decir**:
contradecir, predecir (*futuro*: predeciré, predecirás, etc.; *condicional*: predeciría, predecirías, etc.; *imperativo*: predice)

7. estar

Presente	**estoy, estás, está, estamos, estáis, están**
Pretérito	**estuve, estuviste, estuvo, estuvimos, estuviste, estuvieron**
Pres. del subj.	**esté, estés, esté, estemos, estéis, estén**
Imperf. del subj.	**estuviera, estuvieras, estuviera, estuviéramos, estuvierais, estuvieran**
	estuviese, estuvieses, estuviese, estuviésemos, estuvieseis, estuviesen
Imperativo	**está** (no **estés**), **esté, estemos**, estad (no **estéis**), **estén**

8. haber

Presente	**he, has, ha, hemos**, habéis, **han**
Pretérito	**hube, hubiste, hubo, hubimos, hubisteis, hubieron**
Futuro	**habré, habrás, habrá, habremos, habréis, habrán**
Condicional	**habría, habrías, habría, habríamos, habríais, habrían**
Pres. del subj.	**haya, hayas, haya, hayamos, hayáis, hayan**
Imperf. del subj.	**hubiera, hubieras, hubiera, hubiéramos, hubierais, hubieran**
	hubiese, hubieses, hubiese, hubiésemos, hubieseis, hubiesen

9. hacer

Presente	**hago**, haces, hace, hacemos, hacéis, hacen
Pretérito	**hice, hiciste, hizo, hicimos, hicisteis, hicieron**
Futuro	**haré, harás, hará, haremos, haréis, harán**
Condicional	**haría, harías, haría, haríamos, haríais, harían**
Pres. del subj.	**haga, hagas, haga, hagamos, hagáis, hagan**
Imperf. del subj.	**hiciera, hicieras, hiciera, hiciéramos, hicierais, hicieran**
	hiciese, hicieses, hiciese, hiciésemos, hicieseis, hiciesen
Part. pasado	**hecho**
Imperativo	**haz** (no **hagas**), **haga, hagamos**, haced (no **hagáis**), **hagan**

Semejante a **hacer**:
satisfacer

10. huir

Presente:	**huyo, huyes, huye**, huimos, huís, **huyen**
Pretérito	huí, huiste, **huyó**, huimos, huisteis, **huyeron**
Pres. del subj.	**huya, huyas, huya, huyamos, huyáis, huyan**
Imperf. del subj.	**huyera, huyeras, huyera, huyéramos, huyerais, huyeran**
	huyese, huyeses, huyese, huyésemos, huyeseis, huyesen
Imperativo	**huye** (no **huyas**), **huya, huyamos,** huid (no **huyáis**), **huyan**

Semejantes a **huir**:

atribuir, concluir, constituir, construir, contribuir, destituir, destruir, disminuir, distribuir, excluir, incluir, influir, instruir, recluir, restituir, sustituir

11. ir

Presente	**voy, vas, va, vamos, vais, van**
Imperfecto	**iba, ibas, iba, íbamos, ibais, iban**
Pretérito	**fui, fuiste, fue, fuimos, fuisteis, fueron**
Pres. del subj.	**vaya, vayas, vaya, vayamos, vayáis, vayan**
Imperf. del subj.	**fuera, fueras, fuera, fuéramos, fuerais, fueran**
	fuese, fueses, fuese, fuésemos, fueseis, fuesen
Part. presente	**yendo**
Part. pasado	**ido**
Imperativo	**ve** (no **vayas**), **vaya, vamos** (no **vayamos**), id (no **vayáis**), **vayan**

12. leer

Pretérito	leí, **leíste, leyó, leímos, leísteis, leyeron**
Imperf. del subj.	**leyera, leyeras, leyera, leyéramos, leyerais, leyeran**
	leyese, leyeses, leyese, leyésemos, leyeseis, leyesen
Part. presente	**leyendo**
Part. pasado	**leído**

Semejantes a **leer**:

creer, poseer, proveer (part. pasado: **provisto** o **proveído**)

13. oír

Presente	**oigo, oyes, oye**, oímos, oís, **oyen**
Pretérito	oí, oíste, **oyó**, oímos, oísteis, **oyeron**
Futuro	oiré, oirás, oirá, oiremos, oiréis, oirán
Condicional	oiría, oirías, oiría, oiríamos, oiríais, oirían
Pres. del subj.	**oiga, oigas, oiga, oigamos, oigáis, oigan**
Imperf. del subj.	**oyera, oyeras, oyera, oyéramos, oyerais, oyeran**
	oyese, oyeses, oyese, oyésemos, oyeseis, oyesen
Part. presente	**oyendo**
Part. pasado	**oído**
Imperativo	**oye** (no **oigas**), **oiga, oigamos,** oíd (no **oigáis**), **oigan**

14. oler

Presente	**huelo, hueles, huele**, olemos, oléis, **huelen**
Pres. del subj.	**huela, huelas, huela**, olamos, oláis, **huelan**
Imperativo	**huele** (no **huelas**), **huela**, olamos, oled (no **oláis**), **huelan**

Verbos irregulares

15. poder

Presente	**puedo, puedes, puede**, podemos, podéis, **pueden**
Pretérito	**pude, pudiste, pudo, pudimos, pudisteis, pudieron**
Futuro	**podré, podrás, podrá, podremos, podréis, podrán**
Condicional	**podría, podrías, podría, podríamos, podríais, podrían**
Pres. del subj.	**pueda, puedas, pueda**, podamos, podáis, **puedan**
Imperf. del subj.	**pudiera, pudieras, pudiera, pudiéramos, pudierais, pudieran**
	pudiese, pudieses, pudiese, pudiésemos, pudieseis, pudiesen
Part. presente	**pudiendo**

16. poner

Presente	**pongo**, pones, pone, ponemos, ponéis, ponen
Pretérito	**puse, pusiste, puso, pusimos, pusisteis, pusieron**
Futuro	**pondré, pondrás, pondrá, pondremos, pondréis, pondrán**
Condicional	**pondría, pondrías, pondría, pondríamos, pondríais, pondrían**
Pres. del subj.	**ponga, pongas, ponga, pongamos, pongáis, pongan**
Imperf. del subj.	**pusiera, pusieras, pusiera, pusiéramos, pusierais, pusieran**
	pusiese, pusieses, pusiese, pusiésemos, pusieseis, pusiesen
Part. pasado	**puesto**
Imperativo	**pon** (no **pongas**), **ponga, pongamos**, poned (no **pongáis**), **pongan**

Semejantes a **poner**:
componer, disponer, exponer, imponer, oponer, proponer, reponer, suponer

17. querer

Presente	**quiero, quieres, quiere**, queremos, queréis, **quieren**
Pretérito	**quise, quisiste, quiso, quisimos, quisisteis, quisieron**
Futuro	**querré, querrás, querrá, querremos, querréis, querrán**
Condicional	**querría, querrías, querría, querríamos, querríais, querrían**
Pres. del subj.	**quiera, quieras, quiera**, queramos, queráis, **quieran**
Imperf. del subj.	**quisiera, quisieras, quisiera, quisiéramos, quisierais, quisieran**
	quisiese, quisieses, quisiese, quisiésemos, quisieseis, quisiesen
Imperativo	**quiere** (no **quieras**), **quiera**, queramos, quered (no queráis), **quieran**

18. reír

Presente	**río, ríes, ríe, reímos, reís, ríen**
Pretérito	reí, **reíste, rió, reímos, reísteis, rieron**
Futuro	**reiré, reirás, reirá, reiremos, reiréis, reirán**
Condicional	**reiría, reirías, reiría, reiríamos, reiríais, reirían**
Pres. del subj.	**ría, rías, ría, riamos, riáis, rían**
Imperf. del subj.	**riera, rieras, riera, riéramos, rierais, rieran**
	riese, rieses, riese, riésemos, rieseis, riesen
Part. presente	**riendo**
Part. pasado	**reído**
Imperativo	**ríe** (no **rías**), **ría, riamos**, reíd (no **riáis**), **rían**

Semejantes a **reír**:
freír (*part. pasado*: **frito**), sonreír

Verbos irregulares

19. **saber**	
Presente	**sé**, sabes, sabe, sabemos, sabéis, saben
Pretérito	**supe, supiste, supo, supimos, supisteis, supieron**
Futuro	**sabré, sabrás, sabrá, sabremos, sabréis, sabrán**
Condicional	**sabría, sabrías, sabría, sabríamos, sabríais, sabrían**
Pres. del subj.	**sepa, sepas, sepa, sepamos, sepáis, sepan**
Imperf. del subj.	**supiera, supieras, supiera, supiéramos, supierais, supieran**
	supiese, supieses, supiese, supiésemos, supieseis, supiesen
Imperativo	sabe (no **sepas**), **sepa, sepamos**, sabed (no **sepáis**), **sepan**

20. **salir**	
Presente	**salgo**, sales, sale, salimos, salís, salen
Futuro	**saldré, saldrás, saldrá, saldremos, saldréis, saldrán**
Condicional	**saldría, saldrías, saldría, saldríamos, saldríais, saldrían**
Pres. del subj.	**salga, salgas, salga, salgamos, salgáis, salgan**
Imperativo	**sal** (no **salgas**), **salga, salgamos**, salid (no **salgáis**), **salgan**

21. **ser**	
Presente	**soy, eres, es, somos, sois, son**
Imperfecto	**era, eras, era, éramos, erais, eran**
Pretérito	**fui, fuiste, fue, fuimos, fuisteis, fueron**
Pres. del subj.	**sea, seas, sea, seamos, seáis, sean**
Imperf. del subj.	**fuera, fueras, fuera, fuéramos, fuerais, fueran**
	fuese, fueses, fuese, fuésemos, fueseis, fuesen
Imperativo	**sé** (no **seas**), **sea, seamos**, sed (no **seáis**), **sean**

22. **tener**	
Presente	**tengo, tienes, tiene**, tenemos, tenéis, **tienen**
Pretérito	**tuve, tuviste, tuvo, tuvimos, tuvisteis, tuvieron**
Futuro	**tendré, tendrás, tendrá, tendremos, tendréis, tendrán**
Condicional	**tendría, tendrías, tendría, tendríamos, tendríais, tendrían**
Pres. del subj.	**tenga, tengas, tenga, tengamos, tengáis, tengan**
Imperf. del subj.	**tuviera, tuvieras, tuviera, tuviéramos, tuvierais, tuvieran**
	tuviese, tuvieses, tuviese, tuviésemos, tuvieseis, tuviesen
Imperativo	**ten** (no **tengas**), **tenga, tengamos**, tened (no **tengáis**), **tengan**

Semejantes a **tener**:
  abstenerse, contener, detener, mantener, obtener, sostener

23. **traducir**	
Presente	**traduzco**, traduces, traduce, traducimos, traducís, traducen
Pretérito	**traduje, tradujiste, tradujo, tradujimos, tradujisteis, tradujeron**
Pres. del subj.	**traduzca, traduzcas, traduzca, traduzcamos, traduzcáis, traduzcan**
Imperf. del subj.	**tradujera, tradujeras, tradujera, tradujéramos, tradujerais, tradujeran**
	tradujese, tradujeses, tradujese, tradujésemos, tradujeseis, tradujesen
Imperativo	traduce (no **traduzcas**), **traduzca, traduzcamos**, traducid (no **traduzcáis**), **traduzcan**

Semejantes a **traducir**:
  conducir, producir

Verbos irregulares

24. **traer**	
Presente	**traigo**, traes, trae, traemos, traéis, traen
Pretérito	**traje, trajiste, trajo, trajimos, trajisteis, trajeron**
Pres. del subj.	**traiga, traigas, traiga, traigamos, traigáis, traigan**
Imperf. del subj.	**trajera, trajeras, trajera, trajéramos, trajerais, trajeran** **trajese, trajeses, trajese, trajésemos, trajeseis, trajesen**
Part. presente	**trayendo**
Part. pasado	**traído**
Imperativo	trae (no **traigas**), **traiga, traigamos**, traed (no **traigáis**), **traigan**

Semejantes a **traer**:
atraer, contraer

25. **valer**	
Presente	**valgo**, vales, vale, valemos, valéis, valen
Futuro	**valdré, valdrás, valdrá, valdremos, valdréis, valdrán**
Condicional	**valdría, valdrías, valdría, valdríamos, valdríais, valdrían**
Pres. del subj.	**valga, valgas, valga, valgamos, valgáis, valgan**
Imperativo	vale (no **valgas**), **valga, valgamos**, valed (no **valgáis**), **valgan**

26. **venir**	
Presente	**vengo, vienes, viene**, venimos, venís, **vienen**
Pretérito	**vine, viniste, vino, vinimos, vinisteis, vinieron**
Futuro	**vendré, vendrás, vendrá, vendremos, vendréis, vendrán**
Condicional	**vendría, vendrías, vendría, vendríamos, vendríais, vendrían**
Pres. del subj.	**venga, vengas, venga, vengamos, vengáis, vengan**
Imperf. del subj.	**viniera, vinieras, viniera, viniéramos, vinierais, vinieran** **viniese, vinieses, viniese, viniésemos, vinieseis, viniesen**
Part. presente	**viniendo**
Imperativo	**ven** (no **vengas**), **venga, vengamos**, venid (no **vengáis**), **vengan**

Semejantes a **venir**:
convenir, intervenir

27. **ver**	
Presente	**veo**, ves, ve, vemos, veis, ven
Imperfecto	**veía, veías, veía, veíamos, veíais, veían**
Pretérito	**vi**, viste, **vio**, vimos, visteis, vieron
Pres. del subj.	**vea, veas, vea, veamos, veáis, vean**
Part. pasado	**visto**
Imperativo	**ve** (no **veas**), **vea, veamos**, ved (no **veáis**), **vean**

Verbos con participios pasados irregulares			
abrir	**abierto**	escribir	**escrito**
cubrir	**cubierto**	imprimir	**impreso, imprimido**
describir	**descrito**	morir	**muerto**
descubrir	**descubierto**	romper	**roto**

Art Credit

p. 251, *The Don's Misadventure* by Gustave Doré, 1863; p. 252, *Don Quixote and Sancho Setting Out* by Gustave Doré, 1863; p. 256 *Don Quixote and Sancho Panza*, Honoré Daumier (1808-79); p. 420, *Guernica* by Pablo Picasso (top); p. 422, *Una pareja (A Couple)*, 1982, Fernando Botero (b. 1932); p. 423, *The Third of May, 1808* by Francisco José de Goya y Lucientes; p. 426, *Broadgate Venus* by Fernando Botero; p. 435, *After the Bullfight* by Pablo Picasso; p. 437, *The Bullfight* by Francisco de Goya; p. 438, *Raíces* (1943) by Frieda Kahlo; p. 450, (center) *The Persistence of Memory* by Salvador Dalí; p. 453, *Ball at the Moulin de la Galette, Montmartre* by Pierre-Auguste Renoir.

Photo Credit

Abad, Eduardo EFE/Corbis: 240

Adams, Peter/JAI/Corbis: 48 (b)

Agnew & Sons, London, UK/Bridgeman Art Library: 256

Amet, Jean-Pierre/BelOmbra/Corbis: 186

Angelescu, Andreea/Corbis: 464

Anzuoni, Mario/Reuters/Corbis: 206, 216

AP/World Wide Photos: 32 (bl), 33, 305, 429, 434, 458

Archivo Iconografico, S.A./Corbis: 237, 420 (t), 423 (t)

Art on File/Corbis: 214

BananaStock, Royalty Free: 282

Barton, Paul/Corbis: 179

Bejar Latonda, Mónica: 297

Bettmann/Corbis: 224, 243 (l, r), 247, 275, 314, 363 (l, r), 388, 440, 450 (c), 462

Bock, Edward/Corbis: 372, 374

Bolivia Web Photo Gallery: 46

Brindicci, Marcos/Reuters/Corbis: 348

Burstein Collection/Corbis: 435

Butchovsky-Houser, Jan/Corbis: 118 (t)

Butow, David/Corbis: 407

Cardoso, Fabio/Corbis: 330 (t)

Christie's Images/Corbis: 422

Clevenger, Steve/Corbis: 114

Cohen, Stuart/The Image Works: 315

Cole, Michael/Corbis: 335

Colita/Corbis: 428

Comstock/Royalty Free: 145 (b)

Comstock Select/Corbis: 302 (b)

Contographer/Corbis: 220

Cooke, Richard A./Corbis: 469

Cooper, Andrew/Columbia/Spyglass/Bureau L.A. Collection/Corbis: 175, 260

Cooper, Ashley/Corbis: 426

Corbis/Royalty Free: 2 (b), 3, 8, 23, 28 (t, b), 34 (t, b), 48 (t, c), 59, 60 (t, c), 69, 74, 85, 91, 102, 124 (t), 137, 145(c), 155, 170 (t), 172 (b), 176 (t, c), 177, 193, 267 (t), 287, 326, 337, 354, 360 (c), 361, 364 (t), 368, 380, 383, 391 (c, b), 392, 393, 404, 410, 412, 420 (b), 423 (b)

Corbis Sygma: 454

Corral Vega, Pablo/Corbis: 381

Cuevas, Gustavo/epa/Corbis: 215

Daemmrich, Bob/PhotoEdit: 93

Dalmau, Andreu/epa/Corbis: 457

Dannemiller, Keith/Corbis: 88 (c), 160, 371

del Pozo, Marcelo/Reuters/Corbis: 232, 359

Denny, Mary Kate/PhotoEdit: 430

Duomo/Corbis: 304 (b)

Elias, Nir/Reuters/Corbis: 450 (b)

Englebert, Victor: 32 (t)

Epa/Corbis: 249

Faris, Randy/Corbis: 304 (t)

Folkks, Rufus F./Corbis: 212

Footstock: 267 (b)

Fraile, Victor/Reuters/Corbis: 330 (b)

Francisco, Timothy: 195

Franken, Owen/Corbis: 120, 124 (b), 130, 132, 158, 323, 331 (b)

Fredrickson, Allen/Reuters/Corbis: 205 (b)

Fried, Robert: 1, 12, 13, 27, 117, 119, 131, 189, 447

Friedman, Rick/Corbis, 72

Fuste Raga, José/Corbis: 451

Gambarini, Maurizio/dpa/Corbis: 100

Gea, Albert/Reuters/Corbis: 236 (t)

Getty Images: 395

Glumak, Ben: 79

Goldberg, Beryl: 32 (r)

Greenberg, Jeff/PhotoEdit: 89, 271

Guillen, J.J./epa/Corbis: 16

Hellier, Chris/Corbis: 251, 252

Henley, John/Corbis: 60 (b),

Hillery, John/Reuters/Corbis: 415

Horner, Jeremy/Corbis: 106

Houghton, Kit/Corbis: 156

Houser, Dave G./Corbis: 9

Jarman, Janet/Corbis: 55
Jenner, Michael/Corbis: 145 (t)

Kalis, Heino/Reuters/Corbis: 366
Karnow, Catherine: 138 (t)
Kashi, Ed/Corbis: 294
Kolesidis, John/Reuters/Corbis: 330 (c)
Krist, Bob/Corbis: 146 (t)

La Feria Internacional del Libro de Guadalajara: 235
Lamont, Dan/Corbis: 364 (b)
Lehman, Danny/Corbis: 146 (b), 378
Lemmens, Frans/zefa/Corbis: 170 (b)
Lérida, Manuel/Corbis: 39
Lewis, Barry/Corbis: 472
Leynse, James/Corbis: 362
Lovell, Craig/Corbis: 164

Manning, Lawrence/Corbis: 61
Martin, Julian/EFE/Corbis: 475
Mason, Leo/Corbis: 344
Mayer, Francis G./Corbis: 437, 453
McCarthy, Tom & Dee Ann/Corbis: 263
McCormick, Howie/Icon SMI/Corbis: 306
McNamee, Wally/Corbis: 311
Montserrat, Odile/Sygma/Corbis: 238
Moos, Viviane/Corbis: 167

Neleman, Hans/zefa/Corbis: 331 (t)
Newman, Michael/PhotoEdit: 284
Nicholson, Lucy/Reuters/Corbis: 308

Onorati, Claudio/epa/Corbis: 340
Orban, Thierry/Corbis: 273

Pacho, Sonja /zefa/Corbis: 68
Palmer, Gabe/Corbis: 360 (t)
Peirini, Javier/Corbis: 420 (c)
Perrin, Pierre; Gerard Rancinan/Sygma/Corbis: 316
Peterson, Chip and Rosa Maria de la Cueva: 71, 476
Photodisc Red/Getty Images: 2 (c)

Picture Finders Ltd./eStock Photo: 2 (t)
Prevosto,Olivier/TempSport/Corbis: 339

Quail, Louis/Corbis: 312

Ragazzini, Enzo & Paolo: 138 (b)
Rain, Andy/epa/Corbis: 341, 419
Rangel, Francisco: 172 (t)
Ressmeyer, Roger/Corbis: 461
Reuters/Corbis: 205 (tl, tr), 217, 218, 236 (b), 246, 277, 302 (t, c), 313, 325, 346, 444, 471
Reuters NewMedia Inc./Corbis: 309

Saloutos, Pete/Corbis: 301
Salter, Jeffery Allan/Corbis Saba: 443
Sciarrino, Robert/Star Ledger/Corbis: 269
Shugerman, Stephen/Getty Images: 44
Simson, David: 37 (b), 176 (b), 421
Sitton, Hugh/zefa/Corbis: 56
Skelley, Ariel/Corbis: 88 (t)
Souders, Paul/Corbis: 466
Spencer, Grant/PhotoEdit: 267 (c)
StockXchange, RoyaltyFree: 468
Strewe, Oliver/Lonely Planet Images: 424
Superstock: 360 (b), 438

Time & Life Pictures/Getty Images: 236 (c)
Tinkus Cochambamba: 97
Tourist Office of Spain: 118 (c, b), 122
Trapper, Frank/Corbis: 113
Trotman, Chris/NewSport/Corbis: 310
Turnley, David/Corbis: 153

Vidal, Miguel/Reuters/Corbis: 387
Vidler, Steven/Eurasia Press/Corbis: 455

Wells, David H./Corbis: 96
Wheeler, Nik/Corbis: 152
Wilson, Peter M./Corbis: 142

Yamashita, Michael S./Corbis: 391 (t)
Young-Wolff, David/PhotoEdit: 450 (t)